U0709908

中國國家圖書館編

國家圖書館藏敦煌遺書

第十一冊　北敦〇〇七六〇號——北敦〇〇八二五號

北京圖書館出版社

圖書在版編目(CIP)數據

國家圖書館藏敦煌遺書·第十一册/中國國家圖書館編;任繼愈主編.—北京:北京圖書館出版社,2005.12

ISBN 7-5013-2953-2

Ⅰ.國… Ⅱ.①中…②任… Ⅲ.敦煌學—文獻 Ⅳ.K870.6

中國版本圖書館 CIP 數據核字(2005)第 136367 號

書　　名　國家圖書館藏敦煌遺書·第十一册
著　　者　中國國家圖書館編　任繼愈主編
責任編輯　徐　蜀　孫　彦
封面設計　李　璀

出　　版　北京圖書館出版社　(100034　北京西城區文津街 7 號)
發　　行　010-66139745　66151313　66175620　66126153
66174391(傳真)　66126156(門市部)
E-mail　cbs@nlc.gov.cn(投稿)　btsfxb@nlc.gov.cn(郵購)
Website　www.nlcpress.com
經　　銷　新華書店
印　　刷　北京文津閣印務有限責任公司

開　　本　八開
印　　張　51.75
版　　次　2005 年 12 月第 1 版第 1 次印刷
印　　數　1-150 册(套)

書　　號　ISBN 7-5013-2953-2/K·1236
定　　價　990.00 圓

編輯委員會

主　　編　任繼愈
常務副主編　方廣錩
副 主 編　李際寧　張志清
編委（按姓氏筆畫排列）　王克芬　王姿怡　吳玉梅　胡新英　陳　穎　黄　霞（常務）　劉玉芬

出版委員會

主　任　詹福瑞
副主任　陳　力
委　員（按姓氏筆畫排列）　李　健　姜　紅　郭又陵　徐　蜀　孫　彦

攝製人員（按姓氏筆畫排列）

于向洋　王富生　王遂新　谷韶軍　張　軍　張紅兵　張　陽　曹　宏　郭春紅　楊　勇　嚴　平

目錄

妙意菩薩曰眼色為二若知眼性於色不貪
不恚不癡是名寂滅如是耳聲鼻香舌味身
觸意法為二若知意性於不貪不恚不癡
是名寂滅安住其中是為入不二法門
无盡意菩薩曰布施迴向一切智為二布施
性即是迴向一切智性如是持戒忍辱精進禪
定智慧迴向一切智為二智慧性即是迴
向一切智性於其中入一相者是為入不二法
門
深慧菩薩曰是空是无相是无作為二空即
无相无相即无作若空无相作則无心意識
於一切解脫門即是三解脫門者是為入不
二法門
寂根菩薩曰佛法衆為二佛即是法法即是
衆是三寶皆无為相與虛空等一切法亦尒
能隨此行者是為入不二法門
心无閡菩薩曰身身為二身即是身滅 所以
者何見身實相者不起見身及以滅身身
與滅身无二无分別於其中不驚不懼者是
為入不二法門
上善菩薩曰身口意善為二是三業皆无作

與滅身无二无分別於其中不驚不懼者是
為入不二法門
上善菩薩曰身口意善為二是三業皆无作
相身无作相即口无作相口无作相即意无作
相是三業无相即一切法无作相能如是
隨无作慧者是為入不二法門
福田菩薩曰福行罪行不動行為二三行實
性即是空空則无福行无罪行无不動行於
此三行而不起者是為入不二法門
華嚴菩薩曰從我起二為二見我實相者不
起二法若不住二法則无有識无所識者是
為入不二法門
德藏菩薩曰有所得相為二若无所得則无
取捨无取捨者是為入不二法門
月上菩薩曰闇與明為二无闇无明則无有
二所以者何如入滅受想定无闇无明一切
法相亦復如是於其中平等入者是為入不
二法門
寶印手菩薩曰樂涅槃不樂世間為二若不
樂涅槃不猒世間則无有二所以者何若有
縛則有解若本无縛其誰求解无縛无解
則无樂猒是為入不二法門
珠頂王菩薩曰正道邪道為二住正道者則
不分別是邪是正離此二者是為入不二法
門
樂實菩薩曰實不實為二實見者尚不見實

不分別是耶是正離此二者是爲入不二法
門
樂實菩薩曰實不實爲二實見者尚不見實
何況非實所以者何非肉眼所見慧眼乃能見
而此慧眼无見无不見是爲入不二法門
如是諸菩薩各各說已問文殊師利何等是
菩薩入不二法門文殊師利曰如我意者於
一切法无言无說无示无識離諸問答是爲
入不二法門
於是文殊師利問維摩詰言我等各自說已仁
者當說何等是菩薩入不二法門時維摩詰
黙然无言文殊師利歎曰善哉善哉乃至无
有文字語言是真入不二法門說是入不二
法門時於此衆中五千菩薩皆入不二法門
得无生法忍

維摩詰經卷中

BD00760號　維摩詰所說經卷中　（4–3）

者當說何等是菩薩入不二法門時維摩詰
黙然无言文殊師利歎曰善哉善哉乃至无
有文字語言是真入不二法門說是入不二
法門時於此衆中五千菩薩皆入不二法門
得无生法忍

維摩詰經卷中

BD00760號　維摩詰所說經卷中　（4–4）

一切衆　　　　侍
切衆魔及諸外道皆吾
者樂生死菩薩於生死而不捨外道者樂諸
見菩薩於ㄙ見□動文殊師利言居士所
疾爲何等相維摩詰言我病无形不可見又
問此病身合耶心合耶荅曰非身合身相離
故亦非心合心如幻故又問地大水大火大
風大於此四大何大之病荅曰是病非地大
亦不離地大水火風大亦復如是而衆生病
從四大起以其有病是故我病尒時文殊師
利問維摩詰言菩薩云何慰喻有疾菩薩維
摩詰言說身无常不說猒離於身說身有苦
不說樂於涅槃說身无我而說教導衆生說
身空寂不說畢竟寂滅說悔先罪而不說入
〻過去以己之疾愍於彼疾當識宿世无數
劫苦當念饒益一切衆生憶所脩福念於淨
命勿生憂惱常起精進當作醫王療治衆
病菩薩應如是慰喻有疾菩薩令其歡喜文殊
師利言居士有疾菩薩云何調伏其心維摩
詰言有疾菩薩應作是念今我此病皆從前
世妄想顛倒諸煩惱生无有實法誰受病者
所以者何四大合故假名爲身四大无主身
亦无我又此病起皆由着我是故於我不應
生着既知病本即除我想及衆生想當起法
想應作是念但以衆法合成此身起唯法起

BD00761號　維摩詰所說經卷中　（22–1）

所以者何四大合故假名爲身四大无主身
亦无我又此病起皆由着我是故於我不應
生着既知病本即除我想及衆生想當起法
想應作是念但以衆法合成此身起唯法起
滅唯法滅又此法者各不相知起時不言我
起滅時不言我滅彼有疾菩薩爲滅法想當
作是念此法想者亦是顛倒顛倒者即是大
患我應離之云何爲離離我我所云何離我
我所謂離二法云何離二法謂不念内外諸
法行於平等云何平等謂我等涅槃等所以
者何我及涅槃此二皆空何以爲空但以名
字故空如此二法无决定性得是平等无有
餘病唯有空病空病亦空是有疾菩薩以无
所受而受諸受未具佛法亦不滅受而取證
也設身有苦念惡趣衆生起大悲心我既調
伏亦當調伏一切衆生但除其病而不除法
爲斷病本而教導之何謂病本謂有攀緣從
有攀緣則爲病本何所攀緣謂之三界云何
斷攀緣以无所得若无所得則无攀緣何謂
无所得謂二見何謂二見謂内見外見是无所
得文殊師利是爲有疾菩薩調伏其心爲斷
老病死苦是菩薩菩提不如是已所脩治
爲无慧利譬如勝怨乃可爲勇如是兼除
老病死者菩薩之謂也彼有疾菩薩應復作
是念如我此病非真非有衆生病亦非真非
有作是觀時於諸衆生若起愛見大悲即應
捨離所以者何菩薩斷除客塵煩惱而起大
悲愛見悲者則於生死有疲猒心若能離此

BD00761號　維摩詰所說經卷中　（22–2）

是念如我此病非真非有衆生病亦非真非
有作是觀時於諸衆生若起愛見大悲即應
捨離所以者何菩薩斷除客塵煩惱而起大
悲愛見悲者則於生死有疲厭心若能離此
无有疲厭在在所生不為愛見之所覆也所
生无縛能為衆生說法解縛如佛所說若自
有縛能解彼縛无有是處若自无縛能解彼
縛斯有是處是故菩薩不應起縛何謂縛何
謂解貪著禪味是菩薩縛以方便生是菩薩
解又无方便慧縛有方便慧解无慧方便縛
有慧方便解何謂无方便慧縛謂菩薩以愛
見心莊嚴佛土成就衆生於空无相无作法
中而自調伏是名无方便慧縛何謂有方便
慧解謂不以愛見心莊嚴佛土成就衆生於
空无相无作法中以自調伏而不疲厭是名
有方便慧解何謂无慧方便縛謂菩薩住貪
欲瞋恚邪見等諸煩惱而殖衆德本是名无
慧方便縛何謂有慧方便解謂離諸貪欲瞋
恚邪見等諸煩惱而殖衆德本迴向阿耨多
羅三藐三菩提是名有慧方便解文殊師利
彼有疾菩薩應如是觀諸法又復觀身无常
苦空无我是名為慧雖身有疾常在生死饒
益一切而不猒惓是名方便又復觀身身不
離病病不離身是病是身非新非故是名為
慧設身有疾而不永滅是名為便文殊師利
有疾菩薩應如是調伏其心不住其中亦復
不住不調伏心所以者何若住不調伏心是愚
人法若住調伏心是聲聞法是故菩薩不當

住於調伏不調伏心離此二法是菩薩行在
於生死不為汙行住於涅槃不永滅度是
菩薩行非凡夫行非賢聖行是菩薩行非垢
行非淨行是菩薩行雖過魔行而現降伏衆
魔是菩薩行求一切智无非時求是菩薩行雖
觀諸法不生而不入正位是菩薩行雖觀十
二緣起而入諸邪見是菩薩行雖攝一切衆
生而不愛著是菩薩行雖樂遠離而不依身
心盡是菩薩行雖行三界而不壞法性是菩
薩行雖行於空而殖衆德本是菩薩行雖行
无相而度衆生是菩薩行雖行无作而現受
身是菩薩行雖行无起而起一切善法是菩薩
行雖行六波羅蜜而遍知衆生心心數法是
菩薩行雖行六通而不盡漏是菩薩行雖行
四无量心而不貪著生於梵世是菩薩行雖
行禪定解脫三昧而不隨禪生是菩薩行雖
行四念處而不永離身受心法是菩薩行雖
行四正勤而不捨身心精進是菩薩行雖行
四如意足而得自在神通是菩薩行雖行五
根而分別衆生諸根利鈍是菩薩行雖行五
力而樂求佛十力是菩薩行雖行七覺分而
分別佛之智慧是菩薩行雖行八正道而樂
行无量佛道是菩薩行雖行止觀助道之法
而不畢竟墮於寂滅是菩薩行雖行諸法不
生不滅而以相好莊嚴其身是菩薩行雖現
聲聞辟支佛威儀而不捨佛法是菩薩行雖

行分別佛之智慧是菩薩行雖行八正道而樂
行无量佛道是菩薩行雖行止觀助道之法
而不畢竟隨於寂滅是菩薩行雖行諸法不
生不滅而以相好莊嚴其身是菩薩行雖現
聲聞辟支佛威儀而不捨佛法是菩薩行雖
隨諸法究竟淨相而隨所應為現其身是菩
薩行雖觀諸佛國土永寂如空而現種種清
淨佛土是菩薩行雖得佛道轉于法輪入於
涅槃而不捨於菩薩之道是菩薩行說是語
時文殊師利所將大眾其中八千天子皆發
阿耨多羅三藐三菩提心

維摩詰不思議品第六

尒時舍利弗見此室中无有牀坐作是念斯
諸菩薩大弟子眾當於何坐長者維摩詰知
其意語舍利弗言云何仁者為法來耶求牀
坐耶舍利弗言我為法來非為牀坐維摩詰
言唯舍利弗夫求法者不貪軀命何況牀坐
夫求法者非有色受想行識之求非有界入
之求非有欲色无色之求唯舍利弗夫求法
者不着佛求不着法求不着眾求夫求法者
无見苦求无斷集求无造盡證脩道之求
所以者何法无戲論若言我當見苦斷集證滅
脩道是則戲論非求法也唯舍利弗法名寂
滅若行生滅是求生滅非求法也法名无染
若染於法乃至涅槃是則染着非求法也法
无行處若行於法是則行處非求法也法无
取捨若取捨法是則取捨非求法也法无處
所若着處所是則着處非求法也法名无相

BD00761 號　維摩詰所說經卷中　（22–5）

若染於法乃至涅槃是則染着非求法也法
无行處若行於法是則行處非求法也法无
取捨若取捨法是則取捨非求法也法无處
所若着處所是則着處非求法也法名无相
若隨相識是則求相非求法也法不可住若
住於法是則住法非求法也法不可見聞覺
知若行見聞覺知是則見聞覺知非求法也
法名无為若行有為是求有為非求法也是
故舍利弗若求法者於一切法應无所求說
是法時五百天子於諸法中得法眼淨
尒時長者維摩詰問文殊師利仁者遊於无
量千萬億阿僧祇國何等佛土有好上妙功
德成就師子之座文殊師利言居士東方度
三十六恒河沙國有世界名須弥相其佛号
須弥燈王今現在彼佛身長八万四千由旬
其師子座高八万四千由旬嚴飾第一於是
長者維摩詰現神通力即時彼佛遣三万二
千師子之座高廣嚴淨來入維摩詰室諸菩
薩大弟子釋梵四天王等昔所未見其室廣
博悉皆苞容三万二千師子座无所妨礙於毗
耶離城及閻浮提四天下亦不迫迮悉見如故
尒時維摩詰語文殊師利就師子座與諸菩
薩上人俱坐當自立身如彼坐像其得神通
菩薩即自變形為四万二千由旬坐師子座
諸新發意菩薩及大弟子皆不能昇尒時維
摩詰語舍利弗就師子坐舍利弗言居士此
座高廣吾不能昇維摩詰言唯舍利弗為須
弥燈王如來作禮乃可得坐於是新發意菩

BD00761 號　維摩詰所說經卷中　（22–6）

摩詰語舍利弗就師子坐舍利弗言居士此
座高廣吾不能昇維摩詰言唯舍利弗爲須
弥燈王如来作礼乃可得坐於是新發意菩
薩及大弟子即爲須弥燈王如来作礼便得
坐師子座舍利弗言居士未曾有也如是小
室乃容受此高廣之座於毗耶離城无所妨
礙又於閻浮提聚落城邑及四天下諸天龍
王鬼神宮殿亦不迫迮維摩詰言唯舍利弗
諸佛菩薩有解脫名不可思議若菩薩住是
解脫者以須弥之高廣内芥子中无所增減
須弥山王本相如故而四天王忉利諸天不覺
不知己之所入唯應度者乃見須弥入芥子
中是名不可思議解脫法門又以四大海
水入一毛孔不嬈魚鼈黿鼉水性之屬而彼
大海本相如故諸龍鬼神阿脩羅等不覺不
知己之所入於此衆生亦无所嬈又舍利弗
住不可思議解脫菩薩斷取三千大世界
如陶家輪着右掌中擲過恒河沙世界之外
其中衆生不覺不知己之所往又復還置本
處都不使人有往來想而此世界本相如故
又舍利弗或有衆生樂久住世而可度者菩
薩即演七日以爲一劫令彼衆生謂之一劫
或有衆生不樂久住而可度者菩薩促即一
劫以爲七日令彼衆生謂之七日又舍利弗
住不可思議解脫菩薩以一切佛土嚴飾之
事集在一國示於衆生又菩薩以一佛土衆
生置之右掌飛到十方遍示一切而不動本

BD00761號　維摩詰所説經卷中　（22–7）

住不可思議解脫菩薩以一切佛土嚴飾之
事集在一國示於衆生又菩薩以一佛土衆
生置之右掌飛到十方遍示一切而不動本
處又舍利弗十方衆生供養諸佛之具菩薩
於一毛孔皆令得見又十方國土所有日月
星宿於一毛孔普使見之又舍利弗十方世界
所有諸風菩薩悉能吸着口中而身无損外
諸樹木亦不摧折又十方世界劫盡燒時以
一切火内於腹中火事如故而不爲害又於
下方過恒河沙等諸佛世界一佛土舉着
上方過恒河沙无數世界如持針鋒舉一棗
葉而无所嬈又舍利弗住不可思議解脫菩
薩能以神通現作佛身或現辟支佛身或
現聲聞身或現帝釋身或現梵王身或現
世主身或現轉輪王身又十方世界所有衆聲
上中下音皆能變之令作佛聲演出无常苦
空无我之音及十方諸佛所說種種之法皆
於其中普令得聞舍利弗我今略說菩薩不
可思議解脫之力若廣說者窮劫不盡是時
大迦葉聞說菩薩不可思議解脫法門歎未
曾有謂舍利弗譬如有人於盲者前現衆色
像非彼所見一切聲聞聞是不可思議解脫法
門不能解了爲若此也智者聞是其誰不發
阿耨多羅三藐三菩提心我等何爲永絶其
根於此大乘猶如敗種一切聲聞聞是不可思
議解脫法門皆應號泣聲震三千大千世
界一切菩薩應大欣慶頂受此法若有菩薩

BD00761號　維摩詰所説經卷中　（22–8）

門不能解了爲若此也智者聞是其誰不發
阿耨多羅三藐三菩提心我等何爲永絶其
根於此大乘猶如敗種一切聲聞聞是不可思
議解脫法門皆應號泣聲震三千大千世
界一切菩薩應大欣慶頂受此法若有菩薩
信解此不可思議解脫法門者一切魔衆无如
之何大迦葉說是語時三萬二千天子皆發阿
耨多羅三藐三菩提心尒時維摩詰語大
迦葉仁者十方无量阿僧祇世界中作魔王
者多是住不可思議解脫菩薩以方便力教
化衆生現作魔王又迦葉十方无量菩薩或
有人從乞手足耳鼻頭目髓腦血肉皮骨聚
落城邑妻子奴婢象馬車乘金銀瑠璃車𤦲
馬瑙珊瑚虎珀真珠珂貝衣服飲食如此乞
者多是住不可思議解脫菩薩以方便力而
往試之令其堅固所以者何住不可思議解
脫菩薩有威德力故行逼迫示諸衆生如是
難事凡夫下劣无有力勢不能如是逼迫菩
薩譬如龍象蹴踏非驢所堪是名住不可思
議解脫菩薩智慧方便之門
維摩詰觀衆生品第七
尒時文殊師利問維摩詰言菩薩云何觀於
衆生維摩詰言譬如幻師見所幻人菩薩觀
衆生爲若此如智者見水中月如鏡中見其
面像如熱時焰如呼聲響如空中雲如水聚
沫如水上泡如芭蕉堅如電久住如第五大
如第六陰如第七情如十三入如十九界菩
薩觀衆生爲若此如无色界色如燋穀牙如

面像如熱時焰如呼聲響如空中雲如水聚
沫如水上泡如芭蕉堅如電久住如第五大
如第六陰如第七情如十三入如十九界菩
薩觀衆生爲若此如无色界色如燋穀牙如
須陁洹身見如阿那含入胎如阿羅漢三毒
如得忍菩薩貪恚毀禁如佛煩惱習如盲者
見色如入滅盡定出入息如空中鳥跡如石
女兒如化人煩惱如夢所見已寤如滅度者
受身如无烟之火菩薩觀衆生爲若此也
文殊師利言若菩薩作是觀者云何行慈 維摩
詰言菩薩作是觀已自念我當爲衆生說
如斯法是則真實慈也行寂滅慈无所生故
行不熱慈无煩惱故行等之慈等三世故行
无諍慈无所起故行不二慈内外不合故行
不壞慈畢竟盡故行堅固慈心无毀故行清
淨慈諸法性淨故行无邊慈如虛空故行阿
羅漢慈破結賊故行菩薩慈安衆生故行如
來慈得如相故行佛之慈覺衆生故行自然
慈无因得故行菩提慈等一味故行无等慈
斷諸愛故行大悲慈導以大乘故行无猒
慈觀空无我故行法施慈无遺惜故行持戒慈化
毀禁故行忍辱慈護彼我故行精進慈荷負
衆生故行禪定慈不受味故行智慧慈无不
知時故行方便慈一切示現故行无隱慈直
心清淨故行深心慈无雜行故行无誑慈不
虛假故行安樂慈令得佛樂故菩薩之慈爲
若此也

虛假故行安樂慈令得佛樂故菩薩之慈爲
若此也
文殊師利又問何謂爲悲答曰菩薩所作功德
皆與一切衆生共之何謂爲喜答曰有所饒
益歡喜无悔何謂爲捨答曰所作福祐无
所悕望文殊師利又問生死有畏菩薩當何
所依維摩詰言菩薩於生死畏中當依如來
功德之力文殊師利又問菩薩欲依如來功
德之力當依何住答曰菩薩欲依如來功德
力者當住度脫一切衆生又問欲度衆生當
何所除答曰欲度衆生除其煩惱又問欲除
煩惱當何所行答曰當行正念又問云何行
於正念答曰當行不生不滅又問何法不生
何法不滅答曰不善不生善法不滅又問善
不善孰爲本答曰身爲本又問身孰爲本答
曰貪欲爲本又問貪欲孰爲本答曰虛妄分
別爲本又問虛妄分別孰爲本答曰顛倒想
爲本又問顛倒想孰爲本答曰无住爲本又
問无住孰爲本答曰无住則无本文殊師利
從无住本立一切法
時維摩詰室有一天女見諸大人聞所說法
便現其身即以天華散諸菩薩大弟子上華
至諸菩薩即皆墮落至大弟子便著不墮一
切弟子神力去華不能令去尒時天問舍利
弗何故去華答曰此華不如法是以去之天
曰勿謂此華爲不如法所以者何是華无所
分別仁者自生分別想耳若於佛法出家有

切弟子神力去華不能令去尒時天問舍利
弗何故去華答曰此華不如法是以去之天
曰勿謂此華爲不如法所以者何是華无所
分別仁者自生分別想耳若於佛法出家有
所分別爲不如法若无分別是則如法觀諸
菩薩華不著者以斷一切分別想故譬如人
畏時非人得其便如是弟子畏生死故色聲
香味觸得其便已離畏者一切五欲无能爲
也結習未盡華著身耳結習盡者華不著
也舍利弗言天止此室其已久如答曰我止此室
如耆年解脫舍利弗言止此久也天曰耆年
解脫亦何如久舍利弗默然不答天曰如
何耆舊大智如默答曰解脫者无所言說
故吾於是不知所云天曰言說文字皆解脫相
所以者何解脫者不內不外不在兩間文字
亦不內不外不在兩間是故舍利弗无離文
字說解脫也所以者何一切諸法是解脫相
舍利弗言不復以離婬怒癡爲解脫乎天曰
佛爲增上慢人說離婬怒癡爲解脫耳若无
增上慢者佛說婬怒癡性即是解脫舍利弗
言善哉善哉天女汝何所得以何爲證辯乃
如是天曰我无得无證故辯如是所以者何
若有得有證者則於佛法爲增上慢
舍利弗問天汝於三乘爲何志求天曰以聲
聞法化衆生故我爲聲聞以因緣法化衆生
故我爲辟支佛以大悲化衆生故我爲大乘
舍利弗如人入瞻蔔林唯嗅瞻蔔不嗅餘香

舍利弗問天汝於三乘爲何志求天曰以聲
聞法化衆生故我爲聲聞以因緣法化衆生
故我爲辟支佛以大悲化衆生故我爲大乘
舍利弗如人入瞻蔔林唯嗅瞻蔔不嗅餘香
如是若入此室但聞佛功德之香不樂聲聞
辟支佛功德香也舍利弗其有釋梵四天王諸
天龍鬼神等入此室者聞斯上人講說正法
皆樂佛功德之香發心而出舍利弗吾止此
室十有二年初不聞說聲聞辟支佛法但聞
菩薩大慈大悲不可思議諸佛之法舍利弗
此室常現八未曾有難得之法何等爲八此
室常以金色光照晝夜无異不以日月所照
爲明是爲一未曾有難得之法此室入者不
爲諸垢之所惱也是爲二未曾有難得之
法此室常有釋梵四天王他方菩薩來會不
絕是爲三未曾有難得之法此室常說六波
羅蜜不退轉法是爲四未曾有難得之法此
室常作天人第一之樂絃出无量法化之聲
是爲五未曾有難得之法此室有四大藏衆
寶積滿周窮濟乏求得无盡是爲六未曾
有難得之法此室釋迦牟尼佛阿彌陀佛阿
閦佛寶德寶炎寶月寶嚴難勝師子響一
切利成如是等十方无量諸佛是上人念時即
爲來廣說諸佛秘要法藏說已還去是爲七
未曾有難得之法此室一切諸天嚴飾宮殿
諸佛淨土皆於中現是爲八未曾有難得之

爲來廣說諸佛秘要法藏說已還去是爲七
未曾有難得之法此室一切諸天嚴飾宮殿
諸佛淨土皆於中現是爲八未曾有難得之
法舍利弗此室常現八未曾有難得之法誰
有見斯不思議事而復樂於聲聞法乎
舍利弗言汝何以不轉女身天曰我從十二年
來求女人相了不可得當何所轉譬如幻師
化作幻女若有人問何以故不轉女身是人
爲正問不舍利弗言不也幻无定相當何所
轉天曰一切諸法亦復如是无有定相云何
乃問不轉女身即時天女以神通力變舍利
弗令如天女天自化身如舍利弗而問言何
以不轉女身舍利弗以天女像而答言我今
不知何轉而變爲女身天曰舍利弗若能
轉此女身則一切女人亦當能轉如舍利弗非
女而現女身一切女人亦復如是雖現女身
而非女也是故佛說一切諸法非男非女即
時天女還攝神力舍利弗身還復如故天問
舍利弗女身色相今何所在舍利弗言女身
色相无在无不在天曰一切諸法亦復如是
无在无不在夫无在无不在者佛所說也舍
利弗問天曰汝於此沒當生何所天曰佛化所
生吾如彼生曰佛化所生非沒生也天曰衆
生猶然无沒生也舍利弗問天汝久如當得
阿耨多羅三藐三菩提天曰如舍利弗還爲
凡夫我乃當成阿耨多羅三藐三菩提舍利
弗言我作凡夫无有是處天曰我得阿耨多

阿耨多羅三藐三菩提天曰如舍利弗還爲
凡夫我乃當成阿耨多羅三藐三菩提舍利
弗言我作凡夫无有是處天曰我得阿耨多
羅三藐三菩提亦无是處所以者何菩提无
住處是故无有得者舍利弗言今諸佛得
阿耨多羅三藐三菩提已得當得如恒河沙皆
謂何乎天曰皆以世俗文字數故說有三世
非謂菩提有去來今天曰舍利弗汝得阿羅
漢道耶曰无所得故而得天曰諸佛菩薩亦
復如是无所得故而得尒時維摩詰語舍利
弗是女曾已供養九十二億佛已能遊戲菩
薩神通所願具足得无生忍住不退轉以本
願故隨意能現教化衆生

維摩詰佛道品第八

尒時文殊師利問維摩詰言菩薩云何通達
佛道維摩詰言若菩薩行於非道是爲通達
佛道又問云何菩薩行於非道荅曰若菩薩
行五无間而无惱恚至于地獄无諸罪垢至
于畜生无有无明憍慢等過至于餓鬼而具
足功德行色无色界道不以爲勝示行貪欲
離諸染著示行瞋恚於諸衆生无有恚閡示
行愚癡而以智慧調伏其心示行慳貪而捨
内外所有不惜身命示行毀禁而安住淨戒
乃至小罪猶懷大懼示行瞋恚而常慈忍示
行懈怠而懃修功德示行亂意而常念定示
行愚癡而通達世間出世間慧示行諂僞而

乃至小罪猶懷大懼示行瞋恚而常慈忍示
行懈怠而勤修功德示行亂意而常念定示
行愚癡而通達世間出世間慧示行諂僞而
善方便隨諸經義示行憍慢而於衆生猶如
橋梁示行諸煩惱而心常清淨示入於魔而
順佛智慧不隨他教示入聲聞而爲衆生說
未聞法示入辟支佛而成就大悲教化衆生
示入貧窮而有寶手功德无盡示入形殘而
具諸相好以自莊嚴示入下賤而生佛種姓
中具諸功德示入羸劣醜陋而得那羅延身
一切衆生之所樂見示入老病而永斷病根
超越死畏示有資生而恒觀无常實无所貪
示有妻妾綵女而常遠離五欲淤泥現於
訥鈍而成就辯才揔持无失示入邪濟而以正
濟度諸衆生現遍入諸道而斷其因緣現於
涅槃而不斷生死文殊師利菩薩能如是行
於非道是爲通達佛道
於是維摩詰問文殊師利何等爲如來種文
殊師利言有身爲種无明有愛爲種貪恚癡
爲種四顛倒爲種五蓋爲種六入爲種七識
處爲種八邪法爲種九惱處爲種十不善道
爲種以要言之六十二見及一切煩惱皆是
佛種曰何謂也荅曰若見无爲入正位者不
能復發阿耨多羅三藐三菩提心譬如高原
陸地不生蓮華卑濕淤泥乃生此華如是見
无爲法入正位者終不復能生於佛法煩惱
泥中乃有衆生起佛法耳又如植種於空終
不得生糞壤之地乃能滋茂如是入无爲正

无爲法入正位者終不復能生於佛法煩惱
泥中乃有衆生起佛法耳又如植種於空終
不得生糞壤之地乃能滋茂如是入无爲正
位者不生佛法起於我見如須弥山猶能發
于阿耨多羅三藐三菩提心生佛法矣是故當
知一切煩惱爲如来種譬如不入巨海則不能
得无價寶珠如是不入煩惱大海則不能得
一切智寶
尒時大迦葉歎言善哉善哉文殊師利快說
此語誠如所言塵勞之疇爲如来種我等今
者不復堪任發阿耨多羅三藐三菩提心乃
至五无間罪猶能發意生於佛法而今我等
永不能發譬如根敗之士其於五欲不能復
利如是聲聞諸結斷者於佛法中无所復益
永不志願是故文殊師利凡夫於佛法有反
覆而聲聞无也所以者何凡夫聞佛法能起
无上道心不斷三寶正使聲聞終身聞佛
法力无所畏等永不能發无上道意尒時會中
有菩薩名普現色身問維摩詰言居士父母
妻子親戚眷屬吏民知識悉爲是誰奴婢僮
僕象馬車乘皆何所在於是維摩詰以偈答曰
智度菩薩母　方便以爲父　一切衆導師　无不由是生
法喜以爲妻　慈悲心爲女　善心誠實男　畢竟空寂舍
弟子衆塵勞　随意之所轉　道品善知識　由是成正覺
諸度法等侣　四攝爲伎女　歌詠誦法言　以此爲音樂
摠持之園苑　无漏法林樹　覺意淨妙華　解脫智慧果
八解之浴池　定水湛然滿　布以七淨華　浴此无垢人

法喜以爲妻　慈悲心爲女　善心誠實男　畢竟空寂舍
弟子衆塵勞　随意之所轉　道品善知識　由是成正覺
諸度法等侣　四攝爲伎女　歌詠誦法言　以此爲音樂
摠持之園苑　无漏法林樹　覺意淨妙華　解脫智慧果
八解之浴池　定水湛然滿　布以七淨華　浴此无垢人
象馬五通馳　大乘以爲車　調御以一心　遊於八正路
相具以嚴容　衆好飾其姿　慚愧之上服　深心爲華鬘
富有七財寶　教授以滋息　如所說修行　迴向爲大利
四禪爲牀坐　從於淨命生　多聞增智慧　以爲自覺音
甘露法之食　解脫味爲漿　淨心以澡浴　戒品爲塗香
摧滅煩惱賊　勇健无能踰　降伏四種魔　勝幡建道場
雖知无起滅　示彼故有生　悉現諸國土　如日无不見
供養於十方　无量億如来　諸佛及己身　无有分別想
雖知諸佛國　及與衆生空　而常脩淨土　教化於群生
諸有衆生類　形聲及威儀　无畏力菩薩　一時能盡現
覺知衆魔事　而示随其行　以善方便智　随意皆能現
或示老病死　成就諸群生　了知如幻化　通達无有閡
或現劫燒盡　天地皆洞然　衆人有常想　照令知无常
无數億衆生　俱来請菩薩　一時到其舍　化令向佛道
經書禁呪術　工巧諸伎藝　盡現行此事　饒益諸群生
世間衆道法　悉於中出家　因以解人惑　而不墮邪見
或作日月天　梵王世界主　或時作地水　或現作風火
劫中有疾疫　現作諸藥草　若有服之者　除病消衆毒
劫中有飢饉　現身作飲食　先救彼飢渴　却以法語人
劫中有刀兵　爲之起慈悲　化彼諸衆生　令住无諍地
若有大戰陣　立之以等力　菩薩現威勢　降伏使和安
一切國土中　諸有地獄苦　輙往到於彼　勉濟其苦惱
一切國土中　畜生相食噉　皆現生於彼　爲之作利益

劫中有刀兵　為之起慈悲　化彼諸衆生　令住无諍地
若有大戰陣　立之以等力　菩薩現威勢　降伏使和安
一切國土中　諸有地獄苦　輒往到於彼　勉濟其苦惱
一切國土中　畜生相食噉　皆現生於彼　為之作利益
示受於五欲　亦復現行禪　令魔心憒亂　不能得其便
火中生蓮華　是可謂希有　在欲而行禪　希有亦如是
或現作婬女　引諸好色者　先以欲鈎牽　後令入佛智
或為邑中主　或作商人道　國師及大臣　以祐利衆生
諸有貧窮者　現作无盡藏　因以勸導之　令發菩提心
我心憍慢者　為現大力士　消伏諸貢高　令住佛上道
其有恐懼衆　居前而慰安　先施以无畏　後令發道心
或現離婬欲　為五通仙人　開導諸群生　令住戒忍慈
見須供事者　為現作僮僕　既悅可其意　乃發以道心
隨彼之所須　得入於佛道　以善方便力　皆能給足之
如是道无量　所行无有崖　智慧无邊際　度脫无數衆
假令一切佛　於无量億劫　讚嘆其功德　猶上不能盡
誰聞如是語　不發菩提心　除彼不肖人　癡冥无智者

維摩詰入不二法門品第九

尒時維摩詰謂衆菩薩言諸仁者云何菩薩入
不二法門各隨所樂說之會中有一菩薩名
法自在說言諸仁者生滅為二法本不生今
則无滅得此无生法忍是為入不二法門
德首菩薩曰我我所為二因有我故便有我所
若无有我則无我所是為入不二法門
不眴菩薩曰受不受為二若法不受則不可
得以不可得故无取无捨无作无行是為入不
二法門

若无有我則无我所是為入不二法門
不眴菩薩曰受不受為二若法不受則不可
得以不可得故无取无捨无作无行是為入不
二法門
德頂菩薩曰垢淨為二見垢實性則无淨相
順於滅相是為入不二法門
善宿菩薩曰是動是念為二不動則无念
无念即无分別通達此者是為入不二法門
善眼菩薩曰一相无相為二若知一相即是
无相亦不取无相入於平等是為入不二法門
妙臂菩薩曰菩薩心聲聞心為二觀心相空如
幻化者无菩薩心无聲聞心是為入不二法門
弗沙菩薩曰善不善為二若不起善不善入
无相際而通達者是為入不二法門
師子菩薩曰罪福為二若達罪性則與福无
異以金剛慧決了此相无縛无解者是為入
不二法門
師子意菩薩曰有漏无漏為二若得諸法等
則不起漏不漏想不著於想亦不住无相
是為入不二法門
淨解菩薩曰有為无為為二若離一切數則
心如虛空以清淨慧无所閡者是為入不二
法門
那羅延菩薩曰世間出世間為二世間性空
即是出世間於其中不入不出不溢不散是
為入不二法門
善意菩薩曰生死涅槃為二若見生死性則
无生死无縛无解不然不滅如是解者是為

爲入不二法門
善意菩薩曰生死涅槃爲二若見生死性則
无生死无縛无解不然不滅如是解者是爲
入不二法門
現見菩薩曰盡不盡爲二法若究竟盡若不
盡皆是无盡相无盡相即是空空則无有
盡不盡相是是入者是爲入不二法門
普守菩薩曰我无我爲二我尚不可得非我
何可得見我實性者不復起二是爲入不二
法門
電天菩薩曰明无明爲二无明實性即是明
明亦不可取離一切數於中平等无二者
是爲入不二法門
喜見菩薩曰色色空爲二色則是空非色滅
空色性自空如是受想行識識空爲二識即
是空非識滅空識性自空於中其而通達者
是爲入不二法門
明相菩薩曰四種異空種異爲二四種性即是
空種性如前際後際空故中際亦空若能
如是知諸種性者是爲入不二法門
妙意菩薩曰眼色爲二若知眼性於色不貪
不恚不癡是名寂滅如是耳聲鼻香舌味身
觸意法爲二若知意性於法不貪不恚不癡
是名寂滅安住其中是爲入不二法門
无盡意菩薩曰布施迴向一切智爲二布施
性即是迴向一切智性如是持戒忍辱精進
禪定智慧迴向一切智爲二智慧性即是迴

是名寂滅安住其中是爲入不二法門
无盡意菩薩曰布施迴向一切智爲二布施
性即是迴向一切智性如是持戒忍辱精進
禪定智慧迴向一切智爲二智慧性即是迴
向一切智性於其中入一相者是爲入不二
法門
深慧菩薩曰是空是无相是无作爲二空即
无相无相即无作若空无相无作則无心意
識於一解脫門即現三解脫門者是爲入不
二法門
寂根菩薩曰佛法衆爲二佛即是法法即是
衆是三寶皆无爲相與虛空等一切法亦介
能隨此行者是爲入不二法門
心无閡菩薩曰身身滅爲二身即是身滅所
以者何見身實相者不起見身及以滅身身
與滅身无二无分別於其中不驚不懼者是
爲入不二法門
上善菩薩曰身口意善爲二是三業皆无作
相身无作相即口无作相口无作相即意无
作相是三業无作相即一切法无作相能如
是隨无作慧者是爲入不二法門
福田菩薩曰福行罪行不動行爲二三行實
性即是空空則无福行无罪行无不動行於
此三行而不起者是爲入不二法門
華嚴菩薩曰從我起二爲二見我實相者不
起二法若不住二法則无有識无[illegible]

BD00761 號背　雜寫　（1–1）

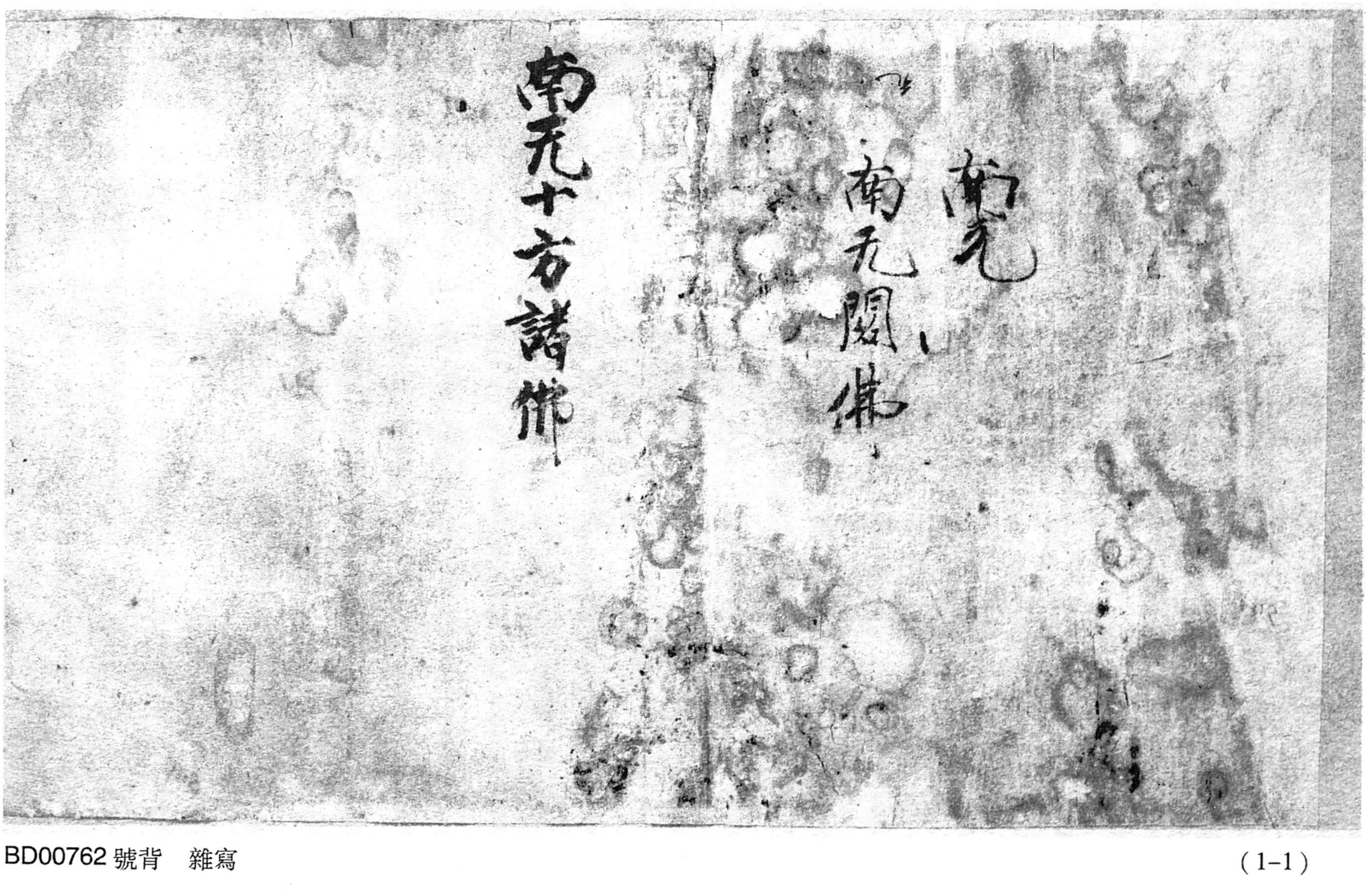

BD00762 號背　雜寫　（1–1）

大般若波羅蜜多經卷第五百卌二
第四分福門品第五之二　三藏法師玄奘奉　詔譯
復次憍尸迦若善男子善女人等教贍部洲一
切有情皆令住預流果或一來果或不還
果或阿羅漢果於意云何是善男子善女人
等由此因緣得福多不天帝釋言甚多世尊
甚多善逝佛告天帝釋言有善男子
善女人等於深般若波羅蜜多以清淨心恭敬
信受為求无上正等菩提書寫施他復為解
說於深義趣[illegible]受教誡諸有情言
汝應勤脩[illegible]深般若波羅蜜多若
能精勤脩學此道疾證无上正等菩提拔濟
无邊諸有情類令證實際諸漏永盡入无餘
依般涅槃界是善男子善女人等所獲福聚
甚多於前何以故憍尸迦一切預流一來不還
阿羅漢果皆是般若波羅蜜多所流出故彼
善男子善女人等聞深般若波羅蜜多教
受教誡精勤脩學漸次圓滿一切佛法乃至
證得一切智智化諸有情令得預流一來不
還阿羅漢果獨覺菩提趣入菩薩正性離生

BD00762 號　大般若波羅蜜多經卷五四二　（10–1）

善男子善女人等聞深般若波羅蜜多教
受教誡精勤脩學漸次圓滿一切佛法乃至
證得一切智智化諸有情令得預流一來不
還阿羅漢果獨覺菩提趣入菩薩正性離生
乃至證得佛菩提故復次憍尸迦置贍部洲
一切有情若善男子善女人等教四大洲一
切有情皆令住預流果或一來果或不還果
或阿羅漢果於意云何乃至廣說復次憍尸
迦置四大洲一切有情若善男子善女人等
教小千界一情皆令住預流果或一來
果或不還或阿羅漢果於意云何乃至廣
說復次憍尸迦置小千界一切有情若善男
子善女人等教中千界一切有情皆令住預
流果或一來果或不還果或阿羅漢果於意
云何乃至廣說復次憍尸迦置中千界一切
有情若善男子善女人等教大千界一切有
情皆令住預流果或一來果或不還果或阿
羅漢果於意云何乃至廣說復次憍尸迦置
大千界一切有情若善男子善女人等教化
十方各如殑伽沙等世界一情有皆令住
預流果或一來果或不還果或阿羅漢果於意
云何是善男子善女人等由此因緣得福多
不天帝釋言甚多世尊甚多善逝佛告
天帝釋言有善男子善女人等於深般若
波羅蜜多以清淨心恭敬信受為求无上正
等菩提書寫施他復為解說於深義趣令无
疑惑教受教誡諸有情言汝應勤脩真菩薩

BD00762 號　大般若波羅蜜多經卷五四二　（10–2）

天帝釋言有善男子善女人等於深般若
波羅蜜多以清淨心恭敬信受為求无上正
等菩提書寫施他復為解說於深義趣令无
疑惑教受教誡諸有情言汝應勤脩真菩薩
道謂深般若波羅蜜多若能精勤脩學此道
疾證无上正等菩提拔濟无邊諸有情類令
證實際諸漏永盡入无餘依般涅槃界是善
男子善女人等所獲福聚甚多於前何以故
憍尸迦一切預流一來不還阿羅漢果皆是
般若波羅蜜多所流出故彼善男子善女人等
聞深般若波羅蜜多教受教誡精勤脩學漸
次圓滿一切佛法乃至證得一切智智化有
情類令得預流一來不還阿羅漢果獨覺菩
提趣入菩薩正性離生乃至證得佛菩提故
復次憍尸迦若善男子善女人等教贍部洲
一切有情皆令安住獨覺菩提於意云何是
善男子善女人等由此因緣得福多不天帝
釋言甚多世尊甚多善逝尒時佛告天釋
帝言有善男子善女人等於深般若波羅
蜜多以清淨心恭敬信受為求无上正等菩
提書寫施他復為解說於深義趣令无疑惑
教受教誡諸情言汝應勤脩真菩薩道謂
深般若波羅蜜多若能精勤脩學此道疾證
无上正等菩提拔濟无邊諸有情類令證實
際諸漏永盡入无餘依般涅槃界是善男子
善女人等所獲福聚甚多於前何以故憍尸
迦一切獨覺所證菩提皆是般若波羅蜜多
所流出故彼善男子善女人等聞深般若波羅

BD00762號　大般若波羅蜜多經卷五四二　（10–3）

善女人等所獲福聚甚多於前何以故憍尸
迦一切獨覺所證菩提皆是般若波羅蜜多
所流出故彼善男子善女人等聞深般若波羅
羅蜜多教受教誡精勤脩學漸次圓滿一切
佛法乃至證得一切智智化有情類令得預
流一來不還阿羅漢果獨覺菩提趣入菩薩正
性離生乃至證得佛菩提故復次憍尸迦
置贍部洲一切有情若善男子善女人等教
四大洲一界切有情皆令安住獨覺菩提於意
云何乃至廣說復次憍尸迦置四大洲一切
有情若善男子善女人等小千界一切有情
皆令安住獨覺菩提於意云何乃至廣說
復次憍尸迦置小千界一切有情若善男子
善女人等教中千界一切有情皆令安住獨
覺菩提於意云何乃至廣說復次憍尸迦置
中千界一切有情若善男子善女人等教大
千界一切有情皆令安住獨覺菩提於意云
何乃至廣說復次憍尸迦置大千界一切有
情若善男子善女人等普教十方各如殑伽沙
等世界一切有情皆令安住獨覺菩提於意
云何是善男子善女人等由此因緣得福多
不天帝釋言甚多世尊甚多善逝尒時佛告
天帝釋言有善男子善女人等於深般若波
羅蜜多以清淨心恭敬信受為求无上正等
菩提書寫施他復為解說於深義趣令无疑
惑教受教誡諸有情言汝應勤脩真菩薩道
謂深般若波羅蜜多若能精勤脩學此道疾

BD00762號　大般若波羅蜜多經卷五四二　（10–4）

菩提書寫施他復爲解說於深義趣令无疑
惑教受教誡諸有情言汝應勤循真菩薩道
謂深般若波羅蜜多能精勤脩學此道疾
證无上正等菩提拔濟无邊諸有類令證
實際諸漏永盡入无餘依般涅槃界是善男
子善女人等所獲福聚甚多於前何以故憍
尸迦一切獨覺所證菩提皆是般若波羅蜜
多所流出故彼善男子善女人等聞深般若
波羅蜜多教受教誡精勤脩學漸次圓滿一
切佛法乃至證得一切智智化有情類令得
預流一來不還阿羅漢果獨覺菩提趣入菩
薩正性離生乃至證得佛菩提故
復次憍尸迦若善男子善女人等教贍部洲
諸有情類皆發无上正等覺心於意云何是
善男子善女人等由此因緣得福多不天帝釋
言甚多世尊甚多善逝尒時佛告天帝釋
言有善男子善女人等書寫深般若波羅蜜多
衆寶莊嚴供養恭敬尊重讚歎轉施與一已
發无上菩提心者受持讀誦復作是言來善
男子汝當於此甚深般若波羅蜜多至心聽
聞受持讀誦令善通利如理思惟隨此法門
應正信解若正信解則能修學甚深般若波
羅蜜多若能修學甚深般若波羅蜜多則能
證得一切智智若能證得一切智法則脩般
若波羅蜜多疾得圓滿若脩般若波羅蜜多
疾得圓滿便能證得一切智智是善男子善
女人等所獲福聚甚深多於前復次憍尸迦置贍

BD00762號　大般若波羅蜜多經卷五四二　（10–5）

若波羅蜜多疾得圓滿若脩般若波羅蜜多
疾得圓滿便能證得一切智智是善男子善
女人等所獲福聚甚深多於前復次憍尸迦置贍
部洲諸有情類若善男子善女人等教四大
洲諸有情類皆發无上正等覺心於意云
何乃至廣說復次憍尸迦置四大洲諸有情
類若善男子善女人等教小千界諸有情類
皆發无上正等覺心於意云何乃至廣說復
次憍尸迦置小千界諸有情類若善男子善
女人等教中千界諸有情類皆發无上正等
覺心於意云何乃至廣說復次憍尸迦置中
千界諸有情類若善男子善女人等教大千
界諸有情類皆發无上正等覺心於意云何
乃至廣說復次憍尸迦置大千界諸有情類
若善男子善女人等普教十方各如殑伽沙
等世界諸有情類皆發无上正等覺心於意
云何是善男子善女人等由此因緣得福多
不天帝釋言甚多世尊甚多善逝尒時佛告
天帝釋言有善男子善女人等書深般若波
羅蜜多衆寶莊嚴供養恭敬尊重讚歎轉施
與一已發无上菩提心者受持讀誦復作是言
言來善男子汝當於此甚深般若波羅蜜多
至心聽聞受持讀誦令善通利如理思惟隨
此法門應正信解若正信解則能脩學甚深
般若波羅蜜多若能脩學甚深般若波羅蜜
多則能證得一切智智若能證得一切智法
則脩般若波羅蜜多疾得圓滿若脩般若波

BD00762號　大般若波羅蜜多經卷五四二　（10–6）

此法門應正信解者信解則能脩學甚深
般若波羅蜜多若能脩學甚深般若波羅蜜
多則能證得一切智智若能證得一切智法
則脩般若波羅蜜多疾得圓滿若脩般若波
羅蜜多疾得圓滿便能證得一切智智是善
男子善女人等所獲福聚甚多於前復次憍
尸迦若善男子善女人等教贍部洲諸有情類
皆於无上正等菩提得不退轉於意云何是
善男子善女人等由此因緣得福多不天
帝釋言甚多世尊甚多善逝佛告天帝
釋言有善男子善女人等書深般若波羅蜜
多衆寶莊嚴供養恭敬尊重讚歎轉施與
一已於无上正等菩提不退轉者受持讀誦
復作是言來善男子汝當於此甚深般若波
羅蜜多至心聽聞受持讀誦令善通利如理
思惟隨此法門應正信解若信解則能脩學
其深般若波羅蜜多若能脩學甚深般若波
羅蜜多則能證得一切智法若能證得一切
智法則脩般若波羅蜜多疾得圓滿若脩般
若波羅蜜多疾得圓滿便能證得一切智智
是善男子善女人等所獲福聚甚深於前復
次憍尸迦置贍部洲諸有情類若善男子善
女人等教四大洲諸有情類皆於无上正等
菩提得不退轉於意云何乃至廣說復次憍
尸迦置四大洲諸有情類若善男子善女人
等教小千界諸有情類皆於无上正等菩提
得不轉退於意云何乃至廣說復次憍尸迦
置小千界諸有情類若善男子善女人等教

BD00762 號　大般若波羅蜜多經卷五四二　（10–7）

尸迦置四大洲諸有情類若善男子善女人
等教小千界諸有情類皆於无上正等菩提
得不轉退於意云何乃至廣說復次憍尸迦
置小千界諸有情類若善男子善女人等教
中千界諸有情類皆於无上正等菩提得不
退轉於意云何乃至廣說復次憍尸迦置中
千界諸有情類若善男子善女人等教大千
界諸有情類皆於无上正等菩提得不退轉
於意云何乃至廣說復次憍尸迦置大千界
諸有情類善男子善女人等普教十方各
如殑伽沙等世界諸有情類皆於无上正等
菩提得不退轉於意云何是善男子善女人
等由此因緣得福多不天帝釋言甚多世尊
甚多善逝佛告天帝釋言有善男子善
女人等書深般若波羅蜜多衆寶莊嚴供養
恭敬尊重讚歎轉施與一已於无上正等菩提
不退轉者受持讀誦復作是言來善男子
汝當於此甚深般若波羅蜜多至心聽聞受
持讀誦令善通利如理思惟隨此法門應正
信解若正信解則能脩學甚深般若波羅蜜多
若能脩學甚深般若波羅蜜多則能證得一
切智法若能證得一切智法則脩般若波羅
蜜多疾得圓滿若脩學般若波羅蜜多疾得圓
滿便能證得一切智智是善男子善女人等所
獲福聚甚多於前復次憍尸迦若贍部洲諸
有情類皆發无上正等覺心有善男子善女人
等書深般若波羅蜜多衆寶莊嚴供養恭
敬尊重讚歎普施與彼受持讀誦復作是言

BD00762 號　大般若波羅蜜多經卷五四二　（10–8）

獲福聚甚多於前復次憍尸迦若贍部洲諸
有情類皆發無上正等覺心有善男子善女人
等書深般若波羅蜜多衆寶莊嚴供養恭
敬尊重讚歎普施與彼受持讀誦復作是言
來善男子汝等於此甚深般若波羅蜜多至
心聽聞受持讀誦令善通利如理思惟隨此
法門應正等信解若正信解則能修學甚深般
若波羅蜜多若能修學甚深般若波羅蜜多則
能證得一智法若能證得一切智法則能修
般若波羅蜜多疾得圓滿若修般若波羅蜜
多疾得圓滿便能證得一切智智於意云
何是善男子善女人等由此因緣福多不
天帝釋言甚深世尊甚多善逝佛告天
帝釋言若善男子善女人等書深般若波羅
蜜多衆寶莊嚴供養恭敬尊重讚歎轉施
與一已於無上正等菩提不退轉者受持讀誦復
作是言來善男子汝當於此甚深般若波
羅蜜多至心聽聞受持讀誦令善通利如理
思惟隨此法門應正信解若正信解則能修
學甚深般若波羅蜜多若能修學甚深般若
波羅蜜多則能證得一切智法若能證得一
切智法則修般若波羅蜜多疾得圓滿若修
般若波羅蜜多疾得圓滿便能證得一切智
智是善男子善女人等所獲福聚甚多於前
所以者何彼菩薩摩訶薩定證無上正等菩
提學諸有情依菩邊際令其速證三乘涅槃
復次憍尸迦置贍部洲諸有情類若四大洲諸

BD00762 號　大般若波羅蜜多經卷五四二　（10–9）

智是善男子善女人等所獲福聚甚多於前
所以者何彼菩薩摩訶薩定證無上正等菩
提學諸有情依菩邊際令其速證三乘涅槃
復次憍尸迦置贍部洲諸有情類若四大洲諸
有情類若小千界諸有情類若中千界諸
有情類若大千界諸有情類若復十方各如
殑伽沙等世界諸有情類皆發無上正等覺
心有善男子善女人等書深般若波羅蜜多
衆寶莊嚴供養恭敬尊重讚歎普施與彼受
持讀誦復作是言來善男子汝等於此甚深
般若波羅蜜多至心聽聞受持讀誦令善通
利如理思惟隨此法門應正信解若正信解
則能修學甚深般若波羅蜜多若能修學甚
深般若波羅蜜多則能證得一切智法若能
證得一切智法則修般若波羅蜜多疾得圓滿
若修般若波羅蜜多疾得圓滿便能證得
一切智智於意云何是善男子善女人等由
此因緣得福多不天帝釋言甚多世尊甚多
善逝佛告天帝釋言若善男子善女人
等書深般若波羅蜜多衆寶莊嚴供養恭敬
尊重讚歎轉施與一已於無上正等菩提不
退轉者受持讀誦復作是言來善男子汝
當於此甚深般若波羅蜜多至心聽聞受持讀
誦令善通利如理思惟隨此法門應正信解若
正信解則能修學甚深般若波羅蜜多若能
修學甚深般若波羅蜜多則能證得一切

BD00762 號　大般若波羅蜜多經卷五四二　（10–10）

家脩道斷絶四怨生老病死即勑有司於其
城外作七寶堂作已便告羣臣百官宫内妃
后諸子眷屬汝等當知我欲出家能見聽不
尒時大臣及其眷屬各作是言善哉大王今
正是時時善見王將一使人獨處堂上復逕
八万四千年中脩習慈心是慈因緣於後八
万四千世中次第得作轉輪聖王卅世中作
釋提桓因无量世中作諸小王善男子尒時
善見豈異人乎莫作斯觀即我身是善男子
我諸弟子聞是說已不解我意唱言如來定
說有我及有我所又我一時為諸衆生說言
我者即是性也所謂内外因緣十二因緣衆
生五陰心界世間功德業行自在天世即名
為我我諸弟子聞是說已不解我意唱言如
來定說有我善男子復於異時有一比丘來
至我所作如是言世尊云何名我誰是我耶
何緣故我我時即為比丘說言比丘无我我
所眼者即是本无今有已有還无其生之時
无所從來及其滅時亦无所至雖有業果无
有作者无有捨陰及受陰者如汝所問云何
我者我即期也誰是我者即是業也何緣我
者即是愛也比丘譬如二手相拍聲出其中
我亦如是衆生業愛三因緣故名之為我比

BD00763 號　大般涅槃經（北本）卷三四　（12–1）

我者我即期也誰是我者即是業也何緣我
者即是愛也比丘譬如二手相拍聲出其中
我亦如是衆生業愛三因緣故名之為我比
丘一切衆生色不是我我中无色色中无我
乃至識亦如是比丘諸外道輩雖說有我終
不離陰若說離陰別有我者无有是處一切
衆生行如幻化熱時之炎比丘五陰皆是无
常无樂无我无淨善男子尒時多有无量比
丘觀此五陰无我我所得阿羅漢果善男子
我諸弟子聞是說已不解我意唱言如來定
說无我
善男子我於經中復作是言三事和合得受
是身一父二母三者中陰是三和合得受是
身或時復說阿那含人現般涅槃或於中陰
入般涅槃或復說言中陰身根具足明了皆
因往業如淨醍醐善男子我或時說弊惡衆
生所受中陰如世間中麁澁褐紩善衆生
所受中陰如波羅捺所出白疊我諸弟子聞
是說已不解我意唱言如來說有中陰善男
子我復為彼逆罪衆生而作是言造五逆者
捨身直入阿鼻地獄我復說言曇摩留枝比
丘捨身直入阿鼻地獄於其中間无止宿處
我復為彼犢子梵志說言梵志若有中陰則
有六有我復說言无色衆生无有中陰善男
子我諸弟子聞是說已不解我意唱言佛說
定无中陰

BD00763 號　大般涅槃經（北本）卷三四　（12–2）

我復為彼犢子梵志說言梵志若有中陰則
有六有我復說言无色衆生无有中陰善男
子我諸弟子聞是說已不解我意唱言佛說
定无中陰
善男子我於經中復說有退何以故因於无
量懈怠懶墮諸比丘等不脩道故說退五種
一者樂於多事二者樂說世事三者樂於睡
眠四者樂近在家五者樂多遊行以是因緣
令比丘退說退因緣復有二種一内二外阿
羅漢人雖離内因不離外因以外因緣故生
煩惱生煩惱故則便退失復有比丘名曰瞿
坻六反退失退已慚愧復更進脩第七即得
得已恐失以刀自害我復或說有時解脫或
說六種阿羅漢等我諸弟子聞是說已不解
我意唱言如來定說有退善男子經中復說
譬如燋炭不還為木亦如瓶壞更无瓶用煩
惱亦尒阿羅漢斷終不還生亦說衆生生煩
惱因凡有三種一者未斷煩惱二者不斷因
緣三者不善思惟而阿羅漢无二因緣謂斷
煩惱无不善思惟善男子我諸弟子聞是說
已不解我意唱言如來定說不退
善男子我於經中說如來身凡有二種一者
生身二者法身言生身者即是方便應化之
身如是身者可得言是生老病死長短黑白
是此是彼是學无學我諸弟子聞是說已不
解我意唱言如來定說佛身是有為法法身
即是常樂我淨永離一切生老病死非白非

身如是身者可得言是生老病死長短黑白
是此是彼是學无學我諸弟子聞是說已不
解我意唱言如來定說佛身是有為法法身
即是常樂我淨永離一切生老病死非白非
黑非長非短非此非彼非學非无學若佛出世
及不出世常住不動无有變易善男子我諸
弟子聞是說已不解我意唱言如來定說佛
身是无為法
善男子我經中說云何名為十二因緣從无
明生行從行生識從識生名色從名色生六
入從六入生觸從觸生受從受生愛從愛生
取從取生有從有生生從生則有老死憂苦
善男子我諸弟子聞是說已不解我意唱言
如來說十二緣定是有為我又一時告喻比
丘而作是言十二因緣有佛无佛性相常住
善男子有十二緣不從緣生有從緣生非十
二緣有從緣生亦十二緣有非緣生非十二
緣有十二緣非緣生者謂未來世十二枝也
有從緣生非十二緣者謂阿羅漢所有五陰
有從緣生名十二緣者謂凡夫人所有五陰
十二因緣有非緣生非十二緣者謂虛空涅
槃善男子我諸弟子聞是說已不解我意唱
言如來說十二緣定是无為
善男子我經中說一切衆生作善惡業捨身
之時四大於此即時散壞純善業者心即上
行純惡業者心即下行善男子我諸弟子聞
[illegible]

善男子我經中說一切衆生作善惡業捨身
之時四大於此即時散壞純善業者心即上
行純惡業者心即下行善男子我諸弟子聞
是說已不解我意唱言如來說心定常善男
子我於一時爲頻婆娑羅王而作是言大王
當知色是无常何以故從无常因而得生故
是色若從无常因生智者云何說言是常若
色是常不應壞滅生諸苦惱今見是色散滅
破壞是故當知色是无常乃至識亦如是善
男子我諸弟子聞是說已不解我意唱言如
來說心定斷
善男子我經中說我諸弟子受諸香華金銀
寶物妻子奴婢八不淨物獲得正道得正道
已亦不捨離我諸弟子聞是說已不解我意
定言如來說受五欲不妨聖道又我一時復
作是說在家之人得正道者无有是處善男
子我諸弟子聞是說已不解我意唱言如來
說受五欲定遮正道
善男子我經中說遠離煩惱未得解脫猶如
欲界修習世間第一法也善男子我諸弟子
聞作是說不解我意唱言如來說第一法唯
是欲界又復我說暖法頂法忍法世間第一
法在於初禪至第四禪我諸弟子聞是說已
不解我意唱言如來說如是法在於色界又
復我說諸外道等先已得斷四禪煩惱修習
煖法頂法忍法世第一法觀四真諦得阿那

復我說諸外道等先已得斷四禪煩惱修習
煖法頂法忍法世第一法觀四真諦得阿那
含果我諸弟子聞是說已不解我意唱言如來
來說第一法在无色界
善男子我經中說四種施中有三種淨一者
施主信因信果信施受者不信因果與施二
者受者信因果施施主不信因果及施三者
施主受者二俱有信四者施主受者二俱不
信是四種施初三種淨我諸弟子聞是說已
不解我意唱言如來說施唯意善男子我於
一時復作是說施者施時以五事施何等爲
五一者施色二者施力三者施安四者施命
五者施辯以是因緣施主還得五事果報我
諸弟子聞是說已不解我意唱言佛說施即
五陰
善男子我於一時宣說涅槃即是遠離煩惱
永盡滅无遺餘猶如燈滅更无法生涅槃亦
尒言虛空者即无所有譬如世間无所有故
名爲虛空非智緣滅即无所有如其有者應
有因緣有因緣故應有盡滅以其无故无有
盡滅我諸弟子聞是說已不解我意唱言
佛說无三无爲
善男子我於一時爲目揵連而作是言目連
夫涅槃者即是章句即是足跡是畢竟處是
无所畏即是大師即是大果是畢竟智即是
大忍无导三昧是大法界是甘露味即是難

善男子我於一時為目揵連而作是言目連
夫涅槃者即是章句即是足跡是畢竟處是
无所畏即是大師即是大果是畢竟智即是
大忍无㝵三昧是大法界是甘露味即是難
見目連若說无涅槃者云何有人生誹謗者
隨於地獄善男子我諸弟子聞是說已不解
我意唱言如來說有涅槃
復於一時我為目連而作是說目連眼不牢
固至身亦尒皆不牢固不牢固故名為虛空
食下迴轉消化之處一切音聲皆名虛空我
諸弟子聞是說已不解我意唱言如來定
說有虛空无為
復於一時為目連說目連有人未得須陁洹
果住忍法時斷於无量三惡道報當知不從
智緣而滅我諸弟子聞是說已不解我意唱
言如來定說有非智緣滅
善男子我又一時為䟦波比丘說䟦波若比
丘觀色已若過去若未來若現在若近若遠
若麁若細如是等色非我我所若有比丘如
是觀已能斷色愛䟦波又言云何名色我言
四大名色四陰名名我諸弟子聞是說已不
解我意唱言如來定說言色是四大善男
子我復說言譬如因鏡則有像現色亦如是
因四大造所謂麁細澁滑青黃赤白長短方
圓耶角輕重寒熱飢渴烟雲塵霧是名造
色猶如嚮像我諸弟子聞是說已不解我意

BD00763號　大般涅槃經（北本）卷三四　（12–7）

因四大造所謂麁細澁滑青黃赤白長短方
圓耶角輕重寒熱飢渴烟雲塵霧是名造
色猶如嚮像我諸弟子聞是說已不解我意
唱言如來說有四大則有造色或有四大无
有造色
善男子往昔一時菩提王子作如是言若有
比丘護持禁戒若發惡心當知是時失比丘
戒我時語言菩提王子戒有七種從於身口
有无作色以是无作色因緣故其心雖在惡
无記中不名失戒猶名持戒以何因緣名无
作色非異色因不作異色因果善男子我諸
弟子聞是說已不解我意唱言佛說有无作
色善男子我於餘經作如是言戒者即是遮
制惡法若不作惡是名持戒我諸弟子聞是
說已不解我意唱言如來定說无无作色
善男子我於經中作如是說聖人色陰乃至
識陰皆是无明因緣所出一切凡夫亦復如
是從无明生愛當知是愛即是无明從愛生
取當知是取即无明愛從取生有是有即是
无明愛取從有生受當知是愛即是行有從
受因緣生於名色无明愛取有行愛觸識六
入等是故受者即十二枝善男子我諸弟子
聞是說已不解我意唱言如來說无心數善
男子我於經中作如是說從眼色明惡欲等
四則生眼識言惡欲者即是无明欲性求時
即名為愛愛因緣取取名為業業因緣識識

BD00763號　大般涅槃經（北本）卷三四　（12–8）

男子我於經中作如是說從眼色明惡欲等
四則生眼識言惡欲者即是无明欲性求時
即名為愛愛因緣取取名為業業因緣識識
緣名色名色緣六入六入緣觸觸緣想受愛
信精進定慧如是等法因觸而生然非是觸
善男子我諸弟子聞是說已不解我意唱言
如來說有心數
善男子我或時說唯有一有或說二三四五六
七八九至廿五我諸弟子聞是說已不解我
意唱言如來說有五有或言六有
善男子我往一時住迦毗羅衛尼拘陁林時
釋摩男來至我所作如是言云何名為優婆
塞也我即為說若有善男子善女人諸根完
具受三歸依是則名為優婆塞也釋摩男言
世尊云何名為一分優婆塞我言釋摩男若
受三歸及受一戒是名一分優婆塞也我諸
弟子聞是說已不解我意唱言如來說優婆
塞戒不具受得善男子我於一時住恒河邊
尒時迦栴延來至我所作如是言世尊我教衆
生令受齋法或一日或一夜或一時或一念如
是之人成齋不耶我言比丘是人得善不
名得齋我諸弟子聞是說已不解我意唱
言如來說八戒齋具受乃得
善男子我於經中作如是說若有比丘犯四
重已不名比丘名破比丘亡失比丘不復能
生善牙種子譬如焦種不生菓實如多羅樹

BD00763號　大般涅槃經（北本）卷三四

（12–9）

善男子我於經中作如是說若有比丘犯四
重已不名比丘名破比丘亡失比丘不復能
生善牙種子譬如焦種不生菓實如多羅樹
頭若斷壞則不生菓犯重比丘亦復如是我
諸弟子聞是說已不解我意唱言如來說諸
比丘犯重禁已失比丘戒善男子我於經中
為純陁說四種比丘一者畢竟到道二者示
道三者受道四者汙道犯四重者即是汙道
我諸弟子聞是說已不解我意唱言如來說
諸比丘犯四重已不失禁戒
善男子我於經中告諸比丘一乘一道一行一
緣如是一乘乃至一緣能為衆生作大寂
靜永斷一切繫縛愁苦苦及苦因令一切衆
到於一有我諸弟子聞是說已不解我意唱
言如來說須陁洹乃至阿羅漢人皆得佛道
善男子我於經中說須陁洹人間天上七反
往來便般涅槃斯陁含人一受人天便般涅
槃阿那含人凡有五種或有中間般涅槃者
乃至上流般涅槃者阿羅漢人凡有二種一
者現在二者未來現在亦斷煩惱五陰未來
亦斷煩惱五陰我諸弟子聞是說已不解我
意唱言如來說須陁洹至阿羅漢不得佛道
善男子我於此經說言佛性具有六事一常
二實三真四善五淨六可見我諸弟子聞是
說已不解我意唱言佛說衆生佛性離衆生
有善男子我又說言衆生佛性猶如虛空虛

BD00763號　大般涅槃經（北本）卷三四

（12–10）

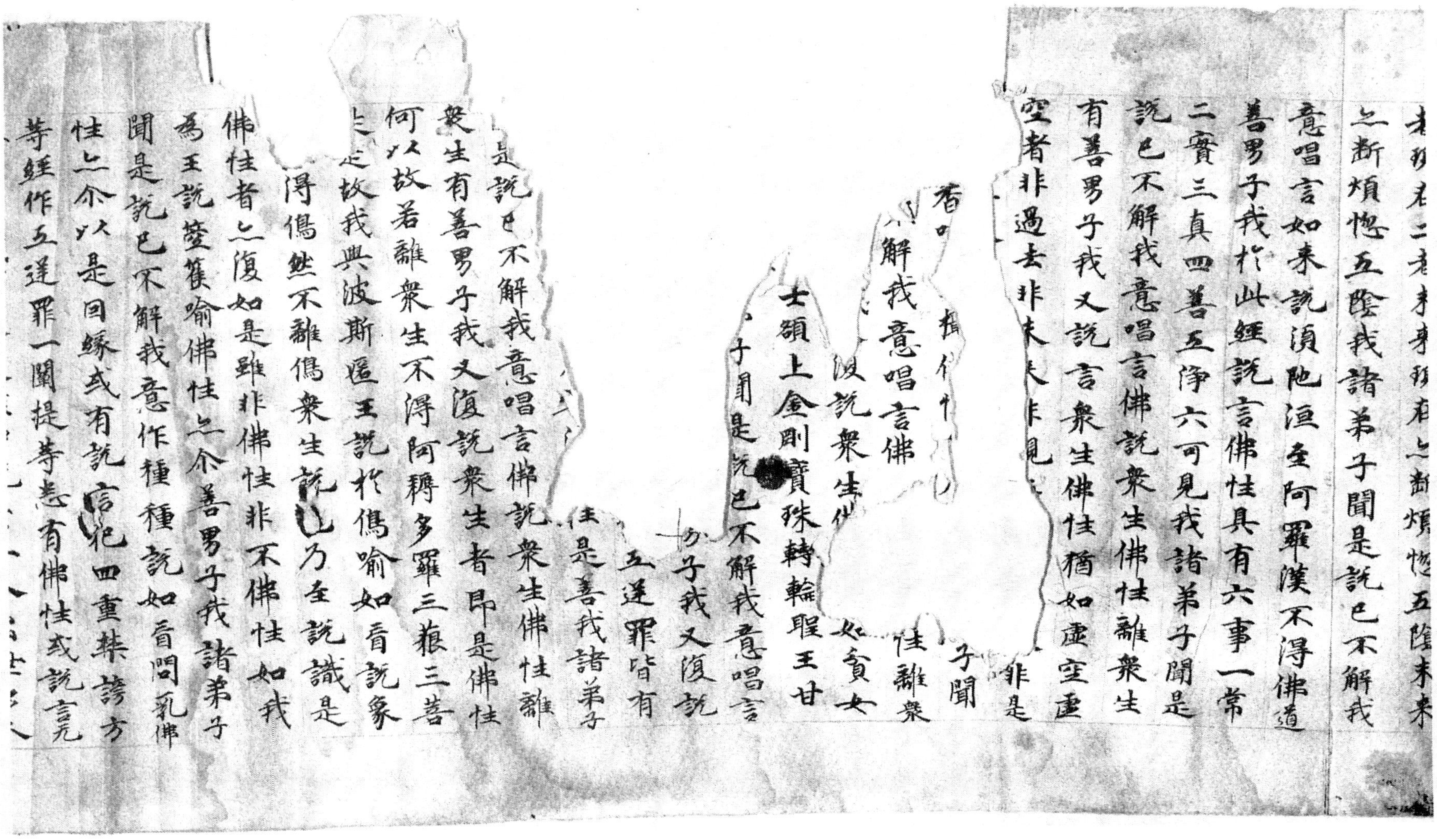

之斷煩惱五陰我諸弟子聞是說已不解我
意唱言如來說須陁洹至阿羅漢不得佛道
善男子我於此經說言佛性具有六事一常
二實三真四善五淨六可見我諸弟子聞是
說已不解我意唱言佛說衆生佛性離衆生
有善男子我又說言衆生佛性猶如虛空虛
空者非過去非未來非見……非是
……子聞
……解我意唱言佛……性離衆
……復說衆生佛……如貧女
……士頂上金剛寶珠轉輪聖王甘
……子聞是說已不解我意唱言
……子我又復說
五逆罪皆有
……是善我諸弟子
是說已不解我意唱言佛說衆生佛性離
衆生有善男子我又復說衆生者即是佛性
何以故若離衆生不得阿耨多羅三藐三菩
提是故我與波斯匿王說於偈喻如盲說象
得偈然不離偈衆生說乃至說識是
佛性者亦復如是雖非佛性非不佛性如我
為王說箜篌喻佛性亦尒善男子我諸弟子
聞是說已不解我意作種種說如盲問乳佛
性亦尒以是因緣或有說言犯四重禁謗方
等經作五逆罪一闡提等悉有佛性或說言无

BD00763號　大般涅槃經（北本）卷三四　（12–11）

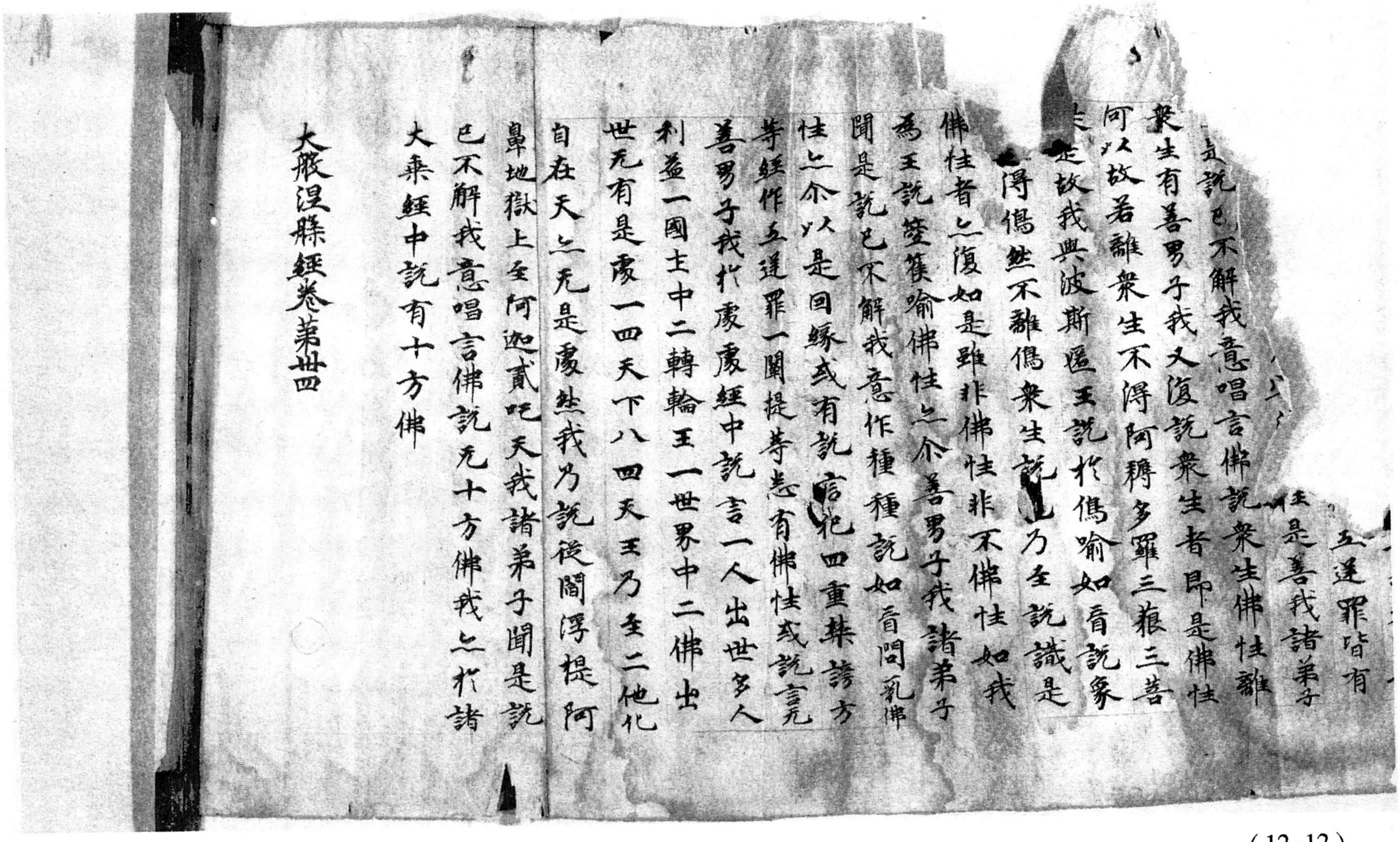

五逆罪皆有
……是善我諸弟子
是說已不解我意唱言佛說衆生佛性離
衆生有善男子我又復說衆生者即是佛性
何以故若離衆生不得阿耨多羅三藐三菩
提是故我與波斯匿王說於偈喻如盲說象
得偈然不離偈衆生說乃至說識是
佛性者亦復如是雖非佛性非不佛性如我
為王說箜篌喻佛性亦尒善男子我諸弟子
聞是說已不解我意作種種說如盲問乳佛
性亦尒以是因緣或有說言犯四重禁謗方
等經作五逆罪一闡提等悉有佛性或說言无
善男子我於處處經中說言一人出世多人
利益一國土中二轉輪王一世界中二佛出
世无有是處一四天下八四天王乃至二他化
自在天亦无是處然我乃說從閻浮提阿
鼻地獄上至阿迦貳吒天我諸弟子聞是說
已不解我意唱言佛說无十方佛我亦於諸
大乘經中說有十方佛

大般涅槃經卷第卅四

BD00763號　大般涅槃經（北本）卷三四　（12–12）

云何自正若佛如來　因緣而有
如比丘見大火聚便　言我寧抱是熾然
火聚終不敢於如來尸說十二部經及秘密
藏謗言云是波旬所說若言如來法僧无常
如是說者為自侵欺亦欺於人寧以利刀自
斷其舌終不說言如來法僧是无常也若聞
他說亦不信受於此說者應生憐愍如來法
僧不可思議應如是持自觀己身猶如火聚
是名自正云何正他佛說法時有一女人乳養嬰
兒來詣佛所稽首佛足有所顧念心自思惟便
坐一面尒時世尊知而故問汝以愛念多含兒
蘇不知籌量消與不消尒時女人即白佛言
甚奇世尊善能知我心中所念唯願如來教
我多少世世尊於今朝多與兒蘇恐不能消
將無夭壽唯願如來為我解說佛言汝兒所
食尋即消化增益壽命女人聞已心大踊躍

BD00764號　大般涅槃經（北本）卷四　（20–1）

將無夭壽唯願如來為我解說佛言汝兒所
食尋即消化增益壽命女人聞已心大踊躍
復作是言如來實說故我歡喜世尊如是為
欲調伏諸眾生故善能分別說消不消亦說
諸法无我无常若佛世尊先說常者受化之
徒當言此法與外道同即便捨去復告女人
若兒長大能自行來凡所食噉能消難消本
所與蘇則不供足我之所有聲聞弟子亦復
如是如汝嬰兒不能消是常住之法是故我
先說苦無常若我聲聞諸弟子等功德已備
堪任脩習大乘經典我於是經為說六味云
何六味說苦醋味无常鹹味无我苦味樂如
甜味我如辛味常如淡味彼世間中有三種
味所謂无常无我无樂煩惱為薪智慧為火
以是因緣成涅槃飯謂常樂我令諸弟子
悉皆甘嗜復告女人汝若有緣欲至他處應
驅惡子令出其舍悉以寶藏付示善子女人白
佛實如聖教珎寶之藏應示善子不示惡子
姊我亦如是般涅槃時如來微密无上法藏
不與聲聞諸弟子等如汝寶藏不示惡子要
當付囑諸菩薩等如汝寶藏委付善子何以
故聲聞弟子生變異想謂佛如來真實滅度
然我真實不滅度也如汝遠行未還之頃汝
之惡子便言汝死汝實不死諸菩薩等說言

BD00764號　大般涅槃經（北本）卷四　（20–2）

故聲聞弟子生變異想謂佛如來真實滅度
然我真實不滅度也如汝遠行未還之頃汝
之惡子便言汝死汝實不死諸菩薩等說言
如來常不變易如汝善子不言汝死以是義
故我以无上秘密之藏付諸菩薩善男子若
有衆生謂佛常住不變異者當知是家則
為有佛是名正化
能隨問荅者若有人來問佛世尊我當云何
不捨錢財而得名為大施檀越佛言若有
沙門婆羅門等少欲知足不受不畜不淨物者
當施其人奴婢僕使脩梵行者施與女人斷
酒肉者施以酒宍不過中食施過中食不著
華香施以華香如是施者施名流布遍至他
方財寶之費不失豪釐是則名為能隨問荅
尒時迦葉菩薩白佛言世尊食宍之人不應
施宍何以故我見不食宍者有大功德佛讚
迦葉善哉善哉汝今乃能善知我意護法
菩薩應當如是善男子從今日始不聽聲聞弟子
食宍若受檀越信施之時應觀是食如子
宍想迦葉菩薩復白佛言世尊云何如來
不聽食宍善男子夫食宍者斷大慈種迦葉
又言如來何故先聽比丘食三種淨宍迦葉
是三種淨宍隨事漸制迦葉菩薩復白佛言
世尊何因緣故十種不淨乃至九種清淨而復
不聽佛告迦葉亦是因事漸次而制當知即

是三種淨宍隨事漸制迦葉菩薩復白佛言
世尊何因緣故十種不淨乃至九種清淨而復
不聽佛告迦葉亦是因事漸次而制當知即
是現斷宍義迦葉菩薩復白佛言云何如
來稱讚魚宍為美食耶善男子我亦不說
魚宍之屬為美食也我說甘蔗粳米石蜜一切穀
麦及黑石蜜乳酪蘇油以為美食雖說應畜
種種衣服所應畜者要是壞色何況貪著
是魚宍味迦葉復言如來若制不食宍者彼五
種味乳酪酪漿生蘇熟蘇胡麻油等及諸衣
服憍奢耶衣珂貝皮革金銀盂器如是等物
亦不應受善男子不應同彼尼乾所見如來
所制一切禁戒各有異意異意故聽食三種
淨宍異想故斷十種宍異想故一切悉斷及
自死者迦葉我從今日制諸弟子不得復食
一切宍也迦葉其食宍者若行若住若坐若
卧一切衆生聞其宍氣悉生恐怖譬如有人
近師子已衆人見之聞師子臭亦生恐怖善
男子如人噉蒜臭穢可惡餘人見之聞臭捨
去設遠見者猶不欲視况當近之諸食宍者
亦復如是一切衆生聞其宍氣悉皆恐怖生
畏死想水陸空行有命之類悉捨之走咸言
此人是我等怨是故菩薩不習食宍為度衆
生現食宍雖現食之其實不食善男子如
是菩薩清淨之食猶尚不食况當食宍

此人是我等怨是故菩薩不習食為度衆
生視現食之其實不食善男子如
是菩薩清淨之食猶尚不食況當食宍
善男子我涅槃後无量百歲四道聖人悉復
涅槃正法滅後於像法中當有比丘似像持
律少讀誦經貪嗜飲食長養其身身所被
服麁陋醜惡形容憔悴无有威德放畜牛羊擔
負薪草頭鬚髮爪悉皆長利雖服袈裟猶如
獵師細視徐行如猫伺鼠常唱是言我得羅
漢多諸病苦眠卧糞穢外現賢善內懷貪嫉
如受啞法婆羅門等實非沙門現沙門像邪
見熾盛誹謗正法如是等人破壞如來所制
戒律正行威儀說解脫果離不淨法及壞甚
深秘密之教各自隨意反說經律而作是言
如來皆聽我等食宍自生此論言是佛說互
共諍訟各自稱是沙門釋子善男子尒時復
有諸沙門等貯聚生穀受取魚宍手自作食
執持油瓶寶蓋革屣親近國王大臣長者占
相星宿懃修醫道畜養奴婢金銀琉璃車𤦲
馬瑙頗梨真珠珊瑚虎珀璧玉珂貝種種菓
蓏學諸伎藝畫師泥作造書教學種植根
蠱道呪幻和合諸藥作唱伎樂香華治身樗
蒱圍棊學諸工巧若有比丘能離如是諸惡
事者當說是人真我弟子
尒時迦葉復白佛言世尊諸比丘比丘尼優

蒱圍棊學諸工巧若有比丘能離如是諸惡
事者當說是人真我弟子
尒時迦葉復白佛言世尊諸比丘比丘尼優
婆塞優婆夷因他而活若乞食時得雜宍
食云何得食應清淨法佛言迦葉當以水洗令
與宍別然後乃食若其食器為宍所汙但使
无味聽用无罪若見食中多有宍者則不應
受一切現宍悉不應食食者得罪我今唱是
斷宍之制若廣說者則不可盡涅槃時到是
故略說是則名為能隨問荅
迦葉云何善解因緣義如有四部之衆來問
我言世尊如是之義如來初出何故不為波
斯匿王說是法門深妙之義或時說深或時
說淺或名為犯或名不犯云何名墮云何名
律云何名波羅提木叉義佛言波羅提木叉
者名為知足成就威儀无所受畜亦名淨命
墮者名四惡趣又復墮者墮於地獄乃至阿
鼻論其遲速過於暴雨聞者驚怖堅持禁
戒不犯威儀脩習知足不受一切不淨之物又
復墮者長養地獄畜生餓鬼以是諸義故名
曰墮波羅提木叉者離身口意不善邪業律
者入戒威儀深經善義遮受一切不淨之物及
不淨因緣亦遮四重十三僧殘二不定法卅
捨墮九十一墮四悔過法衆多學法七滅諍
等或有人盡破一切戒法云何一切謂四重

捨墮九十一墮四悔過法衆多學法七滅諍
等或有人盡破一切戒法云何一切謂四重
法乃至七滅諍法或復有人誹謗正法甚深
經典及一闡提具足成就盡一切相无有因
緣如是等人自言我是聰明利智輕重之罪
悉皆覆藏覆藏諸惡如龜藏六如是衆
罪長夜不悔以不悔故日夜增長是諸比丘所犯
衆罪終不發露是使所犯遂復滋漫是故如
來知是事已漸次而制不得一時
尒時有善男子善女人白佛言世尊如來久
知如是之事何不先制將無世尊欲令衆生
入阿鼻獄譬如多人欲至他方悉失正路隨
逐邪道是諸人等不知迷故皆謂是道復不
見人可問是非衆生如是迷於佛法不見正
真如來應為先說正道勅諸比丘此是犯戒
此是持戒當如是制何以故如來正覺是真
實者知見正道唯有如來天中之天能說十
善增上功德及其義味是故啓請應先制戒
佛言善男子若言如來能為衆生宣說十善
增上功德是則如來視諸衆生如羅睺羅云
何難言將无世尊欲令衆生入於地獄我見
一人有墮阿鼻地獄因緣尚為是人住世一
劫若滅一劫我於衆生有大慈悲何緣當誑
如子想者令入地獄善男子如王國內有納

BD00764號　大般涅槃經（北本）卷四

（20-7）

一人有墮阿鼻地獄因緣尚為是人住世一
劫若滅一劫我於衆生有大慈悲何緣當誑
如子想者令入地獄善男子如王國內有納
衣者見衣有孔然後方補如來亦尒見諸衆
生有入阿鼻地獄因緣即以戒善而為補之
善男子譬如轉輪聖王先為衆生說十善法
其後漸漸有行惡者王即隨事漸漸而斷斷
諸惡已然後自行聖王之法善男子我亦如
是雖有所說不得先制要因比丘漸行非法
然後方乃隨事制之樂法衆生隨教脩行如
是等衆乃能得見如來法身如轉輪王所有
輪寶不可思議如來亦尒不可思議法僧二
寶亦不可思議能說法者及聞法者皆不可
思議是名善解因緣義也菩薩如是分別開
示四種相義是名大乘大涅槃中因緣義也
復次自正者所謂得是大般涅槃正他者我
為比丘說言如來常存不變隨問荅者迦葉
因汝所問故得廣為菩薩摩訶薩比丘比丘
尼優婆塞優婆夷說是甚深微妙義理因
緣義者聲聞緣覺不解如是甚深之義不
聞伊字三點而成解脫涅槃摩訶般若成秘密
藏我令於此闡揚分別為諸聲聞開發慧眼
假使有人作如是言如是四事云何為一非虛
妄邪即應反質是虛空无所有不動无㝵如
是四事有何等異是豈得名為虛妄乎不也

BD00764號　大般涅槃經（北本）卷四

（20-8）

假使有人作如是言如是四事云何為一非虛
妄耶即應反質是虛空无所有不動无㝵如
是四事有何等異是豈得名為虛妄乎不也
世尊如是諸句即是一義所謂空義自正正他
能隨問荅解因緣義亦復如是即大涅槃等无
有異佛告迦葉若有善男子善女人作如是言
如來无常云何當知是无常也如佛所言滅諸
煩惱名為涅槃猶如火滅悉无所有滅諸煩
惱亦復如是故名涅槃云何如來為常住法
不變易也如佛言曰離諸有者乃名涅槃是
涅槃中无有諸有云何如來為常住法不變
易也如衣壞盡不名為物涅槃亦尒滅諸煩
惱不名為物云何如來為常住法不變易耶
如佛言曰離欲寂滅名曰涅槃如人斬首則
无有首離欲寂滅亦復如是空无所有故名
涅槃云何如來為常住法不變易耶如佛言曰
譬如熱鐵椎打星流散已尋滅莫知所在
得正解脫亦復如是已度婬欲諸有淤泥
得无動處不知所至
云何如來為常住法不變易耶迦葉若有人
作如是難者名為耶難迦葉汝亦不應作是
憶想謂如來性是滅盡也迦葉滅煩惱者不
名為物何以故永畢竟故是故名常是句寂
靜為无有上滅盡諸相无有遺餘是句鮮白
常住无退是故涅槃名曰常住如來亦尒常

名為物何以故永畢竟故是故名常是句寂
靜為无有上滅盡諸相无有遺餘是句鮮白
常住无退是故涅槃名曰常住如來亦尒常
住无變言星流者謂煩惱也散已尋滅莫知
所在者謂諸如來煩惱滅已不在五趣是故
如來是常住法无有變易復次迦葉諸佛所
師所謂法也是故如來恭敬供養以法常故
諸佛亦常迦葉菩薩復白佛言若煩惱火滅
如來亦滅是則如來无常住處如彼迸鐵赤
色滅已莫知所至如來煩惱亦復如是滅无
所至又如彼鐵熱與赤色滅已无有如來亦
尒滅已无常滅煩惱火便入涅槃當知如來
即是无常善男子所言鐵者名諸凡夫凡夫
之人雖滅煩惱滅已復生故名无常如來不
尒滅已復生是故名常迦葉復言如鐵色滅
已還置火中赤色復生如來若尒應還生結
若結還生即是无常佛言迦葉汝今不應作
如是言如來无常何以故如來是常善男子
如彼然木滅已有灰煩惱滅已便有涅槃壞
衣斬首破瓶等喻亦復如是如是等物各有
名字名曰壞衣斬首破瓶迦葉如鐵冷已可
使還熱如來不尒斷煩惱已畢竟清涼煩惱
熾火更不復生迦葉當知无量衆生猶如彼
鐵我以无漏智慧熾火燒彼衆生諸煩惱結
迦葉復言善哉善哉我今諦知如來所說諸

熾火更不復生迦葉當知无量衆生猶如彼
鐵我以无漏智慧熾火燒彼衆生諸煩惱結
迦葉復言善哉善哉我今諦知如來所說諸
佛是常佛言迦葉譬如聖王素在後宮或時
遊觀在於後園王雖不在諸婇女中亦不得
言聖王命終善男子如來亦尒雖不現於閻
浮提界入涅槃中不名无常如來出於无量煩
惱入于涅槃安樂之處遊諸覺華歡娛受樂
迦葉復問如佛言曰我已久度煩惱大海若
佛已度煩惱海者何緣復共耶輸陁羅生
羅睺羅以是因緣當知如來煩惱諸結大
海唯願如來說其因緣佛告迦葉汝不應言
如來久度煩惱大海何緣復共耶輸陁羅生
羅睺羅以是因緣當知如來未度煩惱諸結
大海善男子是大涅槃能建大義汝等今當
至心諦聽廣爲人說莫生驚疑若有菩薩摩
訶薩住大涅槃須弥山王如是高廣悉能令
入亭歷子檜其諸衆生依須弥者亦不迫迮
无來往想如本不異唯應度者見是菩薩以
須弥山內亭歷檜復還安止本所住處善男
子復有菩薩摩訶薩住大涅槃能以三千
大千世界置亭歷檜其中衆生亦无迫迮及往
來想如本不異唯應度者見是菩薩以此三
千大千世界置亭歷檜復還安止本所住處
善男子復有菩薩摩訶薩住大涅槃能以三

BD00764號　大般涅槃經（北本）卷四　（20–11）

大千世界置亭歷檜其中衆生亦无迫迮及往
來想如本不異唯應度者見是菩薩以此三
千大千世界置亭歷檜復還安止本所住處
善男子復有菩薩摩訶薩住大涅槃能以三
千大千世界內一毛孔乃至本處亦復如是
善男子復有菩薩摩訶薩住大涅槃斷取十
方三千大千諸佛世界置於針鋒如貫棗葉
擲著他方異佛世界其中所有一切衆生不覺
往返爲在何處唯應度者乃能見之乃至本
處亦復如是善男子復有菩薩摩訶薩住
大涅槃斷取十方三千大千諸佛世尊置於
右掌如陶家輪擲置他方微塵世界无一衆
生有往來想唯應度者乃見之耳乃至本處
亦復如是善男子復有菩薩摩訶薩住大涅
槃斷取一切十方无量諸佛世界悉內己身其
中衆生悉无迫迮亦无往返及住處想唯應
度者乃能見之乃至本處亦復如是善男子
復有菩薩摩訶薩住大涅槃以十方世界內
一塵中其中衆生亦无迫迮往返之想唯應
度者乃能見之乃至本處亦復如是善男子
是菩薩摩訶薩住大涅槃則能示現種種
无量神通變化是故名曰大般涅槃是菩薩
摩訶薩所可示現如是无量神通變化一切衆
生无能測量汝今云何能知如來習近婬欲
生羅睺羅善男子我已住是大涅槃種種示現神通
變化於此三千大千世界百億日月百億閻浮

BD00764號　大般涅槃經（北本）卷四　（20–12）

生无能測量汝今云何能知如來習近婬欲
生羅睺羅善男子我已住是大涅槃種種示現神通
變化於此三千大千世界百億日月百億閻浮
提種種示現如首楞嚴經中廣說我於三千
大千世界或閻浮提示現涅槃亦不畢竟
取於涅槃或閻浮提示入母胎令其父母生
我子想而我此身畢竟不從婬欲和合而得
生也我已久從无量劫來離於愛欲我今此
身即是法身隨順世間示現入胎善男子此
閻浮提林微尼園示現從母摩耶而生生已
即能東行七步唱如是言我於人天阿脩羅
中最尊最上父母人天見已驚喜生希有心
而諸人等謂是嬰兒而我此身无量劫來久
離是法如來身者即是法身非是肉血筋脉
骨髓之所成立隨順世間衆生法故示為嬰
兒南行七步示現欲為无量衆生作上福田
西行七步示現生盡永斷老死是最後身北
行七步示現已度諸有生死東行七步示為
衆生而作導首四維七步示現斷滅種種煩
惱四魔種性成於如來應正遍知上行七步
示現不為不淨之物之所染汙猶如虛空下
行七步示現法雨滅地獄火令彼衆生受安
隱樂毀禁戒者示作霜雹
於閻浮提生七日已又示剃髮諸人皆謂我
是嬰兒初始剃髮一切人天魔王波旬沙門

BD00764 號　大般涅槃經（北本）卷四　（20–13）

行七步示現法雨滅地獄火令彼衆生受安
隱樂毀禁戒者示作霜雹
於閻浮提生七日已又示剃髮諸人皆謂我
是嬰兒初始剃髮一切人天魔王波旬沙門
婆羅門无有能見我頂相者況有持刀臨之
剃髮若有持刀至我頂者无有是處我久已
於无量劫中剃除鬚髮為欲隨順世間法故
示現剃髮我既生已父母將我入天祠中以我
示於摩醯首羅摩醯首羅即見我時合掌
恭敬立在一面我已久於无量劫中捨離如
是入天祠法為欲隨順世間法故示現如是
我於閻浮提示現穿耳一切衆生實无有能
穿我耳者隨順世間衆生法故示現如是復
以諸寶作師子璫用莊嚴耳然我已於无量
劫中離莊嚴具為欲隨順世間法故作是示
現示入學堂脩學書疏然我已於无量劫中
具足成就遍觀三界所有衆生无有堪任為
我師者為欲隨順世間法故示入學堂故名
如來應正遍知習學乘象盤馬捔力種種伎
藝亦復如是於閻浮提而復示現為王太子
衆生皆見我為太子於五欲中歡娛受樂然
我已於无量劫中捨離如是五欲之樂為欲
隨順世間法故示如是相相師占我若不出家
當為轉輪聖王王閻浮提一切衆生皆信
是言然我已於无量劫中捨轉輪位為法輪
王於閻浮提現離婇女五欲之樂見老病死

BD00764 號　大般涅槃經（北本）卷四　（20–14）

隨順世間法故示如是相相師占我若不出家
當爲轉輪聖王王閻浮提一切衆生皆信
是言然我已於无量劫中捨轉輪位爲法輪
王於閻浮提現離婇女五欲之樂見老病死
及沙門已出家脩道衆生皆謂悉達太子初
始出家然我已於无量劫中出家學道隨順
世法故亦如是
我於閻浮提亦現出家受具足戒精勤脩道
得須陁洹果斯陁含果阿那含果阿羅漢果
衆人皆謂是阿羅漢果易得不難然我已於
无量劫中成阿羅漢果爲欲度脫諸衆生故
坐於道場菩提樹下以草爲座摧伏衆魔衆
皆謂我始於道場菩提樹下降伏魔官然我
已於无量劫中久降伏已爲欲降伏剛強衆
生故現是化我又亦現大小便利出息入息
衆皆謂我有大小便利出息入息然我是身
所得果報悉无如是大小便利出入息等隨
順世間故亦如是我又亦現受人信施然我
是身都无飢渴隨順世法故亦如是我又亦
同諸衆生故現有睡眠然我已於无量劫中
具足无上深妙智慧遠離三有進止威儀頭
痛腹痛背痛木鎗洗足洗手洗面漱口嚼揚
枝等衆皆謂我有如是事然我此身都无此
事我足清淨猶如蓮華口氣淨潔如優鉢羅
香一切衆生謂我是人我實非人我又亦現
受糞掃衣浣濯縫打然我久已不須是衣衆

枝等衆皆謂我有如是事然我此身都无此
事我足清淨猶如蓮華口氣淨潔如優鉢羅
香一切衆生謂我是人我實非人我又亦現
受糞掃衣浣濯縫打然我久已不須是衣衆
人皆謂羅睺羅者是我之子輸頭檀王是我
之父摩耶夫人是我之母處在宮受諸快
樂離如是事出家學道衆人復言是王太子
瞿曇大姓遠離世樂求出世法然我久離世
間婬欲如是等事悉是示現一切衆生咸謂
是人然我實非善男子我雖在此閻浮提中
數數示現入於涅槃然我實不畢竟涅槃而
諸衆生皆謂如來真實滅盡而如來性實不
永滅是故當知是常住法不變易法善男子
大涅槃者即是諸佛如來法界
我又亦現閻浮提中出於世間衆生皆謂我
始成佛然我已於无量劫中所作已辦隨順
世法故復示現於閻浮提初出成佛我又亦
現於閻浮提不持禁戒犯四重罪衆人皆見
謂我實犯然我已於无量劫中堅持禁戒无
有漏缺我又亦現於閻浮提爲一闡提衆人
皆見是一闡提然我實非一闡提也一闡提
者云何能成阿耨多羅三藐三菩提我又亦
現於閻浮提破和合僧衆生皆謂我是破僧
我觀人天无有能破和合僧者我又亦現於
閻浮提護持正法衆人皆謂我是護法悉生

皆見是一闡提然我實非一闡提也一闡提
者云何能成阿耨多羅三藐三菩提我又示
現於閻浮提破和合僧衆生皆謂我是破僧
我觀人天无有能破和合僧者我又示現於
閻浮提護持正法衆人皆謂我是護法悉生
驚怪諸佛法尒不應驚怪我謂示現於閻浮
提為魔波旬衆人皆謂我是波旬然我久於
无量劫中離於魔事清淨无染猶如蓮華我
又示現於閻浮提女身成佛衆人皆言甚奇女
人能成阿耨多羅三藐三菩提如來畢竟不
受女身為欲調伏无量衆生故現女像憐愍
一切諸衆生故而復示現種種色像我又示
現閻浮提中生於四趣然我久已斷諸趣
因以業因故墮於四趣為度衆生故生是中
我又示現閻浮提中作梵天王令事梵者安
住正法然我實非而諸衆生咸皆謂我為真
梵天示現天像遍諸天廟亦復如是我又示
現於閻浮提入婬女舍然我實无貪婬之想
清淨不汙猶如蓮華為諸貪婬嗜色衆生於
四衢道宣說妙法然我實无欲穢之心衆人
謂我守護女人我又示現於閻浮提入青衣
舍為教諸婢令住正法然我實无如是惡業
墮在青衣我又示現閻浮提中而作博士為
教童矇令住正法我又示現於閻浮提入諸
酒會博弈之處示受種種勝負鬪諍為欲
拔濟彼諸衆生而我實无如是惡業而諸衆生

教童矇令住正法我又示現於閻浮提入諸
酒會博弈之處示受種種勝負鬪諍為欲
拔濟彼諸衆生而我實无如是惡業而諸衆生
皆謂我作如是之業我又示現久住冢間作
大鷲身度諸飛鳥而諸衆生皆謂我是真
實鷲身然我久已離於是業為欲度彼諸鳥
鷲故示如是身我又示現閻浮提中作大長者
為欲安立无量衆生住於正法又復示作諸
王大臣王子輔相於是衆中各為第一為脩
正法故住王位我又示現閻浮提中疫病劫
起多有衆生為病所惱先施醫藥然後為說
微妙正法令其安住无上菩提衆人皆謂是
病劫起又復示現閻浮提中飢饉劫起隨其
所須供給飲食然後為說微妙正法令其安
住无上菩提又復示現閻浮提中刀兵劫起
即為說法令離怨害使得安住无上菩提又
復示現為計常者說无常想計樂想者為說
苦想計我想者說无我想計淨想者說不淨
想若有衆生貪著三界即為說法令離是處
度衆生故為說无上微妙法藥為斷一切煩
惱病故種植无上法藥之樹為欲拔濟諸外
道故說於正法雖復示現為衆生師而心初
无衆生師想為欲拔濟諸下賤故現入其中
而為說法非是惡業受是身也如來正覺如
是安住於大涅槃是故名為常住无變如閻

道故言方[illegible]
无衆生師想為欲拔濟諸下賤故現入其中
而為說法非是惡業受是身也如来正覺如
是安住於大涅槃是故名為常住无變如閻
浮提東弗于逮西瞿耶尼北欝單越亦復如
是如四天下三千大千世界亦尒廿五有如
首楞嚴經中廣說以是故名大般涅槃若有
菩薩摩訶薩安住如是大般涅槃能示如是
神通變化而无所畏迦葉以是緣故汝不應
言羅睺羅者是佛之子何以故我於往昔无量
劫中已離欲有是故如来名曰常住无有變易
迦葉復言如来云何名曰常住如佛言曰如燈
滅已无有方所如来亦尒既滅度已亦无方所佛
言迦葉善男子汝今不應作如是言燈滅盡
已无有方所如来亦尒既滅度已无有方
所善男子辟如男女然燈之時燈爐大
小悉滿中油隨有油在其明猶存若油盡已
明亦俱盡其明滅者喻煩惱滅明雖滅盡燈
爐猶存如来亦尒煩惱雖滅法身常存善男
子於意云何明與燈爐為俱滅不迦葉答言
不也世尊雖不俱滅然是无常若以法身喻
燈爐者燈爐无常法身亦尒應是无常善男
子汝今不應作如是難如世間言器如来世
尊无上法器而器无常非如来也一切法中涅
槃為常如来體之故名為常復次善男子
言燈滅者即是羅漢所證涅槃以滅貪愛諸

BD00764 號　大般涅槃經（北本）卷四　（20–19）

小悉滿中油隨有油在其明猶存若油盡已
明亦俱盡其明滅者喻煩惱滅明雖滅盡燈
爐猶存如来亦尒煩惱雖滅法身常存善男
子於意云何明與燈爐為俱滅不迦葉答言
不也世尊雖不俱滅然是无常若以法身喻
燈爐者燈爐无常法身亦尒應是无常善男
子汝今不應作如是難如世間言器如来世
尊无上法器而器无常非如来也一切法中涅
槃為常如来體之故名為常復次善男子
言燈滅者即是羅漢所證涅槃以滅貪愛諸
煩惱故喻之燈滅阿那含者名曰有貪以有
貪故不得說言同於燈滅是故我昔覆相說
言喻如燈滅非大涅槃同於燈滅阿那含者
非數數来又不還来廿五有更不受於臭身
虫身食身毒身是則名為阿那含者若更受
身名為那含不受身者名阿那含有去来者
名曰那含无去来者名阿那含

大般涅槃經卷第四

BD00764 號　大般涅槃經（北本）卷四　（20–20）

菩薩
諸新發意
摩詰語舍利弗就師子坐舍利弗言居士此
座高廣吾不能昇維摩詰言唯舍利弗爲須
彌燈王如來作禮乃可得坐於是新發意菩
薩及大弟子即爲須彌燈王如來作禮便得
坐師子座舍利弗言居士未曾有也如是小
室乃容受此高廣之座於毗耶離城无所妨
礙又於閻浮提聚落城邑及四天下諸天龍
王鬼神宮殿亦不迫迮維摩詰言唯舍利弗
諸佛菩薩有解脫名不可思議若菩薩住是
解脫者以須彌之高廣內芥子中无所增減
須彌山王本相如故而四天王忉利諸天不
覺不知己之所入唯應度者乃見須彌入芥
子中是名不可思議解脫法門又以四大海
水入一毛孔不嬈魚鱉黿鼉水性之屬而彼
大海本相如故諸龍鬼神阿脩羅等不覺不
知己之所入於此衆生亦无所嬈又舍利弗
住不可思議解脫菩薩斷取三千大千世界
如陶家輪

BD00765 號　維摩詰所說經卷中　（4–1）

水入一毛孔不嬈魚鱉黿鼉水性之屬而彼
大海本相如故諸龍鬼神阿脩羅等不覺不
知己之所入於此衆生亦无所嬈又舍利弗
住不可思議解脫菩薩斷取三千大千世界
如陶家輪著右掌中擲過恒河沙世界之外
其中衆生不覺不知己之所往又復還置本
處都不使人有往來想而此世界本相如故
又舍利弗或有衆生樂久住世而可度者菩
薩即演七日以爲一劫令彼衆生謂之一劫
或有衆生不樂久住而可度者菩薩即促一
劫以爲七日令彼衆生謂之七日又舍利弗
住不可思議解脫菩薩以一切佛土嚴飾之
事集在一國示於衆生又菩薩以一佛土衆
生置之右掌飛到十方遍示一切而不動本
處又舍利弗十方衆生供養諸佛之具菩薩
於一毛孔皆令得見又十方國土所有日月
星宿於一毛孔普使見之又舍利弗十方世
界所有諸風菩薩悉能吸著口中而身无損
外諸樹木亦不摧折又十方世界劫盡燒時以
一切火內於腹中火事如故而不爲害又於
下方過恒河沙等諸佛世界取一佛土舉著
上方過恒河沙无數世界如持鍼鋒舉一棗
葉而无所嬈又舍利弗住不可思議解脫
菩薩能以神通現作佛身或現辟支佛身或
現聲聞身或現帝釋身或現梵王身或現世

BD00765 號　維摩詰所說經卷中　（4–2）

上方過恒河沙无數世界如持針鋒舉一棗
葉而无所嬈又舍利弗住不可思議解脫
菩薩能以神通現作佛身或現辟支佛身或
現聲聞身或現帝釋身或現梵王身或現世
主身或現轉輪王身又十方世界所有衆聲
上中下音皆能變之令作佛聲演出无常苦
空无我之音及十方諸佛所說種種之法皆
於其中普令得聞舍利弗我今略說菩薩不
可思議解脫之力若廣說者窮劫不盡是時
大迦葉聞說菩薩不可思議解脫法門嘆未
曾有謂舍利弗譬如有人於盲者前現衆色
像非彼所見一切聲聞聞是不可思議解脫
法門不能解了爲若此也智者聞是其誰不
發阿耨多羅三藐三菩提心我等何爲永絶其
根於此大乘猶如敗種一切聲聞聞是不可
思議解脫法門皆應號泣聲震三千大千世
界一切菩薩應大欣慶頂受此法若有菩薩
信解不可思議解脫法門者一切魔衆无如
之何大迦葉說是語時三萬二千天子皆發
阿耨多羅三藐三菩提心爾時維摩詰語大
迦葉仁者十方无量阿僧祇世界中作魔王
者多是住不可思議解脫菩薩以方便力教
化衆生現作魔王又迦葉十方无量菩薩或
有人從乞手足耳鼻頭目髓腦血肉皮骨聚

BD00765 號　維摩詰所說經卷中　（4–3）

根於此大乘猶如敗種一切聲聞聞是不可
思議解脫法門皆應號泣聲震三千大千世
界一切菩薩應大欣慶頂受此法若有菩薩
信解不可思議解脫法門者一切魔衆无如
之何大迦葉說是語時三萬二千天子皆發
阿耨多羅三藐三菩提心爾時維摩詰語大
迦葉仁者十方无量阿僧祇世界中作魔王
者多是住不可思議解脫菩薩以方便力教
化衆生現作魔王又迦葉十方无量菩薩或
有人從乞手足耳鼻頭目髓腦血肉皮骨聚
落城邑妻子奴婢象馬車乘金銀琉璃車𤦲
馬瑙珊瑚虎珀真珠珂貝衣服飲食如此乞
者多是住不可思議解脫菩薩以方便力而
往試之令其堅固所以者何住不可思議解
脫菩薩有威德力故行逼迫示諸衆生如是
難事凡夫下劣无有力勢不能如是逼迫菩
薩[illegible]

BD00765 號　維摩詰所說經卷中　（4–4）

力成就具足能以正法摧伏諸惡
尒時四王白佛言世尊若未來世有諸人王
作如是等恭敬正法至心聽受是妙經典及恭
敬供養尊重讚嘆持是經典四部之衆嚴
治舍宅香汁灑地專心正念聽說法時我等
四王亦當在中共聽此法願諸人王爲自利故
以己所得功德少分施與我等世尊是諸人
王於說法者所坐之處爲我等故燒種種
香供養是經是妙香氣於一念頃即至我等
諸天宮殿其香即時變成香蓋其香微妙
金色晃曜照我等宮釋宮梵宮大辯神天功
德神天堅牢地神散脂鬼神大將軍二十八
部鬼神大將摩醯首羅金剛密迹摩尼跋陁
鬼神大將鬼子母與五百鬼子周匝圍繞阿耨
達龍王娑竭羅龍王如是等衆自於宮殿
各各得聞是妙香氣及見香蓋光明普照是
香蓋光明亦照一切天宮殿佛告四王是香蓋
光明非但至汝四王宮殿何以故是諸人王手

BD00766 號　金光明經卷二　（3-1）

達龍王娑竭羅龍王如是等衆自於宮殿
各各得聞是妙香氣及見香蓋光明普照是
香蓋光明亦照一切天宮殿佛告四王是香蓋
光明非但至汝四王宮殿何以故是諸人王手
擎香鑪供養經時其香遍布於一念頃遍
至三千大千世界百億日月百億大海百億
須弥山百億大鐵圍山小鐵圍山及諸山王
百億四天下百億四天王百億三十三天乃
至百億非想非非想天於此三千大千世
界百億三十三天一切龍鬼乾闥婆阿脩羅
迦樓羅緊那羅摩睺羅伽宮殿虚空悉滿
種種香烟雲蓋其蓋金光亦照宮殿如是
三千大千世界所有種種香烟香蓋皆是此
經威神力故是諸人王手擎香鑪供養經時
種種香氣不但遍此三千大千世界於一念頃
亦遍十方无量无邊恒河沙等百千万億
諸佛世界於諸佛上虚空之中亦成香蓋金
色普照亦復如是諸佛世尊聞是妙香見是
香蓋及金色光於十方界恒河沙等諸佛世
尊作如是等神力變化已異口同音於說法者
稱讚善哉善哉大士汝能廣宣流布如是
甚深微妙經典則爲成就无量无邊不可思
議功德之聚若有聞是甚深經典所得功德
則爲不少況持讀誦爲他衆生開示分別演
說其義何以故善男子此金光明微妙經
典无量无邊億那由他諸菩薩等若得聞

BD00766 號　金光明經卷二　（3-2）

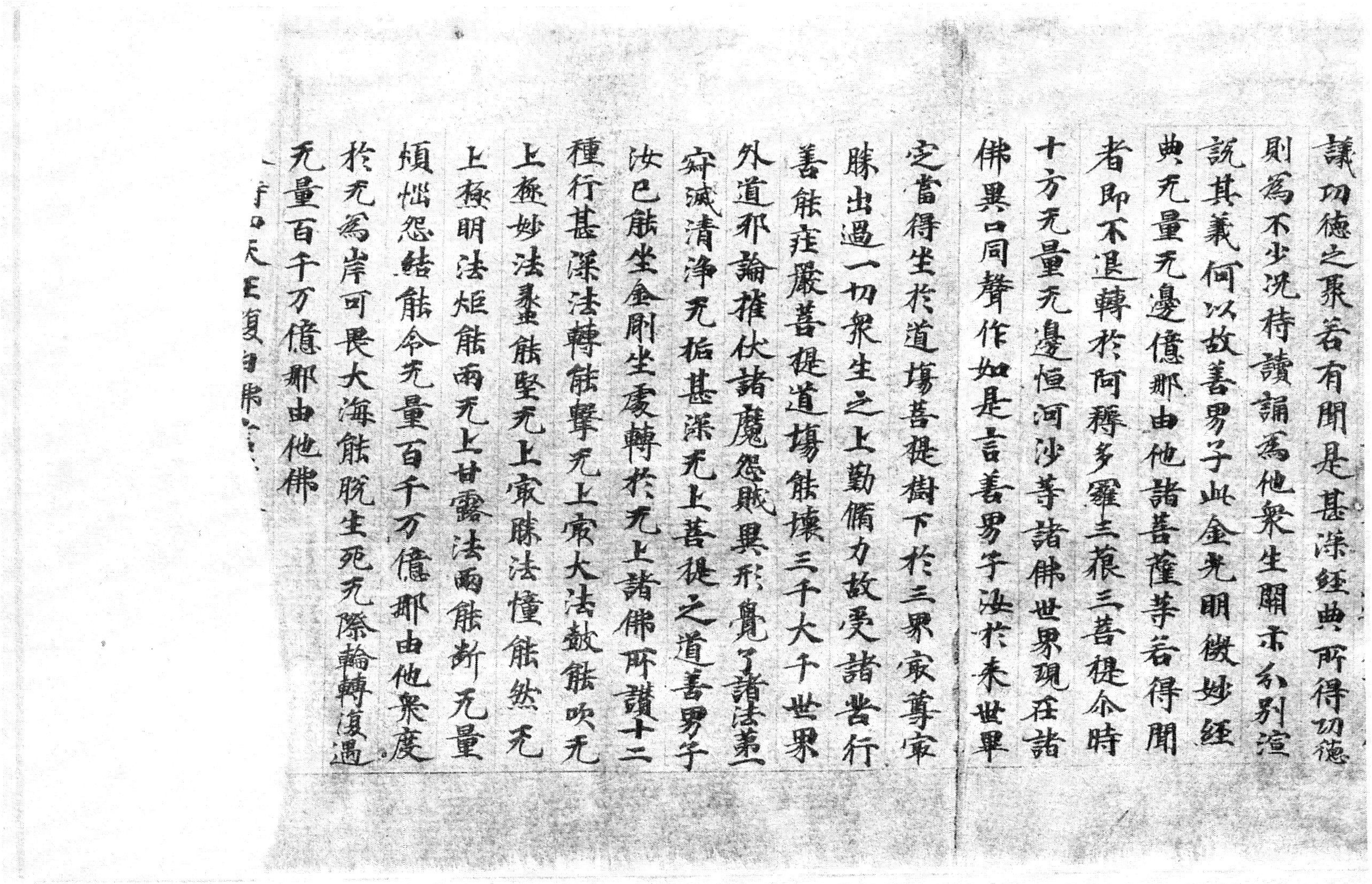

議切德之聚若有聞是甚深經典所得功德
則爲不少況持讀誦爲他衆生開示分別演
説其義何以故善男子此金光明微妙經
典无量无邊億那由他諸菩薩等若得聞
者即不退轉於阿耨多羅三藐三菩提尒時
十方无量无邊恒河沙等諸佛世界現在諸
佛異口同聲作如是言善男子汝於未世畢
定當得坐於道場菩提樹下於三界最尊最
勝出過一切衆生之上勤脩力故受諸苦行
善能莊嚴菩提道場能壞三千大千世界
外道邪論摧伏諸魔怨賊異形覺了諸法第一
寂滅清淨无垢甚深无上菩提之道善男子
汝已能坐金剛坐處轉於无上諸佛所讃十二
種行甚深法轉能擊无上最大法鼓能吹无
上極妙法蠡能竪无上最勝法幢能然无
上極明法炬能雨无上甘露法雨能斷无量
煩惱怨結能令无量百千万億那由他衆度
於无爲岸可畏大海能脫生死无際輪轉復遇
无量百千万億那由他佛
時四天王復白佛言

BD00766 號　金光明經卷二　（3–3）

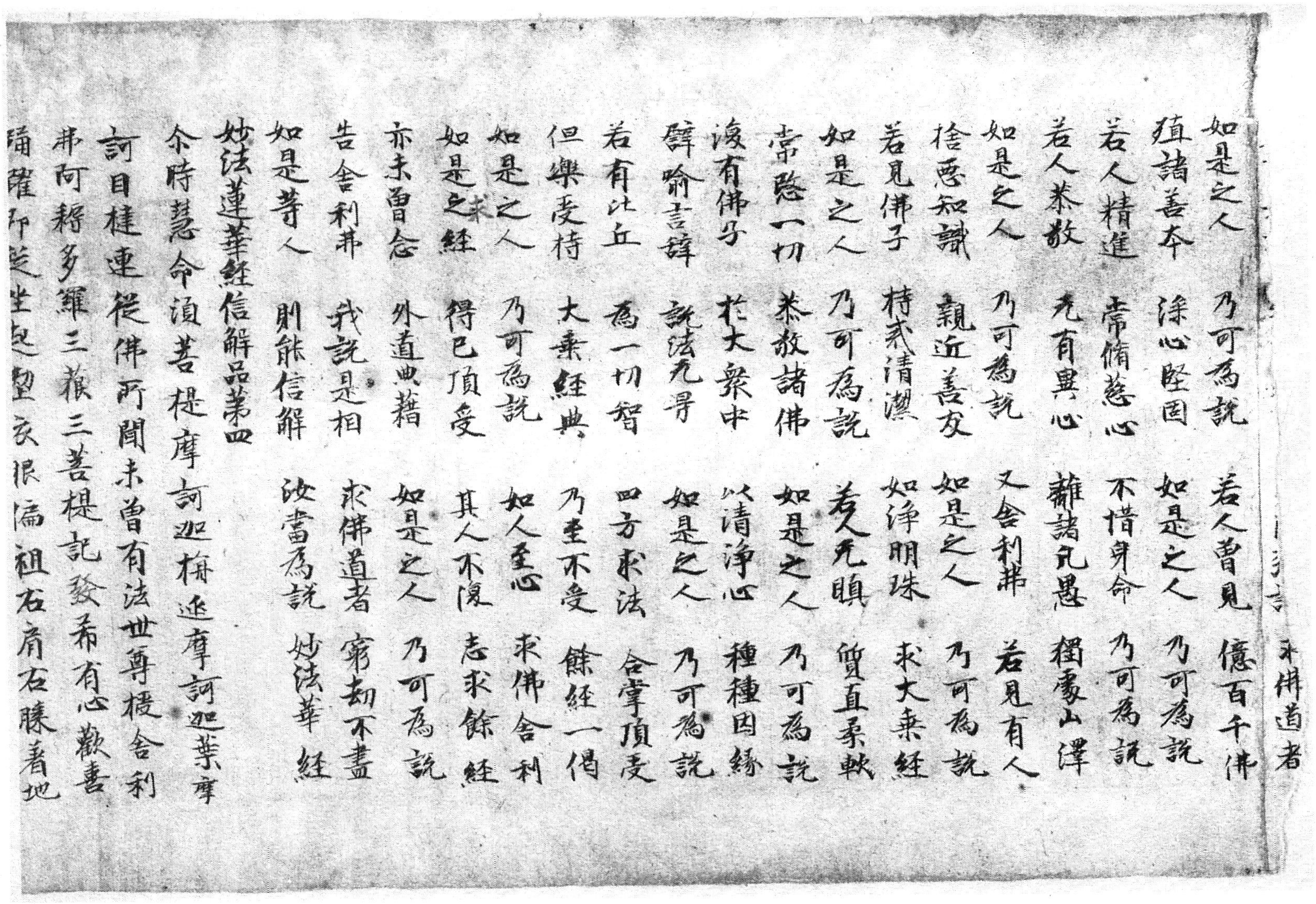

求佛道者
如是之人　乃可爲説　若人曾見　億百千佛
殖諸善本　深心堅固　如是之人　乃可爲説
若人精進　常脩慈心　不惜身命　乃可爲説
若人恭敬　无有異心　離諸凡愚　獨處山澤
如是之人　乃可爲説　又舍利弗　若見有人
捨惡知識　親近善友　如是之人　乃可爲説
若見佛子　持戒清潔　如淨明珠　求大乘經
如是之人　乃可爲説　若人无瞋　質直柔軟
常愍一切　恭敬諸佛　如是之人　乃可爲説
復有佛子　於大衆中　以清淨心　種種因緣
譬喻言辞　説法无㝵　如是之人　乃可爲説
若有比丘　爲一切智　四方求法　合掌頂受
但樂受持　大乘經典　乃至不受　餘經一偈
如是之人　乃可爲説　如人至心　求佛舍利
如是之經　得已頂受　其人不復　志求餘經
亦未曾念　外道典籍　如是之人　乃可爲説
告舍利弗　我説是相　求佛道者　窮劫不盡
如是等人　則能信解　汝當爲説　妙法華經
妙法蓮華經信解品第四
尒時慧命須菩提摩訶迦栴延摩訶迦葉摩
訶目揵連從佛所聞未曾有法世尊授舍利
弗阿耨多羅三藐三菩提記發希有心歡喜
踊躍即從座起整衣服偏袒右肩右膝著地

BD00767 號　妙法蓮華經卷二　（3–1）

妙法蓮華經信解品第四

尒時慧命須菩提摩訶迦旃延摩訶迦葉摩
訶目揵連從佛所聞未曾有法世尊授舍利
弗阿耨多羅三藐三菩提記發希有心歡喜
踊躍即從坐起整衣服偏袒右肩右膝著地
一心合掌曲躬恭敬瞻仰尊顔而白佛言我
等居僧之首年並朽邁自謂已得涅槃无所
堪任不復進求阿耨多羅三藐三菩提世尊
往昔說法既久我時在坐身體疲懈但念空
无相无作於菩薩法遊戲神通淨佛國土成
就衆生心不喜樂所以者何世尊令我等出於
三界得涅槃證又今我等年已朽邁於佛教
化菩薩阿耨多羅三藐三菩提不生一念好
樂之心我等今於佛前聞授聲聞阿耨多羅
三藐三菩提記心甚歡喜得未曾有不謂於
今忽然得聞希有之法深自慶幸獲大善利
无量珍寶不求自得世尊我等今者樂說譬
喻以明斯義譬若有人年既幼稚捨父逃逝
久住他國或十二十至五十歲年既長大加
復窮困馳騁四方以求衣食漸漸遊行遇向
本國其父先來求子不得中止一城其家大
富財寶无量金銀琉璃珊瑚虎珀頗梨珠等
其諸倉庫悉皆盈溢多有僮僕臣佐吏民象
馬車乘牛羊无數出入息利乃遍他國商估
賈客亦甚衆多時貧窮子遊諸聚落經歷國
邑遂到其父所止之城父每念子與子離別
五十餘年而未曾向人說如此事但自思惟心

BD00767號　妙法蓮華經卷二　（3–2）

无量珍寶不求自得世尊我等今者樂說譬
喻以明斯義譬若有人年既幼稚捨父逃逝
久住他國或十二十至五十歲年既長大加
復窮困馳騁四方以求衣食漸漸遊行遇向
本國其父先來求子不得中止一城其家大
富財寶无量金銀琉璃珊瑚虎珀頗梨珠等
其諸倉庫悉皆盈溢多有僮僕臣佐吏民象
馬車乘牛羊无數出入息利乃遍他國商估
賈客亦甚衆多時貧窮子遊諸聚落經歷國
邑遂到其父所止之城父每念子與子離別
五十餘年而未曾向人說如此事但自思惟心
懷悔恨自念老朽多有財物金銀珍寶倉
庫盈溢无有子息一旦終沒財物散失无
所委付是以慇懃每憶其子復作是念我若
得子委付財物坦然快樂无復憂慮世尊尒
時窮子傭賃展轉遇到父舍住立門側遥見
其父踞師子牀寶机承足諸婆羅門刹利居
士皆恭敬圍遶以真珠瓔珞價直千万莊嚴
其身吏民僮僕手執白拂侍立左右覆以寶
帳垂諸華幡香水灑地散衆名華羅列寶物
出內取與有如是等種種嚴飾威德特尊窮
子見父有大力勢即懷恐怖悔來至此竊作
是念此或是王或是王等非我傭力得物之

BD00767號　妙法蓮華經卷二　（3–3）

天子皆[illegible]
心供養[illegible]目見
時維摩詰問[illegible]菩薩言諸[illegible]致彼佛
飯以文殊師利威神力故咸皆嘿然維摩詰言
仁者此諸大眾无乃可恥文殊師利曰如佛所
言勿輕未學於是維摩詰不起于座居眾會
前化作菩薩相好光明威德殊勝蔽於眾會而
告之曰汝往上方界分度如卌二恒河沙佛土有
國名眾香佛号香積與諸菩薩方共坐食
汝往到[illegible]如我[illegible]維摩詰稽首世尊足
下致敬无量[illegible]起居少病[illegible]安不
願得世尊所食[illegible]餘當於娑婆世界施作佛
事令此樂小法者得弘大道亦使如來名聲
普聞時化菩薩即於會前昇于上方舉眾皆
見其去到眾香界礼彼佛足又聞其言維摩
詰稽首世尊足下致敬无量問訊起居少病
少惱氣力安不願得世尊所食之餘欲於娑
婆世界[illegible]作佛事使此樂小法者得弘大道
亦使如來名[illegible]普聞彼諸大[illegible]菩薩歎

BD00768 號　維摩詰所說經卷下　（20–1）

詰稽首世尊足下致敬无量問訊起居少病
少惱氣力安不願得世尊所食之餘欲於娑
婆世界[illegible]作佛事使此樂小法者得弘大道
亦使如來名[illegible]普聞彼諸大[illegible]菩薩歎
未曾有今此上人從何所來娑婆世界為在
何許云何名為樂小法者即以問佛佛告之
曰下方度如卌二恒河沙佛土有世界名娑
婆佛号釋迦牟尼今現在於五濁惡世為樂
小法眾生敷演道教彼有菩薩名維摩詰
住不可思議解脫為諸菩薩說法故遣化來稱
揚我名并讚此土令彼菩薩增益功德彼菩
薩言其人何如[illegible]作是化德力[illegible]足若斯
佛言甚大一切十方皆遣化往施作佛事饒
益眾生於是香積如來以眾香鉢盛滿香飯
與化菩薩時彼九百萬菩薩俱發聲言我欲
詣娑婆世界供養釋迦牟尼佛并欲見維摩
詰等諸菩薩佛言可往攝汝身香无令彼眾
生起惑著心又當捨汝本形勿使彼國求菩
薩者而自鄙恥又汝於彼莫懷輕賤而作礙
想所以者何十方國土皆如虛[illegible]諸佛為
欲諸樂小法者不盡現其清淨土耳時化菩
薩既受鉢飯與彼九百萬菩薩俱承佛威神
及維摩詰力於彼世界忽然不現須臾之間
至維摩詰舍維摩詰即化作九百万師子之
座嚴好如前諸菩薩皆坐其上化菩薩以滿
鉢飯與維摩詰飯香普熏比耶離城及三[illegible]

BD00768 號　維摩詰所說經卷下　（20–2）

及維摩詰力於彼世界忽然不現須臾之間
至維摩詰舍維摩詰即化作九百万師子之
座嚴好如前諸菩薩皆坐其上化菩薩以滿
鉢飯與維摩詰飯香普熏毗耶離城及三千大
千世界時毗耶離婆羅門居士等聞是香氣
身意快然歎未曾有於是長者主月蓋從
八萬四千人來入維摩詰舍見其室中菩薩
甚多諸師子座高廣嚴好皆大歡喜礼衆菩薩
及大弟子却住一面諸地神虛空神及欲色
界諸天聞此香氣亦皆來入維摩詰舍時
維摩詰語舍利弗等諸大聲聞仁者可食如
來甘露味飯大悲所熏无以限意食之使不消
也有異聲聞人念是飯少而此大衆人人當食
化菩薩曰勿以聲聞小德小智稱量如來无量
福慧四海有竭此飯无盡使一切人食摶若
須彌乃至一劫猶不能盡所以者何无盡戒
定智慧解脫解脫知見功德具足者所食之
餘終不可盡於是鉢飯悉飽衆會猶故不賜
其諸菩薩聲聞天人食此飯者身安快樂
譬如一切樂莊嚴國諸菩薩也又諸毛孔皆出
妙香亦如衆香國土諸樹之香　維摩詰
問衆香菩薩香積如來以何說法彼菩薩曰
我土如來无文字說但以衆香令諸天人得
入律行菩薩各坐香樹下聞斯妙香即獲
一切德藏三昧得是三昧者菩薩所有功德皆
悉具足彼諸菩薩問維摩詰今世尊……

入律行菩薩各坐香樹下聞斯妙香即獲
一切德藏三昧得是三昧者菩薩所有功德皆
悉具足彼諸菩薩問維摩詰今世尊釋迦牟
尼以何說法維摩詰言此土衆生剛强難化故
佛爲說剛强之語以調伏之言是地獄是畜
生是餓鬼是諸難處是愚人生處是身邪行
是身邪行報是口邪行是口邪行報是意邪
行是意邪行報是殺生是殺生報是不與取
是不與取報是邪婬是邪婬報是妄語是妄
語報是兩舌是兩舌報是惡口是惡口報是
无義語是无義語報是貪嫉是貪嫉報是嗔
惱是嗔惱報是邪見是邪見報是慳悋是慳
悋報是毀戒是毀戒報是瞋恚是瞋恚報是懈
怠是懈怠報是亂意是亂意報是愚癡是愚
癡報是結戒是持戒是犯戒是應作是不應
作是鄣礙是不鄣礙是得罪是離罪是淨是
垢是有漏是无漏是邪道是正道是有爲是
无爲是世間是涅槃以難化之人心如猨猴故
以若干種法制御其心乃可調伏譬如象馬𢤱
悷不調加諸楚毒乃至徹骨然後調伏
如是剛强難化衆生故以一切苦切之言乃可
入律彼諸菩薩聞說是已皆曰未曾有也如
世尊釋迦牟尼佛隱其无量自在之力乃以
貧所樂法度脫衆生斯諸菩薩亦能勞謙以
无量大悲生是佛土維摩詰言此土菩薩於

世尊釋迦牟尼佛隱其无量自在之力乃以
貧所樂法度脫衆生斯諸菩薩亦能勞謙以
无量大悲生是佛土維摩詰言此土菩薩於
諸衆生大悲堅固誠如所言然其一世饒益
衆生多於彼國百千劫行所以者何此娑婆
世界有十事善法諸餘淨土之所无有何等
爲十以布施攝貧窮以淨戒攝毀禁以忍辱攝
瞋恚以精進攝懈怠以禪定攝亂意以智
慧攝愚癡說除難法度八難者以大乘法
度樂小乘者以諸善根濟无德者常以四攝成
就衆生是爲十彼菩薩曰菩薩成就幾法於
此世界行无瘡疣生于淨土維摩詰言菩薩
成就八法於此世界行无瘡疣生于淨土何等
爲八饒益衆生而不望報代一切衆生受諸
苦惱所作功德盡以施之等心衆生謙下无
礙於諸菩薩視之如佛所未聞經聞之不疑
不與聲聞而相違背不嫉彼供不高己利而
於其中調伏其心常省己過不訟彼短恒以
一心求諸功德是爲八維摩詰文殊師利於
大衆中說是法時百千天人皆發阿耨多羅
三藐三菩提心十千菩薩得无生法忍

菩薩行品第十一

是時佛說法於菴羅樹園其地忽然廣博嚴
事一切衆會皆作金色阿難白佛言世尊以
何因緣有此瑞應是處忽然廣博嚴事一切
衆會皆作金色佛告阿難是維摩詰文殊師

BD00768 號　維摩詰所說經卷下　（20–5）

是時佛說法於菴羅樹園其地忽然廣博嚴
事一切衆會皆作金色阿難白佛言世尊以
何因緣有此瑞應是處忽然廣博嚴事一切
衆會皆作金色佛告阿難是維摩詰文殊師
利與諸大衆恭敬圍繞發意欲來故先爲此
瑞應於是維摩詰語文殊師利可共見佛與
諸菩薩礼事供養文殊師利言善哉行矣今
正是時維摩詰即以神力持諸大衆幷師子
座置於右掌往詣佛所到已著地稽首佛足
右繞七帀一心合掌在一面立其諸菩薩即
皆避座稽首佛足亦繞七帀於一面立諸大
弟子釋梵四天王等亦皆避座稽首佛足在
一面立於是世尊如法慰問諸菩薩已各令
復坐即皆受教衆坐已定佛語舍利弗汝見
菩薩大士自在神力之所爲乎唯然已見於汝
意云何世尊我覩其爲不可思議非意所圖
非度所測尒時阿難白佛言世尊今所聞香
自昔未有是爲何香佛告阿難是彼菩薩毛
孔之香於是舍利弗語阿難言我等毛孔亦
出是香阿難言此所從來曰是長者維摩詰
從衆香國取佛餘飯於舍食者一切毛孔皆
香若此阿難問維摩詰是香氣住當久如維
摩詰言至此飯消曰此飯久如當消曰此飯
勢力至于七日然後乃消又阿難若聲聞人
未入正位食此飯者得入正位然後乃消已
入正位食此飯者得心解脫然後乃消若未

BD00768 號　維摩詰所說經卷下　（20–6）

摩詰言至此飯消曰此飯久如當消曰此飯
勢力至于七日然後乃消又阿難若聲聞人
未入正位食此飯者得入正位然後乃消已
入正位食此飯者得心解脫然後乃消若未
發大乘意食此飯者至發意乃消已發意食
此飯者得无生忍然後乃消已得无生忍食
此飯者至一生補處然後乃消譬如有藥名曰
上味其有服者身諸毒滅然後乃消此飯如
是滅除一切諸煩惱毒然後乃消阿難白佛言
未曾有也世尊如此香飯能作佛事佛言如是
如是阿難或有佛土以佛光明而作佛事有以
諸菩薩而作佛事有以佛所化人而作佛事
有以菩提樹而作佛事有以佛衣服臥具而
作佛事有以飯食而作佛事有以園林臺觀
而作佛事有以卅二相八十隨形好而作佛事有
以佛身而作佛事有以虛空而作佛事眾生
應以此緣得入律行有以夢幻影響鏡中像
水中月熱時焰如是等喻而作佛事有以
音聲語言文字而作佛事或有清淨佛土寂
漠无言无說无示无識无作无為而作佛事
如是阿難諸佛威儀進止諸所施為无非佛事
阿難有此四魔八萬四千諸煩惱門而諸眾
生為之疲勞諸佛即以此法而作佛事是名
入一切諸佛法門菩薩入此門者若見一切
淨妙佛土不以為喜不貪不高若見一切不
淨佛土不以為憂不礙不沒但於諸佛生清

BD00768 號　維摩詰所說經卷下　（20–7）

入一切諸佛法門菩薩入此門者若見一切
淨妙佛土不以為喜不貪不高若見一切不
淨佛土不以為憂不礙不沒但於諸佛生清
淨心歡喜恭敬未曾有也諸佛如來功德平
等為教化眾生故而現佛土不同阿難汝見
諸佛國土地有若干而虛空无若干也如是見
諸佛色身有若干耳其无礙慧无若干也
阿難諸佛色身威相種姓戒定智慧解脫解
脫知見力无所畏不共之法大慈大悲威儀
所行及其壽命說法教化成就眾生淨佛國
土具諸佛法悉皆同等是故名為三藐三佛
陀名為多陀阿伽度名為佛陀阿難若我
廣說此三句義汝以劫壽不能盡受正使三
千大千世界滿中眾生皆如阿難多聞第一
得念總持此諸人等以劫之壽亦不能受如
是阿難諸佛阿耨多羅三藐三菩提无有限
量智慧辯才不可思議阿難白佛言我從今已
往不敢自謂以為多聞佛告阿難勿起退意
所以者何我說汝於聲聞中為最多聞非謂
菩薩且止阿難其有智者不應限度諸菩
薩也一切海淵尚可測量菩薩禪定智慧總持
辯才一切功德不可量也阿難汝等捨置菩
薩所行是維摩詰一時所現神通之力一切
聲聞辟支佛於百千劫盡力變化所不能作
尒時眾香世界菩薩來者合掌白佛言世
尊我等初見此土生下劣想今自悔責捨是

BD00768 號　維摩詰所說經卷下　（20–8）

薩所行是維摩詰一時所現神通之力一切
聲聞辟支佛於百千劫盡力變化所不能作
尒時衆香世界菩薩來者合掌白佛言世
尊我等初見此土生下劣想今自悔責捨離
是心所以者何諸佛方便不可思議為度衆生
故隨其所應現佛國異唯然世尊願賜少法
還於彼土當念如來佛告諸菩薩有盡无盡
解脫法門汝等當學何謂為盡謂有為法何
謂无盡謂无為法如菩薩者不盡有為不住
无為何謂不盡有為謂不離大慈不捨大悲
深發一切智心而不忽忘教化衆生終不厭惓
於四攝法常念順行護持正法不惜軀命
種諸善根无有疲厭志常安住方便迴向求
法不懈說法无悋勤供養諸佛故入生死而无
所畏於諸榮辱心无憂喜不輕未學敬學如
佛墮煩惱者令發正念於遠離樂不以為貴
不著己樂慶於彼樂在諸禪定如地獄想於
生死中如園觀想見來求者為善師想捨諸
所有具一切智想見毀戒人起救護想諸波
羅蜜為父母想道品之法為眷屬想發行善
根无有齊限以諸淨國嚴飾之事成己佛土
行不限施具足相好除一切惡身口意淨故
生死无數劫意而有勇聞佛无量德志而不
惓以智慧劒破煩惱賊出陰界入荷負衆生
永使解脫以大精進摧伏魔軍常求无念實
相智慧行少欲知足而不捨世法不壞威儀

BD00768 號　維摩詰所說經卷下　（20–9）

惓以智慧劒破煩惱賊出陰界入荷負衆生
永使解脫以大精進摧伏魔軍常求无念實
相智慧行少欲知足而不捨世法不壞威儀
而能隨俗起神通慧引導衆生得念揔
持所聞不忘善別諸根斷衆生疑以樂說
辯演法无礙淨十善道受人天福脩四无
量開梵天道勸請說法隨喜讚善得佛音
聲身口意善得佛威儀深脩善法所行轉
勝以大乘教成菩薩僧心无放逸不失衆善
行如此法是名菩薩不盡有為何謂菩薩
不住无為謂脩學空不以空為證脩學无相
无作不以无相无作為證脩學无起不以无
起為證觀於无常而不厭善本觀世間苦而
不惡生死觀於无我而誨人不惓觀於寂滅
而不永寂滅觀於遠離而身心脩善觀无所
歸而歸趣善法觀於无生而以生法荷負一切
觀於无漏而不斷諸漏觀无所行而以行法
教化衆生觀於空无而不捨大悲觀正法位
而不隨小乘觀諸法虛妄无牢无人无主无
相本願未滿而不虛福德禪定智慧脩如此
法是名菩薩不住无為又具福德故不住无
為具智慧故不盡有為大慈悲故不住无
為滿本願故不盡有為集法藥故不住无為
隨授藥故不盡有為知衆生病故不住无為
滅衆生病故不盡有為諸正士菩薩已脩此法不

BD00768 號　維摩詰所說經卷下　（20–10）

為滿本願故不盡有為集法藥故不住无為
隨授藥故不盡有為知衆生病故不住无為
滅衆生病故不盡有為諸正士菩薩已脩此法不
盡有為不住无為是名盡无盡解脫法門汝
等當學尒時彼諸菩薩聞說是法皆大歡
喜以衆妙華若干種色若干種香散遍三千
大千世界供養於佛及此經法并諸菩薩已
稽首佛足歎未曾有言釋迦牟尼佛乃能於
此善行方便言已忽然不現還到彼國

見阿閦佛品第十二

尒時世尊問維摩詰汝欲見如來為以何等
觀如來乎維摩詰言如自觀身實相觀佛亦
然我觀如來前際不來後際不去今則不住
不觀色不觀色如不觀色性不觀受想行識
不觀識如不觀識性非四大起同於虛空六
入无積眼耳鼻舌身心已過不在三界三垢
已離順三脫門三明與无明等不一相不異
相不自相不他相非无相非取相不此岸不
彼岸不中流而化衆生觀於寂滅亦不永滅
不此不彼不以此不以彼不可以智知不可
以識識无晦无明无名无相无強无弱非淨
非穢不在方不離方非有為非无為无示无
說不施不慳不戒不犯不忍不恚不進不怠
不定不亂不智不愚不誠不欺不來不去不
出不入一切言語道斷非福田非不福田非應

不定不亂不智不愚不誠不欺不來不去不
出不入一切言語道斷非福田非不福田非應
供養非不應供養非取非捨非有相非无相
同真際等法性不可稱不可量過諸稱量非
大非小非見非聞非覺非知離衆結縛等諸智
同衆生於諸法无分別一切无失无濁无惱无作
无起无生无滅无畏无憂无喜无厭无著无已
有无當有无今有不可以一切言說分別顯
示世尊如來身為若此作如是觀以斯觀者
名為正觀若他觀者名為邪觀
尒時舍利弗問維摩詰汝於何沒而來生此
維摩詰言汝所得法有沒生乎舍利弗言无
沒生也若諸法无沒生相云何問言汝於何
沒而來生此於意云何譬如幻師幻作男女
寧沒生耶舍利弗言无沒生也汝豈不聞佛
說諸法如幻相乎答曰如是若一切法如幻相
者云何問言汝於何沒而來生此舍利弗
沒者為虛誑法壞敗之相生者為虛誑法相
續之相菩薩雖沒不盡善本雖生不長諸惡
是時佛告舍利弗有國名妙喜佛号无動是
維摩詰於彼國沒而來生此舍利弗言未曾
有也世尊是人乃能捨清淨佛土而來樂此
多怒害處維摩詰語舍利弗於意云何日光
出時與冥合乎答曰不也日光出時則无衆
冥維摩詰言夫日何故行閻浮提答曰欲以

有也世尊是人乃能捨清淨佛土而来樂此
多怒害處維摩詰語舍利弗於意云何日光
出時與冥合乎答曰不也日光出時則无衆
冥維摩詰言夫日何故行閻浮提答曰欲以
明照為之除冥維摩詰言菩薩如是雖生
不淨佛土為化衆生不與愚闇而共合也但滅
衆生煩惱闇耳
是時大衆渴仰欲見妙喜世界不動如来及
其菩薩聲聞之衆佛知一切衆會所念告維
摩詰言善男子為此衆會現妙喜國不動
如来及諸菩薩聲聞之衆衆悉皆欲見於是
維摩詰心念吾當不起于座妙喜國鐵圍山
川溪谷江河大海泉源須彌諸山及日月星宿
天龍鬼神梵天等宮并諸菩薩聲聞之衆城
邑聚落男女大小乃至无動如来及菩提樹
諸妙蓮華能於十方作佛事者三道寶階
從閻浮提至忉利天以此寶階諸天来下悉為
礼敬无動如来聽受經法閻浮提人亦登其階
上昇忉利見彼諸天妙喜世界成就如是无
量功德上至阿迦膩吒天下至水際以右手斷
取如陶家輪入此世界猶持華鬘示一切衆
作是念已入於三昧現神通力以其右手斷
取妙喜世界置於此土彼得神通菩薩及聲
聞衆并餘天人俱發聲言唯然世尊誰取我
去願見救護无動佛言非我所為是維摩詰
神力所作其餘未得神通力者不覺不知己

BD00768 號　維摩詰所說經卷下

（20–13）

聞衆并餘天人俱發聲言唯然世尊誰取我
去願見救護无動佛言非我所為是維摩詰
神力所作其餘未得神通力者不覺不知己
之所往妙喜世界雖入此土而不增減於是
世界亦不迫隘如本无異
尒時釋迦牟尼佛告諸大衆汝等且觀妙喜
世界无動如来其國嚴飾菩薩行淨弟子清
白皆曰唯然已見佛言若菩薩欲得如是清
淨佛土當學无動如来所行之道現此妙喜
國時娑婆世界十四那由他人發阿耨多羅三
藐三菩提心皆願生於妙喜佛土釋迦牟尼
佛即記之曰當生彼國時妙喜世界於此國
土所應饒益其事訖已還復本處舉衆皆
見佛告舍利弗汝見此妙喜世界及无動佛
不唯然已見世尊願使一切衆生得清淨土
如无動佛獲神通力如維摩詰世尊我等快
得善利得見是人親近供養其諸衆生若今
現在若佛滅後聞此經者亦得善利况得聞
已信解受持讀誦解說如法脩行若有手得
是經典者便為已得法寶之藏若有讀誦解
釋其義如說脩行則為諸佛之所護念其有
供養如是人者當知則為供養於佛其有書
持此經卷者當知其室則有如来若聞是經
能隨喜者斯人則為取一切智若能信解此
經乃至一四句偈為他說者當知此人即是
受阿耨多羅三藐三菩提記

BD00768 號　維摩詰所說經卷下

（20–14）

持此經者當於其室即有如來若聞是經
能隨喜者斯人則為取一切智若能信解此
經乃至一四句偈為他說者當知此人即是
受阿耨多羅三藐三菩提記
法供養品第十三
尒時釋提桓因於大衆中白佛言世尊我雖
從佛及文殊師利聞百千經未曾聞此不可
思議自在神通決定實相經典如我解佛所說
義趣若有衆生聞是經法信解受持讀誦
之者必得是法不疑何況如說修行斯人則為
閉衆惡趣開諸善門常為諸佛之所護念
降伏外學摧滅魔怨修治菩提安處道場
履踐如來所行之跡世尊若有受持讀誦如說
修行者我當與諸眷屬供養給事所在聚落
城邑山林曠野有是經處我亦與諸眷屬聽受
法故共到其所其未信者當令生信其已信
者當為作護佛言善哉善哉天帝如汝所
說吾助尒喜此經廣說過去未來現在諸佛
不可思議阿耨多羅三藐三菩提是故天帝
若善男子善女人受持讀誦供養是經者則
為供養去來今佛天帝正使三千大千世界
如來滿中譬如甘蔗竹葦稻麻叢林若有善
男子善女人或一劫或減一劫恭敬尊重讚
歎供養奉諸所安至諸佛滅後以一一全身
舍利起七寶塔縱廣一四天下高至梵天表
剎莊嚴以一切華香瓔珞幢幡伎樂微妙第

BD00768號　維摩詰所說經卷下　（20–15）

歎供養奉諸所安至諸佛滅後以一一全身
舍利起七寶塔縱廣一四天下高至梵天表
剎莊嚴以一切華香瓔珞幢幡伎樂微妙第
一若一劫若減一劫而供養之於天帝意云
何其人植福寧為多不釋提桓因言多矣
世尊彼之福德若以百千億劫說不能盡佛告
天帝當知是善男子善女人聞是不可思議
解脫經典信解受持讀誦修行福多於彼所
以者何諸佛菩提皆從是生菩提之相不可
限量以是因緣福不可量
佛告天帝過去无量阿僧祇劫時世有佛號
曰藥王如來應供正遍知明行足善逝世間
解无上士調御丈夫天人師佛世尊世界曰
大莊嚴劫曰莊嚴佛壽廿小劫其聲聞僧卅
六億那由他菩薩僧有十二億天帝是時有
轉輪聖王名曰寶蓋七寶具足王四天下王有
千子端正勇健能伏怨敵尒時寶蓋與其眷
屬供養藥王如來施諸所安至滿五劫過五
劫已告其千子汝等亦當如我皆以深心供
養於佛於是千子受父王命供養藥王如來
復滿五劫一切施安其王一子名曰月蓋獨坐
思惟寧有供養殊過此者以佛神力空中有
天曰善男子法之供養勝諸供養即問何謂
法之供養天曰汝可往問藥王如來當廣為
汝說法之供養即時月蓋王子行詣藥王如
[illegible]

BD00768號　維摩詰所說經卷下　（20–16）

天曰善男子法之供養勝諸供養即問何謂
法之供養天曰汝可往問藥王如來當廣為
汝說法之供養即時月蓋王子行詣藥王如
來稽首佛足卻住一面白佛言世尊諸供養
中法供養勝云何為法供養佛言善男子法
供養者諸佛所說深經一切世間難信難受
微妙難見清淨无染非但分別思惟之所能
得菩薩法藏所攝陁羅尼印印之至不退轉
成就六度善分別義順菩提法眾經之上入
大慈悲離眾魔事及諸邪見順因緣法无我
无人无眾生无壽命空无相无作无起能令
眾生坐於道場而轉法輪諸天龍神乾闥婆
等所共歎譽能令眾生入佛法藏攝諸賢聖
一切智慧說眾菩薩所行之道依於諸法實
相之義明宣无常苦空无我寂滅能救一切毀
禁眾生諸魔外道及貪著者能使怖畏諸
佛賢聖所共稱歎背生死苦示涅槃樂十方
三世諸佛所說若聞如是等經信解受持讀
誦以方便力為諸眾生分別解說顯示分明
守護法故是名法之供養又於諸法如說修
行隨順十二因緣離諸邪見得无生忍決定
无我无有眾生而於因緣果報无違无諍離
諸我所依於義不依語依於智不依識依了
義經不依不了義經依於法不依人隨順法
相无所入无所歸无明畢竟滅故諸行亦畢

BD00768號　維摩詰所說經卷下　　　（20–17）

无我无有眾生而於因緣果報无違无諍離
諸我所依於義不依語依於智不依識依了
義經不依不了義經依於法不依人隨順法
相无所入无所歸无明畢竟滅故諸行亦畢
竟滅乃至生畢竟滅故老死亦畢竟滅作如
是觀十二因緣无有盡相不復起見是名最
上法之供養

佛告天帝王子月蓋從藥王佛聞如是法得
柔順忍即解寶衣嚴身之具以供養佛白佛
言世尊如來滅後我當行法供養守護正法
願以威神加哀建立令我得降魔怨修菩薩
行佛知其深心所念而記之曰汝於末後守
護法城天帝時王子月蓋見法清淨聞佛受
記以信出家修集善法精進不久得五神通
成菩薩道得陁羅尼无斷辯才於佛滅後以
其所得神通總持辯才之力滿十小劫藥王如
來所轉法輪隨而分布月蓋比丘以守護法
勤行精進即於此身化百万億人於阿耨多
羅三藐三菩提立不退轉十四那由他人深發
聲聞辟支佛心无量眾生得生天上天帝時
王寶蓋豈異人乎今現得佛号寶炎如來其
王千子即賢劫中千佛是也從迦羅鳩孫大
為始得佛最後如來号曰樓至月蓋比丘則
我身是如是天帝當知此要以法供養於諸
供養為上為最第一无比是故天帝當以法

BD00768號　維摩詰所說經卷下　　　（20–18）

為始得佛最後如来号曰攘至月蓋比丘則
我身是如是天帝當知此要以法供養於諸
供養為上為最第一无比是故天帝當以法
之供養供養於佛

囑累品第十四

於是佛告弥勒菩薩言弥勒我今以是无量
億阿僧祇劫所集阿耨多羅三藐三菩提法
付囑於汝如是華經於佛滅後末世之中汝
等當以神力廣宣流布於閻浮提无令斷絶
所以者何未来世中當有善男子善女人及天
龍鬼神乾闥婆羅剎等發阿耨多羅三藐
三菩提心樂于大法若使不聞如是等經則
失善利如此華人聞是等經必多信樂發希
有心當以頂受隨諸衆生所應得利而為廣
說弥勒當知菩薩有二相何謂為二一者好
於雜句文飾之事二者不畏深義如實能入
若好雜句文飾事者當知是為新學菩薩若
於如是无染无著甚深經典无有恐畏能入其
中聞已心淨受持讀誦如說脩行當知是
為久脩道行弥勒復有二法名新學者不
能決定於甚深法何等為二一者所未聞深
經聞之驚怖生疑不能隨順毀謗不信而作
是言我初不聞從何所来二者若有護持解脫
如是深經者不能親近供養恭敬或時於中
說其過惡有此二法當知是新學菩薩為
自毀傷不能於深法中調伏其心弥勒復有

經聞之驚怖生疑不能隨順毀謗不信而作
是言我初不聞從何所来二者若有護持解脫
如是深經者不能親近供養恭敬或時於中
說其過惡有此二法當知是新學菩薩為
自毀傷不能於深法中調伏其心弥勒復有
二法菩薩雖信解深法猶自毀傷而不能得无
生法忍何等為二一者輕慢新學菩薩而不
教誨二者雖解深法而取相分別是為二法
弥勒菩薩聞說是已白佛言世尊未曾有也
如佛所說我當遠離如斯之惡奉持如来无
數阿僧祇劫所集阿耨多羅三藐三菩提法
若未来世善男子善女人求大乘者當令手
得如是等經與其念力使受持讀誦為他廣
說世尊若後末世有能受持讀誦為他說者
當知是弥勒神力之所建立佛言善哉善哉
弥勒如汝所說佛助尒喜於是一切菩薩合掌
白佛我等亦於如来滅後十方國土廣宣流
布阿耨多羅三藐三菩提復當開導諸說法
者令得是經尒時四天王白佛言世尊在在
處處城邑聚落山林曠野有是經卷讀誦解
說者我當率諸官屬為聽法故往詣其所擁

…句不四句下者犯人二者別…
開緣四結犯罪下言餘時謂前弟三句一言如若比丘者義如上釋
二言別衆食律云若四人若過四人名衆食者飯麨乾飯肴
三四兩句可知言餘時者謂前弟三開緣言病時作衣時施衣時
此三緣如前戒說弟四言道行時者律云下至半由旬内有來去者
佛聽食別衆弟五言乘船時者下至半由旬乘上下者是弟六言大衆
集時八人已上名為大衆食无信供又是難得聽使不犯已下小衆食
雖難得容有兼濟故亦開又言大衆者四人已上名為大衆故律云
乞食四人長一人為患乃至百人長一人為患此是兩家衆旅東家限与
四人西家局与一人彼此二家施心限局各不相雜餘受乞食復是難得
若不開者西家一人与東四人作患由是患故開使不犯此頭舉患以開不患
如是乃至百人長人為患者但使食難得悉皆不犯故云大衆集時弟
七言沙門施食時者律云謂外道中出家者是名沙門施食緣如律
中廣明說准此而言比丘施食不開別衆故律云比丘无別衆食緣當言
我於此別衆食无緣應求出若三人直竟食若四人應作二部更互
入食律云為攝難調人故制不聽別衆食若依多論界内不集名
名別衆若依四相有客比丘來應不聽入名是別衆食若不依僧次差
往者名別衆義先別請後不處入轉別名次餘義廣以大疏說律云
不犯者以上七緣開食无罪多論若四人各自乞食共在一處又名无有
過以非一家故善見云人各別乞至同一處一時受犯二處處去一時受
各受食犯小罪三各去各受各食不犯四若一人覆鉢不食待餘三食竟
復一人食不犯多論三比丘一狂心三人在内一在界外三是大僧一是沙彌
悉皆不犯不成別衆不相足數故又有四句一食非是一處集乞過二食
二食一處三彼此乃異故不犯三食別處一前後食故不犯四食別受
別彼此二乘五清一人不犯義見五種是之四不犯一不請是四施主別請
四人一人不去臨中乞食比丘至彼依次与飯是之四是彼主是之四別請四
四人三人身至一人奢請主病人是之四雅等三病並非別衆食悉不犯
取歸婦價容道粮過三餘弟廿四　制意者然婦婦價容捨之奉
粮施諸比丘理宜將護依限而取今乃過取三餘令食塞未且長貪遂
致負[illegible]不種女[illegible]乃因[illegible]
BD00769號　四分律戒本疏卷三　（3–1）

別發此二衆五請一人不犯善見五種之四不犯一不請之四施主別請
四人一人不書臨中乞食比丘至彼依次與食五之四已奇五之四別請四
四人三人身至天坐請五病人之四往等三病並非別衆食皆不犯
取歸婦價客道糧過三鉢第卅四　制意者然歸婦價客糧客
糧施諸比丘理宜將護依限而取今乃過取三鉢令施主長貪遠
教損惱不輕故所以制　別緣具五一歸婦貪價客道糧二知是三无因緣
除有病緣不犯四取過三鉢五出門便犯　已下四明戒本此戒同上食比丘
從彼歸婦取塗糧文從其高容數已因起過失仍便制戒　若比丘至白衣
家請與比丘餅麨飯若比丘須者當取二三鉢受還至僧伽藍中應分與
餘比丘食若比丘无病過兩三鉢受持還僧伽藍中不分與餘比丘食者波
逸提　此滿足之戒本文有五三句一犯人二開受三齊食七多執若无病已
下過取遠教結罪初句可知第二句中文有三節初施塗糧二若比丘下教
受分齊三所以開齊三者為令施主獲又報之福又令比丘資身長道三衆
僧伽藍下教食之方法第三句文上第二開受等文　并相似初句可知如上
二句中言白衣家者律云有男有女故曰言與餅麨飯者是五正食言
三鉢受者是教受分齊多論云若上鉢取一鉢无罪取兩鉢犯中鉢
取二不犯三乃便犯下鉢取三不犯四鉢方犯文云過三鉢者就下鉢為言
第二言无病者是開緣律云為不能一坐好食飽足故聽不犯言過受犯
提者是第三結犯句律云若一人取過三鉢前三人不犯以不過限故後一
人犯以前三人語莫將來而往取過在後人出彼門限即犯提罪若方便欲去
吉羅五分云過受不分比丘食俱犯提罪四分過受犯提不分故吉祇云女家
價客去後不犯律云不犯者若兩三鉢受若病過受若白已共分若彼自
送僧寺若送反寺俱受不犯　足食戒第卅五　制意者足食以充軀為
用過則長貪少復不足之事須節量但四大身力報有強弱致聖將補有
四種之差始於一搏終至任飽食法咸是節量隨根之法今第四人不殘
法再食五正長貪妨道遠教惡深故所以制　別緣有五一是足食二足之食
想三捨威儀四无因緣除有病及作殘法因緣不犯五更隨犯　已下明
戒本此戒同食發不殺足之食比丘起過故制斯戒
若比丘足食竟或時受請不作餘食法而食者波逸提　此滿足之戒本文
有三句一犯人二食足之三違犯結罪初句可知第二足之食中文二初食竟者律
云謂足之緣有五一知是飯善知五正食足之非而不犯足之二知將來知故書
我持來境多足之三知處五正食坐制不聽可兩時飽食故曰知處即知
前坐食多堪飽郭作日中小食不郭故曰知遮四知威儀知行住坐臥四儀

僧伽藍下教食亦分法第三句又上第二爾受等文　弁相中初句可知如上
二句中言白衣家者律云有男有女故可言与餅麨飯者是五正食言
三鉢受者是教受亦齊多鉢者若上鉢取一鉢无罪取兩鉢犯中鉢
取二不犯三乃便犯下鉢取三不犯四鉢方犯文云過三鉢者就下鉢為言
第二言无病者是開緣律云爲不能一坐好食飽足故聽不犯言過受犯
提者是第三结犯句律云若一人取過三鉢前三人不犯以不過限故後一
人犯以前三人語莫持来而往取過在後人也彼以限即犯提罪若方便教
吉羅五分云過受不分比丘食俱犯提罪四分過受犯提不分故吉祇云分
僧客去後不犯律云不犯者若兩三鉢受若病過受義同也共分若彼自
送僧寺若送至寺俱受不犯　足食戒第卅五　制意者凡食以充軀爲
用過則長貪少復不足事須節量但四大身方報有強弱致聖將補有
四種之善始於一檀終至作餘食法咸是節量隨根之法今第四人不殘
法弄食五正長貪妨道違教慇采故所以制　別緣有五一是足食二足食
想三捨威儀四无因緣除有病及作殘法因緣不犯五更啖犯　已下明
戒本　此戒因貪饕不知足之食比丘起過故制斯戒
若比丘足之食竟或時受請不作餘食法而食者波逸提　此第一戒本文
有三句一犯人二食足之三遠犯结罪初句可知二足之食中文二一初食竟者律
云謂足之緣有五一知是飯麨乾五正食二知足之非正不犯足之三知持来知故處
我持来境多是足之三知處五正食豎割不聽可兩時飽食故曰知處即知
前坐食多堪飽郭於日中必食不郭故曰知遮四知威儀知行住坐臥四儀
隨壞一犯足之故五知捨威儀若坐牀而食前境堪足忽從頭取之後亦離牀
之例故曰捨威儀具此五緣即名食竟言或時受請者五謂受僧越食五處
戒足之教第三句言不作餘食法者此遮開緣律云若比丘食未足之應持食對前
比丘言我足之食已大德知是看是我作殘食法彼應取少食已當教彼言我正
汝取食之言而者波逸提是遮犯结罪故律云足之食已捨威儀不作餘法復若食
而不而咽之犯直五分云不作殘食若咽之犯提　律云不犯者食作非食想不受作
餘食法非食不作若病不作法病人殘不作法若已作餘食法一切不犯
勸足食戒第卅六　制意者然出家之人理須量腹爲[illegible]
[illegible]

一心念
是則大利　安樂供養
能演說斯　妙法華經　心
亦无憂愁　及罵詈者　又无怖畏　加
亦无擯出　安住忍故　智者如是　善
能住安樂　如我上說　其人功德　千万億劫
筭數譬喻　說不能盡

又文殊師利菩薩摩訶薩於後末世法欲滅時受持讀誦斯經典者无懷嫉妬諂誑之心亦勿輕罵學佛道者求其長短若比丘比丘尼優婆塞優婆夷求聲聞者求辟支佛者求菩薩道者无得惱之令其疑悔語其人言汝等去道甚遠終不能得一切種智所以者何汝是放逸之人於道懈怠故又亦不應戲論諸法有所諍競當於一切衆生起大悲想於諸如來起慈父想於諸菩薩起大師想於十方諸大菩薩常應深心恭敬礼拜於一切衆生平等說法以順法故不多不少乃至深愛法者亦不為多說文殊師利是菩薩摩訶薩於後末世法欲滅時有成就是第三安樂行

BD00770號　妙法蓮華經（八卷本）卷五　（13-1）

諸如來起慈父想於諸菩薩起大師想於十方諸大菩薩常應深心恭敬礼拜於一切衆生平等說法以順法故不多不少乃至深愛法者亦不為多說文殊師利是菩薩摩訶薩於後末世法欲滅時有成就是第三安樂行者說是法時无能惱亂得好同學共讀誦是經亦得大衆而來聽受聽已能持持已能誦誦已能說說已能書若使人書供養經卷恭敬尊重讚歎尒時世尊欲重宣此義而說偈言

若欲說是經　當捨嫉恚慢　諂誑邪僞心　常脩質直行
不輕蔑於人　亦不戲論法　不令他疑悔　云汝不得佛
是佛子說法　常柔和能忍　慈悲於一切　不生懈怠心
十方大菩薩　愍衆故行道　應生恭敬心　是則我大師
於諸佛世尊　生无上父想　破於憍慢心　說法无鄣礙
第三法如是　智者應守護　一心安樂行　无量衆所敬

又文殊師利菩薩摩訶薩於後末世法欲滅時有持是法華經者於在家出家人中生大慈心於非菩薩人中生大悲心應作是念如是之人則為大失如來方便隨宜說法不聞不知不覺不問不信不解其人雖不問不信不解是經我得阿耨多羅三藐三菩提時隨在何地以神通力智慧力引之令得住是法中文殊師利是菩薩摩訶薩於如來滅後有成就此第四法者說是法時无有過失常為比丘比丘尼優婆塞優婆夷國王王子大臣人民婆羅門居士等供養恭敬尊重讚歎虛

BD00770號　妙法蓮華經（八卷本）卷五　（13-2）

成就此第四法者說是法時无有過失常爲
比丘比丘尼優婆塞優婆夷國王王子大臣
人民婆羅門居士等供養恭敬尊重讚嘆虛
空諸天爲聽法故亦常隨侍若在聚落城邑
空閑林中有人来欲難問者諸天晝夜常爲
法故而衛護之能令聽者皆得歡喜所以者
何此經是一切過去未来現在諸佛神力所
護故文殊師利是法華經於无量國中乃至
名字不可得聞何況得見受持讀誦文殊師利
譬如強力轉輪聖王欲以威勢降伏諸國而諸
小王不順其命時轉輪王起種種兵而往討罰
王見兵衆戰有功者即大歡喜隨功賞賜或與
田宅聚落城邑或與衣服嚴身之具或與種種
珎寶金銀琉璃車璖馬瑙珊瑚虎珀象馬車乘
奴婢人民唯髻中明珠不以與之所以者何獨
王頂上有此一珠若以與之王諸眷屬必大驚
怪文殊師利如来亦復如是以禪定智慧力得
法國土王於三界而諸魔王不肯順伏如来賢
聖諸將與之共戰其有功者心亦歡喜於四衆
中爲說諸經令其心悅賜以禪定解脫无漏
根力諸法之財又復賜與涅槃之城言得滅度
引導其心令皆歡喜而不爲說是法華經文
殊師利如轉輪王見諸兵衆有大功者心甚歡喜以
此難信之珠久在髻中不妄與人而今與之如来
亦復如是於三界中爲大法王以法教化一
切衆生見賢聖軍與五陰魔煩惱魔死魔共

BD00770 號　妙法蓮華經（八卷本）卷五　（13–3）

此難信之珠久在髻中不妄與人而今與之如来
亦復如是於三界中爲大法王以法教化一
切衆生見賢聖軍與五陰魔煩惱魔死魔共
戰有大功勳滅三毒出三界破魔網尒時如
来亦大歡喜此法華經能令衆生至一切智
一切世間多怨難信先所未說而今說之文
殊師利此法華經是諸如来第一之說於諸
說中最爲甚深末後賜與如彼強力之王久
護明珠今乃與之文殊師利此法華經諸佛
如来秘密之藏於諸經中最在其上長夜守
護不妄宣說始於今日乃與汝等而敷演之
尒時世尊欲重宣此義而說偈言
常行忍辱　哀愍一切　乃能演說　佛所讚經
後末世時　持此經者　於家出家　及非菩薩
應生慈悲　斯等不聞　不信是經　則爲大失
我得佛道　以諸方便　爲說此法　令住其中
譬如強力　轉輪之王　兵戰有功　賞賜諸物
象馬車乘　嚴身之具　及諸田宅　聚落城邑
或與衣服　種種珎寶　奴婢財物　歡喜賜與
如有勇健　能爲難事　王解髻中　明珠賜之
如来亦尒　爲諸法王　忍辱大力　智慧寶藏
以大慈悲　如法化世　見一切人　受諸苦惱
欲求解脫　與諸魔戰　爲是衆生　說種種法
以大方便　說此諸經　既知衆生　得其力已
末後乃爲　說是法華　如王解髻　明珠與之
此經爲尊　衆經中上　我常守護　不妄開示

BD00770 號　妙法蓮華經（八卷本）卷五　（13–4）

末後乃為　說是法華　如王解髻　明珠與之
此經為尊　衆經中上　我常守護　不妄開示
今正是時　為汝等說　我滅度後　求佛道者
欲得安隱　演說斯經　應當親近　如是四法
讀是經者　常无憂惱　又无病痛　顔色鮮白
不生貧窮　卑賤醜陋　衆生樂見　如慕賢聖
天諸童子　以為給使　刀杖不加　毒不能害
若人惡罵　口則閉塞　遊行无畏　如師子王
智慧光明　如日之照　若於夢中　但見妙事
見諸如來　坐師子座　諸比丘衆　圍遶說法
又見龍神　阿脩羅等　數如恒沙　恭敬合掌
自見其身　而為說法　又見諸佛　身相金色
放无量光　照於一切　以梵音聲　演說諸法
佛為四衆　說无上法　見身處中　合掌讚佛
聞法歡喜　而為供養　得陁羅尼　證不退智
佛知其心　深入佛道　即為授記　成最正覺
汝善男子　當於來世　得无量智　佛之大道
國土嚴淨　廣大无比　亦有四衆　合掌聽法
又見自身　在山林中　脩習善法　證諸實相
深入禪定　見十方佛
諸佛身金色　百福相莊嚴　聞法為人說　常有是好夢
又夢作國王　捨宮殿眷屬　及上妙五欲　行詣於道場
在菩提樹下　而處師子座　求道過七日　得諸佛之智
成无上道已　起而轉法輪　為四衆說法　逕千万億劫
說无漏妙法　度无量衆生　後當入涅槃　如油盡燈滅
若後惡世中　說是第一法　是人得大利　如上諸功德

BD00770 號　妙法蓮華經（八卷本）卷五　（13–5）

成无上道已　起而轉法輪　為四衆說法　逕千万億劫
說无漏妙法　度无量衆生　後當入涅槃　如油盡燈滅
若後惡世中　說是第一法　是人得大利　如上諸功德
妙法蓮華經從地踊出品第十五
尒時他方國土諸來菩薩摩訶薩過八恒河
沙數於大衆中起立合掌作礼而白佛言世
尊若聽我等於佛滅後在此娑婆世界懃加
精進護持讀誦書寫供養是經典者當於此
土而廣說之尒時佛告諸菩薩摩訶薩衆止
善男子不須汝等護持此經所以者何我娑
婆世界自有六万恒河沙等菩薩摩訶薩一
一菩薩各有六万恒河沙眷屬是諸人等能
於我滅後護持讀誦廣說此經佛說是時娑
婆世界三千大千國土地皆震裂而於其中
有无量千万億菩薩摩訶薩同時踊出是諸
菩薩身皆金色三十二相无量光明先盡在
此娑婆世界之下此界虛空中住是諸菩薩
聞釋迦牟尼佛所說音聲從下發來一一菩薩
皆是大衆唱導之首各將六万恒河沙眷屬
況將五万四万三万二万一万恒河沙等眷
屬者況復乃至一恒河沙半恒河沙四分之
一乃至千万億那由他分之一況復千万億
那由他眷屬況復億万眷屬況復千万百万
乃至一万況復一千一百乃至一十況復將
五四三二一弟子者況復單己樂遠離行如
是等比无量无邊筭數譬喻所不能知是諸

BD00770 號　妙法蓮華經（八卷本）卷五　（13–6）

乃至一万　况復一千　一百乃至一　十况復将
五四三二一　弟子者　况復單己　樂遠離行　如
是等比　无量无邊　筭數譬喻　所不能知　是諸
菩薩從地出已各詣虗空七寶妙塔多寶如
来釋迦牟尼佛所到已向二世尊頭面礼足
及至諸寶樹下師子座上佛所亦皆作礼右
遶三迊合掌恭敬以諸菩薩種種讃法而以
讃嘆住在一面欣樂瞻仰於二世尊是諸菩
薩摩訶薩從初踊出以諸菩薩種種讃法而
讃於佛如是時間逕五十小劫是時釋迦牟
尼佛嘿然而坐及諸四衆亦皆嘿然五十小
劫佛神力故令諸大衆謂如半日尒時四衆
亦以佛神力故見諸菩薩遍滿无量百千万
億國土虗空是菩薩衆中有四導師一名上
行二名无邊行三名淨行四名安立行是四
菩薩於其衆中最為上首唱導之師在大衆
前各共合掌觀釋迦牟尼佛而問訊言世尊
少病少惱安樂行不所應度者受教易不不
令世尊生疲勞耶尒時四大菩薩而說偈言
世尊安樂　少病少惱　教化衆生　得无疲惓
又諸衆生　受化易不　不令世尊　生疲勞耶
尒時世尊於菩薩大衆中而作是言如是如
是諸善男子如来安樂少病少惱諸衆生等
易可化度无有疲勞所以者何是諸衆生世
世已来常受我化亦於過去諸佛供養尊重
種諸善根此諸衆生始見我身聞我所說即
皆信受入如来慧除先脩習學小乘者如是

BD00770號　妙法蓮華經（八卷本）卷五　（13-7）

易可化度无有疲勞所以者何是諸衆生世
世已来常受我化亦於過去諸佛供養尊重
種諸善根此諸衆生始見我身聞我所說即
皆信受入如来慧除先脩習學小乘者如是
之人我今亦令得聞是經入於佛慧尒時諸
大菩薩而說偈言
善哉善哉　大雄世尊　諸衆生等　易可化度
能問諸佛　甚深智慧　聞已信行　我等隨喜
於時世尊讃嘆上首諸大菩薩善哉善哉善
男子汝等能於如来發隨喜心尒時弥勒菩
薩及八千恒河沙諸菩薩衆皆作是念我等
從昔已来不見不聞如是大菩薩摩訶薩衆
從地踊出住世尊前合掌供養問訊如来時
弥勒菩薩摩訶薩知八千恒河沙諸菩薩等
心之所念并欲自決所疑合掌向佛以偈問
言
无量千万億　大衆諸菩薩　昔所未曾見　願兩足尊說
是從何所来　以何因緣集　巨身大神通　智慧叵思議
其志念堅固　有大忍辱力　衆生所樂見　為從何所来
二諸菩薩　所將諸眷属　其數无有量　如恒河沙等
或有大菩薩　將六万恒河沙　如是諸大衆　一心求佛道
是諸大師等　六万恒河沙　俱来供養佛　及護持是經
將五万恒沙　其數過於是　四万及三万　二万至一万
一千一百等　乃至一恒沙　半及三四分　億万分之一
千万那由他　万億諸弟子　乃至於半億　其數復過上
百万至一万　一千及一百　五十與一十　乃至三二一
單己无眷屬　樂於獨處者　俱來至佛所　其數轉過上

BD00770號　妙法蓮華經（八卷本）卷五　（13-8）

千万那由他　万億諸弟子　乃至於半億　其數復過上
百万至一万　一千及一百　五十與一十　乃至三二一
單己无眷屬　樂於獨處者　俱來至佛所　其數轉過上
如是諸大衆　若人行籌數　過於恒沙劫　猶不能盡知
是諸大威德　精進菩薩衆　誰為其說法　教化而成就
從誰初發心　稱揚何佛法　受持行誰經　修習何佛道
如是諸菩薩　神通大智力　四方地震裂　皆從中踊出
世尊我昔來　未曾見是事　願說其所從　國土之名字
我常遊諸國　未曾見是事　我於此衆中　乃不識一人
忽然從地出　願說其因緣　今此之大會　无量百千億
是諸菩薩等　皆欲知此事　是諸菩薩衆　本末之因緣
无量德世尊　唯願決衆疑
尒時釋迦牟尼分身諸佛從无量千万億他
方國土來者在於八方諸寶樹下師子座上
結加趺坐其佛侍者各各見是菩薩大衆於
三千大千世界四方從地踊出住於虛空各
白其佛言世尊此諸无量无邊阿僧祇菩薩
大衆從何所來尒時諸佛各告侍者諸善男
子且待須臾有菩薩摩訶薩名彌勒釋迦牟
尼佛之所受記次後作佛已問斯事佛今答
之汝等自當因是得聞尒時釋迦牟尼佛告
彌勒菩薩善哉善哉阿逸多乃能問佛如是
大事汝等當共一心被精進鎧發堅固意如
來今欲顯發宣示諸佛智慧諸佛自在神通
之力諸佛師子奮迅之力諸佛威猛大勢之
力尒時世尊欲重宣此義而說偈言

BD00770號　妙法蓮華經（八卷本）卷五　（13–9）

大事汝等當共一心被精進鎧發堅固意如
來今欲顯發宣示諸佛智慧諸佛自在神通
之力諸佛師子奮迅之力諸佛威猛大勢之
力尒時世尊欲重宣此義而說偈言
當精進一心　我欲說此事　勿得有疑悔　佛智叵思議
汝今出信力　住於忍善中　昔所未聞法　今皆當得聞
我今安慰汝　勿得懷疑懼　佛无不實語　智慧不可量
所得第一法　甚深叵分別　如是今當說　汝等一心聽
尒時世尊說此偈已告彌勒菩薩我今於此
大衆宣告汝等阿逸多是諸大菩薩摩訶薩
无量无數阿僧祇從地踊出汝等昔所未見
者我於是娑婆世界得阿耨多羅三藐三菩
提已教化示導是諸菩薩調伏其心令發道
意此諸菩薩皆於是娑婆世界之下此界虛
空中住於諸經典讀誦通利思惟分別正憶
念阿逸多是諸善男子等不樂在衆多有所
說常樂靜處懃行精進未曾休息亦不依止
人天而住常樂深智无有鄣㝵亦常樂於諸
佛之法一心精進求无上慧尒時世尊欲重
宣此義而說偈言
阿逸汝當知　是諸大菩薩　從无數劫來　修習佛智慧
悉是我所化　令發大道心　此等是我子　依止是世界
常行頭陀事　志樂於靜處　捨大衆憒鬧　不樂多所說
如是諸子等　學習我道法　晝夜常精進　為求佛道故
在娑婆世界　下方空中住　志念力堅固　常懃求智慧
說種種妙法　其心无所畏　我於伽耶城　菩提樹下坐
得成最正覺　轉无上法輪　尒乃教化之　令初發道心

BD00770號　妙法蓮華經（八卷本）卷五　（13–10）

在娑婆世界　下方空中住　志方空中住　常勤求智慧
說種種妙法　其心无所畏　我於伽耶城　菩提樹下坐
得成最正覺　轉无上法輪　尒乃教化之　令初發道心
令皆住不退　悉當得成佛　我今說實語　汝等一心信
我從久遠来　教化是等衆
尒時弥勒菩薩摩訶薩及无數諸菩薩等心
生疑惑恠未曾有而作是念云何世尊於少
時間教化如是无量无邊阿僧祇諸大菩薩
令住阿耨多羅三藐三菩提即白佛言世尊
如来為太子時出於釋城去伽耶城不遠坐
於道場得成阿耨多羅三藐三菩提從是以
来始過四十餘年世尊云何於此少時大作
佛事以佛勢力以佛功德教化如是无量大菩
薩衆當成阿耨多羅三藐三菩提世尊此大
菩薩衆假使有人於千万億劫數不能盡不
得其邊斯等久遠以来於无量无邊諸佛所
殖諸善根成就菩薩道常脩梵行世尊如此
之事世所難信譬如有人色美髮黒年廿五
指百歲人言是我子其百歲人亦指年少言
是我父生育我等是事難信佛亦如是得道
以来其實未久而此大衆諸菩薩等已於无
量千万億劫為佛道故懃行精進善入出住
无量百千万億三昧得大神通久脩梵行善
能次第集諸善法巧於問荅人中之寶一切
世間甚為希有今日世尊方云得佛道時初
令發心教化示導令向阿耨多羅三藐三菩

BD00770號　妙法蓮華經（八卷本）卷五　（13–11）

无量百千万億三昧得大神通久脩梵行善
能次第集諸善法巧於問荅人中之寶一切
世間甚為希有今日世尊方云得佛道時初
令發心教化示導令向阿耨多羅三藐三菩
提世尊得佛未久乃能作此大功德事我等
雖復信佛隨宜所說佛所出言未曾虛妄佛
所知者皆悉通達然諸新發意菩薩於佛滅
後若聞是語或不信受而起破法罪業因緣
唯然世尊願為解說除我等疑及未来世諸
善男子聞此事已亦不生疑尒時弥勒菩薩
欲重宣此義而說偈言
佛昔從釋種　出家近伽耶　坐於菩提樹　尒来尚未久
此諸佛子等　其數不可量　久已行佛道　住神通智力
善學菩薩道　不染世間法　如蓮華在水　從地而踊出
皆起恭敬心　住於世尊前　是事難思議　云何而可信
佛得道甚近　所成就甚多　願為除衆疑　如實分別說
譬如少壯人　年始二十五　示人百歲子　髮白而面皺
是等我所生　子亦說是父　父少而子老　舉世所不信
世尊亦如是　得道来甚近　是諸菩薩等　志固无怯弱
從无量劫来　而行菩薩道　巧於難問荅　其心无所畏
忍辱心決定　端政有威德　十方佛所讚　善能分別說
不樂在人衆　常好在禪定　為求佛道故　於下空中住
我等從佛聞　於此事无疑　願佛為未来　演說令開解
若有於此經　生疑不信者　即當墮惡道　願今為解說
是无量菩薩　云何於少時　教化令發心　而住不退地
妙法蓮華經卷第五

BD00770號　妙法蓮華經（八卷本）卷五　（13–12）

善男子聞此事亦不生疑尒時弥勒菩薩
欲重宣此義而說偈言
佛昔從釋種　出家近伽耶　坐於菩提樹　尒来尚未久
此諸佛子等　其數不可量　久已行佛道　住神通智力
善學菩薩道　不染世間法　如蓮華在水　從地而踊出
皆起恭敬心　住於世尊前　是事難思議　云何而可信
佛得道甚近　所成就甚多　願為除衆疑　如實分別說
譬如少壯人　年始二十五　示人百歲子　髮白而面皺
是等我所生　子亦說是父　父少而子老　舉世所不信
世尊亦如是　得道来甚近　是諸菩薩等　志固无怯弱
從无量劫来　而行菩薩道　巧於難問荅　其心无所畏
忍辱心決定　端政有威德　十方佛所讚　善能分別說
不樂在人衆　常好在禪定　為求佛道故　於下空中住
我等從佛聞　於此事无疑　願佛為未来　演說令開解
若有於此經　生疑不信者　即當墮惡道　願今為解說
是无量菩薩　云何於少時　教化令發心　而住不退地

妙法蓮華經卷第五

BD00770號　妙法蓮華經（八卷本）卷五　（13–13）

…轉旋文
平正顯現…
猶如廣大青
譬如紅蓮
…白毫光　右旋宛轉
眉細纖長類初月　其色光耀
鼻高脩直如金鋌　淨妙光…相
一切世間殊妙香　聞時…其…
世尊最勝身金色　一一毛端相不…
紺青柔耎右旋文　微妙光彩難為喻
初誕身有妙光明　普照一切十方界
能滅三有衆生苦　令彼悉蒙安隱樂
地獄傍生鬼道中　阿蘇羅天及人趣
令彼除滅於衆苦　常受自然安隱樂
身色光明常普照　譬如鎔金妙無比
面貌圓明如滿月　脣色赤好喻頻婆
行步威儀類師子　身光朗耀同初日

BD00771號　金光明最勝王經卷五　（17–1）

地獄傍生鬼道中　阿蘇羅天及人趣
令彼除滅於衆苦　常受自然安隱樂
身色光明常普照　譬如鎔金妙无比
面貌圓明如滿月　脣色赤好踰頻婆
行步威儀類師子　身光朗耀同初日
臂肘纖長立過膝　狀等垂下娑羅枝
圓光一尋照无邊　赫奕猶如百千日
悉能遍至諸佛剎　隨緣所在覺群迷
淨光明網无倫比　流輝遍滿百千界
普照十方无障礙　一切冥闇悉皆除
善逝慈光能與樂　妙色暉徹等金山
流光悉至百千土　衆生遇者皆出離
佛身成就无量福　一切功德共莊嚴
超過三界獨稱尊　世間殊勝无與等
所有過去一切佛　數同大地諸微塵
未来現在十方尊　亦如大地微塵衆
我以至誠身語意　稽首歸依三世佛
讚歎无邊功德海　種種香花皆供養
設我口中有千舌　經无量劫讚如来
世尊功德不思議　最勝甚深難可說
假令我舌有百千　讚歎一佛一功德
於中少分尚難知　況諸佛德无邊際
假使大地及諸天　乃至有頂為海水
可以毛端滴知數　佛一功德甚難量
我以至誠身語意　禮讚諸佛德无邊
所有勝福果難思　迴施衆生速成佛
彼王讚歎如来已　倍復深心發弘願
願我當於未来世　生在无量无數劫
夢中常見大金鼓　得聞顯說懺悔音

BD00771 號　金光明最勝王經卷五　（17–2）

彼王讚歎如来已　倍復深心發弘願
願我當於未来世　生在无量无數劫
夢中常見大金鼓　得聞顯說懺悔音
讚佛功德喻蓮花　願證无生成正覺
諸佛出世時一現　於百千劫甚難逢
夜夢常聞妙鼓音　晝則隨應而懺悔
我當圓滿脩六度　拔濟衆生出苦海
然後得成无上覺　佛土清淨不思議
以妙金鼓奉如来　并讚諸佛實功德
因斯當見釋迦佛　記我當紹人中尊
金龍金光是我子　過去曾為善知識
世世願生於我家　共受无上菩提記
若有衆生无救護　長夜輪迴受衆苦
我於来世作歸依　令彼常得安隱樂
三有衆苦願除滅　悉得隨心安樂處
於未来世脩菩提　皆如過去成佛者
願此金光懺悔福　永竭苦海罪消除
業障煩惱悉皆亡　令我速招清淨果
福智大海量无邊　清淨離垢深无底
願我獲斯功德海　速成无上大菩提
以此金光懺悔力　當獲福德淨光明
既得清淨妙光明　常以智光照一切
願我身光等諸佛　福德智慧亦復然
一切世界獨稱尊　威力自在无倫匹
有漏苦海願超越　无為樂海願常遊
現在福海願恒盈　當来智海願圓滿
願我剎土超三界　殊勝功德量无邊
諸有緣者悉同生　皆得速成清淨智
妙幢汝當知　國王金龍主　曾發如是願　彼即是汝身

BD00771 號　金光明最勝王經卷五　（17–3）

現在福海願恒盈　當来智海願圓滿
願我刹土起三界　殊勝功德量无邊
諸有緣者悉同生　皆得速成清淨智
妙幢汝當知　國王金龍主　曾發如是願　彼即是汝身
往時有二子　金龍及金光　即銀相銀光　當受我所記
大衆聞是説　皆發菩提心　願現在未来　常依此懺悔
金光明最勝王經金勝陁羅尼品第八
尒時世尊復於衆生中告善住菩薩摩訶薩善
男子有陁羅尼名曰金勝若有善男子善女
人欲求親見過去未来現在諸佛恭敬供養
者應當受持此陁羅尼何以故此陁羅尼乃
是過現未来諸佛之母是故當知持此陁羅尼
者具大福德已於過去无量佛所殖諸善本
今得受持於戒清淨不毀不缺无有障礙決
定能入甚深法門世尊即為説持呪法先稱
諸佛及菩薩名至心礼敬然後誦呪
南謨十方一切諸佛　南无諸大菩薩摩訶薩
南謨聲聞緣覺一切賢聖
南謨釋迦牟尼佛　南无東方不動佛
南无南方寶幢佛　南无西方阿弥陁佛
南无北方天鼓音王佛　南无上方廣衆德佛
南謨下方明德佛　南謨寶藏佛
南謨普光佛　南无普明佛
南謨香積王佛　南无蓮花勝佛
南謨平等見佛　南謨寶髻佛
南无寶上佛　南无寶光佛
南謨无垢光明佛　南无辯才莊嚴思惟佛
南无淨月光稱相王佛　南无花嚴光佛
南无光明王佛　南无善光无垢稱王佛

BD00771 號　金光明最勝王經卷五　（17–4）

南无寶上佛　南无寶光佛
南謨无垢光明佛　南无辯才莊嚴思惟佛
南无淨月光稱相王佛　南无花嚴光佛
南无光明王佛　南无善光无垢稱王佛
南无觀察无畏自在佛　南无无畏名稱佛
南謨最勝王佛
南无觀自在菩薩摩訶薩　南无地藏菩薩摩訶薩
南无虛空藏菩薩摩訶薩　南謨妙吉祥菩薩摩訶薩
南謨金剛手菩薩摩訶薩　南无普賢菩薩摩訶薩
南无无盡意菩薩摩訶薩　南无大勢至菩薩摩訶薩
南无慈氏菩薩摩訶薩　南无善惠菩薩摩訶薩
陁羅尼曰
南无曷剌怛娜怛喇夜也　怛姪他
君睇　君睇　矩折嚟　矩折嚟
壹窒哩　蜜窒哩　莎訶
佛告善住菩薩此陁羅尼是三世佛母若
有善男子善女人持此呪者能生无量无邊
福德之聚即是供養恭敬尊重讃歎无數諸
佛如是諸佛皆与此人授阿耨多羅三藐三
菩提記善住若有人能持此呪者隨其所欲
衣食財寶多聞聰慧无病長壽獲福甚多
隨所願求无不遂意善住持是呪者乃至未證
无上菩提常與金城山菩薩慈氏菩薩大海菩
薩觀自在菩薩妙吉祥菩薩大氷伽羅菩薩
等而共居止為諸菩薩之所攝護善住當知
持此呪時作如是法先應誦持滿一万八遍
為前方便次於闇室莊嚴道場黒月一日清
淨洗浴著鮮潔衣燒香散花種種供養并
諸飲食入道場中先當稱礼如前所説諸佛

BD00771 號　金光明最勝王經卷五　（17–5）

為前方便次於閑室莊嚴道場黑月一日清
淨洗浴著鮮潔衣燒香散花種種供養并
諸飲食入道場中先當稱礼如前所說諸佛
菩薩至心慇重悔先罪已右膝著地可誦前呪
滿一千八遍端坐思惟念其所願日未出時
於道場中食淨黑食日唯一食至十五日方
出道場能令此人福德威力不可思議隨所
願求无不圓滿若不遂意重入道場既稱心
已常持莫忘

金光明最勝王經重顯空性品第九

尒時世尊說此呪已為欲利益菩薩摩訶薩
人天大衆令得悟解甚深真實第一義故重
明空性而說頌曰

我已於餘甚深經　廣說真空微妙法
今復於此經王內　略說空法不思議
於諸廣大甚深法　有情无智不能解
故我於斯重敷演　令於空法得開悟
大悲哀愍有情故　以善方便勝因緣
我今於此大衆中　演說令彼明空義
當知此身如空聚　六賊依止不相知
六塵諸賊別依根　各不相知亦如是
眼根常觀於色處　耳根聽聲不斷絕
鼻根恒齅於香境　舌根鎮嘗於美味
身根受於輕耎觸　意根了法不知厭
此等六根隨事起　各自境生分別
識如幻化非真實　依止根處妄貪求
如人奔走空聚中　六識依根亦如是
心遍馳求隨處轉　託根緣境了諸事

BD00771號　金光明最勝王經卷五　（17–6）

此等六根隨事起　各自境生分別
識如幻化非真實　依止根處妄貪求
如人奔走空聚中　六識依根亦如是
心遍馳求隨處轉　託根緣境了諸事
常愛色聲香味觸　於法尋思无暫停
隨緣遍行於六根　如鳥飛空无障礙
籍此諸根作依處　方能了別於外境
此身无知无作者　體不堅固託緣成
皆從虛妄分別生　譬如機關由業轉
地水火風共成身　隨彼因緣招異果
同在一處相違害　如四毒虵居一篋
此四大虵性各異　雖居一處有昇沉
或上或下遍於身　斯等終歸於滅法
於此四種毒虵中　地水二虵多沉下
風火二虵性輕舉　由此乖違衆病生
心識依止於此身　造作種種善惡業
當往人天三惡趣　隨其業力受身形
遭諸疾病身死後　大小便利悉盈流
膿爛蟲蛆不可樂　棄在屍林如朽木
汝等當觀法如是　云何執有我衆生
一切諸法盡无常　悉從无明緣力起
彼諸大種咸虛妄　本非實有體无生
故說大種性皆空　知此浮虛非實有
无明自性本是无　藉衆緣力和合有
於一切時失正慧　故我說彼為无明
行識為緣有名色　六處及觸受隨生
愛取有緣生老死　憂悲苦惱恒隨逐
衆苦惡業常纏迫　生死輪迴无息時
本來非有體是空　由不如理生分別

BD00771號　金光明最勝王經卷五　（17–7）

行識為緣有名色　六處及觸受隨生
愛取有緣生老死　憂悲苦惱恒隨逐
衆苦惡業常纏迫　生死輪迴无息時
本来非有體是空　由不如理生分別
我斷一切諸煩惱　常以正智現前行
了五蘊宅悉皆空　求證菩提真實處
我開甘露大城門　亦現甘露微妙器
既得甘露真實味　常以甘露施群生
我擊最勝大法鼓　我吹最勝大法螺
我然最勝大明燈　我降最勝大法雨
降伏煩惱諸怨結　建立无上大法幢
於生死海濟群迷　我當關閉三惡趣
煩惱熾火燒衆生　无有救護无依止
清涼甘露充足彼　身心熱惱並皆除
由是我於无量劫　恭敬供養諸如来
堅持禁戒趣菩提　求證法身安樂處
施他眼耳及手足　妻子僮僕心无悋
財寶七珎莊嚴具　隨来求者咸供給
忍等諸度皆遍脩　十地圓滿成正覺
故我得稱一切智　无有衆生度量者
假使三千大千界　盡此土地生長物
所有叢林諸樹木　稻麻竹葦及枝條
此等諸物皆伐取　並悉細末作微塵
隨處積集量難知　乃至充滿虛空界
一切十方諸刹土　所有三千大千界
地土皆悉末為塵　此微塵量不可數
假使一切衆生智　以此智惠与他人
如是智者量无邊　容可知彼微塵數
牟尼世尊一合智　令彼智人共度量

地土皆悉末為塵　此微塵量不可數
假使一切衆生智　以此智惠与他人
如是智者量无邊　容可知彼微塵數
牟尼世尊一念智　令彼智人共度量
於多俱胝劫數中　不能算知其少分
時諸大衆聞佛說此甚深空性有无量衆
生悉能了達四大五蘊體性俱空六根六
境妄生繫縛願捨輪迴正脩出離深心慶
喜如說奉持
金光明最勝王經依空滿願品第十
尒時如意寶光耀天女於大衆中聞說深法
歡喜踊躍從座而起偏袒右肩右膝著地合
掌恭敬白佛言世尊唯願為說於甚深理
脩行之法而說頌言
我問照世界　兩足最勝尊　菩薩正行法　唯願慈聽許
佛言善女天　若有疑惑者　隨汝意所問　吾當分別說
是時天女請世尊曰
云何諸菩薩　行菩提正行　離生死涅槃　饒益自他故
佛告善女天依於法界行菩提法脩平等行
云何依於法界行菩提法脩平等行謂於五
蘊能現法界法界即是五蘊五蘊不可說非
五蘊亦不可說何以故若法界是五蘊即是
斷見若離五蘊即是常見離於二相不著
二邊不可見過所見无名无相是則名為說於
法界善女天云何五蘊能現法界如是五蘊
不從因緣生何以故若從因緣生者為已生
故生為未生故生若已生生者何用因緣若
未生生者不可得生何以故未生諸法即是
非有无名无相非校量譬喻之所能及非是

法界善女天云何五蘊能現法界如是五蘊
不從因緣生何以故若從因緣生者為已生
故生為未生故生若已生生者何用因緣若
未生生者不可得生何以故未生諸法即是
非有无名无相非校量譬喻之所能及非是
因緣之所生故善女人譬如鼓聲依木依皮
及桴手等故得出聲如是鼓聲過去亦空
未來亦空現在亦空何以故是鼓音聲不從木
生不從皮生及桴手生不於三世生是則不
生若不可生則不可滅若不可滅无所從來
若无所從來亦无所去若无所去則非常非
斷若非常非斷則不一不異何以故此若是
一則不異法界若如是者凡夫之人應見真
諦得於无上安樂涅槃既不如是故知不一
若言異者一切諸佛菩薩行相即是執著未
得解脫煩惱繫縛即不證阿耨多羅三藐
三菩提何以故一切聖人於行非行同真實
性是故不異故知五蘊非有非无不從因緣
非无因緣生是聖所知非餘境故亦非言說
之所能及无名无相无因无緣亦无譬喻始
終寂靜本來自空是故五蘊能現法界善
女天若善男子善女人欲求阿耨多羅三藐三
菩提異真異俗難可思量於凡聖境體非一
異不捨於俗不離於真依於法界行菩提行
尒時世尊作是語已時善女天踊躍歡喜
即從座起偏袒右肩右膝著地合掌恭敬一心
頂禮而白佛言世尊如上所說菩提正行我
今當學是時索訶世界主大梵天王於大衆
中間如意寶光耀善女天曰此菩提行難可

BD00771號　金光明最勝王經卷五　（17–10）

即從座起偏袒右肩右膝著地合掌恭敬一心
頂禮而白佛言世尊如上所說菩提正行我
今當學是時索訶世界主大梵天王於大衆
中間如意寶光耀善女天曰此菩提行難可
脩行汝今云何於菩提行而得自在尒時善
女天答梵王曰大梵王如佛所說實是甚深
一切異生不解其義是聖境界微妙難知
若使我今依於此法得安樂住是實語者願
令一切五濁惡世无量无數无邊衆生皆得金
色卅二相非男非女坐寶蓮花受无量樂雨
天妙花諸天音樂不鼓自鳴一切供養皆悉
具足時善女天說是語已一切五濁惡世所
有衆生皆悉金色具大人相非男非女坐寶
蓮花受无量樂猶如他化自在天宮无諸惡
道寶樹行列七寶蓮花遍滿世界又雨七寶
上妙天花作天伎樂如意寶光耀善女天即
轉女身作梵天身時大梵王問如意寶光耀
菩薩言仁者如何行菩提行答言梵王若水
中月行菩提行我亦行菩提行若夢中行
菩提行我亦行菩提行若陽焰行菩提行我
亦行菩提行若谷響行菩提行我亦行菩提
行時大梵王聞此說已白菩薩言仁依何義而
說此語答言梵王无有一法是實相者但由
因緣而得成故梵王言若如是者諸凡夫人
皆悉應得阿耨多羅三藐三菩提答言仁以
何意而作是說愚癡人異智慧人異菩提
異非菩提異解脫異非解脫異梵王如是諸法
平等无異於此法界真如不異无有中間而

BD00771號　金光明最勝王經卷五　（17–11）

皆慧應得阿耨多羅三藐三菩提者言仁以
何意而作是說愚癡人異智慧人異菩提
異非菩提異解脫異非解脫異梵王如是諸法
平等无異於此法界真如不異无有中間而
可執著无增无減梵王辟如幻師及幻弟子
善解幻術於四衢道取諸沙土草木葉等
聚在一處作諸幻術使人覩見象衆馬衆車
兵等衆七寶之聚種種倉庫若有衆生愚癡
无智不能思惟不知幻本若見若聞作是
思惟我所見聞象馬等衆此是實有餘皆虛
妄於後更不審察思惟有智之人則不如是了
於幻本若見若聞作如是念如我所見象馬等
衆非是真實唯有幻事惑人眼目妄謂象
等及諸倉庫有名无實如我見聞不執為
實後時思惟知其虛妄是故智者了一切法皆无
實體但隨世俗如見如聞表宣之事思惟諦
理則不如是復由假說顯實義故梵王愚癡
異生未得出世聖慧之眼未知一切諸法真
如不可說故是諸凡愚若見若聞行非行法
如是思惟便生執著謂以為實於第一義不
能了知諸法真如是不可說是諸聖人若見
若聞行非行法隨其力能不生執著以為實
有了知一切无實行法无實非行法但妄思
量行非行相唯有名字无有實體是諸聖
人隨世俗說為欲令他知真實義如是梵王是
諸聖人以聖智見了法真如不可說故行非
行法亦復如是令他證知故說種種世俗名言
時大梵王問如意寶光耀菩薩言有幾衆生
能解如是甚深正法答言梵王有衆幻人心

BD00771號　金光明最勝王經卷五　（17-12）

諸聖人以聖智見了法真如不可說故行非
行法亦復如是令他證知故說種種世俗名言
時大梵王問如意寶光耀菩薩言有幾衆生
能解如是甚深正法答言梵王有衆幻人心
心數法能解如是甚深正法梵王曰此幻化
人體是非有此之心數從何而生答曰若知法
界不有不无如是衆生能解深義
尒時梵王白佛言世尊是如意寶光耀菩薩
不可思議通達如是甚深之義佛言如是如
是梵王如汝所言此如意寶光耀已教汝等
發心修學无生忍法是時大梵天王與諸梵
衆從座而起偏袒右肩合掌恭敬頂礼如意
寶光耀菩薩是作如是言希有希有我等今
日幸遇大士得聞正法
尒時世尊告梵王言是如意寶光耀於未來
世當得作佛号寶燄吉祥藏如來應正遍知
明行圓滿善逝世間解无上士調御丈夫天
人師佛世尊說是品時有三千億菩薩於阿
耨多羅三藐三菩提得不退轉八千億天子
无量无數國王臣民遠塵離垢得法眼淨
尒時會中有五十億苾芻行菩薩行欲退菩
提心聞如意寶光耀菩薩說是法時皆得堅
固不可思議滿足上願更復發起菩提之心
各自脫衣供養菩薩重發无上勝進之心作
如是願願令我等功德善根悉皆不退迴向
阿耨多羅三藐三菩提梵王是諸苾芻依此
功德如說修行過九十大劫當得解悟出離
生死尒時世尊即為授記汝諸苾芻過卅阿

BD00771號　金光明最勝王經卷五　（17-13）

如是願願令我等功德善根悉皆不退迴向
阿耨多羅三藐三菩提梵王是諸菩薩依此
功德如說修行過九十大劫當得解悟出離
生死尒時世尊即爲授記汝諸菩薩過卅阿
僧祇劫當得作佛劫名難勝光王國名无垢
光同時皆得阿耨多羅三藐三菩提皆同一
号名願莊嚴間飾王十号具足梵王是金光
明微妙經典若正聞持有大威力假使有人
於百千大劫行六波羅蜜无有方便若有善
男子善女人書寫如是金光明經半月半月
專心讀誦是功德聚於前功德百分不及一
乃至筭數譬喻所不能及梵王是故我今令
汝修學憶念受持爲他廣說何以故我於往
昔行菩薩道時猶如勇士入於戰陣不惜身
命流通如是微妙經王受持讀誦爲他解說
梵王譬如轉輪聖王若王在世七寶不滅王
若命終所有七寶自然滅盡梵王是金光明
微妙經王若現在世无上法寶悉皆不滅若
无是經隨處隱沒是故應當於此經王專心
聽聞受持讀誦爲他解說勸令書寫行精進
波羅蜜不惜身命不憚疲勞功德中勝我
諸弟子應當如是精勤修學
尒時大梵天王與无量梵衆帝釋四王及諸
藥叉俱從座起偏袒右肩右膝著地合掌恭
敬而白佛言世尊我等皆願守護流通是金
光明微妙經典及說法師若有諸難我當除
遣令具衆善色力充足辯才无礙身意泰
然時會聽者皆受安樂所在國土若有飢饉怨
賊非人爲惱害者我等天衆皆爲擁護使其

BD00771 號　金光明最勝王經卷五　（17–14）

光明微妙經典及說法師若有諸難我當除
遣令具衆善色力充足辯才无礙身意泰
然時會聽者皆受安樂所在國土若有飢饉怨
賊非人爲惱害者我等天衆皆爲擁護使其
人民安隱豐樂无諸枉橫皆是我等天衆之
力若有供養是經典者我等亦當恭敬供養
如佛不異
尒時佛告大梵天王及諸梵衆乃至四王諸
藥叉等善哉善哉汝等得聞甚深妙法復能
於此微妙經王發心擁護及持經者當獲无
邊殊勝之福速成无上正等菩提時梵王等
聞佛語已歡喜頂受
金光明最勝王經四天王觀察人天品第十一
尒時多聞天王持國天王增長天王廣目天
王俱從座起偏袒右肩右膝著地合掌向佛
礼佛足已白言世尊是金光明最勝王經一
切諸佛常念觀察一切菩薩之所恭敬一切
天龍常所供養及諸天衆常生歡喜一切護
世稱揚讚歎聲聞獨覺皆共受持悉能照
諸天宮殿能與一切衆生殊勝安樂止息地
獄餓鬼傍生諸趣苦惱一切怖畏悉能除殄
所有怨敵尋即退散飢饉惡時能令豐稔疾
疫病苦皆令蠲愈一切災變百千苦惱咸悉
消滅世尊是金光明最勝經王能爲如是安
隱利樂饒益我等唯願世尊於大衆中廣
爲宣說我等四王并諸眷屬聞此甘露无上法
味氣力充實增益威光精進勇猛神通倍勝
世尊我等四王修行正法常說正法以法化
世我等令彼天龍藥叉揵闥婆阿蘇羅揭路

BD00771 號　金光明最勝王經卷五　（17–15）

為宣說我等四王并諸眷屬聞此甘露无上法
味氣力充實增益威光精進勇猛神通倍勝
世尊我等四王脩行正法常說正法以法化
世我等令彼天龍藥叉健闥婆阿蘇羅揭路
荼俱槃荼緊那羅莫呼洛伽及諸人王常以
正法而化於世遮去諸惡所有鬼神吸人精
氣无慈悲者悉令遠去世尊我等四王與二
十八部藥叉大將并與无量百千藥叉以淨
天眼過於世人觀察擁護此贍部洲世尊以此
因緣我等諸王名護世者又復於此洲中若
有國王被他怨賊常來侵擾及多飢饉疾疫
流行无量百千災厄之事世尊我等四王於
此金光明最勝王經恭敬供養若有苾芻法
師受持讀誦我等四王共往覺悟勸請其人
時彼法師由我神通覺悟力故往彼國界廣
宣流布是金光明微妙經典由經力故令彼
无量百千衰惱災厄之事悉皆除遣世尊
若諸人王於其國內有持是經苾芻法師至
彼國時當知此經亦至其國世尊時彼國王
應往法師處聽其所說聞已歡喜於彼法師
恭敬供養深心擁護令无憂惱演說此經利
益一切世尊以是緣故我等四王皆共一心
護是人王及國人民令離災患常得安隱世
尊若有苾芻苾芻尼鄔波索迦鄔波斯迦
持是經者時彼人王隨其所須供給供養令
无乏少我等四王令彼國王及以國人悉皆安
隱遠離災患世尊若有受持讀誦是經典
者人王於此供養恭敬尊重讚歎我等當令
彼王於諸王中恭敬尊重最為第一諸餘國

BD00771 號　金光明最勝王經卷五　（17–16）

恭敬供養深心擁護令无憂惱演說此經利
益一切世尊以是緣故我等四王皆共一心
護是人王及國人民令離災患常得安隱世
尊若有苾芻苾芻尼鄔波索迦鄔波斯迦
持是經者時彼人王隨其所須供給供養令
无乏少我等四王令彼國王及以國人悉皆安
隱遠離災患世尊若有受持讀誦是經典
者人王於此供養恭敬尊重讚歎我等當令
彼王於諸王中恭敬尊重最為第一諸餘國
王共所稱歎大衆聞已歡喜受持

金光明最勝王經卷第五

奭 至益　艱 許赦　窒 丁結　稔 任甚

BD00771 號　金光明最勝王經卷五　（17–17）

[illegible]

沙弥尼初始出家年紉志弱但依大尼為師諮承學戒不須大僧也　問受六法時要須請和上不萶不須何以然式叉摩那但於十戒中增學其六法是易捉故不須請也　又四部律皆言眠見耳不聞處若對面作羯磨者不成受六法得罪問有人言大比丘尼得礼沙弥是如法不答此人不解律相妄作是說何以故四分律房舍揵度中仏自為諸比丘制於敬法小沙弥應礼大沙弥尼何況大比丘尼而不礼也　何者不應礼十三難人三舉人滅擯人非法語人如是等人不應礼礼者彼此俱得罪耳又受戒之中有作戒有无作戒初對師前作心受戒運動身口造成此法故名作戒得以後懷之在心不休營為故名无作戒也此无作戒是出世法作心受便得作心捨之便失善業不尔亦能感果无有捨義不同戒法有捨義也

五篇戒法　上明受戒今明持戒即受得戒法理須護持隨緣制意慎如不犯有輕重等差為五貫例相屬目之為篇　一波羅夷戒　此云僧殘若犯此戒

盖是西音此云无餘若犯此戒永弃清衆故曰无餘　二僧伽婆尸沙戒

[illegible]

无有捨義不同戒法有捨義也

五篇戒法　上明受戒今明持戒即受得戒法理須護持隨緣制意慎如不犯有輕重等差為五貫例相屬目之為篇　一波羅夷戒　盖是西音此云无餘若犯此戒永弃清衆故曰无餘布薩羯磨二種法事不得在對永無其分曰无餘　二僧伽婆尸沙戒　此云僧殘若犯此戒行則殘缺不應在布薩之數猶於羯磨衆中得顯其分故名僧殘也　三波逸提戒　此方云墮若犯此戒墮落地獄燒煮覆鄣故名墮也　四波羅提舍尼戒　此方云向彼悔若犯此戒應合向彼客趣發露對手懺悔得除故名向彼悔　五式叉迦羅尼　此方云應當學威儀隨行懃習方成故名應當學此五篇之中護三種行初一篇護根本行第二篇護衆法行下三篇護威儀行又此五篇防三種鄣初兩篇防鄣道罪初正鄣道殘正鄣衆也波逸提一篇防善報羅漢倫三有出離无由後兩篇防嫌過罪生人不善化益无於也提舍尼勸犯已而悔下應當學勸尊情奠犯義通諸篇顯法門耳又對防五品之罪故立五篇佛言有罪心念懺悔此則第五篇所防也有罪從他懺悔此則第四篇所防也有罪小重當從他懺悔此則第三篇所防也有四重從罪從僧懺悔此則第二篇所防也有大重罪不可懺悔此則初篇所防也初篇防死罪第二篇防次死罪第三篇防合得鞭罪第四篇防合得杖罪第五篇防責失罪此五篇戒並是身口心善為賒大離五品故名五支諸戒初篇名根本業清淨戒第二名前後眷屬餘清淨戒第三篇名非諸惡覺覺清淨戒第四篇護持正念念清淨戒第五篇名迴向所稱多羅三藐三菩提戒

沙弥十戒　沙弥者此云息慈息惡行慈故曰沙弥息於十戒可慈念衆生故有不煞等也此之十戒乃是衆戒之根本先護持之也

一不煞　若云煞人不受大戒若煞畜生等至心懺悔得懺　二不偷盗　若偷若劫若稱若損壞他物但直五錢已上不得受大戒也

三不婬欲　若人男女若非人男女若畜生男女若俾身分不得受大戒若摩身等至心懺悔得戒也　若滅罪若非人畜生物懺悔得戒也

四不妄語　若詐稱得聖不得受大戒若妄重事誑清淨人及誑惑欺妄其罪難識餘小妄語懺悔已進大戒　五不飲酒　酒性能發人煩惱能敗人心性亂定飾車駝憂亂

[illegible]

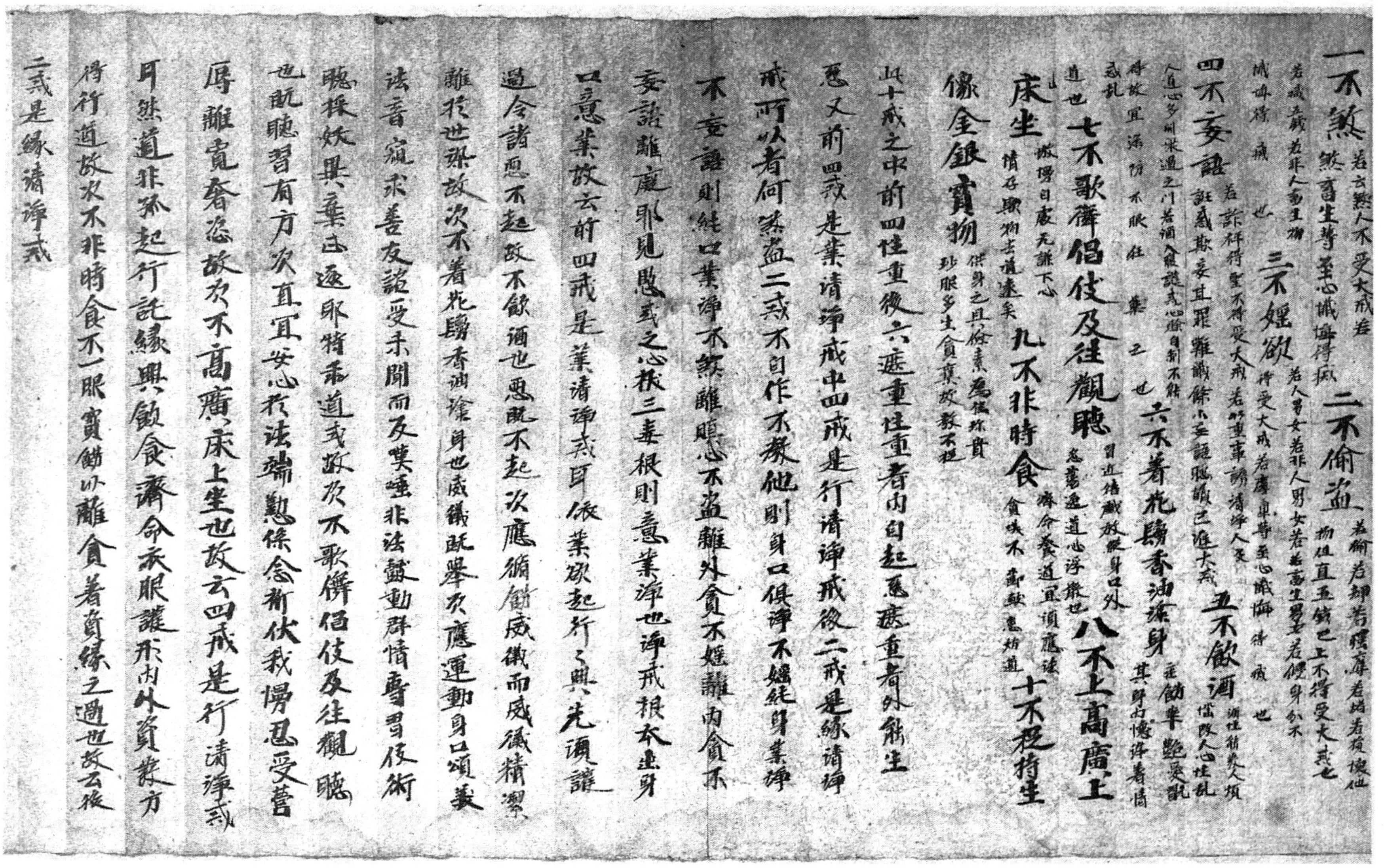

一不煞 若云煞人不受大戒若煞畜生等至心懺悔得戒 二不偷盜 若偷若劫若猥奪若詐若負懷他物直五錢已上不得受大戒也
若減五錢若非人畜生物懺悔得戒也 三不婬欲 若人男女若非人男女若畜生男女若便身分不得受大戒若於畜生等至心懺悔得戒也
四不妄語 若詐稱得聖不得受大戒若於重事誑清淨人及誑惑欺妄其罪難滅餘小妄語懺悔已進大戒 五不飲酒 酒性能發人煩惱亂人心性亂
人道心多開衆過之門若通入餘說戒心慚自制不能 六不著花鬘香油塗身 其身內慚得者偈
得故宜深防不眠住菓之也
戒亂
道也 七不歌舞倡伎及往觀聽 習近倡戲放縱身口外惑蕩亂道心浮散也 八不上高廣床上
床坐 撿學自處无誰下心情存歌物去道遠矣 增淨命養道宜須應捨 九不非時食 貪味不...道 十不捉持生
像金銀寶物 供身之具餘長為慢珍服多生貪...教不捉
此十戒之中前四性重後六遮重性重者內自起惑遮重者外能生
惑又前四戒是業清淨戒中四戒是行清淨戒後二戒是緣清淨
戒所以者何煞盜二戒不自作不教他則身口俱淨不婬純身業淨
不妄語則純口業淨不煞離瞋心不盜離外貪不婬離內貪不
妄語離癡邪見愚惑之心拔三毒根則意業淨也淨戒根本是身
口意業故云前四戒是業清淨戒耳依業欲起行之典先須護
過令諸惡不起故不飲酒也惡既不起次應循飾威儀而威儀精潔
離於世染故次不著花鬘香油塗身也威儀既舉次應運動身口頌美
法音寫求善友諸受未聞而反歎嗟非法鼓動群情尋習伎術
聽採妖異棄正逐邪特乖道式故次不歌舞倡伎及往觀聽
也既聽習有方次宜安心於法端懃係念折伏我慢忍受舊
辱離寬奢恣故次不高廣床上坐也故云四戒是行清淨戒
耳然道非孤起行託緣興飲食濟命衣服護形內外資藉方
得行道故次不非時食不一服寶飾以離貪著資緣之過也故云後
二戒是緣清淨戒

BD00772號 毗尼心 （5–3）

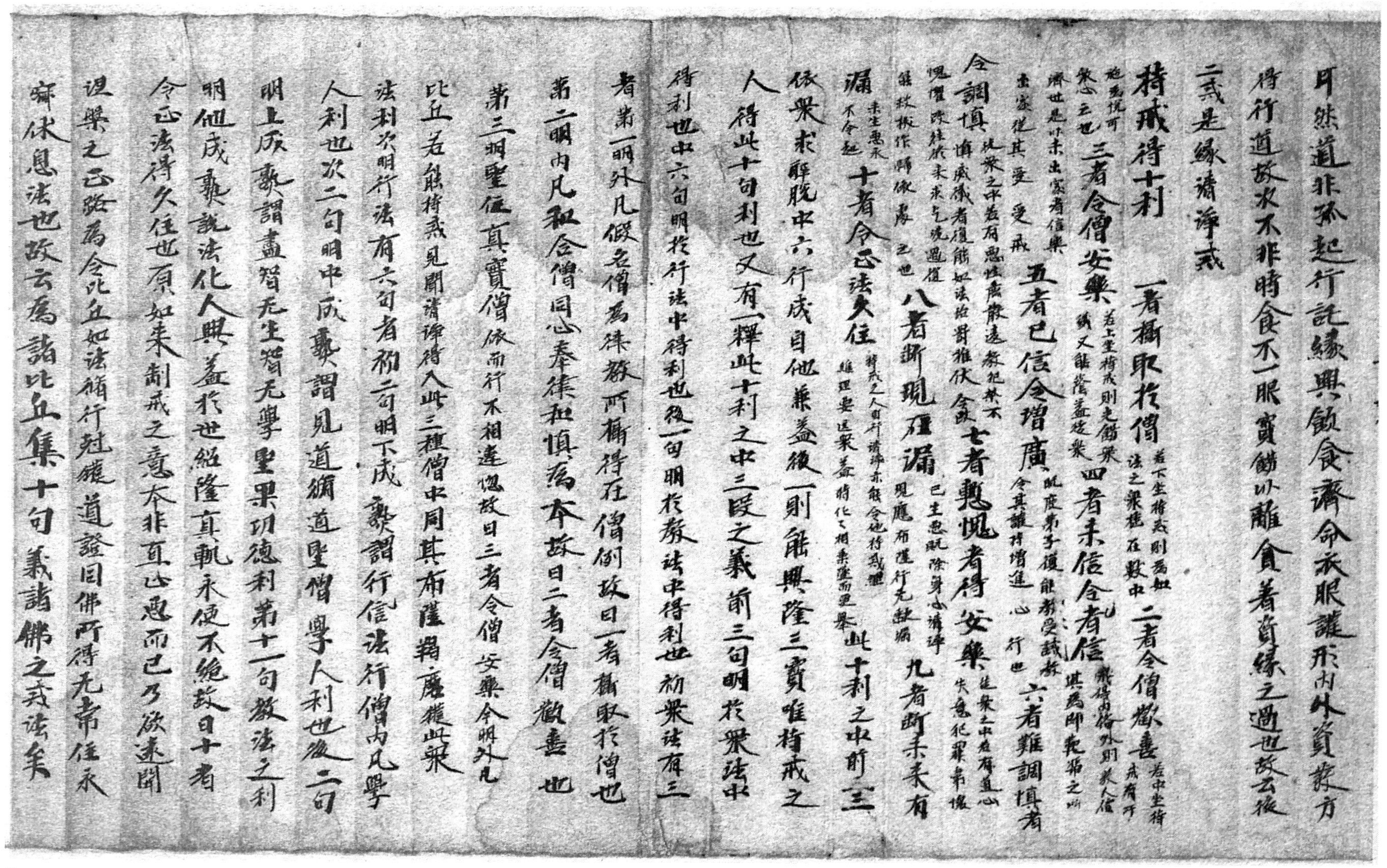

耳然道非孤起行託緣興飲食濟命衣服護形內外資藉方
得行道故次不非時食不一服寶飾以離貪著資緣之過也故云後
二戒是緣清淨戒
持戒得十利 一者攝取於僧 若上坐持戒則是僧衆之綱又能攝蓋徒衆 二者令僧歡喜 若中坐持戒有...
施悉悅可衆心之也 三者令僧安樂 若下坐持戒則為如法之衆能在數中 四者未信令者信 非僧内備外則衆人信其為師表第之所
濟世是以未出家者信樂 五者已信令增廣 既度弟子復能教受誡教令其誰持增進心行也 六者難調慎者
令調慎 衆之中若有惡性麤獷遠離犯禁不慚愧者復能如法治罰推伏令改 七者慚愧者得安樂 此衆之中若有道心失意犯罪弟懷
慚懼 八者斷現在漏 已生惡既除身心清淨現應布薩行无缺漏
漏 未生惡永不令起 十者令正法久住 持戒之人自行清淨亦能令他持戒紹理要送衆益將化化相承隆而更舉 此十利之中前三 九者斷未來有
依衆求解脫中六行成自他兼益後一則能興隆三寶唯持戒之
人得此十句利也又有一釋此十利之中三段之義前三句明於衆法中
得利也中六句明於行法中得利也後一句明於教法中得利也 初衆法有三
者第一明外凡假名僧為律教所攝得在僧例故曰一者攝取於僧也
第二明內凡和合僧同心奉律和順為本故曰二者令僧歡喜也
第三明聖位真實僧依而行不相違惱故曰三者令僧安樂令明外凡
比丘若能持戒見聞清淨得入此三種僧中同其布薩羯磨獲此衆
法利次明行法有六句者初二句明下戒...謂行信法行僧內凡學
人利也次二句明中戒...謂見道修道聖僧學人利也後二句
明上戒...謂盡智无生智无學聖果功德利第十一句教法之利
明他戒...說法化人興益於世紹隆真軌永使不絕故曰十者
令正法得久住也原如來制戒之意本非直止惡而已乃欲遠開
涅槃之正路為令比丘如法循行趣鍵道證同佛所得无常住永
寂休息法也故云為諸比丘集十句義諸佛之戒法矣

BD00772號 毗尼心 （5–4）

比丘若能持戒見聞清淨得入此三種僧中同其布薩羯磨獲此眾
法利次明行法有六句者初二句明下成就謂行信法行僧內凡學
人利也次二句明中成就謂見道猶道聖僧學人利也後二句
明上成就謂盡智无生智无學聖果功德利第十一句教法之利
明佛成就說法化人興益於世紹隆真軌永使不絕故曰十者
令正法得久住世原如來制戒之意本非直止惡而已乃欲速階
涅槃之正路爲令比丘如法脩行趣趣道證同佛所得无常住永
寂休息法也故云爲諸比丘集十句義諸佛之戒法矣

師徒法第二

和上應具十德 一持戒 二多聞阿毗曇 三多聞毗尼 四學五
學定 六學慧 七自出罪使人出罪 八自看病兒弟子有犯
行難能自送使人送難 十滿十臈 出僧祇律
依止阿闍梨應具十德 一具持二百五十戒 二多聞 三能教
授弟子阿毗曇 四能教授毗尼 五能弟子捨惡見住善
見 六知波羅提木叉戒 七知說波羅提木叉戒 八知作
布薩 九知布薩羯磨 十年滿十臈 和上十德之同出四分律增一中 阿闍梨
應具五德 一知僧上威儀

BD00772 號　毗尼心

（5–5）

无觀
世音菩薩稱其名故即得解脫无盡意觀世
音菩薩摩訶薩威神之力巍巍如是若有眾
生多於婬欲常念恭敬觀世音菩薩便得離
欲若多瞋恚常念恭敬觀世音菩薩便得離
瞋若多愚癡常念恭敬觀世音菩薩便得離
癡无盡意觀世音菩薩有如是等大威神力
多所饒益是故眾生常應心念若有女人設
欲求男礼拜供養觀世音菩薩便生福德智
慧之男設欲求女便生端正有相之女宿殖
德本眾人愛敬无盡意觀世音菩薩有如是
力若有眾生恭敬礼拜觀世音菩薩福不唐
捐是故眾生皆應受持觀世音菩薩名号无
盡意若有人受持六十二億恒河沙菩薩名
字復盡形供養飲食衣服卧具醫藥於汝意
云何是善男子善女人功德多不无盡意言
甚多世尊佛言若復有人受持觀世音菩薩
名号乃至一時礼拜供養是二人福正等无
異於百千万億劫不可窮盡无盡意受持觀
世音菩薩名号得如是无量无邊福德之利

BD00773 號　妙法蓮華經卷七

（16–1）

甚多世尊佛言若復有人受持觀世音菩薩
名号乃至一時礼拜供養是二人福正等无
異於百千万億刧不可窮盡无盡意受持觀
世音菩薩名号得如是无量无邊福德之利
无盡意菩薩白佛言世尊觀世音菩薩云何
遊此娑婆世界云何而為衆生說法方便之
力其事云何佛告无盡意菩薩善男子若有
國土衆生應以佛身得度者觀世音菩薩即
現佛身而為說法應以辟支佛身得度者即
現辟支佛身而為說法應以聲聞身得度者
即現聲聞身而為說法應以梵王身得度者
即現梵王身而為說法應以帝釋身得度者
即現帝釋身而為說法應以自在天身得度
者即現自在天身而為說法應以大自在天
身得度者即現大自在天身而為說法應以
天大將軍身得度者即現天大將軍身而為
說法應以毗沙門身得度者即現毗沙門身
而為說法應以小王身得度者即現小王身
而為說法應以長者身得度者即現長者身
而為說法應以居士身得度者即現居士身
而為說法應以宰官身得度者即現宰官身
而為說法應以婆羅門身得度者即現婆羅
門身而為說法應以比丘比丘尼優婆塞優
婆夷身得度者即現比丘比丘尼優婆塞優
婆夷身而為說法應以長者居士宰官婆羅
門婦女身得度者即現婦女身而為說法應
以童男童女身得度者即現童男童女身而

BD00773號　妙法蓮華經卷七　（16–2）

婆夷身得度者即現比丘比丘尼優婆塞優
婆夷身而為說法應以長者居士宰官婆羅
門婦女身得度者即現婦女身而為說法應
以童男童女身得度者即現童男童女身而
為說法應以天龍夜叉乾闥婆阿脩羅迦樓
羅緊那羅摩睺羅伽人非人等身得度者即
皆現之而為說法應以執金剛神得度者即
現金剛神而為說法无盡意是觀世音菩薩
成就如是功德以種種形遊諸國土度脫衆
生是故汝等應當一心供養觀世音菩薩是
觀世音菩薩摩訶薩於怖畏急難之中能施
无畏是故此娑婆世界皆号之為施无畏者
无盡意菩薩白佛言世尊我今當供養觀世
音菩薩即解頸衆寶珠瓔路價直百千兩金
而以與之作是言仁者受此法施珎寶瓔路
時觀世音菩薩不肯受之无盡意復白觀世
音菩薩言仁者愍我等故受此瓔路尒時佛
告觀世音菩薩當愍此无盡意菩薩及四衆
天龍夜叉乾闥婆阿脩羅迦樓羅緊那羅摩
睺羅伽人非人等故受是瓔路即時觀世音
菩薩愍諸四衆及於天龍人非人等受其瓔
路分作二分一分奉釋迦牟尼佛一分奉多
寶佛塔无盡意觀世音菩薩有如是自在神
力遊於娑婆世界尒時持地菩薩即從座起
前白佛言世尊若有衆生聞是觀世音菩薩
品自在之業普門示現神通力者當知是人
功德不少佛說是普門品時衆中八万四千

BD00773號　妙法蓮華經卷七　（16–3）

力遊於娑婆世界尒時持地菩薩即從座起
前白佛言世尊若有衆生聞是觀世音菩薩
品自在之業普門示現神通力者當知是人
功德不少佛說是普門品時衆中八万四千
衆生皆發无等等阿耨多羅三藐三菩提心
妙法蓮華經陁羅尼品第二十六
尒時藥王菩薩即從座起偏袒右肩合掌向
佛而白佛言世尊若善男子善女人有能受
持法華經者若讀誦通利若書寫經卷得幾
所福佛告藥王若有善男子善女人供養八
百万億那由他恒河沙等諸佛於汝意云何
其所得福寧為多不甚多世尊佛言若善男
子善女人能於是經乃至受持一四句偈讀
誦解義如說脩行功德甚多尒時藥王菩薩
白佛言世尊我今當與說法者陁羅尼呪以
守護之即說呪曰
安尒一 曼尒二 摩祢三 摩摩祢四 旨隸五 遮
梨苐六 賒咩羊鳴音七 賒履回雅反多瑋八 羶帝輸干反九
目帝十 目多履十一 娑履十二 阿瑋娑履十三
桑履十四 娑履十五 叉裔十六 阿叉裔十七 阿耆膩
十八 羶帝十九 賒履二十 陁羅尼二十一 阿盧伽婆娑蘇柰反
簸蔗毘叉膩二十二 祢毘剃二十三 阿便哆都餓反邏
祢履剃二十四 阿亶哆波隸輸地途賣反二十五 漚究隸二十六
牟究隸二十七 阿羅隸二十八 波羅隸二十九 首迦差初几反三十
阿三磨三履三十一 佛馱毘吉利袠帝三十二 達磨波
利差猜離反帝三十三 僧伽涅瞿沙祢三十四 婆舍婆
舍輸地三十五 曼哆邏三十六 曼哆邏叉夜多三十七 郵

BD00773號　妙法蓮華經卷七

(16–4)

阿三磨三履三十一 佛馱毘吉利袠帝三十二 達磨波
利差猜離反帝三十三 僧伽涅瞿沙祢三十四 婆舍婆
舍輸地三十五 曼哆邏三十六 曼哆邏叉夜多三十七 郵
樓哆三十八 郵樓哆憍舍略三十九 惡叉邏四十 惡
叉冶多冶四十一 阿婆盧四十二 阿摩若荏蔗反那多
夜四十三
世尊是陁羅尼神呪六十二億恒河沙等諸
佛所說若有侵毀此法師者則為侵毀是諸
佛已時釋迦牟尼佛讚藥王菩薩言善哉善
哉藥王汝愍念擁護此法師故說是陁羅尼
於諸衆生多所饒益尒時勇施菩薩白佛言
世尊我亦為擁護讀誦受持法華經者說陁
羅尼若此法師得是陁羅尼若夜叉若羅剎
若富單那若吉蔗若鳩槃荼若餓鬼等伺求
其短无能得便即於佛前而說呪曰
痤信螺反隸一 摩訶痤隸二 郁枳三 目枳四 阿隸
五 阿羅婆苐六 涅隸苐七 涅隸多婆苐八
伊緻猪履反柅九 韋緻柅十 旨緻柅十一 涅隸墀柅十二
涅犂墀婆底十三
世尊是陁羅尼神呪恒河沙等諸佛所說亦
皆隨喜若有侵毀此法師者則為侵毀是諸
佛已尒時毘沙門天王護世者白佛言世尊
我亦為愍念衆生擁護此法師故說是陁羅
尼即說呪曰
阿梨一 那梨二 㝹那梨三 阿那盧四 那履五
拘那履六

BD00773號　妙法蓮華經卷七

(16–5)

尼即說呪曰
阿梨一那梨二㝹那梨三阿那盧四那履五
拘那履六
世尊以是神呪擁護法師我亦自當擁護持
是經者令百由旬內无諸衰患尒時持國天
王在此會中與千万億那由他乾闥婆衆恭
敬圍繞前詣佛所合掌白佛言世尊我亦以
陁羅尼神呪擁護持法華經者即說呪曰
阿伽祢一伽祢二瞿利三乾陁利四梅陁利
五摩蹬耆六常求利七浮樓莎抳八頞底九
世尊是陁羅尼神呪四十二億諸佛所說若
有侵毀此法師者則為侵毀是諸佛已尒時
有羅刹女等一名藍婆二名毗藍婆三名曲
齒四名華齒五名黑齒六名多髮七名无猒
足八名持瓔珞九名睪帝十名奪一切衆生
精氣是十羅刹女與鬼子母并其子及眷屬
俱詣佛所同聲白佛言世尊我等亦欲擁護
讀誦受持法華經者除其衰患若有伺求法
師短者令不得便即於佛前而說呪曰
伊提履一伊提泯二伊提履三阿提履四伊
提履五泥履六泥履七泥履八泥履九泥
履十樓醯十一樓醯十二樓醯十三樓醯十四多
醯十五多醯十六多醯十七兜醯十八㝹醯十九
寧上我頭上莫惱於法師若夜叉若羅刹若
餓鬼若富單那若吉蔗若毗陁羅若揵䭾若
烏摩勒伽若阿跋摩羅若夜叉吉蔗若人吉
蔗若熱病若一日若二日若三日若四日若

寧上我頭上莫惱於法師若夜叉若羅刹若
餓鬼若富單那若吉蔗若毗陁羅若揵䭾若
烏摩勒伽若阿跋摩羅若夜叉吉蔗若人吉
蔗若熱病若一日若二日若三日若四日若
至七日若常熱病若男形若女形若童男形
若童女形乃至夢中亦復莫惱即於佛前而
說偈言
若不順我呪　惱亂說法者　頭破作七分　如阿梨樹枝
如殺父母罪　亦如壓油殃　斗秤欺誑人　調達破僧罪
犯此法師者　當獲如是殃
諸羅刹女說此偈已白佛言世尊我等亦當
身自擁護受持讀誦脩行是經者令得安隱
離諸衰患消衆毒藥佛告諸羅刹女善哉善
哉汝等但能擁護受持法華名者福不可量
何況擁護具足受持供養經卷華香瓔珞末
香塗香燒香幡蓋伎樂燃種種燈蘇燈油燈
諸香油燈蘇摩那華油燈瞻蔔華油燈婆師
迦華油燈優鉢羅華油燈如是等百千種供
養者睪帝汝等及眷屬應當擁護如是法師
說是陁羅尼品時六万八千人得无生法忍
妙法蓮華經妙莊嚴王本事品第二十七
尒時佛告諸大衆乃往古世過无量无邊不
可思議阿僧祇劫有佛名雲雷音宿王華智
多陁阿伽度阿羅呵三藐三佛陁國名光明
莊嚴劫名憙見彼佛法中有王名妙莊嚴其
王夫人名曰淨德有二子一名淨藏二名淨
眼是二子有大神力福德智慧久脩菩薩所

多陁阿伽度阿羅呵三藐三佛陁國名光明
莊嚴劫名憙見彼佛法中有王名妙莊嚴其
王夫人名曰淨德有二子一名淨藏二名淨
眼是二子有大神力福德智慧久脩菩薩所
行之道所謂檀波羅蜜尸羅波羅蜜羼提波
羅蜜毗梨耶波羅蜜禪波羅蜜般若波羅蜜
方便波羅蜜慈悲憙捨乃至三十七助道法
皆悉明了通達又得菩薩淨三昧日星宿三
昧淨光三昧淨色三昧淨照明三昧長莊嚴
三昧大威德藏三昧於此三昧亦悉通達尒
時彼佛欲引導妙莊嚴王及愍念衆生故說
是法華經時淨藏淨眼二子到其母所合十
指爪掌白言願母往詣雲雷音宿王華智佛
所我等亦當侍從親近供養礼拜所以者何
此佛於一切天人衆中說法華經宜應聽受
母告子言汝父信受外道深著婆羅門法汝
等應往白父與共俱去淨藏淨眼合十爪指
掌白母我等是法王子而生此耶見家母告
子言汝等當憂念汝父為現神變若得見者
心必清淨或聽我等往至佛所於是二子念
其父故踊在虛空高七多羅樹現種種神變
於虛空中行住坐卧身上出水身下出火身
下出水身上出火或現大身滿虛空中而復
現小小復現大於空中滅忽然在地入地如
水履水如地現如是等種種神變令其父王
心淨信解時父見子神力如是心大歡喜得
未曾有合掌向子言汝等師為是誰誰之弟

BD00773號　妙法蓮華經卷七　（16–8）

現小小復現大於空中滅忽然在地入地如
水履水如地現如是等種種神變令其父王
心淨信解時父見子神力如是心大歡喜得
未曾有合掌向子言汝等師為是誰誰之弟
子二子白言大王彼雲雷音宿王華智佛今
在七寶菩提樹下法座上坐於一切世間天
人衆中廣說法華經是我等師我是弟子父
語子言我今亦欲見汝等師可共俱往於是
二子從空中下到其母所合掌白母父王今
已信解堪任發阿耨多羅三藐三菩提心我
等為父已作佛事願母見聽於彼佛所出家
脩道尒時二子欲重宣其意以偈白母
願母放我等　出家作沙門　諸佛甚難值　我等隨佛學
如優曇波羅　值佛復難是　脫諸難亦難　願聽我出家
母即告言聽汝出家所以者何佛難值故於
是二子白父母言善哉父母願時往詣雲雷
音宿王華智佛所親近供養所以者何佛難
得值如優曇波羅華又如一眼之龜值浮木
孔而我等宿福深厚生值佛法是故父母當
聽我等令得出家所以者何諸佛難值時亦
難遇彼時妙莊嚴王後宮八万四千人皆悉
堪任受持是法華經淨眼菩薩於法華三昧
久已通達淨藏菩薩已於无量百千万億劫
通達離諸惡趣三昧欲令一切衆生離諸惡
趣故其王夫人得諸佛習三昧能知諸佛祕
密之藏二子如是以方便力善化其父令心信
解好樂佛法於是妙莊嚴王與群臣眷屬

BD00773號　妙法蓮華經卷七　（16–9）

[illegible]
趣故其王夫人得諸佛習三昧能知諸佛祕
密之藏二子如是以方便力善化其父令心信
解好樂佛法於是妙莊嚴王與群臣眷屬
俱淨德夫人與後宮采女眷屬俱其王二子
與四万二千人俱一時共詣佛所到已頭面
礼足繞佛三帀却住一面尒時彼佛為王說
法示教利喜王大歡悅尒時妙莊嚴王及其
夫人解頸真珠瓔珞價直百千以散佛上於
虛空中化成四柱寶臺臺中有大寶床敷百
千万天衣其上有佛結跏趺坐放大光明尒
時妙莊嚴王作是念佛身希有端嚴殊特成
就第一微妙之色時雲雷音宿王華智佛告
四眾言汝等見是妙莊嚴王於我前合掌立
不此王於我法中作比丘精勤脩習助佛道
法當得作佛号娑羅樹王國名大光劫名大
高王其娑羅樹王佛有无量菩薩眾及无量
聲聞其國平正功德如是其王即時以國付
弟與夫人二子并諸眷屬於佛法中出家脩
道王出家已於八万四千歲常勤精進脩行
妙法華經過是已後得一切淨功德莊嚴三
昧即昇虛空高七多羅樹而白佛言世尊此
我二子已作佛事以神通變化轉我邪心令
得安住於佛法中得見世尊此二子者是我
善知識為欲發起宿世善根饒益我故來生
我家尒時雲雷音宿王華智佛告妙莊嚴王
言如是如是如汝所言若善男子善女人種

BD00773 號　妙法蓮華經卷七　（16–10）

[illegible]
得安住於佛法中得見世尊此二子者是我
善知識為欲發起宿世善根饒益我故來生
我家尒時雲雷音宿王華智佛告妙莊嚴王
言如是如是如汝所言若善男子善女人種
善根故世世得善知識其善知識能作佛事
示教利喜令入阿耨多羅三藐三菩提大王
當知善知識者是大因緣所謂化導令得見
佛發阿耨多羅三藐三菩提心大王汝見此
二子不此二子已曾供養六十五百千万億
那由他恒河沙諸佛親近恭敬於諸佛所受
持法華經愍念邪見眾生令住正見妙莊嚴
王即從虛空中下而白佛言世尊如來甚希
有以功德智慧故頂上肉髻光明顯照其眼
長廣而紺青色眉間豪相白如珂月齒白齊
密常有光明脣色赤好如頻婆菓尒時妙莊
嚴王讚歎佛如是等无量百千万億功德已
於如來前一心合掌復白佛言世尊未曾有
也如來之法具足成就不可思議微妙功德
教戒所行安隱快善我從今日不復自隨心
行不生邪見憍慢瞋恚諸惡之心說是語已
礼佛而出佛告大眾於意云何妙莊嚴王豈
異人乎今華德菩薩是其淨德夫人今佛前
光照莊嚴相菩薩是哀愍妙莊嚴王及諸眷
屬故於彼中生其二子者今藥王菩薩藥上
菩薩是是藥王藥上菩薩成就如此諸大功
德已於无量百千万億諸佛所殖眾德本成
就不可思議諸善功德若有人識是二菩薩

BD00773 號　妙法蓮華經卷七　（16–11）

菩薩是是藥王藥上菩薩成就如此諸大功
德已於无量百千万億諸佛所殖衆德本成
就不可思議諸善功德若有人識是二菩薩
名字者一切世間諸天人民亦應礼拜佛説
是妙莊嚴王本事品時八万四千人遠塵離
垢於諸法中得法眼淨

妙法蓮華經普賢菩薩勸發品第二十八

尒時普賢菩薩以自在神通威德名聞與大
菩薩无量无邊不可稱數從東方来所經諸
國普皆震動雨寶蓮華作无量百千万億種
種伎樂又與无數諸天龍夜叉乾闥婆阿脩
羅迦樓羅緊那羅摩睺羅伽人非人等大衆
圍繞各現威德神通之力到娑婆世界耆闍
崛山中頭面礼釋迦牟尼佛右繞七帀白佛
言世尊我於寶威德上王佛國遥聞此娑婆
世界説法華經與无量无邊百千万億諸菩
薩衆共来聽受唯願世尊當為説之若善男
子善女人於如来滅後云何能得是法華經
佛告普賢菩薩若善男子善女人成就四法
於如来滅後當得是法華經一者為諸佛護
念二者殖衆德本三者入正定聚四者發救
一切衆生之心善男子善女人如是成就四
法於如来滅後必得是經尒時普賢菩薩白
佛言世尊於後五百歳濁惡世中其有受持
是經典者我當守護除其衰患令得安隱使
无伺求得其便者若魔若魔子若魔女若魔
民若為魔所著者若夜叉若羅刹若鳩槃茶

佛言世尊於後五百歳濁惡世中其有受持
是經典者我當守護除其衰患令得安隱使
无伺求得其便者若魔若魔子若魔女若魔
民若為魔所著者若夜叉若羅刹若鳩槃茶
若毗舍闍若吉蔗若冨單那若韋陀羅等諸
惱人者皆不得便是人若行若立讀誦此經
我尒時乘六牙白象王與大菩薩衆俱詣其
所而自現身供養守護安慰其心亦為供養
法華經故是人若坐思惟此經尒時我復乘
白象王現其人前其人若於法華經有所忘
失一句一偈我當教之與共讀誦還令通利
尒時受持讀誦法華經者得見我身甚大歡
喜轉復精進以見我故即得三昧及陁羅尼
名為旋陁羅尼百千万億旋陁羅尼法音方
便陁羅尼得如是等陁羅尼世尊若後世後
五百歳濁惡世中比丘比丘尼優婆塞優婆
夷求索者受持者讀誦者書寫者欲脩習是
法華經於三七日中應一心精進滿三七日已
我當乘六牙白象與无量菩薩而自圍繞
以一切衆生所憙見身現其人前而為説法
示教利憙亦復與其陁羅尼呪得是陁羅尼
故无有非人能破壞者亦不為女人之所惑
亂我身亦自常護是人唯願世尊聽我説此
陁羅尼即於佛前而説呪曰
阿檀地（途賣反）一　檀陁婆地 二　檀陁婆帝 三　檀陁
鳩舍隷 四　檀陁脩陁隷 五　脩陁隷 六　脩陁羅
婆底 七　佛䭾波羶祢 八　薩婆陁羅尼阿婆多

阿檀地途賣反一檀陁婆地二檀陁婆帝三檀陁
鳩舍隸四檀陁脩陁隸五脩陁隸六脩陁羅
婆底七佛馱波羶祢八薩婆陁羅尼阿婆多
尼九薩婆婆沙阿婆多尼十脩阿婆多尼十一僧
伽婆履叉尼十二僧伽涅伽陁尼十三阿僧祇
十四僧伽波伽地十五帝隸阿惰僧伽兜略盧遮反
波羅帝十六薩婆僧伽三摩地伽蘭地十七薩婆
達磨脩波利剎帝十八薩婆薩埵樓馱憍舍略
阿㝹伽地十九辛阿毗吉利地帝二十
世尊若有菩薩得聞是陁羅尼者當知普賢
神通之力若法華經行閻浮提有受持者應
作此念皆是普賢威神之力若有受持讀誦
正憶念解其義趣如說脩行當知是人行普賢
行於无量无邊諸佛所深種善根為諸如
來手摩其頭若但書寫是人命終當生忉利
天上是時八万四千天女作衆伎樂而來迎之
其人即著七寶冠於婇女中娛樂快樂何
況受持讀誦正憶念解其義趣如說脩行若
有人受持讀誦解其義趣是人命終為千佛
授手令不恐怖不墮惡趣即往兜率天上弥
勒菩薩所弥勒菩薩有三十二相大菩薩衆
所共圍繞有百千万億天女眷屬而於中生
有如是等功德利益是故智者應當一心自
書若使人書受持讀誦正憶念如說脩行世
尊我今以神通力守護是經於如來滅後閻
浮提內廣令流布使不斷絶尒時釋迦牟尼
佛讚言善哉善哉普賢汝能護助是經令多

BD00773號　妙法蓮華經卷七　（16–14）

有如是等功德利益是故智者應當一心自
書若使人書受持讀誦正憶念如說脩行世
尊我今以神通力守護是經於如來滅後閻
浮提內廣令流布使不斷絶尒時釋迦牟尼
佛讚言善哉善哉普賢汝能護助是經令多
所衆生安樂利益汝已成就不可思議功德
深大慈悲從久遠來發阿耨多羅三藐三菩
提意而能作是神通之願守護是經我當以
神通力守護能受持普賢菩薩名者普賢若
有受持讀誦正憶念脩習書寫是法華經者
當知是人則見釋迦牟尼佛如從佛口聞此
經典當知是人供養釋迦牟尼佛當知是人
佛讚善哉當知是人為釋迦牟尼佛手摩其
頭當知是人為釋迦牟尼佛衣之所覆如是
之人不復貪著世樂不好外道經書手筆亦
復不憙親近其人及諸惡者若屠兒若畜猪
羊雞狗若獵師若衒賣女色是人心意質直
有正憶念有福德力是人不為三毒所惱亦
不為嫉妬我慢邪慢增上慢所惱是人少欲
知足能脩普賢之行普賢若如來滅後後五
百歲若有人見受持讀誦法華經者應作是
念此人不久當詣道場破諸魔衆得阿耨多
羅三藐三菩提轉法輪擊法鼓吹法螺雨法
雨當坐天人大衆中師子法座上普賢若於
後世受持讀誦是經典者是人不復貪著衣
服臥具飲食資生之物所願不虛亦於現世
得其福報若有人輕毀之言汝狂人耳空作

BD00773號　妙法蓮華經卷七　（16–15）

後世受持讀誦是經典者是人不復貪著衣
服卧具飲食資生之物所願不虛亦於現世
得其福報若有人輕毀之言汝狂人耳空作
是行終无所獲如是罪報當世世无眼若有
供養讚歎之者當於今世得現果報若復見
受持是經者出其過惡若實若不實此人現
世得白癩病若輕咲之者當世世牙齒疏缺
醜脣平鼻手腳繚戾眼目角睞身體臭穢惡
瘡膿血水腹短氣諸惡重病是故普賢若見
受持是經典者當起遠迎當如敬佛說是普
賢勸發品時恒河沙等无量无邊菩薩得百
千億旋陁羅尼三千大千世界微塵等諸菩薩
具普賢道佛說是經時普賢等諸菩薩舍
利弗等諸聲聞及諸天龍人非人等一切大
會皆大歡喜受持佛語作礼而去

妙法蓮華經卷第七

BD00773號　妙法蓮華經卷七

（16–16）

□逸提懺悔法　初明捨法
□□集和合故後捨所
□比丘尼故畜若多言多若少言少長衣財
離僧伽梨宿犯捨墮餘二衣准無
捨与僧說　中明捨心法前明
罪業今明捨心正除罪因□時畜相續
□已捨貪心无結罪因不除雖懺罪□犯故前云
應若心不捨兩相勞擾故文云衣已捨罪已懺貪心斷當
得本財得受　二衣已捨罪未悔貪心斷當日得本財及
財得吉羅　三衣已捨罪已悔貪心不斷當日得本財吉
犯捨墮　後明捨罪有七　一已懺者合掌口言大姉僧聽我
某甲比丘尼故畜衆多長衣過限不說淨犯捨墮離三衣宿

BD00774號　波逸提懺悔法

（5–1）

犯捨墮　　後明懺罪有七　　一乞懺者合掌口言大姊僧聽我
某甲比丘尼故畜眾多長衣過限不說淨犯捨墮離三衣宿
犯捨墮是三衣已捨與僧是中各有波逸提罪
捨但懺其罪不須捨衣　　犯捨長財已用壞盡各犯根本波逸提
犯多時懷盡者云
憶數若憶數者隨有言之今從眾僧乞懺悔願僧
比丘尼懺悔慈愍故　三說已主應言大眾受我懺悔　二請懺主
請云大姊一心念
我某甲比丘尼今請大姊為波逸提懺悔主願大姊為我作波逸提懺
悔主慈愍故　三請　三懺主單白和僧問和答已白言大
姊僧聽某甲比丘尼故畜眾多長衣財不說淨犯捨墮離僧
伽梨宿犯捨墮此衣財已捨與僧是中犯長波逸提罪
不憶數離僧伽梨宿犯一捨墮　犯捨長財已用壞盡亦有根
本波逸提罪不憶數今從眾僧乞懺悔若僧時到僧忍聽我
某甲比丘尼受某甲比丘尼懺悔白如是　四為說罪名
種相名謂逸提種畜長離衣世事異相謂一品多品不
同其根本波逸提最在後懺根本三吉羅在提前懺從生六品
吉羅最在前悔並擬犯者言之必無此九品不得謹誦大凡
誦者故重言之　　初悔六品覆藏云　大姊一心念我某甲比丘尼
故畜眾多長衣財犯捨墮不憶數離僧伽梨犯一捨墮

BD00774 號　波逸提懺悔法　（5–2）

誦者故重言之　　初悔六品覆藏云　大姊一心念我某甲比丘尼
故畜眾多長衣財犯捨墮不憶數離僧伽梨犯一捨墮
並不發露犯突吉羅罪經夜覆藏隨夜展轉覆藏并著
用犯捨衣突吉羅經夜覆藏隨夜展轉覆藏經僧說戒
默妄語突吉羅經夜覆藏隨夜展轉覆藏如是六品突
吉羅罪各不憶數今向大姊發露懺悔不敢覆藏願大姊
憶我
懺主云自責汝心生厭離　答言可爾　次懺根本
並吉羅云大姊一心念我某甲比丘尼故畜眾多長衣不說淨犯
眾多波逸提罪離僧伽梨宿犯一逸波提罪不發露犯突吉羅
罪又經僧說戒九處三問默妄語犯突吉羅罪又著用不如法衣
犯突吉羅罪今向大姊發露懺悔不敢覆藏願大姊憶我
無懺本隨罪云大姊一心念我某甲比丘尼故畜眾多長衣不說淨犯
眾多波逸提罪故離僧伽梨宿犯一捨墮此衣已捨與僧是中各
犯波逸提罪又犯捨長財已用壞盡各犯根本波逸提罪不憶數
若無覆者不須此語　今向大姊懺悔不敢覆藏懺悔則安樂不懺悔不安樂
憶念犯發露知而不敢覆藏願大姊憶我清淨戒身具足
清淨布薩　三說　六呵責云若犯長者云
不名為僧今以无心違於佛教甚可恥等若離衣者云我為諸弟
子結戒已受衣不犯比丘尼正有三衣缽器行必隨身猶如飛鳥
无所顧戀

BD00774 號　波逸提懺悔法　（5–3）

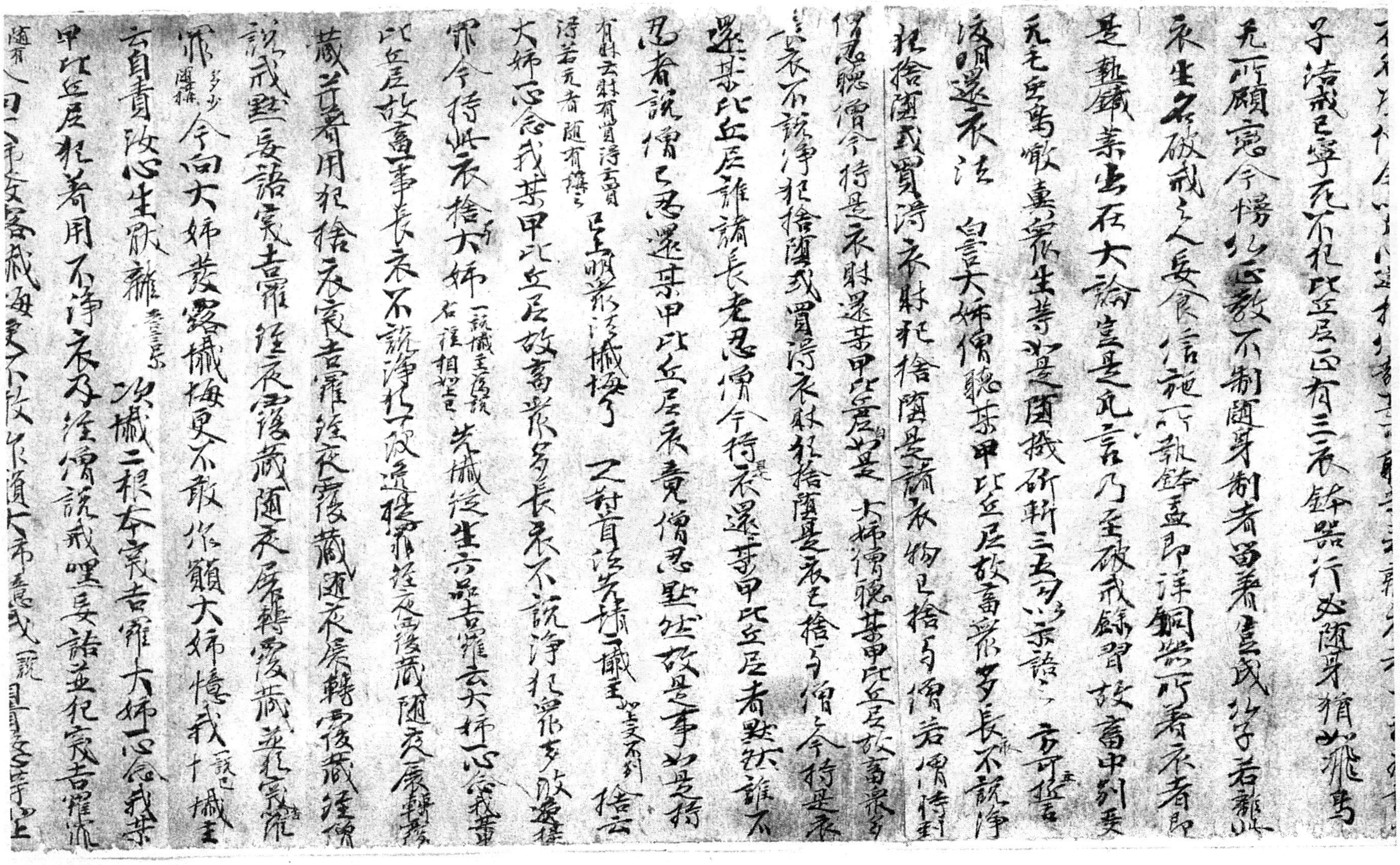

BD00774號　波逸提懺悔法

（5–4）

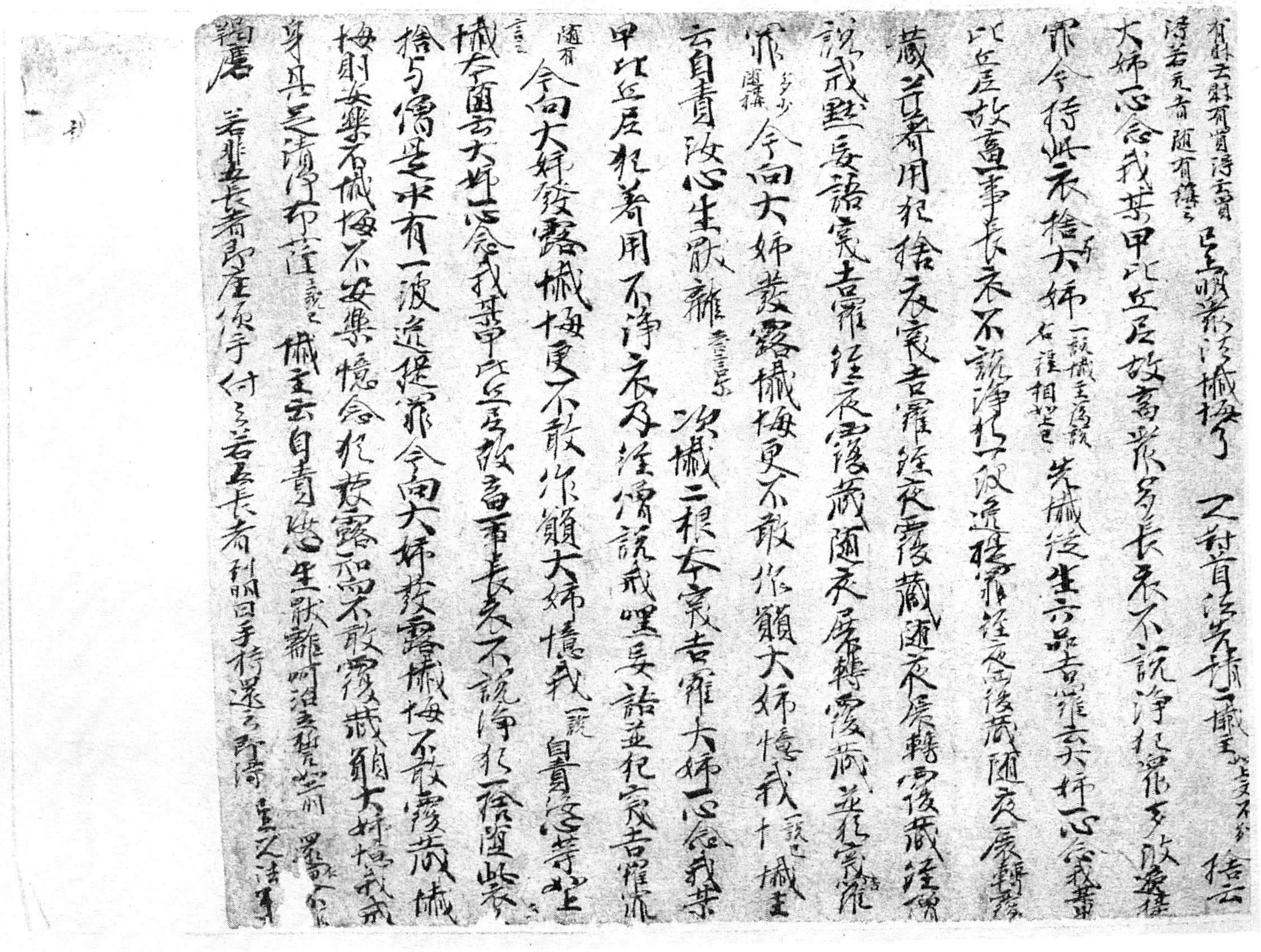

BD00774號　波逸提懺悔法

（5–5）

尒時藥王菩薩即從座起偏袒右肩合掌向
佛而白佛言世尊若善男子善女人有能受
持法華經者若讀誦通利若書寫經卷得幾
所福佛告藥王若有善男子善女人供養八
百萬億那由他恒河沙等諸佛於汝意云何
其所得福寧為多不甚多世尊佛言若善男
子善女人能於是經乃至受持一四句偈讀
誦解義如說脩行功德甚多
尒時藥王菩薩白佛言世尊我今當與說法
者陁羅尼呪以守護之即說呪曰
安尒一 曼尒二 摩祢三 摩摩祢四 旨隸五 遮梨
第六 賒咩羊鳴音七 賒履罔雉反 多瑋八 羶帝輸千反九 目
帝十 目多履十一 娑履十二 阿瑋娑履十三 桑履
十四 娑履十五 叉裔十六 阿叉裔十七 阿耆膩十八 羶帝十九
賒履二十 陁羅尼二十一 阿盧伽婆娑蘇奈反 簸蔗毗叉
膩二十二 祢毗剃二十三 阿便哆都餓反 邏祢履剃二十四 阿亶
哆波隸輸地途賣反二十五 漚究隸二十六 牟究隸二十七 阿羅
隸二十八 波羅隸二十九 首迦差初几反三十 阿三磨三履三十一
佛䭾毗吉利袠帝三十二 達磨波利差猜離反帝三十三
僧伽涅瞿沙祢三十四 婆舍婆舍輸地三十五 曼哆邏三十六
曼哆邏叉夜多三十七 郵樓哆三十八 郵樓哆憍舍略盧遮反三十九
惡叉邏四十 惡叉冶多冶四十一 阿婆盧四十二 阿摩若荏蔗反
那多夜四十三

BD00775 號　妙法蓮華經卷七　（14–1）

佛䭾毗吉利袠帝三十二 達磨波利差猜離反帝三十三
僧伽涅瞿沙祢三十四 婆舍婆舍輸地三十五 曼哆邏三十六
曼哆邏叉夜多三十七 郵樓哆三十八 郵樓哆憍舍略盧遮反三十九
惡叉邏四十 惡叉冶多冶四十一 阿婆盧四十二 阿摩若荏蔗反
那多夜四十三
世尊是陁羅尼神呪六十二億恒河沙等諸
佛所說若有侵毀此法師者則為侵毀是諸佛
已時釋迦牟尼佛讚藥王菩薩言善哉善哉
藥王汝愍念擁護此法師故說是陁羅尼於
諸衆生多所饒益尒時勇施菩薩白佛言世
尊我亦為擁護讀誦受持法華經者說陁羅
尼若此法師得是陁羅尼若夜叉若羅剎若
富單那若吉蔗若鳩槃荼若餓鬼等伺求其
短无能得便即於佛前而說呪曰
痤誓螺反隸一 摩訶痤隸二 郁枳三 目枳四 阿隸五 阿羅婆第
六 涅隸第七 涅隸多婆第八 伊緻猪履反柅九 韋緻柅十 旨
緻柅十一 涅隸墀柅十二 涅犁墀婆底十三
世尊是陁羅尼神呪恒河沙等諸佛所說亦皆
隨喜若有侵毀此法師者則為侵毀是諸佛已
尒時毗沙門天王護世者白佛言世尊我亦為
愍念衆生擁護此法師故說是陁羅尼即說呪曰
阿梨一 那梨二 㝹那梨三 阿那盧四 那履五 拘那履六
世尊以是神呪擁護法師我亦自當擁護持
是經者令百由旬內无諸衰患
尒時持國天王在此會中與千萬億那由他乹
闥婆衆恭敬圍繞前詣佛所合掌白佛言世尊我
亦以陁羅尼神呪擁護持法華經者即說呪曰

BD00775 號　妙法蓮華經卷七　（14–2）

是經者令百由旬內无諸衰患
尒時持國天王在此會中與千萬億那由他乾
闥婆衆恭敬圍繞前詣佛所合掌白佛言世尊我
亦以陁羅尼神呪擁護持法華經者即說呪曰
阿伽祢一伽祢二瞿利三乾陁利四旃陁利五摩蹬
耆六常求利七浮樓莎柅八頞底九
世尊是陁羅尼神呪四十二億諸佛所說若
有侵毀此法師者則為侵毀是諸佛已
尒時有羅剎女等一名藍婆二名毗藍婆三
名曲齒四名華齒五名黑齒六名多髮七名无
猒足八名持瓔珞九名睪帝十名奪一切衆
生精氣是十羅剎女與鬼子母并其子及
眷屬俱詣佛所同聲白佛言世尊我等亦欲
擁護讀誦受持法華經者除其衰患若有伺
求法師短者令不得便即於佛前而說呪曰
伊提履一伊提泯二伊提履三阿提履四伊提履五泥
履六泥履七泥履八泥履九泥履十樓醯十一樓醯十二樓
醯十三樓醯十四多醯十五多醯十六多醯十七兜醯十八㝹醯十九
寧上我頭上莫惱於法師若夜叉若羅剎若
餓鬼若富單那若吉蔗若毗陁羅若揵馱若
烏摩勒伽若阿跋摩羅若夜叉吉蔗若人吉
蔗若熱病若一日若二日若三日若四日乃至
七日若常熱病若男形若女形若童男形若童女形
乃至夢中亦復莫惱即於佛前而說偈言
若不順我呪　惱亂說法者　頭破作七分　如阿梨樹枝
如煞父母罪　亦如壓油殃　斗秤欺誑人　調達破僧罪
犯此法師者　當獲如是殃

BD00775號　妙法蓮華經卷七　（14–3）

乃至夢中亦復莫惱即於佛前而說偈言
若不順我呪　惱亂說法者　頭破作七分　如阿梨樹枝
如煞父母罪　亦如壓油殃　斗秤欺誑人　調達破僧罪
犯此法師者　當獲如是殃
諸羅剎女說此偈已白佛言世尊我等亦當
身自擁護受持讀誦脩行是經者令得安隱
離諸衰患消衆毒藥佛告諸羅剎女善哉善
哉汝等但能擁護受持法華名者福不可量
何況擁護具足受持供養經卷華香瓔珞抹
香塗香燒香幡蓋伎樂然種種燈蘇燈油燈
諸香油燈蘇摩那華油燈瞻蔔華油燈婆師
迦華油燈優鉢羅華油燈如是等百千種供
養者睪帝汝等及眷屬應當擁護如是法師
說是陁羅尼品時六萬八千人得无生法忍
妙法蓮華經妙莊嚴王本事品第二十七
尒時佛告諸大衆乃往古世過无量无邊不
可思議阿僧祇劫有佛名雲雷音宿王華智
多陁阿伽度阿羅訶三藐三佛陁國名光明
莊嚴劫名憙見彼佛法中有王名妙莊嚴其
王夫人名曰淨德有二子一名淨藏二名淨
眼是二子有大神力福德智慧久脩菩薩所
行之道所謂檀波羅蜜尸波羅蜜羼提波
羅蜜毗梨耶波羅蜜禪波羅蜜般若波羅蜜
方便波羅蜜慈悲喜捨乃至三十七品助道
法皆悉明了通達又得菩薩淨三昧日星宿
三昧淨光三昧淨色三昧淨照明三昧長莊
嚴三昧大威德藏三昧於此三昧亦悉通達

BD00775號　妙法蓮華經卷七　（14–4）

方便波羅蜜慈悲喜捨乃至三十七品助道
法皆悉明了通達又得菩薩淨三昧日星宿
三昧淨光三昧淨色三昧淨照明三昧長莊
嚴三昧大威德藏三昧於此三昧亦悉通達
尒時彼佛欲引導妙莊嚴王及愍念衆生故
說是法華經時淨藏淨眼二子到其母所合
十指爪掌白言願母往詣雲雷音宿王華智
佛所我等亦當侍從親近供養礼拜所以者
何此佛於一切天人衆中說法華經宜應聽
受母告子言汝父信受外道深著婆羅門法
汝等應往白父與共俱去淨藏淨眼合十指
爪掌白母我等是法王子而生此邪見家母
告子言汝等當憂念汝父為現神變若得見
者心必清淨或聽我等往至佛所於是二子
念其父故踊在虛空高七多羅樹現種種神
變於虛空中行住坐卧身上出水身下出火
身下出水身上出火或現大身滿虛空中而
復現小小復現大於空中滅忽然在地入地
如水履水如地現如是等種種神變令其父
王心淨信解時父見子神力如是心大歡喜得
未曾有合掌向子言汝等師為是誰誰之
弟子二子白言大王彼雲雷音宿王華智佛
今在七寶菩提樹下法座上坐於一切世間天
人衆中廣說法華經是我等師我是弟子父
語子言我今亦欲見汝等師可共俱往於是
二子從空中下到其母所合掌白母父王今
已信解堪任發阿耨多羅三藐三菩提心我
等為父已作佛事願母見聽於彼佛所出家

BD00775號　妙法蓮華經卷七　（14–5）

人衆中廣說法華經是我等師我是弟子父
語子言我今亦欲見汝等師可共俱往於是
二子從空中下到其母所合掌白母父王今
已信解堪任發阿耨多羅三藐三菩提心我
等為父已作佛事願母見聽於彼佛所出家
修道尒時二子欲重宣其意以偈白母
願母放我等　出家作沙門　諸佛甚難值　我等隨佛學
如優曇波羅　值佛復難是　脫諸難亦難　願聽我出家
母即告言聽汝出家所以者何佛難值故於
是二子白父母言善哉父母願時往詣雲雷
音宿王華智佛所親近供養所以者何佛難
得值如優曇波羅華又如一眼之龜值浮木
孔而我等宿福深厚生值佛法是故父母當
聽我等令得出家所以者何諸佛難值時亦
難遇彼時妙莊嚴王後宮八万四千人皆悉
堪任受持是法華經淨眼菩薩於法華三昧
久已通達淨藏菩薩已於无量百千万億劫
通達離諸惡趣三昧欲令一切衆生離諸惡
趣故其王夫人得諸佛集三昧能知諸佛祕
密之藏二子如是以方便力善化其父令心
信解好樂佛法於是妙莊嚴王與群臣眷屬
俱淨德夫人與後宮采女眷屬俱其王二子
與四万二千人俱一時共詣佛所到已頭面
礼足繞佛三帀却住一面尒時彼佛為王說
法示教利喜王大歡悅尒時妙莊嚴王及其
夫人解頸真珠瓔珞價直百千以散佛上於
虛空中化成四柱寶臺臺中有大寶床敷百
千万天衣其上有佛結加趺坐放大光明尒

BD00775號　妙法蓮華經卷七　（14–6）

法示教利喜王大歡悅尒時妙莊嚴王及其
夫人解頸真珠瓔珞價直百千以散佛上於
虛空中化成四柱寶臺臺中有大寶床敷百
千万天衣其上有佛結跏趺坐放大光明尒
時妙莊嚴王作是念佛身希有端嚴殊特成
就第一微妙之色時雲雷音宿王華智佛告
四衆言汝等見是妙莊嚴王於我前合掌立
不此王於我法中作比丘精勤修習助佛道
法當得作佛号娑羅樹王國名大光劫名大
高王其娑羅樹王佛有无量菩薩衆及无量
聲聞其國平正功德如是其王即時以國付
弟與夫人二子并諸眷屬於佛法中出家修
道王出家已於八万四千歲常勤精進修行
妙法華經過是已後得一切淨功德莊嚴三
昧即昇虛空高七多羅樹而白佛言世尊此
我二子已作佛事以神通變化轉我邪心令
得安住於佛法中得見世尊此二子者是我
善知識為欲發起宿世善根饒益我故來生
我家尒時雲雷音宿王華智佛告妙莊嚴王
言如是如是如汝所言若善男子善女人種
善根故世世得值善知識其善知識能作佛事
示教利喜令入阿耨多羅三藐三菩提大王
當知善知識者是大因緣所謂化導令得見
佛發阿耨多羅三藐三菩提心大王汝見此
二子不此二子已曾供養六十五百千万億
那由他恒河沙諸佛親近恭敬於諸佛所受
持法華經愍念邪見衆生令住正見妙莊嚴

BD00775號　妙法蓮華經卷七　（14–7）

二子不此二子已曾供養六十五百千万億
那由他恒河沙諸佛親近恭敬於諸佛所受
持法華經愍念邪見衆生令住正見妙莊嚴
王即從虛空中下而白佛言世尊如來甚希
有以功德智慧故頂上肉髻光明顯照其眼
長廣而紺青色眉間豪相白如珂月齒白齊
密常有光明脣色赤好如頻婆菓尒時妙莊
嚴王讚嘆佛如是等无量百千万億功德已
於如來前一心合掌復白佛言世尊未曾有
也如來之法具足成就不可思議微妙功德
教戒所行安隱快善我從今日不復自隨心
行不生邪見憍慢瞋恚諸惡之心說是語已
礼佛而出佛告大衆於意云何妙莊嚴王豈
異人乎今華德菩薩是其淨德夫人今佛前
光照莊嚴相菩薩是哀愍妙莊嚴王及諸眷
屬故於彼中生其二子者今藥王菩薩藥上
菩薩是是藥王藥上菩薩成就如此諸大功
德已於无量百千万億諸佛所殖衆德本成
就不可思議諸善功德若有人識是二菩薩
名字者一切世間諸天人民亦應礼拜佛說
是妙莊嚴王本事品時八万四千人遠塵離
垢於諸法中得法眼淨

妙法蓮華經普賢菩薩勸發品第二十八

尒時普賢菩薩以自在神通力威德名聞與大
菩薩无量无邊不可稱數從東方來所經諸
國普皆震動雨寶蓮華作无量百千万億種
種伎樂又與无數諸天龍夜叉乾闥婆阿脩

BD00775號　妙法蓮華經卷七　（14–8）

尒時普賢菩薩以自在神通力威德名聞與大
菩薩无量无邊不可稱數從東方來所經諸
國普皆震動雨寶蓮華作无量百千万億種
種伎樂又與无數諸天龍夜叉乾闥婆阿脩
羅迦樓羅緊那羅摩睺羅伽人非人等大衆
圍繞各現威德神通之力到娑婆世界耆闍
崛山中頭面礼釋迦牟尼佛右繞七帀白佛
言世尊我於寶威德上王佛國遥聞此娑婆
世界說法華經與无量无邊百千万億諸菩
薩衆共來聽受唯願世尊當為說之若善男
子善女人於如來滅後云何能得是法華經
佛告普賢菩薩若善男子善女人成就四法
於如來滅後當得是法華經一者為諸佛護
念二者殖衆德本三者入正定聚四者發救
一切衆生之心善男子善女人如是成就四
法於如來滅後必得是經尒時普賢菩薩白
佛言世尊於後五百歲濁惡世中其有受持
是經典者我當守護除其衰患令得安隱使
无伺求得其便者若魔若魔子若魔女若魔
民若為魔所著者若夜叉若羅剎若鳩槃荼
若毗舍闍若吉蔗若富單那若韋陁羅等諸
惱人者皆不得便是人若行若立讀誦此經
我尒時乘六牙白象王與大菩薩衆俱詣其
所而自現身供養守護安慰其心亦為供養
法華經故是人若坐思惟此經尒時我復乘
白象王現其人前其人若於法華經有所忘
失一句一偈我當教之與共讀誦還令通利

BD00775 號　妙法蓮華經卷七

（14–9）

所而自現身供養守護安慰其心亦為供養
法華經故是人若坐思惟此經尒時我復乘
白象王現其人前其人若於法華經有所忘
失一句一偈我當教之與共讀誦還令通利
尒時受持讀誦法華經者得見我身甚大
歡喜轉復精進以見我故即得三昧及陁羅
尼名為旋陁羅尼百千萬億旋陁羅尼法音
方便陁羅尼得如是等陁羅尼世尊若後世
後五百歲濁惡世中比丘比丘尼優婆塞優
婆夷求索者受持者讀誦者書寫者欲脩習
是法華經於三七日中應一心精進滿三七
日已我當乘六牙白象與无量菩薩而自圍
繞以一切衆生所憙見身現其人前而為說
法示教利憙亦復與其陁羅尼呪得是陁羅
尼故无有非人能破壞者亦不為女人之所
惑亂我身亦自常護是人唯願世尊聽我說
此陁羅尼呪即於佛前而說呪曰
阿檀地 途賣反 一 檀陁婆地 二 檀陁婆帝 三 檀陁鳩舍隸 四 檀
陁脩陁隸 五 脩陁隸 六 脩陁羅婆底 七 佛馱波羶禰 八 薩
婆陁羅尼阿婆多尼 九 薩婆婆沙阿婆多尼 十 脩阿
婆多尼 十一 僧伽婆履叉尼 十二 僧伽涅伽陁尼 十三 阿僧祇
十四 僧伽波伽地 十五 帝隸阿惰僧伽兜略 盧遮反 阿羅帝波羅帝 十六
薩婆僧伽三摩地伽蘭地 十七 薩婆達磨脩波利剎帝 十八
薩婆薩埵樓馱憍舍略阿㝹伽地 十九 辛阿毗吉利地帝 二十
世尊若有菩薩得聞是陁羅尼者當知普賢
神通之力若法華經行閻浮提有受持者應
作此念皆是普賢威神之力若有受持讀誦

BD00775 號　妙法蓮華經卷七

（14–10）

薩婆薩埵樓馱憍舍略阿㝹伽地九辛阿毗吉利地帝十
世尊若有菩薩得聞是陁羅尼者當知普賢
神通之力若法華經行閻浮提有受持者應
作此念皆是普賢威神之力若有受持讀誦
正憶念解其義趣如說修行當知是人行普賢
行於无量无邊諸佛所深種善根為諸如來手
摩其頭若但書寫是人命終當生忉利天上是
時八萬四千天女作衆伎樂而來迎之其人即著
七寶冠於婇女中娛樂快樂何況受持讀誦正
憶念解其義趣如說修行若有人受持讀誦
解其義趣是人命終為千佛授手令不恐怖不
墮惡趣即往兜率天上弥勒菩薩所弥勒菩薩
有三十二相大菩薩衆所共圍繞有百千萬億
天女眷屬而於中生有如是等功德利益是故
智者應當一心自書若使人書受持讀誦正憶念
如說修行世尊我今以神通力故守護是經於如
來滅後閻浮提內廣令流布使不斷絕尒時釋迦
牟尼佛讚言善哉善哉普賢汝能護助是經令多
所衆生安樂利益汝已成就不可思議功德
深大慈悲從久遠來發阿耨多羅三藐三菩
提意而能作是神通之願守護是經我當以
神通力守護能受持普賢菩薩名者普賢
若有受持讀誦正憶念修習書寫是法華經
者當知是人則見釋迦牟尼佛如從佛口聞
此經典當知是人供養釋迦牟尼佛當知是人
佛讚善哉當知是人為釋迦牟尼佛手摩其頭
當知是人為釋迦牟尼佛衣之所覆如是之人
不復貪著世樂不好外道經書手筆亦復不

BD00775 號　妙法蓮華經卷七

（14–11）

佛讚善哉當知是人為釋迦牟尼佛手摩其頭
當知是人為釋迦牟尼佛衣之所覆如是之人
不復貪著世樂不好外道經書手筆亦復不
憙親近其人及諸惡者若屠兒若畜猪羊雞
狗若獵師若衒賣女色是人心意質直有正憶
念有福德力是人不為三毒所惱亦不為嫉妬
我慢邪慢增上慢所惱是人少欲知足能修普
賢之行普賢若如來滅後後五百歲若有人見
受持讀誦法華經者應作是念此人不久當
詣道場破諸魔衆得阿耨多羅三藐三菩提
轉法輪擊法鼓吹法蠡雨法雨當生天人大衆
中師子法座上普賢若於後世受持讀誦是經
典者是人不復貪著衣服臥具飲食資生之物
所願不虛亦於現世得其福報若有人輕毀之
言汝狂人耳空作是行終无所獲如是罪報當
世世无眼有供養讚歎之者當於今世得現果報
若復見受持是經者具過惡若實若不實此人
現世得白癩病若有輕笑之者當世世牙齒踈
缺醜脣平鼻手脚繚戾眼目角睞身體臭穢
惡瘡膿血水腹短氣諸惡重病是故普賢若
見受持是經典者當起遠迎當如敬佛說是
普賢勸發品時恒河沙等无量无邊菩薩得
百千萬億旋陁羅尼三千大千世界微塵等
諸菩薩具普賢道佛說是經時普賢等諸
菩薩舍利弗等諸聲聞及諸天龍人非人等一
切大會皆大歡喜受持佛語作禮而去

BD00775 號　妙法蓮華經卷七

（14–12）

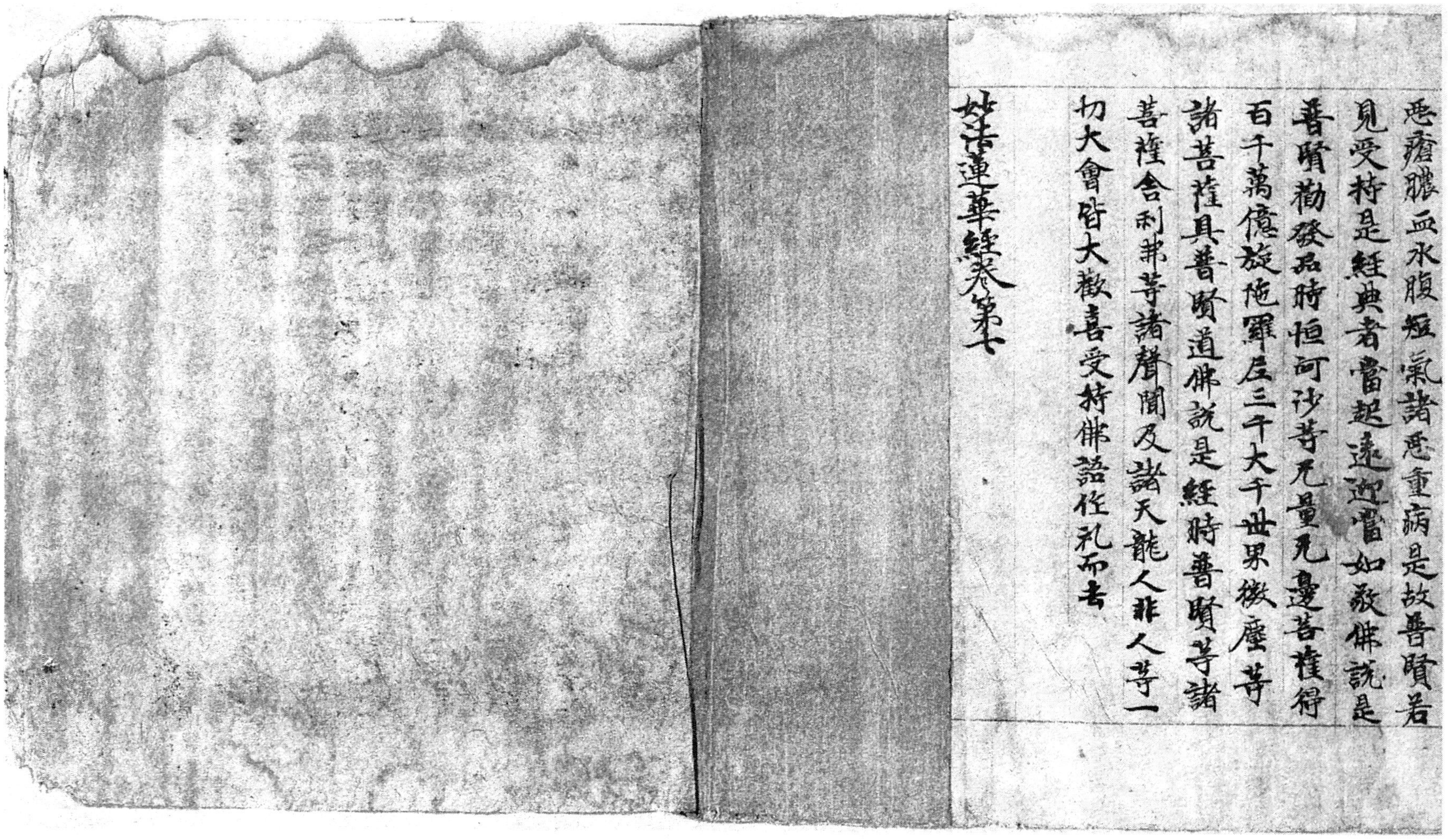
惡瘡膿血水腹短氣諸惡重病是故普賢若
見受持是經典者當起遠迎當如敬佛說是
普賢勸發品時恒河沙等无量无邊菩薩得
百千萬億旋陁羅尼三千大千世界微塵等
諸菩薩具普賢道佛說是經時普賢等諸
菩薩舍利弗等諸聲聞及諸天龍人非人等一
切大會皆大歡喜受持佛語作礼而去
妙法蓮華經卷第七

BD00775 號　妙法蓮華經卷七　（14–13）

切大會皆大歡喜受持佛語作礼而去
妙法蓮華經卷第七

BD00775 號　妙法蓮華經卷七　（14–14）

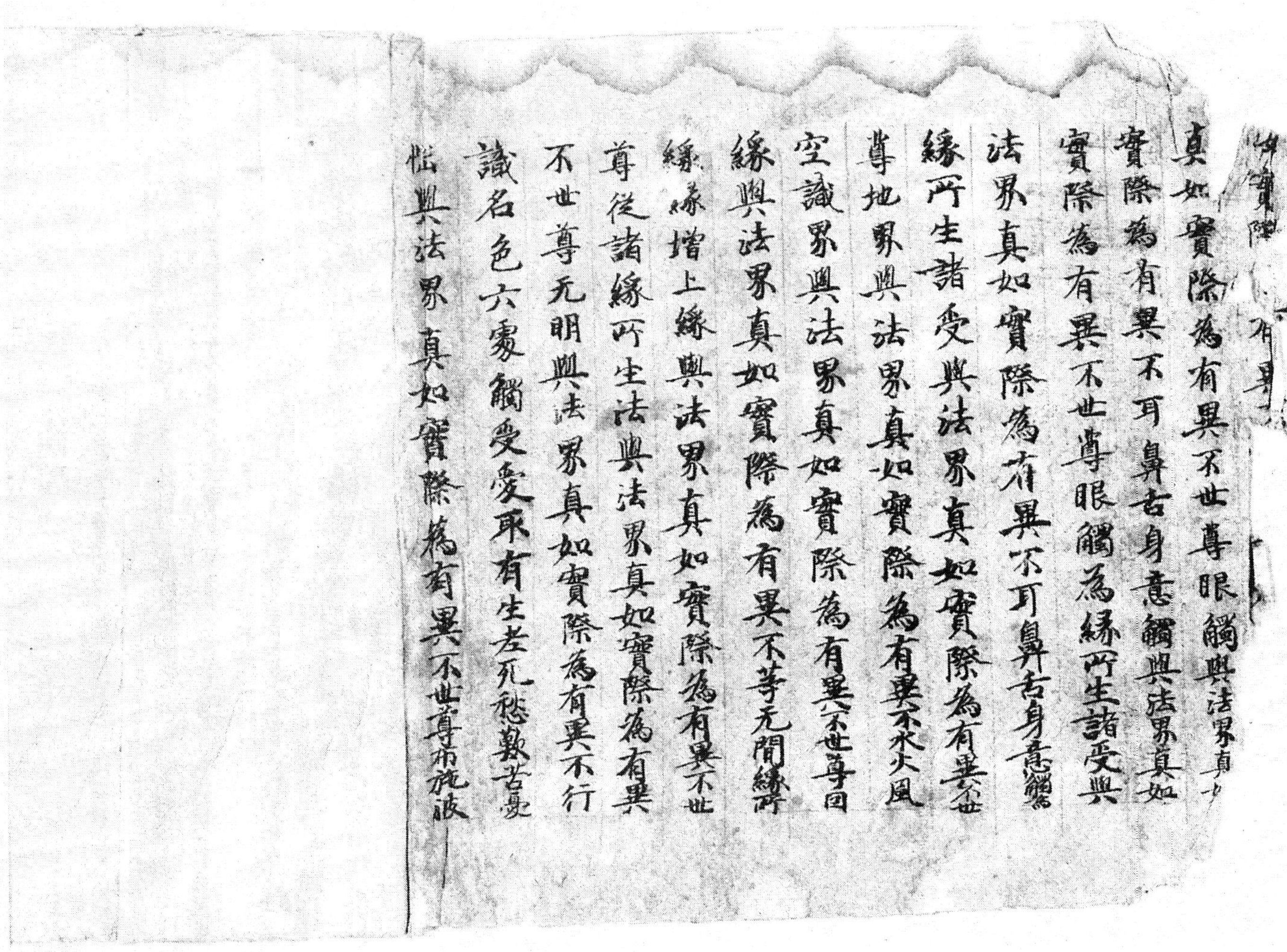
……實際……有異……
真如實際為有異不世尊眼觸與法界真如
實際為有異不可鼻舌身意觸與法界真如
實際為有異不世尊眼觸為緣所生諸受與
法界真如實際為有異不可鼻舌身意觸
緣所生諸受與法界真如實際為有異不世
尊地界與法界真如實際為有異不水火風
空識界與法界真如實際為有異不世尊因
緣與法界真如實際為有異不等无間緣所
緣緣增上緣與法界真如實際為有異不世
尊從諸緣所生法與法界真如實際為有異
不世尊无明與法界真如實際為有異不行
識名色六處觸受愛取有生老死愁歎苦憂
惱與法界真如實際為有異不世尊布施波

BD00775 號背　大般若波羅蜜多經卷三八三　（1–1）

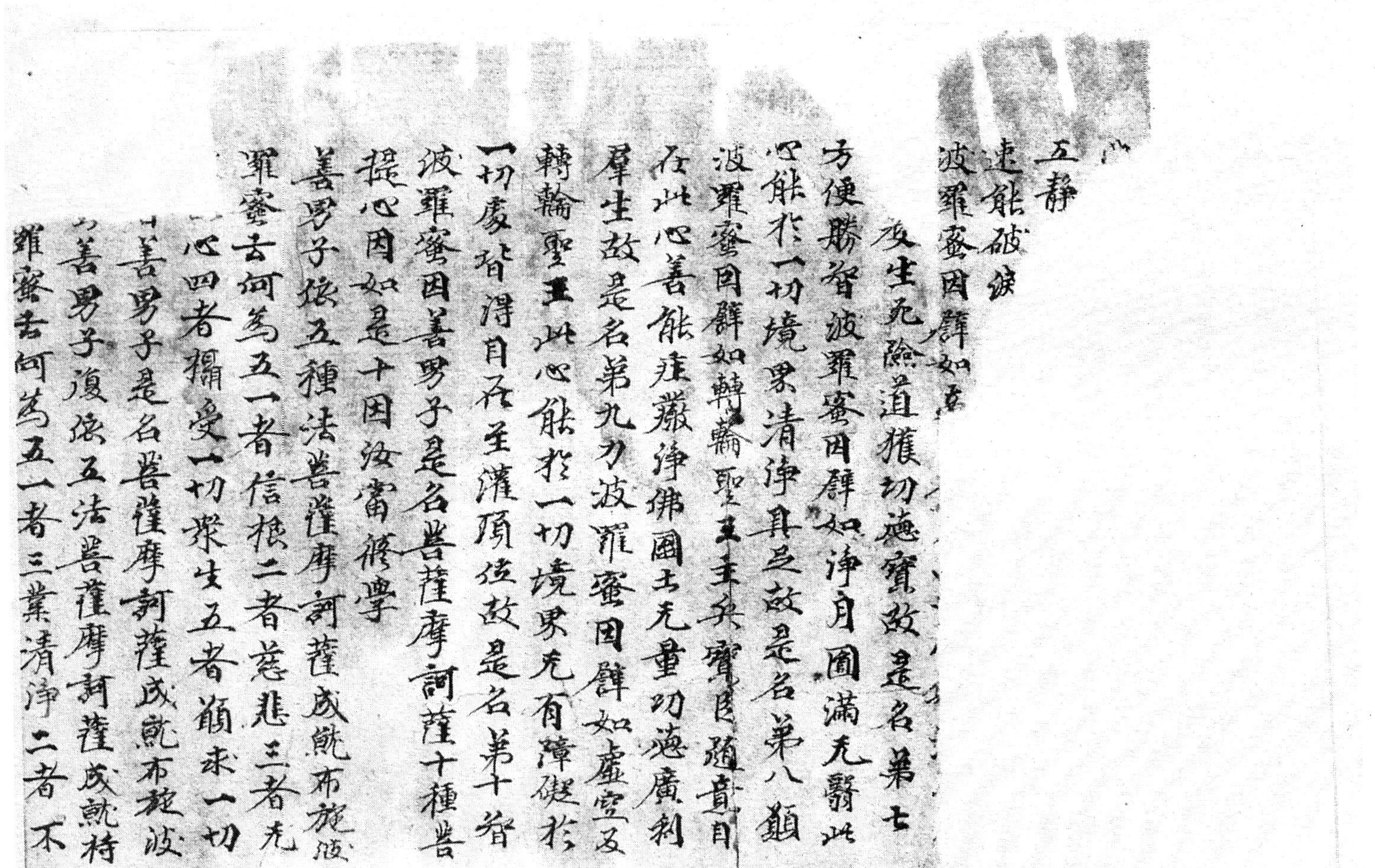
五靜
速能破壞
波羅蜜因譬如
度生死險道獲功德寶故是名第七
方便勝智波羅蜜因譬如淨月圓滿无翳此
心能於一切境界清淨具足故是名第八願
波羅蜜因譬如轉輪聖王主兵寶臣隨意自
在此心善能莊嚴淨佛國土无量功德廣利
羣生故是名第九力波羅蜜因譬如虛空及
轉輪聖王此心能於一切境界无有障礙於
一切處皆得自在至灌頂位故是名第十智
波羅蜜因善男子是名菩薩摩訶薩十種菩
提心因如是十因汝當修學
善男子依五種法菩薩摩訶薩成就布施波
羅蜜云何為五一者信根二者慈悲三者无
心四者攝受一切眾生五者願求一切
善男子是名菩薩摩訶薩成就布施波
善男子復依五法菩薩摩訶薩成就持
羅蜜云何為五一者三業清淨二者不

BD00776 號　金光明最勝王經卷四　（15–1）

心四者攝受一切衆生五者願求一切
善男子是名菩薩摩訶薩成就布施波
善男子復依五法菩薩摩訶薩成就持
羅蜜云何為五一者三業清淨二者不
衆生作煩惱因緣三者閉諸惡道開
善趣門四者過於聲聞獨覺之地五者一切
功德皆悉滿足善男子是名菩薩摩訶薩成
就持戒波羅蜜善男子復依五法菩薩摩訶
薩成就忍辱波羅蜜云何為五一者能伏貪瞋
煩惱二者不惜身命不求安樂止息
三者思惟往業遭苦能忍四者發起
就衆生諸善根故五者為得甚深无生法忍
善男子是名菩薩摩訶薩成就忍辱波羅蜜
善男子復依五法菩薩摩訶薩成就勤策
波羅蜜云何為五一者與諸煩惱不樂共住
二者福德未具不受安樂三者於諸難行苦
行之事不生厭心四者以大慈悲攝受利益方
便成熟一切衆生五者願求不退轉地善男
子是名菩薩摩訶薩成就勤策波羅蜜善男
子復依五法菩薩摩訶薩成就靜慮波羅
蜜云何為五一者於諸善法攝令不散故二者
常願解脫不著二邊故三者願得神通成就
衆生諸善根故四者為淨法界蠲除心垢故
五者為斷衆生煩惱根本故善男子是名菩
薩摩訶薩成就靜慮波羅蜜善男子復依五
法菩薩摩訶薩成就智慧波羅蜜云何為五
一者常於一切諸佛菩薩及明智者供養親
近不生厭背二者諸佛如來說甚深法心常

BD00776 號　金光明最勝王經卷四　（15–2）

薩摩訶薩成就靜慮波羅蜜善男子復依五
法菩薩摩訶薩成就智慧波羅蜜云何為五
一者常於一切諸佛菩薩及明智者供養親
近不生厭背二者諸佛如來說甚深法心常
樂聞无有厭足三者真俗勝智樂善分別
四者見修煩惱咸速斷除五者世間伎術五
明之法皆悉通達善男子是名菩薩摩訶薩
成就智慧波羅蜜善男子復依五法菩薩摩訶
成就方便波羅蜜云何為五一者於一切
衆生意樂煩惱心行差別悉皆通達二者无
量諸法對治之門心皆曉了三者大慈悲定
出入自在四者於諸波羅蜜多皆願修行成
熟滿足五者一切佛法皆願了達攝受无遺
善男子是名菩薩摩訶薩成就方便勝智波
羅蜜善男子復依五法菩薩摩訶薩成就願
波羅蜜云何為五一者於一切法從本以來
不生不滅非有非无心得安住二者觀一切
法最妙理趣離垢清淨心得安住三者過一
切相心本真如无作无行不異不動心得安
住四者為欲利益諸衆生事於俗諦中心得
安住五者於奢摩他毗鉢舍那同時運行心
得安住善男子是名菩薩摩訶薩成就願波
羅蜜善男子復依五法菩薩摩訶薩成就力
波羅蜜云何為五一者以正智力能了一切
衆生心行善惡二者能令一切衆生入於甚
深微妙之法三者一切衆生輪迴生死隨其
緣業如實了知四者於諸衆生三種根性以
正智力能分別知五者於諸衆生如理為說
令種善根成熟度脫皆是智力故善男子是

BD00776 號　金光明最勝王經卷四　（15–3）

衆生心行善惡二者能令一切衆生入於甚
深微妙之法三者一切衆生輪迴生死隨其
緣業如實了知四者於諸衆生三種根性以
正智力能分別知五者於諸衆生如理為說
令種善根成熟度脫皆是智力故善男子是
名菩薩摩訶薩成就力波羅蜜善男子復依
五法菩薩摩訶薩成就智波羅蜜云何為五
一者能於諸法分別善惡二者於黑白法遠
離攝受三者能於生死涅槃不厭不喜四者
具福智行至究竟處五者受勝灌頂能得諸
佛不共法等及一切智智善男子是名菩薩
摩訶薩成就智波羅蜜善男子何者是波羅
蜜義所謂修習勝利是波羅蜜義滿足无量
大甚深智是波羅蜜義行非行法心不執著
是波羅蜜義生死過失涅槃功德正覺正觀
是波羅蜜義愚人智人皆悉攝受是波羅蜜
義能現種種珍妙法寶是波羅蜜義无礙解
脫智慧滿足是波羅蜜義法界衆生界正分
別知是波羅蜜義施等及智能令至不退轉
是波羅蜜義无生法忍能令滿足是波羅蜜
義一切衆生功德善根能令成熟是波羅蜜
義能於菩提成佛十力四无所畏不共法等
皆悉成就是波羅蜜義生死涅槃了无二相
是波羅蜜義濟度一切是波羅蜜義一切外
道來相詰難善能解釋令其降伏是波羅蜜
義能轉十二妙行法輪是波羅蜜義无所著
无所見无患累是波羅蜜多義
善男子初地菩薩是相先現三千大千世界无
量无邊種種寶藏无不盈滿菩薩悉見善

BD00776號　金光明最勝王經卷四　（15–4）

義能轉十二妙行法輪是波羅蜜義无所著
无所見无患累是波羅蜜多義
善男子初地菩薩是相先現三千大千世界无
量无邊種種寶藏无不盈滿菩薩悉見善
男子二地菩薩是相先現三千大千世界地平
如掌无量无邊種種妙色清淨珍寶莊嚴
之具菩薩悉見善男子三地菩薩是相先現
自身勇健甲仗莊嚴一切怨賊皆能摧伏菩
薩悉見善男子四地菩薩是相先現四方風
輪種種妙花悉皆散灑充布地上菩薩悉見
善男子五地菩薩是相先現有妙寶女衆寶
瓔珞周遍嚴身首冠名花以為其飾菩薩悉
見善男子六地菩薩是相先現七寶花池有
四階道金沙遍布清淨无穢八功德水皆悉
盈滿嗢鉢羅花拘物頭花分陀利花隨處莊
嚴於花池所遊戲快樂清涼无比菩薩悉見
善男子七地菩薩是相先現於菩薩前有諸
衆生應墮地獄以菩薩力便得不墮无有損
傷亦无恐怖菩薩悉見善男子八地菩薩是相
先現於身兩邊有師子王以為衛護一切衆
獸悉皆怖畏菩薩悉見善男子九地菩薩是
相先現轉輪聖王无量億衆圍遶供養頂上
白蓋無量衆寶之所莊嚴菩薩悉見善男子
十地菩薩是相先現如來之身金色晃耀无
量淨光悉皆圓滿有无量億梵王圍遶恭
敬供養轉於无上微妙法輪菩薩悉見
善男子云何初地名為歡喜謂初證得出世
之心昔所未得而今始得於大事用如其所願
悉皆成就生極喜樂是故最初名為歡喜

BD00776號　金光明最勝王經卷四　（15–5）

量淨光悉皆圓滿有无量億梵王圍遶恭
敬供養轉於无上微妙法輪皆菩薩悉見
善男子云何初地名為歡喜謂初證得出世
之心昔所未得而今始得於大事用如其所願
悉皆成就生極喜樂是故第初名為歡喜
諸微細垢犯戒過失皆得清淨是故二地名
為无垢无量智慧三昧光明不可傾動无能
摧伏聞持陀羅尼以為根本是故三地名為明
地以智慧火燒諸煩惱增長光明脩行覺品
是故四地名為燄地脩行方便勝智自在極
難得故見脩煩惱難伏能伏是故五地名為
難勝行法相續了了顯現无相思惟皆悉現
前是故六地名為現前无漏无間无相思惟
解脫三昧遠脩行故是地清淨无有障㝵是
故七地名為遠行无相思惟脩得自在諸煩
惱行不能令動是故八地名為不動說一切
法種種差別皆得自在无患无累增長智慧
自在无㝵是故九地名為善慧法身如虛空
智慧如大雲皆能遍滿覆一切故是故第十
名為法雲
善男子執著有相我法无明怖畏生死惡趣
无明此二无明障於初地微細學處誤犯无
明發起種種業行无明此二无明障於二地未
得令得愛著无明能障殊勝總持无明此二
无明障於三地味著等至喜悅无明微妙淨
法愛樂无明此二无明障於四地欲皆生死
無明希趣涅槃无明此二无明障於五地觀
行流轉无明麁相現前无明此二无明障於

无明障於三地味著等至喜悅无明微妙淨
法愛樂无明此二无明障於四地欲皆生死
無明希趣涅槃无明此二无明障於五地觀
行流轉无明麁相現前无明此二无明障於
六地微細諸相現行无明作意欣樂无相无
明此二无明障於七地於无相觀功用无明
執相自在无明此二无明障於八地於所說
義及名句文此二无量未善巧无明於詞辯
才不隨意无明此二无明障於九地於大神
通未得自在變現无明微細秘密未能悟解
事業无明此二无明障於十地於一切境微細
所知障㝵无明極細煩惱麁重无明此二
无明障於佛地
善男子菩薩摩訶薩於初地中行施波羅蜜
於第二地行戒波羅蜜於第三地行忍波羅
蜜於第四地行勤波羅蜜於第五地行定波
羅蜜於第六地行慧波羅蜜於第七地行方
便勝智波羅蜜於第八地行願波羅蜜於第
九地行力波羅蜜於第十地行智波羅蜜善
男子菩薩摩訶薩最初發心攝受能生妙寶
三摩地第二發心攝受能生可愛樂三摩地
第三發心攝受能生難動三摩地第四發心
攝受能生不退轉三摩地第五發心攝受能
生寶光三摩地第六發心攝受能生日圓光
燄三摩地第七發心攝受能生一切願如意
成就三摩地第八發心攝受能生現前證住
三摩地第九發心攝受能生智藏三摩地第
十發心攝受能生勇進三摩地

緣三摩地第七發心攝受能生一切願如意
成就三摩地第八發心攝受能生現前證住
三摩地第九發心攝受能生智藏三摩地第
十發心攝受能生勇進三摩地善男子是名
菩薩摩訶薩十種發心善男子菩薩摩訶
薩於此初地得陀羅尼名依功德力尒時世尊
即說呪曰
怛姪他 晡律你 曷奴喇剃
獨虎獨虎獨虎 耶跋蘇 利瑜
阿婆婆薩底丁里反下皆同 耶跋 旃達 囉
調怛底 多跋達 嚕叉 湯
憚荼斧喇訶嚂 那嚕 莎訶
善男子此陀羅尼是過一恒河沙數諸佛所
說為護初地菩薩故若有誦持此陀羅尼呪
者得脫一切怖畏所謂虎狼師子惡獸之
類一切惡鬼人非人等怨賊災橫及諸苦惱
解脫五障不安念初地
善男子菩薩摩訶薩於第二地得陀羅尼
名善安樂住
怛姪他 嗢篅入聲下同丁東反 里
質里 質里 嗢篅羅篅羅 南
繕覩繕覩嗢篅里 虎嚕虎嚕 莎訶
善男子此陀羅尼是過二恒河沙數諸佛所
說為護二地菩薩故若有誦持此陀羅尼呪
者脫諸怖畏惡獸惡鬼人非人等怨賊災橫
及諸苦惱解脫五障不安念二地
善男子菩薩摩訶薩於第三地得陀羅尼名

BD00776 號　金光明最勝王經卷四

（15–8）

者脫諸怖畏惡獸惡鬼人非人等怨賊災橫
及諸苦惱解脫五障不安念二地
善男子菩薩摩訶薩於第三地得陀羅尼名
難勝力
怛姪他 憚宅枳 憚宅枳
羯喇徵 高喇徵 雞由哩 憚徵里 莎訶
善男子此陀羅尼是過三恒河沙數諸佛所
說為護三地菩薩故若有誦持此陀羅尼呪
者脫諸怖畏惡獸惡鬼人非人等怨賊災橫
及諸苦惱解脫五障不安念三地
善男子菩薩摩訶薩於第四地得陀羅尼名
大利益
怛姪他 室喇 室喇
陀彌你 陀彌你 陀哩 陀哩 你
室喇 室喇 你 毗舍羅波世 波始娜
畔陀彌 帝 莎訶
善男子此陀羅尼是過四恒河沙數諸佛所
說為護四地菩薩故若有誦持此陀羅尼呪
者脫諸怖畏惡獸惡鬼人非人等怨賊災橫
及諸苦惱解脫五障不安念四地
善男子菩薩摩訶薩於第五地得陀羅尼名
種種功德莊嚴
怛姪他 訶哩 訶引哩 你
遮哩 遮引哩 你 羯喇摩引 你
僧羯喇摩引 你 三婆山 你 瞻跋 你
悉耽婆 你 謨漢 你 碎闍步 陛 莎訶
善男子此陀羅尼是過五恒河沙數諸佛所
說為護五地菩薩摩訶薩故若有誦持此陀

BD00776 號　金光明最勝王經卷四

（15–9）

僧羯嚬摩引祢 三婆山祢瞻跋祢
悉耽婆祢謨漢祢 碎閻上陛莎訶
善男子此陀羅尼是過五恒河沙數諸佛所
說為護五地菩薩摩訶薩故若有誦持此陀
羅尼呪者脫諸怖畏惡獸惡鬼人非人等怨
賊災橫及諸苦惱解脫五障不忘念五地
善男子菩薩摩訶薩於第六地得陀羅尼名
圓滿智
怛 姪 他 毗徒哩 毗徒哩
摩哩祢 迦哩迦哩 毗度漢底
嚕嚕 嚕嚕 主嚕 主嚕
杜嚕婆 杜嚕婆 捨捨 設者婆哩灑
莎悉底 薩婆薩埵喃 悉甸覩
曼怛羅鉢陀祢莎訶
善男子此陀羅尼是過六恒河沙數諸佛所
說為護六地菩薩摩訶薩故若有誦持此陀
羅尼呪者脫諸怖畏惡獸惡鬼人非人等怨
賊災橫及諸苦惱解脫五障不忘念六地
善男子菩薩摩訶薩於第七地得陀羅尼名
法勝行
怛 姪 他 勺訶上 勺訶引 嚕
勺訶 勺訶 勺訶 勺訶嚕 鞞搩枳 鞞搩枳
阿蜜栗多嚧漢祢 勃里山祢
鞞嚕勃枳婆嚕伐底 鞞提 四 枳
頻陀鞞哩祢 阿蜜哩底 枳
薄虎 主 俞 薄虎主俞 莎訶
善男子此陀羅尼是過七恒河沙數諸佛所
說為護七地菩薩故若有誦持此陀羅尼呪
者脫諸怖畏惡獸惡鬼人非人等怨賊災橫

頻陀鞞哩祢 阿蜜哩底 枳
薄虎 主 俞 薄虎主俞 莎訶
善男子此陀羅尼是過七恒河沙數諸佛所
說為護七地菩薩故若有誦持此陀羅尼呪
者脫諸怖畏惡獸惡鬼人非人等怨賊災橫
及諸苦惱解脫五障不忘念七地
善男子菩薩摩訶薩於八地得陀羅尼名無
盡藏
怛 姪 他 室唎 室唎 室唎祢
蜜底 蜜底 羯哩羯哩 醯嚕醯嚕
主嚕 主嚕 畔陀弭 莎訶
善男子此陀羅尼是過八恒河沙數諸佛所
說為護八地菩薩故若有誦持此陀羅尼呪者
脫諸怖畏惡獸惡鬼人非人等怨賊災橫及
諸苦惱解脫五障不忘念八地
善男子菩薩摩訶薩於第九地得陀羅尼名
無量門
怛 姪 他 訶哩 旃 茶 哩 枳
俱藍婆嚬天里反下同 體 都 剌 無
跋吒跋吒 死室唎 室唎 迦室唎 迦室唎
莎 悉 底 薩婆薩埵喃 莎訶
善男子此陀羅尼是過九恒河沙數諸佛所
說為護九地菩薩故若有誦持此陀羅尼呪
者脫諸怖畏惡獸惡鬼人非人等怨賊災橫及
諸苦惱解脫五障不忘念九地
善男子菩薩摩訶薩於第十地得陀羅尼名
破金剛山
怛 姪 他 悉提主 蘇悉提主
謨折祢 木察祢 毗木底 菴末黎

善男子菩薩摩訶薩於第十地得陁羅尼名
破金剛山
怛姪他 悉提(去) 蘇悉提(去)
謨折你木察你 毗木底 菴末麗
毗末麗 涅末麗 忙揭麗
呬嚩若揭䫂 遏喇怛娜揭䫂
三曼多跋姪麗 薩婆頞他娑憚你
摩捺斯莫訶摩捺斯 頞步底
頞咥步底 阿喇誓 毗剌誓
頞主底 菴蜜栗底 阿喇擔 毗喇擔
跋蘆謎 跋羅蚶麼莎麗(入)
晡喇你 晡喇娜 曼奴喇剃莎訶
善男子此陁羅尼灌頂吉祥句是過十恒河
沙數諸佛所說為護十地菩薩故若有誦持
此陁羅尼呪者脫諸怖畏惡獸惡鬼人非人
等怨賊災橫一切毒害皆悉除滅解脫五障
不忘念十地
尒時師子相无礙光焰菩薩聞佛說此不可
思議陁羅尼已即從座起偏袒右肩右膝著
地合掌恭敬頂礼佛足以頌讚佛
敬礼无譬喻 甚深无相法 衆生失正知 唯佛能濟度
如來明慧眼 不見一法相 復以正法眼 普照不思議
不生於一法 亦不滅一法 由斯平等見 得至无上處
不壞於生死 亦不住涅槃 不著於二邊 是故證圓寂
於淨不淨品 世尊知一味 由不分別故 獲得最清淨
世尊无邊身 不說於一字 令諸弟子衆 法雨皆充滿
佛觀衆生相 一切種皆无 然於苦惱者 常興於救護
苦樂常无常 有我无我等 不一亦不異 不生亦不滅
法界无分別 是故无異……

BD00776號　金光明最勝王經卷四

（15–12）

世尊无邊身 不說於一字 令諸弟子衆 法雨皆充滿
佛觀衆生相 一切種皆无 然於苦惱者 常興於救護
苦樂常无常 有我无我等 不一亦不異 不生亦不滅
法界无分別 是故无異乘 為度衆生故 分別說有三
尒時大自在梵天王亦從座起偏袒右肩右膝
著地合掌恭敬頂礼佛足而白佛言世尊此
金光明最勝王經希有難量初中後善文義
究竟皆能成就一切佛法若受持者是人
則為報諸佛恩佛言善男子如是如是汝
所說善男子若得聽聞是經典者皆不退於
阿耨多羅三藐三菩提何以故善男子是能
成熟不退地菩薩殊勝善根是第一法印是
衆經王故應聽聞受持讀誦何以故善男子
若一切衆生未種善根未成熟善根未親近
諸佛者不能聽聞是微妙法若善男子善女
人能聽受者一切罪障皆悉除滅得最清淨
常得見佛不離諸佛及善知識勝行之人恒
聞妙法住不退地獲得如是勝陁羅尼門所
謂无盡无減海印出妙功德陁羅尼无盡无
減通達衆生意行言語陁羅尼无盡无減日
圓无垢相光陁羅尼无盡无減滿月相光陁
羅尼无盡无減能伏諸惑演功德流陁羅尼
无盡无減破金剛山陁羅尼无盡无減說不
可說義因緣藏陁羅尼无盡无減通達實
語法則音聲陁羅尼无盡无減虗空无垢心
行印陁羅尼无盡无減无邊佛身能顯現陁
羅尼无盡无減善男子如是等无盡无減諸
陁羅尼門得成就故是菩薩摩訶薩能於十

（15–13）

BD00776號　金光明最勝王經卷四

語法則皆解陁羅尼无盡无滅虚空无垢心
行印陁羅尼无盡无滅无邊佛身能顯現陁
羅尼无盡无滅善男子如是等无盡无滅諸
陁羅尼門得成就故是菩薩摩訶薩能於十
方一切佛土化作佛身演說无上種種正法於
法真如不動不住不來不去善能成熟一切衆
生善根亦不見一切衆生可成熟者雖說種種
諸法於言詞中不動不住不去不來能於生滅
證无生滅以何因緣說諸行法无有去來由一
切法體无異故說是法時三万億菩薩摩訶薩
得无生法忍无量諸菩薩不退菩提心无量
无邊苾蒭苾蒭尼得法眼淨无量衆生發菩
薩心尒時世尊而說頌曰
勝法能逆生死流　甚深微妙難得見
有情盲冥貪欲覆　由不見故受衆苦
尒時大衆俱從座起頂礼佛足而白佛言世
尊若所在處講宣讀誦此金光明最勝王經
我等大衆皆悉往彼為作聽衆是說法師令
得利益安樂无障身意泰然我等皆當盡
心供養亦令聽衆安隱快樂所住國土无諸
怨賊恐怖厄難飢饉之苦人民熾盛此說法
處道場之地一切諸天人非人等一切衆生
不應履踐及以汙穢何以故說法之處即是
制底當以香花繒綵幡蓋而為供養我等常
為守護令離衰損佛告大衆善男子汝等
應當精勤修習此妙經典是則正法久住於
世

BD00776號　金光明最勝王經卷四　（15-14）

薩心尒時世尊而說頌曰
勝法能逆生死流　甚深微妙難得見
有情盲冥貪欲覆　由不見故受衆苦
尒時大衆俱從座起頂礼佛足而白佛言世
尊若所在處講宣讀誦此金光明最勝王經
我等大衆皆悉往彼為作聽衆是說法師令
得利益安樂无障身意泰然我等皆當盡
心供養亦令聽衆安隱快樂所住國土无諸
怨賊恐怖厄難飢饉之苦人民熾盛此說法
處道場之地一切諸天人非人等一切衆生
不應履踐及以汙穢何以故說法之處即是
制底當以香花繒綵幡蓋而為供養我等常
為守護令離衰損佛告大衆善男子汝等
應當精勤修習此妙經典是則正法久住於
世

金光明最勝王經卷第四

BD00776號　金光明最勝王經卷四　（15-15）

别入若住人在一處或從前逕過不住若病若倒地若力勢所持或被
繫縛或命難梵難不犯　屏處與女人坐戒卅四　制意同前唯无第三人為
異　别緣有四一是俗女二是屏處三无第三人四申手内坐犯　已下四
明戒本此戒同前戒　若比丘食家中有寶在屏處坐者波逸提　文有
四句一犯人二食家有寶三屏處四結犯　並相文中前後可知三言屏處
者若樹若墻壁籬障若衣及餘物障故名屏處　此中犯者謂夫童不
在獨與其妻屏坐故犯提　多論云所以无淨人提開之外有淨人亦言
內有淨人不犯　祇云若母姊妹若大小淨人睡眠癡狂嬰兒雖有是人
名獨不堪為證故同犯提若淨人作務來往不斷若閤中閤下淨人看
見者不犯開緣如前戒　獨與俗女露坐戒卅五　制意同前别緣有四
一是俗人女二是露處三无第三人眞是離見聞屏而非重物覆故稱露處
與前戒並開第三人四在申手內坐犯若申手外吉已下四明戒本此戒犯緣與
前戒同　若比丘獨與女人露地坐者波逸提　此滿足之戒本文有四句一犯人二
犯境三犯處四結罪　初句可知二言獨者比丘一女人一比丘第二言女人者是犯境律
云人女有知命根不斷　第三言露地者是犯處謂在見聞屏處相去
申手內坐故十律云相去一丈犯第四言波逸提者是結犯故律云獨與女
坐无第三人為婬隨起還坐隨作數隨相去一尋內犯提一尋半犯吉
二尋已外无犯　十云相去一丈五寸吉二丈不犯　並相開緣並同前戒不犯
驅他出聚落戒卅六　制意者凡出家之人理懷貞實忠信自他先許
他衆食而責不與惡心驅出時限已過使他一日不得食以充飢惱故受至
重故所以制　别緣有四一是大比丘二先許三不與食四无因緣謂有舉
殯命等難不犯故爾五惡心驅出共相離見聞或彼去已去故　已下
四明戒本此戒因跋難陀令餘比丘至食時驗不得食仏便制戒　若比丘
語餘比丘如是語大德共至聚落當与如食彼比丘竟不教与是比丘食
語言汝去我与汝一處若坐若語不樂我獨坐獨語樂以此因緣非餘
方便遣去者波逸提　此滿足之戒本文有三句一犯人二語彼下至如与食
四明謂至聚落許与彼食二彼比丘竟不已下不与彼食遣去三結罪以此因緣
者謂是惱亂因緣非餘不犯等緣如无威儀等并相者初句可知言
聚落者有四種村如上言与食者謂是五正明律云若便捨見受至
聞受已至五證乃去見聞具離……

BD00777號　四分律戒本疏卷三

（3–1）

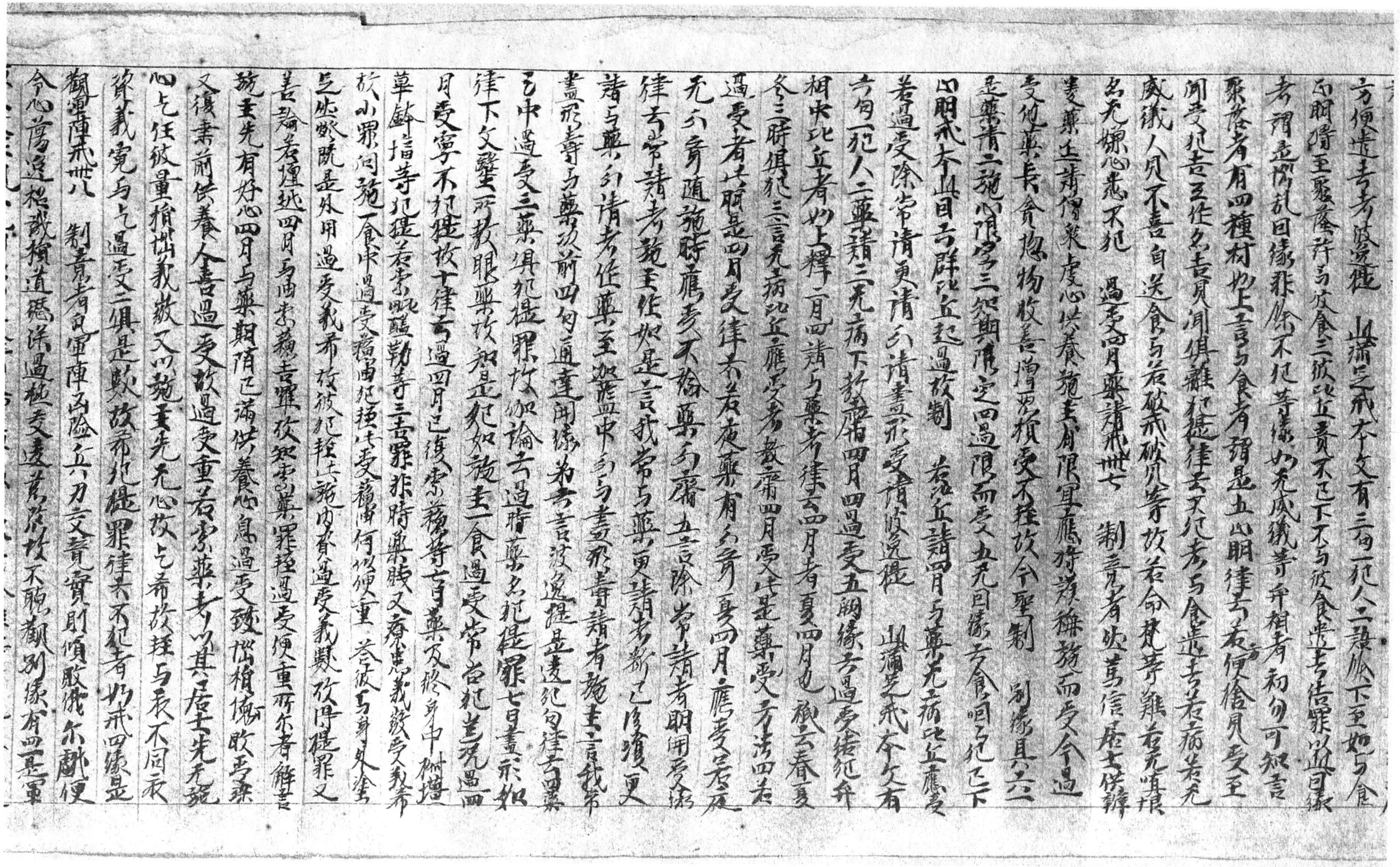

BD00777號　四分律戒本疏卷三

（3–2）

號盡先有好心四月與藥期隨已滿供養心息過受致招積愧既無乘
又復盡前供養人意過受故是過受重若索藥者以其是居士先無疑
心乞任彼量指此義微又以施盡先無心故乞希故輕與衣不同衣
資義寬與乞過受二俱是欺故希犯提罪律云不犯者如戒四緣是
觀軍陣戒卌八　制意者以軍陣凶險立六刃之文譬實則傾敗儀亦虧便
令心蕩逸招譏損道德深過極之又長養放逸故不聽觀別緣有四一是軍
陣二故往觀三無因緣四被請及軍陣後至水陸險難等不犯於四往見
便犯已下四眾戒本此戒因六群觀陣故斯集見心甚不悅佛便制戒
若比丘往觀軍陣除時因緣波逸提　此滿足戒本文有四句一犯人二
觀陣三開緣四結罪　并相中初句可知二言軍陣者於中有三一釋
名軍幕乞聚稱軍行列相對名陣二舉數者律云軍有四種謂象
馬車步等往雜二種如律廣說都有廿六軍三并相者秘云多力取
大四人從乞氏一象軍馬力次弱八人從乞氏一馬軍車軍次弱十六人從氏
一車軍卅人步仗氏一步軍亦言陣者行列相對或便方或圓或半月形
或張頸或咸陣等若戲若闘戰　三言除因緣者律云若自有事須往若
被請喚乃至勢力將去及餘種種不自在處　四言波逸提者是遠犯結罪
句律云彼比丘往觀軍陣從道至道從道至非道乃至從高至下去若見者犯
提不見者突吉羅若比丘方便莊嚴欲觀而不去者吉羅若比丘先在道中軍陣
後至應避下道若不避者吉乃至下惑亦爾若見犯提不見吉羅秘云若
逢軍不競見者無犯若作意舉頭寬見提若天王出作意看者越乃
至看蓋生開及看人諍亦皆得越　十誦為作無常觀故雖觀不犯如前說
說　有緣至軍過限宿戒卌九　制緣有五一有因緣至軍中宿二曾過二
宿三至第三宿不離見聞處四無因緣留二道斷命見難不去無罪五過
三夜明相出犯已下四眾戒本此戒因六群有緣至軍中宿欲共士試嫌
比丘舉過仏仏制戒　若比丘有因緣聽至軍中二宿三宿過者波逸提
此滿足戒本文有三句一犯人二開緣三是犯罪初句可知二言有因緣者律云有請
喚及自事等多論開者為作界故長養仏法故長信敬心故又道俗相順
威儀仏法故聽往有至至三宿三言過者波逸提是遠犯結罪律云若
至第三宿明相未出離見聞處若不離明相出犯提見聞至不
離犯吉若第四夜往處初夜即犯不待明　律云不犯者得二宿至第
三宿明相未出離見聞受若水陸道斷惡獸等難並不犯　有緣至
軍二宿往觀軍陣合戰戒五十

寶以用布施是人所得福德寧為多不須菩
提言甚多世尊何以故是福德即非福德性
是故如来說福德多若復有人於此經中受
持乃至四句偈等為他人說其福勝彼何以故
須菩提一切諸佛及諸佛阿耨多羅三藐三
菩提法皆從此經出須菩提所謂佛法者
即非佛法
須菩提於意云何須陁洹能作是念我得須
陁洹果不須菩提言不也世尊何以故須陁
洹名為入流而无所入不入色聲香味觸法
是名須陁洹須菩提於意云何斯陁含能作
是念我得斯陁含果不須菩提言不也世尊
何以故斯陁含名一往来而實无往来是
名斯陁含須菩提於意云何阿那含能作是念
我得阿那含果不須菩提言不也世尊何以
故阿那含名為不来而實无来是故名阿那
含須菩提於意云何阿羅漢能作是念我
得阿羅漢道不須菩提言不也世尊何以故
實无有法名阿羅漢世尊若阿羅漢作是

BD00778 號　金剛般若波羅蜜經　（4–1）

我得阿那含果不須菩提言不也世尊何以
故阿那含名為不来而實无来是故名阿那
含須菩提於意云何阿羅漢能作是念我
得阿羅漢道不須菩提言不也世尊何以故
實无有法名阿羅漢世尊若阿羅漢作是
念我得阿羅漢道即為著我人衆生壽者世
世佛說我得无諍三昧人中最為第一是第一
離欲阿羅漢我不作是念我是離欲阿羅漢世
尊我若作是念我得阿羅漢道世尊則不說
須菩提是樂阿蘭那行者以須菩提實无
所行而名須菩提是樂阿蘭那行
佛告須菩提於意云何如来昔在然燈佛
所於法有所得不世尊如来在然燈佛所於法
實无所得須菩提於意云何菩薩莊嚴佛土
不不也世尊何以故莊嚴佛土者則非莊嚴
是名莊嚴是故須菩提諸菩薩摩訶薩應
如是生清淨心不應住色生心不應住聲香味
觸法生心應无所住而生其心須菩提譬如有
人身如須弥山王於意云何是身為大不
須菩提言甚大世尊何以故佛說非身是名
大身
須菩提如恒河中所有沙數如是沙等恒河於
意云何是諸恒河沙寧為多不須菩提言甚
多世尊但諸恒河尚多无數何況其沙須菩
提我今實言告汝若有善男子善女人以
七寶滿介所恒河沙數三千大千世界以用
布施得福多不須菩提言甚多世尊佛告須
菩提若善男子善女人於此經中乃至受持

BD00778 號　金剛般若波羅蜜經　（4–2）

提我今實言告汝若有善男子善女人以
七寶滿尒所恒河沙數三千大千世界以用
布施得福多不須菩提言甚多世尊佛告須
菩提若善男子善女人於此經中乃至受持
四句偈等為他人說而此福德勝前福德復
次須菩提隨說是經乃至四句偈等當知此
處一切世間天人阿脩羅皆應供養如佛塔廟
何況有人盡能受持讀誦須菩提當知是
人成就最上第一希有之法若是經典所
在之處則為有佛若尊重弟子
尒時須菩提白佛言世尊當何名此經我等
云何奉持佛告須菩提是經名為金剛般
若波羅蜜以是名字汝當奉持所以者何須
菩提佛說般若波羅蜜則非般若波羅蜜
須菩提於意云何如來有所說法不須菩提
白佛言世尊如來无所說須菩提於意云何三
千大千世界所有微塵是為多不須菩提言
甚多世尊須菩提諸微塵如來說非微塵
是名微塵如來說世界非世界是名世界須菩
提於意云何可以卅二相見如來不不也世尊
何以故如來說卅二相即是非相是名卅二相
須菩提若有善男子善女人以恒河沙等
身命布施若復有人於此經中乃至受持四句
偈等為他人說其福甚多尒時須菩提聞說
經經深解義趣涕淚悲泣而白佛言希有世尊
佛說是經甚深經典我從昔來所得慧眼未曾
得聞如是之經世尊若復有人得聞是經信心
清淨則生實相當知是人成就第一希有功德

BD00778號　金剛般若波羅蜜經　（4–3）

偈等為他人說其福甚多尒時須菩提聞說
經經深解義趣涕淚悲泣而白佛言希有世尊
佛說是經甚深經典我從昔來所得慧眼未曾
得聞如是之經世尊若復有人得聞是經信心
清淨則生實相當知是人成就第一希有功德
世尊是實相者則是非相是故如來說名實相世
尊我今得聞如是經典信解受持不足為難若當
來世後五百歲其有衆生得聞是經信解受持是
人則為第一希有何以故此人无我相人相衆生
相壽者相所以者何我相即是非相人相衆生
相壽者相即是非相何以故離一切諸相則非諸
佛
佛告須菩提如是如是若復有人得聞是經不
驚不怖不畏當知是人甚為希有何以故
須菩提如來說第一波羅蜜非第一波羅蜜
是名第一波羅蜜須菩提忍辱波羅蜜如來
說非忍辱波羅蜜何以故須菩提如我昔為
歌利王割截身體我於尒時无我相无人相
无衆生相无壽者相何以故我於往昔節節
支解時若有我相人相衆生相壽者相應生
瞋恨須菩提又念過去於五百世作忍辱仙
人於尒所世无我相无人相无衆生相无壽
者相是故須菩提菩薩離一切相發阿耨

BD00778號　金剛般若波羅蜜經　（4–4）

為於法故
擊鼓宣令四方求法
者吾當終身供給走使時有仙
王言我有大乘名妙法蓮華若不違
我當為宣說王聞其言歡喜踊躍即隨仙人
供給所須採菓汲水拾薪設食乃至以身而
為床座身心无惓于時奉事經於千歲為於
法故精懃給侍令无所乏尒時世尊欲重宣
此義而說偈言
我念過去劫　為求大法故　雖作世國王　不貪五欲樂
搥鍾告四方　誰有大法者　若為我解說　身當為奴僕
尒時有仙人　來白於大王　我有微妙法　世間所希有
若能脩行者　吾當為汝說　時王聞仙言　心生大歡喜
即便隨仙人　供給於所欲　採薪及菓蓏　隨時恭敬與
情存妙法故　身心无懈惓　普為諸眾生　懃求於大法
亦不為己身　及以五欲樂　故為大國王　懃求獲此法
遂致得成佛　今故為汝說
佛告諸比丘尒時王者則我身是時仙人者
今提婆達多是由提婆達多善知識故令我
具足六波羅蜜慈悲喜捨三十二相八十種好
紫磨金色十力四无所畏四攝法十八不共神

BD00779 號　妙法蓮華經（八卷本）卷五　（24–1）

今提婆達多是由提婆達多善知識故令我
具足六波羅蜜慈悲喜捨三十二相八十種好
紫磨金色十力四无所畏四攝法十八不共神
通道力成等正覺廣度眾生皆因提婆達多
善知識故告諸四眾提婆達多却後過无量
劫當得成佛号曰天王如來應供正遍知明
行足善逝世間解无上士調御丈夫天人師
佛世尊世界名天道時天王佛住世廿中劫
廣為眾生說於妙法恒河沙眾生得阿羅漢
果无量眾生發緣覺心恒河沙眾生發无上
道心得无生忍至不退轉時天王佛般涅槃
後正法住世廿中劫全身舍利起七寶塔高
六十由旬縱廣卌由旬諸天人民悉以雜華
末香燒香塗香衣服瓔珞幢幡寶蓋伎樂
歌頌禮拜供養七寶妙塔无量眾生得阿羅
漢无量眾生悟辟支佛不可思議眾生發菩
提心至不退轉佛告諸比丘未來世中若有
善男子善女人聞妙法華經提婆達多品淨
心信敬不生疑惑者不墮地獄餓鬼畜生生
十方佛前所生之處常聞此經若生人天中
受勝妙樂若在佛前蓮華化生於時下方多
寶世尊所從菩薩名曰智積白多寶佛當還
本土釋迦牟尼佛告智積曰善男子且待須
臾此有菩薩名文殊師利可與相見論說妙
法可還本土
尒時文殊師利坐千葉蓮華大如車輪俱來

BD00779 號　妙法蓮華經（八卷本）卷五　（24–2）

臾此有菩薩名文殊師利可與相見論說妙
法可還本土
尒時文殊師利坐千葉蓮華大如車輪俱來
菩薩亦坐寶華從於大海娑竭龍宮自然踊
出住虛空中詣靈鷲山從蓮華下至於佛所
頭面礼敬二世尊足脩敬已畢往智積所共
相慰問却坐一面智積菩薩問文殊師利仁
往龍宮所化衆生其數幾何文殊師利言其
數无量不可稱計非口所宣非心所測且待
須臾自當有證所言未竟无數菩薩坐寶蓮
華從海踊出詣靈鷲山住在虛空此諸菩薩
皆是文殊師利之所化度具菩薩行皆共論
說六波羅蜜本聲聞人在虛空中說聲聞行
今皆脩行大乘空義文殊師利謂智積曰於
海所化其事如此尒時智積菩薩以偈讚曰

大智德勇健　化度无量衆　今此諸大會　及我皆已見
演暢實相義　開闡一乘法　廣度諸衆生　令速成菩提

文殊師利言我於海中唯常宣說妙法華經
智積問文殊師利言此經甚深微妙諸經中
寶世所希有頗有衆生懃加精進脩行此經
速得佛不文殊師利言有娑竭羅龍王女年
始八歲智慧利根善知衆生諸根行業得陁
羅尼諸佛所說甚深秘藏悉能受持深入禪
定了達諸法於剎那頃發菩提心得不退轉
辯才无导慈念衆生猶如赤子功德具足心
念口演微妙廣大慈悲謙讓志意和雅乃至

羅尼諸佛所說甚深秘藏悉能受持深入禪
定了達諸法於剎那頃發菩提心得不退轉
辯才无导慈念衆生猶如赤子功德具足心
念口演微妙廣大慈悲謙讓志意和雅乃至
菩提智積菩薩言我見釋迦如來於无量劫
難行苦行積功累德求菩薩道未曾止息觀
三千大千世界乃至无有如芥子許无非菩
薩捨身命處為衆生故然後乃得成菩提道
不信此女於須臾頃便成正覺言論未訖時
龍王女忽現於前頭面礼敬却住一面以偈
讚曰

深達罪福相　遍照於十方　微妙淨法身　具相三十二
以八十種好　用莊嚴法身　天人所戴仰　龍神咸恭敬
一切衆生類　无不宗奉者　又聞成菩提　唯佛當證知
我闡大乘教　度脫苦衆生

尒時舍利弗語龍女言汝謂不久得无上道
是事難信所以者何女身垢穢非是法器云
何能得无上菩提佛道懸曠經无量劫懃苦
積行具脩諸度然後乃成又女人身猶有五
鄣一者不得作梵天王二者帝釋三者魔王
四者轉輪聖王五者佛身云何女身速得成
佛耶尒時龍女有一寶珠價直三千大千世
界持以上佛佛即受之龍女謂智積菩薩尊者
舍利弗言我獻寶珠世尊納受是事疾不
答言甚疾女言以汝神力觀我成佛復速於
此當時衆會皆見龍女忽然之間變成男子

界持以上佛佛即受之龍女謂智積菩薩尊者
舍利弗言我獻此寶珠世尊納受是事疾不
荅言甚疾女言以汝神力觀我成佛復速於
此當時衆會皆見龍女忽然之間變成男子
具菩薩行即往南方无垢世界坐寶蓮華成
等正覺三十二相八十種好普為十方一切
衆生演說妙法尒時娑婆世界菩薩聲聞天
龍八部人與非人皆遥見彼龍女成佛普為
時會人天說法心大歡喜悉遥敬礼无量衆
生聞法解悟得不退轉无量衆生得受道記
无垢世界六反震動娑婆世界三千衆生住
不退地三千衆生發菩提心而得受記智積
菩薩及舍利弗一切衆會嘿然信受

妙法蓮華經勸持品第十三

尒時藥王菩薩摩訶薩及大樂說菩薩摩訶
薩與二万菩薩眷屬俱皆於佛前作是誓言
唯願世尊不以為慮我等於佛滅後當奉持
讀誦說此經典後惡世衆生善根轉少多增
上慢貪利供養增不善根遠離解脫雖難可
教化我等當起大忍力讀誦此經持說書寫
種種供養不惜身命尒時衆中五百阿羅漢
得受記者白佛言世尊我等亦自誓願於異
國土廣說此經復有學无學八千人得受記
者從座而起合掌向佛作是誓言世尊我等
亦當於他國土廣說此經所以者何是娑婆
國中人多弊惡懷增上慢功德淺薄瞋濁諂
曲心不實故

BD00779 號　妙法蓮華經（八卷本）卷五　（24–5）

者從座而起合掌向佛作是誓言世尊我等
亦當於他國土廣說此經所以者何是娑婆
國中人多弊惡懷增上慢功德淺薄瞋濁諂
曲心不實故
尒時佛姨母摩訶波闍波提比丘尼與學无
學比丘尼六千人俱從座而起一心合掌瞻
仰尊顏目不暫捨於時世尊告憍曇弥何故
憂色而視如來汝心將无謂我不說汝名受
阿耨多羅三藐三菩提記耶憍曇弥我先摠
說一切聲聞皆已受記今汝欲知記者將來
之世當於六万八千億諸佛法中為大法師
及六千學无學比丘尼俱為法師汝如是漸
漸具菩薩道當得作佛号一切衆生喜見如
來應供正遍知明行足善逝世間解无上士
調御丈夫天人師佛世尊憍曇弥是一切衆
生喜見佛及六千菩薩轉次受記得阿耨多
羅三藐三菩提尒時羅睺羅母耶輸陁羅比
丘尼作是念世尊於受記中獨不說我名佛
告耶輸陁羅汝於來世百万億諸佛法中脩
菩薩行為大法師漸具佛道於善國中當得
作佛号具足千万光相如來應供正遍知明
行足善逝世間解无上士調御丈夫天人師
佛世尊佛壽无量阿僧祇劫尒時摩訶波闍
波提比丘尼及耶輸陁羅比丘尼并其眷屬
皆大歡喜得未曾有即於佛前而說偈言
世尊道師　安隱天人　我等聞記　心安具足

BD00779 號　妙法蓮華經（八卷本）卷五　（24–6）

波提比丘尼及耶輸陀羅比丘尼并其眷屬
皆大歡喜得未曾有即於佛前而說偈言
世尊導師　安隱天人　我等聞記　心安具足
諸比丘尼說是偈已白佛言世尊我等亦能
於他方國土廣宣此經
尒時世尊視八十万億那由他諸菩薩摩訶
薩是諸菩薩皆是阿惟越致轉不退法輪得
諸陀羅尼即從座起至於佛前一心合掌而
作是念若世尊告勑我等持說此經者當如
佛教廣宣斯法復作是念佛今嘿然不見告
勑我當云何時諸菩薩敬順佛意并欲自滿
本願便於佛前作師子吼而發誓言世尊我
等於如來滅後周旋往反十方世界能令衆
生書寫此經受持讀誦解說其義如法脩行
正憶念皆是佛之威力唯願世尊在於他方
遙見守護即時諸菩薩俱同發聲而說偈言
唯願不為慮　於佛滅度後　恐怖惡世中　我等當廣說
有諸無智人　惡口罵詈等　及加刀杖者　我等皆當忍
惡世中比丘　耶智心諂曲　未得謂為得　我慢心充滿
或有阿練若　納衣在空閑　自謂行真道　輕賤人間者
貪著利養故　與白衣說法　為世所恭敬　如六通羅漢
是人懷惡心　常念世俗事　假名阿練若　好出我等過
而作如是言　此諸比丘等　為貪利養故　說外道論議
自作此經典　誑惑世間人　為求名聞故　分別於是經
常在大衆中　欲毀我等故　向國王大臣　婆羅門居士
及餘比丘衆　誹謗說我惡　謂是耶見人　說外道論議

BD00779號　妙法蓮華經（八卷本）卷五　（24–7）

是人懷惡心　常念世俗事　假名阿練若　好出我等過
而作如是言　此諸比丘等　為貪利養故　說外道論議
自作此經典　誑惑世間人　為求名聞故　分別於是經
常在大衆中　欲毀我等故　向國王大臣　婆羅門居士
及餘比丘衆　誹謗說我惡　謂是耶見人　說外道論議
我等敬佛故　悉忍是諸惡　為斯所輕言　汝等皆是佛
如此輕慢言　皆當忍受之　濁劫惡世中　多有諸恐怖
惡鬼入其身　罵詈毀辱我　我等敬信佛　當著忍辱鎧
為說是經故　忍此諸難事　我不愛身命　但惜無上道
我等於來世　護持佛所囑　世尊自當知　濁世惡比丘
不知佛方便　隨宜所說法　惡口而顰蹙　數數見擯出
遠離於塔寺　如是等衆惡　念佛告勑故　皆當忍是事
諸聚落城邑　其有求法者　我皆到其所　說佛所囑法
我是世尊使　處衆無所畏　我當善說法　願佛安隱住
我於世尊前　諸來十方佛　發如是誓言　佛自知我心
妙法蓮華經安樂行品第十四
尒時文殊師利法王子菩薩摩訶薩白佛言
世尊是諸菩薩甚為難有敬順佛故發大誓
願於後惡世護持讀誦說是法華經世尊菩
薩摩訶薩於後惡世云何能說是經佛告文
殊師利若菩薩摩訶薩於後惡世欲說是經
當安住四法一者安住菩薩行處及親近處能
為衆生演說是經文殊師利云何名菩薩摩
訶薩行處若菩薩摩訶薩住忍辱地柔和善
順而不卒暴心亦不驚又復於法無所行而
觀諸法如實相亦不行不分別是名菩薩摩
訶薩行處

BD00779號　妙法蓮華經（八卷本）卷五　（24–8）

訶薩行處若菩薩摩訶薩住忍辱地柔和善
順而不卒暴心亦不驚又復於法无所行而
觀諸法如實相亦不行不分別是名菩薩摩
訶薩行處云何名菩薩摩訶薩親近處菩薩
摩訶薩不親近國王王子大臣官長不親近
諸外道梵志尼揵子等及造世俗文筆讚詠
外書及路伽耶陁逆路伽耶陁者亦不親近
諸有凶戲相扠相撲及那羅等種種變現之
戲又不親近旃陁羅及畜猪羊雞狗田獵魚
捕諸惡律儀如是人等或時來者則為說法
无所悕望又不親近求聲聞比丘比丘尼優
婆塞優婆夷亦不問訊若於房中若經行處
若在講堂中不共住止或時來者隨宜說法
无所悕求文殊師利又菩薩摩訶薩不應於
女人身取能生欲想相而為說法亦不樂見
若入他家不與小女處女寡女等共語亦復
不近五種不男之人以為親厚不獨入他家
若有因緣須獨入時但一心念佛若為女人
說法不露齒笑不現匈臆乃至為法猶不親
厚況復餘事不樂畜年少弟子沙弥小兒亦
不樂與同師常好坐禪在於閑處脩攝其心
文殊師利是名初親近處復次菩薩摩訶薩
觀一切法空如實相不顛倒不動不退不轉
如虛空无所有性一切語言道斷不生不出
不起无名无相實无所有无量无邊无閡无
鄣但以因緣有從顛倒生故說常樂觀如是

BD00779 號　妙法蓮華經（八卷本）卷五　（24–9）

觀一切法空如實相不顛倒不動不退不轉
如虛空无所有性一切語言道斷不生不出
不起无名无相實无所有无量无邊无閡无
鄣但以因緣有從顛倒生故說常樂觀如是
法相是名菩薩摩訶薩第二親近處尒時世
尊欲重宣此義而說偈言

若有菩薩　於後惡世　无怖畏心　欲說是經
應入行處　及親近處　常離國王　及國王子
大臣官長　凶險戲者　及旃陁羅　外道梵志
亦不親近　增上慢人　貪著小乘　三藏學者
破戒比丘　名字羅漢　及比丘尼　好戲笑者
深著五欲　求現滅度　諸優婆夷　皆勿親近
若是人等　以好心來　到菩薩所　為聞佛道
菩薩則以　无所畏心　不懷悕望　而為說法
寡女處女　及諸不男　皆勿親近　以為親厚
亦莫親近　屠兒魁膾　田獵魚捕　為利煞害
販肉自活　衒賣女色　如是之人　皆勿親近
凶險相撲　種種嬉戲　諸婬女等　盡勿親近
莫獨屏處　為女說法　若說法時　无得戲笑
入里乞食　將一比丘　若无比丘　一心念佛
是則名為　行處近處　以此二處　能安樂說
又復不行　上中下法　有為无為　實不實法
亦不分別　是男是女　不得諸法　不知不見
是則名為　菩薩行處
一切諸法　空无所有　无有常住　亦无起滅
是名智者　所親近處

BD00779 號　妙法蓮華經（八卷本）卷五　（24–10）

亦不分別　是男是女　不得諸法　不知不見
是則名為　菩薩行處
一切諸法　空无所有　无有常住　亦无起滅
是名智者　所親近處
顛倒分別　諸法有无　是實非實　是生非生
在於閑處　脩攝其心　安住不動　如須弥頂
觀一切法　皆无所有　猶如虛空　无有堅固
不生不出　不動不退　常住一相　是名近處
若有比丘　於我滅後　入是行處　及親近處
說斯經時　无有怯弱
菩薩有時　入於靜室　以正憶念　隨義觀法
從禪定起　為諸國王　王子臣民　婆羅門等
開化演暢　說斯經典　其心安隱　无有怯弱
文殊師利　是名菩薩　安住初法　能於後世說
法華經
又文殊師利如來滅後於末法中欲說是經
應住安樂行若口宣說若讀經時不樂說人
及經典過亦不輕慢諸餘法師不說他人好
惡長短於聲聞人亦不稱名說其過惡亦不
稱名讚嘆其美又亦不生怨嫌之心善脩如
是安樂心故諸有聽者不逆其意有所難問
不以小乘法荅但以大乘而為解說令得一
切種智尒時世尊欲重宣此義而說偈言
菩薩常樂　安隱說法　於清淨地　而施牀座
以油塗身　澡浴塵穢　著新淨衣　內外俱淨
安處法座　隨問為說

BD00779號　妙法蓮華經（八卷本）卷五　（24–11）

切種智尒時世尊欲重宣此義而說偈言
菩薩常樂　安隱說法　於清淨地　而施牀座
以油塗身　澡浴塵穢　著新淨衣　內外俱淨
安處法座　隨問為說
若有比丘　及比丘尼　諸優婆塞　及優婆夷
國王王子　羣臣士民　以微妙義　和顏為說
若有問難　隨義而荅　因緣譬喻　敷演分別
以是方便　皆使發心　漸漸增益　入於佛道
除嬾墯意　及懈怠想　離諸憂惱　慈心說法
晝夜常說　无上道教　以諸因緣　无量譬喻
開示眾生　咸令歡喜
衣服卧具　飲食湯藥　而於其中　无所悕望
但一心念　說法因緣　願成佛道　令眾亦尒
是則大利　安樂供養
我滅度後　若有比丘　能演說斯　妙法華經
心无嫉恚　諸惱鄣㝵　亦无憂愁　及罵詈者
又无怖畏　加刀杖等　亦无擯出　安住忍故
智者如是　善脩其心　能住安樂　如我上說
其人功德　千万億劫　筭數譬喻　說不能盡
又文殊師利菩薩摩訶薩於後末世法欲滅
時受持讀誦斯經典者无懷嫉妬諂誑之心
亦勿輕罵學佛道者求其長短若比丘比丘
尼優婆塞優婆夷求聲聞者求辟支佛者求
菩薩道者无得惱之令其疑悔語其人言汝
等去道甚遠終不能得一切種智所以者何
汝是放逸之人於道懈怠故又亦不應戲論

BD00779號　妙法蓮華經（八卷本）卷五　（24–12）

尼優婆塞優婆夷求聲聞者求辟支佛者求
菩薩道者无得惱之令其疑悔語其人言汝
等去道甚遠終不能得一切種智所以者何
汝是放逸之人於道懈怠故又亦不應戲論
諸法有所諍競當於一切衆生起大悲想於
諸如來起慈父想於諸菩薩起大師想於十
方諸大菩薩常應深心恭敬礼拜於一切衆
生平等說法以順法故不多不少乃至深愛
法者亦不為多說文殊師利是菩薩摩訶薩
於後末世法欲滅時有成就是第三安樂行
者說是法時无能惱亂得好同學共讀誦是
經亦得大衆而來聽受聽已能持持已能誦
誦已能說說已能書若使人書供養經卷恭
敬尊重讚嘆尒時世尊欲重宣此義而說偈言
若欲說是經　當捨嫉恚慢　諂誑邪偽心　常脩質直行
不輕蔑於人　亦不戲論法　不令他疑悔　云汝不得佛
是佛子說法　常柔和能忍　慈悲於一切　不生懈怠心
十方大菩薩　愍衆故行道　應生恭敬心　是則我大師
於諸佛世尊　生无上父想　破於憍慢心　說法无鄣㝵
第三法如是　智者應守護　一心安樂行　无量衆所敬
又文殊師利菩薩摩訶薩於後末世法欲滅
時有持是法華經者於在家出家人中生大
慈心於非菩薩人中生大悲心應作是念如
是之人則為大失如來方便隨宜說法不聞
不知不覺不問不信不解其人雖不問不信
不解是經我得阿耨多羅三藐三菩提時隨

慈心於非菩薩人中生大悲心應作是念如
是之人則為大失如來方便隨宜說法不聞
不知不覺不問不信不解其人雖不問不信
不解是經我得阿耨多羅三藐三菩提時隨
在何地以神通力智慧力引之令得住是法中
文殊師利是菩薩摩訶薩於如來滅後有成
就此第四法者說是法時无有過失常為比
丘比丘尼優婆塞優婆夷國王王子大臣人
民婆羅門居士等供養恭敬尊重讚嘆虛空
諸天為聽法故亦常隨侍若在聚落城邑空
閑林中有人來欲難問者諸天晝夜常為法
故而衛護之能令聽者皆得歡喜所以者何
此經是一切過去未來現在諸佛神力所護
故文殊師利是法華經於无量國中乃至名
字不可得聞何況得見受持讀誦文殊師利譬
如強力轉輪聖王欲以威勢降伏諸國而諸
小王不順其命時轉輪王起種種兵而往討
罰王見兵衆戰有功者即大歡喜隨功賞
賜或與田宅聚落城邑或與衣服嚴身之具
或與種種珎寶金銀瑠璃車璖馬瑙珊瑚虎
珀象馬車乘奴婢人民唯髻中明珠不以與
之所以者何獨王頂上有此一珠若以與之王
諸眷屬必大驚怪文殊師利如來亦復如是
以禪定智慧力得法國土王於三界而諸魔
王不肯順伏如來賢聖諸將與之共戰其有
功者心亦歡喜於四衆中為說諸經令其心

之所以者何獨王頂上有此一珠若以與之王
諸眷屬必大驚怪文殊師利如來亦復如是
以禪定智慧力得法國土王於三界而諸魔
王不肯順伏如來賢聖諸將與之共戰其有
功者心亦歡喜於四衆中為說諸經令其心
悦賜以禪定解脫无漏根力諸法之財又復賜
與涅槃之城言得滅度引導其心令皆歡喜
而不為說是法華經文殊師利如轉輪王見
諸兵衆有大功者心甚歡喜以此難信之珠
久在髻中不妄與人而今與之如來亦復如
是於三界中為大法王以法教化一切衆生見
賢聖軍與五陰魔煩惱魔死魔共戰有大
功勳滅三毒出三界破魔網尒時如來亦大
歡喜此法華經能令衆生至一切智一切世
間多怨難信先所未說而今說之文殊師利
此法華經是諸如來第一之說於諸說中最
為甚深末後賜與如彼强力之王久護明珠
今乃與之文殊師利此法華經諸佛如來
秘密之藏於諸經中最在其上長夜守護
不妄宣說始於今日乃與汝等而敷演之
尒時世尊欲重宣此義而說偈言
常行忍辱 哀愍一切 乃能演說 佛所讚經
後末世時 持此經者 於家出家 及非菩薩
應生慈悲 斯等不聞 不信是經 則為大失
我得佛道 以諸方便 為說此經 令住其中
譬如强力 轉輪之王 兵戰有功 賞賜諸物

BD00779號 妙法蓮華經（八卷本）卷五 （24–15）

後末世時 持此經者 於家出家 及非菩薩
應生慈悲 斯等不聞 不信是經 則為大失
我得佛道 以諸方便 為說此經 令住其中
譬如强力 轉輪之王 兵戰有功 賞賜諸物
象馬車乘 嚴身之具 及諸田宅 聚落城邑
或與衣服 種種珍寶 奴婢財物 歡喜賜與
如有勇健 能為難事 王解髻中 明珠賜之
如來亦尒 為諸法王 忍辱大力 智慧寶藏
以大慈悲 如法化世
見一切人 受諸苦惱 欲求解脫 與諸魔戰
為是衆生 說種種法 以大方便 說此諸經
既知衆生 得其力已 末後乃為 說此法華
如王解髻 明珠與之 此經為尊 衆經中上
我常守護 不妄開示 今正是時 為汝等說
我滅度後 求佛道者 欲得安隱 演說斯經
應當親近 如是四法 讀是經者 常无憂惱
又无病痛 顔色鮮白 不生貧窮 卑賤醜陋
衆生樂見 如慕賢聖 天諸童子 以為給使
刀杖不加 毒不能害 若人惡罵 口則閉塞
遊行无畏 如師子王 智慧光明 如日之照
若於夢中 但見妙事 見諸如來 坐師子座
諸比丘衆 圍遶說法 又見龍神 阿脩羅等
數如恒沙 恭敬合掌 自見其身 而為說法
又見諸佛 身相金色 放无量光 照於一切
以梵音聲 演說諸法 佛為四衆 說无上法
見身處中 合掌讚佛 聞法歡喜 而為供養
[illegible]

BD00779號 妙法蓮華經（八卷本）卷五 （24–16）

數如恒沙　恭敬合掌　自見其身　而為說法
又見諸佛　身相金色　放无量光　照於一切
以梵音聲　演說諸法　佛為四衆　說无上法
見身處中　合掌讚佛　聞法歡喜　而為供養
得陁羅尼　證不退智　佛知其心　深入佛道
即為授記　成最正覺　汝善男子　當於來世
得无量智　佛之大道　國土嚴淨　廣大无比
亦有四衆　合掌聽法　又見自身　在山林中
脩習善法　證諸實相　深入禪定　見十方佛
諸佛身金色　百福相莊嚴　聞法為人說　常有是好夢
又夢作國王　捨宮殿眷屬　及上妙五欲　行詣於道場
在菩提樹下　而處師子座　求道過七日　得諸佛之智
成无上道已　起而轉法輪　為四衆說法　經千万億劫
說无漏妙法　度无量衆生　後當入涅槃　如烟盡燈滅
若後惡世中　說是第一法　是人得大利　如上諸功德

妙法蓮華經從地踊出品第十五

尒時他方國土諸來菩薩摩訶薩過八恒河
沙數於大衆中起立合掌作礼而白佛言世
尊若聽我等於佛滅後在此娑婆世界懃加
精進護持讀誦書寫供養是經典者當於此
土而廣說之尒時佛告諸菩薩摩訶薩衆止
善男子不須汝等護持此經所以者何我娑
婆世界自有六万恒河沙等菩薩摩訶薩一
一菩薩各有六万恒河沙眷屬是諸人等能
於我滅後護持讀誦廣說此經佛說是時娑
婆世界三千大千國土地皆震裂而於其中
有无量千万億菩薩摩訶薩同時踊出是諸

BD00779 號　妙法蓮華經（八卷本）卷五　（24–17）

一菩薩各有六万恒河沙眷屬是諸人等能
於我滅後護持讀誦廣說此經佛說是時娑
婆世界三千大千國土地皆震裂而於其中
有无量千万億菩薩摩訶薩同時踊出是諸
菩薩身皆金色三十二相无量光明先盡在
此娑婆世界之下此界虛空中住是諸菩薩聞
釋迦牟尼佛所說音聲從下發來一一菩薩
皆是大衆唱導之首各將六万恒河沙眷屬
況將五万四万三万二万一万恒河沙等眷
屬者況復乃至一恒河沙半恒河沙四分之
一乃至千万億那由他分之一況復千万億
那由他眷屬況復億万眷屬況復千万百万
乃至一万況復一千一百乃至一十況復將
五四三二一弟子者況復單己樂遠離行如
是等比无量无邊筭數譬喻所不能知是諸
菩薩從地出已各詣虛空七寶妙塔多寶如
來釋迦牟尼佛所到已向二世尊頭面礼足
及至諸寶樹下師子座上佛所亦皆作礼右
遶三帀合掌恭敬以諸菩薩種種讚法而以
讚歎住在一面欣樂瞻仰於二世尊是諸菩
薩摩訶薩從初踊出以諸菩薩種種讚法而
讚於佛如是時間經五十小劫尒時釋迦牟
尼佛嘿然而坐及諸四衆亦皆嘿然五十小
劫佛神力故令諸大衆謂如半日尒時四衆
亦以佛神力故見諸菩薩遍滿无量百千万
億國土虛空是菩薩衆中有四導師一名上

BD00779 號　妙法蓮華經（八卷本）卷五　（24–18）

居供嘿然而坐及諸四衆亦皆嘿然五十小
劫佛神力故令諸大衆謂如半日尒時四衆
亦以佛神力故見諸菩薩遍滿无量百千万
億國土虗空是菩薩衆中有四導師一名上
行二名无邊行三名淨行四名安立行是四菩薩
於其衆中最為上首唱導之師在大衆前各共
合掌觀釋迦牟尼佛而問訊言世尊少病少惱
安樂行不所應度者受教易不不令世尊生疲
勞耶尒時四大菩薩而說偈言
世尊安樂　少病少惱　教化衆生　得无疲惓
又諸衆生　受化易不　不令世尊　生疲勞耶
尒時世尊於諸菩薩大衆中而作是言如是
如是諸善男子如來安樂少病少惱諸衆生
等易可化度无有疲勞所以者何是諸衆生
世世以來常受我化亦於過去諸佛供養尊
重種諸善根此諸衆生始見我身聞我所說
即皆信受入如來慧除先脩習學小乘者如
是之人我今亦令得聞是經入於佛慧尒時
諸大菩薩而說偈言
善哉善哉　大雄世尊　諸衆生等　易可化度
能問諸佛　甚深智慧　聞已信行　我等隨喜
於時世尊讚歎上首諸大菩薩善哉善哉善
男子汝等能於如來發隨喜心尒時弥勒菩
薩及八千恒河沙諸菩薩衆皆作是念我等
從昔已來不見不聞如是大菩薩摩訶薩衆
從地踊出住世尊前合掌供養問訊如來時
弥勒菩薩摩訶薩知八千恒河沙諸菩薩等

BD00779號　妙法蓮華經（八卷本）卷五　（24–19）

薩及八千恒河沙諸菩薩衆皆作是念我等
從昔已來不見不聞如是大菩薩摩訶薩衆
從地踊出住世尊前合掌供養問訊如來時
弥勒菩薩摩訶薩知八千恒河沙諸菩薩等
心之所念并欲自決所疑合掌向佛以偈問
曰
无量千万億　大衆諸菩薩　昔所未曾見　願兩足尊說
是從何所來　以何因緣集　巨身大神通　智慧叵思議
其志念堅固　有大忍辱力　衆生所樂見　為從何所來
一一諸菩薩　所將諸眷屬　其數无有量　如恒河沙等
或有大菩薩　將六万恒沙　如是諸大衆　一心求佛道
是諸大師等　六万恒河沙　俱來供養佛　及護持是經
將五万恒沙　其數過於是　四万及三万　二万至一万
一千一百等　乃至一恒沙　半及三四分　億万分之一
千万那由他　万億諸弟子　乃至於半億　其數復過上
百万至一万　一千及一百　五十與一十　乃至三二一
單己无眷屬　樂於獨處者　俱來至佛所　其數轉過上
如是諸大衆　若人行籌數　過於恒沙劫　猶不能盡知
是諸大威德　精進菩薩衆　誰為其說法　教化而成就
從誰初發心　稱揚何佛法　受持行誰經　脩習何佛道
如是諸菩薩　神通大智力　四方地震裂　皆從中踊出
世尊我昔來　未曾見是事　願說其所從　國土之名號
我常遊諸國　未曾見是衆
我於此衆中　乃不識一人　忽然從地出　願說其因緣
今此之大會　无量百千億　是諸菩薩等　皆欲知此事
是諸菩薩衆　本末之因緣　无量德世尊　唯願決衆疑

BD00779號　妙法蓮華經（八卷本）卷五　（24–20）

我常遊諸國　未曾見是衆
我於此衆中　乃不識一人　忽然從地出　願說其因緣
今此之大會　无量百千億　是諸菩薩等　皆欲知此事
是諸菩薩衆　本末之因緣　无量德世尊　唯願決衆疑
尒時釋迦牟尼佛分身諸佛從无量千万億
他方國土來者在於八方諸寶樹下師子座
上結跏趺坐其佛侍者各各見是菩薩大衆
於三千大千世界四方從地踊出住於虛空
各白其佛言世尊此諸无量无邊阿僧祇菩
薩大衆從何所來尒時諸佛各告侍者諸善
男子且待須臾有菩薩摩訶薩名曰弥勒釋
迦牟尼佛之所受記次後作佛已問斯事佛
今荅之汝等自當因是得聞尒時釋迦牟尼
佛告弥勒菩薩善哉善哉阿逸多乃能問佛
如是大事汝等當共一心被精進鎧發堅固
意如來今欲顯發宣示諸佛智慧諸佛自在
神通之力諸佛師子奮迅之力諸佛威猛大
勢之力尒時世尊欲重宣此義而說偈言
當精進一心　我欲說是事　勿得有疑悔　佛智叵思議
汝今出信力　住於忍善中　昔所未聞法　今皆當得聞
我今安慰汝　勿得懷疑懼　佛无不實語　智慧不可量
所得第一法　甚深叵分別　如是今當說　汝等一心聽
尒時世尊說此偈已告弥勒菩薩我今於此
大衆宣告汝等阿逸多是諸大菩薩摩訶薩
无量无數阿僧祇從地踊出汝等昔所未見
者我於是娑婆世界得阿耨多羅三藐三菩

BD00779 號　妙法蓮華經（八卷本）卷五　（24–21）

大衆宣告汝等阿逸多是諸大菩薩摩訶薩
无量无數阿僧祇從地踊出汝等昔所未見
者我於是娑婆世界得阿耨多羅三藐三菩
提已教化示導是諸菩薩調伏其心令發道
意此諸菩薩皆於是娑婆世界之下此界虛
空中住於諸經典讀誦通利思惟分別正憶
念阿逸多是諸善男子等不樂在衆多有所
說常樂靜處懃行精進未曾休息亦不依止
人天而住常樂深智无有鄣导亦常樂於諸
佛之法一心精進求无上慧尒時世尊欲重
宣此義而說偈言
阿逸汝當知　是諸大菩薩　從无數劫來　脩習佛智慧
悉是我所化　令發大道心　此等是我子　依止是世界
常行頭陁事　志樂於靜處　捨大衆憒鬧　不樂多所說
如是諸子等　學習我道法　晝夜常精進　為求佛道故
在娑婆世界　下方空中住
志念力堅固　常懃求智慧　說種種妙法　其心无所畏
我於伽耶城　菩提樹下坐　得成最正覺　轉无上法輪
尒乃教化之　令初發道心　今皆住不退　悉當得成佛
我今說實語　汝等一心信　我從久遠來　教化是等衆
尒時弥勒菩薩摩訶薩及无數諸菩薩等心生疑
惑怪未曾有而作是念云何世尊於少時間教化
如是无量无邊阿僧祇諸大菩薩令住阿耨多羅
三藐三菩提即白佛言世尊如來為太子時出於釋
城去伽耶城不遠坐於道場得成阿耨多羅三藐
三菩提從是以來始過卌餘年世尊云何於此少
時大作佛事以佛勢力以佛功德教化如是无量

BD00779 號　妙法蓮華經（八卷本）卷五　（24–22）

三藐三菩提即白佛言世尊如来為太子時出於釋
城去伽耶城不遠坐於道場得成阿耨多羅三藐
三菩提從是以来始過卌餘年世尊云何於此少
時大作佛事以佛勢力以佛功德教化如是无量
大菩薩衆當成阿耨多羅三藐三菩提世尊此
大菩薩衆假使有人於千万億劫數不能盡不得
其邊斯等久遠已来於无量无邊諸佛所殖諸
善根成就菩薩道常脩梵行世尊如此之事
世所難信譬如有人色美髮黑年廿五指百
歲人言是我子其百歲人亦指年少言是我
父生育我等是事難信佛亦如是得道以来
其實未久而此大衆諸菩薩等已於无量千
万億劫為佛道故懃行精進善入出住无量
百千万億三昧得大神通久脩梵行善能次
第習諸善法巧於問荅人中之寶一切世間
甚為希有今日世尊方云得佛道時初令發
心教化示導令向阿耨多羅三藐三菩提世
尊得佛未久乃能作此大功德事我等雖復
信佛隨宜所説佛所出言未曾虚妄佛所知
者皆悉通達然諸新發意菩薩於佛滅後若
聞是語或不信受而起破法罪業因縁唯然世
尊願為解説除我等疑及未来世諸善男子
聞此事已亦不生疑尒時弥勒菩薩欲重宣
此義而説偈言
佛昔從釋種　出家近伽耶　坐於菩提樹　尒来尚未久
此諸佛子等　其數不可量　久已行佛道　住神通智力
善學菩薩道　不染世間法　如蓮華在水　從地而踊出

BD00779號　妙法蓮華經（八卷本）卷五　（24–23）

此諸佛子等　其數不可量　久已行佛道　住神通智力
善學菩薩道　不染世間法　如蓮華在水　從地而踊出
皆起恭敬心　住於世尊前　是事難思議　云何而可信
佛得道甚近　所成就甚多　願為除衆疑　如實分別説
譬如少壯人　年始二十五　示人百歲子　髮白而面皺
是等我所生　子亦説是父　父少而子老　舉世所不信
世尊亦如是　得道来甚近　是諸菩薩等　志固无怯弱
從无數劫来　而行菩薩道　巧於難問荅　其心无所畏
忍辱心決定　端政有威德　十方佛所讃　善能分別説
不樂在人衆　常好在禪定　為求佛道故　於下空中住
我等從佛聞　於此事无疑　願佛為未来　演説令開解
若有於此經　生疑不信者　即當堕悪道　願今為解説
是无量菩薩　云何於少時　教化令發心　而住不退地
妙法蓮華經卷第五

BD00779號　妙法蓮華經（八卷本）卷五　（24–24）

[illegible]
二老毋□穴前燒具暗火
□星下造作魅蠱上摹天神下奉
呼取百鬼造作魅蠱或作痛人紙人合
兌肚或作蝦蟇孔蛃食人兌胎或東帛紕
綵作人形像尋天挽地呪咀列星或作符書
以相厭禱或取人家姓字或取棘針或果黃
土或向日月獨語不自覺知或取人家衣裳
或取人家衣帶或取人家五綵縺縷或取人
髖帶或取人家兌組凡器或取人家牂羊雞
狗牛馬驢騾衆生毛尾或取人家五形之事
或取人家門戶薜或取人家棉帚柢楮造作
魅蠱或騎麻鄧馬或作人形或針其人心胎
或針人手腳骨節或針入眼孔或刺人腰背
或取人頭毛或取人家黃土或取人家五種
綵帛或取人上下衣帶或魅蠱人田地苗稼
或魅人家園林或魅人家舍宅或担䐃裾杪
逢向壁獨語或作人形頭面手腳形像或作
符書厭禱呪咀或作人形言語不以道理或
魅人家牂羊鷄狗牛馬驢騾或作生口赤舌
或作人家六畜形像或作鬼神形造作魅人
[illegible]

BD00780號　咒魅經（異本）　　（4–1）

逢向壁獨語或作人形頭面手腳形像或作
符書厭禱呪咀或作人形言語不以道理或
魅人家牂羊鷄狗牛馬驢騾或作生口赤舌
或作人家六畜形像或作鬼神形造作魅人
生死无道枉煞良善若自作教他作千央万
罪造者自當三刼六枉還着本王六枉三刼
還着本鄉万罪千殃還自滅之何不急去三
千六百一十里不得久停
今請東方青帝神王來食魅人心今請南方
赤帝神王來食魅人腸今請西方白帝神王
來食魅人頭今請北方黑帝神王來食魅人
眼今請中央黃帝神王來食魅人手
今時衆中有一菩薩名為大力自正衣服為
佛作礼白佛言世尊弟子不解罪福見世間
衆生多有懸迷不信善道共相食宍常懷懸
念不知生福天堂受樂不知地獄受罪憂苦
共相負責魅蠱良善唯願世尊乃為弟子分
別解說令得佛道度脫一切尒時佛告大力
菩薩汝今未得聞解吾今為汝分別廣說令
使得聞度脫一切汝今諦聽
今時佛言吾遣四天神王帝釋令下世間療
治百懸不得停止急去千里之外可得免脫
若其不去聽我說之魅公字𦖋布奴魅母字
鬼谷居大兒字龍重吾小兒字路子息大女
字側子推小女字鬼魅方吾今知汝姓名得
女姓字今日甲庚魅蠱不行明日甲午魅蠱
不語汝若自作魅蠱返受其殃若教他作身

BD00780號　咒魅經（異本）　　（4–2）

鬼谷居大兒字龍重台小兒字路子息大女
字側子推小女字鬼魅方吾今知汝姓名得
女姓字今日甲庚魅盛不行明日甲午魅盛
不語汝若自作魅蠱返受其殃若教他作身
自賊之
吾今請四天神王来攝魅名字吾呪魅人頭
破作七分如阿梨樹枝今請婆羅門来呪魅
人頭破作七分如阿梨樹枝今請南无佛陁
来呪魅人頭破作七分如阿梨樹枝今請牛
頭阿婆来呪魅人頭破作二分如阿梨樹枝
今請佛有如是大呪来呪魅人頭破作七分
如阿梨樹枝今當請四方天龍来呪魅人頭
破作七分如阿梨樹枝今當知汝姓字知汝
姓名急去他方不得停止
今當請大智菩薩来呪魅人頭破作七分如
阿梨樹枝今當請普賢菩薩来呪魅人頭破
作七分如阿梨樹枝今當請觀世音菩薩来
呪魅人頭破作七分如阿梨樹枝今當請陁
羅尼菩薩来呪魅人頭破作七分如阿梨樹
枝請救脫菩薩来呪魅人頭破作七分如阿
梨樹枝今當請救脫菩薩来呪魅人頭破作
七分如阿梨樹枝今當請藥王菩薩来呪魅
人頭破作七分如阿梨樹枝今當請更明菩
薩来呪魅人頭破作七分如阿梨樹枝今當
請月光菩薩来呪魅人頭破作七分如阿梨
樹枝今當請蒙光菩薩来呪魅人頭破作七
分如阿梨樹枝今當請□菩薩来呪魅人

BD00780號　咒魅經（異本）　（4–3）

姓名急去他方不得停止
今當請大智菩薩来呪魅人頭破作七分如
阿梨樹枝今當請普賢菩薩来呪魅人頭破
作七分如阿梨樹枝今當請觀世音菩薩来
呪魅人頭破作七分如阿梨樹枝今當請陁
羅尼菩薩来呪魅人頭破作七分如阿梨樹
枝請救脫菩薩来呪魅人頭破作七分如阿
梨樹枝今當請救脫菩薩来呪魅人頭破作
七分如阿梨樹枝今當請藥王菩薩来呪魅
人頭破作七分如阿梨樹枝今當請更明菩
薩来呪魅人頭破作七分如阿梨樹枝今當
請月光菩薩来呪魅人頭破作七分如阿梨
樹枝今當請蒙光菩薩来呪魅人頭破作七
分如阿梨樹枝今當請□菩薩来呪魅人
七分如阿梨樹枝今當請火光菩薩
破作七分如阿梨樹枝今當請
頭□作七分如阿梨樹
□作七分

BD00780號　咒魅經（異本）　（4–4）

隨侍宿衛稱□　□隱及國邑
城郭邑王宮殿　□□亦如是世尊何
□緣故我名散脂鬼神大將唯然世尊自當
證知世尊我知一切法一切緣法了了以法
知法分齊如法安住一切法如性於一切法
含受一切法世尊我現見不□　思議知
可思議智炬不可思議智行不可思議智聚
不可思議智境世尊我於諸法正解正觀得
正分別正解於緣正能覺□□□以是故名
散脂大將世尊我散脂大□令說法者□□
言辭辯不斷絕衆味精氣從毛孔入充益其
力心進勇銳成就不可思議智慧入正憶念
如是等事悉令具足心无疲猒身受諸樂心
得歡喜以是之故能爲衆生廣說是經爲諸
衆生於百千佛所種諸善根說法之人爲是
衆生閻浮提內廣宣流布是妙經典令不斷
絕无量衆生聞是經已當得不可思議智聚
攝取不可思議功德之聚於未來世无量百
千劫人天之中常受快樂於未來世值遇諸

BD00781 號　金光明經卷三　（19–1）

絕无量衆生聞是經已當得不可思議智聚
攝取不可思議功德之聚於未來世无量百
千劫人天之中常受快樂於未來世值遇諸
佛疾得證成阿耨多羅三藐三菩提一切諸
苦三惡趣分永滅无餘南无寶華功德海琉
璃金山光照如來應供正遍知南无无量百
千億那由他莊嚴其身釋迦如來應供正遍
知識然如是微妙法炬南无第一威德成就
衆事大功德天南无不可思量智慧功德成
就大辯天

金光明經正論品第十一

尒時佛告地神堅牢過去有王名力尊相其
王有子名曰信相不久當受灌頂之位統領
國土尒時父王告其太子信相世有正論善
治國土我於昔時曾爲太子不久亦當紹父
王位尒時父王持是正論亦爲我說我以是
論於二万歲善治國土未曾一念以非法行
於自眷屬情无愛爲何等名爲治世正論地
神尒時力尊相王爲信相太子說是偈言
我今當說　諸王正說　爲利衆生　斷諸疑網
一切人王　諸天天王　應當歡喜　合掌諦聽
諸王和合　集金剛山　護世四鎮　起問梵王
大師梵尊　天中自在　能除疑惑　當爲我斷
云何是人　得名爲天　云何人王　復名天子
生在人中　處王宮殿　正法治世　而名爲天

BD00781 號　金光明經卷三　（19–2）

大師梵尊　天中自在　能除疑惑　當爲我斷
云何是人　得名爲天　云何人王　復名天子
生在人中　處王宮殿　正法治世　而名爲天
護世四王　問是事已　時梵尊師　即說偈言
汝今雖以　此義問我　我要當爲　一切衆生
敷揚宣暢　第一勝論
因集業故　生於人中　王領國土　故稱人王
處在胎中　諸天守護　或先守護　然後入胎
雖在人中　生爲人王　以天護故　復稱天子
三十三天　各以己德　分與是人　故稱天子
神力所加　故得自在　遠離惡法　遮令不起
安住善法　脩令增廣　能令衆生　多生天上
半名人王　亦名執樂　羅刹魁膽　能遮諸惡
亦名父母　教誨脩善　示現果報　諸天所護
善惡諸業　現在未來　現受果報　諸天所護
若有惡事　縱而不問　不隨其罪　不以正教
捨遠善法　增長惡聚　故使國中　多諸奸鬪
三十三天　各生瞋恨　由其國王　縱惡不治
壞國惡法　奸詐熾盛　他方怨敵　競來侵掠
自家所有　錢財珍寶　諸惡盜賊　共相劫奪
如法治世　不行是事　若行是者　其國殄滅
譬如狂象　蹋蓮華池
暴風卒起　屢降惡雨　惡星數出　日月無光
五穀菓實　滅不滋茂　由王捨正　使國飢饉
天於宮殿　悲懷愁惱　由王暴虐　不脩善事
是諸天王　各相謂言　是王行惡　與惡爲伴

五穀菓實　滅不滋茂　由王捨正　使國飢饉
天於宮殿　悲懷愁惱　由王暴虐　不脩善事
是諸天王　各相謂言　是王行惡　與惡爲伴
以造惡故　速得天瞋　以天瞋故　不久國敗
非法兵杖　奸詐鬪訟　疾疫惡病　集其國土
諸天即便　捨離是王　令其國敗　生大愁惱
兄弟姉妹　眷屬妻子　孤迸流離　身亦滅亡
流星數墮　二日並現　他方怨賊　侵掠其土
人民飢餓　多諸疾疫
所重大臣　捨離薨亡　象馬車乘　一念衰滅
諸家財產　國土所有　互相劫奪　刀兵而死
五星諸宿　違失常度　諸惡疾疫　流遍其國
諸受寵祿　所任大臣　及諸群僚　專行非法
如是行惡　偏受恩遇　脩善法者　日日衰滅
於行惡者　而生恭敬　見脩善者　心不顧錄
故使世間　三異並起　星宿失度　降暴風雨
破壞甘露　無上正法　衆生種類　及以地肥
恭敬弊惡　毀諸善人　故天降雹　飢餓疫死
穀米菓實　滋味衰減　多病衆生　充滿其國
甘美威藥　日日損減　苦澀惡味　隨時增長
本所遊戲　可愛之處　悉皆枯悴　無可樂者
衆生所食　精妙上味　漸漸損減　食無肌膚
顏貌醜陋　氣力羸微　凡所食噉　不知猒足
力精猛勇　悉滅無有　嬾惰懈怠　充滿其國
多有病苦　逼切其身　惡星變動　羅刹亂行

顏貌醜陋 氣力羸微 凡所食噉 不知猒足
力精猛勇 悉滅无有 嬾惰懈怠 充滿其國
多有病苦 逼切其身 惡星變動 羅刹亂行
若有人王 行於非法 增長惡伴 損人天道
於三有中 多受苦惱 起如是等 无量惡事
皆由人王 愛著眷屬 縱之造惡 捨而不治
若為諸天 所護生者 如是人王 終不為是
若行善者 得生天中 行不善者 隨在三塗
三十三天 皆生焦熱 由王縱惡 捨而不治
違逆諸天 及父母勅 不能正法 則非孝子
起諸新惡 壞國土者 不應縱捨 當正治罪
是故諸天 護持是王 以滅惡法 脩集善根
現世正治 得增王位 應各為說 善不善業
能示因果 故得為王 諸天護持 隨王佐助
能自為他 脩正治國 有壞國者 應當正教
為命及國 脩行正法 不應行惡 惡不應縱
所有餘事 不能壞國 要因多新 然後傾敗
若起多新 壞於國土 譬如大鳥 壞蓮華地
怨恨諸天 故天生惱 起諸惡事 弥滿其國
是故應隨 正法治國 以善化國 不順非法
寧捨身命 不愛眷屬 於親非親 心常平等
視親非親 和合為一 正行名稱 流布三界
正法治國 人多行善 常以善心 御瞻國主
能令天衆 具足充滿 是故正治 名為人王
一切諸天 愛護人王 猶如父母 擁護其子
故今日月 五星諸宿 隨其分齊 不失常度

能令天衆 具足充滿 是故正治 名為人王
一切諸天 愛護人王 猶如父母 擁護其子
故今日月 五星諸宿 隨其分齊 不失常度
風雨隨時 无諸灾禍 令國豐實 安樂茂盛
增益熾盛 諸天之衆 以是因緣 諸人王等
寧捨身命 不應為惡
不應捨離 正法珎寶 由正法寶 世人受樂
常當親近 脩正法者 聚集功德 莊嚴其身
於自眷屬 常知正足 常遠惡人 脩治正法
安止衆生 於諸善法 教勅防護 令離不善
是故國土 安隱豐樂 是王亦得 威德具足
若諸人民 所行惡法 應當調伏 如法教詔
是王當得 好名善譽 善能攝護 安樂衆生

金光明經善集品第十二

尒時如來復為地神說往因緣而作偈言
我昔曾為 轉輪聖王 捨四大地 及以大海
又於是時 以四天下 滿中珎寶 奉上諸佛
凡所布施 皆捨所重 不見可愛 而不捨者
於過去世 无數劫中 求正法故 常捨身命
又過去世 不可議劫 有佛世尊 名曰寶勝
其佛世尊 般涅槃後 時有聖王 名曰善集
於四天下 而得自在 治正之勢 盡大海際
其王有城 名水音尊 於其城中 止住治化
夜臥夢中 聞佛功德 及見比丘 名曰寶真
善能宣暢 如來正法 所謂金光 微妙經典
猶如日中 悉能遍照 是轉輪王 夢是事已

夜睡夢中　聞佛功德　及見比丘　名曰寶真
善能宣暢　如來正法　所謂金光　微妙經典
明如日中　悉能遍照　是轉輪王　夢是事已
即尋覺寤　心喜遍身　即出宮殿　至僧坊所
供養恭敬　諸大聖衆　問諸大德　是大衆中
頗有比丘　名曰寶真　成就一切　諸功德不
尒時寶真　在一窟中　安坐不動　思惟正法
讀誦如是　金光明經　時有比丘　即將是王
至其所止　到寶真所　時此寶真　故在窟中
形貌殊特　威德熾然　即示王言　是窟中者
即是所問　寶真比丘　能持甚深　諸佛所行
名金光明　諸經之王　時善集王　即尋礼敬
寶真比丘　作如是言　面如滿月　威德照然
唯願為我　敷演宣暢　是金光明　諸經之王
時寶真尊　即受王請　許為宣說　是金光明
三千大千　世界諸天　知當說法　悉生歡喜
於淨微妙　鮮潔之處　種種珍寶　廁填其地
上妙香水　持用灑之　散諸好華　遍滿其處
王於是時　自敷法座　懸繒幡蓋　寶飾交絡
種種微妙　殊特末香　悉以奉散　大法高座
一切諸天　龍及鬼神　摩睺羅伽　緊那羅等
即雨天上　曼陀羅華　遍散法座　滿其處所
不可思議　百千万億　那由他等　无量諸天
一時俱來　集說法所　是時寶真　尋從窟出
諸天即時　以娑羅華　供養奉散　寶真比丘
是時寶真　淨洗身體　著淨妙衣　至法座所

一時俱來　集說法所　是時寶真　尋從窟出
諸天即時　以娑羅華　供養奉散　寶真比丘
是時寶真　淨洗身體　著淨妙衣　至法座所
合掌敬礼　是法高座　一切天王　及諸天人
雨曼陀羅　大曼陀華　无量百千　種種伎樂
於虛空中　不鼓自鳴
寶真比丘　能說法者　尋上高座　結跏趺坐
即念十方　不可思議　无量千億　諸佛世尊
於諸衆生　興大悲心　及善集王　所得王領
盡一日月　所照之處　時說法者　即尋為王
敷暢宣說　是妙經典
是時大王　為聞法故　於比丘前　合掌而立
聞於正法　讚言善哉　其心悲悼　涕淚交流
尋復踊悅　心意嬉怡　為欲供養　此經典故
尒時即捉　如意珠王　為諸衆生　發大誓願
願於今日　此閻浮提　悉雨无量　種種珍異
瓌奇七寶　及妙瓔珞　以是因緣　悉令无量
一切衆生　皆受快樂　即於尒時　尋雨七寶
及諸寶飾　天冠耳璫　種種瓔珞　甘饌寶座
悉皆充滿　遍四天下　時善集王　即持如是
滿四天下　无量七寶　於寶勝佛　貴法之中
以用布施　供養三寶　尒時為王　說法比丘
於今現在　阿閦佛是　時善集王　聖受法者
今則我身　釋迦文是　我於尒時　捨此大地
滿四天下　珍寶布施　得聞如是　金光明經
聞是經已　一稱善哉　以此善根　業因緣故

於今現在　阿閦佛是　時善集王　聖受法者
今則我身　釋迦文是　我於尒時　捨此大地
滿四天下　珎寶布施　得聞如是　金光明經
聞是經已　一稱善哉　以此善根　業因緣故
身得金色　百福莊嚴　常為无量　百千万億
衆生等類　之所樂見　既得見已　无有猒足
過去九十　九億千劫　常得作於　轉輪聖王
亦於无量　百千劫中　常得王領　諸小國土
不可思議　劫中常作　釋提桓因　及淨梵王
復得值遇　十力世尊　其數无量　不可稱計
所得功德　无量无邊　皆由聞經　及稱善哉
如我所願　成就菩提　正法之身　我今已得

金光明經鬼神品第十三

佛告功德天若有善男子善女人欲以不可
思議妙供養具供養過去未來現在諸佛
世尊及欲得知三世諸佛甚深行處是人應當
畢定至心隨有是經流布之處若城邑村落
舍宅空處正念不亂至心聽是微妙經典尒
時世尊欲重宣此義而說偈言
若欲供養　一切諸佛　欲知三世　諸佛行處
應當往彼　城邑聚落　有是經處　至心聽受
是妙經典　不可思議　功德大海　无量无邊
能令一切　衆生解脫　度无量苦　諸有大海
是經甚深　初中後善　不可得說　譬喻為比
假使恒沙　大地微塵　大海諸水　一切諸山

BD00781號　金光明經卷三　（19–9）

能令一切　衆生解脫　度无量苦　諸有大海
是經甚深　初中後善　不可得說　譬喻為比
假使恒沙　大地微塵　大海諸水　一切諸山
如是等物　不得為喻　如深法性　安住其中
若入是經　即入法性　如深法性　安住其中
即於是典　金光明中　而得見我　釋迦牟尼
不可思議　阿僧祇劫　生天人中　常受快樂
以能信解　聽是經故　如是无量　不可思議
功德福聚　悉已得之
隨所至處　若百由旬　滿中盛火　應從中過
若至聚落　阿蘭若處　到法會所　至心聽受
聽是經故　惡夢蠱道　五星諸宿　變異災禍
一切惡事　消滅无餘　於說法處　蓮華座上
說是經典　書寫讀誦　是說法者　若下法座
尒時大衆　猶見坐處　故有說者　或佛世尊
或見佛像　菩薩色像　普賢菩薩　文殊師利
弥勒大士　及諸形色　見如是等　種種事已
尋復滅盡　如前不異　成就如是　諸功德已
而為諸佛　之所讃歎　威德相貌　无量无邊
有大名稱　能却怨家　他方盜賊　能令退散
勇扞多力　能破強敵　惡夢惱心　无量惡業
如是惡事　皆悉殄滅　若入軍陣　常能勝他
名聞流布　遍閻浮提　亦能摧伏　一切怨敵
遠離諸惡　脩集諸善　入陣得勝　心常歡喜
大梵天王　三十三天　諸世四王　金剛密迹
鬼神者王　散脂大将　[illegible]鬼　及緊那王

BD00781號　金光明經卷三　（19–10）

名聞流布　遍閻浮提　亦能摧伏　一切怨敵
遠離諸惡　脩集諸善　入陣得勝　心常歡喜
大梵天王　三十三天　諸世四王　金剛密迹
鬼神諸王　散脂大將　禪那英鬼　及緊那王
阿耨達龍　娑竭羅王　阿脩羅王　迦樓羅王
大辯天神　及大功德　如是上首　諸天神等
常當供養　是聽法者　生不思議　法塔之想
衆生見者　恭敬歡喜　諸天王等　亦各思惟
而相謂言　今是衆生　无量威德　皆悉成就
若能來至　是法會所　如是之人　成上善根
若有聽是　甚深經典　故嚴出往　法會之處
心生不可　思議正信　供養恭敬　无上法塔
如是大悲　利益衆生　即是无量　深法寶器
能入甚深　无上法性　由以淨心　聽是經典
如是之人　悉以供養　過去无量　百千諸佛
以是善根　无量因緣　應當聽受　是金光明
如是衆生　常為无量　諸天神王　之所愛護
大辯功德　護世四王　无量鬼神　及諸力士
晝夜精勤　擁護四方
釋提桓因　及日月天　閻摩羅王　風水諸神
違䭾天神　及毗紐天　大辯天神　及自在天
火神等神　大力勇猛　常護世間　晝夜不離
大力鬼神　那羅延等　摩醯首羅　二十八部
諸鬼神等　散脂為首　百千鬼神　神足大力
擁護是等　令不怖畏
金剛密迹　大鬼神王　及其眷屬　五百徒黨

諸鬼神等　散脂為首　百千鬼神　神足大力
擁護是等　令不怖畏
金剛密迹　大鬼神王　及其眷屬　五百徒黨
一切皆是　大菩薩薩　迹悉擁護　聽是法者
摩尼跋陁　大鬼神王　富那跋陁　及金毗羅
阿羅婆帝　賓頭盧伽　黃頭大神　一一諸神
各有五百　眷屬鬼神　亦常擁護　聽是經者
質多斯那　阿脩羅王　及乾闥婆　那羅羅闍
祁那娑婆　摩尼乾陁　及尼乾陁　主雨大神
大飲食神　摩訶迦吒　金色髮神　半祁鬼神
及半支羅　車鉢羅婆　有大威德　婆那梨神
曇摩跋羅　摩竭婆羅　針髮鬼神　繡利蜜多
勒那翅舍　摩訶婆那　及軍陁遮　劒摩舍帝
復有大神　奢羅蜜帝　醯摩跋陁　薩多琦梨
如是等神　皆有无量　神足大力　常勤擁護
聽受如是　微妙典者
阿耨達王　娑伽羅王　目真隣王　伊羅鉢王
難陁龍王　跋難陁王　有如是等　百千龍王
以大神力　常來擁護　聽是經典　晝夜不離
波利羅睺　阿脩羅王　毗摩質多　及以茂脂
睒摩利子　波阿梨子　佉羅騫䭾　及以濤陁
是等皆是　阿脩羅王　有大神力　常來擁護
聽是經者　晝夜不離
阿利帝南　鬼子母等　及五百神　常來擁護
聽是經者　若睡若寤
旃陁旃陁利大鬼神女等鳩羅鳩羅檀提散

聽是經者 晝夜不離
阿利帝南 鬼子母等 及五百神 常来擁護
聽是經者 若臥若寤
旃陁旃陁利 大鬼神女 等鳩羅鳩羅檀提 散
人精氣 如是等神 皆有大力 常勤擁護十方
世界受持經者
大辯天等 无量天女 功德天等 各與眷屬
地神堅牢 種植園林 菓實大神 如是諸神
心生歡喜 悉来擁護 愛樂親近 是經典者
於諸衆生 增命色力 功德威貌 莊嚴倍常
五星諸宿 變異灾怪 皆悉能滅 无有遺餘
夜卧惡夢 寤則憂悴 如是惡事 皆悉滅盡
地神大力 勢分甚深 是經力故 能變其味
如是大地 至金剛際 厚十六万 八千由旬
其中氣味 无不遍有 悉令踊出 潤益衆生
是經力故 能令地味 悉出地上 厚百由旬
亦令諸天 大得精味 充益身力 歡喜快樂
閻浮提內 所有諸神 心生歡喜 受樂无量
是經力故 諸天歡喜 百穀菓實 皆悉滋茂
園苑叢林 其華開敷 香氣芬馥 充溢弥滿
百草樹木 生長端直 其體柔軟 无有邪戾
閻浮提內 所有龍女 其數无量 不可思議
心生歡喜 踊躍无量 在在處處 莊嚴華池
於其池中 生種種華 優鉢羅華 波頭摩華
拘物頭華 分陁利華 於自宮殿 除諸雲霧
令虛空中 无有塵翳 諸方清徹 淨潔明了

心生歡喜 踊躍无量 在在處處 莊嚴華池
於其池中 生種種華 優鉢羅華 波頭摩華
拘物頭華 分陁利華 於自宮殿 除諸雲霧
令虛空中 无有塵翳 諸方清徹 淨潔明了
日王赫焰 放千光明 歡喜踊躍 照諸暗蔽
閻浮檀金 以為宮殿 正住其中 威德无量
日之天子 及以月天 聞是經故 精氣充實
是日天子 出閻浮提 心生歡喜 施於无量
光明明網 遍照諸方 即於出時 施大網明
開敷種種 諸池蓮華
閻浮提內 无量果實 隨時成熟 飽諸衆生
是時日月 所照殊勝 星宿正行 不失度數
風雨隨時 豐實熾盛 多饒財寶 无所乏少
是金光明 微妙經典 隨所流布 讀誦之處
其國土境 所得增益 如上所說 无量功德

金光明經授記品第十四

尒時如来將欲為是信相菩薩及其二子銀
相銀光授阿耨多羅三藐三菩提記是時即
有十千天子威德熾王而為上首俱從忉利
来至佛所頂礼佛足却坐一面尒時佛告信
相菩薩汝於来世過无量无邊百千万億不
可稱計那由他劫金照世界當成阿耨多羅
三藐三菩提号金寶蓋山王如来應供正遍
知明行足善逝世間解无上士調御丈夫天
人師佛世尊乃至是佛般涅槃後正法像法
皆滅盡已長子銀相當於是界次補佛處葉

知明行足善逝世間解无上士調御丈夫天
人師佛世尊乃至是佛般涅槃後正法像法
皆滅盡已長子銀相當於是界次補佛處世界
尒時轉名淨幢佛名閻浮檀金幢光明照如
來應供正遍知明行足善逝世間解无上士
調御丈夫天人師佛世尊乃至是佛般涅槃
後正法像法悉滅盡已次子銀光復於是後
次補佛處世界名字如本不異佛号曰金光明
如來應供正遍知明行足善逝世間解无上
士調御丈夫天人師佛世尊是十千天子聞
三大士得受記別復聞如是金光明經聞已
歡喜生殷重心心无垢累如淨琉璃清淨无
瑕猶如虛空尒時如來知是十千天子善根
成就即便與授菩提道記汝等天子於當來
世過阿僧祇百千万億那由他劫於是世界
當成阿耨多羅三藐三菩提同共一家一姓
一名号曰青目優鉢羅華香山如來應供正
遍知明行足善逝世間解无上士調御丈夫
天人師佛世尊如是次第出現於世凡一万佛
尒時道場菩提樹神名等增益白佛言世尊
是十千天子於忉利宮為聽法故故來集此
云何如來便與授記世尊我未曾聞是諸天
子修行具足六波羅蜜亦未曾聞捨於手足
頭目髓腦所愛妻子財寶穀帛金銀琉璃車
𤦲馬瑙真珠珊瑚珂貝璧王甘饍飲食衣服

云何如來便與授記世尊我未曾聞是諸天
子修行具足六波羅蜜亦未曾聞捨於手足
頭目髓腦所愛妻子財寶穀帛金銀琉璃車
𤦲馬瑙真珠珊瑚珂貝璧王甘饍飲食衣服
林卧病瘦醫藥象馬車乘殿堂屋宅園林泉
池奴婢僕使如餘无量百千菩薩以種種資
生供養之具恭敬供養過去无量百千万億
那由他等諸佛世尊如是菩薩於未來世亦
捨无量所重之物頭目髓腦所愛妻子財寶
穀帛乃至僕使次第修行成就具足六波羅
蜜成就是已備者苦行動經无量无邊劫數
然後方得受菩提記世尊是天子等何因何
緣修行何等勝妙善根從彼天來暫得聞法
便得受記唯願世尊為我解說斷我疑網
尒時佛告樹神善女天皆有因緣有妙善根
已隨相修何以故以是天子於所住處捨五
欲樂故來聽是金光明經既聞法已於是經
中淨心殷重如說修行復得聞此三大菩薩
受於記別亦以過去本昔發心誓願因緣是
故我今皆與授記於未來世當成阿耨多羅
三藐三菩提

金光明經除病品第十五

佛告道場菩提樹神善女天諦聽諦聽善持
憶念我當為汝演說往昔誓願因緣過去无
量不可思議阿僧祇劫尒時有佛出現於世

憶念我當爲汝演說往昔誓願因緣過去无
量不可思議阿僧祇劫尒時有佛出現於世
名曰寶勝如來應供正遍知明行足善逝世
間解无上士調御丈夫天人師佛世尊善女天
尒時是佛般涅槃後正法滅已於像法中有
王名曰天自在光脩行正法如法治世人民
和順孝養父母是王國中有一長者名曰持
水善知醫方救諸病苦方便巧知四大增損
善女天尒時持水大長者家中後生一子名
曰流水體貌殊勝端正第一形色微妙威德
具足受性聰敏善解諸論種種伎藝書疏
筭計无不通達是時國內天降疫病時有无
量百千諸衆生等皆无免者爲諸苦惱之所
逼切善女天尒時流水長者子見是无量百千
衆生受諸苦惱故爲是衆生生大悲心作是
思惟如是无量百千衆生受諸苦惱我父長
者雖善醫方能救諸苦方便巧知四大增損
年已衰邁老耄枯悴皮緩面皺羸瘦戰掉行
來往反要因机杖困頓疲乏不能至彼城邑聚
落而是无量百千衆生後遇重病无能救者
我今當至大醫父所諮問治病醫方秘法諮
稟知已當至城邑聚落村舍治諸衆生種種
重病悉令得脫无量諸苦時長者子思惟是
已即至父所頭面着地爲父作礼叉手却住
以四大增損而問於父即說偈言
云何當知　四大諸根　衰貧代謝　而得諸病

已即至父所頭面着地爲父作礼叉手却住
以四大增損而問於父即說偈言
云何當知　四大諸根　衰損代謝　而得諸病
云何當知　飲食時節　若食食已　身火不滅
云何當知　治風及熱　水過肺病　及以等分
何時動風　何時動熱　何時動水　以害衆生
時父長者　即以偈頌　解說醫方　而答其子
三月是夏　三月是秋　三月是冬　三月是春
是十二月　三三而說　從如是數　一歲四時
若二二說　足滿六時　三三本攝　二二現時
隨是時節　消息飲食　是能益身　醫方所說
隨時歲中　諸根四大　代謝增損　令身得病
有善醫師　隨順四時　三月將養　調和六大
隨病飲食　及以湯藥　多風病者　夏時發動
其熱病者　秋則發動　等分病者　冬則發動
其肺病者　春則增劇　有風病者　夏則應服
肥膩醎酢　及以熱食　有熱病者　秋服冷甜
等分冬服　甜酢肥膩　肺病春服　肥膩辛熱
飽食然後　則發肺病　於食消時　則發熱病
食消已後　則發風病　如是四大　隨三時發
病風羸損　補以蘇膩　熱病不藥　服訶梨勒
等分應服　三種妙藥　所謂甜辛　及以蘇膩
肺病應服　隨能吐藥　若風熱病　肺病等分
違時而發　應當任師　籌量隨病　服食湯藥
善女天尒時流水長者子問其父醫四大增

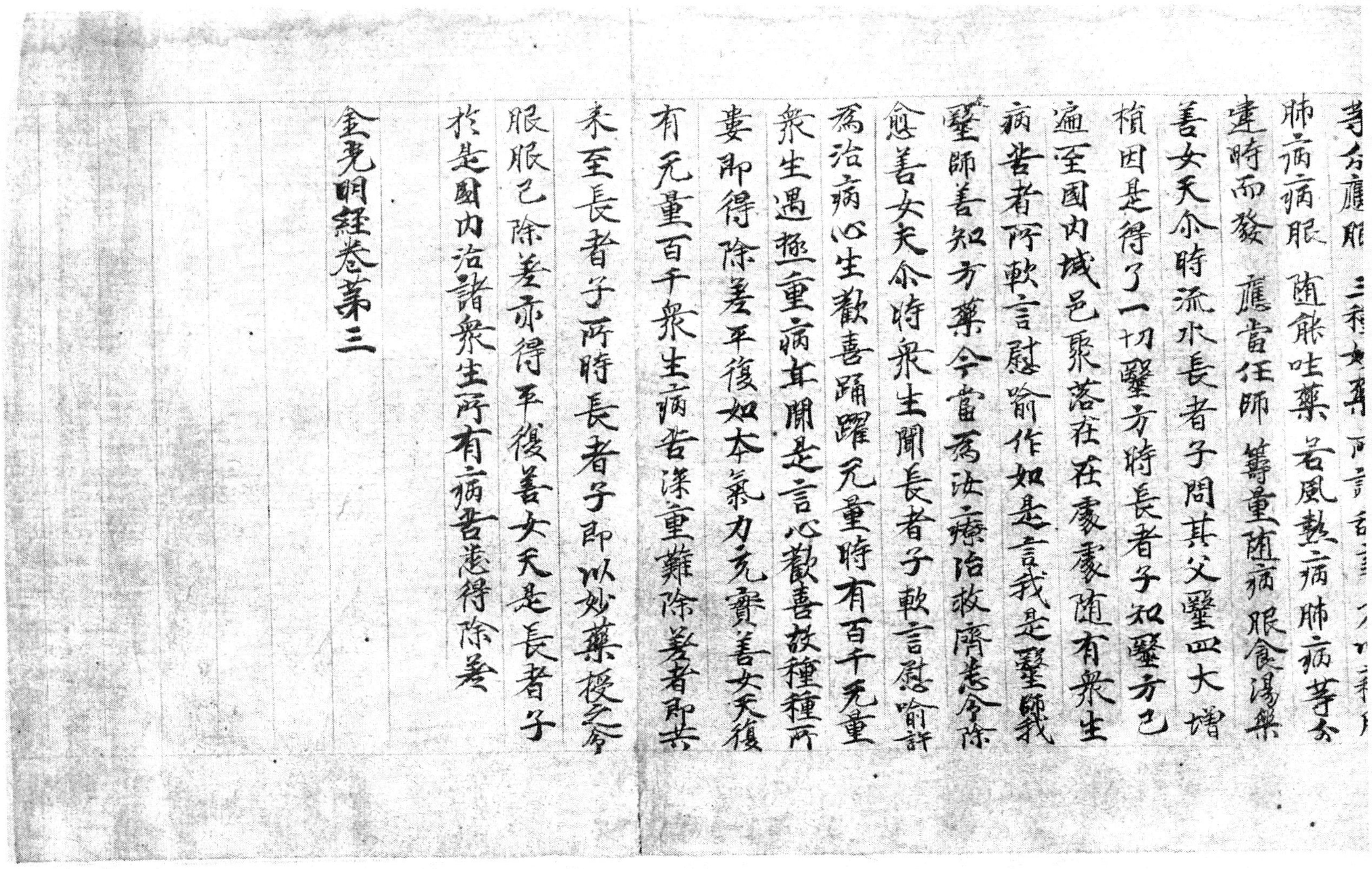
等分膩脈　三種……
肺病病脈　隨能吐藥　若風熱病　肺病等分
違時而發　應當任師　籌量隨病　飲食湯藥
善女天尒時流水長者子問其父醫四大增
損因是得了一切醫方時長者子知醫方已
遍至國內城邑聚落在在處處隨有眾生
病苦者所軟言慰喻作如是言我是醫師我
醫師善知方藥今當為汝療治救濟悉令除
愈善女天尒時眾生聞長者子軟言慰喻許
為治病心生歡喜踊躍無量時有百千無量
眾生遇極重病耳聞是言心歡喜故種種所
患即得除差平復如本氣力充實善女天復
有無量百千眾生病苦深重難除差者即共
來至長者子所時長者子即以妙藥授之令
服服已除差亦得平復善女天是長者子
於是國內治諸眾生所有病苦悉得除差
金光明經卷第三

BD00781 號　金光明經卷三　（19–19）

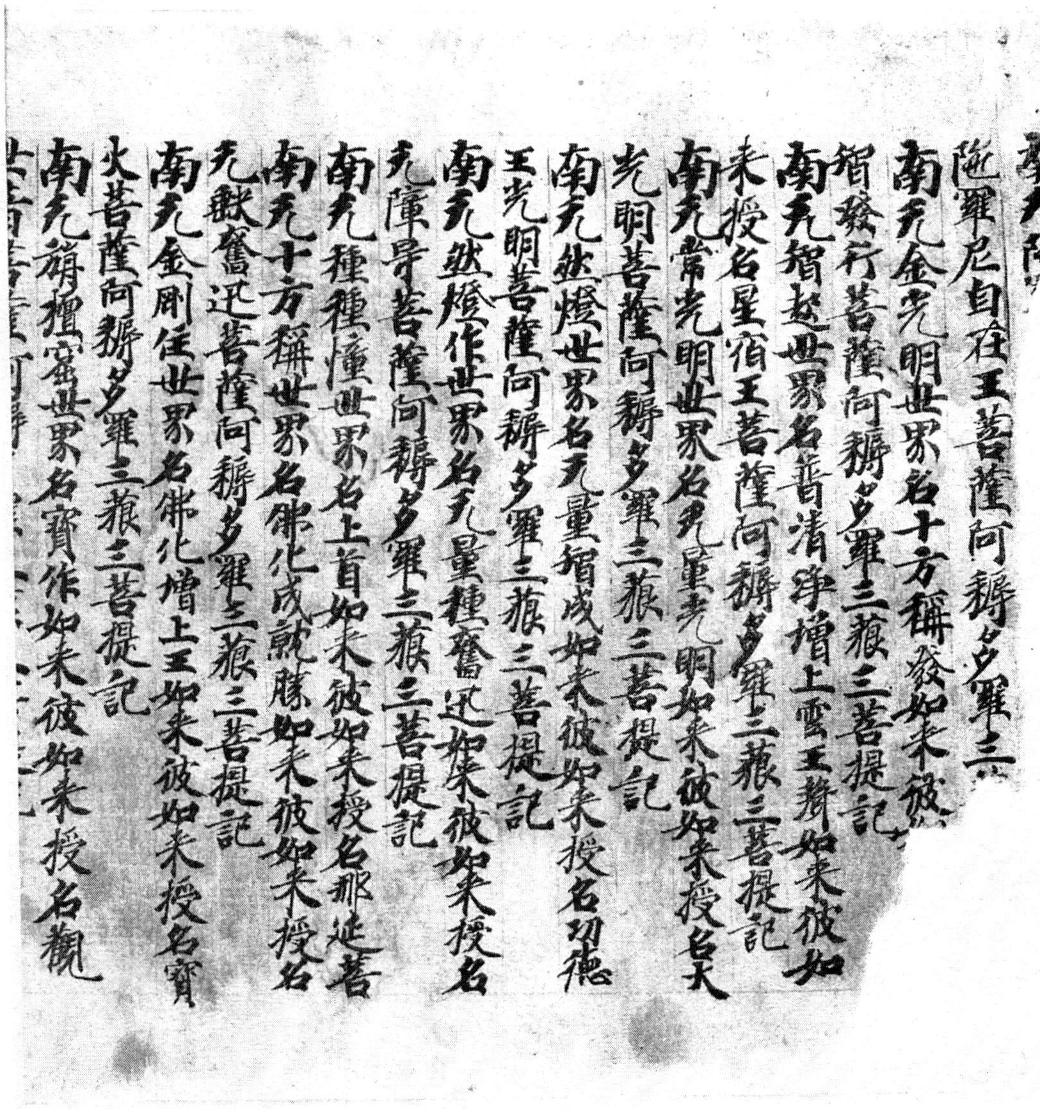
南無陁……
陁羅尼自在王菩薩阿耨多羅三……
南無金光明世界名十方稱發如來彼……
智發行菩薩阿耨多羅三藐三菩提記
南無智起世界名普清淨增上雲王聲如來彼如
來授名星宿王菩薩阿耨多羅三藐三菩提記
南無常光明世界名無量光明如來彼如來授名大
光明菩薩阿耨多羅三藐三菩提記
南無然燈世界名無量智成如來彼如來授名功德
王光明菩薩阿耨多羅三藐三菩提記
南無然燈作世界名無量種奮迅如來彼如來授名
無障导菩薩阿耨多羅三藐三菩提記
南無種種幢世界名上首如來彼如來授名那延菩
南無十方稱世界名佛化成就勝如來彼如來授名
無獸奮迅菩薩阿耨多羅三藐三菩提記
南無金剛住世界名佛化增上王如來彼如來授名寶
火菩薩阿耨多羅三藐三菩提記
南無觀檀窟世界名寶作如來彼如來授名觀
世音菩薩阿耨……

BD00782 號　佛名經（十六卷本）卷三　（3–1）

[illegible]阿耨多羅三藐三菩提記
南无金剛住世界名佛化増上王如來彼如來授名寶
火菩薩阿耨多羅三藐三菩提記
南无旃檀窟世界名寶作如來彼如來授名觀
世音菩薩阿耨多羅三藐三菩提記
從此以上一千八百佛十二部尊經一切賢聖
南无藥王世界名不空說如來彼如來授名不空
發行菩薩阿耨多羅三藐三菩提記
南无藥王勝上世界名无量功德精進發如來彼如
來授名不受戒攝菩薩阿耨多羅三藐三菩提記
南无普莊嚴世界名發心生莊嚴一切衆生心如來彼
如來授名佛華手菩薩阿耨多羅三藐三菩提記
南无普蓋世界名蓋勝如來彼如來授名寶行
菩薩阿耨多羅三藐三菩提記
南无華上光明如來世界名曰輪威德王如來彼如
來授名善住菩薩阿耨多羅三藐三菩提記
南无善莊嚴世界名衆生光明如來彼如來授名寶
面菩薩阿耨多羅三藐三菩提記
南无賢世界名无畏如來彼如來授名不驚怖菩
薩阿耨多羅三藐三菩提記
南无波頭摩世界名波頭摩勝光明如來彼如來
授名智為菩薩阿耨多羅三藐三菩提記
南无優鉢羅世界名智優鉢勝如來彼如來授名无
境界行菩薩阿耨多羅三藐三菩提記
南无寶上世界名寶作如來彼如來授名法作菩薩
阿耨多羅三藐三菩提記
南无月世界名无量願如來彼如來授名散花菩

BD00782 號　佛名經（十六卷本）卷三　　（3–2）

南无寶上世界名寶作如來彼如來授名法作菩薩
阿耨多羅三藐三菩提記
南无月世界名无量願如來彼如來授名散花菩
薩阿耨多羅三藐三菩提記
南无善住世界名寶聚如來彼如來授名藥王菩薩
阿耨多羅三藐三菩提記
南无香光明世界名娑羅自在王如來彼如來授名
勝慧菩薩阿耨多羅三藐三菩提記
南无花手世界名寶光明如來彼如來授名司德菩
菩薩阿耨多羅三藐三菩提記
南无普山世界名寶山如來彼如來授名火得菩
薩阿耨多羅三藐三菩提記
南无憂蓋入世界名上首如來彼如來授名上莊嚴
菩薩阿耨多羅三藐三菩提記
南无无憂世界名發无邊功德如來彼如來授名不
發觀菩薩阿耨多羅三藐三菩提記
南无一切功德住世界名善上首如來彼如來授名

BD00782 號　佛名經（十六卷本）卷三　　（3–3）

尒二者法施能令衆生出於三界財施
不出欲界三者法施能淨法身財施但唯
長於色四者法施无窮財施有盡五者法施
能斷无明財施唯伏貪愛是故善男子如
功德无量无邊難可辟喻如我昔行菩薩道
時勸請諸佛轉大法輪由彼善根是故今日
一切帝釋諸梵王等勸請於我轉大法輪善
男子請轉法輪為欲度脫安樂諸衆生故我
於往昔為菩提行勸請如來久住於世莫般
涅槃依此善根我得十力四无所畏四无礙
辯大慈大悲證得无數不共之法我當入於
无餘涅槃我之正法久住於世我法身者清
淨无比種種妙相无量智惠无量自在无量
功德難可思議一切衆生皆蒙利益百千万
劫說不能盡法身攝藏一切諸法一切諸法
不攝法身法身常住不墮常見雖復斷滅亦
非斷見能破衆生種種異見能生衆生種種
真見能解一切衆生之縛无縛可解能植衆
生諸善根本未成熟者令成熟已成熟者令
解脫无作无動遠離闠閙寂静无為自在安
樂過於三世能現三世出於聲聞獨覺之境
諸大菩薩之所修行一切如來體无有異此
等皆由勸請功德善根力故如是法身我今

BD00783號　金光明最勝王經卷三　（8–1）

生諸善根本未成熟者令成熟已成熟者令
解脫无作无動遠離闠閙寂静无為自在安
樂過於三世能現三世出於聲聞獨覺之境
諸大菩薩之所修行一切如來體无有異此
等皆由勸請功德善根力故如是法身我今
已得是故若有欲得阿耨多羅三藐三菩提
者於諸經中一句一頌為人解說功德善根
尚无限量何況勸請如來轉大法輪久住於
世莫般涅槃
時天帝釋復白佛言世尊若善男子善女人
為求阿耨多羅三藐三菩提故修三乘道所
有善根云何迴向一切智智佛告天帝善男
子若有衆生欲求菩提修三乘道所有善
根願迴向者當於晝夜六時慇重至心作如是
說我從无始生死以來於三寶所修行成就
所有善根乃至施與傍生一摶之食或以善
言和解諍訟或受三歸及諸學處或復懺悔
勸請隨喜所有善根我今作意悉皆攝取迴
施一切衆生无悔恡心是解脫分善根所攝
如佛世尊之所知見不可稱量无礙清淨如
是所有功德善根悉以迴施一切衆生不住
相心不捨相心我亦如是功德善根悉以迴
施一切衆生願皆獲得如意之手撝空出寶
滿衆生願富樂无盡智慧无窮妙法辯才悉
皆无滯共諸衆生同證阿耨多羅三藐三菩
提得一切智因此善根更復出生无量善法
亦皆迴向无上菩提又如過去諸大菩薩修
行之時功德善根悉皆迴向一切種智現在
未來亦復如是然我所有功德善根亦皆

BD00783號　金光明最勝王經卷三　（8–2）

亦皆迴向无上菩提又如過去諸大菩薩修
行之時功德善根悉皆迴向一切種智現在
未來亦復如是然我所有功德善根亦皆
迴向阿耨多羅三藐三菩提是諸善根願共一
切衆生俱成正覺如餘諸佛坐於道場菩
提樹下不可思議无礙清淨住於无盡法藏陁
羅尼首楞嚴定破魔波旬无量兵衆應見
覺知應可通達如是一切一刹那中悉皆照了
於後夜中獲甘露法證甘露義我及衆生願
皆證如是妙覺猶如
无量壽佛 勝光佛 妙光佛 阿閦佛
功德善光佛 師子光明佛 百光明佛 網光明佛
寶相佛 寶焰佛 焰明佛 焰盛光明佛
吉祥上王佛 微妙聲佛 妙莊嚴佛 法幢佛
上勝身佛 可愛色身佛 光明遍照佛 梵淨王佛
上性佛
如是等如來應正遍知過去未來及以現在
示現應化得阿耨多羅三藐三菩提轉无上
法輪為度衆生我亦如是廣說如上
善男子若有淨男子女人於此金光明最
勝經王滅業障品受持讀誦憶念不忘為他
廣說得无量无邊大功德聚譬如三千大千
世界所有衆生一時皆得成就人身得人身
已成獨覺道若有男子女人盡其形壽恭
敬尊重四事供養一一獨覺各施七寶如須彌
山此諸獨覺入涅槃後皆以珍寶起塔供養
其塔高廣十二踰繕那以諸花香寶幢幡蓋
常為供養善男子於意云何是人所獲功德
寧為多不天帝釋言甚多世尊善男子若復

BD00783號 金光明最勝王經卷三 （8–3）

敬尊重四事供養一一獨覺各施七寶如須彌
山此諸獨覺入涅槃後皆以珍寶起塔供養
其塔高廣十二踰繕那以諸花香寶幢幡蓋
常為供養善男子於意云何是人所獲功德
寧為多不天帝釋言甚多世尊善男子若復
有人於此金光明微妙經典衆經之王滅業
障品受持讀誦憶念不忘為他廣說所獲功
德於前所說供養功德百分不及一百千万
億分乃至校量譬喻所不能及何以故是善
男子善女人住正行中勸請十方一切諸佛
轉无上法輪皆為諸佛歡喜讚歎善男子如
我所說一切施中法施為勝是故善男子於
三寶所設諸供養不可為比勸受三歸持一
切戒无有毀犯三業不空不可為比一切世
界一切衆生隨力隨能隨所願樂於三乘中
勸發菩提心不可為比於三世中一切世界
所有衆生皆得无礙速令成就无量功德不
可為比三世刹土一切衆生令无障礙得三
菩提不可為比三世刹土一切衆生勸令速
出四惡道苦不可為比三世刹土一切衆生
勸令除滅極重惡不可為比一切苦惱勸
令解脫不可為比一切怖畏苦惱逼切皆令
得解不可為比三世佛前一切衆生所有功
德勸令隨喜發菩提願不可為比勸除惡行
罵辱之業一切功德皆願成就所在生中勸請
供養尊重讚歎一切三寶勸請衆生淨修福
行成滿菩提不可為比是故當知勸請一
切世界三世三寶勸請滿足六波羅蜜勸請

BD00783號 金光明最勝王經卷三 （8–4）

供養尊重讚歎一切三寶勸請衆生淨修福
行成滿菩提不可為比是故當知勸請一
切世界三世三寶勸請滿是六波羅蜜勸請
轉於无上法輪勸請住世經无量劫演說无
量甚深妙法功德甚深无能比者
尒時天帝釋及恒河女神无量梵王四大天
衆從座而起偏袒右肩右膝著地合掌頂礼
白佛言世尊我等皆得聞是金光明最勝王
經今悉受持讀誦利為他廣說依此法住
何以故世尊我等欲求阿耨多羅三藐三菩
提隨順此義種種勝相如法行故尒時梵王
及天帝釋等於說法處皆以種種曼陀羅花
而散佛上三千大千世界地皆大動一切天鼓
及諸音樂不鼓自鳴放金色光遍滿世界出
妙音聲時天帝釋白佛言世尊此等皆是金
光明經威神之力慈悲普救種種利益種種
增長菩薩善根滅諸業障佛言如是如是如
汝所說何以故善男子我念往昔過无量百
千阿僧祇劫有佛名寶王大光照如來應
正遍知出現於世住世六百八十億劫尒時
寶王大光照如來為欲度脫人天釋梵沙門
婆羅門一切衆生令安樂故當出現時初會
說法度百千億億万衆皆得阿羅漢果諸漏
已盡三明六通自在无礙於第二會復度九
十千億億万衆皆得阿羅漢果諸漏已盡三
明六通自在无礙於第三會復度九十八千
億億万衆皆得阿羅漢果圓滿如上
善男子我於尒時作女人身名福寶光明於

BD00783號　金光明最勝王經卷三　（8–5）

明六通自在无礙於第三會復度九十八千
億億万衆皆得阿羅漢果圓滿如上
善男子我於尒時作女人身名福寶光明於
第三會親近世尊受持讀誦是金光明經為
他廣說求阿耨多羅三藐三菩提故時彼世
尊為我授記此福寶光明女於未來世當得
作佛号釋迦牟尼如來應正遍知明行足善
逝世間解无上士調御丈夫天人師佛世尊
捨女身後從是以來越四惡道生人天中受
上妙樂八十四百千生作轉輪王至于今日得
成正覺名稱普聞遍滿世界時會大衆忽
然皆見寶王大光照如來轉无上法輪說微
妙法善男子去此娑訶世界東方過百千恒
河沙數佛土有世界名寶莊嚴其寶王大光
照如來今現在彼未般涅槃說微妙法廣化
群生汝等見者即是彼佛
善男子若有善男子善女人聞是寶王大光
照如來名号者於菩薩地得不退轉至大涅
槃若有女人聞是佛名者臨命終時得見彼
佛來至其所既見佛已究竟不復更受女身
善男子是金光明微妙經典種種利益種種
增長菩薩善根滅諸業障善男子若有苾
芻苾芻尼鄔波索迦鄔波斯迦隨在何處為
講說是金光明微妙經典於其國土皆獲四種
福利善根云何為四一者國王无病離諸災厄
二者壽命長遠无有障礙三者无諸惡敵
兵衆勇健四者安隱豊樂正法流通何以故如
是人王常為釋梵四王藥叉之衆共守護故尒

BD00783號　金光明最勝王經卷三　（8–6）

二者壽命長遠无有障礙三者无諸怨敵
兵衆勇健四者安隱豐樂正法流通何以故如
是人王常為釋梵四王藥叉之衆共守護故尒
時世尊告天衆曰善男子是事實不是時无
量釋梵四王及藥叉衆俱時同聲荅世尊
言如是如是若有國主講宣讀誦此妙經王是
諸國主我等四王常來擁護行住共俱其王若
有一切災障及諸怨敵我等四王皆使消殄憂
愁疾疫亦令除差增益壽命感應禎祥所
願遂心恒生歡喜我等亦能令其國中所
有軍兵悉皆勇健佛言善哉善哉善男子如
汝所說汝當修行何以故是諸國主如法行時
一切人民隨王修習如法行者汝等皆蒙色
力勝利宮殿光明眷屬強盛時釋梵等白佛
言如是世尊佛言若有講讀此妙經典流
通之處於其國中大臣輔相有四種益云何
為四一者更相親穆尊重愛念二者常為人
王心所愛重亦為沙門婆羅門大國小國之
所遵敬三者輕財重法不求世利嘉名普暨
衆所欽仰四者壽命延長安隱快樂是名四
益若有國主宣說是經沙門婆羅門得四種
勝利云何為四一者衣服飲食卧具醫藥无
所乏少二者皆得安心思惟讀誦三者依於
山林得安樂住四者隨心所願皆得滿足是
名四種勝利若有國主宣說是經一切人民皆
得豐樂无諸疾疫商估往還多獲寶貨具
足勝福是名種種功德利益
尒時梵釋四天王及諸大衆白佛言世尊如

BD00783號　金光明最勝王經卷三　(8–7)

益若有國主宣說是經沙門婆羅門得四種
勝利云何為四一者衣服飲食卧具醫藥无
所乏少二者皆得安心思惟讀誦三者依於
山林得安樂住四者隨心所願皆得滿足是
名四種勝利若有國主宣說是經一切人民皆
得豐樂无諸疾疫商估往還多獲寶貨具
足勝福是名種種功德利益
尒時梵釋四天王及諸大衆白佛言世尊如
是經典甚深之義若現在者當知如來卅七
種助菩提法住世未滅若是經典滅盡之時
正法亦滅佛言如是如是善男子是故汝等
於此金光明經一句一頌一品一部皆當一心
正讀誦正聞持正思惟正修習為諸衆生廣
宣流布長夜安樂福利无邊時諸大衆聞
佛說已咸蒙勝益歡喜受持

金光明最勝王經卷第三

闠胡對　穆莫六　暨其器

BD00783號　金光明最勝王經卷三　(8–8)

為是等故

若滅貪欲 无所依止 滅盡諸苦 名第三諦
為滅諦故 脩行於道 離諸苦縛 名得解脫
是人於何 而得解脫 但離虛妄 名為解脫
其實未得 一切解脫 佛說是人 未實滅度
斯人未得 无上道故 我意不欲 令至滅度
我為法王 於法自在 安隱眾生 故現於世
汝舍利弗 我此法印 為欲利益 世間故說
在所遊方 勿妄宣傳 若有聞者 隨喜頂受
當知此人 阿鞞跋致 若有信受 此經法者
是人已曾 見過去佛 恭敬供養 亦聞是法
若人有能 信汝所說 則為見我 亦見於汝
及比丘僧 并諸菩薩 斯法華經 為深智說
淺識聞之 迷惑不解 一切聲聞 及辟支佛
於此經中 力所不及 汝舍利弗 尚於此經
以信得入 況餘聲聞 其餘聲聞 信佛語故
隨順此經 非己智分 又舍利弗 憍慢懈怠
計我見者 莫說此經 凡夫淺識 深著五欲
聞不能解 亦勿為說 若人不信 毀謗此經
則斷一切 世間佛種 或復顰蹙 而懷疑惑
汝當聽說 此人罪報 若佛在世 若滅度後

BD00784號　妙法蓮華經卷二　（3–1）

隨順此經 非己智分 又舍利弗 憍慢懈怠
計我見者 莫說此經 凡夫淺識 深著五欲
聞不能解 亦勿為說 若人不信 毀謗此經
則斷一切 世間佛種 或復顰蹙 而懷疑惑
汝當聽說 此人罪報 若佛在世 若滅度後
其有誹謗 如斯經典 見有讀誦 書持經者
輕賤憎嫉 而懷結恨 此人罪報 汝今復聽
其人命終 入阿鼻獄 具足一劫 劫盡更生
如是展轉 至无數劫 從地獄出 當墮畜生
若狗野干 其形頞瘦 黧黮疥癩 人所觸嬈
又復為人 之所惡賤 常困飢渴 骨肉枯竭
生受楚毒 死被瓦石 斷佛種故 受斯罪報
若作駱駝 或生驢中 身常負重 加諸杖捶
但念水草 餘无所知 謗斯經故 獲罪如是
有作野干 來入聚落 身體疥癩 又无一目
為諸童子 之所打擲 受諸苦痛 或時致死
於是死已 更受蟒身 其形長大 五百由旬
聾騃无足 蜿轉腹行 為諸小虫 之所唼食
晝夜受苦 无有休息 謗斯經故 獲罪如是
若得為人 諸根闇鈍 矬陋攣躄 盲聾背傴
有所言說 人不信受 口氣常臭 鬼魅所著
貧窮下賤 為人所使 多病痟瘦 无所依怙
雖親附人 人不在意 若有所得 尋復忘失
若脩醫道 順方治病 更增他疾 或復致死
若自有病 无人救療 設服良藥 而復增劇
若他反逆 抄劫竊盜 如是等罪 橫羅其殃
如斯罪人 永不見佛 眾聖之王 說法教化

BD00784號　妙法蓮華經卷二　（3–2）

晝夜受苦　无有休息　謗斯經故　獲罪如是
若得為人　諸根闇鈍　矬陋攣躄　盲聾背傴
有所言說　人不信受　口氣常臭　鬼魅所著
貧窮下賤　為人所使　多病痟瘦　无所依怙
雖親附人　人不在意　若有所得　尋復忘失
若脩醫道　順方治病　更增他疾　或復致死
若自有病　无人救療　設服良藥　而復增劇
若他反逆　抄劫竊盜　如是等罪　橫羅其殃
如斯罪人　永不見佛　衆聖之王　說法教化
如斯罪人　常生難處　狂聾心亂　永不聞法
於无數劫　如恒河沙　生輒聾瘂　諸根不具
常處地獄　如遊園觀　在餘惡道　如己舍宅
駝驢猪狗　是其行處　謗斯經故　獲罪如是
若得為人　聾盲瘖瘂　貧窮諸衰　以自莊嚴
水腫乾痟　疥癩癰疽　如是等病　以為衣服
身常臭處　垢穢不淨　深著我見　增益瞋恚
婬欲熾盛　不擇禽獸　謗斯經故　獲罪如是
告舍利弗　謗斯經者　若說其罪　窮劫不盡
以是因緣　我故語汝　无智人中　莫說此經
若有利根　智慧明了　多聞強識

BD00784號　妙法蓮華經卷二　（3–3）

世界外或百俱胝
或百千俱胝世界外或一那庾多世界外或
十那庾多世界外或百那庾多世界外或千
那庾多世界外或百千那庾多世界外或百
千俱胝那庾多世界外應可度者我必當往
方便教化令其受持或一學處或二或三乃
至具足或說教令得或預流果或一來果或不
還果或阿羅漢果或獨覺菩提或令安住諸
佛无上正等菩提而无懈倦說教无量无邊
有情皆令獲得世出世間利益安樂復持如
是精進善根與諸有情平等共有迴向无上
正等菩提以无所得而為方便如是迴向大菩
提時遠離三心謂誰迴向用何迴向迴向何
處如是三心皆永不起善現是為菩薩摩
訶薩安住安忍波羅蜜多引攝精進波羅蜜
多具壽善現復白佛言世尊云何菩薩摩訶
薩安住安忍波羅蜜多引攝靜慮波羅蜜多
佛言善現若菩薩摩訶薩安住安忍波羅蜜
多攝心无亂離欲惡不善法有尋有伺離生
喜樂入初靜慮具足住如是或入第二第三

BD00785號　大般若波羅蜜多經卷三四九　（14–1）

佛言善現若菩薩摩訶薩安住安忍波羅蜜
多攝心无亂離欲惡不善法有尋有伺離生
喜樂入初靜慮具足住如是或入第二第三
第四靜慮具足住或入空无邊處定具足住
或入識无邊處无所有處非想非非想處定
具足住或入滅定具足住是諸定中隨所生
起心心所法及所引善一切合集與諸有情
平等共有迴向无上正等菩提以无所得而
為方便如是迴向大菩提時遠離三心謂誰
迴向用何迴向迴向何處如是三心皆永不起
於諸靜慮及靜慮支俱无所得善現是為
菩薩摩訶薩安住安忍波羅蜜多引攝靜慮
波羅蜜多具壽善現復白佛言世尊云何菩
薩摩訶薩安住安忍波羅蜜多引攝般若波
羅蜜多佛言善現若菩薩摩訶薩安住安忍
波羅蜜多脩行般若波羅蜜多菩薩尒時雖
以遠離行相或以寂靜行相或以无盡行相
或以永滅行相觀一切法而於法性能不作
證乃至能坐妙菩提座證得无上正等菩提
從此座起轉正法輪利益安樂諸有情類復
持如是妙慧善根與諸有情平等共有迴向
无上正等菩提以无所得而為方便如是迴
向大菩提時遠離三心謂誰迴向用何迴向
迴向何處如是三心皆永不起善現是為菩
薩摩訶薩安住安忍波羅蜜多引攝般若波
羅蜜多如是引攝非取非捨

BD00785 號　大般若波羅蜜多經卷三四九　（14–2）

迴向何處如是三心皆永不起善現是為菩
薩摩訶薩安住安忍波羅蜜多引攝般若波
羅蜜多如是引攝非取非捨
尒時具壽善現白佛言世尊云何菩薩摩訶
薩安住精進波羅蜜多引攝布施波羅蜜多
佛言善現若菩薩摩訶薩安住精進波羅蜜
多身心精進常无懈息求諸善法曾无猒惓
恒作是念我必應得所求无上正等菩提不
應不得是菩薩摩訶薩常求利樂一切有情
恒作是念若一有情在一踰繕那外或十踰繕
那外或百踰繕那外或千踰繕那外或百
千踰繕那外或一俱胝踰繕那外或十俱胝
踰繕那外或百俱胝踰繕那外或千俱胝踰
繕那外或百千俱胝踰繕那外或一那庾多
踰繕那外或十那庾多踰繕那外或百那庾
多踰繕那外或千那庾多踰繕那外或百千
那庾多踰繕那外或百千俱胝那庾多踰繕
那外或一世界外或十世界外或百世界外
或千世界外或百千世界外或一俱胝世界
外或十俱胝世界外或百俱胝世界外或千
俱胝世界外或百千俱胝世界外或一那庾
多世界外或十那庾多世界外或百那庾多
世界外或千那庾多世界外或百千那庾多
世界外或百千俱胝那庾多世界外應可度
者我必當往方便教化若菩薩乘補特伽羅
令住無上正等菩提若聲聞乘補特伽羅令

BD00785 號　大般若波羅蜜多經卷三四九　（14–3）

世界外或百千俱胝那庾多世界外應可度
者我必當往方便教化若菩薩乘補特伽羅
令住無上正等菩提若聲聞乘補特伽羅令
住預流一來不還阿羅漢果若獨覺乘補特
伽羅令其安住獨覺菩提若餘有情令其
安住十善業道如是皆以法施財施而充足之
方便引攝復持如是布施善根不求聲聞
獨覺等地唯與一切有情共有迴向無上正
等菩提以無所得而為方便如是迴向大菩提
時遠離三心謂誰迴向用何迴向何處
如是三心皆永不起善現是為菩薩摩訶薩
安住精進波羅蜜多引攝布施波羅蜜多具
壽善現復白佛言世尊云何菩薩摩訶薩
安住精進波羅蜜多引攝淨戒波羅蜜多佛
言善現若菩薩摩訶薩安住精進波羅蜜多從
初發心乃至安坐妙菩提座自離害生命亦
勸他離害生命無倒稱揚離害生命法歡喜
讚歎離害生命者自離不與取亦勸他離不
與取無倒稱揚離不與取法歡喜讚歎離不
與取者自離欲邪行亦勸他離欲邪行無倒
稱揚離欲邪行法歡喜讚歎離欲邪行者自
離虛誑語亦勸他離虛誑語無倒稱揚離虛
誑語法歡喜讚歎離虛誑語者自離麁惡語
亦勸他離麁惡語無倒稱揚離麁惡語法歡
喜讚歎離麁惡語者自離離間語亦勸他離
離間語無倒稱揚離離間語法歡喜讚歎

BD00785 號　大般若波羅蜜多經卷三四九　（14–4）

亦勸他離麁惡語無倒稱揚離麁惡語法歡
喜讚歎離麁惡語者自離離間語亦勸他離
離間語無倒稱揚離離間語法歡喜讚歎
離離間語者自離雜穢語亦勸他離雜穢語無
倒稱揚離雜穢語法歡喜讚歎離雜穢語者
自離貪欲亦勸他離貪欲無倒稱揚離貪欲
法歡喜讚歎離貪欲者自離瞋恚亦勸他離
瞋恚無倒稱揚離瞋恚法歡喜讚歎離瞋恚
者自離邪見亦勸他離邪見無倒稱揚離邪
見法歡喜讚歎離邪見者是菩薩摩訶薩持
此淨戒波羅蜜多不求欲界不求色界不求無
色界不求聲聞地不求獨覺地但持如是淨
戒善根與諸有情平等共有迴向無上正等菩
提以無所得而為方便如是迴向大菩提
時遠離三心謂誰迴向用何迴向何
處如是三心皆永不起善現是為菩薩摩訶
薩安住精進波羅蜜多引攝淨戒波羅蜜多
具壽善現復白佛言世尊云何菩薩摩訶薩
安住精進波羅蜜多引攝安忍波羅蜜多佛
言善現若菩薩摩訶薩安住精進波羅蜜多
從初發心乃至安坐妙菩提座於其中間人
非人等競來惱觸或復斫刺斲割支節隨意
持去菩薩介時不作是念誰斫刺我誰斲割
我誰復持去但作是念我今獲得廣大善利
彼諸有情為益我故來斲割我身分支節恣
我本為諸有情故而受此身彼來自取已之

BD00785 號　大般若波羅蜜多經卷三四九　（14–5）

我誰復持去但作是念我今獲得廣大善利
彼諸有情為益我故來斷割我身分支節然
我本為諸有情故而受此身彼來自取已之
所有而成我事菩薩如是審諦思惟諸法實
相而脩安忍持此安忍殊勝善根不求聲聞
獨覺等地但持如是安忍善根與諸有情平
等共有迴向無上正等菩提以無所得而為
方便如是迴向大菩提時遠離三心謂誰迴
向用何迴向迴向何處如是三心皆永不起
善現是為菩薩摩訶薩安住精進波羅蜜
多引攝安忍波羅蜜多具壽善現復白佛言
世尊云何菩薩摩訶薩安住精進波羅蜜多
引攝靜慮波羅蜜多佛言善現若菩薩摩訶
薩安住精進波羅蜜多脩習諸定是菩薩摩
訶薩離欲惡不善法有尋有伺離生喜樂入
初靜慮具足住尋伺寂靜內等淨心一趣性
無尋無伺定生喜樂入第二靜慮具足住離
喜住捨具念正知領身受樂聖者於中能說
能捨具念樂住入第三靜慮具足住斷樂斷
苦先喜憂沒不苦不樂捨念清淨入第四靜
慮具足住是菩薩摩訶薩於諸有情起與樂
想作意入慈無量具足住於諸有情起拔苦
想作意入悲無量具足住於諸有情慶喜
想作意入喜無量具足住於諸有情起離苦
樂平等想作意入捨無量具足住是菩薩摩
訶薩於諸色中起猒離想作意入空無邊處

想作意入喜無量具足住於諸有情起離苦
樂平等想作意入捨無量具足住是菩薩摩
訶薩於諸色中起猒離想作意入空無邊處
定具足住於諸識中起寂靜想作意入識無
邊處定具足住於無所有中起寂靜想作意
入無所有處定具足住於非有想非無想中
起寂靜想作意入非想非非想處定具足住
於滅想受定起正息想作意入滅想受定具
足住是菩薩摩訶薩雖脩如是靜慮無量
無色滅定而不攝取彼果熟果但隨有情應
可受化作利樂處而於中生既生彼已用四攝
事而攝取之方便安立令於布施淨戒安忍
精進靜慮般若波羅蜜多精勤脩學是菩
薩摩訶薩依諸靜慮起勝神通從一佛國至
一佛國親近供養諸佛世尊請問甚深諸法性
相精勤引發殊勝善根是菩薩摩訶薩合集
如是種種善根與諸有情平等共有迴向無
上正等菩提以無所得而為方便如是迴向
大菩提時遠離三心謂誰迴向用何迴向迴
向何處如是三心皆永不起善現是為菩薩
摩訶薩安住精進波羅蜜多引攝靜慮波羅
蜜多具壽善現復白佛言世尊云何菩薩摩
訶薩安住精進波羅蜜多引攝般若波羅蜜
多佛言善現若菩薩摩訶薩安住精進波羅
蜜多是菩薩摩訶薩能於布施波羅蜜多不
見名不見事不見性不見相能於淨戒安忍

多佛言善現若菩薩摩訶薩安住精進波羅
蜜多是菩薩摩訶薩能於布施波羅蜜多不
見名不見事不見性不見相能於淨戒安忍
精進靜慮般若波羅蜜多亦不見名不見事
不見性不見相若菩薩摩訶薩安住精進波
羅蜜多是菩薩摩訶薩能於四念住不見名
不見事不見性不見相能於四正斷四神足
五根五力七等覺支八聖道支亦不見名不
見事不見性不見相若菩薩摩訶薩安住精
進波羅蜜多是菩薩摩訶薩能於內空不見
名不見事不見性不見相能於外空內外空
空空大空勝義空有為空無為空畢竟空無
際空散空無變異空本性空自相空共相空
一切法空不可得空無性空自性空無性自
性空亦不見名不見事不見性不見相若菩
薩摩訶薩安住精進波羅蜜多是菩薩摩訶
薩能於真如不見名不見事不見性不見相
能於法界法性不虛妄性不變異性平等性
離生性法定法住實際虛空界不思議界亦
不見名不見事不見性不見相若菩薩摩訶
薩安住精進波羅蜜多是菩薩摩訶薩能於
苦聖諦不見名不見事不見性不見相能於
集滅道聖諦亦不見名不見事不見性不見
相若菩薩摩訶薩安住精進波羅蜜多是菩
薩摩訶薩能於四靜慮不見名不見事不見
性不見相能於四無量四無色定亦不見名

BD00785號　大般若波羅蜜多經卷三四九　（14–8）

集滅道聖諦亦不見名不見事不見性不見
相若菩薩摩訶薩安住精進波羅蜜多是菩
薩摩訶薩能於四靜慮不見名不見事不見
性不見相能於四無量四無色定亦不見名
不見事不見性不見相若菩薩摩訶薩安住
精進波羅蜜多是菩薩摩訶薩能於八解
脫不見名不見事不見性不見相能於八勝
處九次第定十遍處亦不見名不見事不見
性不見相若菩薩摩訶薩安住精進波羅蜜
多是菩薩摩訶薩能於空解脫門不見名不見
事不見性不見相能於無相無願解脫門亦
不見名不見事不見性不見相若菩薩摩訶
薩安住精進波羅蜜多是菩薩摩訶薩能於
五眼不見名不見事不見性不見相能於六
神通亦不見名不見事不見性不見相若菩
薩摩訶薩安住精進波羅蜜多是菩薩摩
訶薩能於佛十力不見名不見事不見性不見
相能於四無所畏四無礙解大慈大悲大喜
大捨十八佛不共法亦不見名不見事不見
性不見相若菩薩摩訶薩安住精進波羅蜜
多是菩薩摩訶薩能於無忘失法不見名不
見事不見性不見相能於恒住捨性亦不見
見事不見性不見相若菩薩摩訶薩安
進波羅蜜多是菩薩摩訶薩能於一切
見名不見事不見性不見相能於道相
不見名不見事不見性不見

BD00785號　大般若波羅蜜多經卷三四九　（14–9）

進波羅蜜多是菩薩摩訶薩能於一切
見名不見事不見性不見相能於道相
相　不見名不見事不見性不見
摩訶薩安住精進波羅蜜多是菩
能於一切陀羅尼門不見名不見
事不見性不見相能於一切三摩地門亦不
見名不見事不見性不見相若菩薩摩訶薩
住精進波羅蜜多是菩薩摩訶薩能於一切
菩薩摩訶薩行不見名不見事不見性不
見相能於諸佛無上正等菩提亦不見名不
見事不見性不見相若菩薩摩訶薩安住精
進波羅蜜多是菩薩摩訶薩能於預流果不
見名不見事不見性不見相能於一來不還
阿羅漢果及獨覺菩提亦不見名不見事不
見性不見相若菩薩摩訶薩安住精進波
羅蜜多是菩薩摩訶薩能於色不見名不見
事不見性不見相能於受想行識亦不見名不
見事不見性不見相若菩薩摩訶薩安住精
進波羅蜜多是菩薩摩訶薩能於眼處不見
名不見事不見性不見相能於耳鼻舌身意
處亦不見名不見事不見性不見相若菩薩
摩訶薩安住精進波羅蜜多是菩薩摩訶薩
能於色處不見名不見事不見性不見相能
於聲香味觸法處亦不見名不見事不見性
不見相若菩薩摩訶薩安住精進波羅蜜多
是菩薩摩訶薩能於眼界不見名不見事不

BD00785 號　大般若波羅蜜多經卷三四九　（14–10）

能於色處不見名不見事不見性不見相能
於聲香味觸法處亦不見名不見事不見性
不見相若菩薩摩訶薩安住精進波羅蜜多
是菩薩摩訶薩能於眼界不見名不見事不
見性不見相能於耳鼻舌身意界亦不見名
不見事不見性不見相若菩薩摩訶薩安住
精進波羅蜜多是菩薩摩訶薩能於色界不
見名不見事不見性不見相能於聲香味觸
法界亦不見名不見事不見性不見相若菩
薩摩訶薩安住精進波羅蜜多是菩薩摩訶
薩能於眼識界不見名不見事不見性不見
相能於耳鼻舌身意識界亦不見名不見事
不見性不見相若菩薩摩訶薩安住精進波
羅蜜多是菩薩摩訶薩能於眼觸不見名不
見事不見性不見相能於耳鼻香身意觸
亦不見名不見事不見性不見相若菩薩摩訶
薩安住精進波羅蜜多是菩薩摩訶薩能於
眼觸為緣所生諸受不見名不見事不見性不
見相能於耳鼻舌身意觸為緣所生諸受亦
不見名不見事不見性不見相若菩薩　摩
訶薩安住精進波羅蜜多是菩薩摩訶薩能
於地界不見名不見事不見性不見相能於
水火風空識界亦不見名不見事不見性不
見相若菩薩摩訶薩安住精進波羅蜜多是
菩薩摩訶薩能於無明不見名不見事不見
性不見相能於行識名色六處觸受愛取有
生老死愁歎苦憂惱亦不見名不見事不見

BD00785 號　大般若波羅蜜多經卷三四九　（14–11）

[illegible]若菩薩摩訶薩安住精進波羅蜜多是
菩薩摩訶薩能於無明不見名不見事不見
性不見相能於行識名色六處觸受愛取有
生老死愁歎苦憂惱亦不見名不見事不見
性不見相若菩薩摩訶薩安住精進波羅蜜
多是菩薩摩訶薩能於有色無色法不見名
不見事不見性不見相能於有見無見法有
對無對法有漏無漏法有為無為法亦不見
名不見事不見性不見相如是菩薩摩訶薩
於一切法若名若事若性若相都無所見於
諸法中不起想念無所執著如說能作復以
如是妙慧善根與諸有情平等共有迴向無
上正等菩提以無所得而為方便如是迴向大
菩提時遠離三心謂誰迴向用何迴向迴向
何處如是三心皆永不起善現是為菩薩
摩訶薩安住精進波羅蜜多引攝般若波羅
蜜多
尒時具壽善現白佛言世尊云何菩薩摩訶
薩安住靜慮波羅蜜多引攝布施波羅蜜多
佛言善現若菩薩摩訶薩安住靜慮波羅蜜
多於諸有情行財法施是菩薩摩訶薩離欲
惡不善法有尋有伺離生喜樂入初靜慮具
足住尋伺寂靜住內等淨心一趣性無尋無
伺定生喜樂入第二靜慮具足住離喜住捨
具念正知領身受樂聖者於中能說能捨具
念樂住入第三靜慮具足住斷樂斷苦先喜
憂沒不苦不樂捨念清淨入第四靜慮具足

BD00785號　大般若波羅蜜多經卷三四九　（14–12）

伺定生喜樂入第二靜慮具足住離喜住捨
具念正知領身受樂聖者於中能說能捨具
念樂住入第三靜慮具足住斷樂斷苦先喜
憂沒不苦不樂捨念清淨入第四靜慮具足
住於諸有情起與樂想作意入慈無量具足
住於諸有情起拔苦想作意入悲無量具足
住於諸有情起慶喜想作意入喜無量具足
住於諸有情起離苦樂平等想作意入捨無
量具足住於諸色中起厭扆想作意入空無
邊處定具足住於諸識中起寂靜想作意入
識無邊處定具足住於無所有中起寂靜想
作意入無所有處定具足住於非有想非無
想中起寂靜想作意入非想非非想處定具
足住於滅想受起心息想作意入滅想受
定具足住是菩薩摩訶薩安住如是所說靜
慮波羅蜜多以無亂心於諸有情行財法施
常自行財法施亦常勸他行財法施常無倒
稱揚行財法施法常歡喜讚歎行財法施者
是菩薩摩訶薩持此善根不求聲聞獨覺等
地但持如是布施善根與諸有情平等共有
迴向無上正等菩提以無所得而為方便如是
迴向大菩提時遠離三心謂誰迴向用何
迴向迴向何處如是三心皆永不起善現是
為菩薩摩訶薩安住靜慮波羅蜜多引攝布
施波羅蜜多具壽善現復白佛言世尊云何
菩薩摩訶薩安住靜慮波羅蜜多引攝淨戒
波羅蜜多佛言善現若菩薩摩訶薩安住靜

BD00785號　大般若波羅蜜多經卷三四九　（14–13）

施波羅蜜多具壽善現復白佛言世尊云何
菩薩摩訶薩安住靜慮波羅蜜多引攝淨戒
波羅蜜多佛言善現若菩薩摩訶薩安住靜
慮波羅蜜多受持淨戒常不發起貪俱行心
瞋俱行心癡俱行心常不發起害俱行心慳
俱行心嫉俱行心常不發起眾毀淨戒俱行
之心但常發起一切智智相應作意復持如
是功德善根不求聲聞獨覺等地與諸有情
平等共有迴向無上正等菩提以無所得而
為方便如是迴向大菩提時遠離三心謂誰
迴向用何迴向迴向何處如是三心皆永不
起善現是為菩薩摩訶薩安住靜慮波羅
蜜多引攝淨戒波羅蜜多

大般若波羅蜜多經卷第三百卌九

BD00785 號　大般若波羅蜜多經卷三四九　（14–14）

世尊若人誦持如是神呪請召我時我聞請
已即至其所令願得遂世尊是灌頂法句定
成就句真實之句无虛誑句是平等行於諸
衆生是正善根若有受持讀誦呪者應七日
七夜受八支戒於晨朝時先嚼齒木淨澡漱
已及於晡後香花供養一切諸佛自陳其罪
當為己身及諸含識迴向發願令所希求速
得成就淨治一室或在空閑阿蘭若處瞿摩
為壇燒栴檀香而為供養置一勝座幡[illegible]莊
嚴以諸名花布列壇內應當至心誦持前呪
希望我至我於尒時即便護念觀察是人來
入其室就座而坐受其供養從是以後當令
彼人於睡夢中得見於我隨所求事以實告
知若聚落空澤及僧住處隨所求者皆令圓
滿金銀財寶牛羊穀麥飲食衣服皆得隨心
受諸快樂既得如是勝妙果報當以上分供
養三寶及施於我廣修法會設諸飲食布列
香花既供養已所有供食貨之取直復為供
養我當終身常住於此擁護是人令无闕乏
隨所希求悉皆稱意亦當時時給濟貧乏不
應慳惜獨為己身常讀是經供養不絕當以
此福普施一切迴向菩提願出生死速得解
脫尒時世尊讚言善哉吉祥天女能如是

BD00786 號　金光明最勝王經卷八　（13–1）

受諸快樂既得如是勝妙果報當以上分供
養三寶及施於我廣修法會設諸飲食布列
香花既供養已所有供食貧之取直復為供
養我當終身常住於此擁護是人令无闕乏
隨所希求悉皆稱意亦當時時給濟貧乏不
應慳惜獨為己身常讀是經供養不絕當以
此福普施一切迴向菩提願出生死速得解
脫尒時世尊讚言善哉吉祥天女汝能如是
流布此經不可思議自他俱益
金光明最勝王經堅牢地神品第十八
尒時堅牢地神即於眾中從座而起合掌恭
敬而白佛言世尊是金光明最勝王經若現
在世若未來世若在城邑聚落王宮樓觀及
阿蘭若山澤空林有此經王流布之處世尊
我當往詣其所供養恭敬擁護流通若有方
處為說法師敷置高座演說經者我以神力
不現本身在於座所頂戴其足我得聞法深
心歡喜得餐法味增益威光慶悅无量自身
既得如是利益亦令大地深十六万八千踰
繕那至金剛輪際令其地味悉皆增益乃至
四海所有土地亦使肥濃田疇沃壤倍勝常日
亦復令此贍部洲中江河池沼所有諸樹藥
草藂林種種花果根莖枝葉及諸苗稼形相
可愛眾所樂觀色香具足皆堪受用若諸有
情受用如是勝飲食已長命色力諸根安隱
增益光耀无諸痛惱心慧勇健无不堪能又

BD00786 號　金光明最勝王經卷八　（13–2）

草藂林種種花果根莖枝葉及諸苗稼形相
可愛眾所樂觀色香具足皆堪受用若諸有
情受用如是勝飲食已長命色力諸根安隱
增益光耀无諸痛惱心慧勇健无不堪能又
此大地凡有所須百千事業悉皆周備世尊以
是因緣諸贍部洲安隱豐樂人民熾盛无
諸衰惱所有眾生皆受安樂既受如是身
心快樂於此經王深加愛敬所在之處皆願受
持供養恭敬尊重讚歎又復於彼說法大師
法座之處悉皆往彼為諸眾生勸請說是最
勝經王何以故世尊由說此經我之自身并
諸眷屬咸蒙利益光耀氣力勇猛威勢顏
容端正倍勝於常世尊我堅牢地神蒙法味
已令贍部洲縱廣七千踰繕那地皆沃壤乃
至如前所有眾生皆受安樂是故世尊時彼
眾生為報我恩應作是念我當必定聽受是
經恭敬供養尊重讚歎作是念已即從住處
城邑聚落舍宅空地詣法會所頂礼法師聽受
是經既聽受已各還本處心生慶喜共作是
言我等今者得聞甚深无上妙法即是攝受
不可思議功德之聚由經力故我等當值无
量无邊百千俱胝那庾多佛承事供養永離
三塗極苦之處復於來世百千生中常生天上
及在人間受諸勝樂時彼諸人各還本
處為諸人眾說是經王若一喻一品一昔因緣
一如來名一菩薩名一四句頌或復一句為

BD00786 號　金光明最勝王經卷八　（13–3）

三塗極苦之處復於未來世百千生中常生天上
及在人間受諸勝樂時彼諸人各還本
處爲諸人衆說是經王若一喻一品一昔因緣
一如來名一菩薩名一四句頌或復一句爲
諸衆生說是經典乃至首題名字世尊隨
諸衆生所住之處其地悉皆沃壤肥濃過於
餘處凡是土地所生之物悉得增長滋茂廣
大令諸衆生受於快樂多饒珎財好行惠施
心常堅固深信三寶作是語已尒時世尊告
堅牢地神曰若有衆生聞是金光明最勝經
王乃至一句命終之後當得往生三十三天及
餘天處若有衆生爲欲供養是經王故莊
嚴宅宇乃至張一傘蓋懸一繒幡由是因緣
六天之上如念受生七寶妙宮隨意受用各
各自然有七千天女共相娛樂日夜常受不
可思議殊勝之樂作是語已尒時堅牢地神
白佛言世尊以是因緣若有四衆昇於法座
說是法時我當晝夜擁護是人自隱其身在
於座所頂戴其足世尊如是經典爲彼衆生
已於百千佛所種善根者於贍部洲流布不
滅是諸衆生聽斯經者於未來世無量百千
俱胝那庾多劫天上人中常受勝樂得遇諸
佛速成阿耨多羅三藐三菩提不歷三塗之
死之苦尒時堅牢地神白佛言世尊我有心
呪能利人天安樂一切若有子男女人及諸四
衆欲得親見我真身者應當至心持此陀羅

死之苦尒時堅牢地神白佛言世尊我有心
呪能利人天安樂一切若有子男女人及諸四
衆欲得親見我真身者應當至心持此陀羅
尼隨其所願皆悉遂心所謂資財珎寶伏
藏及求神通長年妙藥并療衆病降伏怨敵
制諸異論當持淨室安置道場洗浴身已著
鮮潔衣踞草座上於有舍利尊像之前或有
舍利制底之所燒香散花飲食供養於白月
八日布灑星合即可誦此請召之呪
怛姪他 只里只里 主嚕主嚕 句嚕句嚕
拘柱句柱 覩柱覩柱 縛訶上 縛訶
伐捨 伐捨 莎訶
世尊此之神呪若有四衆誦一百八遍請召
於我我爲是人即來赴請又復世尊若有衆
生欲得見我現身共語者亦應如前安置法
式誦此神呪
怛姪他 頞折㗚去 頞力利㗚室尸達哩
訶訶 呬呬 謳嚕 伐灑 莎訶
世尊若人持此呪時應誦一百八遍并誦前呪
我必現身隨其所願悉得成就終不虛然若
欲誦此呪時先誦護身呪曰
怛姪他 你室里 末捨羯擻捺擻矩擻
勃地上 勃地麗 底擻婢擻矩句擻
佉婆上 只里 莎訶
世尊誦此呪時取五色線誦呪二十一遍作
二十一結繫在右髀肘後即便護身無有所

勃地上勃地震　底擻姪擻矩句擻
佉婆上只里　莎訶
世尊誦此呪時取五色線誦呪二十一遍作
二十一結繫在右臂肘後即便護身无有所
懼若有至心誦此呪者所求必遂我不妄語
我以佛法僧寶而為要契證知是實
尒時世尊告地神曰善哉善哉汝能以是實
語神呪護此經王及說法者以是因緣令汝
獲得无量福報
金光明最勝王經僧慎尒耶藥叉大將品第十九
尒時僧慎尒耶藥叉大將并與二十八部藥叉
諸神於大衆中皆從座起偏袒右肩右膝
着地合掌向佛白言世尊此金光明最勝經
王若現在世及未來世所在宣揚流布之處
若於城邑聚落山澤空林或王宮殿或僧住
處世尊我僧慎尒耶藥叉大將并與二十八
部藥叉諸神俱詣其所各自隱形隨處擁護
彼說法師令離衰惱常受安樂及聽法者若
男若女童男童女於此經中乃至受持一四
句頌或持一句或此經王首題名号及此經
中一如來名一菩薩名發心稱念恭敬供養
者我當救護攝受令无災橫離苦得樂世尊
何故我名正了知此之因緣是佛親證我知
諸法我曉一切法隨所有一切法如所有一
法諸法種類體性差別世尊如是諸法我能
了知我有難思智光我有難思智炬我有難

BD00786號　金光明最勝王經卷八　（13–6）

何故我名正了知此之因緣是佛親證我知
諸法我曉一切法隨所有一切法如所有一
法諸法種類體性差別世尊如是諸法我能
了知我有難思智光我有難思智炬我有難
思智行我有難思智聚我於難思智境而能
通達世尊如我於一切法正知正曉正覺能
正觀察世尊以是因緣我藥叉大將名正了
知以是義故我能令彼說法之師言詞辯了
具足莊嚴亦令精氣從毛孔入身力充足威
光勇健難思智光皆得成就得正憶念无有
退屈增益彼身令无衰減諸根安樂常生歡
喜以是因緣為彼有情已於百千佛所種諸
善根修福業者於贍部洲廣宣流布不速隱
沒彼諸有情聞是經已得不可思議大智光
明及以无量福智之聚於未來世當受无量
俱胝那庾多劫不可思量人天勝樂常與諸
佛共相值遇速證无上正等菩提閻羅之界
三塗極苦不復經過
尒時正了知藥叉大將白佛言世尊我有陁
羅尼今對佛前親自陳說為欲饒益憐愍諸
有情故即說呪曰
南謨佛陁引也　南謨達摩也
南謨僧伽引也　南謨跋羅甜火含摩也
南謨因達羅也　南謨折咄喃
莫曷羅闍喃　怛姪他呬里呬里
弭里弭里瞿里　莫訶瞿里建陁里
莫訶達陁里　達羅阿離

BD00786號　金光明最勝王經卷八　（13–7）

南謨曰達羅也　南謨折咄喃
莫曷羅闍喃　怛姪他呬里呬里
弭里弭里瞿里　莫訶瞿里健陁里
莫訶健陁里　達羅弭雉
莫訶達羅弭雉　單荼典勸毗聞蕭去
訶訶訶訶訶　呬呬呬呬呬
呼呼呼呼呼呼　漢魯曇謎瞿曇謎
者者者者　呂呂呂呂　主主主主
旃荼攞之涉鉢攞　尸揭羅上尸揭羅
嗢底瑟侘呬　薄伽梵僧慎尒耶
莎訶
若復有人於此明呪能受持者我當給與資
生樂具飲食衣服花果珎異或求男女童男
童女金銀珎寶諸瓔珞具我皆供給隨所願
求令无闕乏此之明呪有大威力若誦呪時
我當速至其所令无障礙隨意成就若持此
呪時應知其法先畫一鋪僧慎尒耶藥叉形
像高四五尺手執鉾鑞於此像前作四方壇
安四滿瓶蜜水或沙糖水塗香秣香燒香及
諸花鬘又於壇前作地火爐中安炭火以蘇
摩芥子燒於爐中口誦前呪一百八遍一遍一
燒乃至我藥叉大將自來現身問呪人曰尒
何所須意所求者即以事荅我即隨言於
所求事皆令滿足或須金銀及諸伏藏或欲
神仙乘空而去或求天眼通或知他心事於一
切有情隨意自在令斷煩惱速得解脫皆
得成就

神仙乘空而去或求天眼通或知他心事於一
切有情隨意自在令斷煩惱速得解脫皆
得成就
尒時世尊告正了知藥叉大將曰善哉善哉
汝能如是利益一切衆生說此神呪擁護正
法福利无邊

金光明最勝王經王法正論品第廿

尒時此大地神女名曰堅牢於大衆中從座
而起頂礼佛足合掌恭敬白佛言世尊於諸
國中為人王者若无正法不能治國安養衆
生及以自身長居勝位唯願世尊慈悲哀愍
當為我說王法正論治國之要令諸人王得
聞法已如說修行正化於世能令勝位永保
安寧國內居人咸蒙利益
尒時世尊於大衆中告堅牢地神曰汝當諦
聽過去有王名力尊幢其王有子名曰妙幢
受灌頂位未久之頃尒時父王告妙幢言有
王法正論名天主教法我於昔時受灌頂位
而為國主我之父王名智力尊幢為我說是
王法正論我依此論於二万歲善治國土我
不曾憶起一念心行於非法汝於今日亦應
如是勿以非法而治於國云何名為王法正論
汝今善聽當為汝說尒時力尊幢王即為其
子以妙伽他說正論曰

我說王法論　利安諸有情　為斷世間疑　滅除衆過失
一切諸天衆　及以人中王　當生歡喜心　合掌聽我說

汝今善聽當爲汝說 尒時力尊幢王即爲其
子以妙伽他說正論曰
我說王法論 利安諸有情 爲斷世間疑 滅除衆過失
一切諸天衆 及以人中王 當生歡喜心 合掌聽我說
往昔諸天衆 集在金剛山 四王從座起 請問於大梵
梵王最勝尊 天中大自在 願哀愍我等 爲斷諸疑惑
云何處人世 而得名爲天 復以何因緣 號名曰天子
云何生人間 獨得爲人主 云何在天上 復得作天王
如是護世間 問彼梵王已 尒時梵天王 即便爲彼說
護世汝當知 爲利有情故 問我治國法 我說應善聽
由先善業力 生天得作王 若在於人中 統領爲人主
諸天共加護 然後入母胎 既至母胎中 諸天復守護
雖生在人世 尊勝故名天 由諸天護持 亦得名天子
三十三天主 分力助人王 及一切諸天 亦資自在力
除滅諸非法 惡業令不生 教有情修善 使得生天上
人及蘇羅衆 并健闥婆等 羅刹旃荼羅 悉皆資半力
父母資半力 令捨惡修善 諸天共護持 示其善惡報
若造善惡業 令於現世中 諸天共護持 示其善惡報
國人造惡業 王捨不禁制 斯非順正理 治擯當如法
若見惡不遮 非法便滋長 遂令王國内 姧詐日增多
王見國中人 造惡不遮止 三十三天衆 咸生忿怒心
因此損國政 諂偽行世間 被他怨敵侵 破壞其國土
居家及資具 積財皆散失 種種諂誑生 更互相侵奪
由正法得王 而不行其法 國土皆破散 如象蹋蓮池
惡風起無恒 暴雨非時下 妖星多變怪 日月蝕無光
五穀衆花果 菓實皆不成 國土遭飢饉 由王捨正法

由正法得王 而不行其法 國土皆破散 如象蹋蓮池
惡風起無恒 暴雨非時下 妖星多變怪 日月蝕無光
五穀衆花果 菓實皆不成 國土遭飢饉 由王捨正法
若王捨正法 以惡法化生 諸天處本宮 見已生憂惱
彼諸天王衆 共作如是言 此王作非法 惡黨相親附
王位不久安 諸天皆忿恨 由彼懷忿故 其國當敗亡
以非法教人 流行於國内 鬪諍多姧偽 疾疫衆生苦
天主不護念 餘天咸捨棄 國土當滅亡 王身受苦厄
父母及妻子 兄弟并姉妹 俱遭愛別離 乃至身亡沒
變怪流星墮 二日俱時出 他方怨賊來 國人遭喪亂
國所重大臣 枉横而身死 所愛象馬等 亦復皆散失
處處有兵戈 人多非法死 惡鬼來入國 疾疫遍流行
國中最大臣 及以諸輔相 其心懷諂佞 並悉行非法
見行非法者 而生於愛敬 於行善法人 苦楚而治罰
由愛敬惡人 治罰善人故 星宿及風雨 皆不以時行
有三種過生 正法當隱沒 衆生無光色 地肥皆下沉
由敬惡輕善 復有三種過 非時降霜雹 飢疫苦流行
穀稼諸果實 滋味皆損減 於其國土中 衆生多疾疫
國中諸樹林 先生甘美果 由斯皆損減 苦澁無滋味
先有妙園林 可愛遊戲處 忽然皆枯悴 見者生憂惱
稻麦諸果實 美味漸消亡 食時心不喜 何能長諸大
衆生光色減 勢力盡衰微 食噉雖復多 不能令飽足
於其國界中 所有衆生類 少力無勇勢 所作不堪能
國人多疾患 衆苦逼其身 鬼魅遍流行 隨處生羅刹
若王作非法 親近於惡人 令三種世間 因斯受衰損
如是無邊過 出在於國中 皆由見惡人 棄捨不治擯
由諸天加護 得作於國王 而不以正法 守護於國界

於其國界中 所有眾生類 少力無勇勢 所作不堪能
國人多疾患 眾苦逼其身 鬼魅遍流行 隨處生羅剎
若王作非法 親近於惡人 令三種世間 因斯受衰損
如是無量過 出在於國中 皆由見惡人 棄捨不治擯
由諸天加護 得作於國王 而不以正法 守護於國界
若人修善行 當得生天上 若造惡業者 死必墮三塗
若王見國人 縱其造過失 三十三天眾 咸生熱惱心
不順諸天教 及以父母言 此是非法人 非王非孝子
若於自國中 見行非法者 如法當治罰 不應生捨棄
是故諸天眾 皆護持此王 以滅諸惡法 能修善根故
王於此世中 必招於現報 由於善惡業 行捨勸眾生
為示善惡報 故得作人王 諸天共護持 一切咸隨喜
由自利利他 治國以正法 見有諂佞者 應當如法治
假使失王位 及以害命緣 終不行惡法 見惡而捨棄
害中極重者 無過失國位 皆因諂佞人 為此當治罰
若有諂誑人 當失於國位 由斯損王政 如象入花園
天主皆瞋恨 阿蘇羅亦然 以彼為人王 不以法治國
是故應如法 治罰於惡人 以善化眾生 不順於非法
寧捨於身命 不隨非法友 於親及非親 平等觀一切
若為正法王 國內無偏黨 法王有名稱 普聞三界中
三十三天眾 歡喜作是言 贍部洲法王 彼即是我子
以善化眾生 正法治於國 勸行於正法 當令生我宮
天及諸天子 及以蘇羅眾 因王正法化 常得心歡喜
天眾皆歡喜 共護於人王 眾星依位行 日月無乖度
和風常應節 甘雨順時行 苗實皆善成 人無飢饉者
一切諸天眾 充滿於自宮 是故汝人王 忘身弘正法
應尊重法寶 由斯眾安樂 常當親正法 功德自莊嚴

BD00786 號　金光明最勝王經卷八　（13–12）

和風常應節 甘雨順時行 ……
一切諸天眾 充滿於自宮 是故汝人王 忘身弘正法
應尊重法寶 由斯眾安樂 常當親正法 功德自莊嚴
眷屬常歡喜 能遠離諸惡 以法化眾生 恒令得安樂
令彼一切人 修行於十善 率土常豐樂 國土得安寧
王以法化人 善調於惡行 常得好名稱 安樂諸眾生
爾時大地一切人王及諸大眾聞佛說此古昔
人王治國要法得未曾有皆大歡喜信受奉
持
金光明經卷第八
襯 陟履　柱 誅主

BD00786 號　金光明最勝王經卷八　（13–13）

耶婆
難陁孫
菩提阿難
漢等
復有學無學二千人摩訶波闍波提比丘尼
與眷屬六千人俱羅睺羅母耶輸陁羅比丘
尼亦與眷屬俱菩薩摩訶薩八萬人皆於阿
耨多羅三藐三菩提不退轉皆得陁羅尼樂
說辯才轉不退轉法輪供養無量百千諸佛
於諸佛所殖衆德本常為諸佛之所稱歎以
慈脩身善入佛慧通達大智到於彼岸名稱
普聞無量世界能度無數百千衆生
其名曰文殊師利菩薩觀世音菩薩得大勢
菩薩常精進菩薩不休息菩薩寶掌菩薩藥
王菩薩勇施菩薩寶月菩薩月光菩薩滿月
菩薩大力菩薩無量力菩薩越三界菩薩颰
陁婆羅菩薩弥勒菩薩寶積菩薩導師菩薩
如是等菩薩摩訶薩八萬人俱
尒時釋提桓因與其眷屬二萬天子俱復有
名月天子普香天子寶光天子四大天王與

BD00787號　妙法蓮華經卷一　（25–1）

王菩薩勇施菩薩寶月菩薩月光菩薩滿月
菩薩大力菩薩無量力菩薩越三界菩薩颰
陁婆羅菩薩弥勒菩薩寶積菩薩導師菩薩
如是等菩薩摩訶薩八萬人俱
尒時釋提桓因與其眷屬二萬天子俱復有
名月天子普香天子寶光天子四大天王與
其眷屬萬天子俱自在天子大自在天子與
其眷屬三萬天子俱娑婆世界主梵天王尸
棄大梵光明大梵等與其眷屬萬二千天子
俱有八龍王難陁龍王跋難陁龍王娑伽羅
龍王和脩吉龍王德叉迦龍王阿耶婆達多
龍王摩耶斯龍王漚鉢羅龍王等各與若干
百千眷屬俱有四緊耶羅王法緊耶羅王妙
法緊耶羅王大法緊耶羅王持法緊耶羅王
各與若干百千眷屬俱有四乾闥婆王樂乾
闥婆王樂音乾闥婆王美乾闥婆王美音乾
闥婆王各與若干百千眷屬俱有四阿脩羅
王婆稚阿脩羅王佉羅騫大阿脩羅王毗摩
質多羅阿脩羅王羅睺阿脩羅王各與若干
百千眷屬俱有四迦樓羅王大威德迦樓羅
王大身迦樓羅王大滿迦樓羅王如意迦樓
羅王各與若干百千眷屬俱韋提希子阿闍
世王與若干百千眷屬俱各礼佛足退坐一
面尒時世尊四衆圍繞供養恭敬尊重讚歎
為諸菩薩說大乘經名無量義教菩薩法佛

BD00787號　妙法蓮華經卷一　（25–2）

羅王各與若干百千眷屬俱韋提希子阿闍
世王與若干百千眷屬俱各礼佛足退坐一
面尒時世尊四衆圍繞供養恭敬尊重讚嘆
為諸菩薩說大乘經名無量義教菩薩法佛
所護念佛說此經已結跏趺坐入於無量義
處三昧身心不動是時天雨曼陁羅華摩訶
曼陁羅華曼殊沙華摩訶曼殊沙華而散佛
上及諸大衆普佛世界六種震動尒時會中
比丘比丘尼優婆塞優婆夷天龍夜叉乾闥
婆阿脩羅迦樓羅緊那羅摩睺羅伽人非人
及諸小王轉輪聖王等是諸大衆得未曾有
歡喜合掌一心觀佛尒時佛放眉間白豪相
照東方萬八千世界靡不周遍下至阿鼻地
獄上至阿迦尼吒天於此世界盡見彼土六
趣衆生又見彼土現在諸佛及聞諸佛所說
經法并見彼諸比丘比丘尼優婆塞優婆夷
諸脩行得道者復見諸菩薩摩訶薩種種因
緣種種信解種種相貌行菩薩道復見諸佛
般涅槃者復見諸佛般涅槃後以佛舍利起
七寶塔
尒時弥勒菩薩作是念今者世尊現神變相
以何因緣而有此瑞今佛世尊入於三昧是
不可思議現希有事當以問誰誰能荅者復
作是念此文殊師利法王之子已曾親近供
養過去無量諸佛必應見此希有之相我今

BD00787號　妙法蓮華經卷一　（25–3）

以何因緣而有此瑞今佛世尊入於三昧是
不可思議現希有事當以問誰誰能荅者復
作是念此文殊師利法王之子已曾親近供
養過去無量諸佛必應見此希有之相我今
當問尒時比丘比丘尼優婆塞優婆夷及諸
天龍鬼神等咸作此念是佛光明神通之相
今當問誰尒時弥勒菩薩欲自決疑又觀四
衆比丘比丘尼優婆塞優婆夷及諸天龍鬼
神等衆會之心而問文殊師利言以何因緣
而有此瑞神通之相放大光明照于東方萬
八千土悉見彼佛國界莊嚴於是弥勒菩薩
欲重宣此義以偈問曰
文殊師利　導師何故　眉間白豪　大光普照
雨曼陁羅　曼殊沙華　栴檀香風　悅可衆心
以是因緣　地皆嚴淨　而此世界　六種震動
時四部衆　咸皆歡喜　身意快然　得未曾有
眉間光明　照于東方　萬八千土　皆如金色
從阿鼻獄　上至有頂　諸世界中　六道衆生
生死所趣　善惡業緣　受報好醜　於此悉見
又覩諸佛　聖主師子　演說經典　微妙第一
其聲清淨　出柔軟音　教諸菩薩　無數億萬
梵音深妙　令人樂聞　各於世界　講說正法
種種因緣　以無量喻　照明佛法　開悟衆生
若人遭苦　厭老病死　為說涅槃　盡諸苦際
若人有福　曾供養佛　志求勝法　為說緣覺

BD00787號　妙法蓮華經卷一　（25–4）

種種因緣　以無量喻　照明佛法　開悟衆生
若人遭苦　厭老病死　爲說涅槃　盡諸苦際
若人有福　曾供養佛　志求勝法　爲說緣覺
若有佛子　脩種種行　求無上慧　爲說淨道
文殊師利　我住於此　見聞若斯　及千億事
如是衆多　今當略說
我見彼土　恒沙菩薩　種種因緣　而求佛道
或有行施　金銀珊瑚　真珠摩尼　車𤦲馬瑙
金剛諸珎　奴婢車乘　寶飾輦輿　歡喜布施
迴向佛道　願得是乘　三界第一　諸佛所歎
或有菩薩　駟馬寶車　欄楯華蓋　軒飾布施
復見菩薩　身肉手足　及妻子施　求無上道
又見菩薩　頭目身體　欣樂施與　求佛智慧
文殊師利　我見諸王　往詣佛所　問無上道
便捨樂土　宮殿臣妾　剃除鬚髮　而被法服
或見菩薩　而作比丘　獨處閑靜　樂誦經典
又見菩薩　勇猛精進　入於深山　思惟佛道
又見離欲　常處空閑　深脩禪定　得五神通
又見菩薩　安禪合掌　以千萬偈　讚諸法王
復見菩薩　智深志固　能問諸佛　聞悉受持
又見佛子　定慧具足　以無量喻　爲衆講法
欣樂說法　化諸菩薩　破魔兵衆　而擊法鼓
又見菩薩　寂然宴嘿　天龍恭敬　不以爲喜
又見菩薩　處林放光　濟地獄苦　令入佛道
又見佛子　未曾睡眠　經行林中　懃求佛道

BD00787號　妙法蓮華經卷一　（25–5）

又見菩薩　寂然宴嘿　天龍恭敬　不以爲喜
又見菩薩　處林放光　濟地獄苦　令入佛道
又見佛子　未曾睡眠　經行林中　懃求佛道
又見具戒　威儀無缺　淨如寶珠　以求佛道
又見佛子　住忍辱力　增上慢人　惡罵捶打
皆悉能忍　以求佛道
又見菩薩　離諸戲咲　及癡眷屬　親近智者
一心除亂　攝念山林　億千萬歲　以求佛道
或見菩薩　餚饍飲食　百種湯藥　施佛及僧
名衣上服　價直千萬　或無價衣　施佛及僧
千萬億種　栴檀寶舍　衆妙卧具　施佛及僧
清淨園林　華菓茂盛　流泉浴池　施佛及僧
如是等施　種種微妙　歡喜無厭　求無上道
或有菩薩　說寂滅法　種種教詔　無數衆生
或見菩薩　觀諸法性　無有二相　猶如虛空
又見佛子　心無所著　以此妙慧　求無上道
文殊師利　又有菩薩　佛滅度後　供養舍利
又見佛子　造諸塔廟　無數恒沙　嚴飾國界
寶塔高妙　五千由旬　縱廣正等　二千由旬
一一塔廟　各千幢幡　珠交露幔　寶鈴和鳴
諸天龍神　人及非人　香華伎樂　常以供養
文殊師利　諸佛子等　爲供舍利　嚴飾塔廟
國界自然　殊特妙好　如天樹王　其華開敷
佛放一光　我及衆會　見此國界　種種殊妙
諸佛神力　智慧希有　放一淨光　照無量國

BD00787號　妙法蓮華經卷一　（25–6）

國界自然　殊特妙好　如天樹王　其華開敷
佛放一光　我及衆會　見此國界　種種殊妙
諸佛神力　智慧希有　放一淨光　照無量國
我等見此　得未曾有　佛子文殊　願決衆疑
四衆欣仰　瞻仁及我　世尊何故　放斯光明
佛子時荅　決疑令喜　何所饒益　演斯光明
佛坐道場　所得妙法　為欲說此　為當授記
示諸佛土　衆寶嚴飾　及見諸佛　此非小緣
文殊當知　四衆龍神　瞻察仁者　為說何等
是時文殊師利語弥勒菩薩摩訶薩及諸大
士善男子等如我惟忖今佛世尊欲說大法
雨大法雨吹大法蠡擊大法皷演大法義諸
善男子我於過去諸佛曾見此瑞放斯光已
即說大法是故當知今佛現光亦復如是欲
令衆生咸得聞知一切世間難信之法故現
斯瑞諸善男子如過去無量無邊不可思議
阿僧祇劫尒時有佛号日月燈明如来應供
正遍知明行足善逝世間解無上士調御丈
夫天人師佛世尊演說正法初善中善後善
其義深遠其語巧妙純一無雜具足清白梵
行之相為求聲聞者說應四諦法度生老病
死究竟涅槃為求辟支佛者說應十二因緣
法為諸菩薩說應六波羅蜜令得阿耨多羅
三藐三菩提成一切種智
次復有佛亦名日月燈明次復有佛亦名日

死究竟涅槃為求辟支佛者說應十二因緣
法為諸菩薩說應六波羅蜜令得阿耨多羅
三藐三菩提成一切種智
次復有佛亦名日月燈明次復有佛亦名日
月燈明如是二萬佛皆同一字号日月燈明
又同一姓姓頗羅墮弥勒當知初佛後佛皆
同一字名日月燈明十号具足所可說法初
中後善其冣後佛未出家時有八子一名有
意二名善意三名無量意四名寶意五名增
意六名除疑意七名嚮意八名法意是八王
子威德自在各領四天下是諸王子聞父出
家得阿耨多羅三藐三菩提悉捨王位亦隨
出家發大乘意常脩梵行皆為法師已於千
萬佛所殖諸善本是時日月燈明佛說大乘
經名無量義教菩薩法佛所護念說是經已
即於大衆中結跏趺坐入於無量義處三昧
身心不動是時天雨曼陁羅華摩訶曼陁羅
華曼殊沙華摩訶曼殊沙華而散佛上及諸
大衆普佛世界六種震動尒時會中比丘比
丘尼優婆塞優婆夷天龍夜叉乾闥婆阿脩
羅迦樓羅緊那羅摩睺羅伽人非人及諸
小王轉輪聖王等是諸大衆得未曾有歡喜
合掌一心觀佛
尒時如来放眉間白豪相光照東方萬八千
佛土靡不周遍如今所見是諸佛土弥勒當

合掌一心觀佛
尒時如来放眉間白豪相光照東方萬八千
佛土靡不周遍如今所見是諸佛土弥勒當
知尒時會中有二十億菩薩樂欲聽法是諸
菩薩見此光明普照佛土得未曾有欲知此
光所為因緣時有菩薩名曰妙光有八百弟
子是時日月燈明佛從三昧起因妙光菩薩
說大乘經名妙法蓮華教菩薩法佛所護念
六十小劫不起于坐時會聽者亦坐一處六
十小劫身心不動聽佛所說謂如食頃是時
衆中無有一人若身若心而生懈惓日月燈
明佛於六十小劫說是經已即於梵魔沙門
婆羅門及天人阿脩羅衆中而宣此言如来
於今日中夜當入無餘涅槃時有菩薩名曰
德藏日月燈明佛即授其記告諸比丘是德
藏菩薩次當作佛号曰淨身多陁阿伽度阿
羅訶三藐三佛陁佛授記已便於中夜入無
餘涅槃佛滅度後妙光菩薩持妙法蓮華經
滿八十小劫為人演說日月燈明佛八子皆
師妙光妙光教化令其堅固阿耨多羅三藐
三菩提是諸王子供養無量百千萬億佛已
皆成佛道其最後成佛者名曰燃燈八百弟
子中有一人号曰求名貪著利養雖復讀誦
衆經而不通利多所忘失故号求名是人亦
以種諸善根因緣故得值無量百千萬億諸

子中有一人号曰求名貪著利養雖復讀誦
衆經而不通利多所忘失故号求名是人亦
以種諸善根因緣故得值無量百千萬億諸
佛供養恭敬尊重讚歎弥勒當知尒時妙光
菩薩豈異人乎我身是也求名菩薩汝身是
也今見此瑞與本無異是故惟忖今日如来
當說大乘經名妙法蓮華教菩薩法佛所護
念尒時文殊師利於大衆中欲重宣此義而
說偈言
我念過去世　無量無數劫　有佛人中尊　号日月燈明
世尊演說法　度無量衆生　無數億菩薩　令入佛智慧
佛未出家時　所生八王子　見大聖出家　亦隨脩梵行
時佛說大乘　經名無量義　於諸大衆中　而為廣分別
佛說此經已　即於法座上　跏趺坐三昧　名無量義處
天雨曼陁華　天鼓自然鳴　諸天龍鬼神　供養人中尊
一切諸佛土　即時大震動　佛放眉間光　現諸希有事
此光照東方　萬八千佛土　示一切衆生　生死業報處
有見諸佛土　以衆寶莊嚴　瑠璃頗梨色　斯由佛光照
及見諸天人　龍神夜叉衆　乾闥緊那羅　各供養其佛
又見諸如来　自然成佛道　身色如金山　端嚴甚微妙
如淨瑠璃中　內現真金像　世尊在大衆　敷演深法義
一一諸佛土　聲聞衆無數　因佛光所照　悉見彼大衆
或有諸比丘　在於山林中　精進持淨戒　猶如護明珠
又見諸菩薩　行施忍辱等　其數如恒沙　斯由佛光照
又見諸菩薩　深入諸禪定　身心寂不動　以求無上道

一一諸佛土　聲聞衆無數　因佛光所照　悉見彼大衆
或有諸比丘　在於山林中　精進持淨戒　猶如護明珠
又見諸菩薩　行施忍辱等　其數如恒沙　斯由佛光照
又見諸菩薩　深入諸禪定　身心寂不動　以求無上道
又見諸菩薩　知法寂滅相　各於其國土　說法求佛道
尒時四部衆　見日月燈明　現大神通力　其心皆歡喜
各各自相問　是事何因緣
天人所奉尊　適從三昧起　讚妙光菩薩　汝為世間眼
一切所歸信　能奉持法藏　如我所說法　唯汝能證知
世尊既讚歎　令妙光歡喜　說是法華經　滿六十小劫
不起於此座　所說上妙法　是妙光法師　悉皆能受持
佛說是法華　令衆歡喜已　尋即於是日　告於天人衆
諸法實相義　已為汝等說　我今於中夜　當入於涅槃
汝一心精進　當離於放逸　諸佛甚難值　億劫時一遇
世尊諸子等　聞佛入涅槃　各各懷悲惱　佛滅一何速
聖主法之王　安慰無量衆　我若滅度時　汝等勿憂怖
是德藏菩薩　於無漏實相　心已得通達　其次當作佛
号曰為淨身　亦度無量衆
佛此夜滅度　如薪盡火滅　分布諸舍利　而起無量塔
比丘比丘尼　其數如恒沙　倍復加精進　以求無上道
是妙光法師　奉持佛法藏　八十小劫中　廣宣法華經
是諸八王子　妙光所開化　堅固無上道　當見無數佛
供養諸佛已　隨順行大道　相繼得成佛　轉次而授記
最後天中天　号曰燃燈佛　諸仙之導師　度脫無量衆
是妙光法師　時有一弟子　心常懷懈怠　貪著於名利

是諸八王子　妙光所開化　堅固無上道　當見無數佛
供養諸佛已　隨順行大道　相繼得成佛　轉次而授記
最後天中天　号曰燃燈佛　諸仙之導師　度脫無量衆
是妙光法師　時有一弟子　心常懷懈怠　貪著於名利
求名利無厭　多遊族姓家　棄捨所習誦　廢忘不通利
以是因緣故　号之為求名　亦行衆善業　得見無數佛
供養於諸佛　隨順行大道　具六波羅蜜　今見釋師子
其後當作佛　号名曰弥勒　廣度諸衆生　其數無有量
彼佛滅度後　懈怠者汝是　妙光法師者　今則我身是
我見燈明佛　本光瑞如此　以是知今佛　欲說法華經
今相如本瑞　是諸佛方便　今佛放光明　助發實相義
諸人今當知　合掌一心待　佛當雨法雨　充足求道者
諸求三乘人　若有疑悔者　佛當為除斷　令盡無有餘

妙法蓮華經方便品第二

尒時世尊從三昧安詳而起告舍利弗諸佛
智慧甚深無量其智慧門難解入一切聲聞
辟支佛所不能知所以者何佛曾親近百千
萬億無數諸佛盡行諸佛無量道法勇猛精
進名稱普聞成就甚深未曾有法隨宜所說
意趣難解舍利弗吾從成佛已來種種因緣
種種譬喻廣演言教無數方便引導衆生令
離諸著所以者何如來方便知見波羅蜜皆
已具足舍利弗如來知見廣大深遠無量無
㝵力無所畏禪定解脫三昧深入無際成就
一切未曾有法舍利弗如來能種種分別巧

已具足舍利弗如來知見廣大深遠無量無
导力無所畏禪定解脫三昧深入無際成就
一切未曾有法舍利弗如來能種種分別巧
說諸法言辭柔軟悅可衆心舍利弗取要言
之無量無邊未曾有法佛悉成就止舍利弗
不須復說所以者何佛所成就第一希有難
解之法唯佛與佛乃能究盡諸法實相所謂
諸法如是相如是性如是體如是力如是作
如是因如是緣如是果如是報如是本末究
竟等尒時世尊欲重宣此義而說偈言
世雄不可量　諸天及世人　一切衆生類　無能知佛者
佛力無所畏　解脫諸三昧　及佛諸餘法　無能測量者
本從無數佛　具足行諸道　甚深微妙法　難見難可了
於無量億劫　行此諸道已　道場得成果　我已悉知見
如是大果報　種種性相義　我及十方佛　乃能知是事
是法不可示　言辭相寂滅　諸餘衆生類　無有能解者
除諸菩薩衆　信力堅固者　諸佛弟子衆　曾供養諸佛
一切漏已盡　住是最後身　如是諸人等　其力所不堪
假使滿世間　皆如舍利弗　盡思共度量　無能測佛智
政使滿十方　皆如舍利弗　及餘諸弟子　亦滿十方刹
盡思共度量　亦復不能知　辟支佛利智　無漏最後身
亦滿十方界　其數如竹林　斯等共一心　於億無量劫
欲思佛實智　莫能知少分　新發意菩薩　供養無數佛
了達諸義趣　又能善說法　如稻麻竹葦　充滿十方刹
一心以妙智　於恒河沙劫　咸皆共思量　不能知佛智

BD00787 號　妙法蓮華經卷一　(25–13)

欲思佛實智　莫能知少分　新發意菩薩　供養無數佛
了達諸義趣　又能善說法　如稻麻竹葦　充滿十方刹
一心以妙智　於恒河沙劫　咸皆共思量　不能知佛智
不退諸菩薩　其數如恒沙　一心共思求　亦復不能知
又告舍利弗　無漏不思議　甚深微妙法　我今已具得
唯我知是相　十方佛亦然　舍利弗當知　諸佛語無異
於佛所說法　當生大信力　世尊法久後　要當說真實
告諸聲聞衆　及求緣覺乘　我令脫苦縛　逮得涅槃者
佛以方便力　示以三乘教　衆生處處著　引之令得出
尒時大衆中有諸聲聞漏盡阿羅漢阿若憍
陳如等千二百人及發聲聞辟支佛心比丘
比丘尼優婆塞優婆夷各作是念今者世尊
何故慇懃稱歎方便而作是言佛所得法甚
深難解有所言說意趣難知一切聲聞辟支
佛所不能及佛說一解脫義我等亦得此法
到於涅槃而今不知是義所趣尒時舍利弗
知四衆心疑自亦未了而白佛言世尊何因
何緣慇懃稱歎諸佛第一方便甚深微妙難
解之法我自昔來未曾從佛聞如是說今者
四衆咸皆有疑唯願世尊敷演斯事世尊何
故慇懃稱歎甚深微妙難解之法尒時舍利
弗欲重宣此義而說偈言
慧日大聖尊　久乃說是法　自說得如是　力無畏三昧
禪定解脫等　不可思議法　道場所得法　無能發問者
我意難可測　亦無能問者　無問而自說　稱歎所行道

BD00787 號　妙法蓮華經卷一　(25–14)

弗欲重宣此義而說偈言
慧日大聖尊　久乃說是法　自說得如是　力無畏三昧
禪定解脫等　不可思議法　道場所得法　無能發問者
我意難可測　亦無能問者　無問而自說　稱嘆所行道
智慧甚微妙　諸佛之所得　無漏諸羅漢　及求涅槃者
今皆墮疑網　佛何故說此　其求緣覺者　比丘比丘尼
諸天龍鬼神　及乾闥婆等　相視懷猶豫　瞻仰兩足尊
是事為云何　願佛為解說　於諸聲聞眾　佛說我第一
我今自於智　疑惑不能了　為是究竟法　為是所行道
佛口所生子　合掌瞻仰待　願出微妙音　時為如實說
諸天龍神等　其數如恒沙　求佛諸菩薩　大數有八萬
又諸萬億國　轉輪聖王至　合掌以敬心　欲聞具足道
尒時佛告舍利弗止止不須復說若說是事
一切世間諸天及人皆當驚疑舍利弗重白
佛言世尊唯願說之唯願說之所以者何是
會無數百千萬億阿僧祇眾生曾見諸佛諸
根猛利智慧明了聞佛所說則能敬信尒時
舍利弗欲重宣此義而說偈言
法王無上尊　唯說願勿慮　是會無量眾　有能敬信者
佛復止舍利弗若說是事一切世間天人阿
脩羅皆當驚疑增上慢比丘將墜於大坑尒
時世尊重說偈言
止止不須說　我法妙難思　諸增上慢者　聞必不敬信
尒時舍利弗重白佛言世尊唯願說之唯願
說之今此會中如我等比百千萬億世世已

BD00787號　妙法蓮華經卷一　（25–15）

止止不須說　我法妙難思　諸增上慢者　聞必不敬信
尒時舍利弗重白佛言世尊唯願說之唯願
說之今此會中如我等比百千萬億世世已
曾從佛受化如此人等必能敬信長夜安隱
多所饒益尒時舍利弗欲重宣此義而說偈
言
無上兩足尊　願說第一法　我為佛長子　唯垂分別說
是會無量眾　能敬信此法　佛已曾世世　教化如是等
皆一心合掌　欲聽受佛語　我等千二百　及餘求佛者
願為此眾故　唯垂分別說　是等聞此法　則生大歡喜
尒時世尊告舍利弗汝已慇懃三請豈得不
說汝今諦聽善思念之吾當為汝分別解說
此語時會中有比丘比丘尼優婆塞優婆夷
五千人等即從座起禮佛而退所以者何此
輩罪根深重及增上慢未得謂得未證謂證
有如此失是以不住世尊默然而不制止尒
時佛告舍利弗我今此眾無復枝葉純有貞
實舍利弗如是增上慢人退亦佳矣汝今善
聽當為汝說舍利弗言唯然世尊願樂欲聞
佛告舍利弗如是妙法諸佛如來時乃說之
如優曇鉢華時一現耳舍利弗汝等當信佛
之所說言不虛妄舍利弗諸佛隨宜說法意
趣難解所以者何我以無數方便種種因緣
譬喻言辭演說諸法是法非思量分別之所
能解唯有諸佛乃能知之所以者何諸佛世

BD00787號　妙法蓮華經卷一　（25–16）

之所說言不虛妄舍利弗諸佛隨宜說法意
趣難解所以者何我以無數方便種種因緣
譬喻言辭演說諸法是法非思量分別之所
能解唯有諸佛乃能知之所以者何諸佛世
尊唯以一大事因緣故出現於世舍利弗云
何名諸佛世尊唯以一大事因緣故出於世
諸佛世尊欲令眾生開佛知見使得清淨故
出現於世欲示眾生佛之知見故出現於世
欲令眾生悟佛知見故出現於世欲令眾生
入佛知見道故出現於世舍利弗是為諸佛
以一大事因緣故出現於世
佛告舍利弗諸佛如來但教化菩薩諸有所
作常為一事唯以佛之知見示悟眾生舍利
弗如來但以一佛乘故為眾生說法無有餘
乘若二若三舍利弗一切十方諸佛法亦如
是舍利弗過去諸佛以無量無數方便種種
因緣譬喻言辭而為眾生演說諸法是法皆
為一佛乘故是諸眾生從諸佛聞法究竟皆
得一切種智舍利弗未來諸佛當出於世亦
以無量無數方便種種因緣譬喻言辭而為
眾生演說諸法是法皆為一佛乘故是諸眾
生從佛聞法究竟皆得一切種智舍利弗現
在十方無量百千萬億佛土中諸佛世尊多
所饒益安樂眾生是諸佛亦以無量無數方
便種種因緣譬喻言辭而為眾生演說諸法

BD00787號　妙法蓮華經卷一　（25–17）

生從佛聞法究竟皆得一切種智舍利弗現
在十方無量百千萬億佛土中諸佛世尊多
所饒益安樂眾生是諸佛亦以無量無數方
便種種因緣譬喻言辭而為眾生演說諸法
是法皆為一佛乘故是諸眾生從佛聞法究
竟皆得一切種智舍利弗是諸佛但教化菩
薩欲以佛之知見示眾生故欲以佛之知見
悟眾生故欲令眾生入佛知見故舍利弗我
今亦復如是知諸眾生有種種欲深心所著
隨其本性以種種因緣譬喻言辭方便力而
為說法舍利弗如此皆為得一佛乘一切種
智故舍利弗十方世界中尚無二乘何況有
三
舍利弗諸佛出於五濁惡世所謂劫濁煩惱
濁眾生濁見濁命濁如是舍利弗劫濁亂時
眾生垢重慳貪嫉妬成就諸不善根故諸佛
以方便力於一佛乘分別說三舍利弗若我
弟子自謂阿羅漢辟支佛者不聞不知諸
佛如來但教化菩薩事此非佛弟子非阿羅
漢非辟支佛又舍利弗是諸比丘比丘尼自
謂已得阿羅漢是最後身究竟涅槃便不復
志求阿耨多羅三藐三菩提當知此輩皆是
增上慢人所以者何若有比丘實得阿羅漢
若不信此法無有是處除佛滅度後現前無
佛所以者何佛滅度後如是等經受持讀誦
[illegible]

BD00787號　妙法蓮華經卷一　（25–18）

上慢人所以者何若有比丘實得阿羅漢
若不信此法無有是處除佛滅度後現前無
佛所以者何佛滅度後如是等經受持讀誦
解義者是人難得若遇餘佛於此法中便得
決了舍利弗汝等當一心信解受持佛語諸
佛如來言無虛妄無有餘乘唯一佛乘尒時
世尊欲重宣此義而說偈言
比丘比丘尼　有懷增上慢　優婆塞我慢　優婆夷不信
如是四衆等　其數有五千　不自見其過　於戒有缺漏
護惜其瑕疵　是小智已出　衆中之糟糠　佛威德故去
斯人尠福德　不堪受是法　此衆無枝葉　唯有諸貞實
舍利弗善聽　諸佛所得法　無量方便力　而為衆生說
衆生心所念　種種所行道　若干諸欲性　先世善惡業
佛悉知是已　以諸緣譬喻　言辭方便力　令一切歡喜
或說脩多羅　伽陀及本事　本生未曾有　亦說於因緣
譬喻并祇夜　優波提舍經　鈍根樂小法　貪著於生死
於諸無量佛　不行深妙道　衆苦所惱亂　為是說涅槃
我設是方便　令得入佛慧　未曾說汝等　當得成佛道
所以未曾說　說時未至故　今正是其時　決定說大乘
我此九部法　隨順衆生說　入大乘為本　以故說是經
有佛子心淨　柔軟亦利根　無量諸佛所　而行深妙道
為此諸佛子　說此大乘經
我記如是人　來世成佛道　以深心念佛　脩持淨戒故
此等聞得佛　大喜充遍身　佛知彼心行　故為說大乘
聲聞若菩薩　聞我所說法　乃至於一偈　皆成佛無疑
十方佛土中　唯有一乘法　無二亦無三　除佛方便說

我記如是人　來世成佛道　以深心念佛　脩持淨戒故
此等聞得佛　大喜充遍身　佛知彼心行　故為說大乘
聲聞若菩薩　聞我所說法　乃至於一偈　皆成佛無疑
十方佛土中　唯有一乘法　無二亦無三　除佛方便說
但以假名字　引導於衆生　說佛智慧故　諸佛出於世
唯此一事實　餘二則非真　終不以小乘　濟度於衆生
佛自住大乘　如其所得法　定慧力莊嚴　以此度衆生
自證無上道　大乘平等法　若以小乘化　乃至於一人
我則墮慳貪　此事為不可　若人信歸佛　如來不欺誑
亦無貪嫉意　斷諸法中惡　故佛於十方　而獨無所畏
我以相嚴身　光明照世間　無量衆所尊　為說實相印
舍利弗當知　我本立誓願　欲令一切衆　如我等無異
如我昔所願　今者已滿足　化一切衆生　皆令入佛道
若我遇衆生　盡教以佛道　無智者錯亂　迷惑不受教
我知此衆生　未曾脩善本　堅著於五欲　癡愛故生惱
以諸欲因緣　墜墮三惡道　輪迴六趣中　備受諸苦毒
受胎之微形　世世常增長　薄德少福人　衆苦所逼迫
入邪見稠林　若有若無等　依止此諸見　具足六十二
深著虛妄法　堅受不可捨　我慢自矜高　諂曲心不實
於千萬億劫　不聞佛名字　亦不聞正法　如是人難度
是故舍利弗　我為設方便　說諸盡苦道　示之以涅槃
我雖說涅槃　是亦非真滅　諸法從本來　常自寂滅相
佛子行道已　來世得作佛
我有方便力　開示三乘法　一切諸世尊　皆說一乘道
今此諸大衆　皆應除疑惑　諸佛語無異　唯一無二乘

佛子行道已 来世得作佛
我有方便力 開示三乘法 一切諸世尊 皆說一乘道
今此諸大衆 皆應除疑惑 諸佛語無異 唯一無二乘
過去無數劫 無量滅度佛 百千萬億種 其數不可量
如是諸世尊 種種緣譬喻 無數方便力 演說諸法相
是諸世尊等 皆說一乘法 化無量衆生 令入於佛道
又諸大聖主 知一切世間 天人羣生類 深心之所欲
更以異方便 助顯第一義 若有衆生類 值諸過去佛
若聞法布施 或持戒忍辱 精進禪智等 種種脩福德
如是諸人等 皆已成佛道諸佛滅度已　若人善軟心
如是諸人等 皆已成佛道 諸佛滅度已 供養舍利者
起萬億種塔 金銀及頗梨 車𤦲與馬瑙 玫瑰瑠璃珠
清淨廣嚴飾 莊挍於諸塔 或有起石廟 栴檀及沉水
木蜜并餘材 塼瓦泥土等 若於曠野中 積土成佛廟
乃至童子戲 聚沙為佛塔 如是諸人等 皆已成佛道
若人為佛故 建立諸形像 刻雕成衆相 皆已成佛道
或以七寶成 鍮石赤白銅 白鑞及鈆錫 鐵木及與泥
或以膠漆布 嚴飾作佛像 如是諸人等 皆已成佛道
綵畫作佛像 百福莊嚴相 自作若使人 皆已成佛道
乃至童子戲 若草木及筆 或以指爪甲 而畫作佛像
如是諸人等 漸漸積功德 具足大悲心 皆已成佛道
但化諸菩薩 度脫无量衆
若人於塔廟 寶像及畫像 以香華幡蓋 敬心而供養
若使人作樂 擊鼓吹角貝 簫笛琴箜篌 琵琶鐃銅䥫

BD00787號　妙法蓮華經卷一　（25–21）

但化諸菩薩 度脫无量衆
若人於塔廟 寶像及畫像 以香華幡蓋 敬心而供養
若使人作樂 擊鼓吹角貝 簫笛琴箜篌 琵琶鐃銅䥫
如是衆妙音 盡持以供養
或以歡喜心 歌唄頌佛德 乃至一小音 皆已成佛道
若人散亂心 乃至以一華 供養於畫像 漸見無數佛
或有人礼拜 或復但合掌 乃至舉一手 或復小低頭
以此供養像 漸見無量佛 自成無上道 廣度無數衆
入無餘涅槃 如薪盡火滅
若人散亂心 入於塔廟中 一稱南无佛 皆已成佛道
於諸過去佛 現在或滅後 若有聞是法 皆已成佛道
未来諸世尊 其數無有量 是諸如来等 亦方便說法
若有聞法者 無一不成佛
諸佛本誓願 我所行佛道 普欲令衆生 亦同得此道
未来世諸佛 雖說百千億 無數諸法門 其實為一乘
諸佛兩足尊 知法常無性 佛種從緣起 是故說一乘
是法住法位 世間相常住 於道場知已 導師方便說
天人所供養 現在十方佛 其數如恒沙 出現於世間
安隱衆生故 亦說如是法
知第一寂滅 以方便力故 雖示種種道 其實為佛乘
知衆生諸行 深心之所念 過去所集業 欲性精進力
及諸根利鈍 以種種因緣 譬喻亦言辞 隨應方便說
今我亦如是 安隱衆生故 以種種法門 宣示於佛道
我以智慧力 知衆生性欲 方便說諸法 皆令得歡喜
舍利弗當知 我以佛眼觀 見六道衆生 貧窮無福慧

BD00787號　妙法蓮華經卷一　（25–22）

今我亦如是　安隱衆生故　以種種法門　宣示於佛道
我以智慧力　知衆生性欲　方便說諸法　皆令得歡喜
舍利弗當知　我以佛眼觀　見六道衆生　貧窮無福慧
入生死嶮道　相續苦不斷　深著於五欲　如犛牛愛尾
以貪愛自蔽　盲瞑無所見　不求大勢佛　及與斷苦法
深入諸邪見　以苦欲捨苦　為是衆生故　而起大悲心
我始坐道場　觀樹亦經行　於三七日中　思惟如是事
我所得智慧　微妙最第一　衆生諸根鈍　著樂癡所盲
如斯之等類　云何而可度
尒時諸梵王　及諸天帝釋　護世四天王　及大自在天
并餘諸天衆　眷屬百千萬　恭敬合掌禮　請我轉法輪
我即自思惟　若但讚佛乘　衆生沒在苦　不能信是法
破法不信故　墜於三惡道　我寧不說法　疾入於涅槃
尋念過去佛　所行方便力　我今所得道　亦應說三乘
作是思惟時　十方佛皆現　梵音慰喻我　善哉釋迦文
第一之導師　得是無上法　隨諸一切佛　而用方便力
我等亦皆得　最妙第一法　為諸衆生類　分別說三乘
少智樂小法　不自信作佛　是故以方便　分別說諸果
雖復說三乘　但為教菩薩
舍利弗當知　我聞聖師子　深淨微妙音　稱南無諸佛
復作如是念　我出濁惡世　如諸佛所說　我亦隨順行
思惟是事已　即趣波羅㮈　諸法寂滅相　不可以言宣
以方便力故　為五比丘說　是名轉法輪　便有涅槃音
及以阿羅漢　法僧差別名　從久遠劫來　讚示涅槃法
生死苦永盡　我常如是說

BD00787號　妙法蓮華經卷一　（25–23）

思惟是事已　即趣波羅㮈　諸法寂滅相　不可以言宣
以方便力故　為五比丘說　是名轉法輪　便有涅槃音
及以阿羅漢　法僧差別名　從久遠劫來　讚示涅槃法
生死苦永盡　我常如是說
舍利弗當知　我見佛子等　志求佛道者　無量千萬億
咸以恭敬心　皆來至佛所　曾從諸佛聞　方便所說法
我即作是念　如來所以出　為說佛慧故　今正是其時
舍利弗當知　鈍根小智人　著相憍慢者　不能信是法
今我喜無畏　於諸菩薩中　正直捨方便　但說無上道
菩薩聞是法　疑網皆已除　千二百羅漢　悉亦當作佛
如三世諸佛　說法之儀式　我今亦如是　說無分別法
諸佛興出世　懸遠值遇難　正使出于世　說是法復難
無量無數劫　聞是法亦難　能聽是法者　斯人亦復難
譬如優曇華　一切皆愛樂　天人所希有　時時乃一出
聞法歡喜讚　乃至發一言　則為已供養　一切三世佛
是人甚希有　過於優曇華
汝等勿有疑　我為諸法王　普告諸大衆　但以一乘道
教化諸菩薩　無聲聞弟子
汝等舍利弗　聲聞及菩薩　當知是妙法　諸佛之秘要
以五濁惡世　但樂著諸欲　如是等衆生　終不求佛道
當來世惡人　聞佛說一乘　迷惑不信受　破法墮惡道
有慚愧清淨　志求佛道者　當為如是等　廣讚一乘道
舍利弗當知　諸佛法如是　以萬億方便　隨宜而說法
其不習學者　不能曉了此
汝等既已知　諸佛世之師　隨宜方便事　無復諸疑惑

BD00787號　妙法蓮華經卷一　（25–24）

是人甚希有　過於優曇華
汝等勿有疑　我為諸法王　普告諸大衆　但以一乘道
教化諸菩薩　無聲聞弟子
汝等舍利弗　聲聞及菩薩　當知是妙法　諸佛之秘要
以五濁惡世　但樂著諸欲　如是等衆生　終不求佛道
當來世惡人　聞佛說一乘　迷惑不信受　破法墮惡道
有慚愧清淨　志求佛道者　當為如是等　廣讚一乘道
舍利弗當知　諸佛法如是　以萬億方便　隨宜而說法
其不習學者　不能曉了此
汝等既已知　諸佛世之師　隨宜方便事　無復諸疑惑
心生大歡喜　自知當作佛

妙法蓮華經卷第一

BD00787號　妙法蓮華經卷一　　（25–25）

說脩行所得功德不自覺知所以者何唯有如來知此衆生種相
體性念何事思何事脩何事云何念云何思云何脩以何法念
以何法思以何法脩以何法得何法衆生住於種種之地唯有如
來如實見之明了无礙如彼卉木叢林諸藥草等而不自知上中
下性如來知是一相一味之法所謂解脫相離相滅相究竟涅槃常
寂滅相終歸於空佛知是已觀衆生心欲而將護之是故不即為說
一切種智汝等迦葉甚為希有能知如來隨宜說法能信能受所以
者何諸佛世尊隨宜說法難解難知尒時世尊欲重宣此義而
說偈言
破有法王　出現世間　隨衆生欲　種種說法　如來尊重　智慧深遠　久默斯要
不務速說　有智若聞　則能信解　无智疑悔　則為永失　是故迦葉　隨力為說
以種種緣　令得正見　迦葉當知　譬如大雲　起於世間　遍覆一切　慧雲含潤
電光晃曜　雷聲遠震　令衆悅豫　日光掩蔽　地上清涼　靉靆垂布　如可承攬
其雨普等　四方俱下　流澍无量　率土充洽　山川險谷　幽邃所生　卉木藥草
大小諸樹　百穀苗稼　甘蔗蒲萄　雨之所潤　無不豐足　乾地普洽　藥木並茂
其雲所出　一味之水　草木叢林　隨分受潤　一切諸樹　上中下等　稱其大小
各得生長　根莖枝葉　華菓光色　一雨所及　皆得鮮澤　如其體相　性分大小
所潤是一　而各滋茂　佛亦如是　出現於世　譬如大雲　普覆一切　既出于世
為諸衆生　分別演說　諸法之實　大聖世尊　於諸天人　一切衆中　而宣是言
我為如來　兩足之尊　出于世間　猶如大雲　充潤一切　枯槁衆生　皆令離苦
得安隱樂　世間之樂　及涅槃樂　諸天人衆　一心善聽　皆應到此　覲无上尊
我為世尊　无能及者　安隱衆生　故現於世　為大衆說　甘露淨法　其法一味
解脫涅槃　以一妙音　演暢斯義　常為大乘　而作因緣　我觀一切　普皆平等
无有彼此　愛憎之心　我无貪著　亦无限礙　恒為一切　平等說法　如為一人
衆多亦然　常演說法　曾无他事　去來坐立　終不疲猒　充足世間　如雨普潤
貴賤上下　持戒毀戒　威儀具足　及不具足　正見邪見　利根鈍根　等雨法雨

BD00788號　妙法蓮華經卷三　　（13–1）

我為世尊　无能及者　安隱衆生　故現於世　為大衆說　甘露淨法　其法一味
解脫涅槃　以一妙音　演暢斯義　常為大乘　而作因緣　我觀一切　普皆平等
无有彼此　愛憎之心　我无貪著　亦无限礙　恒為一切　平等說法　如為一人
衆多亦然　常演說法　曾无他事　去來坐立　終不疲猒　充足世間　如雨普潤
貴賤上下　持戒毀戒　威儀具足　及不具足　正見邪見　利根鈍根　等雨法雨
而无懈惓　一切衆生　聞我法者　隨力所受　住於諸地　或處人天　轉輪聖王
釋梵諸王　是小藥草　知無漏法　能得涅槃　起六神通　及得三明　獨處山林
常行禪定　得緣覺證　是中藥草　求世尊處　我當作佛　行精進定　是上藥草
又諸佛子　專心佛道　常行慈悲　自知作佛　決定無疑　是名小樹　安住神通
轉不退輪　度無量億　百千衆生　如是菩薩　名為大樹　佛平等說　如一味雨
隨衆生性　所受不同　如彼草木　所稟各異　佛以此喻　方便開示　種種言辭
演說一法　於佛智慧　如海一渧　我雨法雨　充滿世間　一味之法　隨力脩行
如彼叢林　藥草諸樹　隨其大小　漸增茂好　諸佛之法　常以一味　令諸世間
普得具足　漸次脩行　皆得道果　聲聞緣覺　處於山林　住最後身　聞法得果
是名藥草　各得增長　若諸菩薩　智慧堅固　了達三界　求最上乘　是名小樹
而得增長　復有住禪　得神通力　聞諸法空　心大歡喜　放无數光　度諸衆生
是名大樹　而得增長　如是迦葉　佛所說法　譬如大雲　以一味雨　潤於人華
各得成實　迦葉當知　以諸因緣　種種譬喻　開示佛道　是我方便　諸佛亦然
今為汝等　說最實事　諸聲聞衆　皆非滅道　汝等所行　是菩薩道　漸漸脩學
悉當成佛

妙法蓮華經授記品第六

尒時世尊說是偈已告諸大衆唱如是言我此弟子摩訶迦葉於未
來世當得奉覲三百萬億諸佛世尊供養恭敬尊重讚歎廣宣諸
佛無量大法於最後身得成為佛名曰光明如來應供正遍知明行足
善逝世間解無上士調御丈夫天人師佛世尊國名光德劫名大莊嚴
佛壽十二小劫正法住世二十小劫像法亦住二十小劫國界嚴飾
無諸穢惡凡礫荊棘便利不淨其土平正無有高下坑坎堆阜
瑠璃為地寶樹行列黃金為繩以界道側散諸寶華周遍清
淨其國菩薩无量千億諸聲聞衆亦復无數无有魔事雖
有魔及魔民皆護佛法尒時世尊欲重宣此義而說偈言
告諸比丘　我以佛眼　見是迦葉　於未來世　過无數劫　當得作佛　而於來來
供養奉覲　三百萬億　諸佛世尊　為佛智慧　淨脩梵行　供養最上　二足尊已
脩習一切　無上之慧　於最後身　得成為佛　其土清淨　瑠璃為地　多諸寶樹

BD00788號　妙法蓮華經卷三

（13-2）

有魔及魔民皆護佛法尒時世尊欲重宣此義而說偈言
告諸比丘　我以佛眼　見是迦葉　於未來世　過无數劫　當得作佛　而於來來
供養奉覲　三百萬億　諸佛世尊　為佛智慧　淨脩梵行　供養最上　二足尊已
脩習一切　無上之慧　於最後身　得成為佛　其土清淨　瑠璃為地　多諸寶樹
行列道側　金繩界道　見者歡喜　常出好香　散衆名花　種種奇妙　以為莊嚴
其地平正　無有丘坑　諸菩薩衆　不可稱計　其心調柔　逮大神通　奉持諸佛
大乘經典　諸聲聞衆　无漏後身　法王之子　亦不可計　乃以天眼　不能數知
其佛當壽　十二小劫　十二住世　二十小劫　像法亦住　二十小劫　光明世尊
其事如是
尒時大目揵連須菩提摩訶迦旃延等皆悉
悚慄一心合掌瞻仰尊顏目不蹔捨即共同聲而說偈言
大雄猛世尊　諸釋之法王　哀愍我等故　而賜佛音聲　若知我深心　見為授記者
如以甘露灑　除熱得清涼　如從飢國來　忽遇大王饍　心猶懷疑懼　未敢即便食
若復得王教　然後乃敢食　我等亦如是　每惟小乘過　不知當云何　得佛无上慧
雖聞佛音聲　言我等作佛　心尚懷憂懼　如未敢便食　若蒙佛授記　尒乃快安樂
大雄猛世尊　常欲安世間　願賜我等記　如飢須教食
尒時世尊知諸大弟子心之所念告諸比丘是須菩提於當來世
奉覲三百萬億那由他佛供養恭敬尊重讚歎常脩梵行具菩
薩道於最後身得成為佛號曰名相如來應供正遍知明行足善
逝世間解無上士調御丈夫天人師佛世尊劫名有寶國名寶生
其土平正頗梨為地寶樹莊嚴无諸丘坑沙礫荊棘便利之穢
寶華覆地周遍清淨其土人民皆處寶臺珍妙樓閣聲聞弟
子無量無邊算數譬喻所不能知諸菩薩衆无數千萬億那由
他佛壽十二劫正法住世二十小劫像法亦尒住二十小劫其佛常處虛
空為衆說法度脫无量菩薩及聲聞衆尒時世尊欲重宣此義
而說偈言
諸比丘衆　今告汝等　皆當一心　聽我所說　我大弟子　須菩提者　當得作佛
號曰名相　當供无數　萬億諸佛　隨佛所行　漸具大道　最後身得　三十二相
端正姝妙　猶如寶山　其佛國土　嚴淨第一　衆生見者　无不愛樂　佛於其中
度无量衆　其佛法中　多諸菩薩　皆悉利根　轉不退輪　彼國常以　菩薩莊嚴
諸聲聞衆　不可稱數　皆得三明　具六神通　住八解脫　有大威德　其佛說法
現於无量　神通變化　不可思議　諸天人民　數如恒沙　皆共合掌　聽受佛語

BD00788號　妙法蓮華經卷三

（13-3）

端正姝妙 猶如寶山 其佛國土嚴淨第一 衆生見者无不愛樂 佛於其中
度无量衆 其佛法中 多諸菩薩 皆悉利根 轉不退輪 彼國常以 菩薩莊嚴
諸聲聞衆 不可稱數 皆得三明 具六神通 住八解脫 有大威德 其佛說法
現於无量 神通變化 不可思議 諸天人民 數如恒沙 皆共合掌 聽受佛語
其佛當壽 十二小劫 正法住世 二十小劫 像法亦住 二十小劫
尒時世尊復告諸比丘衆 我今語汝 是大迦旃延於當來世 以諸供具
供養奉事八千億佛 恭敬尊重 諸佛滅後 各起塔廟 高千由旬 縱廣正
等五百由旬 以金銀琉璃車𤦲馬瑙真珠玫瑰七寶合成 衆華瓔珞塗
香末香燒香繒蓋幢幡 供養塔廟 過是已後 當復供養二萬億佛
亦復如是 供養是諸佛已 具菩薩道 當得作佛 号曰閻浮那提金光
如來應供正遍知明行足善逝世間解無上士調御丈夫天人師佛世
尊 其土平正 頗梨為地 寶樹莊嚴 黃金為繩 以界道側 妙華覆地
周遍清淨 見者歡喜 无四惡道 地獄餓鬼畜生阿脩羅道 多有天人
諸聲聞衆及諸菩薩 无量萬億 莊嚴其國 佛壽十二小劫 正法住
世二十小劫 像法亦住二十小劫 尒時世尊欲重宣此義而說偈言
諸比丘衆 皆一心聽 如我所說 真實无異 是迦旃延 當以種種 妙好供具
供養諸佛 諸佛滅後 起七寶塔 亦以花香 供養舍利 其最後身 得佛智慧
成等正覺 國土清淨 度脫無量 萬億衆生 皆為十方 之所供養 佛之光明
無能勝者 其佛号曰 閻浮金光 菩薩聲聞 斷一切有 無量無邊 莊嚴其國
尒時世尊復告大衆 我今語汝 是大目揵連 當以種種供具 供養八
千諸佛 恭敬尊重 諸佛滅後 各起塔廟 高千由旬 縱廣正等五百由
旬 以金銀琉璃車𤦲馬瑙真珠玫瑰七寶合成 衆華瓔珞塗香末香
燒香繒蓋幢幡 以用供養 過是已後 當復供養二百萬億諸佛
亦復如是 當得成佛 号曰多摩羅跋栴檀香如來應供正遍知明
行足善逝世間解無上士調御丈夫天人師佛世尊 劫名喜滿 國名
意樂 其土平正 頗梨為地 寶樹莊嚴 散真珠華 周遍清淨 見
者歡喜 多諸天人菩薩聲聞 其數無量 佛壽二十四小劫 正法
住世四十小劫 像法亦住四十小劫 尒時世尊欲重宣此義而說偈言
我此弟子 大目揵連 捨是身已 得見八千 二百万億 諸佛世尊 為佛道故
供養恭敬 於諸佛所 常脩梵行 於无量劫 奉持佛法 諸佛滅後 起七寶塔
長表金剎 華香伎樂 而以供養 諸佛塔廟 漸漸具足 菩薩道已 於意樂國
而得作佛 号多摩羅 栴檀之香 其佛壽命 二十四劫 常為天人 演說佛道

我此弟子 大目揵連 捨是身已 得見八千 二百万億 諸佛世尊 為佛道故
供養恭敬 於諸佛所 常脩梵行 於无量劫 奉持佛法 諸佛滅後 起七寶塔
長表金剎 華香伎樂 而以供養 諸佛塔廟 漸漸具足 菩薩道已 於意樂國
而得作佛 号多摩羅 栴檀之香 其佛壽命 二十四劫 常為天人 演說佛道
聲聞无量 如恒河沙 三明六通 有大威德 菩薩无數 志固精進 於佛智慧
皆不退轉 佛滅度後 正法當住 四十小劫 像法亦尒 我諸弟子 威德具足
其數五百 皆當授記 於未來世 咸得成佛 我及汝等 宿世因緣 吾今當說
汝等善聽

妙法蓮華經化城喻品第七

佛告諸比丘 乃往過去无量无邊不可思議阿僧祇劫 尒時有佛名
大通智勝如來應供正遍知明行足善逝世間解无上士調御丈夫
天人師佛世尊 其國名好成 劫名大相 諸比丘 彼佛滅度已來甚大
久遠 譬如三千大千世界所有地種 假使有人磨以為墨 過於東方
千國土乃下一點 如是展轉盡地種墨 於汝等意云何 是諸國土
若筭師若筭師弟子能得邊際知其數不 不也 世尊 諸比丘 是人
所經國土 若點不點 盡末為塵 一塵一劫 彼佛滅度已來 復過
是數无量无邊百千萬億阿僧祇劫 我以如來知見力故 觀彼
久遠猶若今日 尒時世尊欲重宣此義而說偈言
我念過去世 无量无邊劫 有佛兩足尊 名大通智勝 如人以力磨 三千大千土
盡此諸地種 皆悉以為墨 過於千國土 乃下一塵點 如是展轉點 盡此諸塵墨
如是諸國土 點與不點等 復盡末為塵 一塵為一劫 此諸微塵數 其劫復過是
彼佛滅度來 如是无量劫 如來无礙智 知彼佛滅度 及聲聞菩薩 如見今滅度
諸比丘當知 佛智淨微妙 無漏無礙智 通達无量劫
佛告諸比丘 大通智勝佛壽五百四十萬億那由他劫 其佛本坐道場
破魔軍已 垂得阿耨多羅三藐三菩提 而諸佛法不現在前 如是
一小劫乃至十小劫 結加趺坐 身心不動 而諸佛法猶不在前 尒時
忉利諸天先為彼佛於菩提樹下敷師子座 高一由旬 佛於此座當
得阿耨多羅三藐三菩提 適坐此座 時諸梵天王雨衆天華 面
百由旬 香風時來 吹去萎華 更雨新者 如是不絕 滿十小劫 供養於
佛 乃至滅度 常雨此華 四天諸王為供養佛 常擊天鼓 其餘諸天
作天伎樂 滿十小劫 至于滅度 亦復如是 諸比丘 大通智勝佛過十
小劫 諸佛之法乃現在前 成阿耨多羅三藐三菩提 其佛未出
家時有十六子 其第一者名曰智積 諸子各有種種

百由旬香風時來吹去萎華更雨新者如是不絶滿十小劫供養於
佛乃至滅度常雨此華四天諸王爲供養佛常擊天鼓其餘諸天
作天伎樂滿十小劫至于滅度亦復如是諸比丘大通智勝佛過十
小劫諸佛之法乃現在前成阿耨多羅三藐三菩提其佛未出
家時有十六子其第一者名曰智積諸子各有種種珍異玩好
之具聞父得成阿耨多羅三藐三菩提皆捨所珍往詣佛所諸
母涕泣而隨送之其祖轉輪聖王與一百大臣及餘百千萬億人民
皆共圍繞隨至道場咸欲親近大通智勝如來供養恭敬尊重讚
歎到已頭面禮足繞佛畢已一心合掌瞻仰世尊以偈頌曰
大威德世尊　爲度衆生故　於無量億歲　尒乃得成佛　諸願已具足　善哉吉無上
世尊甚希有　一坐十小劫　身體及手足　靜然安不動　其心常憺怕　未曾有散亂
究竟永寂滅　安住無漏法　今者見世尊　安隱成佛道　我等得善利　稱慶大歡喜
衆生常苦惱　盲暝無導師　不識苦盡道　不知求解脫　長夜增惡趣　減損諸天衆
從暝入於暝　永不聞佛名　今佛得最上　安隱無漏道　我等及天人　爲得最大利
是故咸稽首　歸命無上尊　　尒時十六王子偈讚佛已勸請
世尊轉於法輪咸作是言世尊說法多所安隱憐愍饒益諸天人
民重說偈言　　世雄無等倫　百福自莊嚴　得無上智慧　願爲世間說
度脫於我等　及諸衆生類　爲分別顯示　令得是智慧　若我等得佛　衆生亦復然
世尊知衆生　深心之所念　亦知所行道　又知智慧力　欲樂及脩福　宿命所行業
世尊悉知已　當轉無上輪　　佛告諸比丘大通智勝佛得阿耨
多羅三藐三菩提時十方各五百萬億諸佛世界六種震動其國
中間幽暝之處日月威光所不能照而皆大明其中衆生各得相見咸作
是言此中云何忽生衆生又其國界諸天宮殿乃至梵宮六種震動
大光普照遍滿世界勝諸天光尒時東方五百萬億諸國土中梵天
宮殿光明照曜倍於常明諸梵天王各作是念今者宮殿光明昔所
未有以何因緣而現此相是時諸梵天王即各相詣共議此事時彼
衆中有一大梵天王名救一切爲諸梵衆而說偈言
我等諸宮殿　光明昔未有　此是何因緣　宜各共求之　爲大德天生　爲佛出世間
而此大光明　遍照於十方　　尒時五百万億國土諸梵天王與
宮殿俱各以衣裓盛諸天華共詣西方推尋是相見大通智勝如來處
于道場菩提樹下坐師子座諸天龍王乾闥婆緊那羅摩睺羅伽
人非人等恭敬圍繞及見十六王子請佛轉法輪即時諸梵天王

BD00788號　妙法蓮華經卷三

（13–6）

尒時五百万億國土諸梵天王與
而此大光明　遍照於十方
宮殿俱各以衣裓盛諸天華共詣西方推尋是相見大通智勝如來處
于道場菩提樹下坐師子座諸天龍王乾闥婆緊那羅摩睺羅伽
人非人等恭敬圍繞及見十六王子請佛轉法輪即時諸梵天王
頭面禮佛繞百千帀即以天華而散佛上其所散華如須彌山并以
供養佛菩提樹其菩提樹高十由旬華供養已各以宮殿奉上彼佛
而作是言唯見哀愍饒益我等所獻宮殿願垂納處時諸梵天王即
於佛前一心同聲以偈頌曰
世尊甚希有　難可得值遇　具無量功德　能救護一切　天人之大師　哀愍於世間
十方諸衆生　普皆蒙饒益　我等所從來　五百萬億國　捨深禪定樂　爲供養佛故
我等先世福　宮殿甚嚴飾　今以奉世尊　唯願哀納受
尒時諸梵天王偈讚佛已各作是言唯願世尊轉於法輪度脫衆
生開涅槃道時諸梵天王一心同聲而說偈言　　世雄兩足尊
唯願演說法　以大慈悲力　度苦惱衆生　　尒時大通智勝如來默
然許之又諸比丘東南方五百萬億國土諸大梵王各自見宮殿
光明照曜昔所未有歡喜踊躍生希有心即各相詣共議此
事時彼衆中有一大梵天王名曰大悲爲諸梵衆而說偈言
是事何因緣　而現如此相　我等諸宮殿　光明昔未有　爲大德天生　爲佛出世間
未曾見此相　當共一心求　過千萬億土　尋光共推之　多是佛出世　度脫苦衆生
尒時五百萬億諸梵天王與宮殿俱各以衣裓盛諸天華共詣西北
方推尋是相見大通智勝如來處于道場菩提樹下坐師子座
諸天龍王乾闥婆緊那羅摩睺羅伽人非人等恭敬圍繞及見
十六王子請佛轉法輪時諸梵天王頭面禮佛繞百千帀即以天
華而散佛上所散之華如須彌山并以供養佛菩提樹華供養
已各以宮殿奉上彼佛而作是言唯見哀愍饒益我等所獻宮
殿願垂納受尒時諸梵天王即於佛前一心同聲以偈頌曰
聖主天中王　迦陵頻伽聲　哀愍衆生者　我等今敬禮　世尊甚希有　久遠乃一現
一百八十劫　空過無有佛　三惡道充滿　諸天衆減少　今佛出於世　爲衆生作眼
世間所歸趣　救護於一切　爲衆生之父　哀愍饒益者　我等宿福慶　今得值世尊
尒時諸梵天王偈讚佛已各作是言唯願世尊哀愍一切轉於法輪
度脫衆生時諸梵天王一心同聲而說偈言
大聖轉法輪　顯示諸法相　度苦惱衆生　令得大歡喜　衆生聞此法　得道若生天　諸惡道減少

BD00788號　妙法蓮華經卷三

（13–7）

一百八十劫　空過无有佛　三惡道充滿　諸天眾減少　今佛出於世　為眾生作眼
世間所歸趣　救護於一切　為眾生之父　哀愍饒益者　我等宿福慶　今得值世尊
尒時諸梵天王偈讚佛已各作是言唯願世尊哀愍一切轉於法輪
度脫眾生時諸梵天王一心同聲而說偈言
大聖轉法輪　顯示諸法相　度苦惱眾生　令得大歡喜　眾生聞此法　得道若生天　諸惡道減少
忍善者增益
尒時大通智勝如来黙然許之又諸比丘南方五
百萬億國土諸大梵王各自見宮殿光明照曜昔所未有歡喜踊躍
生希有心即各相詣共議此事以何因緣我等宮殿有此光曜而彼
眾中有一大梵天王名曰妙法為諸梵眾而說偈言
我等諸宮殿　光明甚威曜　此非無因緣　是相宜求之　過於百千劫　未曾見是相
為大德天生　為佛出世間
尒時五百万億諸梵天王與宮殿
俱各以衣裓盛諸天華共詣北方推尋是相見大通智勝如来處
于道場菩提樹下坐師子座諸天龍王乾闥婆緊那羅摩睺羅伽
人非人等恭敬圍繞見十六王子請佛轉法輪時諸梵天王頭面礼佛
繞百千帀即以天華而散佛上所散之華如須弥山并以供養佛菩
提樹華供養已各以宮殿奉上彼佛而作是言唯見哀愍饒益我等
所獻宮殿願垂納受尒時諸梵天王即於佛前一心同聲以偈頌曰
世尊甚難見　破諸煩惱者　過百三十劫　今乃得一見　諸飢渴眾生　以法雨充滿
昔所未曾覩　無量智慧者　如優曇鉢羅　今日乃值遇　我等諸宮殿　蒙光故嚴飾
世尊大慈悲　唯願垂納受
尒時諸梵天王偈讚佛已各作是
言唯願世尊轉於法輪令一切世間諸天魔梵沙門婆羅門皆獲
安隱而得度脫時諸梵天王一心同聲以偈頌曰
唯願天人尊　轉無上法輪　擊于大法鼓　而吹大法螺　普雨大法雨　度無量眾生
我等咸歸請　當演深遠音
尒時大通智勝如来黙然許之西南
方乃至下方亦復如是尒時上方五百萬億國土諸大梵王皆悉自覩
所止宮殿光明威曜昔所未有歡喜踊躍生希有心即各相詣共議此
事以何因緣我等宮殿有斯光明時彼眾中有一大梵天王名曰尸棄為
諸梵眾而說偈言
今以何因緣　我等諸宮殿　威德光明曜　嚴飾未曾有
如是之妙相　昔所未聞見　為大德天生　為佛出世間
尒時五百萬億諸梵天王與宮殿俱各以衣裓盛諸天華共詣下方推尋
是相見大通智勝如来處于道場菩提樹下坐師子座諸天龍王乾闥婆
緊那羅摩睺羅伽人非人等恭敬圍繞及見十六王子請佛轉法輪時

BD00788 號　妙法蓮華經卷三　（13–8）

如是之妙相　昔所未聞見　為大德天生　為佛出世間
尒時五百萬億諸梵天王與宮殿俱各以衣裓盛諸天華共詣下方推尋
是相見大通智勝如来處于道場菩提樹下坐師子座諸天龍王乾闥婆
緊那羅摩睺羅伽人非人等恭敬圍繞及見十六王子請佛轉法輪時
諸梵天王頭面礼佛繞百千帀即以天華而散佛上所散之華如須弥
山并以供養佛菩提樹華供養已各以宮殿奉上彼佛而作是言
唯見哀愍饒益我等所獻宮殿願垂納受時諸梵天王即於佛前
一心同聲以偈頌曰　善哉見諸佛　救世之聖尊　能於三界獄　勉出諸眾生
普智天人尊　哀愍群萌類　能開甘露門　廣度於一切　於昔无量劫　空過无有佛
世尊未出時　十方常暗暝　三惡道增長　阿脩羅亦盛　諸天眾轉減　死多墮惡道
不從佛聞法　常行不善事　色力及智慧　斯等皆減少　罪業因緣故　失樂及樂相
住於邪見法　不識善儀則　不蒙佛所化　常墮於惡道　佛為世間眼　久遠時乃出
哀愍諸眾生　故現於世間　超出成正覺　我等甚欣慶　及餘一切眾　喜歎未曾有
我等諸宮殿　蒙光故嚴飾　今以奉世尊　唯垂哀納受　願以此功德　普及於一切
我等與眾生　皆共成佛道
尒時五百萬億諸梵天王偈讚佛
已各白佛言唯願世尊轉於法輪多所安隱多所度脫時諸梵天王而
說偈言
世尊轉法輪　擊甘露法鼓　度苦惱眾生　開示涅槃道　唯願受我請
以大微妙音　哀愍而敷演　無量劫習法
尒時大通智勝如来受十方諸梵天王及十六王子請即時三轉十二行
法輪若沙門婆羅門若天魔梵及餘世間所不能轉謂是苦是苦集是
苦滅是苦滅道及廣說十二因緣法無明緣行行緣識識緣名
色名色緣六入六入緣觸觸緣受受緣愛愛緣取取緣有
有緣生生緣老死憂悲苦惱无明滅則行滅行滅則識滅識
滅則名色滅名色滅則六入滅六入滅則觸滅觸滅則受滅受滅
則愛滅愛滅則取滅取滅則有滅有滅則生滅生滅則老死憂
悲苦惱滅佛於天人大眾之中說是法時六百萬億那由他人以不
受一切法故而於諸漏心得解脫皆得深妙禪定三明六通具八
解脫第二第三第四說法時千萬億恒河沙那由他等眾生亦
以不受一切法故而於諸漏心得解脫從是已後諸聲聞眾无量无邊
不可稱數尒時十六王子皆以童子出家而為沙弥諸根通利智慧
明了已曾供養百千萬億諸佛淨脩梵行求阿耨多羅三藐三菩

BD00788 號　妙法蓮華經卷三　（13–9）

解脫第二第三第四說法時千萬億恒河沙那由他等衆生亦
以不受一切法故而於諸漏心得解脫從是已後諸聲聞衆无量无邊
不可稱數尒時十六王子皆以童子出家而爲沙弥諸根通利智慧
明了已曾供養百千萬億諸佛淨脩梵行求阿耨多羅三藐三菩
提俱白佛言世尊是諸無量千萬億大德聲聞皆已成就世尊亦
當爲我等說阿耨多羅三藐三菩提法我等聞已皆共脩學世尊
我等志願如來知見深心所念佛自證知尒時轉輪聖王所將衆中八
萬億人見十六王子出家亦求出家王即聽許尒時彼佛受沙弥請
過二万劫已乃於四衆之中說是大乘經名妙法蓮華教菩薩法佛
所護念說是經已十六沙弥爲阿耨多羅三藐三菩提故皆共受持
諷誦通利說是經時十六菩薩沙弥皆悉信受聲聞衆中亦有信
解其餘衆生千万億種皆生疑惑佛說是經於八千劫未曾休廢說
此經已即入靜室住於禪定八万四千劫是時十六菩薩沙弥知佛入室寂
然禪定各昇法座亦於八万四千劫爲四部衆廣說分別妙法華經一
一皆度六百万億那由他恒河沙等衆生示教利喜令發阿耨多羅三
藐三菩提心大通智勝佛過八万四千劫已從三昧起往詣法座安祥
而坐普告大衆是十六菩薩沙弥甚爲希有諸根通利智慧明了已
曾供養无量千万億數諸佛於諸佛所常脩梵行受持佛智開示衆
生令入其中汝等皆當數數親近而供養之所以者何若聲聞辟支佛
及諸菩薩能信是十六菩薩所說經法受持不毀者是人皆當得阿
耨多羅三藐三菩提如來之慧佛告諸比丘是十六菩薩常樂說是
妙法蓮華經一一菩薩所化六百万億那由他恒河沙等衆生世世所
生與菩薩俱從其聞法悉皆信解以此因緣得值四万億諸佛世尊于
今不盡諸比丘我今語汝彼佛弟子十六沙弥今皆得阿耨多羅三藐三菩
提於十方國土現在說法有无量百千萬億菩薩聲聞以爲眷屬其二
沙弥東方作佛一名阿閦在歡喜國二名須弥頂東南方二佛一名師子
音二名師子相南方二佛一名虛空住二名常滅西南方二佛一名帝相
二名梵相西方二佛一名阿弥陁二名度一切世間苦惱西北方二佛一名
多摩羅跋栴檀香神通二名須弥相北方二佛一名雲自在二名雲自在
王東北方佛名壞一切世間怖畏第十六我釋迦牟尼佛於娑婆國土成
阿耨多羅三藐三菩提諸比丘我等爲沙弥時各各教化無量百千萬

音二名師子相南方二佛一名虛空住二名常滅西南方二佛一名帝相
二名梵相西方二佛一名阿弥陁二名度一切世間苦惱西北方二佛一名
多摩羅跋栴檀香神通二名須弥相北方二佛一名雲自在二名雲自在
王東北方佛名壞一切世間怖畏第十六我釋迦牟尼佛於娑婆國土成
阿耨多羅三藐三菩提諸比丘我等爲沙弥時各各教化無量百千萬
億恒河沙等衆生從我聞法爲阿耨多羅三藐三菩提此諸衆生于
今有住聲聞地者我常教化阿耨多羅三藐三菩提是諸人等應以
是法漸入佛道所以者何如來智慧難信難解尒時所化无量恒河沙等
衆生者汝等諸比丘及我滅度後未來世中聲聞弟子是也我滅度後復有
弟子不聞是經不知不覺菩薩所行自於所得功德生滅度想當入
涅槃我於餘國作佛更有異名是人雖生滅度之想入於涅槃而於彼
土求佛智慧得聞是經唯以佛乘而得滅度更无餘乘除諸如來方
便說法諸比丘若如來自知涅槃時到衆又清淨信解堅固了達空法
深入禪定便集諸菩薩及聲聞衆爲說是經世間无有二乘而得滅
度唯一佛乘得滅度耳比丘當知如來方便深入衆生之性知其志樂小法
深着五欲爲是等故說於涅槃是人若聞則便信受譬如五百由旬
險難惡道曠絕無人怖畏之處若有多衆欲過此道至珎寶處有
一導師聰慧明達善知險道通塞之相將導衆人欲過此難所將人
衆中路懈退白導師言我等疲極而復怖畏不能復進前路猶遠今
欲退還導師多諸方便而作是念此等可愍云何捨大珎寶而欲退還
作是念已以方便力於險道中過三百由旬化作一城告衆人言汝等
勿怖莫得退還今此大城可於中止隨意所作若入是城快得安隱
若能前至寶所亦可得去是時疲極之衆心大歡喜歎未曾有
我等今者免斯惡道快得安隱於是衆人前入化城生已度想生
安隱想尒時導師知此人衆既得止息無復疲倦即滅化城語
衆人言汝等去來寶處在近向者大城我所化作爲止息耳諸
比丘如來亦復如是今爲汝等作大導師知諸生死煩惱惡道險
難長遠應去應度若衆生但聞一佛乘者則不欲見佛不欲親近便
作是念佛道長遠久受勤苦乃可得成佛知是心怯弱下劣以方便
力而於中道爲止息故說二涅槃若衆生住於二地如來尒時即便爲說
汝等所作未辦汝等所住地近於佛慧當觀察籌量所得涅槃非真

難長遠應去應度若衆生但聞一佛乘者則不欲見佛不欲親近便
作是念佛道長遠久受勤苦乃可得成佛知是心怯弱下劣以方便
力而於中道為止息故說二涅槃若衆生住於二地如來尒時即便為說
汝等所作未辦汝等所住地近於佛慧當觀察籌量所得涅槃非真
實也但是如來方便之力於一佛乘分別說三如彼導師為止息故化作
大城既知息已而告之言寶處在近此城非實我化作耳尒時世尊
欲重宣此義而說偈言
大通智勝佛　十劫坐道場　佛法不現前　不得成佛道　諸天神龍王　阿脩羅衆等
常雨於天花　以供養彼佛　諸天擊天鼓　并作衆伎樂　香風吹萎花　更雨新好者
過十小劫已　乃得成佛道　諸天及世人　心皆懷踊躍　彼佛十六子　皆與其眷屬
千万億圍繞　俱行至佛所　頭面礼佛足　而請轉法輪　聖師子法雨　充我及一切
世尊甚難值　久遠時一現　為覺悟群生　震動於一切　東方諸世界　五百万億國
梵宮殿光曜　昔所未曾有　諸梵見此相　尋來至佛所　散花以供養　并奉上宮殿
請佛轉法輪　以偈而讚歎　佛知時未至　受請嘿然坐　三方及四維　上下亦復尒
散花奉宮殿　請佛轉法輪　世尊甚難值　願以大慈悲　廣開甘露門　轉无上法輪
無量慧世尊　受彼衆人請　為宣種種法　四諦十二緣　無明至老死　皆從生緣有
如是衆過患　汝等應當知　宣暢是法時　六百萬億姟　得盡諸苦際　皆成阿羅漢
第二說法時　千万恒沙衆　於諸法不受　亦得阿羅漢　從是後得道　其數無有量
万億劫筭數　不能得其邊　時十六王子　出家作沙弥　皆共請彼佛　演說大乘法
我等及營從　皆當成佛道　願得如世尊　慧眼第一淨　佛知童子心　宿世之所行
以無量因緣　種種諸譬喻　說六波羅蜜　及諸神通事　分別真實法　菩薩所行道
說是法花經　如恒河沙偈　彼佛說經已　靜室入禪定　一心一處坐　八萬四千劫
是諸沙弥等　知佛禪未出　為無量億衆　說佛無上慧　各各坐法座　說是大乘經
於佛宴寂後　宣揚助法化　一一沙弥等　所度諸衆生　有六百萬億　恒河沙等衆
彼佛滅度後　是諸聞法者　在在諸佛土　常與師俱生　是十六沙弥　具足行佛道
今現在十方　各得成正覺　尒時聞法者　各在諸佛所　其有住聲聞　漸教以佛道
我在十六數　曾亦為汝說　是故以方便　引汝趣佛慧　以是本因緣　今說法華經
令汝入佛道　慎勿懷驚懼　譬如險惡道　迥絕多毒獸　又復無水草　人所怖畏處
無數千万衆　欲過此險道　其路甚曠遠　經五百由旬　時有一導師　強識有智慧
明了心決定　在險濟衆難　衆人皆疲惓　而白導師言　我等今頓乏　於此欲退還
導師作是念　此輩甚可愍　如何欲退還　而失大珍寶　尋時思方便　當設神通力
化作大城郭　莊嚴諸舍宅　周帀有園林　渠流及浴池　重門高樓閣　男女皆充滿

BD00788號　妙法蓮華經卷三　(13–12)

我在十六數　曾亦為汝說　是故以方便　引汝趣佛慧　以是本因緣　今說法華經
令汝入佛道　慎勿懷驚懼　譬如險惡道　迥絕多毒獸　又復無水草　人所怖畏處
無數千万衆　欲過此險道　其路甚曠遠　經五百由旬　時有一導師　強識有智慧
明了心決定　在險濟衆難　衆人皆疲惓　而白導師言　我等今頓乏　於此欲退還
導師作是念　此輩甚可愍　如何欲退還　而失大珍寶　尋時思方便　當設神通力
化作大城郭　莊嚴諸舍宅　周帀有園林　渠流及浴池　重門高樓閣　男女皆充滿
即作是化已　慰衆言勿懼　汝等入此城　各可隨所樂　諸人既入城　心皆大歡喜
諸人既入城　心皆大歡喜　皆生安隱想　自謂已得度　導師知息已　集衆而告言
汝等當前進　此是化城耳　我見汝疲極　中路欲退還　故以方便力　權化作此城
汝今勤精進　當共至寶所　我亦復如是　為一切導師　見諸求道者　中路而懈廢
不能度生死　煩惱諸險道　故以方便力　為息說涅槃　言汝等苦滅　所作皆已辦
既知到涅槃　皆得阿羅漢　尒乃集大衆　為說真實法　諸佛方便力　分別說三乘
唯有一乘法　息處故說二　今為汝說實　汝所得非滅　為佛一切智　當發大精進
汝證一切智　十力等佛法　具三十二相　乃是真實滅　諸佛之導師　為息說涅槃
既知是息已　引入於佛已

妙法蓮華經卷第三

BD00788號　妙法蓮華經卷三　(13–13)

金光明最勝王經[illegible]
尒時世尊住正分[illegible]
身毛孔放大光明[illegible]
剎土悉現光中十[illegible]
能及五濁惡世
業五无間罪謗
婆羅門眾應[illegible]
所住處是諸有情見斯光已因光
安樂端正姝妙色相具足福智莊嚴得見[illegible]
佛是時帝釋一切天眾及恒河女神并諸大
眾蒙光希有皆至佛所右繞三帀退坐一面
尒時天帝釋承佛威力即從座起偏袒右肩
右膝著地合掌向佛而白佛言世尊云何善
男子善女人願求阿耨多羅三藐三菩提修行
大乘攝受一切邪倒有情曾所造作業障
罪者云何懺悔當得除滅
佛告天帝釋善哉善哉善男子汝今修行欲
為无量无邊眾生令得清淨解脫安樂慈愍
世間福利一切若有眾生由業障故造諸罪
者應當策勵晝夜六時偏袒右肩右膝著
地合掌恭敬一心專念口自說言歸命頂礼現
[illegible]

BD00789號　金光明最勝王經卷三　（15–1）

為无量无邊眾生令得清淨解脫安樂慈愍
世間福利一切若有眾生由業障故造諸罪
者應當策勵晝夜六時偏袒右肩右膝著
地合掌恭敬一心專念口自說言歸命頂礼現
在十方一切諸佛已得阿耨多羅三藐三菩
提者轉妙法輪持照法輪雨大法雨擊大法
鼓吹大法螺建大法幢秉大法炬為欲利益
安樂諸眾生故常行法施誘進群迷令得大
果證常樂故如是等諸佛世尊以身語意稽
首歸誠至心礼敬彼諸世尊以真實慧以真
實眼真實證明真實平等悉知悉見一切眾
生善惡之業我從无始生死以來隨惡流轉
共諸眾生造業障罪為貪瞋癡之所纏縛
未識佛時未識法時未識僧時未識善惡由身
語意造无間罪惡心出佛身血誹謗正法破
和合僧煞阿羅漢煞害父母身三語四意三種
行造十惡業自作教他見作隨喜於諸善人橫
生毀謗斗稱欺誑以偽為真不淨飲食施與
一切於六道中所有父母更相惱害或盜窣
覩波物四方僧物現前僧物自在而用世尊
法律不樂奉行師長教示不相隨順見行聲
聞獨覺大乘行者憙生罵辱令諸行人心生
悔惱見有勝己便懷嫉妬法施財施常生慳
惜无明所覆邪見惑心不修善因令惡增長
於諸佛所而起誹謗法說非法非法說法如
是眾罪佛以真實慧真實眼真實證明真
實平等悉知悉見我今歸命對諸佛前皆悉發

BD00789號　金光明最勝王經卷三　（15–2）

惜无明所覆邪見惑心不修善因令惡增長
於諸佛所而起誹謗法說非法非法說法如
是衆罪佛以真實慧真實眼真實證明真
實平等悉知悉見我今歸命對諸佛前皆悉發
露不敢覆藏未作之罪更不復作已作之罪
今皆懺悔所作業障應墮惡道地獄傍生餓
鬼之中阿蘇羅衆及八難處願我此生所有
業障皆得消滅所有惡報未來不受亦如過
去諸大菩薩修菩提行所有業障悉已懺悔
我之業障今亦懺悔皆悉發露不敢覆藏已
作之罪願得除滅未來之惡更不敢造亦如
未來諸大菩薩修菩提行所有業障悉已懺
悔我之業障今亦懺悔皆悉發露不敢覆藏
已作之罪願得除滅未來之惡更不敢造亦
如現在十方世界諸大菩薩修菩提行所有
業障悉已懺悔我之業障今亦懺悔皆悉發
露不敢覆藏已作之罪願得除滅未來之惡
更不敢造
善男子以是因緣若有造罪一剎那中不得
覆藏何況一日一夜乃至多時若有犯罪欲
求清淨心懷慚恥信於未來必有惡報生大
恐怖應如是懺如人被火燒頭燒衣救令速
滅火若未滅心不得安若人犯罪亦復如是即
應懺悔令速除滅若有願生富樂之家多
饒財寶復欲發意修習大乘亦應懺悔滅除
業障欲生豪貴婆羅門種剎帝利家及轉輪

應懺悔令速除滅若有願生富樂之家多
饒財寶復欲發意修習大乘亦應懺悔滅除
業障欲生豪貴婆羅門種剎帝利家及轉輪
王七寶具足亦應懺悔滅除業障
善男子若有欲生四大王衆三十三天夜摩
天覩史多天樂變化天他化自在天亦應懺
悔滅除業障若欲生梵衆梵輔大梵天少光
无量光極光淨天少淨无量淨遍淨天无雲
福生廣果无煩无熱善現天善見色究竟天
亦應懺悔滅除業障若欲求預流果一來果
不還果阿羅漢果亦應懺悔滅除業障若欲
願求三明六通聲聞獨覺自在菩提至究竟
地求一切智智淨智不思議智不動智三藐
三菩提正遍智者亦應懺悔滅除業障何以
故善男子一切諸法從因緣生如來所說異
相生異相滅因緣異故如是過去諸法皆已
滅盡所有業障无復遺餘是諸行法未得現
生而今得生未來業障更不復起何以故善
男子一切法空如來所說无有我人衆生壽者
亦无生滅亦无行法善男子一切諸法皆
依於本亦不可說何以故過一切相故若有
善男子善女人如是入於微妙真理生信敬
心是名无衆生而有於本以是義故說於懺
悔滅除業障
善男子若人成就四法能除業障永得清淨
云何為四一者不起邪心正念成就二者於

悔滅除業障

善男子若人成就四法能除業障永得清淨
云何為四一者不起邪心正念成就二者於
甚深理不生誹謗三者於初行菩薩起一切
智心四者於諸衆生起慈无量是謂為四尒
時世尊而說頌言

專心護三業　不誹謗深法　作一切智想　慈心淨業障

善男子有四業障難可滅除云何為四一者於
菩薩律儀犯極重惡二者於大乘經心生誹
謗三者於自善根不能增長四者貪著三
有无出離心復有四種對治業障云何為四
一者於十方世界一切如來至心親近說一
切罪二者為一切衆生勸請諸佛說深妙法
三者隨喜一切衆生所有功德四者所有一
切功德善根悉皆迴向阿耨多羅三藐三菩
提尒時天帝釋白佛言世尊世間所有男子
女人於大乘行有能行者有不行者云何能
得隨喜一切衆生功德善根佛言善男子若
有衆生雖於大乘未能修習然於晝夜六時
偏袒右肩右膝著地合掌恭敬一心專念作
隨喜時得福无量應作是言十方世界一切
衆生現在修行施戒心慧我今皆悉深生隨
喜由作如是隨喜福故必當獲得尊重殊勝
无上无等最妙之果如是過去未來一切衆
生所有善根皆悉隨喜又於現在初行菩薩
發菩提心所有功德過百大劫行菩薩行有
大功德獲无生忍至不退轉一生補處如是

生所有善根皆悉隨喜又於現在初行菩薩
發菩提心所有功德過百大劫行菩薩行有
大功德獲无生忍至不退轉一生補處如是
一切功德之蘊皆悉至心隨喜讚歎過去未
來一切菩薩所有功德隨喜讚歎亦復如是
復於現在十方世界一切諸佛應正遍知證
妙菩提為度无邊諸衆生故轉无上法輪行
无礙法施擊法鼓吹法螺建法幢雨法雨哀
愍勸化一切衆生咸令信受皆蒙法施悉得
充足无盡安樂又復所有菩薩聲聞獨覺功
德積集善根若有衆生未具如是諸功德者
悉令具足我皆隨喜如是過去未來諸佛菩
薩聲聞獨覺所有功德亦皆至心隨喜讚歎
善男子如是隨喜當得无量功德之聚如恒
河沙三千大千世界所有衆生皆斷煩惱成阿
羅漢若有善男子善女人盡其形壽常以上
妙衣服飲食卧具醫藥而為供養如是功德
不及如前隨喜功德千分之一何以故供養
功德有數有量不攝一切諸功德故隨喜功
德无量无數能攝三世一切功德是故若人
欲求增長勝善根者應修如是隨喜功德若
有女人願轉女身為男子者亦應修習隨喜
功德必得隨心現成男子尒時天帝釋白佛言
世尊已知隨喜功德勸請功德唯願為說欲
令未來一切菩薩當轉法輪現在菩薩正修
行故佛告帝釋若有善男子善女人願求阿
耨多羅三藐三菩提者應當修[illegible]

令未來一切菩薩當轉法輪現在菩薩正修
行故佛告帝釋若有善男子善女人願求阿
耨多羅三藐三菩提者應當修行聲聞獨覺
大乘之道是人當於晝夜六時如前威儀一
心專念作如是言我今歸依十方一切諸佛
世尊已得阿耨多羅三藐三菩提未轉无上
法輪欲捨報身入涅槃者我皆至誠頂禮勸
請轉大法輪雨大法雨然大法燈照明理趣
施无礙法莫般涅槃久住於世度脫安樂一
切衆生如前所說乃至无盡安樂我今以此
勸請功德迴向阿耨多羅三藐三菩提如過去
未來現在諸大菩薩勸請功德迴向菩提我
亦如是勸請功德迴向无上正等菩提善
男子假使有人以三千大千世界滿中七寶
供養如來若復有人勸請如來轉大法輪所
得功德其福勝彼何以故彼是財施此是法
施善男子且置三千大千世界七寶布施若
人以滿恒河沙數大千世界七寶供養一切諸
佛勸請功德亦勝於彼由其法施有五勝利
云何為五一者法施兼利自他財施不尒二者
法施能令衆生出於三界財施之福不出
欲界三者法施能淨法身財施但唯增長於
色四者法施无窮財施有盡五者法施能
斷无明財施唯伏貪愛是故善男子勸請功
德无量无邊難可譬喻如我昔行菩薩道時
勸請諸佛轉大法輪由彼善根是故今日一
切帝釋諸梵王等勸請於我轉大法輪善男

BD00789號　金光明最勝王經卷三　（15-7）

斷无明財施唯伏貪愛是故善男子勸請功
德无量无邊難可譬喻如我昔行菩薩道時
勸請諸佛轉大法輪由彼善根是故今日一
切帝釋諸梵王等勸請於我轉大法輪善男
子請轉法輪為欲度脫安樂諸衆生故我於
往昔為菩提行勸請如來久住於世莫般涅
槃依此善根我得十力四无所畏四无礙辯
大慈大悲證得无數不共之法我當入於无
餘涅槃我之正法久住於世我法身者清淨
无比種種妙相无量智慧无量自在无量功德
難可思議一切衆生皆蒙利益百千萬劫說
不能盡法身攝藏一切諸法一切諸法不攝
法身法身常住不墮常見雖復斷滅亦非斷
見能破衆生種種異見能生衆生種種真
見能解一切衆生之縛无縛可解能植衆生
諸善根本未成熟者令成熟已成熟者令解
脫无作无動遠離閙亂寂静无為自在安樂
過於三世能現三世出於聲聞獨覺之境諸大
菩薩之所脩行一切如來體无有異此等皆
由勸請功德善根力故如是法身我今已得
是故若有欲得阿耨多羅三藐三菩提者
於諸經中一句一頌為人解說功德善根尚无
限量何況勸請如來轉大法輪久住於世莫
般涅槃
時天帝釋復白佛言世尊若善男子善女人
為求阿耨多羅三藐三菩提故修三乘道所

BD00789號　金光明最勝王經卷三　（15-8）

時天帝釋復白佛言世尊若善男子善女人
爲求阿耨多羅三藐三菩提故修三乘道所
有善根云何迴向一切智智佛告天帝善男
子若有衆生欲求菩提修三乘道所有善根
願迴向者當於晝夜六時慇重至心作如是
說我從無始生死以來於三寶所修行成就
所有善根乃至施與傍生一摶之食或以善
言和解諍訟或受三歸及諸學處或復懺悔
勸請隨喜所有善根我今作意悉皆攝取迴
施一切衆生無悔悋心是解脫分善根所攝如
佛世尊之所知見不可稱量無礙清淨如是
所有功德善根悉以迴施一切衆生不住相
心不捨相心我亦如是功德善根悉以迴施
一切衆生願皆獲得如意之手搖空出寶
滿衆生願富樂無盡智慧無窮妙法辯才悉
皆無滯共諸衆生同證阿耨多羅三藐三菩
提得一切智因此善根更復出生無量善法
亦皆迴向無上菩提又如過去諸大菩薩修
行之時功德善根悉皆迴向一切種智現在
未來亦復如是我所有功德善根亦皆迴
向阿耨多羅三藐三菩提是諸善根願共一
切衆生俱成正覺如餘諸佛坐於道場菩提
樹下不可思議無礙清淨住於無盡法藏陁
羅尼首楞嚴定破魔波旬無量兵衆應見覺
知應可通達如是一切一剎那中悉皆照了於
後夜中獲甘露法證甘露義我及衆生願皆
同證如是妙覺猶如

BD00789 號　金光明最勝王經卷三　（15–9）

羅尼首楞嚴定破魔波旬無量兵衆應見覺
知應可通達如是一切一剎那中悉皆照了於
後夜中獲甘露法證甘露義我及衆生願皆
同證如是妙覺猶如
無量壽佛　勝光佛　妙光佛　阿閦佛
功德善光佛　師子光明佛　百光明佛　網光明佛
寶相佛　寶燄佛　燄明佛　燄盛光明佛
吉祥上王佛　微妙聲佛　妙莊嚴佛　法幢佛
上勝身佛　可愛色身佛　光明遍照佛　梵淨王佛
上性佛
如是等如來應正遍知過去未來及以現在
亦現應化得阿耨多羅三藐三菩提轉無上
法輪爲度衆生我亦如是廣說如上
善男子若有淨信男子女人於此金光明最
勝經王滅業障品受持讀誦憶念不忘爲他
廣說得無量無邊大功德聚譬如三千大千
世界所有衆生一時皆得成就人身得人身已
成獨覺道若有男子女人盡其形壽恭敬
尊重四事供養一一獨覺各施七寶如須弥
山此諸獨覺入涅槃後皆以珍寶起塔供養
其塔高廣十二踰繕那以諸花香寶幢幡蓋
常爲供養善男子於意云何是人所獲功德
寧爲多不天帝釋言甚多世尊善男子若復
有人於此金光明微妙經典衆經之王滅業障
品受持讀誦憶念不忘爲他廣說所獲功德
於前所說供養功德百分不及一百千萬億
分乃至校量譬喻所不能及何以故是善

BD00789 號　金光明最勝王經卷三　（15–10）

品受持讀誦憶念不忘為他廣說所獲功德
於前所說供養功德百分不及一百千萬億
分乃至挍量譬喻所不能及何以故是善
男子善女人住正行中勸請十方一切諸佛
轉無上法輪皆為諸佛勸喜讚歎善男子如
我所說一切施中法施為勝是故善男子於三
寶所設諸供養不可為比勸受三歸持一切
戒無有毀犯三業不空不可為比一切世界
一切衆生隨力隨能隨所願樂於三乘中
勸發菩提心不可為比於三世中一切世界
所有衆生皆得無礙速令成就無量功德不
可為比三世剎土一切衆生令無障礙得三
菩提不可為比三世剎土一切衆生勸令速
出四惡道苦不可為比三世剎土一切衆生
勸令除滅極重惡業不可為比一切苦惱勸
令解脫不可為比一切怖畏苦惱逼切皆令
得解不可為比三世佛前一切衆生所有功
德勸令隨喜發菩提願不可為比勸除惡行
罵辱之業一切功德皆願成就所在生中勸
請供養尊重讚歎一切三寶勸請衆生淨修
福行成滿菩提不可為比是故當知勸請一
切世界三世三寶勸請滿足六波羅蜜勸請
轉於無上法輪勸請住世經無量劫演說無
量甚深妙法功德甚深無能比者
尒時天帝釋及恒河女神無量梵王四大天
衆從座而起偏袒右肩右膝著地合掌頂禮

轉於無上法輪勸請住世經無量劫演說無
量甚深妙法功德甚深無能比者
尒時天帝釋及恒河女神無量梵王四大天
衆從座而起偏袒右肩右膝著地合掌頂禮
白佛言世尊我等皆得聞是金光明最勝王
經今悉受持讀誦通利為他廣說依此法住
何以故世尊我等欲求阿耨多羅三藐三菩
提隨順此義種種勝相如法行故尒時梵王
及天帝釋等於說法處皆以種種曼陁羅花而
散佛上三千大千世界地皆大動一切天鼓及
諸音樂不鼓自鳴放金色光遍滿世界出
妙音聲時天帝釋白佛言世尊此等皆是
金光明經威神之力慈悲普救種種利益種
種增長菩薩善根滅諸業障佛言如是如是
如汝所說何以故善男子我念往昔過無量
百千阿僧祇劫有佛名寶王大光照如來應
正遍知出現於世住世六百八十億劫尒時
寶王大光照如來為欲度脫人天釋梵沙門
婆羅門一切衆生令安樂故當出現時初會說
法度百千億億万衆皆得阿羅漢果諸漏
已盡三明六通自在無礙於第二會復度無
十千億億萬衆皆得阿羅漢果諸漏已盡三
明六通自在無礙於第三會復度九十八千
億億万衆皆得阿羅漢果圓滿如上
善男子我於尒時作女人身名福寶光明於
第三會親近世尊受持讀誦是金光明經為

善男子我於尒時作女人身名福寶光明於
第三會親近世尊受持讀誦是金光明經爲
他廣說求阿耨多羅三藐三菩提故時彼世
尊爲我授記此福寶光明女於未來世當得
作佛号釋迦牟尼如來應正遍知明行足善
逝世間解无上士調御丈夫天人師佛世尊捨
女身後從是以来越四惡道生人天中受上
妙樂八十四百千生作轉輪王至于今日得
成正覺名稱普聞遍滿世界時會大衆忽
然皆見寶王大光照如來轉无上法輪說微
妙法善男子去此索訶世界東方過百千恒
河沙數佛土有世界名寶莊嚴其寶王大光
照如來今現在彼未般涅槃說微妙法廣化
羣生汝等見者即是彼佛
善男子若有善男子善女人聞是寶王大光
照如來名号者於菩薩地得不退轉至大涅
槃若有女人聞是佛名者臨命終時得見彼佛
来至其所既見佛已究竟不復更受女身
善男子是金光明微妙經典種種利益種種
增長菩薩善根滅諸業障善男子若有苾蒭
苾蒭尼鄔波索迦鄔波斯迦隨在何處爲人講
說是金光明微妙經典於其國土皆獲四種
福利善根云何爲四一者國王无病離諸灾厄
二者壽命長遠无有障礙三者无諸怨敵
兵衆勇健四者安隱豊樂正法流通何以故如
是人王常爲釋梵四王藥叉之衆共守護故尒

BD00789號　金光明最勝王經卷三

（15–13）

二者壽命長遠无有障礙三者无諸怨敵
兵衆勇健四者安隱豊樂正法流通何以故如
是人王常爲釋梵四王藥叉之衆共守護故尒
時世尊告天衆曰善男子是事實不是時无
量釋梵四王及藥叉衆俱時同聲荅世尊
言如是如是若有國土講宣讀誦此妙經王是
諸國主我等四王常來擁護行住共俱其王若
有一切灾障及諸怨敵我等四王皆使消殄
憂愁疾疫亦令除差增益壽命感應禎祥
所願遂心恒生歡喜我等亦能令其國中所
有軍兵悉皆勇健佛言善哉善哉善男子如
汝所說汝當脩行何以故是諸國主如法行
時一切人民隨王修習如法行者汝等皆蒙
色力勝利宮殿光明眷屬强盛時釋梵等白
佛言如是世尊若有講讀此妙經典流
通之處於其國中大臣輔相有四種益云何
爲四一者更相親穆尊重愛念二者常爲人
王心所愛重亦爲沙門婆羅門大國小國之
所遵敬三者輕財重法不求世利嘉名普豎
衆所欽仰四者壽命延長安隱快樂是名四
益若有國土宣說是經沙門婆羅門得四種
勝利云何爲四一者衣服飲食卧具醫藥无
所乏少二者皆得安心思惟讀誦三者依於
山林得安樂住四者隨心所願皆得滿足是
名四種勝利若有國土宣說是經一切人民
皆得豊樂无諸疾疫商估往還多獲寶貨

BD00789號　金光明最勝王經卷三

（15–14）

益若有國土宣説是經沙門婆羅門得四種
勝利云何為四一者衣服飲食臥具醫藥无
所乏少二者皆得安心思惟讀誦三者依於
山林得安樂住四者随心所願皆得滿足是
名四種勝利若有國土宣説是經一切人民
皆得豐樂无諸疾疫商估往還多獲寶貨
具足勝福是名種種功徳利益
尒時梵釋四天王及諸大衆白佛言世尊如
是經典甚深之義若現在者當知如來卅七
種助菩提法住世未滅若是經典滅盡之時
正法亦滅佛言如是如是善男子是故汝等
於此金光明經一句一頌一品一部皆當一心正
讀誦正聞持正思惟正修習為諸衆生廣
宣流布長夜安樂福利无邊時諸大衆聞佛
説已咸蒙勝益歡喜受持

金光明經卷第三

闍胡䅁其
利六器

比丘道斌寫

礫是身无作
力所轉是身不淨穢惡充滿是身為虛偽雖
假以澡浴衣食必歸磨滅是身為災百一病
惱是身如丘井為老所逼是身无定為要當
死是身如毒蛇如怨賊如空聚陰界諸入所共
合成諸仁者此可患猒當樂佛身所以者何
佛身者即法身也從无量功徳智慧生從戒
定慧解脫解脫知見生從慈悲喜捨生從布
施持戒忍辱柔和勤行精進禪定解脫三昧
多聞智慧諸波羅蜜生從方便生從六通生
從三明生從卅七道品生從止觀生從十力
四无所畏十八不共法生從斷一切不善法集
一切善法生從真實生從不放逸生從如是
无量清淨法生如來身諸仁者欲得佛身
斷一切衆生病者當發阿耨多羅三藐三
菩提心如是長者維摩詰為諸問疾者如應
說法令无數千人皆發阿耨多羅三藐三
菩提心

弟子品第三

尒時長者維摩詰自念寢疾于牀世尊大慈

說法令无數千人皆發阿耨多羅三藐三
菩提心

弟子品第三

尒時長者維摩詰自念寢疾于牀世尊大慈
寧不垂愍佛知其意即告舍利弗汝行詣維
摩詰問疾舍利弗白佛言世尊我不堪任詣
彼問疾所以者何憶念我昔曾於林中宴坐
樹下時維摩詰來謂我言唯舍利弗不必是
坐為宴坐也夫宴坐者不於三界現身意是
為宴坐不起滅定而現諸威儀是為宴坐不捨
道法而現凡夫事是為宴坐心不住內亦不
在外是為宴坐於諸見不動而脩行卅七品
是為宴坐不斷煩惱而入涅槃是為宴坐若
能如是坐者佛所印可時我世尊聞如是語
嘿然而止不能加報故我不任詣彼問疾
佛告大目揵連汝行詣維摩詰問疾目連白
佛言世尊我不堪任詣彼問疾所以者何憶
念我昔入毗耶離大城於里巷中為諸居士
說法時維摩詰來謂我言唯大目連為白
衣居士說法不當如仁者所說夫說法者當
如法說法无衆生離衆生垢故法无有我離我
垢故法无壽命離生死故法无有人前後際
斷故法常寂然滅諸相故法離於相无所緣
故法无名字言語斷故法无有說離覺觀
故法无所相如靈空故法无戲論畢竟空故

BD00790號　維摩詰所說經卷上

（9–2）

斷故法常寂然滅諸相故法離於相无所緣
故法无名字言語斷故法无有說離覺觀
故法无所相如靈空故法无戲論畢竟空故
法无我所離我所故法无分別離諸識故法无有
比无相待故法不屬因不在緣故法同法性入
諸法故法隨於如无所隨故法住實際諸邊
不動故法无動搖不依六塵故法无去來常
不住故法順空隨无相應无作法離好醜
法无增損法无生滅法无所歸法過眼耳
鼻舌身心法无高下法常住不動法離一切
觀行唯大目連法相如是豈可說乎夫說
法者无說无示其聽法者无聞无得譬如
幻士為幻人說法當建是意而為說法當了
衆生根有利鈍善於知見无所罣礙以大悲
讚于大乘念報佛恩不斷三寶然後說法
維摩詰說是法時八百居士皆發阿耨多
羅三藐三菩提心我无此辯是故不任詣彼問
疾
佛告大迦葉汝行詣維摩詰問疾迦葉白佛
言世尊我不堪任詣彼問疾所以者何憶念
我昔於貧里而行乞時維摩詰來謂我言唯
大迦葉有慈悲心而不能普捨豪富從貧
乞迦葉住平等法應次行乞食為不食故應
行乞食為壞和合相故應取揣食為不受

BD00790號　維摩詰所說經卷上

（9–3）

大迦葉有慈悲心而不能普捨豪富從貧
乞迦葉住平等法應次行乞食為不食故應
行乞食為壞和合相故應取揣食為不受
故應受彼食以空聚相入於聚落所見色與
盲等所聞聲與響等所嗅香與風等所食味
不分別受諸觸如智證知諸法如幻相无自性
无他性本自不然今則无滅迦葉若能不捨
八邪入八解脫以邪相入正法以一食施一切供
養諸佛及衆賢聖然後可食如是食者非
有煩惱非離煩惱非入定意非起定意非住
世間非住涅槃其有施者无大福无小福不
為益不為損是為正入佛道不依聲聞迦
葉若如是食為不空食人之施也時我世尊聞
說是語得未曾有即於一切菩薩深起敬心
復作是念斯有家名辯才智慧乃能如是
其誰不發阿耨多羅三藐三菩提心我從是
來不復勸人以聲聞辟支佛行是故不任詣
彼問疾
佛告須菩提汝行詣維摩詰問疾須菩提白
佛言世尊我不堪任詣彼問疾所以者何憶
念我昔入其舍從乞食時維摩詰取我鉢盛
滿飯謂我言唯須菩提若能於食等者諸
法亦等諸法等者於食亦等如是行乞乃可取
食若須菩提不斷婬怒癡亦不與俱不壞於
身而隨一相不滅癡愛起於明脫以五逆相

BD00790 號　維摩詰所說經卷上

（9–4）

法亦等諸法等者於食亦等如是行乞乃可取
食若須菩提不斷婬怒癡亦不與俱不壞於
身而隨一相不滅癡愛起於明脫以五逆相
而得解脫亦不解不縛不見四諦非不見諦非得
果非凡夫非離凡夫法非聖人非不聖人雖成
就一切法而離諸法相乃可取食若須菩
提不見佛不聞法彼外道六師富蘭那迦
葉末伽梨拘賒梨子那闍夜毗羅胝子阿耆
多翅舍欽婆羅迦羅鳩䭾迦旃延尼揵陀若
提子等是汝之師因其出家彼師所墮汝亦
隨墮乃可取食若須菩提入諸邪見不到彼
岸住於八難不得无難同於煩惱離清淨法
汝得无諍三昧一切衆生亦得是定其施汝
者不名福田供養汝者墮三惡道為與衆
魔共一手作諸勞侶汝與衆魔及諸塵勞等
无有異於一切衆生而有怨心謗諸佛毀於
法不入衆數終不得滅度汝若如是乃可取食
時我世尊聞此茫然不識是何言不知以
何答便置鉢欲出其舍維摩詰言唯須菩
提取鉢勿懼於意云何如來所作化人若以是
事詰寧有懼不我言不也維摩詰言一切諸
法如幻化相汝今不應有所懼也所以者何
一切言說不離是相至於智者不著文字故
无所懼何以故文字性離无有文字是則解

BD00790 號　維摩詰所說經卷上

（9–5）

事詰寧有懼不我言不也維摩詰言一切諸
法如幻化相汝今不應有所懼也所以者何
一切言說不離是相至於智者不著文字故
无所懼何以故文字性離无有文字是則解
脫解脫相者則諸法也維摩詰說是法時二
百天子得法眼淨故我不任詣彼問疾
佛告富樓那弥多羅尼子汝行詣維摩詰問
疾富樓那白佛言世尊我不堪任詣彼問疾
所以者何憶念我昔於大林中在一樹下為
諸新學比丘說法時維摩詰來謂我言唯富
樓那先當入定觀此人心然後說法无以穢食
置於寶器當知是比丘心之所念无以瑠璃同
彼水精汝不能知衆生根原无得發起以
小乘法彼自无瘡勿傷之也欲行大道莫
示小徑无以大海内於牛跡无以日光等彼螢
火富樓那此比丘久發大乘心中忘此意如何
以小乘法而教導之我觀小乘智慧微淺
猶如盲人不能分別一切衆生根之利鈍時
維摩詰即入三昧令此比丘自識宿命曾於
五百佛所殖衆德本迴向阿耨多羅三藐三
菩提即時豁然還得本心於是諸比丘稽
首礼維摩詰足時維摩詰因為說法於阿
耨多羅三藐三菩提不復退轉我聲聞不觀
人根不應說法是故不任詣彼問疾
佛告摩訶迦旃延汝行詣維摩詰問疾迦

耨多羅三藐三菩提不復退轉我聲聞不觀
人根不應說法是故不任詣彼問疾
佛告摩訶迦旃延汝行詣維摩詰問疾迦
旃延白佛言世尊我不堪任詣彼問疾所以
者何憶念昔者佛為諸比丘略說法要我即
於後敷演其義謂无常義苦義空義无
我義寂滅義時維摩詰來謂我言唯迦旃延
无以生滅心行說實相法迦旃延諸法畢竟不生
不滅是无常義五受陰通達空无所起是苦義
諸法究竟无所有是空義於我无我而不二
是无我義法本不然今則无滅是寂滅義說
是法時彼諸比丘心得解脫故我不任詣彼
問疾
佛告阿那律汝行詣維摩詰問疾阿那律白
佛言世尊我不堪任詣彼問疾所以者何憶
念我昔於一處經行時有梵王名曰嚴淨與
万梵俱放淨光明來詣我所稽首作礼問我
言幾何阿那律天眼所見我即答言仁者吾
見此釋迦牟尼佛土三千大千世界如觀掌
中菴摩勒菓時維摩詰來謂我言唯阿那律
天眼所見為作相耶无作相耶假使作相則與
外道五通等若无作相即是无為不應有
見世尊我時嘿然彼諸梵聞其言得未曾有
即為作礼而問曰世孰有真天眼者維摩詰
言有佛世尊得真天眼常在三昧悉見諸佛

外道五通等若无作相即是无為不應有
見世尊我時嘿然彼諸梵聞其言得未曾有
即為作礼而問曰世孰有真天眼者維摩詰
言有佛世尊得真天眼常在三昧悉見諸佛
國不以二相是嚴淨梵王及其眷屬五百
梵天皆發阿耨多羅三藐三菩提心礼維摩
詰足已忽然不現故我不任詣彼問疾
佛告優波離汝行詣維摩詰問疾優波離白
佛言世尊我不堪任詣彼問疾所以者何憶
念昔者有二比丘犯律行以為恥不敢問佛
來問我言唯優波離我等犯律誠以為恥不
敢問佛願解疑悔得免斯咎我即為其如法
解說時維摩詰來謂我言唯優波離无重增
此二比丘罪當直除滅勿擾其心所以者何彼
罪性不在內不在外不在中間如佛所說心
垢故衆生垢心淨故衆生淨心亦不在內不在
外不在中間如其心然罪垢亦然諸法亦然
不出於如如優波離以心相得解脫時寧有
垢不我言不也維摩詰言一切衆生心相无
垢亦復如是唯優波離妄想是垢无妄想
是淨顛倒是垢无顛倒是淨取我是垢不
取我是淨優波離一切法生滅不住如幻如
電諸法不相待乃至一念不住諸法皆妄見如
夢如炎如水中月如鏡中像以妄想生其知
此者是名奉律其知此者是名善解於是

BD00790 號　維摩詰所說經卷上　（9–8）

罪性不在內不在外不在中間如佛所說心
垢故衆生垢心淨故衆生淨心亦不在內不在
外不在中間如其心然罪垢亦然諸法亦然
不出於如如優波離以心相得解脫時寧有
垢不我言不也維摩詰言一切衆生心相无
垢亦復如是唯優波離妄想是垢无妄想
是淨顛倒是垢无顛倒是淨取我是垢不
取我是淨優波離一切法生滅不住如幻如
電諸法不相待乃至一念不住諸法皆妄見如
夢如炎如水中月如鏡中像以妄想生其知
此者是名奉律其知此者是名善解於是
二比丘言上智哉是優波離所不及持律之
上而不能說我答言自捨如來未有聲聞
及菩薩能制其樂說之辯其智慧明達為若
此也時二比丘疑悔即除發阿耨多羅三藐三
菩提心作是願言令一切衆生皆得是辯故我
不任詣彼問疾
佛告羅睺羅汝行詣維摩詰問疾羅睺羅白
佛言世尊我不堪任詣彼問疾所以者何憶
念昔時毗耶離諸長者子來詣我所稽首作
礼問我言唯羅睺羅汝佛之子捨轉輪王位

BD00790 號　維摩詰所說經卷上　（9–9）

九斷未乇
未来有漏 十
工序三藏教法相系不……新沉淪三有身
性體是雜穢生死根本
比结違之深寧容不犯禁是故聖制 釋名字者名諸
比丘不淨行等是其別另 第三具緣成犯忽有通別
違傳有三 一天丘比蘭非所被文言若比丘故 二廣制教後以其初
人教未故 三一無重病壞蘭癡狂等此之三義該通諸戒 言別緣有四
一忘境 二有隊心 三起方便 四与境合便犯 比戒通三別四乇緣成犯
此戒文三 一略制 二隨制 三廣制 言略制者初因須提那子比丘於毗舍
離時迦蘭陀村出家欲道其母与財勸令罷還家再三不從後以故百
勸遂乃罷還家犯不淨行因斯世尊訶責制戒 後跋闍子比丘不樂淨行
還家隨制 又因林中乞食比丘共畜生起過廣制故名略足戒
次釋所言若比丘者四分云一名字比丘比是通之義別 二相似比丘者內竊覆波
戒外現威儀似他持戒故云相似 三自稱比丘者謂賊住比丘自言我是
比丘故曰自稱 四乞求比丘者順依聖教以乞資身 離五邪命正命自活
故云乞求比丘 五著割截衣比丘者若著壞衣有二勝益一則毀其細
好離自貪著 二不為王賊之所貪奪常有資身受用之益故云著
割截衣比丘 六破结使比丘者理解心中而發具足戒故云破結使比丘
七八敬比丘尼者阿難傳請如來並宣八敬之法阿難傳受受道聞之尊遵斯
八法即發具足故曰八敬 八白四羯磨比丘尼者若受具戒人數滿足緣羯磨
成就緣得處所結界成就界內無別眾緣身無遮難具此四緣故名白
四羯磨比丘比八義通未代故有隨之 言波羅夷者自行絕 不共住者
眾法絕 四分云譬如斷人頭不復還活比丘尼亦爾若犯此戒不復成比丘

八法即教具足，故曰八敎。八白四羯磨，苾芻尼者，若受具戒人，壞落是緣，羯磨
成就，緣得處所，結界成就，界內無別衆，緣身無遮難，具此四緣，故名白
四羯磨。比丘比丘尼義通未代，故須隨之。　言波羅夷者，自行惡絕，不共住者
衆法絕。四分云：譬如斷人頭，不復還活，比丘尼亦尒，若犯此戒，不復成比丘尼，
故名波羅夷。　第二盜戒　一制意通准上　別意者，凡盜資財，形命
之本，非此不傷人情，寶重意著處深，出家理應撥棄清物，今乃非
理侵奪，損惱不輕，過中之重，是故聖制。　二釋名者，非離指財名之為盜，盜之
者非戒，戒是能治，盜是所防，舉彼所防以對能治，故曰盜戒。　第三具緣通
緣如上，別緣有六：一有主物，二有主想，三重物，四有盜心，五興起方便，
六離本處。　尒時世尊在羅閱城，檀尼迦比丘造瓦(?)草舍，遂被取，新人
打破，後造赤色瓦舍，世尊可責，遂詐宣王命，取王要材，因資(?)依王法，盜
滿五錢犯重。　第三煞戒　一制戒通意如上　別意者，趣報勝善，因所招報(?)
心俱是道器，但出家之人應懷四等，令友真心，斷懷陰(?)境，違茲惱他，損害
道器，過中之甚，為斯聖制。　二釋名者，五陰法中，假立衆生，斷於五陰，名
名為煞生，此是所防，戒是能治，能所通舉，号煞生戒。　三具緣者，通緣
如上，別緣有五：一是人，簡餘趣輕故，二人想，簡疑輕故，三煞心，四興方
便，五斷命根。　尒時世尊在毗舍離國，讚不淨觀，諸比丘遂厭棄身
命，求刀自煞，遂見勿力伽難提比丘，持入薗，便以衣鉢，難提比丘遂斷其
命，現於婆求河邊洗刀，時有天魔來於水上，讚言善哉，有大功
德，其難提遂心生，却持刀入薗，日煞六十人，死屍狼藉，居士慊自
世尊因制戒。　第四妄語戒
一制意通意如上　別意者，夫為真道，聖所證法，非是凡夫
滓穢之所能契，以未得故，謂假虛誑，自言已證，惑亂群心，欺誑
於世，悕招名利，自損損他，其法固過中之重，故須聖制。　通緣如上，別緣
有八：一境界是人，二人想，三境虛，四知境虛，五説過人法，六自言已得，
七言辭了了，八前人知解，便犯。　尒時世尊在毗舍離，獼猴江世穀貴，人民飢
饉，乞求難得，遂乃勑諸比丘分令安居，初曰婆求河邊安居，比丘手
稱得上人法，故仏略制此戒。　摩觸戒第五　仏在舍衛國祇樹給孤
獨薗時，有善庥樂長者与偷蘭難陀比丘尼相觸，仏制此戒，具五緣
成犯：一男子，簡非天与畜男、黄門、男中不聞死活大小輕重等，又通道
俗，觀陳齊，說可知，二人男想，三染心，四相觸，五受樂，便犯，不犯者若有

稱得上人法故仏略制此戒　摩觸戒第五　仏在舍衛國祇桓給孤
獨薗時有善應樂長者与偷蘭難陀比丘尼相觸仏制此戒具五緣
成犯　一男子謂非天与畜男異女等男中不問死活大小輕重等又通道
俗親疎廣說可知　二人男相　三染心　四相觸　五受樂便犯不犯者若有
相觸或戲嘆相解時相觸不犯　　犯八事戒第六
仏在舍衛國祇樹給孤獨薗時波樓應長者与偷蘭難陀比丘尼有染
心受長者捉手衣等故制此制戒具五緣成犯　一男　二男相　三染心　四見
前七事未懺　五八事作犯　言八事者　一捉手　二捉衣　三入屏處雖
四屏處立語行住等三事亦尔七身相倚者　二身及共期者共行
婬處若男有染心便犯犯上七事　七偷蘭不懺犯八事波羅夷　准此八
捉手犯不重成若一男犯八一時犯八八年犯八八男成重亦无次第僧祇如此七
不犯者若有所施与若礼拜不悔過若受法入屏處不惡事不犯具
无染心故下入同室犯墮者无所為事涉世譏醜故犯
覆藏他重罪戒第七　仏在舍衛國祇樹給孤獨薗時偷蘭難陀比
丘尼妹字坻舍難陀其人犯波羅夷時偷蘭難陀知恐妹得惡名稱黑
然不說其妹休道仏自制戒具六緣成犯　一大尼　二犯八重已　三知他犯重
四作覆藏心　五未發露　六明相出便犯　於八法中犯亡罪知是彼比
尼波羅夷　前食知後食時說偷蘭　乃至中夜知後夜說偷蘭　後夜知
不說至明相出波羅夷　除八戒覆餘罪不說者隨所犯自重偷蘭除
比丘尼餘人吉羅　覆戒又沙彌尼吉罪不犯者為不知向人說若无人可
向說意欲而未說明相出恐有命難梵行難不說不犯
隨舉戒第八　仏在拘睒弥國瞿師羅薗中時尊者闡陀比丘僧為作舉如
法如律如仏所教僧不為懺悔僧未作共住時有比丘尼名尉此往反
承事諸比丘尼語言闡陀比丘僧不除舉不懺悔僧未与作共住汝莫作
順從尉此答言諸大妹此是我兄今日不供養更待何時由故不心
因仏制戒　具六緣成犯　一自身隨彼　二諸尼如法訶諫　三不受
勸道　四如法諫　五拒而不捨　六三羯磨竟便　不犯者初諫時捨而
未作呵諫前不犯　　已上八波羅夷文
有勅頒下諸州令應生禪人先為當今聖神贊普乞里提足贊　聖躬
遐遠聖壽延長國界安寧普天清謐其坐禪人聚初發首十
方諸仏三世如來如對前深心作礼悔陵逐生如曾聞師訓或道存勤
尊高良志終行如未聞所習道者衣此方去白默觀謀旦某修行滌令

[illegible]已上八波羅蜜文

有勑須下諸州令應坐禪人先為當今聖神贊普七里保足寶　聖躬
遐遠聖壽延長國界安寧普天清謐其坐禪人嚴祕發首十
方諸佛三世如來如對前淨心作禮然後安坐如曾聞師訓誡通弥勒
禪者根法修行如來聞訓道者依此方法恒默觀諜旦某修行條令
如後
夫坐禪時先發廣七慈心依閑淨處端身正坐收攝根門
唯觀目前心無悼舉身心安泰加趺而坐　一等觀衆生如父母想无
愛无憎无高无下親疎平等下至施其半食上拯濟救全身各隨前
人所須惠施內外財寶使一切衆生世出世間從凡入聖人天果報无上菩提自
及彼身善皆圓滿方稱弥勒慈悲之禪　一初心修行於怨親境未能
調伏者慈觀各分三品无怨无親分為一品都合七心先從至親起慈悲
行而淳熟已而調次親次親淳熟如調下親下心淳熟如調平人平心淳熟
如調下怨下心淳熟而調中怨中心淳熟而調上怨如是怨親平等復於
隣里隣陌乃至村邑而淳熟者後乃遍於四方八表海內海外有情无情有相
无相无邊世界悉皆平等此禪既尔福祚亦然如是修行是弥勒修行
之法　一如上所說蓋為初心調心便方故云弥勒慈心三昧整之開防御衆生
狂心若其行者欲得真實无分別禪者當須悟解一切諸法不從自生不
從他生不離從自他生亦不是无因而生衆緣和合而生起者蓋是衆
生自心隨流而作本性實无生者无生亦不分別了了知心不住分別无
分別者是名弥勒无分別禪
三乘五性者　一聲聞乘　二緣覺乘　三菩薩乘　問何者是聲聞乘
答有一類人於佛會下聞說四諦法因聲悟道淨其客塵故名聲聞　問
何者是緣覺　答聞因緣法常厭煩惱息淨客塵名緣覺乘　問何者
是菩薩　答聞說六波羅蜜息諸心念起行修行證佛果故名菩薩乘　問三乘
見法如何　答三乘所見之理各不同故然其二乘所見相似見一切法皆從緣
生六塵境界及斷理心內皆有見淨有愛有增起如是見所以聲
聞緣覺所見皆同合名下乘見雖是同行行不等謂聲聞人根性劣故事
須知苦斷集證滅修道悟知苦空无常无我之理知此苦身因煩惱集若
求出苦須斷集因要證斷修八聖道為斷因聞此法故深起厭求便能修行
戒定慧為出世因此是聲聞所行之行　緣覺所行行者為緣覺人根
性聰利觀因緣法順流逆流二種法性无明緣行等是其順流順出世間法
[illegible]

BD00791號2　敎修彌勒禪（擬）
BD00791號3　三乘五性義（擬）

須知苦諦集諦滅諦道諦知苦空无常无我之理知此苦身因煩惱集若
求出苦須斷集因要證涅槃修八聖道為涅槃因聞此法故深起厭求便能修行
戒定之慧為出世因此是聲聞所行之行　緣覺所行行者為緣覺人根
性聰利觀因緣法順流逆流二種法性无明緣行等是其順流順出世間法
却從後尋死因何有因生而有生因何有因有取等是其順流如是逆尋至无
明以无明為根本滅无明故行滅至老死滅更无所有便證其果此是順
出世間法性道理是緣覺所行之行　菩薩見法者悟知習之空六塵境界推
涅槃皆從心生了知心无一切皆空心生一切法生心滅一切法滅若心離妄平等
皆如无是无非无取无捨究竟而有究竟而空此是菩薩所見之相菩薩所行之
者此人聞說大乘之法最勝无邊聞說世法果患極多皆可破壞二乘極果
非是究竟了知四生及於五趣同真如性便能修行諸波羅蜜勇猛精進能
離自他便能速成无上佛果此是菩薩所行之行　問三乘得果如何
答聲聞緣覺勝劣雖殊而彼所證同我空理故二乘人所證涅槃皆同歷二
之人於此身斷諸煩惱所得涅槃名有餘依煩惱雖盡苦身由在不盡名
有餘依前三果果四向所證也　无餘依者謂見眾生飢渴寒熱眾苦
極多厭患身此欲求棄捨以自智慧從內化火焚身其心如燈火滅
眾苦俱寂如太虛空淨无一物名无餘依此是二乘所得涅槃　菩薩涅槃相者
地前三賢菩薩障未亡不得涅槃地上雖得百法明門證二空真如為化眾
生又起煩惱業不得名曰有餘依涅槃未捨生死有微苦故不得名曰无餘依涅槃
由有下乘厭涅槃障由是未得无住涅槃菩薩得至第五地中方斷此障亦證
无住涅槃之理更進修時方得佛果　言五性者聲聞種性　緣覺種性
菩薩種性　不定種性　无種性　三乘義如上　不定性者有一類人根性利
故聞說三乘漸次修學速證无生名不定性　无種性者是一闡提人謂不
信善法廣造諸惡无三乘性此是三乘五性　五乘三性者　三乘如上
第四人乘　第五天乘　修五戒故得人乘　持十善故得天乘　合人天為
一乘者五戒十善皆是世間法故合為一乘　開不定性為五乘者隨三乘行從
法種性別故開為五乘有合不定性入三乘中隨三乘教修行之時皆得
出世開人天乘為五乘者　五戒十善各差別故說為五乘　問三乘宗何
答聲聞緣覺以因緣為宗知一切法皆從緣生六塵境界心外皆有
大乘勝義皆空宗亦云无相宗假從緣生緣无自性一切皆空名无相宗
三乘五性相攝者為五性寬故攝三乘　三乘為狹故不攝五性　問
聲聞緣覺同是小乘何以判為二乘　答此二種人根性有殊所以為二乘

[illegible]五性者聲聞種性　緣覺種性[illegible]
菩薩種性　不定種性　无種性　三乘義如上　不定性者有一類人根性利
故聞說三乘漸次修學速證无生名不定性　无種性者是一闡提人謂不
信善法廣造諸惡无三乘性此是三乘五性　五乘三性者　三乘如上
第四人乘　第五天乘　修五戒故得人乘　持十善故得天乘　合人天為
一乘者五戒十善皆是世間法故合名為一乘　開不定性為五乘者隨三乘行修
法種性別故開為五乘　有合不定性入三乘中隨三乘教修行之時皆得
出世開人天乘為五乘者　五戒十善各差別故說為五乘　問三乘宗何
答聲聞緣覺以因緣為宗知一切法皆從緣生六塵境界心外皆有
大乘勝義皆空宗亦云无相宗假從緣生緣无自性一切皆空名无相宗
三乘五性相攝者為五性寬故攝三乘　三乘局故不攝五性　問
聲聞緣覺同是小人何別分為二種乘別　答此二種人利鈍有殊分為二乘
為聲聞人根性鈍故立為下乘緣覺之人根性利故分為中乘　問緣
獨覺有何差別　答緣覺之人要從前人聞說因緣之法滅因緣法證得
道果獨覺之人不假前人出无佛世思惟得道獨悟非常名曰獨覺
就緣覺中人此根利為性昔修因之時任性修善不起希求我來世
值佛聞法不如是故出无佛世為根性利於緣覺故標別　緣覺之人以
修因時於諸善品悉起行願我後世時值佛聞法起如是願故出於佛
世得聞正法有資劉故

其王常懷慈心布施一切不逆人意尒時有
一小邊國王常懷惡逆尒時大光明王於月
月諸齋日以五百大烏載珎寶錢財衣被飲
食著大市中及著四城門外布施一切時敵
國怨家聞大光明王布施一切不逆人意有
須衣服飲食金銀珎寶者恣意自重而去尒
時邊小國王聞大光明王布施之德心生嫉妬
即集諸臣誰能往波羅柰國乞大光明王頭
諸臣皆無能往者王復更宣令誰能往波羅
柰國乞大光明王頭能去者償金千斤其中
有一婆羅門言我能往乞之但給我資粮此國
去波羅柰六千餘里王即給資粮遣至波羅柰
國時婆羅門往到波羅柰界上其地六種
震動驚諸禽獸四散馳走日光鄣蔽月无
精光五星諸宿違失常度赤黑白虹晝夜常
現流星崩落於其國中有諸流泉浴池華菓
茂盛常所愛樂者而皆枯乾時婆羅門往到
波羅柰城在門外立時守門神語守門者言
此大惡婆羅門從遠方來欲乞大光明王頭汝
汝莫聽入時婆羅門住在門外停滯一七不能
能得前語守門者我從遠來欲見大王時守

BD00792號　大方便佛報恩經卷五　（7–1）

此大惡婆羅門從遠方來欲乞大光明王頭汝
汝莫聽入時婆羅門住在門外停滯一七不能
能得前語守門者我從遠來欲見大王時守
門者即入白王有一婆羅門從遠方來今在
門外王聞是語即出奉迎如子見父前為作
礼所從來耶道涉塗路得无疲惓婆羅門言
我在他方聞王功德布施不逆人意名聲遠
聞上徹蒼天下徹黃泉遠近歌歎无窮言故
從遠來歷涉山川今欲有所得王言我今名
為一切之施有所求索莫自疑難婆羅門言審
實尒不我不用餘物今欲大祠從王乞頭王聞
是已深自思惟我從无始生死已來空喪此身
未曾為法空受生死勞我精神今者此身深欲
為求菩提攝及眾生今不與者違我本心若
不以此身施者何緣當得成於阿耨多羅三
藐三菩提王言大善須我少自撿校委付國
位夫人太子過七日已當相給與尒時大王即
入宮中報諸夫人天下恩愛皆當別離人生
有死事成有敗物生於春秋冬自枯夫人太
子聞是語已譬如人噎既不能咽復不得吐
大王今者何因緣故說如是語王言有婆羅
門從遠方來欲乞我頭我已許之夫人太子
聞是語已舉身投地舉聲大哭自拔頭髮裂
壞衣裳而作是言大王天下所重莫若己身
云何今日難捨能捨持用施人時五百大臣
語婆羅門言汝用是臭爛膿血頭為婆羅門

BD00792號　大方便佛報恩經卷五　（7–2）

聞是語已舉身投地舉聲大哭自拔頭髮
壞衣裳而作是言大王天下所重莫若己身
云何今日難捨能捨持用施人時五百大臣
語婆羅門言汝用是臭爛膿血頭為婆羅門
言我自乞自用問我為大臣言卿入我國我應
問卿卿應荅我時婆羅門叵欲賫荅心懷怨
怖懼畏大臣斷其命根
尒時五百大臣語婆羅門汝莫恐怖我等今者
施汝无畏以大王故貢婆羅門何用是膿血
頭為我等五百人人作一七寶頭共相貿易
并與所須令汝七世无所乏少婆羅門言吾不
用也時諸大臣不果所願心生苦惱舉聲悲
哭白大王言大王今者何忍便欲捨此國土
人民夫人太子為一婆羅門永棄孤背王言
今為汝等及一切衆生故捨身布施時第一
大臣聞王語意必欲捨身與婆羅門即自思
惟我今云何當見大王捨此身命作是思惟
已即入靜室以刀自斷其命尒時大王便入後
園喚婆羅門來汝今從我乞頭我以慈心憐
愍汝故不逆汝意令我來世得智慧頭施於
汝等作是語已即趍合掌向十方礼而作
是言十方諸佛哀慈憐愍諸尊菩薩威
神讃助令我此事必得成辦語婆羅門隨汝持
去時婆羅門言王有力士之力臨時苦痛脫
能變悔不能忍苦或能反害於我王審能
尒者何不以頭髮自繫樹枝王聞是語心生
慈愍此婆羅門老而且羸若當不能斷我頭

BD00792 號　大方便佛報恩經卷五　（7–3）

能變悔不能忍苦或能反害於我王審能
尒者何不以頭髮自繫樹枝王聞是語心生
慈愍此婆羅門老而且羸若當不能斷我頭
者而失大利即隨其言以髮自縛著樹語婆
羅門汝斷我頭還著我手中我當以手授與
於汝時婆羅門手自捉刀即前向樹尒時樹
神即以手搭婆羅門頭悶絕倒地尒時大光
明王語樹神言汝不助我乃於善法而趍留
難尒時樹神聞是語已心生苦惱即唱是言
恠哉苦哉於虛空中无雲而血天地大動日无
精光時婆羅門尋斷王頭持還本國
尒時五百太子及諸群臣即收大光明王餘
身骨起塔供養佛告阿難尒時第一大臣聞
大光明王以頭布施心不堪忍尋自捨命者
今舍利弗是尒時大光明王者今則我身釋
迦如來是菩薩如是修習苦行擔為衆生念
諸佛恩是故超越得成阿耨多羅三藐三菩
提是故舍利弗聞於如來欲入涅槃眼不忍
見先取滅度與本不異過去世時不忍見我
捨於身命我於此後園在一樹下捨轉輪王頭
布施數滿一千況餘身分身體手足說是
昔行因緣時有无量百千衆生皆發向耨多
羅三藐三菩提心復有无量百千人得須陁
洹道乃至阿羅漢果復有无量百千人發聲
聞辟支佛心一切大衆諸天龍鬼神人及非
人聞佛說法歡喜而去復次摩伽陁國有五

BD00792 號　大方便佛報恩經卷五　（7–4）

皆行因緣時有无量百千衆生皆發阿耨多
羅三藐三菩提心復有无量百千人得須陁
洹道乃至阿羅漢果復有无量百千人發聲
聞辟支佛心一切大衆諸天龍鬼神人及非
人聞佛說法歡喜而去復次摩伽陁國有五
百群賊常斷道劫人枉濫无辜王路斷絶
尒時摩伽陁王即越四兵而往収捕送著深
山玄嶮之處即取一一賊挑其兩目劓刵鼻
耳尒時五百群賊身體皆痛命在呼噏尒時
五百人中有一人是佛弟子告諸大衆我等
今者命不云遠何不至心歸命於佛尒時五
百人尋共發聲唱如是言南无釋迦牟尼佛
尒時如來在耆闍崛山以慈悲力遊於乹陁
山即大風起吹動樹林起旃檀塵溢虛空中
風即吹往至彼深山諸群賊所坌諸賊眼及諸
身創平復如故尒時諸賊還得兩眼身創平
復血變爲乳俱發是言我等今者蒙佛重
恩身體安樂報佛恩者應當速發阿耨多羅三
三藐三菩提心作是唱已一切大衆異口音同
而作是言諸未安衆生我當安之諸未解
衆生我當解之諸未度者我當度之未得
道者令得涅槃
復次如來慈悲方便神力不可思議佛在舍
衛國尒時崛山中有五百人止住其中斷道
劫人作諸非法如來尒時以方便力化作一
人乘大名鳥身着鎧器帶持弓箭手執鉾稍
所乘大鳥皆以七寶而莊挍之其人亦以七寶

復次如來慈悲方便神力不可思議佛在舍
衛國尒時崛山中有五百人止住其中斷道
劫人作諸非法如來尒時以方便力化作一
人乘大名鳥身着鎧器帶持弓箭手執鉾稍
所乘大鳥皆以七寶而莊挍之其人亦以七寶
而自莊嚴珠環嚴具皆出光明單獨一己而入
嶮路往至崛山尒時山中五百群賊遥見是人
而相謂言我等積年作賊未見此也尒時賊
主問其人言汝何所見其人答言見有一人
乘大名鳥披服瓔珞并鳥乘具純是七寶
放大光明焰動天地隨路而來兼復單獨一
己我等若當翕獲此人資生衣食七世无乏
尒時賊主聞是語已心生歡喜密共唱令而
作是言慎莫斫射徐徐捉取即前後圍遶一
時而發時五百人同聲唱喚尒時化人以慈
悲力愍而哀傷尋時張弓布箭射之時五百
人人被一箭而創皆痛難可堪忍即皆躃地
婉轉大喚起共拔箭其箭堅固非力所堪尒時
五百人即懷怨怖我等今者必死不疑所以
者何而此一人難爲抗對由來未有即共同
聲說偈問曰
卿是何等人　爲是呪術力　爲是龍鬼神　一箭射五百
皆痛難可陳　我等身歸命　爲我出毒箭　隨順不敢違
尒時化人說偈荅曰
斫創无過惠　射箭无過怒　是㽪莫能拔　唯從多聞除
尒時化人說是偈已即復佛身放大光明遍焰
十方一切衆生遇斯光者盲者得視瘂者得

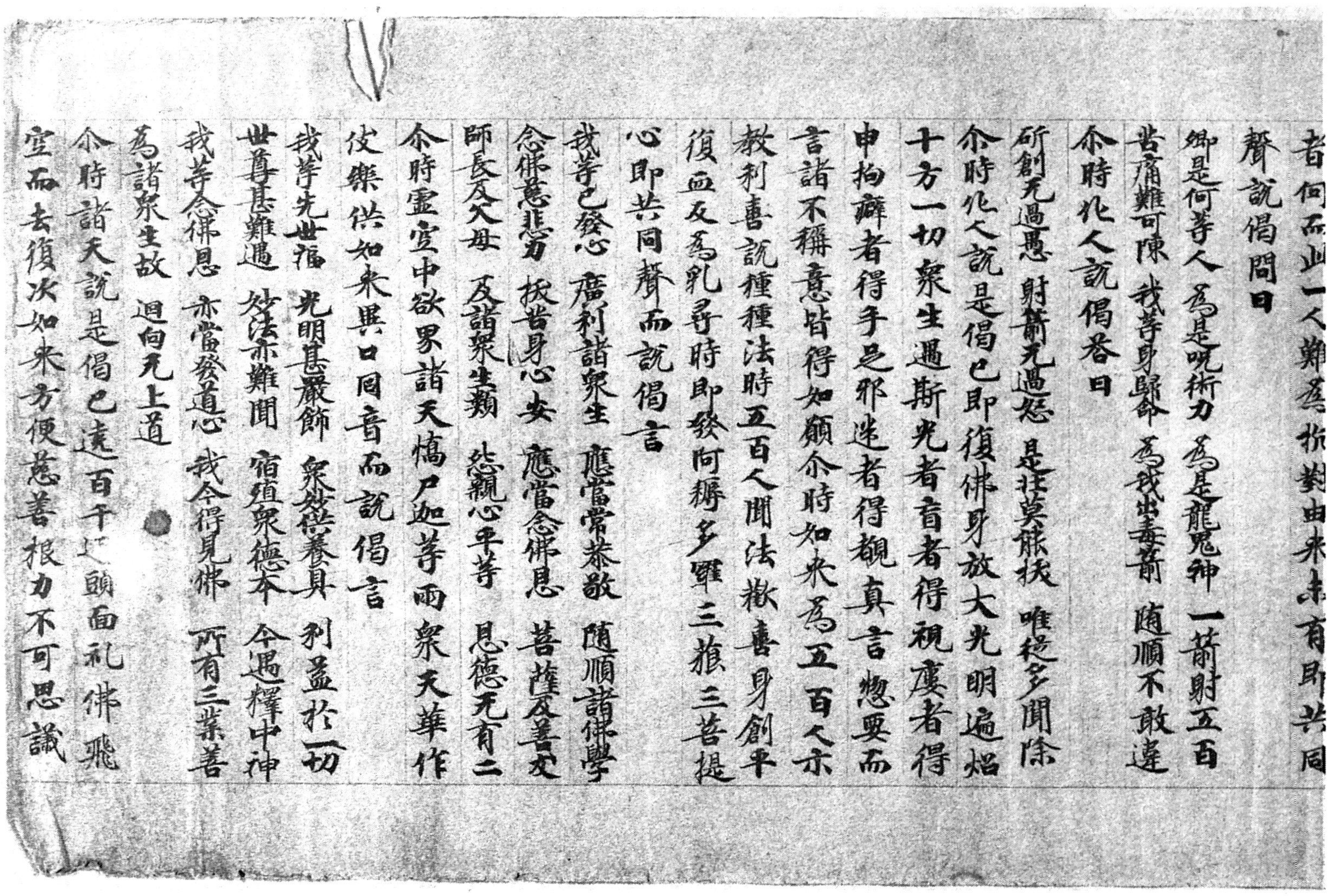

昔何而此一人難爲折對由來亦有耶共同
聲説偈問曰
卿是何等人 爲是呪術力 爲是龍鬼神 一箭財五百
昔痛難可陳 我等身歸命 爲我出毒箭 隨順不敢違
尒時外人説偈答曰
所創无過患 財箭无過怨 是狂莫能拔 唯從多聞除
尒時外人説是偈已即復佛身放大光明遍炤
十方一切衆生遇斯光者盲者得視聾者得
申拘躄者得手足邪迷者得觀真言惣要而
言諸不稱意皆得如願尒時如來爲五百人示
教利喜説種種法時五百人聞法歡喜身創平
復血反爲乳尋時即發阿耨多羅三藐三菩提
心即共同聲而説偈言
我等已發心 廣利諸衆生 應當常恭敬 隨順諸佛學
念佛慈悲力 拔苦身心安 應當念佛恩 菩薩及善友
師長及父母 及諸衆生類 慈觀心平等 恩德无有二
尒時靈空中欲界諸天憍尸迦等雨衆天華作
伎樂供如來異口同音而説偈言
我等先世福 光明甚嚴飾 衆妙供養具 剎蓋於一切
世尊甚難遇 妙法亦難聞 宿殖衆德本 今遇釋中神
我等念佛恩 亦當發道心 我今得見佛 所有三業善
爲諸衆生故 迴向无上道
尒時諸天説是偈已遶百千匝頭面禮佛飛
空而去復次如來方便慈善根力不可思議

BD00792 號　大方便佛報恩經卷五　　（7–7）

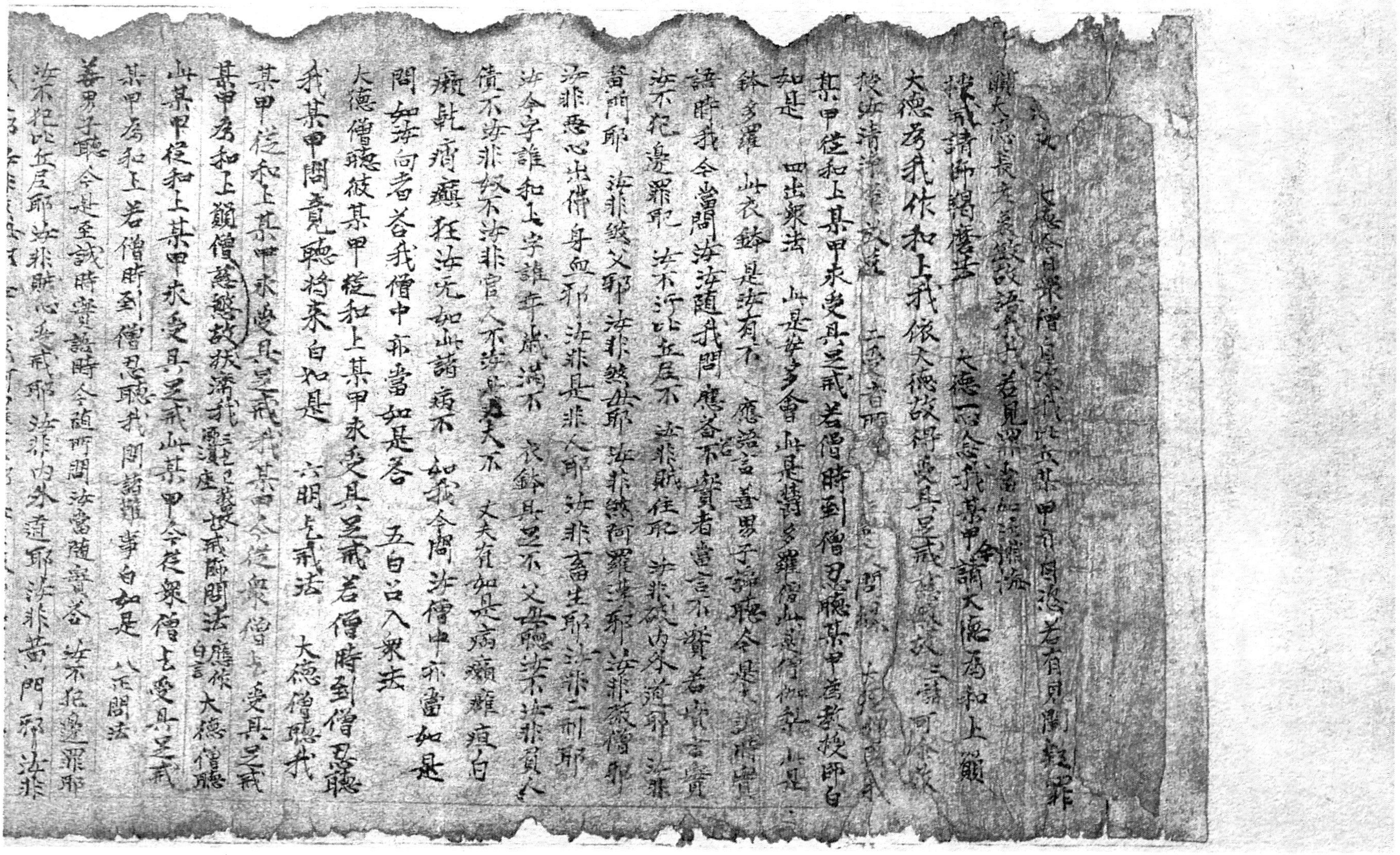

BD00793 號　羯磨法鈔（擬）　　（4–1）

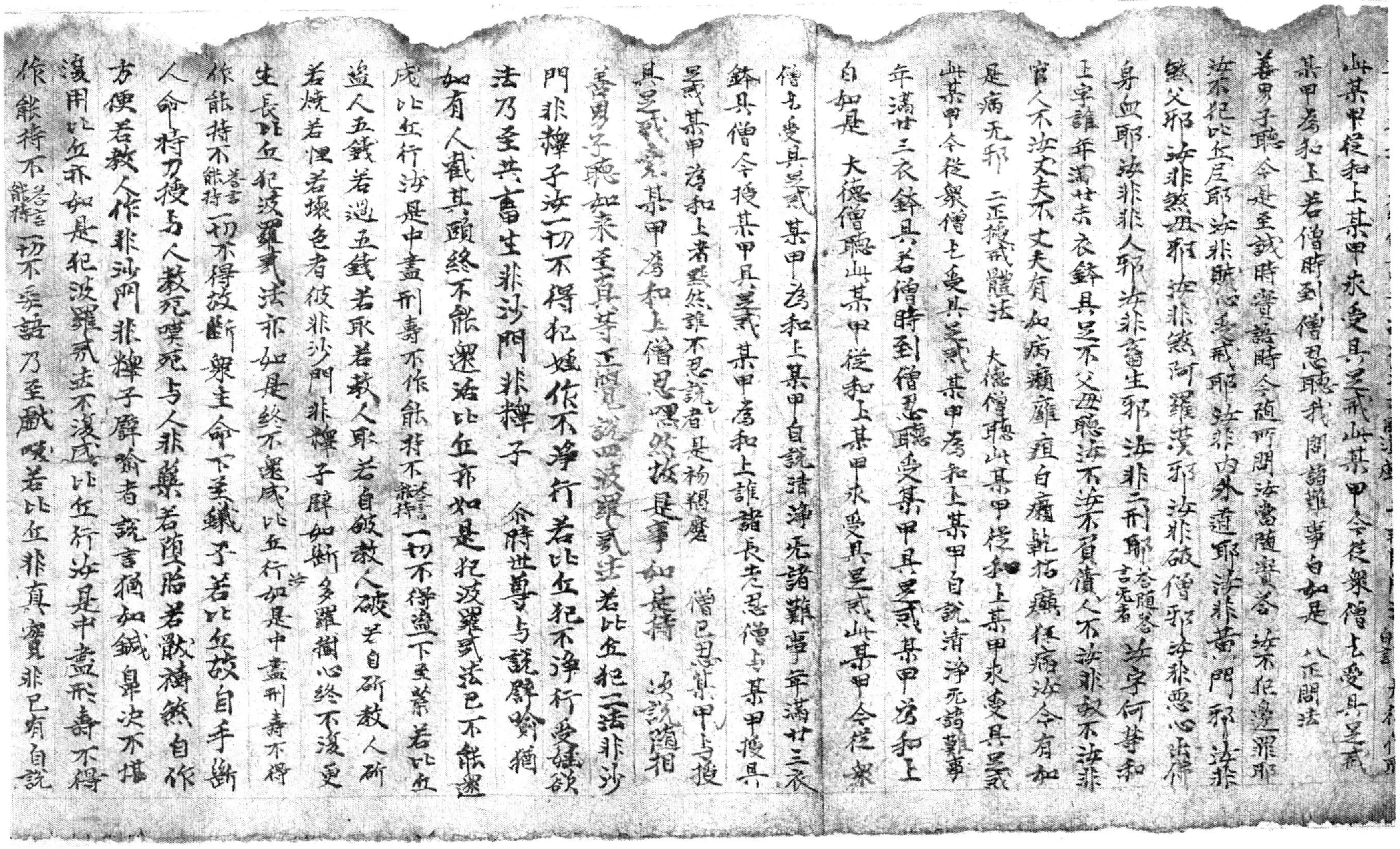
山某甲從和上某甲求受具足戒山某甲今從衆僧乞受具足戒
某甲爲和上若僧時到僧忍聽我問諸難事白如是 八正問法
善男子聽今是至誠時實語時今隨所問汝當隨實答 汝不犯邊罪耶
汝不犯比丘尼耶汝非賊心受戒耶汝非内外道耶汝非黄門耶汝非
煞父耶汝非煞母耶汝非煞阿羅漢耶汝非破僧耶汝非惡心出佛
身血耶汝非非人耶汝非畜生耶汝非二形耶 答隨言答 汝字何等和
上字誰年滿廿未衣鉢具足不父母聽汝不汝不負債人不汝非奴不汝非
官人不汝丈夫不丈夫有如此病癩癰疽白癩乾痟癲狂病汝今有如
是病无耶 二正授戒體法 大德僧聽山某甲從和上某甲求受具足戒
山某甲今從衆僧乞受具足戒某甲爲和上某甲自說清淨无諸難事
年滿廿三衣鉢具若僧時到僧忍聽受某甲具足戒某甲爲和上
白如是 大德僧聽山某甲從和上某甲求受具足戒山某甲今從衆
僧乞受具足戒某甲爲和上某甲自說清淨无諸難事年滿廿三衣
鉢具僧今授某甲具足戒某甲爲和上誰諸長老忍僧与某甲授具
足戒某甲爲和上者默然誰不忍者說是初羯磨 僧已忍某甲与授
具足戒竟某甲爲和上僧忍默然故是事如是持 次說隨相
善男子聽如來至真等正覺說四波羅夷法若比丘犯一一法非沙
門非釋子汝一切不得犯婬作不淨行若比丘犯不淨行受婬欲
法乃至共畜生非沙門非釋子 尒時世尊与說譬喻猶
如有人截其頭終不能還活比丘亦如是犯波羅夷法已不能還
戒比丘行汝是中盡形壽不作能持不 答言能持 一切不得盜下至草葉若比丘
盜人五錢若過五錢若取若教人取若自破教人破若自斫教人斫
若燒若埋若壞色者彼非沙門非釋子譬如斷多羅樹心終不復更
生比丘犯波羅夷法亦如是終不還戒比丘行汝是中盡形壽不得
作能持不 答言能持 一切不得故斷衆生命下至蟻子若比丘故自手斷
人命持刀授与人教死嘆死与人非藥若墮胎若猒禱煞自作
方便若教人作非沙門非釋子譬喻者說言猶如鍼鼻決不堪
復用比丘亦如是犯波羅夷法不復戒比丘行汝是中盡形壽不得
作能持不 答言能持 一切不妄語乃至戲咲若比丘非真實非已有自說

BD00793號　羯磨法鈔（擬）

（4–2）

人命持刀授与人教死嘆死与人非藥若墮胎若猒禱煞自作
方便若教人作非沙門非釋子譬喻者說言猶如鍼鼻決不堪
復用比丘亦如是犯波羅夷法不復戒比丘行汝是中盡形壽不得
作能持不 答言能持 一切不妄語乃至戲咲若比丘非真實非已有自說
言我得上人法得禪得解脫得定得四空定得須陁洹果斯陁含果阿
那含果阿羅漢果天來龍來鬼神來供養我彼非沙門非釋
子譬喻者說猶如大石破爲二分終不可還合比丘犯此波羅夷法
不可還戒比丘行是中盡形壽不得作能持不 答言能持 授四依法
善男子聽如來至真等正覺說四依法比丘依此得出家受具足戒
戒比丘法比丘依糞掃衣比丘依此得出家受具足戒比丘法是中
盡形壽能持不 答言能持 若得長利檀越施衣割壞衣得受比丘依乞食比
丘依是得出家受具足戒得戒比丘法是中盡形壽能持不 答言能持
若得長利若僧差食檀越送食月八日食十四日十五日食月初日
食若僧常食檀越請食得受依樹下坐比丘依此得出家受具足戒
戒比丘法是中盡形壽能持不 答言能持 若長利若別房尖頭屋小
房石室兩房一戶得受依腐爛藥比丘依此得出家受具足戒
戒比丘法是中盡形壽能持不 答言能持 若得長利蘇油生蘇蜜石蜜
得受汝已受戒已白四羯磨如法成就得處所和上如法阿闍梨如法衆
僧具足滿汝當善受教法應當勸化作福治塔供養衆僧和上阿闍梨
若一切如法教不得違逆應學問誦經勤求方便於佛法中得須陁洹果
斯陁含果阿那含果阿羅漢果汝 [illegible] 心出家功不唐捐果報不絶餘
所未知當問和上阿闍梨 [illegible] 法 大德一心念我某甲今
求大德爲依止願大德与我作 [illegible] 依大德故得如法住
可尒与汝依止汝莫放逸 對首安居法 大德一心念我比丘某甲
依某伽藍 某聚落 前三月夏安居房舍破修治故 [illegible] 受持
若 答言 依某律師 答言 有疑當往問 羯磨受日法 大德僧
僧忍聽比丘某甲受過七日法 十五日 一月日 出界外爲某事故還
白如是 大德僧聽比丘某甲受過七日法 十五日 一月日 出界外爲
此中安居誰諸長老忍僧忍聽比丘某甲受過七日法 十五日 一月日

BD00793號　羯磨法鈔（擬）

（4–3）

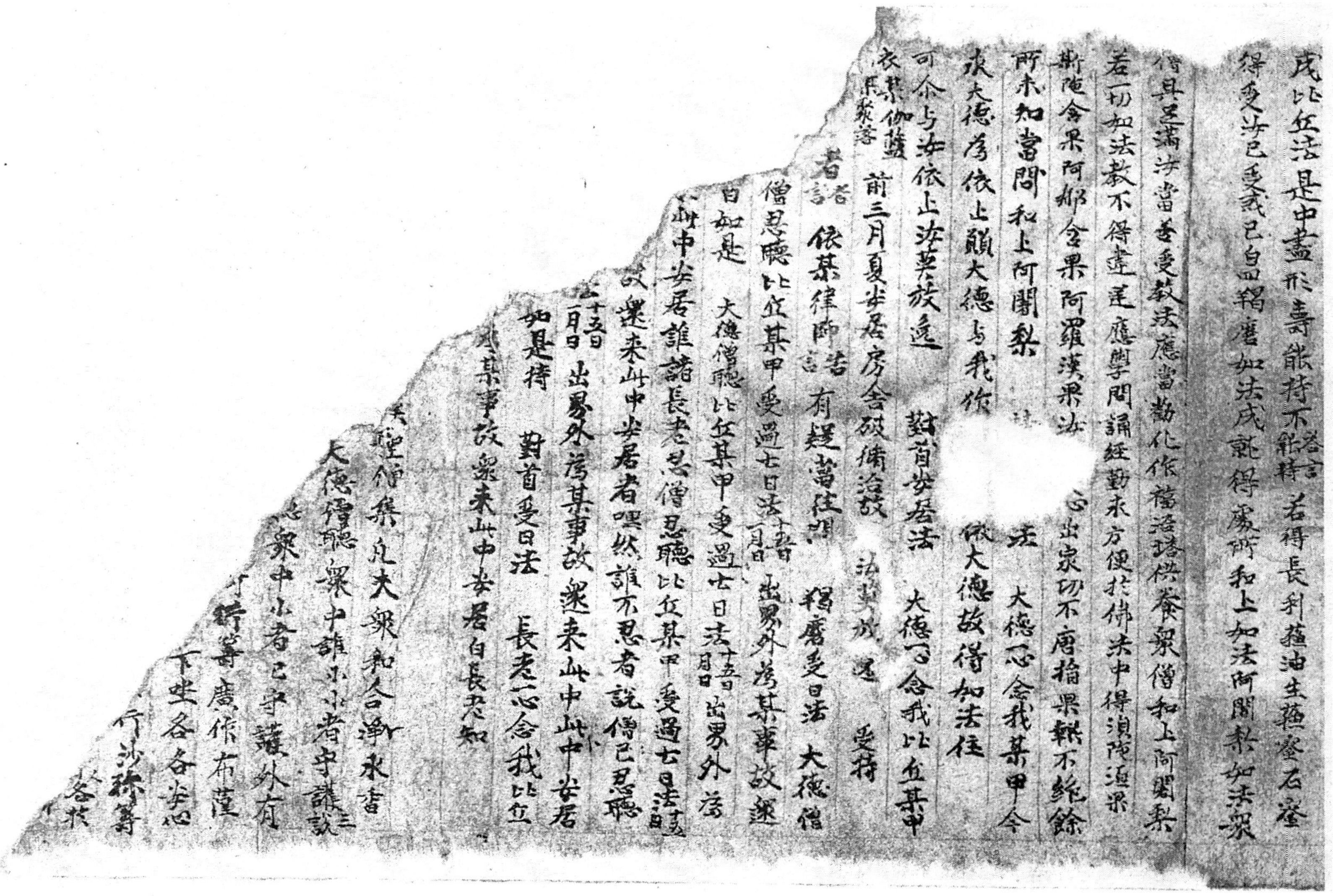

BD00793 號　羯磨法鈔（擬）　　（4–4）

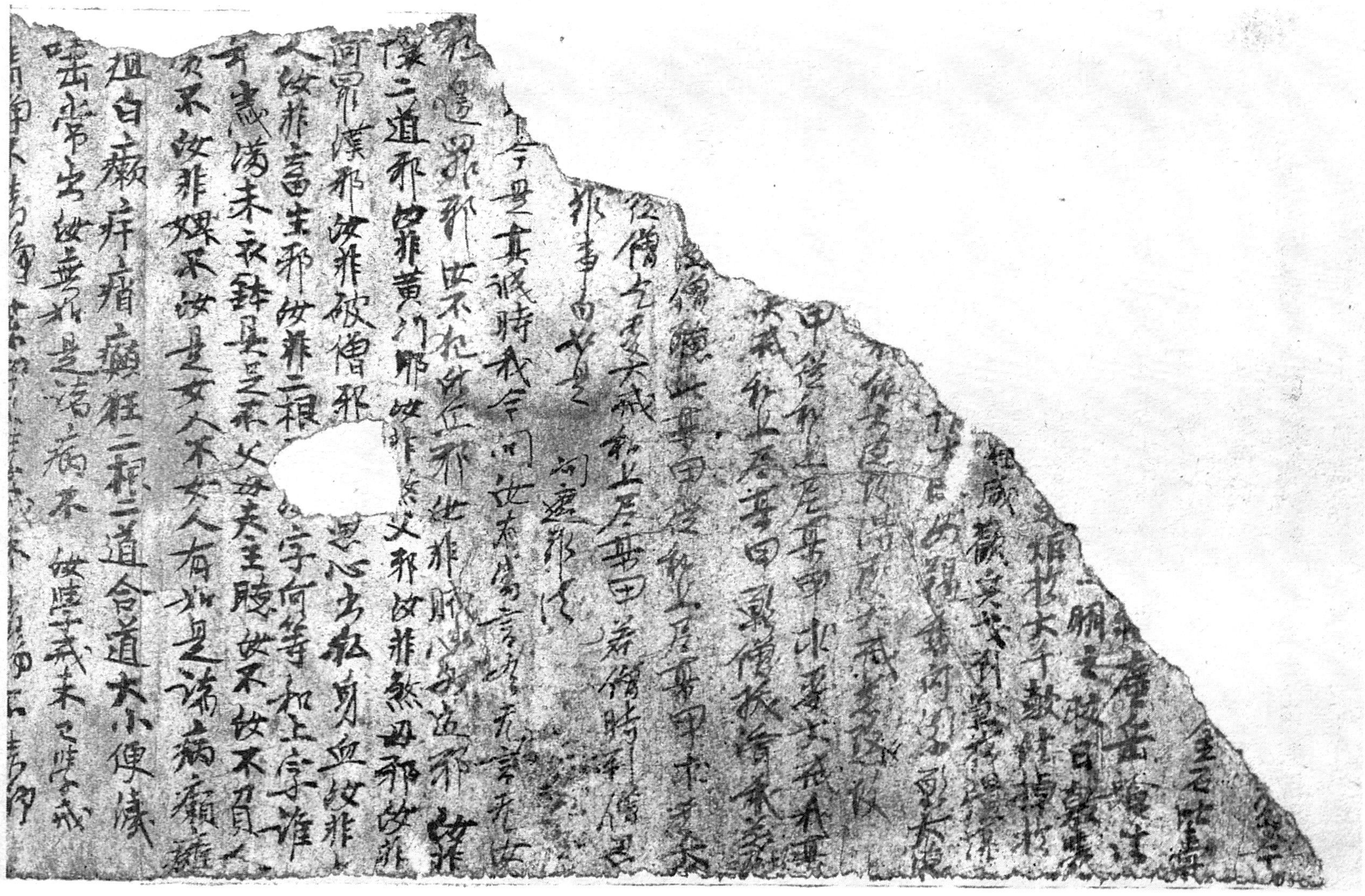

BD00793 號背　雜寫　　（3–1）

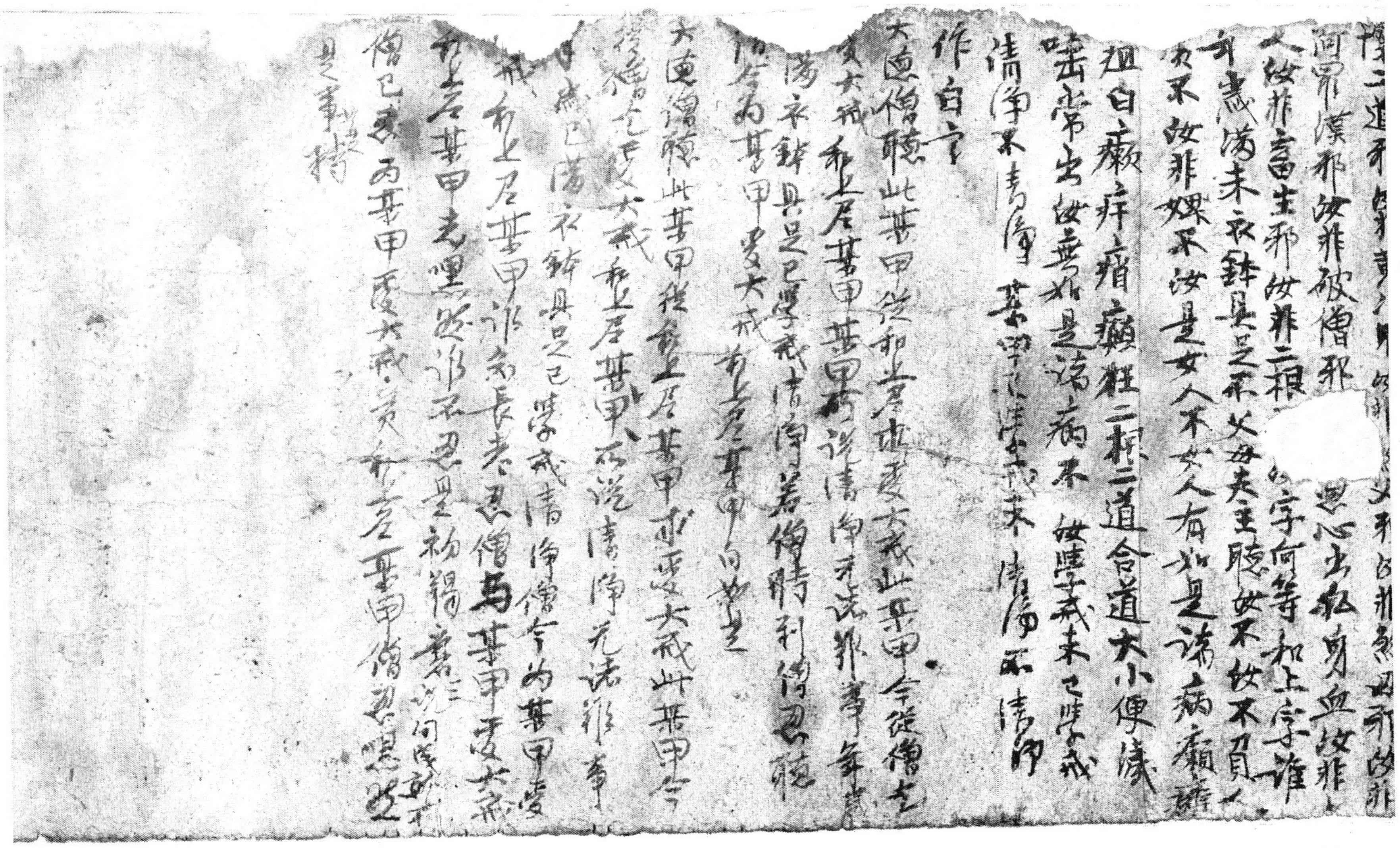

[illegible]
阿羅漢耶 汝非破僧耶 [illegible] 惡心出佛身血 汝非
人 汝非畜生耶 汝非二根 [illegible] 汝字何等 和上字誰
年歲滿未 衣鉢具足不 父母夫主聽汝不 汝不負人
債不 汝非奴不 汝是女人不 女人有如是諸病 癩疽
癰白癩 疥瘡 癲狂 二根 二道 合道 大小便漏
唾常出 汝無如是諸病不 汝學戒未 已學戒
清淨不 答言清淨 某甲已學戒未 答 清淨 不清淨
作白言
大德僧聽 此某甲從和上某甲求受大戒 此某甲今從僧乞
受大戒 和上某甲 某甲自說清淨 無諸難事 年歲
滿 衣鉢具足 已學戒 清淨 若僧時到 僧忍聽
僧今為某甲受大戒 和上某甲 白如是
大德僧聽 此某甲從和上某甲求受大戒 此某甲今
從僧乞受大戒 和上某甲 某甲自說清淨 無諸難事
年歲已滿 衣鉢具足 已學戒 清淨 僧今為某甲受
戒 和上某甲 誰諸長老忍僧為某甲受大戒
和上某甲者默然 誰不忍者說 是初羯磨 第二第三亦如是說
僧已忍 與某甲受大戒竟 和上某甲 僧忍默然故
是事如是持

BD00793 號背　雜寫　（3–2）

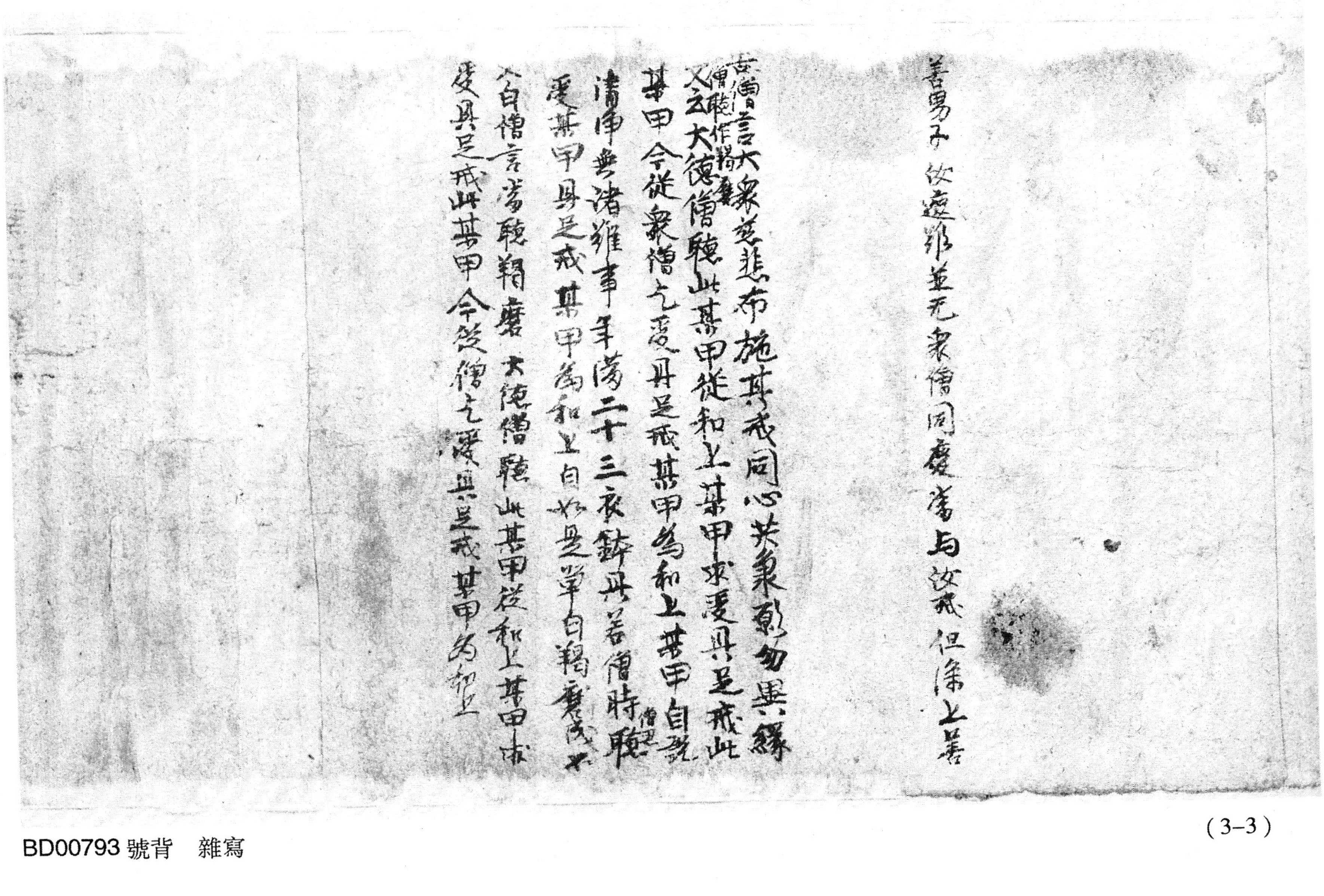

善男子 汝遮難並無 衆僧同慶 當與汝戒 但依上善
云僧言 大衆慈悲 布施其戒 同心共衆 勸勉異緣 僧聽作羯磨
又云 大德僧聽 此某甲從和上某甲求受具足戒 此
某甲今從衆僧乞受具足戒 某甲為和上 某甲自說
清淨 無諸難事 年滿二十 三衣鉢具 若僧時到 僧忍聽
受某甲具足戒 某甲為和上 白如是 單白羯磨竟 戒
又白僧言 當聽羯磨 大德僧聽 此某甲從和上某甲求
受具足戒 此某甲今從僧乞受具足戒 某甲為和上

BD00793 號背　雜寫　（3–3）

說此甚深般[illegible]廣
樂亦能安立無量[illegible]於勝善法令趣無上
正等菩提舍利子是善男子善女人等令於
我前發弘誓願我當安立無量百千諸有
類令發無上正等覺心修諸菩薩摩訶薩行
亦現勸導讚勵慶喜令於無上正等菩提乃
至得受不退轉記安住菩薩不退轉地舍利
子我於彼願深生隨喜何以故舍利子我觀
如是住菩薩乘諸善男子善女人等所發弘
願心語相應彼善男子善女人等於當來世
定能安立無量百千諸有情類令發無上正
等覺心修諸菩薩摩訶薩行亦現勸導讚
勵慶喜令於無上正等菩提乃至得受不退轉
記安住菩薩不退轉地舍利子是善男子善
女人等亦於過去無量佛前發弘誓願我當
安立無量百千諸有情類令發無上正等覺
心修諸菩薩摩訶薩行亦現勸導讚勵慶
喜心修諸菩薩摩訶薩行亦現觀導讚勵
慶喜令於無上正等菩提乃至得受不退轉記
安住菩薩不退轉地舍利子過去諸佛亦於彼
願深生隨喜何以故舍利子過去諸佛亦觀

BD00794 號　大般若波羅蜜多經卷四四〇　（6–1）

喜心修諸菩薩摩訶薩行亦現觀導讚勵
慶喜令於無上正等菩提乃至得受不退轉記
安住菩薩不退轉地舍利子過去諸佛亦於彼
願深生隨喜何以故舍利子過去諸佛亦觀
如是住菩薩乘諸善男子善女人等所發弘
願心語相應彼善男子善女人等於當來世
定能安立無量百千諸有情類令發無上正
等覺心修諸菩薩摩訶薩行亦現勸導
讚勵慶喜令於無上正等菩提乃至得受不
退轉記安住菩薩不退轉地舍利子是善男子
記安住菩薩不退轉地舍利子是善男子善
女人等信解廣大能依妙色聲香味觸廣
大施修此施已復能種植廣大善根田此善根
復能攝受廣大果報攝受如是廣大果報
專為利樂一切有情於諸有情能捨一切內外
所有彼迴如是所種善根願生他方諸佛國
土現有如來應正等覺宣說如是甚深般若
波羅蜜多無上法處彼聞如是甚深般若波
羅蜜多無上法已復能安立彼佛土中無量
百千諸有情類令發無上正等覺心修諸菩
薩摩訶薩行亦現勸導讚勵慶喜令於無
上正等菩提得不退轉由斯圓滿所發大願速
證無上正等菩提時舍利子復白佛言甚奇
如來應正等覺能於過去未來現在所有諸
法無不證知於一切法真如法界法性實際
虛空界等無不證知於諸法教種種差別無
不證知於諸有情心行差別無不證知於過
去世諸菩薩摩訶薩無不證知於過去世

BD00794 號　大般若波羅蜜多經卷四四〇　（6–2）

法無不證知於一切法真如法界法性實際
虛空界等無不證知於諸法教種差別無
不證知於諸有情心行差別無不證知於過
去世諸菩薩摩訶薩無不證知於過去世一
切如來應正等覺無不證知於過去世諸佛
弟子及諸佛土無不證知於未來世諸菩薩
摩訶薩無不證知於未來世一切如來應正
等覺無不證知於未來世諸佛弟子及諸佛
土無不證知於現在世諸菩薩摩訶薩住十
方界脩行差別無不證知於現在世安住十
方無量無數無邊世界一切如來應正等覺
安隱住持現說法者無不證知於現在世諸
佛弟子及諸佛土無不證知世尊若菩薩摩
訶薩於六波羅蜜多勇猛精進常求不息
於此六波羅蜜多為有得時不得時不佛言
舍利子彼善男子善女人等常於六波羅
蜜多勇猛精進欣求不息一切時得無不得
時何以故舍利子彼善男子善女人等常於
此六波羅蜜多勇猛精進欣求不息諸佛菩
薩常護念故舍利子言世尊彼善男子善
人等若不得六波羅蜜多相應經時如何可
說人得此六波羅蜜多佛言舍利子彼善男
子善女人等常於此六波羅蜜多勇猛信求
不顧身命有時不得此相應經無有是處何
以故舍利子彼善男子善女人等為求無上
正等菩提示現勸導讚勵慶喜諸有情類
於此六波羅蜜多相應經典受持讀誦思惟
脩學由此善根隨所處常得此六波羅蜜

BD00794號　大般若波羅蜜多經卷四四〇

（6–3）

以故舍利子彼善男子善女人等為求無上
正等菩提示現勸導讚勵慶喜諸有情類
於此六波羅蜜多相應經典受持讀誦思惟
脩學由此善根隨所處常得此六波羅蜜
多與契經受持讀誦勇猛精進如教脩行
成熟有情嚴淨佛土未證無上正等菩提於
其中間未曾暫廢
第二分魔事品第卌四
爾時具壽善現白佛言世尊佛已讚說發趣
無上正等菩提勇猛脩行布施淨戒安忍精
進靜慮般若波羅蜜多成熟有情嚴淨佛土
諸善男子善女人等所成功德世尊是善男
子善女人等發趣無上正等菩提脩諸行時
云何應知留難魔事佛言善現若菩薩摩訶
薩為有情宣說法要應時言辯不速現前
當知是為菩薩魔事具壽善現白言世尊何
緣菩薩摩訶薩樂為有情宣說法要應時言
辯現前說為魔事佛言善現諸菩薩摩
訶薩脩行般若波羅蜜多時由是因緣所脩
般若波羅蜜多乃至布施波羅蜜多難得圓
滿故說菩薩摩訶薩樂為有情宣說法要
時言辯不速現前以為魔事復次善現若菩
薩摩訶薩樂脩勝行辯乃卒生當知是為
菩薩魔事具壽善現白言世尊何緣菩薩摩訶
薩行辯乃卒生說為魔事佛言善現
諸菩薩摩訶薩脩行布施波羅蜜多乃至般
若波羅蜜多無方便善巧故辯乃卒生廢脩
彼菩薩摩訶薩樂脩勝行辯乃卒生
以為魔事復次善現

BD00794號　大般若波羅蜜多經卷四四〇

（6–4）

薩……行辯乃至生誑惑魔事佛言善現
諸菩薩摩訶薩脩行布施波羅蜜多乃至般
若波羅蜜多無方便善巧故辯乃至生廢脩
彼。　菩薩摩訶薩樂脩勝行辯乃至生
以為魔事復次善現住菩薩乘諸善男子善
女人等書寫般若波羅蜜多甚深經時頻申
欠……戲咲平相輕凌身心躁擾文句倒
錯迷惑義理不得滋味橫事數起書寫不終
當知是為菩薩魔事復次善現住菩薩乘
諸善男……善女人等受持讀誦思惟脩習說聽
般若波羅蜜多甚深經時頻申欠呿無端戲
咲平相輕凌身心躁擾文句倒錯迷惑義理
不得滋味橫事欻起所作不成當知是為菩
薩……時具壽善現白佛言世尊何因緣故
有菩薩乘諸善男子善女人等聞說般若波
羅蜜……深經時忽作是念我於此經不得
滋……若聽此經為作是念已即便捨
去受持讀誦思惟脩習書寫解說亦復如是
佛言善現是善男子善女人等於過去世未
……若靜慮精進安忍淨戒布施波
蜜多是故於此甚深般若波羅蜜多聽受等
時不得滋味情不忍可即便捨去復次善現
……誦善男子善女人等聞說般若波
羅蜜多甚深經時若作是念我於無上正等
菩提不得受記何用聽受如是經為彼由此
……不得滋味便從坐起厭捨而去
當知是為菩薩魔事時具壽善現白佛言世
……自求文　於此般若波羅蜜多甚深經中
……善男子善女人等無上正等　大

BD00794號　大般若波羅蜜多經卷四四〇　（6–5）

……善男子善女人等聞說般若波
羅蜜多甚深經時若作是念我於無上正等
菩提不得受記何用聽受如是經為彼由此
……不得滋味便從坐起厭捨而去
當知是為菩薩魔事時具壽善現白佛言世
……自求文　於此般若波羅蜜多甚深經中
……善男子善女人等無上正等　大
菩提記念其不忍歡捨而去佛言善現菩薩
……未正生離生不應授彼大菩提記若授彼
……有損無益故不為記復次善現
住菩薩乘諸善男子善女人等聞說般若波
……乘……時若作是念此中不說我等
……不清淨不得滋味便從坐
起厭捨而去當知是為菩薩魔事時具壽
……世尊何因緣故於此般若波羅蜜
……不記說彼菩薩名字佛言……
菩薩未受大菩提記法爾不應記說名字復
……男子善女人等聞說
般若波……約時若作是念此……
……城邑聚落何用聽為心不清
……坐起厭捨而去當知是為菩
薩魔事時具壽善現白佛言世尊何

BD00794號　大般若波羅蜜多經卷四四〇　（6–6）

…經卷三百五十五

卆一之五

三藏法師玄奘奉詔譯

善現菩薩摩訶薩行深般若波羅蜜多時不
觀有施波羅蜜多若常若無常若樂若苦若
我若无我若淨若不淨若寂靜若不寂靜若
遠離若不遠離亦不觀淨戒安忍精進靜慮
般若波羅蜜多若常若无常若樂若苦若我
若無我若淨若不淨若寂靜若不寂靜若遠
離若不遠離善現菩薩摩訶薩行深般若波
羅蜜多時不觀內空若常若無常若樂若苦
若我若無我若淨若不淨若寂靜若不寂靜
若遠離若不遠離亦不觀外空內外空空空
大空勝義空有為空無為空畢竟空無際空
散空无變異空本性空自相空共相空一切
法空不可得空无性空自性空无性自性空若
常若无常若樂若苦若我若无我若淨若
不淨若寂靜若不寂靜若遠離若不遠離善
現菩薩摩訶薩行深般若波羅蜜多時不觀
真如若常若无常若樂若苦若我若无我若
淨若不淨若寂靜若不寂靜若遠離若不遠

BD00795 號　大般若波羅蜜多經卷三五五　（16–1）

法空不可得空无性空自性空无性自性空若
常若无常若樂若苦若我若无我若淨若
不淨若寂靜若不寂靜若遠離若不遠離善
現菩薩摩訶薩行深般若波羅蜜多時不觀
真如若常若无常若樂若苦若我若无我若
淨若不淨若寂靜若不寂靜若遠離若不遠
離亦不觀法界法性不虛妄性不變異性平
等性離生性法定法住實際虛空界不思議
界若常若无常若樂若苦若我若無我若淨
若不淨若寂靜若不寂靜若遠離若不遠離
善現菩薩摩訶薩行深般若波羅蜜多時不
觀苦聖諦若常若無常若樂若苦若我若无
我若淨若不淨若寂靜若不寂靜若遠離若
不遠離亦不觀集滅道聖諦若常若无常
若樂若苦若我若无我若淨若不淨若寂靜若
不寂靜若遠離若不遠離善現菩薩摩訶薩
行深般若波羅蜜多時不觀四靜慮若常若
無常若樂若苦若我若無我若淨若不淨若
寂靜若不寂靜若遠離若不遠離亦不觀四
無量四無色定若常若無常若樂若苦若我
若無我若淨若不淨若寂靜若不寂靜若遠
離若不遠離善現菩薩摩訶薩行深般若波
羅蜜多時不觀八解脫若常若無常若樂若
苦若我若無我若淨若不淨若寂靜若不寂
靜若遠離若不遠離亦不觀八勝處九次第
定十遍處若常若無常若樂若苦若我若无
我若淨若不淨若寂靜若不寂靜若遠離若
不遠離善現菩薩摩訶薩行深般若波羅蜜

BD00795 號　大般若波羅蜜多經卷三五五　（16–2）

定十遍處若常若無常若樂若苦若我若无
我若淨若不淨若寂靜若不寂靜若遠離若
不遠離善現菩薩摩訶薩行深般若波羅蜜
多時不觀四念住若常若無常若樂若苦若
我若無我若淨若不淨若寂靜若不寂靜若
遠離若不遠離亦不觀四正斷四神足五根
五力七等覺支八聖道支若常若無常若樂
若苦若我若無我若淨若不淨若寂靜若不
寂靜若遠離若不遠離善現菩薩摩訶薩行
深般若波羅蜜多時不觀空解脫門若常若
無常若樂若苦若我若無我若淨若不淨若
寂靜若不寂靜若遠離若不遠離亦不觀无
相無願解脫門若常若無常若樂若苦若我
若無我若淨若不淨若寂靜若不寂靜若遠
離若不遠離
善現菩薩摩訶薩行般若波羅蜜多時不
觀五眼若常若無常若樂若苦若我若無我若
淨若不淨若寂靜若不寂靜若遠離若不
遠離亦不觀六神通若常若無常若樂若苦
若我若無我若淨若不淨若寂靜若不寂靜
若遠離若不遠離善現菩薩摩訶薩行深般
若波羅蜜多時不觀佛十力若常若无常若
樂若苦若我若無我若淨若不淨若寂靜若
不寂靜若遠離若不遠離亦不觀四无所畏
四无礙解大慈大悲大喜大捨十八佛不共
法若常若无常若樂若苦若我若无我若淨
若不淨若寂靜若不寂靜若遠離若不遠離
善現菩薩摩訶薩行深般若波羅蜜多時

BD00795 號　大般若波羅蜜多經卷三五五　（16–3）

四无礙解大慈大悲大喜大捨十八佛不共
法若常若无常若樂若苦若我若无我若淨
若不淨若寂靜若不寂靜若遠離若不遠離
善現菩薩摩訶薩行深般若波羅蜜多時不
觀无忘失法若常若无常若樂若苦若我若
无我若淨若不淨若寂靜若不寂靜若遠離
若不遠離亦不觀恒住捨性若常若无常若
樂若苦若我若无我若淨若不淨若寂靜若
不寂靜若遠離若不遠離善現菩薩摩訶薩
行深般若波羅蜜多時不觀一切智若常若
无常若樂若苦若我若無我若淨若不淨若
寂靜若不寂靜若遠離若不遠離亦不觀道
相智一切相智若常若无常若樂若苦若我
若无我若淨若不淨若寂靜若不寂靜若遠
離若不遠離善現菩薩摩訶薩行深般若
波羅蜜多時不觀一切陁羅尼門若常若無常
若樂若苦若我若无我若淨若不淨若寂靜
若不寂靜若遠離若不遠離亦不觀一切三
摩地門若常若无常若樂若苦若我若无我
若淨若不淨若寂靜若不寂靜若遠離若不
遠離
善現菩薩摩訶薩行深般若波羅蜜多時不
觀預流果若常若无常若樂若苦若我若無我
若淨若不淨若寂靜若不寂靜若遠離若不
遠離亦不觀一來不還阿羅漢果若常若
無常若樂若苦若我若無我若淨若不淨若
寂靜若不寂靜若遠離若不遠離善現菩薩
摩訶薩行深般若波羅蜜多時不觀獨覺菩

BD00795 號　大般若波羅蜜多經卷三五五　（16–4）

無常若樂若苦若我若無我若淨若不淨若
寂靜若不寂靜若遠離若不遠離善現菩薩
摩訶薩行深般若波羅蜜多時不觀獨覺菩
提若常若無常若樂若苦若我若無我若淨
若不淨若寂靜若不寂靜若遠離若不遠離
善現菩薩摩訶薩行深般若波羅蜜多時不
觀一切菩薩摩訶薩行若常若无常若樂若
苦若我若无我若淨若不淨若寂靜若不寂
靜若遠離若不遠離善現菩薩摩訶薩行深
般若波羅蜜多時不觀諸佛無上正等菩提
若常若無常若樂若苦若我若无我若淨若
不淨若寂靜若不寂靜若遠離若不遠離
善現是菩薩摩訶薩於如是一切法不觀察
故便能引發般若波羅蜜多亦能引發靜慮
精進安忍淨戒布施波羅蜜多善現是菩薩
摩訶薩於如是一切法不觀察故便能安住
內空亦能安住外空內外空空空大空勝義
空有為空無為空畢竟空无際空散空无變
異空本性空自相空共相空一切法空不可
得空無性空自性空无性自性空善現是菩
薩摩訶薩於如是一切法不觀察故便能安
住真如亦能安住法界法性不虛妄性不變
異性平等性離生性法定法住實際虛空界
不思議界善現是菩薩摩訶薩於如是一切
法不觀察故便能安住苦聖諦亦能安住集
滅道聖諦善現是菩薩摩訶薩於如是一切
法不觀察故便能引發四靜慮亦能引發四

法不觀察故便能安住苦聖諦亦能安住集
滅道聖諦善現是菩薩摩訶薩於如是一切
法不觀察故便能引發四靜慮亦能引發四
无量四无色定善現是菩薩摩訶薩於如
是一切法不觀察故便能引發解脫亦能引
發八勝處九次第定十遍處善現是菩薩摩
訶薩於如是一切法不觀察故便能引發四
念住亦能引發四正斷四神足五根五力七
等覺支八聖道支善現是菩薩摩訶薩於
如是一切法不觀察故便能引發空解脫門亦
能引發无相无願解脫門善現是菩薩摩訶
薩於如是一切法不觀察故便能引發五眼
亦能引發六神通善現是菩薩摩訶薩於如
是一切法不觀察故便能引發佛十力亦能
引發四无所畏四无礙解大慈大悲大喜大
捨十八佛不共法善現是菩薩摩訶薩於如
是一切法不觀察故便能引發无忘失法亦
能引發恒住捨性善現是菩薩摩訶薩於如
是一切法不觀察故便能引發一切陀羅尼
門亦能引發一切三摩地門善現是菩薩摩
訶薩於如是一切法不觀察故便能引發一
切智亦能引發道相智一切相智何以故善
現若菩薩摩訶薩行深般若波羅蜜多於
諸法中有所觀察若常若无常若樂若苦若
我若無我若淨若不淨若寂靜若不寂靜若
遠離若不遠離則不能隨意引發安住殊勝
功德

我若無我若淨若不淨若寂靜若不寂靜若
遠離若不遠離則不能隨意引發安住殊勝
功德
復次善現若菩薩摩訶薩行深般若波羅蜜
多則為行靜慮波羅蜜多亦為行精進安忍
淨戒布施波羅蜜多善現若菩薩摩訶薩
行深般若波羅蜜多則為行內空亦為行外空
內外空空空大空勝義空有為空无為空畢
竟空无際空散空无變異空本性空自相空
共相空一切法空不可得空无性空自性空
無性自性空善現若菩薩摩訶薩行深般若
波羅蜜多則為行真如亦為行法界法性不
虛妄性不變異性平等性離生性法定法住
實際虛空界不思議界善現若菩薩摩訶薩
行深般若波羅蜜多則為行苦聖諦亦為行
集滅道聖諦善現若菩薩摩訶薩行深般若
波羅蜜多則為行四靜慮亦為行四无量四
無色定善現若菩薩摩訶薩行深般若波羅
蜜多則為行八解脫亦為行八勝處九次第
定十遍處善現若菩薩摩訶薩行深般若波
羅蜜多則為行四念住亦為行四正斷四神足
五根五力七等覺支八聖道支善現若菩
薩摩訶薩行深般若波羅蜜多則為行空解
脫門亦為行无相無願解脫門善現若菩薩
摩訶薩行深般若波羅蜜多則為行五眼亦
為行六神通善現若菩薩摩訶薩行深般若
波羅蜜多則為行佛十力亦為行四无所畏
四无礙解大慈大悲大喜大捨十八佛不共

BD00795 號　大般若波羅蜜多經卷三五五　（16–7）

摩訶薩行深般若波羅蜜多則為行五眼亦
為行六神通善現若菩薩摩訶薩行深般若
波羅蜜多則為行佛十力亦為行四无所畏
四无礙解大慈大悲大喜大捨十八佛不共
法善現若菩薩摩訶薩行深般若波羅蜜
多則為行無忘失法亦為行恒住捨性善現
若菩薩摩訶薩行深般若波羅蜜多則為行一
切陀羅尼門亦為行一切三摩地門善現若
菩薩摩訶薩行深般若波羅蜜多則為行
一切智亦為行道相智一切相智
復次善現甚深般若波羅蜜多隨所行處
有一切波羅蜜多及餘一切菩提分法皆悉
隨從甚深般若波羅蜜多隨所至處所有
一切波羅蜜多及餘一切菩提分法皆悉隨至
善現如轉輪聖王有四勇軍隨彼輪王所
行之處是四勇軍皆悉隨從隨彼輪王所至
之處是四勇軍皆悉隨至甚深般若波羅
蜜多亦如是隨有所行及有所至所有一切
波羅蜜多及餘一切菩提分法皆悉隨逐究
竟至於一切智智善現如善御者駕四馬車
令避險路行於正道隨本意欲能往所至甚
深般若波羅蜜多亦復如是善御一切波羅
蜜多及餘一切菩提分法令避生死涅槃險
路行於自利利他正道至本所求一切智智
時具壽善現白佛言世尊菩薩摩訶薩云何
為道云何非道佛言善現諸異生道非諸菩
薩摩訶薩道諸聲聞道非諸菩薩摩訶薩
道諸獨覺道非諸菩薩摩訶薩道自利利他道

BD00795 號　大般若波羅蜜多經卷三五五　（16–8）

時具壽善現白佛言世尊菩薩摩訶薩云何
為道云何非道佛言善現諸異生道非諸菩
薩摩訶薩道諸聲聞道非諸菩薩摩訶薩
道諸獨覺道非諸菩薩摩訶薩道自利利他道
是諸菩薩摩訶薩道一切智智道是諸菩薩
摩訶薩道不住生死及涅槃道是諸菩薩摩
訶薩道善現是為菩薩摩訶薩道及非道
具壽善現復白佛言世尊甚深般若波羅蜜
多出現世間能為大事所謂示現諸菩薩摩
訶薩道非道相令諸菩薩摩訶薩知是道是非
道速能證得一切智智佛言善現如是如是
如汝所說甚深般若波羅蜜多出現世間能
為大事所謂示現諸菩薩摩訶薩道非道
令諸菩薩摩訶薩知是道是非道速能證得
一切智智復次善現甚深般若波羅蜜多出
現世間能為大事所謂度脫無量無數無邊
有情皆令獲得利益安樂
善現甚深般若波羅蜜多雖作無邊利樂他
事而於此事無所取著善現甚深般若波羅
蜜多雖能示現色所作事而於此事无所取
著雖能示現受想行識所作事而於此事无
所取著善現甚深般若波羅蜜多雖能示現
眼處所作事而於此事无所取著雖能示現
耳鼻舌身意處所作事而於此事无所取著
善現甚深般若波羅蜜多雖能示現色處所
作事而於此事無所取著雖能示現聲香味
觸法處所作事而於此事無所取著善現甚
深般若波羅蜜多雖能示現眼界所作事而

善現甚深般若波羅蜜多雖能示現色處所
作事而於此事無所取著雖能示現聲香味
觸法處所作事而於此事無所取著善現甚
深般若波羅蜜多雖能示現眼界所作事而
於此事無所取著雖能示現耳鼻舌身意
界所作事而於此事無所取著善現甚深般若
波羅蜜多雖能示現色界所作事而於此事
無所取著雖能示現聲香味觸法處所作事
而於此事無所取著善現甚深般若波羅蜜
多雖能示現眼識界所作事而於此事无所
取著雖能示現耳鼻舌身意識界所作事而
於此事無所取著善現甚深般若波羅蜜多
雖能示現眼觸所作事而於此事無所取著
雖能示現耳鼻舌身意觸所作事而於此事
無所取著善現甚深般若波羅蜜多雖能示
現眼觸為緣所生諸受所作事而於此事无
所取著雖能示現耳鼻舌身意觸為緣所生
諸受所作事而於此事無所取著善現甚深
般若波羅蜜多雖能示現地界所作事而於
此事無所取著雖能示現水火風空識界所
作事而於此事無所取著善現甚深般若波
羅蜜多雖能示現無明所作事而於此事無
所取著雖能示現行識名色六處觸受愛取
有生老死愁歎苦憂惱所作事而於此事无
所取著
善現甚深般若波羅蜜多雖能示現布施波
羅蜜多所作事而於此事無所取著雖能示
現淨戒安忍精進靜慮般若波羅蜜多所作

善現甚深般若波羅蜜多雖能示現布施波
羅蜜多所作事而於此事無所取著雖能示
現淨戒安忍精進靜慮般若波羅蜜多所作
事而於此事無所取著善現甚深般若波羅
蜜多雖能示現內空所作事而於此事無所
取著雖能示現外空內外空空空大空勝義
空有為空無為空畢竟空無際空散空無變
異空本性空自相空共相空一切法空不可
得空無性空自性空無性自性空所作事而
於此事無所取著善現甚深般若波羅蜜多
雖能示現真如所作事而於此事無所取著
雖能示現法界法性不虛妄性不變異性
平等性離生性法定法住實際虛空界不思
議界所作事而此事無所取著善現甚深般
若波羅蜜多雖能示現苦聖諦所作事而於
此事無所取著雖能示現集滅道聖諦所作
事而於此事無所取著善現甚深般若波羅
蜜多雖能示現四靜慮所作事而於此事無
所取著雖能示現四無量四無色定所作事
而於此事無所取著善現甚深般若波羅蜜
多雖能示現八解脫所作事而於此事無所
取著雖能示現八勝處九次第定十遍處所
作事而於此事無所取著善現甚深般若波
羅蜜多雖能示現四念住所作事而於此事
無所取著雖能示現四正斷四神足五根五
力七等覺支八聖道支所作事而於此事無
所取著善現甚深般若波羅蜜多雖能示現
空解脫門所作事而於此事無所取著雖能

BD00795 號　大般若波羅蜜多經卷三五五　（16–11）

無所取著雖能示現四正斷四神足五根五
力七等覺支八聖道支所作事而於此事無
所取著善現甚深般若波羅蜜多雖能示現
空解脫門所作事而於此事無所取著雖能
示現無相無願解脫門所作事而於此事無
所取著善現甚深般若波羅蜜多雖能示現
五眼所作事而於此事無所取著雖能示現
六神通所作事而於此事無所取著善現甚
深般若波羅蜜多雖能示現佛十力所作事
而於此事無所取著雖能示現四無所畏四無
礙解大慈大悲大喜大捨十八佛不共法所作
事而於此事無所取著善現甚深般　若
波羅蜜多雖能示現無忘失法所作事而於
此事無所取著雖能示現恒住捨性所作事
而於此事無所取著善現甚深般若波羅蜜
多雖能示現一切智所作事而於此事無所
取著雖能示現道相智一切相智所作事而
於此事無所取著善現甚深般若波羅蜜多
雖能示現一切陀羅尼門所作事而於此事
無所取著雖能示現一切三摩地門所作事
而於此事無所取著善現甚深般若波羅蜜
多雖能示現預流果所作事而於此事無所
取著雖能示現一來不還阿羅漢果所作事
而於此事無所取著善現甚深般若波羅蜜
多雖能示現獨覺菩提所作事而於此事無
所取著善現甚深般若波羅蜜多雖能示現
一切菩薩摩訶薩行所作事而於此事無所

BD00795 號　大般若波羅蜜多經卷三五五　（16–12）

而於此事無所取著善現甚深般若波羅蜜
多雖能示現獨覺菩提所作事而於此事无
所取著善現甚深般若波羅蜜多雖能示現
一切菩薩摩訶薩行所作事而於此事無所
取著善現甚深般若波羅蜜多雖能示現諸
佛無上正等菩提所作事而於此事無所取
著善現甚深般若波羅蜜多引道菩薩摩訶
薩令趣無上正等菩提於其中間定不退轉
善現甚深般若波羅蜜多雖令菩薩摩訶薩
遠離聲聞獨覺等地親近無上正等菩提而
於諸法無起無滅以法住性為定量故
尒時具壽善現白佛言世尊若甚深般若波
羅蜜多於一切法無起無滅云何菩薩摩訶
薩行深般若波羅蜜多時應脩布施波羅蜜
多云何菩薩摩訶薩行深般若波羅蜜多時
應脩淨戒波羅蜜多云何菩薩摩訶薩行深
般若波羅蜜多時摩脩安波忍波羅蜜云何
菩薩摩訶薩行深般若波羅蜜多時應脩
精進波羅蜜多云何菩薩摩訶薩行深般若
波羅蜜時應脩靜慮波羅蜜多云何菩薩摩
訶薩行深般若波羅蜜多時應脩般若波羅
蜜多佛言善現菩薩摩訶薩行深般若波羅
蜜多時應緣一切智智為諸有情而脩布施
波羅蜜多菩薩摩訶薩行深般若波羅蜜多
時應緣一切智智為諸有情而脩淨戒波羅
蜜多菩薩摩訶薩行深般若波羅蜜多時
應緣一切智智為諸有情而脩安忍波羅蜜多
菩薩摩訶薩行深般若波羅蜜多時應緣一

BD00795號　大般若波羅蜜多經卷三五五　（16–13）

時應緣一切智智為諸有情而脩淨戒波羅
蜜多菩薩摩訶薩行深般若波羅蜜多時
應緣一切智智為諸有情而脩安忍波羅蜜多
菩薩摩訶薩行深般若波羅蜜多時應緣一
切智智為諸有情而脩精進波羅蜜多菩薩
摩訶薩行深般若波羅蜜多時應緣一切智
智為諸有情而脩靜慮波羅蜜多菩薩摩
訶薩行深般若波羅蜜多時應緣一切智智為
諸有情而脩般若波羅蜜多善現是菩薩摩
訶薩持此善根與諸有情平等共有迴向无
上正等菩提於迴向時遠離三心謂誰迴向用
何迴向迴向何處善現是菩薩摩訶薩持
此善根如是迴向所求無上正等菩提則脩
六種波羅蜜多速得圓滿亦脩菩薩慈悲喜
捨速得圓滿由此疾得一切智智乃至安坐
妙菩提座常不遠離如是六種波羅蜜多善
現若菩薩摩訶薩不離六種波羅蜜多則不
遠離一切智智是故善現若菩薩摩訶薩欲
得速證所求无上正等菩提當勤精進脩學
六種波羅蜜多當勤精進脩行六種波羅蜜
多善現若菩薩摩訶薩當勤精進脩學脩行
如是六種波羅蜜多一切善根速得圓滿疾
證無上正等菩提是故善現諸菩薩摩訶
薩摩與六種波羅蜜多常共相應勿相捨離
尒時具壽善現白佛言世尊云何菩薩摩訶
薩能與六種波羅蜜多常共相應不相捨離
佛言善現若菩薩摩訶薩如實觀色非相應

BD00795號　大般若波羅蜜多經卷三五五　（16–14）

薩摩訶薩與六種波……
爾時具壽善現白佛言世尊云何菩薩摩訶
薩能與六種波羅蜜多常共相應不相捨離
佛言善現若菩薩摩訶薩如實觀色非相應
非不相應如實觀受想行識非相應非不相
應是菩薩摩訶薩能與六種波羅蜜多常
共相應不相捨離善現若菩薩摩訶薩如實觀
眼處非相應非不相應如實觀耳鼻舌身意
處非相應非不相應是菩薩摩訶薩能與六
種波羅蜜多常共相應不相捨離善現若菩
薩摩訶薩如實觀色處非相應非不相應
如實觀聲香味觸法處非相應非不相應是菩
薩摩訶薩能與六種波羅蜜多常共相應不
相捨離善現若菩薩摩訶薩如實觀眼界非
相應非不相應如實觀耳鼻舌身意界非相
應非不相應是菩薩摩訶薩能與六種波羅
蜜多常共相應不相捨離善現若菩薩摩訶
薩如實觀色界非相應非不相應如實觀聲
香味觸法界非相應非不相應是菩薩摩訶
薩能與六種波羅蜜多常共相應不相捨離善
現若菩薩摩訶薩如實觀眼識界非相應非
不相應如實觀耳鼻舌身意識界非相應
非不相應是菩薩摩訶薩能與六種波羅蜜
多常共相應不相捨離善現若菩薩摩訶薩
如實觀眼觸非相應非不相應如實觀耳鼻
舌身意觸非相應非不相應是菩薩摩訶薩
能與六種波羅蜜多常共相應不相捨離善
現若菩薩摩訶薩如實觀眼觸為緣所生諸

薩如實觀……
香味觸法界非相應非不相應是菩薩摩訶
薩能與六種波羅蜜多常共相應不相捨離善
現若菩薩摩訶薩如實觀眼識界非相應非
不相應如實觀耳鼻舌身意識界非相應
非不相應是菩薩摩訶薩能與六種波羅蜜
多常共相應不相捨離善現若菩薩摩訶薩
如實觀眼觸非相應非不相應如實觀耳鼻
舌身意觸非相應非不相應是菩薩摩訶薩
能與六種波羅蜜多常共相應不相捨離善
現若菩薩摩訶薩如實觀眼觸為緣所生諸
受非相應非不相應如實觀耳鼻舌身意觸
為緣所生諸受非相應非不相應是菩薩摩
訶薩能與六種波羅蜜多常共相應不相捨
離善現若菩薩摩訶薩如實觀地界非相應
非不相應如實觀水火風空識界非相應非
不相應是菩薩摩訶薩能與六種波羅蜜多
常共相應不相捨離善現若菩薩摩訶薩如
……觀无明非相應非不相應如實觀……

……生類 深心之所欲
若有衆生類 值諸過去佛
若聞法布施 或持戒忍辱 精進禪智等 種種修福德
如是諸人等 皆已成佛道 諸佛滅度已 若人善軟心
如是諸衆生 皆已成佛道 諸佛滅度已 供養舍利者
起万億種塔 金銀及頗梨 車璖與馬瑙 玫瑰瑠璃珠
清淨廣嚴飾 莊校於諸塔 或有起石廟 栴檀及沈水
木樒并餘材 塼瓦泥土等 若於曠野中 積土成佛廟
乃至童子戲 聚沙為佛塔 如是諸人等 皆已成佛道
若人為佛故 建立諸形像 刻雕成衆相 皆已成佛道
或以七寶成 鍮石赤白銅 白鑞及鈆錫 鐵木及與泥
或以膠漆布 嚴飾作佛像 如是諸人等 皆已成佛道
彩畫作佛像 百福莊嚴相 自作若使人 皆已成佛道
乃至童子戲 若草木及筆 或以指爪甲 而畫作佛像
如是諸人等 漸漸積功德 具足大悲心 皆已成佛道
但化諸菩薩 度脫无量衆 若人於塔廟 寶像及畫像
以華香幡蓋 敬心而供養 若使人作樂 擊鼓吹角貝
簫笛琴箜篌 琵琶鐃銅鈸 如是衆妙音 盡持以供養

BD00796號　妙法蓮華經卷一　（5–1）

如是諸人等 漸漸積功德 具足大悲心 皆已成佛道
但化諸菩薩 度脫无量衆 若人於塔廟 寶像及畫像
以華香幡蓋 敬心而供養 若使人作樂 擊鼓吹角貝
簫笛琴箜篌 琵琶鐃銅鈸 如是衆妙音 盡持以供養
或以歡喜心 歌唄頌佛德 乃至一小音 皆已成佛道
若人散亂心 乃至以一華 供養於畫像 漸見无數佛
或有人礼拜 或復但合掌 乃至舉一手 或復小低頭
以此供養像 漸見无量佛 自成无上道 廣度无數衆
入无餘涅槃 如薪盡火滅 若人散亂心 入於塔廟中
一稱南无佛 皆已成佛道 於諸過去佛 在世或滅後
若有聞是法 皆已成佛道 未來諸世尊 其數无有量
是諸如來等 亦方便說法 一切諸如來 以无量方便
度脫諸衆生 入佛无漏智 若有聞法者 无一不成佛
諸佛本誓願 我所行佛道 普欲令衆生 亦同得此道
未來世諸佛 雖說百千億 无數諸法門 其實為一乘
諸佛兩足尊 知法常无性 佛種從緣起 是故說一乘
是法住法位 世間相常住 於道場知已 導師方便說
天人所供養 現在十方佛 其數如恒沙 出現於世間
安隱衆生故 亦說如是法 知第一寂滅 以方便力故
雖示種種道 其實為佛乘 知衆生諸行 深心之所念
過去所習業 欲性精進力 及諸根利鈍 以種種因緣
譬喻亦言辭 隨應方便說 今我亦如是 安隱衆生故
以種種法門 宣示於佛道 我以智慧力 知衆生性欲
方便說諸法 皆令得歡喜 舍利弗當知 我以佛眼觀
見六道衆生 貧窮无福慧 入死生險道 相續苦不斷

BD00796號　妙法蓮華經卷一　（5–2）

譬喻亦言辭　隨應方便說　今我亦如是
安隱衆生故　以種種法門　宣示於佛道　我以智慧力
知衆生性欲　方便說諸法　皆令得歡喜　舍利弗當知
我以佛眼觀　見六道衆生　貧窮无福慧　入生死險道
相續苦不斷　深著於五欲　如犛牛愛尾　以貪愛自蔽
盲瞑无所見　不求大勢佛　及與斷苦法　深入諸邪見
以苦欲捨苦　為是衆生故　而起大悲心　我始坐道場
觀樹亦經行　於三七日中　思惟如是事　我所得智慧
微妙最第一　衆生諸根鈍　著樂癡所盲　如斯之等類
云何而可度　尒時諸梵王　及諸天帝釋　護世四天王
及大自在天　并餘諸天衆　眷屬百千萬　恭敬合掌禮
請我轉法輪　我即自思惟　若但讚佛乘　衆生沒在苦
不能信是法　破法不信故　墜於三惡道　我寧不說法
疾入於涅槃　尋念過去佛　所行方便力　我今所得道
亦應說三乘　作是思惟時　十方佛皆現　梵音慰喻我
善哉釋迦文　第一之導師　得是无上法　隨諸一切佛
而用方便力　我等亦皆得　最妙第一法　為諸衆生類
分別說三乘　少智樂小法　不自信作佛　是故以方便
分別說諸果　雖復說三乘　但為教菩薩　舍利弗當知
我聞聖師子　深淨微妙音　喜稱南无佛　復作如是念
我出濁惡世　如諸佛所說　我亦隨順行　思惟是事已
即趣波羅奈　諸法寂滅相　不可以言宣　以方便力故
為五比丘說　是名轉法輪　便有涅槃音　及以阿羅漢
法僧差別名　從久遠劫來　讚示涅槃法　生死苦永盡
我常如是說　舍利弗當知　我見佛子等　志求佛道者
无量千萬億
咸以恭敬心　皆來至佛所　曾從諸佛聞　方便所說法

BD00796 號　妙法蓮華經卷一　（5–3）

雖復說三乘　但為教菩薩　舍利弗當知　我聞聖師子
深淨微妙音　喜稱南无佛　復作如是念　我出濁惡世
如諸佛所說　我亦隨順行　思惟是事已　即趣波羅奈
諸法寂滅相　不可以言宣　以方便力故　為五比丘說
是名轉法輪　便有涅槃音　及以阿羅漢　法僧差別名
從久遠劫來　讚示涅槃法　生死苦永盡　我常如是說
舍利弗當知　我見佛子等　志求佛道者　无量千萬億
咸以恭敬心　皆來至佛所　曾從諸佛聞　方便所說法
我即作是念　如來所以出　為說佛慧故　今正是其時
舍利弗當知　鈍根小智人　著相憍慢者　不能信是法
今我喜无畏　於諸菩薩中　正直捨方便　但說无上道
菩薩聞是法　疑網皆已除　千二百羅漢　悉亦當作佛
如三世諸佛　說法之儀式　我今亦如是　說无分別法
諸佛興出世　懸遠值遇難　正使出于世　說是法復難
无量无數劫　聞是法亦難　能聽是法者　斯人亦復難
譬如優曇華　一切皆愛樂　天人所希有　時時乃一出
聞法歡喜讚　乃至發一言　則為已供養　一切三世佛
是人甚希有　過於優曇華　汝等勿有疑　我為諸法王
普告諸大衆　但以一乘道　教化諸菩薩　无聲聞弟子
汝等舍利弗　聲聞及菩薩　當知是妙法　諸佛之祕要
以五濁惡世　但樂著諸欲　如是等衆生　終不求佛道
當來世惡人　聞佛說一乘　迷惑不信受　破法墮惡道
有慚愧清淨　志求佛道者　當為如是等　廣讚一乘道
舍利弗當知　諸佛法如是　以萬億方便　隨宜而說法
其不習學者　不能曉了此　汝等既已知　諸佛之師

BD00796 號　妙法蓮華經卷一　（5–4）

如三世諸佛 說法之儀式 我今亦如是 說无分別法
諸佛興出世 懸遠值遇難 正使出于世 說是法復難
无量无數劫 聞是法亦難 能聽是法者 斯人亦復難
譬如優曇華 一切皆愛樂 天人所希有 時時乃一出
聞法歡喜讚 乃至發一言 則為已供養 一切三世佛
是人甚希有 過於優曇華 汝等勿有疑 我為諸法王
普告諸大衆 但以一乘道 教化諸菩薩 无聲聞弟子
汝等舍利弗 聲聞及菩薩 當知是妙法 諸佛之秘要
以五濁惡世 但樂著諸欲 如是等衆生 終不求佛道
當來世惡人 聞佛說一乘 迷惑不信受 破法墮惡道
有慚愧清淨 志求佛道者 當為如是等 廣讚一乘道
舍利弗當知 諸佛法如是 以万億方便 隨宜而說法
其不習學者 不能曉了此 汝等既已知 諸佛世之師
隨宜方便事 无復諸疑惑 心生大歡喜 自知當作佛

妙法蓮華經卷第一

BD00796 號　妙法蓮華經卷一　（5–5）

又見諸菩薩 知法
介時四部衆 見日月燈佛
各各自相問 是事何因緣
讚妙光菩薩 汝為世間眼 一切所歸信 能奉持
如我所說法 唯汝能證知 世尊既讚歎 令妙光
說是法華經 滿六十小劫 不起於此座 所說上妙
是妙光法師 悉皆能受持 佛說是法華 令衆歡喜
尋即於是日 告於天人衆 諸法實相義 已為汝等說
我今於中夜 當入於涅槃 汝一心精進 當離於放逸
諸佛甚難值 億劫時一遇 世尊諸子等 聞佛入涅槃
各各懷悲惱 佛滅一何速 聖主法之王 安慰无量衆
我若滅度時 汝等勿憂怖 是德藏菩薩 於无漏實相
心已得通達 其次當作佛 号曰為淨身 亦度无量衆
佛此夜滅度 如薪盡火滅 分布諸舍利 而起无量塔
比丘比丘尼 其數如恒沙 倍復加精進 以求无上道
是妙光法師 奉持佛法藏 八十小劫中 廣宣法華經
是諸八王子 妙光所開化 堅固无上道 當見无數佛
供養諸佛已 隨順行大道 相繼得成佛 轉次而授記
最後天中天 号曰燃燈佛 諸仙之導師 度脫无量衆

BD00797 號　妙法蓮華經卷一　（10–1）

是妙光法師　奉持佛法藏　八十小劫中　廣宣法華經
是諸八王子　妙光所開化　堅固无上道　當見无數佛
供養諸佛已　隨順行大道　相繼得成佛　轉次而授記
㝡後天中天　号曰燃燈佛　諸仙之導師　度脫无量衆
是妙光法師　時有一弟子　心常懷懈怠　貪著於名利
求名利无猒　多遊族姓家　棄捨所習誦　廢忘不通利
以是因緣故　号之為求名　亦行衆善業　得見无數佛
供養於諸佛　隨順行大道　具六波羅蜜　今見釋師子
其後當作佛　号名曰弥勒　廣度諸衆生　其數无有量
彼佛滅度後　懈怠者汝是　妙光法師者　今則我身是
我見燈明佛　本光瑞如此　以是知今佛　欲說法華經
今相如本瑞　是諸佛方便　今佛放光明　助發實相義
諸人今當知　合掌一心待　佛當雨法雨　充足求道者
諸求三乘人　若有疑悔者　佛當為除斷　令盡无有餘

妙法蓮華經方便品第二

尒時世尊從三昧安詳而起告舍利弗諸佛
智慧甚深无量其智慧門難解難入一切聲
聞辟支佛所不能知所以者何佛曾親近百
千万億无數諸佛盡行諸佛无量道法勇猛
精進名稱普聞成就甚深未曾有法隨宜所
說意趣難解舍利弗吾從成佛已來種種因
緣種種譬喻廣演言教无數方便引導衆生
令離諸著所以者何如來方便知見波羅蜜皆
已具足舍利弗如來知見廣大深遠无量无
礙力无所畏禪定解脫三昧深入无際成就
一切未曾有法舍利弗如來能種種分別
巧說諸法言辭柔軟悅可衆心舍利弗取要

BD00797號　妙法蓮華經卷一　（10–2）

已具足舍利弗如來知見廣大深遠无量无
礙力无所畏禪定解脫三昧深入无際成就
一切未曾有法舍利弗如來能種種分別
巧說諸法言辭柔軟悅可衆心舍利弗取要
言之无量无邊未曾有法佛悉成就止舍利
弗不須復說所以者何佛所成就第一希有
難解之法唯佛與佛乃能究盡諸法實相所
謂諸法如是相如是性如是體如是力如是作
如是因如是緣如是果如是報如是本末究
竟等尒時世尊欲重宣此義而說偈言
世雄不可量　諸天及世人　一切衆生類　无能知佛者
佛力无所畏　解脫諸三昧　及佛諸餘法　无能測量者
本從无數佛　具足行諸道　甚深微妙法　難見難可了
於无量億劫　行此諸道已　道場得成果　我已悉知見
如是大果報　種種性相義　我及十方佛　乃能知是事
是法不可示　言辭相寂滅　諸餘衆生類　无有能得解
除諸菩薩衆　信力堅固者　諸佛弟子衆　曾供養諸佛
一切漏已盡　住是㝡後身　如是諸人等　其力所不堪
假使滿世間　皆如舍利弗　盡思共度量　不能測佛智
正使滿十方　皆如舍利弗　及餘諸弟子　亦滿十方剎
盡思共度量　亦復不能知　辟支佛利智　无漏㝡後身
亦滿十方界　其數如竹林　斯等共一心　於億无量劫
欲思佛實智　莫能知少分　新發意菩薩　供養无數佛
了達諸義趣　又能善說法　如稻麻竹葦　充滿十方剎
一心以妙智　於恒河沙劫　咸皆共思量　不能知佛智
不退諸菩薩　其數如恒沙　一心共思求　亦復不能知
又告舍利弗　无漏不思議　甚深微妙法　我今已具得

BD00797號　妙法蓮華經卷一　（10–3）

了達諸義趣　又能善說法　如稻麻竹葦　充滿十方剎
一心以妙智　於恒河沙劫　咸皆共思量　不能知佛智
不退諸菩薩　其數如恒沙　一心共思求　亦復不能知
又告舍利弗　无漏不思議　甚深微妙法　我今已具得
唯我知是相　十方佛亦然　舍利弗當知　諸佛語无異
於佛所說法　當生大信力　世尊法久後　要當說真實
告諸聲聞眾　及求緣覺乘　我令脫苦縛　逮得涅槃者
佛以方便力　示以三乘教　眾生處處著　引之令得出
介時大眾中有諸聲聞漏盡阿羅漢阿若憍
陳如等千二百人及發聲聞辟支佛心比丘
比丘尼優婆塞優婆夷各作是念今者世尊
何故慇懃稱歎方便而作是言佛所得法甚
深難解有所言說意趣難知一切聲聞辟支
佛所不能及佛說一解脫義我等亦得此法
到於涅槃而今不知是義所趣介時舍利弗
知四眾心疑自亦未了而白佛言世尊何因
何緣慇懃稱歎諸佛第一方便甚深微妙難
解之法我自昔來未曾從佛聞如是說今者
四眾咸皆有疑唯願世尊敷演斯事世尊何
故慇懃稱歎甚深微妙難解之法介時舍利
弗欲重宣此義而說偈言
慧日大聖尊　久乃說是法　自說得如是　力无畏三昧
禪定解脫等　不可思議法　道場所得法　无能發問者
我意難可測　亦无能問者　无問而自說　稱歎所行道
智慧甚微妙　諸佛之所得　无漏諸羅漢　及求涅槃者
今皆墮疑網　佛何故說是　其求緣覺者　比丘比丘尼
諸天龍鬼神　及乾闥婆等　相視懷猶豫　瞻仰兩足尊
是事為云何　願佛為解說　於諸聲聞眾　佛說我第一

BD00797 號　妙法蓮華經卷一　（10–4）

智慧甚微妙　諸佛之所得　无漏諸羅漢　及求涅槃者
今皆墮疑網　佛何故說是　其求緣覺者　比丘比丘尼
諸天龍鬼神　及乾闥婆等　相視懷猶豫　瞻仰兩足尊
是事為云何　願佛為解說　於諸聲聞眾　佛說我第一
我今自於智　疑惑不能了　為是究竟法　為是所行道
佛口所生子　合掌瞻仰待　願出微妙音　時為如實說
諸天龍神等　其數如恒沙　求佛諸菩薩　大數有八万
又諸万億國　轉輪聖王至　合掌以敬心　欲聞具足道
介時佛告舍利弗止止不須復說若說是事
一切世間諸天及人皆當驚疑舍利弗重白
佛言世尊唯願說之唯願說之所以者何是
會无數百千萬億阿僧祇眾生曾見諸佛諸
根猛利智慧明了聞佛所說則能敬信介時
舍利弗欲重宣此義而說偈言
法王无上尊　唯說願勿慮　是會无量眾　有能敬信者
佛復止舍利弗若說是事一切世間天人阿
脩羅皆當驚疑增上慢比丘將墜於大坑介
時世尊重說偈言
止止不須說　我法妙難思　諸增上慢者　聞必不敬信
介時舍利弗重白佛言世尊唯願說之唯願
說之今此會中如我等比百千萬億世世已
曾從佛受化如此人等必能敬信長夜安隱
多所饒益介時舍利弗欲重宣此義而說偈
言
无上兩足尊　願說第一法　我為佛長子　唯垂分別說
是會无量眾　能敬信此法　佛已曾世世　教化如是等
皆一心合掌　欲聽受佛語　我等千二百　及餘求佛者

BD00797 號　妙法蓮華經卷一　（10–5）

言
无上兩足尊 願說第一法 我爲佛長子 唯垂分別說
是會无量衆 能敬信此法 佛已曾世世 教化如是等
皆一心合掌 欲聽受佛語 我等千二百 及餘求佛者
願爲此衆故 唯垂分別說 是等聞此法 則生大歡喜
尒時世尊告舍利弗汝已慇勤三請豈得
不說汝今諦聽善思念之吾當爲汝分別解說
說此語時會中有比丘比丘尼優婆塞優婆
夷五千人等即從座起礼佛而退所以者何
此輩罪根深重及增上慢未得謂得未證謂
證有如此失是以不住世尊嘿然而不制止
尒時佛告舍利弗我今此衆无復枝葉純有
貞實舍利弗如是增上慢人退亦佳矣汝今
善聽當爲汝說舍利弗言唯然世尊願樂欲
聞佛告舍利弗如是妙法諸佛如來時乃說
之如優曇鉢華時一現耳舍利弗汝等當信
佛之所說言不虛妄舍利弗諸佛隨宜說法
意趣難解所以者何我以无數方便種種因
緣譬喻言辭演說諸法是法非思量分別之所
能解唯有諸佛乃能知之所以者何諸佛
世尊唯以一大事因緣故出現於世舍利弗
云何名諸佛世尊唯以一大事因緣故出現
於世諸佛世尊欲令衆生開佛知見使得清
淨故出現於世欲示衆生佛知見故出現於
世欲令衆生悟佛知見故出現於世欲令衆
生入佛知見道故出現於世舍利弗是爲諸
佛以一大事因緣故出現於世佛告舍利弗

淨故出現於世欲示衆生佛知見故出現於
世欲令衆生悟佛知見故出現於世欲令衆
生入佛知見道故出現於世舍利弗是爲諸
佛以一大事因緣故出現於世佛告舍利弗
諸佛如來但教化菩薩諸有所作常爲一事
唯以佛之知見示悟衆生舍利弗如來但以
一佛乘故爲衆生說法无有餘乘若二若三
舍利弗一切十方諸佛法亦如是舍利弗過
去諸佛以无量无數方便種種因緣譬喻言
辭而爲衆生演說諸法是法皆爲一佛乘故
是諸衆生從諸佛聞法究竟皆得一切種智
舍利弗未來諸佛當出於世亦以无量无數
方便種種因緣譬喻言辭而爲衆生演說諸
法是法皆爲一佛乘故是諸衆生從佛聞法
究竟皆得一切種智舍利弗現在十方无量
百千万億佛土中諸佛世尊多所饒益安樂
衆生是諸佛亦以无量无數方便種種因緣譬
喻言辭而爲衆生演說諸法是法皆爲一
佛乘故是諸衆生從佛聞法究竟皆得一切
種智舍利弗是諸佛但教化菩薩欲以佛之
知見示衆生故欲以佛之知見悟衆生故欲令
衆生入佛之知見故舍利弗我今亦復如是
知諸衆生有種種欲深心所著隨其本性
以種種因緣譬喻言辭方便力故而爲說法
舍利弗如此皆爲得一佛乘一切種智故舍
利弗十方世界中尚无二乘何況有三舍利
弗諸佛出於五濁惡世所謂劫濁煩惱濁衆
生濁見濁命濁如是舍利弗劫濁亂時衆生

舍利弗如此皆為得一佛乘一切種智故舍
利弗十方世界中尚无二乘何況有三舍利
弗諸佛出於五濁惡世所謂劫濁煩惱濁衆
生濁見濁命濁如是舍利弗劫濁亂時衆生
垢重慳貪嫉妬成就諸不善根故諸佛以方
便力於一佛乘分別說三舍利弗若我弟子
自謂阿羅漢辟支佛者不聞不知諸佛如來
但教化菩薩事此非佛弟子非阿羅漢非辟
支佛又舍利弗是諸比丘比丘尼自謂已得
阿羅漢是最後身究竟涅槃便不復志求阿
耨多羅三藐三菩提當知此輩皆是增上慢
人所以者何若有比丘實得阿羅漢若不信
此法无有是處除佛滅度後現前无佛所以
者何佛滅度後如是等經受持讀誦解義者
是人難得若遇餘佛於此法中便得決了舍
利弗汝等當一心信解受持佛語諸佛如來
言无虛妄无有餘乘唯一佛乘尒時世尊欲
重宣此義而說偈言

比丘比丘尼　有懷增上慢　優婆塞我慢　優婆夷不信
如是四衆等　其數有五千　不自見其過　於戒有缺漏
護惜其瑕疵　是小智已出　衆中之糟糠　佛威德故去
斯人尠福德　不堪受是法　此衆无枝葉　唯有諸貞實
舍利弗善聽　諸佛所得法　无量方便力　而為衆生說
衆生心所念　種種所行道　若干諸欲性　先世善惡業
佛悉知是已　以諸緣譬喻　言辭方便力　令一切歡喜
或說修多羅　伽陀及本事　本生未曾有　亦說於因緣
譬喻并祇夜　優波提舍經　鈍根樂小法　貪著於生死

佛悉知是已　以諸緣譬喻　言辭方便力　令一切歡喜
或說修多羅　伽陀及本事　本生未曾有　亦說於因緣
譬喻并祇夜　優波提舍經　鈍根樂小法　貪著於生死
於諸无量佛　不行深妙道　衆苦所惱亂　為是說涅槃
我設是方便　令得入佛慧　未曾說汝等　當得成佛道
所以未曾說　說時未至故　今正是其時　決定說大乘
我此九部法　隨順衆生說　入大乘為本　以故說是經
有佛子心淨　柔軟亦利根　无量諸佛所　而行深妙道
為此諸佛子　說是大乘經　我記如是人　來世成佛道
以深心念佛　修持淨戒故　此等聞得佛　大喜充遍身
佛知彼心行　故為說大乘　聲聞若菩薩　聞我所說法
乃至於一偈　皆成佛无疑　十方佛土中　唯有一乘法
无二亦无三　除佛方便說　但以假名字　引導於衆生
說佛智慧故　諸佛出於世　唯此一事實　餘二則非真
終不以小乘　濟度於衆生　佛自住大乘　如其所得法
定慧力莊嚴　以此度衆生　自證无上道　大乘平等法
若以小乘化　乃至於一人　我則墮慳貪　此事為不可
若人信歸佛　如來不欺誑　亦无貪嫉意　斷諸法中惡
故佛於十方　而獨无所畏　我以相嚴身　光明照世間
无量衆所尊　為說實相印　舍利弗當知　我本立誓願
欲令一切衆　如我等无異　如我昔所願　今者已滿足
化一切衆生　皆令入佛道　若我遇衆生　盡教以佛道
无智者錯亂　迷惑不受教　我知此衆生　未曾修善本
堅著於五欲　癡愛故生惱　以諸欲因緣　墜墮三惡道
輪迴六趣中　備受諸苦毒　受胎之微形　世世常增長
薄德少福人　衆苦所逼迫　入邪見稠林　若有若无等
依止此諸見　具足六十二　深著虛妄法　堅受不可捨

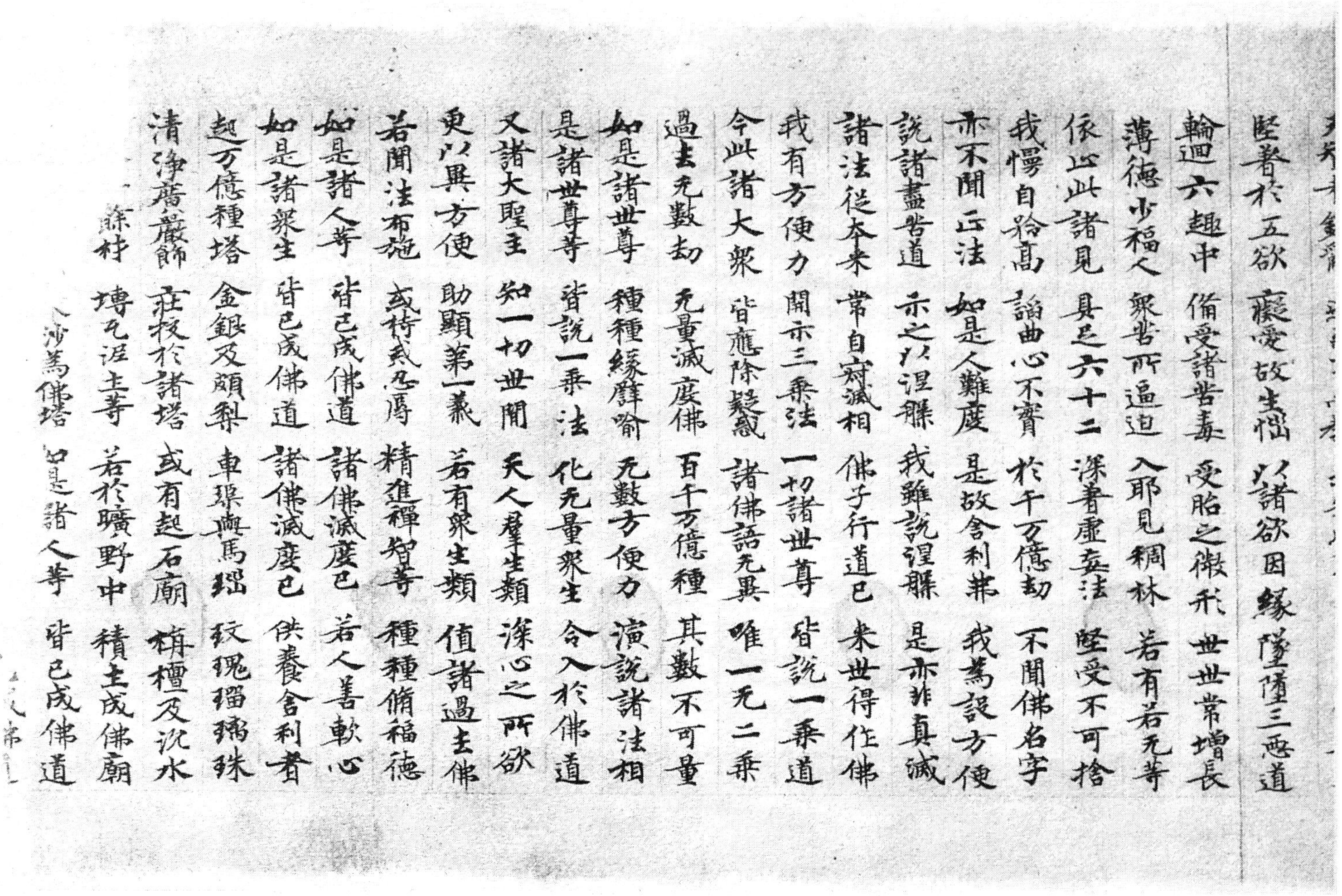

堅著於五欲　癡愛故生惱　以諸欲因緣　墜墮三惡道
輪迴六趣中　備受諸苦毒　受胎之微形　世世常增長
薄德少福人　眾苦所逼迫　入邪見稠林　若有若无等
依止此諸見　具足六十二　深著虛妄法　堅受不可捨
我慢自矜高　諂曲心不實　於千万億劫　不聞佛名字
亦不聞正法　如是人難度　是故舍利弗　我為設方便
說諸盡苦道　示之以涅槃　我雖說涅槃　是亦非真滅
諸法從本來　常自寂滅相　佛子行道已　來世得作佛
我有方便力　開示三乘法　一切諸世尊　皆說一乘道
今此諸大眾　皆應除疑惑　諸佛語无異　唯一无二乘
過去无數劫　无量滅度佛　百千万億種　其數不可量
如是諸世尊　種種緣譬喻　无數方便力　演說諸法相
是諸世尊等　皆說一乘法　化无量眾生　令入於佛道
又諸大聖主　知一切世間　天人群生類　深心之所欲
更以異方便　助顯第一義　若有眾生類　值諸過去佛
若聞法布施　或持戒忍辱　精進禪智等　種種脩福德
如是諸人等　皆已成佛道　諸佛滅度已　若人善軟心
如是諸眾生　皆已成佛道　諸佛滅度已　供養舍利者
起万億種塔　金銀及頗梨　車璩與馬瑙　玫瑰琉璃珠
清淨廣嚴飾　莊校於諸塔　或有起石廟　栴檀及沈水
……餘材　塼瓦泥土等　若於曠野中　積土成佛廟
……沙為佛塔　如是諸人等　皆已成佛道

BD00797號　妙法蓮華經卷一　（10–10）

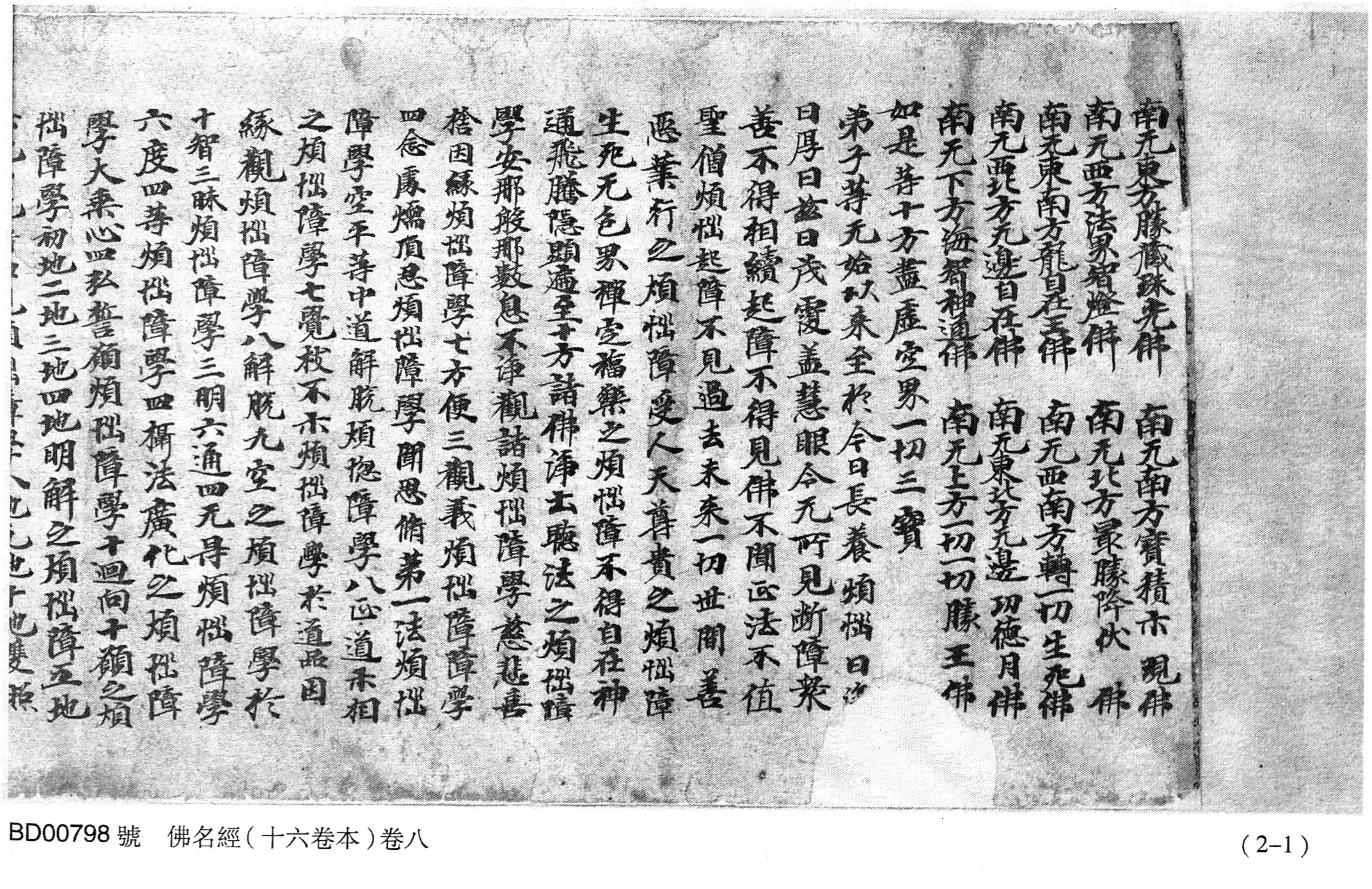

南无東方勝藏珠光佛　南无南方寶積示現佛
南无西方法界智燈佛　南无北方最勝降伏佛
南无東南方龍自在王佛　南无西南方轉一切生死佛
南无西北方无邊自在佛　南无東北方无邊功德月佛
南无下方海智神通佛　南无上方一切勝王佛
如是等十方盡虛空界一切三寶
弟子等无始以來至於今日長養煩惱　日深
日厚日滋日茂　覆蓋慧眼　令无所見　斷障眾
善不得相續　起障不得見佛　不聞正法　不值
聖僧　煩惱起障　不見過去未來一切世間善
惡業行之煩惱障　受人天尊貴之煩惱障
生死无色界禪定福樂之煩惱障　不得自在神
通飛騰隱顯遍至十方諸佛淨土聽法之煩惱障
學安那般那數息不淨觀諸煩惱障　學慈悲喜
捨因緣煩惱障　學七方便三觀義煩惱障　學
四念處煖頂忍煩惱障　學聞思脩第一法煩惱
障　學空平等中道解脫煩惱障　學八正道示相
之煩惱障　學七覺枝不示煩惱障　學於道品因
緣觀煩惱障　學八解脫九空之煩惱障　學於
十智三昧煩惱障　學三明六通四无导煩惱障　學
六度四等煩惱障　學四攝法廣化之煩惱障
學大乘心四弘誓願煩惱障　學十迴向十願之煩
惱障　學初地二地三地四地明解之煩惱障　五地
……

BD00798號　佛名經（十六卷本）卷八　（2–1）

四念處煩惱習愚煩惱障學聞思脩第一法煩惱
障學空平等中道解脫煩惱障學八正道未相
之煩惱障學七覺枝不示煩惱障學於道品因
緣觀煩惱障學八解脫九空之煩惱障學於
十智三昧煩惱障學三明六通四无㝵煩惱障學
六度四等煩惱障學四攝法廣化之煩惱障
學大乘心四弘誓願煩惱障學十迴向十願之煩
惱障學初地二地三地四地明解之煩惱障五地
六地七地諸知見煩惱障學八地九地十地雙照
之煩惱障如是乃至障學佛果百万阿僧祇
諸行上煩惱如是行障无量无邊弟子今日至到
稽首歸到向十方佛尊法聖衆慙愧懺悔願皆消
滅願藉此懺悔障於諸行一切煩惱願弟子在在處
處自在受生不為結業之所迴轉以如意　通一
念頃遍至十方淨諸佛土攝化衆生於禪定
甚深境界及諸知見通達无㝵心能普周一
切諸法樂說无窮而不染著得心自在得法自
在智惠自在方便自在令此煩惱及无知結習
畢竟永斷不復相續无漏聖道朗然如日作禮一拜

佛名經卷第八

BD00798 號　佛名經（十六卷本）卷八　（2–2）

佛告阿難及韋提希諦聽諦聽善思念之如
來今者為未來世一切衆生為煩惱賊之所
害者說清淨業善哉韋提希快問此事阿難
汝當受持廣為多衆宣說佛語如來今者教
韋提希及未來世一切衆生觀於西方極樂
世界以佛力故當得見彼清淨國土如執明
鏡自見面像見彼國土極樂妙事心歡喜故
應時即得无生法忍
佛告韋提希汝是凡夫心想羸劣未得天眼
不能遠觀諸佛如來有異方便令汝得見時
韋提希白佛言世尊如我今者以佛力故見
彼國土若佛滅後諸衆生等濁惡不善五苦
所逼云何當見阿彌陁佛極樂世界
佛告韋提希汝及衆生應當專心繫念一處
想於西方云何作想凡作想者一切衆生自
非生盲有目之徒皆見日沒當起想念正坐
西向諦觀於日令心堅住專想不移見日欲
沒狀如懸鼓既見日已閉目開目皆令明了
是為日想名初觀
次作水想見水澄清亦令明了无分散意既
見水已當起氷想見氷映徹作琉璃想此想
成已見琉璃地內外映徹下有金剛七寶金
幢擎琉璃地其幢八方八楞具足一一方面

BD00799 號　觀無量壽佛經　（18–1）

次作水想見水澄清亦令明了无分散意既
見水已當起氷想見氷映徹作琉璃想此想
成已見琉璃地内外映徹下有金剛七寶金
幢擎琉璃地其幢八方八楞具足一一方面
百寶所成一一寶珠有千光明一一光明八
万四千色映琉璃地如億千日不可具見琉
璃地上以黄金繩雜廁間錯以七寶界分齊
分明一一寶中有五百色光其光如華又似
星月懸處虚空成光明臺樓閣千万百寶合
成於臺兩邊各有百億華幢无量樂器以為
莊嚴八種清風從光明出皷此樂器演說苦
空无常无我之音是為水想名第二觀
此想成時一一觀之極令了了閉目開目不
令散失唯食時恒憶此事如此想者名為粗
見極樂國土若得三昧見彼國地了了分明
不可具說是為地想名第三觀
佛告阿難汝持佛語為未來世一切大衆欲
脫苦者說是觀地法若觀是地者除八十億
劫生死之罪捨身他世必生淨國必得无疑
作是觀者名為正觀若他觀者名為邪觀
佛告阿難及韋提希地想成已次觀寶樹觀
寶樹者一一觀之作七重行樹想一一樹高
八千由旬其諸寶樹七寶華葉无不具足一
一華葉作異寶色琉璃色中出金色光頗梨
色中出五色光馬瑙色中出車璖光車璖色
中出緑真珠光珊瑚虎珀一切衆寶以為暎

八千由旬其諸寶樹七寶華葉无不具足一
一華葉作異寶色琉璃色中出金色光頗梨
色中出五色光馬瑙色中出車璖光車璖色
中出緑真珠光珊瑚虎珀一切衆寶以為暎
餝如真珠網弥覆其上一一樹上有七重網
一一網間有五百億妙華宮殿如梵王宮諸
天童子自然在中一一童子五百億釋迦毗
楞伽摩尼以為瓔珞其摩尼光照百由旬如
和合百億日月不可具名衆寶間錯色中上
者此諸寶林行行相當葉葉相次於衆葉間
生諸妙華華上自然有七寶菓一一樹葉縱
廣正等二十五由旬其華千色有百種畫如
天瓔珞有衆妙華作閻浮檀金色如旋火輪
婉轉葉間踊生諸菓如帝釋瓶有大光明化
成幢幡无量寶蓋是寶蓋中映現三千大千
世界一切佛事十方佛國亦於中現見此樹
已亦當次第一一觀之觀見樹莖枝葉華菓
皆令分明是為樹想名第四觀
次當想水想水者極樂國土有八池水一一
池水七寶所成其寶柔軟從如意珠王生分
為十四枝一一枝作七寶色黄金為渠渠下
皆以雜色金剛以為底沙一一水中有六十
億七寶蓮華一一蓮華團圓正等十二由旬
其摩尼水流注華間尋樹上下其聲微妙演
說苦空无常无我諸波羅蜜復有讚歎諸佛
相好者如意珠王踊出金色微妙光明其光

其摩尼水流注華間尋樹上下其聲微妙演
說苦空无常无我諸波羅蜜復有讚歎諸佛
相好者如意珠王踊出金色微妙光明其光
化為百寶色鳥和鳴哀雅常讚念佛念法念
僧是為八功德水想名第五觀
衆寶國土一一界上五百億寶樓其樓閣中
有无量諸天作天伎樂又有樂器懸處虛空
如天寶幢不鼓自鳴此衆音中皆說念佛念
法念比丘僧此想成已名為粗見極樂世界
寶樹寶地寶池是為揔觀想名第六觀若見
此者除无量億劫極重惡業命終之後必生
彼國作是觀者名為正觀若他觀者名為耶
觀
佛告阿難及韋提希諦聽諦聽善思念之佛
當為汝分別解說除苦惱法汝等憶持廣為
大衆分別解說說是語時无量壽佛住立空
中觀世音大勢至是二大士侍立左右光明
熾盛不可具見百千閻浮檀金色不得為比
時韋提希見无量壽佛已接足作礼白佛言
世尊我今因佛力故得見无量壽佛及二菩
薩未來衆生當云何觀无量壽佛及二菩薩
佛告韋提希欲觀彼佛者當起想念於七寶
地上作蓮華想令其蓮華一一葉作百寶色
有八万四千脉猶如天畫脉有八万四千光
了了分明皆令得見華葉小者縱廣二百五
十由旬如是華有八万四千葉一一葉間有

有八万四千脉猶如天畫脉有八万四千光
了了分明皆令得見華葉小者縱廣二百五
十由旬如是華有八万四千葉一一葉間有
百億摩尼諸王以為映飾一一摩尼放千光明
其光如蓋七寶合成遍覆地上釋迦毗楞伽
寶以為其臺此蓮華臺八万金剛甄叔迦寶
梵摩尼寶妙真珠網以為挍飾於其臺上自
然而有四柱寶幢一一寶幢如百千万億須
弥山幢上寶縵如夜摩天宮有五百億微妙
寶珠以為映飾一一寶珠有八万四千光一一
光作八万四千異種金色一一金光遍其寶土
處處變化各作異相或為金剛臺或作真珠
網或作雜華雲於十方面隨意變現施作佛
事是為華想名第七觀
佛告阿難如此妙華是本法藏比丘願力所
成若欲念彼佛者當先作此華坐想作此想
時不得雜觀皆應一一觀之一一葉一一珠
一一光一一臺一一幢皆令分明如於鏡中
自見面像此想成者滅除五劫生死之罪必
定當生極樂世界作此觀者名為正觀若他
觀者名為耶觀
佛告阿難及韋提希見此事已次當想佛所
以者何諸佛如來是法界身入一切衆生心
想中是故汝等心想佛時是心即是三十二
相八十隨形好是心作佛是心是佛諸佛正

佛告阿難及韋提希見此事已次當想佛所
以者何諸佛如来是法界身入一切衆生心
想中是故汝等心想佛時是心即是三十二
相八十随形好是心作佛是心是佛諸佛正
遍知海從心想生是故應當一心繫念諦觀
彼佛多陁阿伽度阿羅訶三藐三佛陁想彼
佛者先當想像閉目開目見一寶像如閻浮
檀金色坐彼華上像既坐已心眼得開了了
分明見極樂國七寶莊嚴寶地寶池寶樹行
列諸天寶縵弥覆其上衆寶羅網滿虚空中
見如此事極令明了如觀掌中見此事已復
當更作一大蓮華在佛左邊如前蓮華等无
有異復作一大蓮華在佛右邊想一觀世音
菩薩像坐左華坐亦放金光如前无異想一
大勢至菩薩像坐右華坐此想成時佛菩薩
像皆放金色光其光金色照諸寶樹一一樹
下亦有三蓮華諸蓮華上各有一佛二菩薩
像遍滿彼國此想成時行者當聞水流光明
及諸寶樹鳬鴈鴛鴦皆說妙法出定入定恒
聞妙法行者所聞出定之時憶持不捨令與
脩多羅合若不合者名為妄想若合者名為
麁想見極樂世界是為像想名第八觀作是
觀者除无量億劫生死之罪於現身中得念
佛三昧
佛告阿難此想成已次當更觀无量壽佛身
想光明阿難當知无量壽佛身如百千万億

觀者除无量億劫生死之罪於現身中得念
佛三昧
佛告阿難此想成已次當更觀无量壽佛身
想光明阿難當知无量壽佛身如百千万億
夜摩天閻浮檀金色佛身高六十万億那由
他恒河沙由旬眉間白毫右旋婉轉如五須
弥山佛眼如四大海水清白分明身諸毛孔
演出光明如須弥山彼佛圓光如百億三千
大千世界於圓光中有百万億那由他恒河
沙化佛一一化佛亦有衆多无數化菩薩以
為侍者无量壽佛有八万四千相一一相各
有八万四千随形好一一好復有八万四千
光明一一光明遍照十方世界念佛衆生攝取
不捨光明相好及與化佛不可具說但當憶
想令心眼見見此事者即見十方一切諸佛
以見諸佛故名念佛三昧作是觀者名觀一
切佛身以觀佛身故亦見佛心佛心者即大
慈悲是以无緣慈攝諸衆生作此觀者捨身
他世生諸佛前得无生忍是故智者應當繫
心諦觀无量壽佛觀无量壽佛者從一相好
入但觀眉間白毫極令明了見眉間白毫者
八万四千相好自然當見見无量壽佛者即
見十方无量諸佛得見无量諸佛故諸佛現
前授記是為遍觀一切色想名第九觀作是
觀者名為正觀若他觀者名為邪觀
佛告阿難及韋提希見无量壽佛了了分明

見十方无量諸佛得見无量諸佛故諸佛現
前授記是為遍觀一切色想名第九觀作是
觀者名為正觀若他觀者名為耶觀
佛告阿難及韋提希見无量壽佛了了分明
已次當觀觀世音菩薩此菩薩身長八十万
億那由他由旬身紫金色頂有肉髻項有圓
光面各百千由旬其圓光中有五百化佛如
釋迦牟尼一一化佛有五百菩薩无量諸天
以為侍者舉身光中五道衆生一切色相皆
於中現頂上毗楞伽摩尼寶以為天冠其天
冠中有一立化佛高二十五由旬觀世音菩
薩面如閻浮檀金色眉間豪相備七寶
色流出八万四千種光明一一光明有无量
无數百千化佛一一化佛无量菩薩以為侍
者變現自在滿十方世界譬如紅蓮華色有
八十億光明以為瓔珞其瓔珞中普現一切
諸莊嚴事手掌作五百億雜蓮華色手十指
端一一指端有八万四千畫猶如印文一一
畫有八万四千色一一色有八万四千光其
光柔濡普照一切以此寶手接引衆生舉足
時足下有千輻輪相自然化成五百億光明
臺下足之時有金剛摩尼華布散一切莫不彌
滿其餘身相衆好具足如佛无異唯頂上肉
髻及无見頂相不及世尊是為觀觀世音菩
薩真實色身想名第十觀

滿其餘身相衆好具足如佛无異唯頂上肉
髻及无見頂相不及世尊是為觀觀世音菩
薩真實色身想名第十觀
佛告阿難若欲觀觀世音菩薩當作是觀作
是觀者不遇諸禍淨除業鄣除却无數劫生
死之罪如此菩薩但聞其名獲无量福何况
諦觀若有欲觀觀世音菩薩者先觀頂上肉
髻次觀天冠其餘衆相亦次第觀之亦令明
了如觀掌中作是觀者名為正觀若他觀者
名為邪觀
次觀大勢至菩薩此菩薩身量大小亦如觀
世音圓光面各百二十五由旬照二百五十
由旬舉身光明照十方國作紫金色有緣衆
生皆悉得見但見此菩薩一毛孔光即見十
方无量諸佛淨妙光明是故号此菩薩名
无邊光以智慧光普照一切令離三塗得无上
力是故号此菩薩名大勢至此菩薩天冠有
五百寶華一一寶華有五百寶臺一一臺中
十方諸佛國土廣長之相皆於中現頂上肉
髻如鉢頭摩華於肉髻上有一寶瓶成諸妙
寶光明普現佛事餘諸身相如觀世音等无
有異此菩薩行時十方世界一切振動當地
動處有五百億寶華一一寶華莊嚴高顯如極
樂世界此菩薩坐時七寶國土一時動搖從下
方金光佛刹乃至上方光明王佛刹於其中

有異此菩薩行時十方世界一切振動當地
動處有五百億寶華一一寶華莊嚴高顯如極
樂世界此菩薩坐時七寶國土一時動搖從下
方金光佛剎乃至上方光明王佛剎於其中
間无量塵數分身无量壽佛分身觀世音大
勢至皆悉雲集極樂國土側塞空中坐蓮華
座演說妙法度苦衆生作此觀者名為正觀
見大勢至菩薩是為觀大勢至色身想觀此
菩薩者名第十一觀
除无數劫阿僧祇生死之罪作是觀者不處
胞胎常遊諸佛淨妙國土此觀成已名為具
足觀觀世音大勢至見此事時當起自心生
於西方極樂世界於蓮華中結跏趺坐作蓮
華合想作蓮華開想蓮華開時有五百色
光來照身想眼目開想見佛菩薩滿虛空中
水鳥林樹及與諸佛所出音聲皆演妙法與十
二部經合出定之時憶持不失見此事已名見无
量壽佛極樂世界是為普觀想名第十二觀
无量壽佛化身无數與觀世音大勢至常來
至此行人之所
佛告阿難及韋提希若欲至心生西方者先
當觀於一丈六像在池水上如先所說无量
壽佛身量无邊非是凡夫心力所及然彼如
來宿願力故有憶想者必得成就但想佛像
得无量福況復觀佛具足身相阿弥陁佛神

BD00799 號　觀無量壽佛經　（18–10）

當觀於一丈六像在池水上如先所說无量
壽佛身量无邊非是凡夫心力所及然彼如
來宿願力故有憶想者必得成就但想佛像
得无量福況復觀佛具足身相阿弥陁佛神
通如意於十方國變現自在或現大身滿虛
空中或現小身丈六八尺所現之形皆真金色
圓光化佛及寶蓮華如上所說觀世音菩薩
及大勢至於一切處身同衆生但觀手相知
是觀世音知是大勢至此二菩薩助阿弥陁
佛普化一切是為雜觀名第十三觀
佛告阿難及韋提希上品上生者若有衆生
願生彼國者發三種心即便往生何等為三
一者至誠心二者深心三者迴向發願心具
三心者必生彼國復有三種衆生當得往生
何等為三一者慈心不煞具諸戒行二者讀
誦大乘方等經典三者脩行六念迴向發願
願生彼國具此功德一日乃至七日即得往生
生彼佛國時此人精進勇猛故阿弥陁如
來與觀世音大勢至无數化佛百千比丘聲
聞大衆无量諸天七寶宮殿觀世音菩薩執
金剛臺與大勢至菩薩至行者前阿弥陁佛
放大光明照行者身與諸菩薩授手迎接是
觀世音大勢至與无數菩薩讚歎行者勸進
其心行者見已歡喜踊躍自見其身乘金剛
臺隨從佛後如彈指頃往生彼國已見佛色
身衆相具足見諸菩薩色相具足光明寶林

BD00799 號　觀無量壽佛經　（18–11）

觀世音大勢至與无數菩薩讃嘆行者勸進
其心行者見已歡喜踊躍自見其身乘金剛
臺隨從佛後如彈指頃往生彼國已見佛色
身衆相具足見諸菩薩色相具足光明寶林
演說妙法聞已即悟无生法忍逕須臾間歷
事諸佛遍十方界於諸佛前次第受記還至
本國得无量百千陁羅尼門是名上品上生
者
上品中生者不必受持讀誦方等經典善解
義趣於第一義心不驚動深信因果不謗大
乘以此功德迴向願求生極樂國行此行者
命欲終時阿弥陁佛與觀世音大勢至无量大
衆眷屬圍遶持紫金臺至行者前讃言法子
汝行大乘解第一義是故我今來迎接汝與
千化佛一時授手行者自見坐紫金臺合掌
叉手讃嘆諸佛如一念頃即生彼國七寶池
中紫金臺如大蓮華逕宿則開行者身作紫
磨金色足下亦有七寶蓮華佛及菩薩俱時
放光照行者身目即開明因前宿習普聞衆
聲純說甚深第一義諦即下金臺礼佛合掌
讃歎世尊逕於七日應時即於阿耨多羅三
藐三菩提得不退轉應時即能飛至十方歷
事諸佛於諸佛所脩諸三昧逕一小劫得无
生法忍現前受記是名上品中生者
上品下生者亦信因果不謗大乘但發无上
道心以此功德迴向願求生極樂國行者命

藐三菩提得不退轉應時即能飛至十方歷
事諸佛於諸佛所脩諸三昧逕一小劫得无
生法忍現前受記是名上品中生者
上品下生者亦信因果不謗大乘但發无上
道心以此功德迴向願求生極樂國行者命
欲終時阿弥陁佛及觀世音大勢至與諸眷
屬持金蓮華化作五百化佛來迎此人五百化
佛一時授手讃言法子汝今清淨發无上道
心我來迎汝見此事時即自見身坐金蓮華
坐已華合隨世尊後即得往生七寶池中一
日一夜蓮華乃開七日之中乃得見佛雖見
佛身於衆相好心不明了於三七日後乃了
了見聞衆音聲皆演妙法遊歷十方供養諸
佛於諸佛前聞甚深法逕三小劫得百法明
門住歡喜地是名上品下生者是名上輩生
想名第十四觀
佛告阿難及韋提希中品上生者若有衆生
受持五戒持八戒齋脩行諸戒不造五逆无諸
過患以此善根迴向願求生於西方極樂世
界臨命終時阿弥陁佛與諸比丘眷屬圍遶
放金色光至其人所演說苦空无常无我讃
歎出家得離衆苦行者見已心大歡喜自見
己身坐蓮華臺長跪合掌為佛作礼未舉頭
頃即得往生極樂世界蓮華尋開當華敷時
聞衆音聲讃嘆四諦應時即得阿羅漢道三
明六通具八解脫是名中品上生者

己身坐蓮華臺長跪合掌為佛作礼未舉頭
頃即得往生極樂世界蓮華尋開當華敷時
聞衆音聲讚嘆四諦應時即得阿羅漢道三
明六通具八解脫是名中品上生者
中品中生者若有衆生若一日一夜受持八戒
齋若一日一夜持沙弥戒若一日一夜持具足
戒威儀无缺以此功德迴向願求生極樂國
戒香勳脩如此行者命欲終時見阿弥陁佛
與諸眷屬放金色光持七寶蓮華至行者前
行者自見空中有聲讚言善男子如汝善人
隨順三世諸佛教我來迎汝行者自見坐蓮
華上蓮華即合生於西方極樂世界在寶池
中逕於七日蓮華乃敷華既敷已開目合掌
讚歎世尊聞法歡喜得須陁洹逕半劫已成
阿羅漢是名中品中生者
中品下生者若有善男子善女人孝養父母
行世仁善此人命欲終時遇善知識為其廣
說阿弥陁佛國土樂事亦說法藏比丘四十八
大願聞此事已尋即命終譬如壯士屈申臂
頃即生西方極樂世界生逕七日遇觀世音
及大勢至聞法歡喜過一小劫成阿羅漢是
名中品下生者是名為中輩下生想名第十
五觀
佛告阿難及韋提希下品上生者或有衆生
作衆惡業雖不誹謗方等經典如此愚人多
造惡法无有慚愧命欲終時遇善知識為讚

BD00799號　觀無量壽佛經　（18–14）

五觀
佛告阿難及韋提希下品上生者或有衆生
作衆惡業雖不誹謗方等經典如此愚人多
造惡法无有慚愧命欲終時遇善知識為讚
大乘十二部經首題名字以聞如是諸經
名故除却千劫極重惡業智者復教合掌叉
稱南无阿弥陁佛稱佛名故除五十億劫生
死之罪尒時彼佛遣化佛化觀世音化大勢
至至行者前讚言善男子汝稱佛名故諸罪
消滅我來迎汝作是語已行者即見化佛光
明遍滿其室見已歡喜即便命終乘寶蓮華
隨化佛後生寶池中逕七七日蓮華乃敷當
華敷時大悲觀世音菩薩放大光明住其人
前為說甚深十二部經聞已信解發无上道
心逕十八小劫具百法明門得入初地是名
下品上生者得聞佛名法名及聞僧名聞三
寶名即得往生
佛告阿難及韋提希下品中生者或有衆生
毀犯五戒八戒及具足戒如此愚人偷僧祇
物盜現前僧物不淨說法无有慚愧以諸惡
業而自莊嚴如此罪人以惡業故應墮地獄
命欲終時地獄衆火一時俱至遇善知識以
大慈悲為說阿弥陁佛十力威德廣說彼佛
光明神力亦讚戒定慧解脫解脫知見此人
聞已除八十億劫生死之罪地獄猛火化為
清涼風吹諸天華華上皆有化佛菩薩迎接

BD00799號　觀無量壽佛經　（18–15）

大慈悲為說阿弥陁佛十力威德廣說彼佛
光明神力亦讚戒定慧解脫解脫知見此人
聞已除八十億劫生死之罪地獄猛火化為
清涼風吹諸天華華上皆有化佛菩薩迎接
此人如一念頃即得往生七寶池中蓮華之
內逕於六劫蓮華乃敷觀世音大勢至以梵
音聲安慰彼人為說大乘甚深經典聞此法
已應時即發无上道心是名下品中生者佛
告阿難及韋提希下品下生者或有衆生作
不善業五逆十惡具諸不善如此愚人以惡
業故應墮惡道逕歷多劫受苦无窮如此愚
人臨命終時遇善知識種種安慰為說妙法
教令念佛彼人苦逼不遑念佛善友告言汝
若不能念者應稱无量壽佛如是至心令聲
不絕具足十念稱南无佛故於念念中除八
十億劫生死之罪命終之後見金蓮華猶如
日輪住其人前如一念頃即得往生極樂世
界於蓮華中滿十二大劫蓮華方開觀世音
大勢至以大悲音聲為其廣說諸法實相除
滅罪法聞已歡喜應時即發菩提之心是名
下品下生者是名下品生想名苐十六觀
說是語時韋提希與五百侍女聞佛所說應
時即見極樂世界廣長之相得見佛身及二
菩薩心生歡喜歎未曾有豁然大悟逮无生
忍五百侍女發阿耨多羅三藐三菩提心願

BD00799號　觀無量壽佛經　（18–16）

說是語時韋提希與五百侍女聞佛所說應
時即見極樂世界廣長之相得見佛身及二
菩薩心生歡喜歎未曾有豁然大悟逮无生
忍五百侍女發阿耨多羅三藐三菩提心願
生彼國世尊悉記皆當往生彼國已得諸佛
現前三昧无量諸天發无上道心
尒時阿難即從坐起前白佛言世尊當何名
此經此法之要當云何受持
佛告阿難此經名觀極樂國土无量壽佛觀
世音菩薩大勢至菩薩亦名淨除業鄣生諸
佛前汝當受持无令忘失行此三昧者現身
得見无量壽佛及二大士若善男子善女人
但聞佛名二菩薩名除无量劫生死之罪何
況憶念若念佛者當知此人是人中分陁利
華觀世音菩薩大勢至菩薩為其勝友當坐
道場生諸佛家
佛告阿難汝好持是語持是語者即是持无
量壽佛名佛說此語時尊者目揵連阿難及
韋提希等聞佛所說皆大歡喜
尒時世尊足步虛空還耆闍崛山尒時阿難
廣為大衆說如上事无量諸天龍夜叉聞佛
所說皆大歡喜礼佛而退

佛說觀无量壽經一卷

BD00799號　觀無量壽佛經　（18–17）

佛告阿難此經名觀極樂國土无量壽佛觀
世音菩薩大勢至菩薩亦名淨除業鄣生諸
佛前汝當受持无令忘失行此三昧者現身
得見无量壽佛及二大士若善男子善女人
但聞佛名二菩薩名除无量劫生死之罪何
況憶念若念佛者當知此人是人中分陁利
華觀世音菩薩大勢至菩薩為其勝友當坐
道場生諸佛家
佛告阿難汝好持是語持是語者即是持无
量壽佛名佛說此語時尊者目揵連阿難及
韋提希等聞佛所說皆大歡喜
尒時世尊足步虛空還耆闍崛山尒時阿難
廣為大衆說如上事无量諸天龍夜叉聞佛
所說皆大歡喜礼佛而退
佛說觀无量壽經一卷

室利
淨性不可縛解不可覆蓋[illegible]
性空無得故云何說言無明癡闇能染汝
佛言曼殊室利譬如鑽火屬諸因緣如是煖
性亦不決定在於手木諸因緣中如是曼殊室
利貪瞋愚癡計度妄相衆生惱熱屬諸因緣
是貪瞋癡亦不決定在因緣中如是惱熱貪
瞋癡性不在內外不在中間住無住故曼殊室
利以何因緣名之為癡一切諸法性自解脫以
癡闇故能令衆生常行顛倒諸見網中迷於
解脫名之為癡曼殊室利汝復應知是愚癡
性無所得處即是清淨陀羅尼印所行之跡
尒時曼殊室利法王子白佛言世尊頗有菩
薩入一清淨惣持門中便能遍解一切法不
佛言曼殊室利如是如是有諸菩薩入一法
門能以一字方便演說無量字句如是一字
無所增減有諸菩薩方便證入一法門中亦
復能令一切法門皆現在前相續說法辯才
無斷具足清淨梵音聲相有諸菩薩方便
能於一法句中入於一切無量法門亦復能
[illegible]

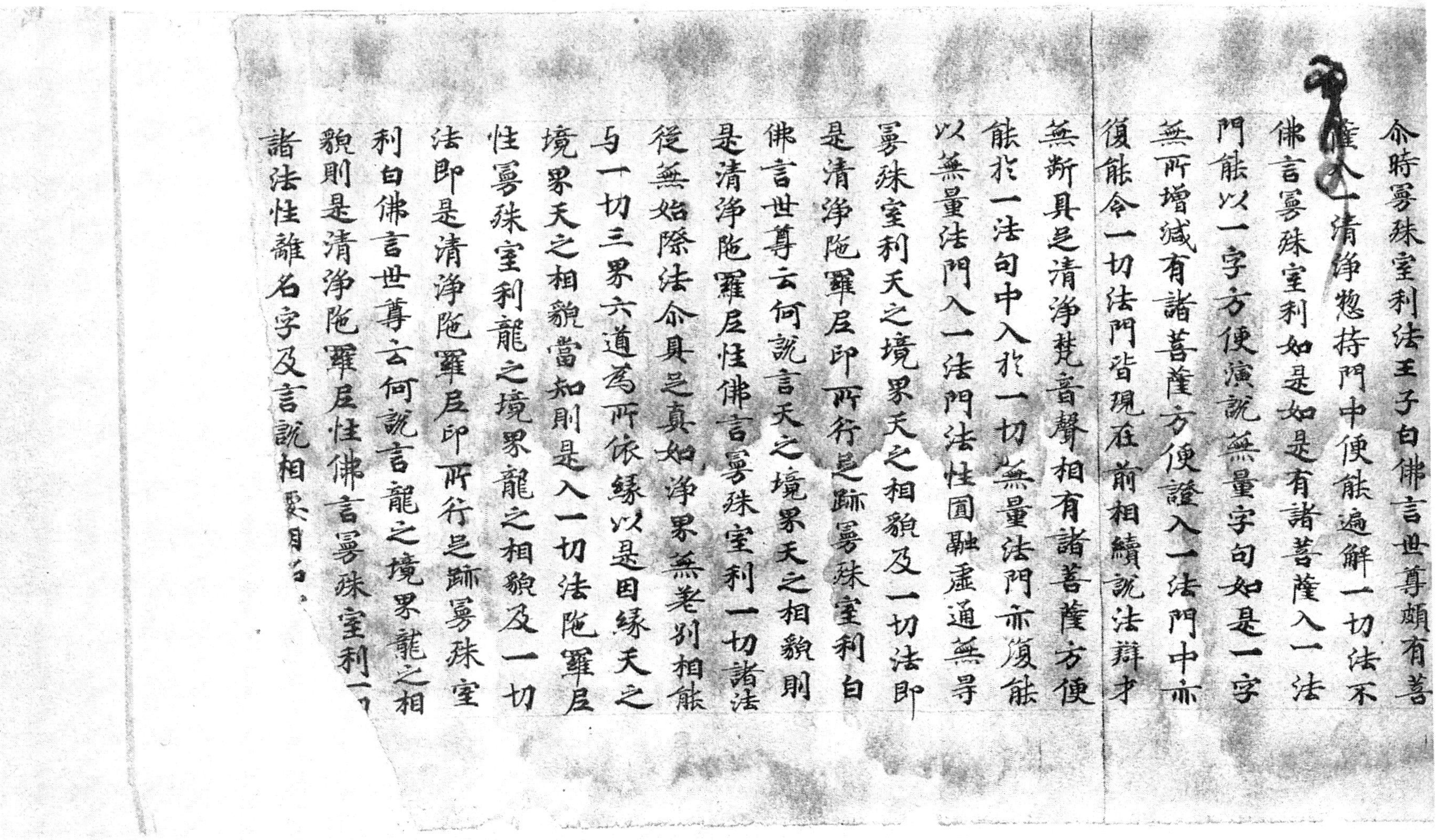
尒時曼殊室利法王子白佛言世尊頗有菩
薩入一清淨揔持門中便能遍解一切法不
佛言曼殊室利如是如是有諸菩薩入一法
門能以一字方便演說無量字句如是一字
無所增減有諸菩薩方便證入一法門中亦
復能令一切法門皆現在前相續說法辯才
無斷具足清淨梵音聲相有諸菩薩方便
能於一法句中入於一切無量法門亦復能
以無量法門入一法門法性圓融虛通無㝵
曼殊室利天之境界天之相貌及一切法即
是清淨陁羅尼即所行足跡曼殊室利白
佛言世尊云何說言天之境界天之相貌則
是清淨陁羅尼性佛言曼殊室利一切諸法
從無始際法尒具足真如淨界無差別相能
与一切三界六道為所依緣以是因緣天之
境界天之相貌當知則是入一切法陁羅尼
性曼殊室利龍之境界龍之相貌及一切
法即是清淨陁羅尼即所行足跡曼殊室
利白佛言世尊云何說言龍之境界龍之相
貌則是清淨陁羅尼性佛言曼殊室利一
諸法性離名字及言說相要

BD00800 號　金剛壇廣大清淨陀羅尼經　（2–2）

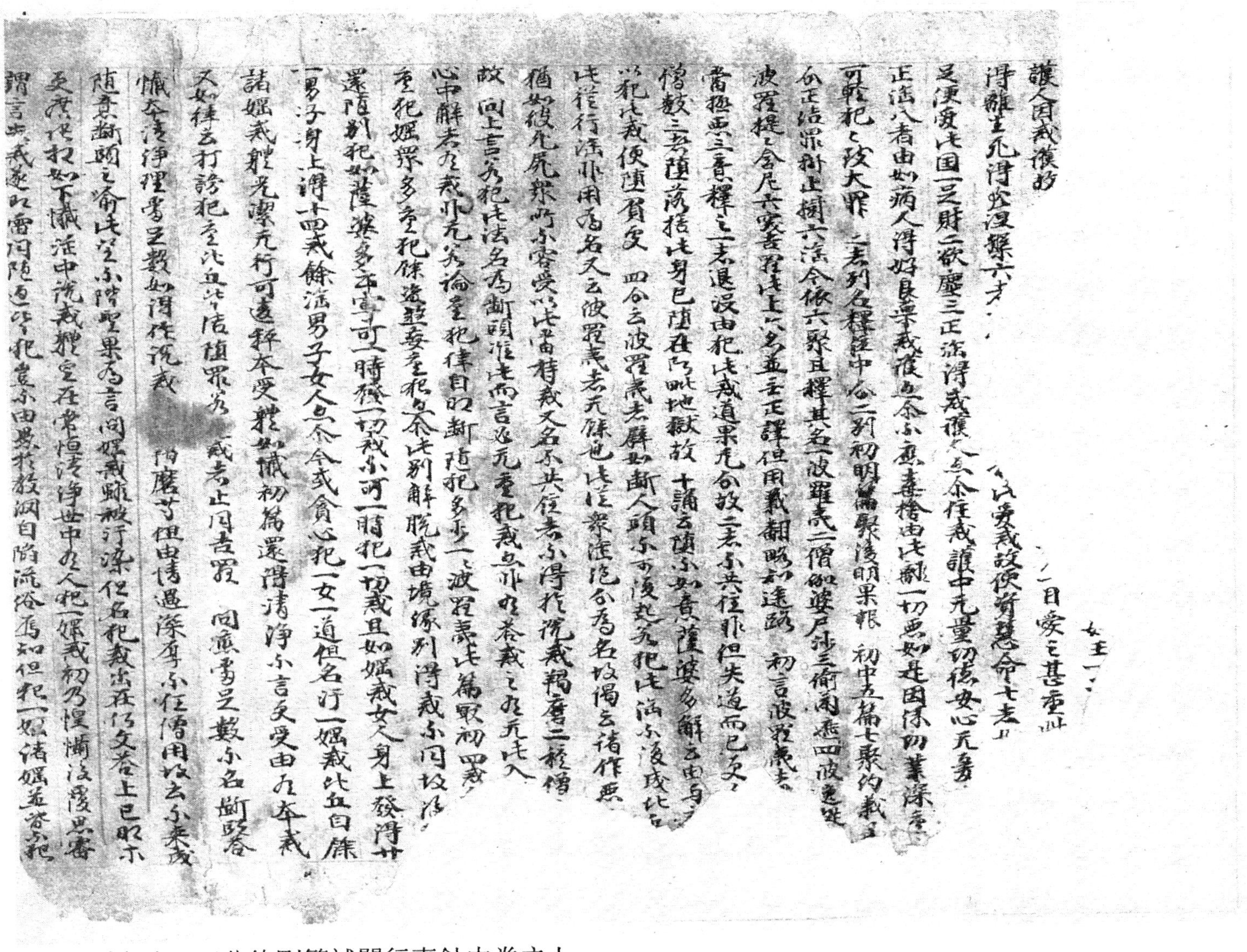
女王一
護人因戒護故　二日愛三甚重四
得離生死得證涅槃六者　此愛戒故便背慧命七者
足便受此国一足財二欲塵三正法得戒護人五尒住戒護中无量功德安心无勇
正法八者由如病人得好良藥戒護亦尒不惡毒惓由此戒一切惡如是因緣功業深重
可輕犯之殘大罪　二者列名釋體中分二列初明篇聚淺明果報　初中五篇七聚約義
分正結罪對止持六法今依六聚且釋其名一波羅夷二僧伽婆尸沙三偷蘭遮四波逸提
波羅提提舍尼六突吉羅　此上六名並是正譯但用義翻略知遠趣　初言波羅夷者
當極惡三意釋之一者退沒由犯此戒道果无分故二者不共住非但失道而已又
僧數三者墮落謂犯此身已墮在阿鼻地獄故　十誦云墮不如意處薩婆多解云由与
以犯此戒便墮負處　四分云波羅夷者譬如斷人頭不可復起若犯此法不復成比丘
此從行法非用為名又云波羅夷者无餘也此從衆法犯分為名故偈云諸作惡
猶如彼死屍衆所不容受以此當持戒又名不共住者不得於說戒羯磨二種僧
故　向上言多犯此法名為斷頭准此而言迷无重犯義無非比丘義之亦无此入
心中解者乃戒非无論重犯律自明斷　隨犯多少一一波羅夷此篇最初罪
重犯婬罪多重犯除盜殺妄重犯無余此別解脫戒由境緣別得戒不同故准
還隨別犯如薩婆多本宗可一時發一切戒不可一時犯一切戒且如婬戒女人身上發得廿
一男子身上得十四戒餘淫男子女人亦尒今或貪心犯一女一道但名汙一婬戒此五句除
諸婬戒體光潔无行可遮釋本受體如識初篇還得清淨不言更受由本戒
又如律云打謗犯重亦止犯但名隨罪名　戒者止因吉羅　問應當足數不名斷頭答
懺悔清淨理當足數如得作說戒　隨應當但由情過深重不任僧用故云不來成
隨意斷頭之喻此望不階聖果為言　問婬戒既被行深但名犯之教出何文答上已明不
又意化打如下識法中說戒體定在常恒清淨世中凡人犯一婬戒初乃悔懈淺深思審
謂言無戒遂取雷同隨過作犯豈不由愚於教網自陷流俗為知但犯一婬諸婬並皆不犯

BD00801 號　四分律刪繁補闕行事鈔中卷之上　（47–1）

隨其斷頭之喻此望不障聖果為言問媱戒既被行染但名犯戒出在何文荅上已明不
見性相如下懺法中說戒體虛在常恒清淨世中凡人犯一媱戒初乃慢慚後慶恩審
謂言失戒遂破壞門隨意作犯豈不由愚於教網自陷流俗為知但犯一媱諸媱並皆不犯
當篇無違常淨識然下之五衆戒同初受故同性之傳理須明察若先破淨識犯對
欲染不生由前方便若无罪擒處對境不能不犯既犯業成必須無覆早懺罪遂本淨
進入僧 若迷上所說自懷藏覆不恭衆務財法並言復滑受用自他俱負豈不
悲乎不亦悮哉 問媱已被染染義猶全何故不障聖位若明了論解此四重義隨毀一
重諸餘戒分用明无力如人身中四支得九隨損一支身命便无由義力弱不得合之甚也
十輪云若犯四重毀法污聖无入阿毘如是之人於其一身不能盡諸惡道若於
我法中出行持根本戒常勤勇猛一切供養流不虛受何以故志求解脫乃至捨命終
不犯毀何以故以四根本三業依住故 四分中尼八波羅夷前四同於大僧後四如別所說
十誦云犯不同此律同名之罪初重犯同種之罪初無重犯此接初篇以言故又云學
悔沙彌犯僧殘合次第僧中行覆藏六夜出罪等餘如別部中說 明了論云律中說罪有
五部者解云此開為篇合依本義立名部也有二義一成就根本義二隨順根本義第一破
戒衆部有十六罪解云一一各有四部成十六 一遠方便如行媱時先起心未動身口或心
內滅 二者次方便謂動身現彼或口說欲作此對人滅通名吉羅 三近方便至彼人
邊或欲摩觸身未交前是偷蘭遮其行媱事故摩觸非為滅業故成偷蘭遮或
僧殘此罪對人懺第四身交是根本也前三方便若為成就故名部也若根本未成
前三可懺若已成就前之遠根本者不可懺此犯隨順義餘三例此成部 四分中但
言成者波羅夷不者偷蘭若准十誦則偷蘭八種 明了論中明偷蘭一品並偷蘭
吉羅體通復此數解應知如懺法中又述之者僧伽婆尸沙衆 善見云僧伽者為僧
婆者為初謂前與覆藏羯磨也言尸沙者云殘謂未後與出罪羯磨也若犯此罪僧
作法除故從境立名婆沙云僧伽者為僧婆尸沙者是殘若犯此罪猶僧行人非
全淨用名殘之罪由僧除滅故 四分中正明僧殘依戒上解又云有餘以行法不絕
為名也 明了論云僧殘者如人為他所斫殘有咽喉故名為殘理須早救故戒解律
云若犯此罪應強與波利婆沙等由降至罪故也若尚其種類有十三僧如隨初尼有
十七六異七同應如別說 明了論解第二僧伽胝施沙部有五十二罪餘部說此罪不同
此乃正量部名有三義薩婆多部稱僧伽婆尸沙有一義正量部同解云由見衆人
和合是僧伽義由此二不同不由會慕伍所立此戒言故同一正見故言見同 婆尸沙者
為殘若犯此罪僧中受房舍利養上中取在其外故名為殘也 善那擯者翻為抗
責隨順僧教感懷歡喜阿浮呵那者翻為呼入衆也 正量部胝施沙二義初如前
解第二救義謂由僧扶濟得免此罪之者勝義向犯罪時成下劣人由僧扶濟還
得清淨故名淨勝 三者偷蘭遮聚 善見云偷蘭名大遮言障善道後墮惡道

BD00801號　四分律刪繁補闕行事鈔中卷之上　（47–2）

責隨順僧教感懷歡喜阿浮呵那者翻為呼入衆也 正量部胝施沙二義初如前
解第二救義謂由僧扶濟得免此罪之者勝義向犯罪時成下劣人由僧扶濟還
得清淨故名淨勝 三者偷蘭遮聚 善見云偷蘭名大遮言障善道後墮惡道
體是鄙穢從不善體以立名者由能初成二兩篇罪故也又翻為大罪亦言麁惡
聲論云正音名為薩偷蘭 明了論解偷蘭為麁罪為過麁有二義一是重罪方便
二能斷善根所言過者不依佛所立戒而行故言過也如牛喫雜稼破出宗戒外故並過名點
通此罪數初犯而過後方復初受名如後牛隨前者並得過界 然偷蘭一聚罪通正從體
並輕重律列七聚六聚並合偷蘭或在上下抑有由也 律中或次僧殘後者由是或全所
攝罪名重也如初二篇遠近方便及獨頭正罪破僧盜四之類也或在提舍尼下前意戒儀
所攝罪名輕也如 第三篇遠方便及輕獨頭之罪謂裸身用髮等例是也 然戒與威儀
通別未舉通則戒戒並非威儀皆名犯也若救別以論上三篇過相應能著治名為戒
也下過輕能治之行名曰威儀若就均雜住分前四是均無非正果下三為雜通輕及肉然
偷蘭雜中之重故在第五也 四波逸提聚義翻為墮 十誦云墮在燒煮覆障地獄故也
四分僧尼百廿種分取卅因財事生犯貪慢心強制捨入僧故名尼薩耆也餘之九十單悔
則人為投罪體因一品懺 尼有二百八戒入第二卅捨墮餘入別懺經和同異如別顯之 出
要律儀云尼薩耆翻捨墮 聲論云尼翻為盡薩耆為捨波逸提云本名波藥
支剛致也 明了論解波羅逸支 尼柯部有二百六十罪 正量部翻為應知功用之救
解之一罪多輕細難識好毀二性罪及制罪三好毀犯者應作功用對治功令滅 薩婆
多云波羅夜質胝柯翻為應對治恆須見恆多犯又覺上座部云胝柯翻為能燒熱
此罪得大叫喚地獄因時能燒熱心果時能燒然衆生 但有三部 有二方便卅九十故一百廿九偷
蘭遮有三吉羅 五波羅提提舍尼聚義翻向彼悔從對治境以立名 僧祇云此罪應發
露也 此律戒本中具明悔過之詞 僧有四種如下具陳 尼有八種與僧全別 明了論解
第四波胝提舍尼部有十二罪翻為可對他說謂對人說所作罪也 六突吉羅聚 善見云突
者惡也吉羅者作也 聲論正音突 徒力反 膝吉栗多 四分律戒云式叉迦羅尼義翻為
應當學 僧云守戒也 此罪微細持之極難故隨學隨守以立名 十誦云天眼見犯罪
比丘如杖雨下皆非專說在心乃名守戒也 此律有一百衆學 尼律指同大僧 七聚之中
分此一部以為二聚 身名惡作口名惡說 或名突吉羅 無說者乃至解制如脫述之
明了論解云非四部所攝所餘諸罪共與學對及婆藪汁律所說罪一切皆是第五獨柯多
部攝此是正量部名以无別身口業故 善見云惡作 翻之 薩婆多云突瑟凡理多用身口二業
翻惡作也 因翻一名而義兩別 分輕重中重者名獨柯多 輕名學對 梵音息叉柯羅
尼中國世音息佉柯羅尼因翻為學對 若不動身口但起貪心乃至瞋癡 若動身口則對人
方滅 此間不解 合別輕重通名衆學 誤矣 若但心地起无方便 若動身口乃遠近二方 若犯根本方便
便隨滅 重罪表心輕罪 若但云不起此心是名責心懺 注具通下用 四分戒律通東

BD00801號　四分律刪繁補闕行事鈔中卷之上　（47–3）

翻惡作也同翻一名而義兩別分輕重中靈者名獨頭多輕名學悔者自責名和罪
尼中國世音自法柯羅尼同翻為學對首不動身口輕衰心乃滅首動身口則重對人
方滅此間不解令別輕重通名衆學謬矣首但心地起无方便者動身口乃遠近二方
便隨滅至罪重衰心種罪者但云不承起此心是名衰心懺汝無通下用　四分戒律通東
有二百五十以為限要上已微篇聚具列粗釋名目餘不盡者其二不定法抗境以言通
說六聚者論罪體生疑不信是突吉羅文影三罪三罪者略無生疑之事應如疏述
七滅諍中罪無通文但為覺於四諍彼此未和故制七藥用以除殄文義既現理不又添使
勞虛擇終未窮盡披閱不述而僧尼同數共成通義為　明五篇七聚仍義離合今
上所明但云六聚答言五五篇者　僧祇律中當宗所明但云五種犯五種制五犯聚其
六聚七聚內四分下文令且合七五不同且列三義則入五中一者名均二則體均三究竟
均不具此三通入聚攝而六七差分者是有二義意分中含突吉羅以同體故七中離
於惡說以過多故　問上具張六聚名轉請知五篇七聚名相如何答言五篇名者
一波羅夷二謂僧殘三波逸提四提舍尼五突吉羅七聚者一波羅夷二者僧殘三偷
蘭遮四波逸提五提舍尼六突吉羅七者惡說且列而名廣如戒本疏說　問律中
僧列二百五十戒戒本具之尼則五百戒此言虛實答兩列之數約指為言故諸部通
言不必依數論其戒躰唯一无作約境明相乃量塵沙且指二百五十以為持犯蹊逕
耳律中尼有三百卅八戒可得指此而為所防令准智論云尼受戒法略則五百廣說八
万僧則略有二百五十廣如同尼律儀　二明所犯果報就中分二初斷輕重一間起業重輕二
引文證成未果初中起業要託三毒而生然毒之所起我心為本此義廣張行人須識
如懺注中具明業相令略述起罪必約三性而生受報淺深並由意業為本故　明了論
解云破戒得罪輕重不定有重心破輕戒得罪重無慚愧心作无畏難或由見起謂
无因果或由不信生謂非佛制此戒或不信破此戒得此報或由癡生為受佛制為
定得報不定得報多由此心破得罪便重多不由此心偶爾破戒重翻成輕令隨三性
具列罪相一者善心犯戒謂如僧祇中知事比丘闇於戒相又用三寶物隨所違者並波
羅夷或見他殺生与其无具者俗殺生致令早与为使若惱此並慈心造罪而前境
違重不以无知便開不犯由是可學皆結根本　即律文云愚癡波羅夷乃至吉羅亦令
又如薩婆多云年少比丘不知戒相踏上殺草罪福俱得多論來報受罪則輕由善
念更不得苦不免地獄由遠受輕多犯性戒且望二罪得業道也及以遠制並犯遮戒
如懷草木但得一罪以化教中本不制故无性可惱多後懺洗復本清淨不同犯性戒也如
下智論中說　二不善心者謂識知戒相或復闇學輕慢致欲毀呰佛語如明了論述云
有四種麁惡意犯罪一者酒重貪瞋癡心二者不信業報三者不惜所受戒四者輕慢佛
語故心而造則得重果以此文證由无慚愧初无改悔是不善心故成論害心致鐵
重於矮心殺人根本業重決定受報假懺隨罪業道不除如十誦調達破僧犯

BD00801號　四分律刪繁補闕行事鈔中卷之上　（47–4）

下智論中說　二不善心者謂識知戒相或復闇學輕慢致欲毀呰佛語如明了論述云
有四種麁惡意犯罪一者酒重貪瞋癡心二者不信業報三者不惜所受戒四者輕慢佛
語故心而造則得重果以此文證由无慚愧初无改悔是不善心故成論害心致鐵
重於矮心殺人根本業重決定受報假懺隨罪業道不除如十誦調達破僧犯
逆闍已佛令僧中悔之而於業道尚隨阿鼻故地持論云一作業定二受果定諸佛威
神所不能轉廣如卷未說說　三无記心犯者謂无非擁護隨流任性意非苦惡汎爾
而造如比丘方便高談虛論費時損業縱放身口或手足損傷草木地土和僧媒娶
妄用僧物長衣過限非時入俗手觸僧器壞身口儀如是衆例並通搖犯准除恒
懷護持誤忘而造此非心使不感來業非同如上前為方便後眠醉狂逸成業果
通前諸正並如論中无記感報　問无記无業云何乃報答解有二初言感報未断
先有方便後入无記業成在无記心中故言感報而實无記果也　二者不感總報非不受
如經中頭陀比丘不覺殺生被生命過墮野豬中山上舉石以因崩下還殺比丘又如五百
間中知事悞觸淨器作啖糞鬼等如成論中睡眠識業是无記報　問如前无記
有不犯者其相如何答已略明今更廣示謂學知戒相善達持犯心常慈勵遇令逺遂
由非貪緣故開不犯如長衣過日忘不說淨者攝根門後睡漏失扶持木石失手殺
人如是等緣並非結限及上所懷並結正犯然則業若深積生報莫窮虛縱身口
汙染塵境既无三善可附准加三惡若輪以此經生可為歎息　二引證成報如目連問
罪報經云有比丘比丘尼无慚愧心輕慢佛語犯突吉羅還學戒罪如四天王
壽五百歲墮泥犁中於人間數九百千歲第二波逸提者舍尼如卅三天壽命千歲於人
間數三億六十千歲墮地獄中　第三波逸提者如夜摩天壽命二千歲於人間數
廿一億卅千歲　第四偷蘭遮如兜率天壽四千歲於人間數五千歲　第五僧伽婆
尸沙罪如不憍樂天壽八千歲於人間數二百卅億卅千歲　第六犯波羅夷罪如
他化自在天壽十六千歲墮泥犁中於人間數九百廿一億六千歲　涅槃中犯突
吉羅罪如忉利天日月歲數八百万歲墮地獄中上經文不同者此謂數乃大小
乃万之為億之量也　自上引證並是佛說正翻非謂失譯疑僞為得縱心罪積曹
不及知一犯當入刹斜多犯理須長劫令時不知教者自毀復云此律戒所禁止是聲
聞之法於我大乘甚同真土猶如黃葉不牛木馬誑止小兒此之義途並復如是誑
汝聲聞子也原夫小二乘理會同隔對機設藥除病為先故鹿野初唱本為聲
聞八万諸天便發大道雙林告滅終頭佛性而已聽衆果成羅漢以此推之悟解在
心不唯教旨故世尊處世深達物機凡所施為必藏儀為主但由身口所發事在戒
防三毒勤興要由心使令先以戒位次以定傳後以慧類理次然于今乃不肖之人不知已身
位地妄自安托云是大乘輕侮真淫自墮我教明勝境淫說明尼者取大乘學習
論云八十部者也尸波羅蜜如此陸海不入其耳豈不為悲乎故摩耶經云夫年少比

BD00801號　四分律刪繁補闕行事鈔中卷之上　（47–5）

[illegible]
防于毒勳興要由心使令先以戒捉次以定縛後以慧殺理次然乎今也不肖之人不知己身
位地妄自安托云是大乘輕弃真經自盲我教乃勝讀經說毗尼者呼為小乘學猶
論云八十部者乃尸波羅蜜如此經論不入其耳豈不為悲乎故摩耶經云天耳多比
觀於衆中說毗尼者當知是為法滅之相 涅槃又云若言如來說突吉羅如上藏賊入地
獄者並是如來方便怖人如是說者當知決定是魔經律非佛所說以此文證明
來懸知未來有此教見說示以宗邪正不令有濫而今同前群黨可謂是魔
民又遺教等經當指毗尼以為大師我在世無異此也而遠述自陷深坎故百
喻經云昔有一師畜二弟子各當一脚隨時按摩其大弟子憎彼小者打折其
所當之脚彼又惡之又折大者所當之脚譬今方等學者非於小乘小乘學者又非方
等故使大聖法典二途兼忘以此證知今自因執且又菩薩設教通道濟俗凡緣而
作不除其風初心大士同聲聞律儀誡恒戒性無別也 涅槃經中羅剎乞微塵
浮囊菩薩尚不與譬敵突吉羅戒也又智論云出家菩薩守護戒故不畜財物以戒
之功德勝於布施如我不盜則施一切衆生之命等以此文證令巡學大乘者行非可捨
過其實已恥已毀犯深自責捐余曾語云戒是小法可宜捨之便即不肯可宜持之又
後不肯蓋非與煩惱合牟執諫喻又可悲乎今僧尼等並服聖教依法受戒理須遵持
此則成受不成後菩薩要多云無嚴重心不發無作縱使成受形儀可
觀佛法住持理須同護今時剃髮染衣四僧羯磨伽藍置設訓導道俗凡所施
為無非戒律為生善受利須身捕衛之蒙口云我應為之不行戒護亦起犯教網
之受使云我是大乘不閑小教故佛藏 立焉比之喻驢披師子之皮虛誑可傷俟除
顯然深無知初學為彼塵蒙故曲列此損恐同滌悲失

隨戒釋相篇第十四

此篇來意准律儀部以正本持犯未具下更列之今為諸篇未足故別出一位使條理隨相指式軌令也

比丘有二百五十戒 智論云戒但說名字則二百五十毗尼中略說則八萬四千廣說無量無邊故出家人有無量律儀在家人不具尸波羅蜜出家者則具戒度也

依之循行善識其相者便發生定慧克剪煩惱為圖於所緣隨流滌惑豈能反
流生死方便沈淪苦趣所依以教出相具顯持犯 准此之義無福害為令但隨戒相
別指直陳進否為通明心境具在方軌持犯中並戒是生死舟航出家宗要受
者法界為量持者麟角猶多良由未曉本詮故得隨塵生滌比厥賢聖同之欽
序何得抑忍不論故直筆舒之略分四別一者戒法此體通出離之道二者戒體
即謂出生衆行之本三者戒行謂方便循成順本受相四者戒相即亦篇所明直
通篇聚 就初戒法受隨已明今略標舉顯知由述且分七門一聖道本基二戒是
大用三略知名趣四具緣不同五優劣有異六定受通塞七衆殘受緣時代不同
初言聖道本基者如成實云戒如梯橙如傳賊如嚴如整賊三行次第賢聖行之即
經云依因此戒得生諸禪定及滅苦智慧文律云為調三毒令盡故制增戒學文
云戒未行根面首集衆善法三昧成就 又智論云若無此戒雖諸苦行皆名邪行

BD00801 號　四分律刪繁補闕行事鈔中卷之上　（47–6）

大用三略知名趣四具緣不同五優劣有異六定受通塞七衆殘受緣時代不同
初言聖道本基者如成實云戒如梯橙如傳賊如嚴如整賊三行次第賢聖行之即
經云依因此戒得生諸禪定及滅苦智慧文律云為調三毒令盡故制增戒學文
云戒未行根面首集衆善法三昧成就 又智論云若無此戒雖諸苦行皆名邪行
又經云諸善功德皆不得生緣於戒本流注之 二戒有大用諸佛立教並為勝能
明義各別理須略舉夫三寶所以隆安九道所以師訓諸行之隆歸賢聖之依止者
必宗於戒故律云如是諸佛子循行禁戒本決不迴邪流沒溺生死海又戒經云若
凡自為身欲求於佛道當尊重正法此是諸佛教故結集三藏此教最先善見云
毗尼藏者佛法壽命毗尼藏住佛法方住故先結之所已今者餘經但況明化跡通顯
因果事隨理通言無所寄意遠深遠賢悟未達難欲進循期得其要多帶[illegible]
相由述教指令戒律大藏住持切緣凡所施造並等廉隅以人財形服果世法則軌用
有儀住既與俗不同雜行條然自別由世隨相有法通相成便能遷作不墮於地又
以法能資人親成衆行使人能弘法故律云以衆和合故佛法得久住 三略解名
義依彼梵行具立三名初言毗尼 或言毗奈耶 或云毗鞞耶 此翻為律 即四分十八法中毗尼及律
二名不並又增中七種律也謂七毗尼或以滅翻從功能為号終非正譯故以律翻之
乃當正義二言尸羅此翻為戒即六度所說良證可知三言波羅提木叉此云處處
解脫是三次第即是一化始終律則投救之木孤起必從行初戒則因之而立戒名虛因
必有果號故解脫絕縛窮在其終 次明其義分二初云律者法也謂犯不犯輕重
等法並律所明即教詮也 同條之而義立明行法仍不揀名 若智論云條義所詮
存定慧此中顯宣戒行為方善因基故先取法名打生後二也所以前標律者由宗
出五衆形服異世顯內法與異而外道俗流濫同聖跡無由取別妙以法除故劑弘
律名用顯知法條如常解 二者戒義如雜心說謂數通法界也廣如後明智論
云戒者秦言性善也又善生經云戒者制也制不善法或云逗遙性不容惡或云
清涼遠煩惱熱或名為上能上天堂至無上道此但從功能彰名或從心辯妙
經云學也學調伏心等戒就解解即作無作戒如雜心云別解脫調伏以解是善
非惡无記因明正義戒者性也性通善惡故惡律儀數及通固故云不律儀也亦
比丘名戒當禁世惡法禁善名之為律衆經前當行順此法名之為儀亦號
善律儀及解即是此則以戒從教立名又律云木叉戒也此因從果為號也
三解脫義者近而彰名隨分果也謂身口七非犯緣非一各各防護隨相解脫遠取
戒德因戒越聖道彼絕累由斯戒本故律云除結無疑導縛著由此解也餘如
後說 四具緣不同義論未成唯論羯磨一受必藉因說緣便能長五其受緣[illegible]
上卷一門但受是比丘大經佛法根本更略標舉依毗尼母論云具五緣一和上如法
二兩阿闍梨如法並謂弟子見聞無破戒事堪為師戒是得戒限[illegible]

BD00801 號　四分律刪繁補闕行事鈔中卷之上　（47–7）

三解脫義者近而彰名隨分果也謂身口七非犯得亦一名七防護隨相解脫遠取
戒德因戒趣聖證彼絕累由尊戒本故律云除結无垔导縛著由此解也餘如
後說　四具緣不同若論末代唯論羯磨一受必藉因該緣便能長五其受緣揔有
上卷一門但受是比丘大經佛法根本更略標舉依毗尼母論云具五緣一和上如法
二兩阿闍梨如法並謂弟子見聞无破戒事堪為師範是得戒限二僧清淨
請受三根无染通望十師彼此見聞疑中无非法者方得成受卅有三根境非是
戴心不具法乃之知非故受不成四羯磨成就者論中云若言語不具前後不次
說不明了並不成受五衆僧和合与欲若互別衆之相如是較法中所明受忍
不得又云若在家受五戒八戒乃至十戒隨毀破一重如此人者後出家不得戒不得
作和上及十三難中初難攝餘十二難同前薩婆多云若受五戒破其重者後捨五
戒更受五八十具戒等并禪无漏戒一切不得乃至破八戒中重者不得如前　毗尼母云不
就戒場外更不結大界直結小界不得受具今有无難因緣結小界受又是非法
多論有云若殺重心則有作与无作輕浮心者不發无作又如受後具持可是厭行相
癡依論得戒有受无持但有空願无行可副則不得戒故律云共比丘同戒也以要持
同故可有得戒犯戒之人及上副无戒互无犯也　多論問云羯磨竟時為若心得為
不善心得乃至无心犯得答通是得戒若尒何故律云瞋恚瞋狂如是等人不名受具
答云作白之時具上四心不名得戒羯磨已後方有四心皆是得限前善心不得者謂說
緣餘善心无緣戒又顛餘无心也　五俊劣者由五此門知戒是勝緣入道之要便能被
持无失於相也　婆論云木叉戒佛在世乃禪現故勝禪无漏戒一切時有二有漏木叉道
情非情寬故言勝餘二局情狹故尒如三有漏木叉從慈心發故勝能為佛道作因四
木叉戒者被及七衆　餘值三乘　三寶三道　住持功強　餘二无能故劣五木叉戒者唯佛弟
子有餘禪戒者外道亦有　善見云具足木叉者諸光諸山學之中日光須彌學中木
叉取以為勝若非佛出則无有人堅立比丘　六重受者依薩婆多宗戒不重發也不
重受那不若犯依本常定以羅漢心中有中下品義同若尒何故義有羸不羸耶答對
隨行不論受時互可作義在一念隨心品定无作亦心盡形故隨行有增微故成論之
有人言波羅提木叉有重發不答云可之中受七善律儀隨得道更更得律儀而本
得不失勝者受名其七善者謂五戒八戒十戒具禪戒定戒道共戒也　如薩婆多
師資傳云重受得為上品本受不失傳名宗元嘉十年祇桓寺慧照等於天竺僧
之伽跋摩所重受大戒或問其故答曰以疑先受或中若下更求增勝故須重受依本
臘次　七震嶺受緣余聞有人言比丘受戒先无從始從今受者少乘緣具理得行欤但
作奉戒之心莫亦得戒之限忽聞斯語不覺嗟歎豈以雷霆振地聾者不聞七曜麗
天盲者不見既同管識曆言故引用聖教明白灼然具緣成受亦具西傳比丘受具僧
傳顯歎從緣境克遮依法立試如前卷受中所言漢境受緣者自漢明夜夢之始迦竺傳

BD00801號　四分律刪繁補闕行事鈔中卷之上

（47–8）

臘次　七震嶺受緣余聞有人言比丘受戒先无從始從今受者少乘緣具理得行欤但
作奉戒之心莫亦得戒之限忽聞斯語不覺嗟歎豈以雷霆振地聾者不聞七曜麗
天盲者不見既同管識曆言故引用聖教明白灼然具緣成受亦具西傳比丘受具僧
傳顯歎從緣境克遮依法立試如前卷受中所言漢境受緣者自漢明夜夢之始迦竺傳
法已來迄至曹魏之初僧徒極盛未稟歸戒剪落殊俗設復齋懺事同祠祀後有
中天竺僧曇摩迦羅此云法時誦諸部毗尼以魏嘉平年至洛陽立羯磨受戒法中戒
夏戒律始也唯用十僧大行佛行致先妄習出僧祇戒心又有安息國沙門曇諦亦善律
學出曇无德羯磨改大僧受法之初也　比丘尼受具初緣至宋元嘉七年有罽賓沙門求
那跋摩至楊州譯善戒等經又後有師子國尼八人來至云宋地未經有尼何得二衆受戒
跋摩云且又作本法者得戒得罪耳佐前緣法出大僧但使僧法成就自然得戒所以
先令作本法者欲出生其信心為受戒方便耳比於得戒在大僧羯磨時生也
諸尼苦求更受答曰善哉夫戒定慧從微至著為欲博明甚於隨意且令西尼
學語更往中國請尼令足十數至元嘉十年有僧伽跋摩者此云衆鎧解律亦善
自流沙至楊州初求那許尼重受未備而終鐵而師子国尼鐵薩羅等三人至京
足前十數便請衆鎧為師於壇上為尼重受出高名傳之史傳錄及晉中難錄成
略出緣起永為龜鏡　三者戒體四門分之一戒體相狀二受隨同異三緣境寬狹四發
戒數量初中五門一辯體多少二五兩所以三解名義三出體狀四先後生相五无作
多少　初中所以別解脫戒人並受之及論明識止可三五皆由先无通斂不爽洛詔
詢致令正受多屬體相有夢心中緣成而已及論得不少同河漢故於隨相之首諸
諸門亦現准知己身得戒成否並須持犯方可循離　問別解脫之戒可有幾種
答論體約境無乃无量義本防惡惡緣多故發戒亦多故善生云衆生无量
戒亦无量可令以義推要唯二種作及无作二戒通收无境不盡　二五兩所以并解
名義初中問曰何不五一及以三種答若單立作作謝往不能防非又不可常作故須
无作長時防非若單立无作則起无所從不可孤發要賴作生二法相藉不得立一行
為不三俱由體相道理相遠一作无作則二心非心則性亦可合但得立二若就所防隨
境無量　二所以答者如薩婆多云若淳重心身口无教初一念色有身口教及以无教第
二念中唯有无教无其教也　教者作也不可教示於他　成論云戒有二種一者作戒二无作戒是人雖具
作戒不具无作是故名為戒不具足如上論以无淳重之心亦作奉行之意亦發戒也
又善生云是十惡法又有作色无作色或有作色及无作色如人手執極香臭物凡
等喻以上諸文有二非虛　次解名義　問曰既知二戒請解其名答云所言作者如陶
家輪動轉之時名之為作故雜心云作者身動方便言无作者一發續現始末恒有
心三性亦隨緣故雜心云身動滅已与餘識俱是法隨生故名无作　成論无作云
因心生罪福睡眠悶等是時常生故名无作云何名戒戒名禁惡法故　攝云戒者直是

（47–9）

BD00801號　四分律刪繁補闕行事鈔中卷之上

莘喻以上諸文有二非虛　次解名義　問曰既知二戒請解其名答云所言作者如陶
家輪動轉之時名之為作故雜心云作者身動方便言无作者一發續現始末恒有
心三性不薄隨轉故雜心云身動滅已与餘識俱是法隨生故名无作　成論无作云
因心生罪福睡眠悶等是時常生故名无作云何名戒〻禁惡法故此云戒者直是
遮制一切惡法名為不作惡是名持戒善生經中五義明之如前制造源上學等解之
三出體此二論不同今依本宗約成論以辨无所作戒體論云用身口業思為體論其身
口乃是造善惡之具所以者何如人无心雖生不得起罪故知以心為體文云是三種業
皆但是心　心无思无身口業又指色為業體是戒不並十四種色悉是无記非罪福
性　又有論師以身口三業相續善色聲為作戒體以相續色聲法入所攝意識
所得是罪福性也　言无作戒者以非色非心為體非色者非塵大所成以五義
來證一色有形段方所二色有十四種別三色可惱懷四色是質礙五色是五識
所得无作俱无此義故知非色言非心者體非緣慮故名非心亦有五證一心是慮
知二心有明闇三心通三性四心有廣略五心是報法无作又不具此故以第三聚非
色非心為體文云如經中說精進人得壽長隨壽長得多福以福多故久受天
樂若但心云何能得多福是人不能常有善心故又意无戒律儀若人在不善无
記心亦名持戒故知爾時无有作也并云戒者雖无形色而可護持雖非觸對善備
方便可稱具足十住婆沙云戒有二種作者是色无作非色故以多文來成非色　也
四時二義先後初解云如十二角生則同時故多論云初一念戒俱有二教第二念中唯有
无教後解云前後而起故善生云世間之法九因則九果如因於鏡則有面像故知依
戒前生无作後起論云作時具作无作者此是作俱无作並是戒因至第三稱為无
其業滿足是二戒俱圓故云具作无作不妨形俱无作仍後生也足量當令竟時二戒
謝後无作生也　五汎解多少張如多論八種无作一作如作善惡二業与作方便齊生
二形俱无作如善惡律儀形滅戒失　三事在无作如施福壞不无作常隨僧坊塔像橋井
等物功德常生除三因緣一前事壞破此二人命死三為邪見死此三者事在常有惡
緣同之　四從用无作如著施衣入諸禪定則令施主得无量福惡緣与刀例此可知
五異緣无作如身造口業發口无作口造身業發身无作等如依成論身口更造　六助
緣无作如教人殺盜隨命斷更教者得罪　七要期无作五名願无作如人發願作會
作衣等施无作常生　八隨心无作及定慧心无作常生五名心俱　成論云出入常有善
心轉勝故此言隨心者隨生九心恒有无作亦謂隨定慧則勝不爾唯隨於身此并五初
果生惡國色力不作惡上八種中前七通善惡欲界繫法後无作為是世禪為上二界
為出道法非三界業　三受隨同異三種无作五義同之者名同受隨俱名无作
體隨記受後對護戒之心
方便善戒持本清淨故
二者義同之防七非三者體同之以非色心為體四配對防非同受
中无作體在對事防与隨中无作等五多品如成論戒持重發肥羸不足　異有四重一
受中思發之敵心情非情境一切總持隨中无作別發行不頓備次第漸成二長短不同

果生惡國色力不作惡上八種中前七通善惡欲界繫法後无作為是世禪為上二界
為出道法非三界業　三受隨同異三種无作五義同之者名同受隨俱名无作
體隨記受後對護戒之心
方便善戒持本清淨故
二者義同之防七非三者體同之以非色心為體四配對防非同受
中无作體在對事防与隨中无作等五多品如成論戒持重發肥羸不足　異有四重一
受中思發之敵心情非情境一切總持隨中无作別發行不頓備次第漸成二長短不同
受中无作懸擬一形隨中无作從方便色心俱事止則无故名恒也三寬狹不同受中往遍
三性恒有隨局善性无名狹四根條兩別受為根本隨依受起故日枝條　三種作者有
斷二受本隨條三受是懸防隨中對治四受作一品終至无學隨一品生隨中作或多品
五同一名同二義三體同四極同五狹同唯局善性所以准知有四種異一受中總斷隨中別
由境有優劣心有濃淡故心分三品不防本受是下品心故雜心云羅漢有下品戒等
少比丘上品戒　三明發戒緣境寬狹上養受緣已略明發方造但心隨境起故今成論
令知義據之高庶使持者有勇勵能中分四一能緣心現在相續心中緣三所緣境遍
三世如怨家境雖過去得起惡心斬截死屍現在怨家子有可懷義未來請境
可以准知故緣三世而發戒也成論問為但於現在得律儀行三世眾生得邪答
三世眾生所得如人供養過去所尊亦有福德律儀亦尒　三發戒現在相續心中得
四防非者但防過去未來非現在元非可防　問此尸殊已起戒防未起何得言斷過去
非邪答境隨過去非猶過去是戒防未起非　又解云一精尊不犯戒防未起非二犯已
能悔還令戒淨故條已起非條如戒本疏解並則緣境三世得罪現在過未二境唯可起心
說言三世發也為援得戒唯在一念　成論云慈悲布施是有福戒有可尒以通三世皆与
樂意又云慈功備物但通現在過未已謝戒則不尒要必普周為作偏局一向不合教多
論云以惡心隨戒有增咸故　問戒從三世若唯防二世非者答為論受體獨不能防但是防
具要須行者秉持以隨資受方成防非不防現在以无非也為无持心便成罪業為在
念過則不生故也並又以隨資受令未非應起不起故防未非為无其受隨無所生既起
惡業名曰過非為護受體不令塵染懺除往業名防過非　為令戒光防非何須起
答要須行者隨中方便秉持制抗方名防非如城池弓刀揳捍擊賊之辟餘如戒本疏
中解之　四明發戒多少略如上明今又述者以世俗多迷故衣鉢叙意存識权知法自濟
兼人故也並明發戒數隨境无量要而言之不過情以非情有无二諦攝相皆盡任境而
彰略說對地水火風空識等界及色聲香味觸等五塵乃至過未三世法界等法及六
趣眾生趣外中陰四生五發得戒上來懸擧次引文證　俱舍云戒從一切眾生得定
不因不定得故不得從一種眾生得故今不定者有人從一切分得戒謂受此五戒乃至僧
四分得謂受前餘諸戒此五八十戒也因不定者有二義為立无貪嗔癡為戒生因從初
持以不相離故為五上中下品意為戒生因則不從一切得　為不從一切眾生得戒則大也
何以故由遍眾生起善方得異此不得名何如此惡意不死故為人不作五種分別得
[illegible]寺四某持五某深不

分因不定何以故不得從一種眾生得戒分不定者是人從一切分得戒謂受比五戒是人從
四分得謂受所餘諸戒以五八十戒世因不定者有二義為五无貪嗔癡為戒生因從初
得以不相離故為五上中下品意為戒生因則不從一切得　為不從一切眾生得戒則无也
何以故由遍眾生起善方得異此不得云何知此應意不九故為人不作五種分別得
木叉戒一於某眾生我離殺等二於某分我持三於某處受然持四某時然持五某緣不
持除鬬戰事如此受者得善不得戒於非所然境云何得戒由不害一切眾生命故方
得為從所離境得戒此則為捨戒過能非能互轉生故為爾則離得捨因緣得戒
捨戒此義自成縱離得捨因緣在何道惡心不无故不成普周　毗婆沙云為爾
草木未有之時生滅處亦增減眾生入般涅亦減耶　義解作四句一心謝境不謝聖
无煩惱以境不盡故戒在不滅二境謝心不謝入般涅死戒不失由心過罪在故三心境
不謝可知四心境俱謝根轉之時不同戒失　薩婆多云於非眾生上盡得无量戒
善功德如三千世行下盡地際損傷如糜皆得其罪飜惡成善一一麁處皆得戒善
乃至一草一葉一花一果眾收福皆入我門故善生云大地无邊戒亦无邊草木无量戒亦无
量虛空大海戒德高深亦復如是以此文證理通法界義須戴仰　多論又云於三
千大千世界下至阿鼻上至悲想於一切眾生上可殺不可殺乃至不可欺此一一眾生
乃至如來九命之類以三因緣一得戒又以此推出家僧尼及下三眾表戒德難行遵理
逆位高人天良由於此端拱自守福德恒流故　明了論云四万二千福河流解云謂四万
二千學處一切恒流其猶河水流除破戒煩惱言四万二千者謂根本戒有四百廿所以
尔者如數婆行律戒九之二百多耳經戒優波提舍戒九之一百廿一多明重戒比丘尼別
戒九十九合成四百廿是一一戒有持僧等十功德一一功德盡生十種正行謂信等五
根无貪等三善根及身口二護一戒以百合戒有四百廿豈非四万二千文解云无殘
毗尼者謂常三稱舊更時四万二千學處一時並起无一戒不生故稱善殊勝斯以
求戒德恒流　問僧尼二眾戒數多別何以无殘毗尼直言四万二千耶　解此總
舉二眾以說為取毫理名隨本戒文釋以根轉義證比丘縣受得尼戒俱有
四万二千　次對七眾發戒多少准　薩婆多云五戒者於一切眾生乃至如來皆
得四戒以无毒善根得十二戒於一身始終三千界內一切酒上咽咽皆得三戒以受時
一切水斷設酒滅盡羅漢入般戒常成就准以義推女人身上婬處有三男上有二發
由三毒單配則女人不得十八戒男子十五戒非情一酒亦得三戒　八戒發者眾生同上非
情得五十戒下三眾情及非情同大僧發四分律文俱發七支戒下文皆結吉羅故
為尔何故列十比但示根本喜作說相令其早知條則和上曲教故三歸福慶俱無戒故
之文說相之中方列十四兩種類解　為內傳尼准如婆論一一眾生身口七支以貪瞋癡

BD00801 號　四分律刪繁補闕行事鈔中卷之上　（47–12）

為尔何故列十比但示根本喜作說相令其早知條則和上曲教故三歸福慶俱無戒故
之文說相之中方列十四兩種類解　為內傳尼准如婆論一一眾生身口七支以貪瞋癡
起故成廿一戒今義准張三毒平起三三等分應有七門女人九處男子八處七毒歷之
女人身上得六十三戒男子身上以已七毒惱他得五十六戒非情境各得十戒以此例條法
界之中情與非情各得諸戒无量无邊故善生中五種為量眾生大地草木大海
及以虛空辟戒德量如前分雪　問七支條戒盡不答盡世設有不盡攝入七中如配戒
種類所說　又云條戒不盡以罪性不同如煞打兩別能防亦異故善生云除善惡戒
已更有業戒所謂善惡法也故知根本七支所收業戒類種所攝宜作四句一者善而非
戒謂十中後三是也律不制單心犯也二戒而不善即惡律儀三互善亦戒十善之中前七是
以不要期直尔循行故名善也及此策勵故名戒也四俱非者身口无記　問戒与律儀
行相差別如何答通衍无崖是律儀也對境禁約是戒儀也如比丘俱得受已見生
不殺望此一境名持殺戒望餘四生名持律儀為殺此生名犯殺戒餘生不殺不犯律
儀名就惡律儀解望殺一羊名持惡戒望餘通類有生皆眾是持律儀　三者戒行謂
受隨二戒遍於外非一方便善成故名戒行並對受是要期思願隨是稱教循行辟如築
營宮宅先立院墻周匝所謂體受體也後便隨處營搆盡於一生謂受後
隨行為但九受无隨直是空願之院不免寒露之弊為但九隨无受此行或
隨生死又是屬狭不周辟同无院室宇不免賊之害齋也必須受隨相資方九
所至　問令受具戒招生樂果為受為隨答受是緣助未九行功必須因隨對境防
擬於此隨行並得聖果不親受體故知一受已後盡壽已來方便正念護本所受
流入行心三善為體則明戒行隨相可脩為但九受无隨行者反為戒欺流入苦海不
如不受元戒可遠是故行者明須善識業性均其非為濫述　四明戒相語相回言
有境斯是緣則綿亙攝心通漫今約戒本人並誦持文相易通明持犯非濫
自餘萬境皆浮濫言准例相承薄知纙領　初篇婬戒　以下例分為三
謂所犯境二成犯相三開犯法略知持犯亦如下篇餘義並如戒本流中　初明犯
境者僧祇云可畏之甚无過女人敗正毀德莫不由之染心看者越毗尼　闇對
起染亦尔智論云婬欲雖不惱眾生心繫縛故為大罪故律中婬欲為初又比丘
法令世取涅槃故　四分中犯境謂人非人天子鬼神等 畜生三趣技報則男女二形技受
則女人三道謂大小便及口男子二道此等婬處或覺睡眠及死未壞少壞但使
入婬處如毛頭皆波羅夷律云牛馬猪狗鴈雞之屬莫問心壞想疑但是正
道皆重條摩得伽論具明犯之分齊然婬過獲現人並初非及論開犯之皆結正
約相示過身不欲開戒殺輕嫌生疑悟故善見云法師曰此不淨法諸語開說
去勿驚怪生慙愧心當心於佛何以故如來慈愍我等佛是世間王離於愛染

BD00801 號　四分律刪繁補闕行事鈔中卷之上　（47–13）

則女人三道謂大小便及口男子二道除此等婬皆名覺睡眠名死未壞少壞但使
入婬處如毛頭皆波羅夷律云牛馬猪狗鴈雞之屬莫問心壞想疑但是正
道皆重條摩得伽論具明犯之分齊然婬過擬現人並犯非及論問犯之皆結正
約相示過耳不欲 問或致輕 答生疑故善見云法師曰此不淨法諸語 刑說
者勿驚怪生慚愧心至心於佛何以故如來慈悲我等佛是世間王離於愛染
得清淨處為憐我等說此惡言為結戒故又觀如來功德便無嫌心為佛分
說此事我等云何得知波羅夷罪及輕若蝕出　次戒犯相具二緣一自有婬
向前境緩及裏隔乎隨但入如毛頭結成大重具四緣成一是正境 男則二道 女則三道
二興染心 謂非餘 睡眠等 三起方便四與境合便犯　二者為怨或將至前境或就
其身佛聞身會對合不染亦具四緣一是正境 不問 自他 二為怨逼三與境合四受
樂便犯　善見云婬不受樂者如以男根內毒蛇口中及以火中是不染之相
問此婬戒結犯通臟喉不如以小兒根內中口於彼元婬心卷婬心雖識准律云愛
染行心是婬欲意並犯重罪　五分為剃者是臟偷蘭非臟者重受剃者足不
十誦云口中要過齒成犯餘二道元闕 四分云為為怨家彊男根命入三犯壞者三
時心元有樂皆不成犯隨始入已出時一一時中有婬意皆重為為怨家彊捉比
丘二處行不淨初入覺樂犯重乃至裏隔四句亦爾脫及其事內指中口齒上
唯覺指痛以免重罪如前論說蛇口火中可也　律云死屍半壞多分壞及骨間
行不淨偷蘭此無戒結犯不待出精但使骨肉青皆偷蘭若元作出精意精
出犯僧殘如戒本疏說由元非僧殘意故但是正道皆犯故善見從使斫頭斷及
死人口中頸中行婬盡重　律云為僧尼等相教作者能教犯偷蘭不作犯吉羅
三下衆相教作不作俱犯吉羅作者滅擯吉羅為異 乃至下篇 同犯吉羅 三明不犯中為
睡眠無所覺知 謂明怨來 逼已身分 不受樂 謂明怨家 持遣他挾 一切無有婬意 天樂 染汙心故 並不犯
第二盜戒　性戒含輕重也性重之中盜是難護諸部所述餘戒約略抱述而已及
論此戒各並三卷五卷述之必善加被括方能免患有人別標此盜用入秘鈔柳息
勸識之意也豈淆遍覽故鈴次列之　初犯境之中謂六塵六大有主之物他所護
護非理致損斯成犯法為元主物及己物或為緣美境奪心想疑雖不盜取
之心而前非盜境並亦結犯唯有本心方便　問何名元主物　答善見云子作惡事父
母逐去後時父母死者是物元主用則元罪　薩婆多云二國中間兩邊封相其
閑空地有物是名元主物又云若國破王走後未統此中有物又是元主取如俗令山
澤林藪不令占護為先加功力不得盜損　二成犯相中總緣具六種一有主物
二有主想三有盜心四重物五興方便六舉離處要具成犯今依犯緣次第解釋就
初緣中大分三位一盜三寶物二盜人物三盜非人畜生物　初中先明知事人是非然後
盜用差別所以然者為不精識律藏善通用與者並師心處分多成盜損化如說境

閑空地有物是名元主物又云若國破王走後未統此中有物又是元主
澤林藪不令占護為先加功力不得盜損　二成犯相中總緣具六種一有主物
二有主想三有盜心四重物五興方便六舉離處要具成犯今依犯緣次第解釋就
初緣中大分三位一盜三寶物二盜人物三盜非人畜生物　初中先明知事人是非然後
盜用差別所以然者為不精識律藏善通用與者並師心處分多成盜損化如說境
故寶梁經集寶經云僧物難學佛法元主我聽二種人當三寶物一阿羅漢二須陀洹
所以爾者謂餘比丘戒不具足心不平等不令是人為知事也更復二種一能淨持戒識知
業報二畏後世罪有諸慚愧及以悔心如是二人自元創死護他人意此事甚難
等賢聖教如此以為大誡曰以犯者愚癡傷故所以律云我說此人愚癡波羅夷
等 並謂不依佛教 師心直犯大罪 今對閑三寶物四門分別一盜用二互用三出貸四將三寶物贍待
道俗法　初中盜佛物者正望佛邊元盜罪由佛於物元我所心元損害故但得偷蘭
以問非人物持戒十誦盜天神像衣結偷蘭　涅槃盜古造立佛寺用珠花鬘供養
不問取之若知不知皆犯偷蘭　為有守護主者三寶物邊計結重罪元守護主
望斷施主福邊結罪故鼻奈耶云若盜佛塔聲聞塔幡蓋皆望斷本施主福
邊結罪故五百問中塔上標主淨地棄之不得惡用　摩得勒云盜人層中物若
守護者犯重　十誦盜佛畫物精舍中供養具若有守護計直成犯　善生中亦
從守塔人得重罪不望佛邊結之所以約守物人結者以盜人物中分別必盜而供
養元犯　薩婆多盜佛像十誦中偷舍利並淨心供養自作念言彼亦是師
如是意者元犯　摩得伽中盜佛像舍利不滿五錢偷蘭滿五犯重　薩婆多
云謂轉賣者為佛塔中鳥元及得餘物但供塔用餘用犯盜　盜法物者法是非
情元我所心律中結重者望守護主結世文云時有比丘盜他經卷佛言計紙墨
結重佛語元價故十誦摩得伽薩婆多並同望護主結　五分盜經者計紙墨書功
滿五犯重　摩得伽云偷經物滿五得重不犯輕　五百問中不得口吹經上塵土像
上准同為燒故經得重罪如燒父母不知有罪者犯輕　十誦借經拒而不還令
主生疑者偷蘭此由心未絕故爾　正法念云盜寫秘方犯重　問如論中盜像
舍利供養元犯盜經亦同一向結重者答佛得道心亂故法須執文讀誦故地持云
不現前供養名大供養若欲學者亦淨結犯如人造像專心為己不通餘人可
不結重造經為他隨能受用豈可結罪　盜僧物者有護主者同上結重若主
掌自盜准善見論盜僧物犯重並僧有四種一者常住常住謂衆僧廚庫舍
衆具花菓樹林田園僕畜等以體通十方不可分用總望衆僧如論斷重
僧祇云僧物者從一切比丘集亦不得分此一向准入重條二者十方常住如僧家供
僧常食體通十方唯局本處為有守護望主結重同等盜積應得罪輕

掌自盜。准善見論，盜僧物犯重，望僧有四種：一者常住常住，謂衆僧廚庫舍
衆具花菓樹林田園僕畜等，以體通十方，不可分用，摠望衆僧，如論斷重。
僧祇云：僧物者，從一切比丘集，亦不得分。此一向准入重攝。二者十方常住，如僧家供
僧常食，體通十方，唯局本處，如盜者望守護主結重，同前盜攝，應得衆輕。
僧祇云：若將僧家長食還房，得偷蘭。　善見云：若取僧物如己物行用，与人，得偷
蘭。准共盜僧食　若盜心取，隨直多少結，是名第五大賊。有主。准此，比丘尼母，亦爾。　薩婆多、
善見：不打鐘食僧食者，犯盜。又寶梁等中，客僧見食盜噉者，隨直多少結罪。准比如上偷蘭
三者現前現前，若盜此物，望本主結重。若多人共物，不守護，望護主結。　四者
十方現前，如亡五衆輕物，此善生云：盜亡比丘物，若未羯磨，從十方僧得罪。謂計人不滿五
位犯偷蘭。若已羯磨，望現前僧得罪重。謂人數有限，則可滿五錢。若臨終時隨亡人囑授物，盜者隨
約所与人邊結罪。　四分云：四方僧物，若僧，若衆多人，若一人，亦不應分，不應賣，不應自入己，
皆犯偷蘭。因此人言：若盜僧物亦不成盜，便此奪取此等。見諸部明文，若奪成
重。四分暫用僧用，故結輕，若永入同善見斷重。　五分：盜心貿僧好物，直五錢犯重，
一錢已上犯偷蘭。　大集云：盜僧物者，罪同五逆。　然盜通三寶，僧物最重，隨損一
毫，則望十方凡聖一一結罪，故諸部五分中多有人施佛物者，佛並答言：可以施僧，我在
僧數。施僧得大果報。又方等經云：五逆四重，我亦能救；盜僧物者，我所不救。餘如白
藏分、僧護傳等經。寶梁經、五百問云：盜佛法僧物，從償還入阿鼻地獄，而得早出；何
況不償者，永无出期。曰說三藏法師還債事云。　二明互用。又四：一三寶互；二當分互；
三像寶互；四一物互。就初中，如僧祇寺主摩摩帝，互用佛法僧物，謂言不犯，佛言
波羅夷。謂知事人取僧根食、器具及以牛馬為佛像家營事使役，若得盜重將
佛法物，僧用亦爾。衣文如彼律。寶梁等經云：佛法二物，不得互用，无有人為
佛法物作主，故復无可諮白。不同僧物，所以常住招提，互有所須，營事比丘和僧
索欲行籌和合者，得用。若欲用僧物修理佛塔，依法取僧和合得用。不和合者
勸俗循補，若佛塔及物乃至一錢，以施主重心故，捨諸天及人於此物中應生佛想塔
想，乃至風吹雨爛，不得貿寶供養。以如來塔物，无人作價，故若於此義，佛堂之
內而設僧房，僧房之內安置經像，婦僧受用，並是互用，由三寶位別，各擬分齊。
故若无好暫安，理无按文。云：不得安佛下房，已在上房也。　問：招提常住等是何
物耶？答：中含阿羅受別房用施招提僧，菴婆女以園施佛為首及招提僧，文中不了。
准此房字等，是招提僧錫物。五百問：本非佛堂，設像在中，比丘
等宿臥作障隔者，不犯。由佛在世，亦与弟子同房宿故。　十誦：佛聽僧坊畜使人，僧畜
使人乃至象馬牛羊，亦示各各所屬，不得互使。大集云：寺无五僧，不得受他田宅奴畜
等所施之物。　薩婆多：四方僧地不合，和不得作佛塔，為佛種花果；若僧中分行得
已，聽隨意供養。花多无限者，隨用供養。若經養織三寶園田，无有分別，无可問

等宿臥作障隔者不犯，由佛在世亦与弟子同房宿故。　十誦：佛聽僧坊畜使人，僧畜
使人乃至象馬牛羊，亦示各各所屬，不得互使。大集云：寺无五僧，不得受他田宅奴畜
等所施之物。　薩婆多：四方僧地不合，和不得作佛塔，為佛種花果；若僧中分行得
已，聽隨意供養。花多无限者，隨用供養。若經養織三寶園田，无有分別，无可問
白，若僧和合隨意分，若屬塔，永用塔功力。得者，僧得重。若功力由僧，當籌
量多少，莫令過限，過則結重。　十誦：僧園中樹花，聽取供養佛塔；若有果者，使
人取噉。大木供僧，椽梁用；樹皮葉等，隨比丘用。急得借僧釜鑊瓶瓮等雜用。
毗尼母云：已受分房地，種樹得木，後用治房，不須白僧；治塔和僧者，得。僧
祇：院內樹薪，應准多少供溫室、食廚、浴室、別房，不得過取。若无定限，隨意
多少應取乾枯者。若僧須木用，或有樹在好地而施主不許者，使淨人以魚骨剌
灰汁流合死，然後語施主知，後乃斫用。若僧田宅連接，惡人得語，攘越剌易。　四分：瓶
沙王以園施佛，佛令与僧，故知二寶二不得互用，便勸施主，猶得供佛法也。若本通三寶之施
者，隨偏用盡，不得破比物以為三分，則乖本施心。故善見云：伏藏中物，若為三寶齋
講設會，得取无罪。　上律中乃至別人得用僧薪草者，此要須具戒清淨僧
法者，如律所斷，財法皆同。若少行缺，乖僧用者，得罪无量，如前經中文。如傳云：
由取僧樹葉染作雜用，罪積藏在石函，身皆入地獄受苦，斯由戒乖全具，心无慚
愧故耳。有心行者，自隱而參取焉。　三當分互用，謂本造釋迦，改作彌陀；本作大品，改
作涅槃；本作僧房，改充車乘，皆望前境，理義可通，但違施心，得互用罪。律云：許
比丘乃与彼受，及現前寶，直迴作五衣，並得罪也。若本作佛，迴作菩薩；本經末論等，
則情理俱違。然造正錄，雖錄真經，乃遣人誦為經者，因果全乖，決判得重。福无福
別耶？正難故若東西二龕，佛法時物，有主不合，无主通用，若无通仰，徒及衆具供養者，
理通得作，而不通牛馬雜畜非義之人。　五百問云：用佛衆色作鳥獸形，得罪，除
在佛前為供養故。善見：若施主本擬施園果為衣服湯藥等，並心迴分食者，隨計
結重。若擬作僧房舍重物而迴作僧食，犯偷蘭。若住處之少根食，為欲救去，无人
守護者，和僧減用園果等重物作食，重領守之，乃至四方僧坊並得。若房破壞，賣庶
者以捐治補。若賊亂世，聽持隨身賊去，静時還復，本受欲供養。此像迴与彼像，
吉羅。市八市九市十卷中論盜戒大嚴寄，十誦勒伽云：持此四方僧物，盜心度与餘
寺，吉羅。以還与僧，不犯重也。　僧祇：若在近寺破，无所具供養者，通結一界，彼此
共用。　五百問：中白衣投比丘未度者，白僧与食。若為僧乞，白僧聽得僧食在道；
若僧不許，或不白行，還須償，不者犯重。若供僧齋米，僧去齋主用供後僧，得。
捷稚得食，若不打者，一飽犯重。准上不得輒將僧食出界。而食本无還心者，犯重。雖
復打鐘猶不免盜，以物體攝受良故。律中等利養，別說戒者須作羯磨，和僧方
得；若直得者，仍須同界同法也。　若為僧差遠使，路非乞食之所，和僧將食在道

若僧不許或不白行還須償，不者犯重。若供僧齋米，僧去齋主用供後僧，打
揵椎得食。若不打者，一飽犯重。准上不得輙將僧食出界而食，本无還心者犯重。雖
復打鍾猶不免盜，以物體獨屬一處故。律中爲利養故說戒者，須作羯磨和僧方
得。若直得者，仍須同界同法也。若爲僧差遠使，路非乞食之所，和僧將食者道
亦不必作捐准。善見守寺之文，若寺荒廢不必和僧，彼比用住處名喝揵通食
若行至外寺，私有人畜用僧物者犯重，以擬供當處住僧，不供別類，非是福田
故。僧家人犯畜者罪。 三像等寶之手，謂住持三寶，與理寶後也。 薩婆多問：佛在
世時諸供養三寶之物中，當受一人分，何以滅後一大分？答：佛在時色身受用，故取一人分。
滅後供養法身，功德勝僧，故取一寶之分。又佛在時言施佛者，則色身受用；言施佛寶
者，置於髮塔中供養法身，法身常在世間故。若施法者，分作二分，一分與經法，一分與誦
經說法人。若施法寶，懸置塔中。若施僧寶，亦著塔中供養弟一義諦僧。若施
衆僧，若凡聖俱取，以言无當故。准此，受施之時，善知通塞，勿令乎用致反乘失。
四隨相物中，自手先約佛物爲四種：一佛受用物，不得乎轉，謂堂宇衣服牀帳等物，曾
經佛用者，著塔中供養，不得乎易，如前寶梁經說。五百問事云：不得賣佛身上繒
與佛作衣。又佛堂柱壞，施主換訖，故柱施僧，僧不得用。律中佛言：若佛圖塔具，若一切
天人供養，不得輙用，皆是塔故。廣如僧像致敬法中。二施屬佛物。五百云：佛
物得買取供養具供養。十誦：以佛物出息，佛言聽之。 五百問云：佛物不得移至
他寺，犯棄。若衆僧盡去，白僧聽將去无罪。比丘客作佛像，書經得物不得取。
若得佛家牛畜，亦不得使佛牛奴，得大罪。 三供養佛物。僧祇：供養佛花多，聽轉賣
買香燈，猶故多者，轉賣著佛无盡財中。 五百問云：佛幡多，欲作餘佛而者，得施
主不許不得，准此迴改作。故不轉賣，如大論云：如畫作佛像，以不好故壞時
袖一以惡心壞，便得罪也。 四者獻佛物。律云：供養佛塔食，治塔人得食。 善見云：佛
前獻飯，侍佛比丘食之；若无比丘，白衣侍佛亦得食。准此俗家佛糠，本不屬佛，不勞
設贖，言贖者經。 次明法物，亦有四別：一法所受用，如箱函囊巾帊之屬，本是經
物，曾經置設，不可迴改，餘三得不准上可知。 三明僧物，若二種常住房受已定，不可
轉移，如上所明。若通濟他寺，羯磨和得，初之常住止得受用，十方常住鳴揵同時
亦預食分。若惡戒及時亦施非時非法而用，並結偷蘭。二種乎用，通和得不羅至
可知常住畜生亦无賣理，准經罪重。諸律无文，故僧祇中施僧婢，並不合受，
可以意知。 若論二種，據前罪乎，如上說。輕重二物，斷割非文，意必者獲偷二罪
三出貸三寶物 僧祇：塔僧二物乎貸，分明券記某時貸某時還。若知事交代，當
於僧中讀疏分明唱記，付囑後人，違者結犯。 十誦：僧祇塔物出息取利，還著塔
物无盡財中；佛物出息，還著佛无盡財中，擬供養塔等。僧物文中例同，不得乎雜

可知常住畜生亦无賣理，准經罪重。諸律无文，故僧祇中施僧婢，並不合受，
可以意知。 若論二種，據前罪乎，如上說。輕重二物，斷割非文，意必者獲偷二罪
三出貸三寶物 僧祇：塔僧二物乎貸，分明券記某時貸某時還。若知事交代，當
於僧中讀疏分明唱記，付囑後人，違者結犯。 十誦：僧祇塔物出息取利，還著塔
物无盡財中；佛物出息，還著佛无盡財中，擬供養塔等。僧物文中例同，不得乎雜
十誦：別人得貸塔僧物，若死，計直輸還塔僧。 善見：又得貸借財物作私房。 善生
經：病人貸三寶物，十倍還之；餘不病者，理无輙貸。與律不同，疑是俗中二衆文，似出家
五衆。 五百問云：佛物貸子息自用，同壞法身。若有施佛牛奴，不得受用及賣易
之。若施軍器，亦不得受，餘如畜寶戒。 第四瞻待道俗法 四分：菩波離問：住處
不迎接，故當日還出。佛言：若知法知律知摩夷者，凡至所在，當應迎逆供給飲
食等。應不言現前四方僧物，准與知事人衣，是十方現前物，故知非是四方常住物
也。 十誦云：以此人持補我受故，須供給。 五分：若白衣入寺，僧不與人，便起慢心，佛言應
與，使持惡器盛食與之；又生慢心，佛言以好器與之。此謂遭之俗人見僧過者。若在家二
衆及識達俗士，須說袖食雜濟，非爲慢抗，如衆網法中說。 十誦：供給國王大
臣薪火燈燭，聽輙用十九錢，不須白僧；若更索者，白僧給之。惡賊來至，隨時
將擬，不限多少。 僧祇：若惡賊檦越工匠，乃至國王大臣有力能損益者，應與飲
食。 多論云：能損者與之，益者亦令歡喜，是行家。若彼比丘知法知律，亦得應
如二篇下說。 十誦：病人索僧貴藥，聽與兩錢半價。 善見：瞻待淨人
法，若分番上下者，當上衣食，下番不得，長使者供給衣食。 十誦：客作應得
全日，卒遇難緣，不得如契者，佛令量與之，准於俗法。從旦至中前，亦遇難事
者，給食一頓，不與作直；中後已去亦遇難，不役則給全日作直。又須准佛語量其功勞
者，其勤墮雖役經半日而五穀全失者，亦與本價；必懈墮者，量減餘。廣如僧令
適居如上卷中。 大門第二盜人物中，由處亦主，故望二結：一損正主，二損護主。
就正主物，要亦三句：一亦我所心，亦守護，如擅中綿絹財物等；二亦我所心，无
守護，田中五穀是；三无我所心，无守護，地中伏藏是。盜此三，並損正主結罪。輕重
護主二句不同：一亦我所心，別守護，如僧可分物令人守掌者；二无我心，別守護，如
關頭奪得禁物，及比丘失物爲官奪得，盜此物望結守護，令總二主，令爲
七種。一償護損失主。 善見云：比丘爲他別人及三寶之守護財物，若以擅賞
護險鑰藏戶，而賊比丘從孔中屋中竊取，或逾迫強取，非是護主所禁之
限者，望本主結罪，不合徵守物人，若微犯重。若主奪攤得不勤賞錄，爲賊所偷
者，守物比丘必須償之，不望本主；若不賞者，守護結犯。二寄付損失主。 十誦：
及比丘遠受寄物，道著損破。佛言：若好心捉破者不應償，惡心破者須償。又比丘
寄居士物，不好看故失者，應索取。若寄居士物，居士寄比丘物，如上二說。若借他

者守物比丘恐須償之不望本主為不罪者守護結犯二寄付損失主 十誦
云比丘遠受寄物並著損破佛言若好心捉破者不應償惡心破者須償比丘
寄居士物不好看故失者應索取若寄居士物居士寄比丘物如上二說若借他
物者亦同好惡二差心捉一切須償令為他洗鉢盋及損破失者並多索償隨
藕五諸重 三被盜物主 十誦若衆中失物若衆主不得為其捨於及以損壞
誦呪而取令義張二位一不現前盜物主從心求弱取者得想決徹主邊不心不捨
後見此物不得奪取以離地屬賊義成若奪犯重 故律云時有比丘奪劫去物
佛言波羅夷 僧祇面不現前一本主不捨二奪者未作得想後得奪取及上二緣
奪得重罪從自心不捨前人決定取者正成盜損不得奪之之若先捨者无主物
故是不合奪離屬於後取 二對面現前奪由守護義强奪者猶豫得想未
定之本主心弱而未捨若亦得追奪 僧祇賊奪物去比丘逐賊奪得本物无犯
又聞遮賊被藏物去比丘比取得來 又賊漸近村落比丘逐賊若知偷得若恐
嚇得无犯知是死事不應告人如上諸句皆是村白被劫若已作失想不得奪
去決定不決定後還取者便為賊後奪賊者由先屬賊故縱不失想而賊心未
取无畏至是屬賊不合追奪 毗奈耶云若失物人奪得還比丘者得取无犯
准此面不現前乃至盜金像等雖知藏處並不合取 十誦若比丘為賊所捉自
偷身賊所无犯若師奪弟子將來得重 四賊施比丘物主 十誦賊偷物來或
好心施或因他逐恐怖故施得取之取已染壞色
而著在主識者若索還他若賊比丘邊買得衣本主見衣亦得直奪應還
本直今或有偷三寶物及以金銀佛像毁成器損應比丘若若准上文應得受
之捉理已曾經佛受用但可取之依本受用 五以因縛賊主 僧祇穴未收錄未
抄物名字而寄付比丘者得取若已收錄者不得若為施佛塔僧者得取
持出不得云後藏若有因者言佛物僧物我物若亦許者還之 六狂人施物主
摩得伽云若狂人自持物施不知父母親眷者比丘得取若父母可知不自手
與不可取 七守視人作主 善見云偷人無罪者謂主人而落度父母所遣若
父母死貧債等得者无罪 准此知度主院人有福无罪 盜奴犯重 十誦九守逐人与比丘衣
疑不知成重不 四分他親人与比丘衣物佛言作
正是主得受所以不合從乞以物是好主若受語而施不敬他盜物故也 明了論中
盜義極多且約眼耳鼻舌身心於塵起不如法行義犯重或犯輕若人食毒
義為蛇螫犯如比罪若人偷地水大風空等界並犯波羅夷憲從盜戒制解云
如誦仙人是留行蛇毒藥師作仙人書字見者皆愈欲見者須價直比丘被害
偷看之計直犯重乃至他人學得偷看並爾 秘書號等偷者准此 若誦呪治病欲學

BD00801號　四分律刪繁補闕行事鈔中卷之上　（47–20）

正是主得受所以不合從乞以物是好主若受語而施不敬他盜物故也明了論中
盜義極多且約眼耳鼻舌身心於塵起不如法行義犯重或犯輕若人食毒
義為蛇螫犯如比罪若人偷地水大風空等界並犯波羅夷憲從盜戒制解云
如誦仙人是留行蛇毒藥師作仙人書字見者皆愈欲見者須價直比丘被害
偷看之計直犯重乃至他人學得偷看並爾 秘書號等偷者准此 若誦呪治病欲學
須直比丘密聽計直得重偷聽音聲亦如是知若秘方要術病者心緣取英得
直方亦得直聽寫比丘受法就師心緣得差不与價直故犯重也 次約六界前三
可知為呪扇藥等比丘偷搖不与價直若起閣眺他空界妨他起造取名盜空
論云等者等於識界智慧屬識人有伎兩不受度他須与價直比丘方便就
彼學得不与價直亦是盜識 諸道習用 自外諸錄不可錄盡但知非理損財觧
盜无義不收名如戒本疏說 大門第三盜非畜物初明作人物若為有護者捶護
主諸五分取他靈廣塔幡蓋神廟中衣他所護物他心未捨直五錢犯重僧祇
盜外道塔物神祠舍物得重若无護主隨境結之故十誦盜天神像衣及花
鬘等得偷蘭善見取諸鬼神物及人蠶樹物无守護者无罪 謂非人女不護 薩婆多
云取非人物直五錢已上重偷蘭四錢已下輕蘭 今或多人取諸神衣物者後
理得否如上盜元人守然神護者可擲下而知捨法 盜畜生物四分无文有人
斷同大重者故律云毘舍佉胡桃積成大聚比丘盜之佛言波羅夷故為解非望
畜生還望本主以疑盜疑豫未決望人猶是本主故還就人結重餘如他部
十誦取虎殘犯吉羅由不斷望故師子殘不犯 薩婆多一切鳥獸食殘取者吉
羅 二明有主想作无主想始終不轉無罪前後乎輕乎得輕重唐 此特犯
中 三明有盜心非比一門無之諸人之亦免但世盜由心諸不望境之是非故僧祇
寺主好心乎用三寶物是盜波羅夷謂愚癡犯也 四分五云我謂比人愚癡波
羅夷理既難知故具抄示 十誦六種盜心謂苦切取輕慢取以他名字取聽要
取 質借不還 受寄取出息取除出息 一種餘並諸重 摩得伽三種劫心强奪
取軟語取施已還取也 善生中云因偷罪 五分有四一以諂心曲心恐怖心而取他物即是盜
心 四分七種賊心一黑闇心謂癡心愚教直可學逐隨作得重 僧祇寺主即是
其事二取心者謂貪心規利取命說法以財自廣三曲屈心者自瞋心也与少
便恨假瞋得財或處示威恐直取財利得物犯重四恐怯心或以迫喝或說法
怖取或自懷疑怖而取財也 五業有盜他物心恒懷規奪世六黠決定取内
心籌慮方便已成因必執果動物成犯七寄物取或枉害或以步逐他入恐枯
取謂余身口相畏敬故与物也九見便之取何求他帰因利求利也 十倚托取或
倚名聞威德或以名字方便也或依親友强力者謂假他威勢而取也或以言
詞辯說者托於論端浮華利接今前異望而取財利言誑惑而取者非法言

BD00801號　四分律刪繁補闕行事鈔中卷之上　（47–21）

怖取或自壞彩怖而取財也 五業力盜他物心恒懷規奪也 六若決定取內
心籌度方便已成因必剋果動物成犯 七寄物取或抵突或以少還他 八恐怯
取謂余身口相畏教故与物也 九見便取何求他慢因利求利也 十倚托取或
倚名聞威德或以名字方便也或依親友勢力者謂假他威勢而取也或以言
詞辯說者託於論端浮華引接令前異望而取財利言說或而取者非法言
法法言非法但規前利幻惑群情以此法文發知心業其相略顯足得垣墻防撥
而至物謂五錢已上餘雜物 薩婆多問曰盜五錢成重是何等錢
答有三解初云依彼王舍國法用何等錢准彼錢為限二云隨盜隨處法用何錢
錢已以為限文云依依舍王國盜五錢得死罪依而結戒令隨盜處法要依國盜處
物斷死死以為限雖有三釋論師以後義應是然一五錢之義律論乎釋不
同判罪宜通採護須急故律云下至草葉不盜令諸師賊行多依十誦彼
云盜五錢者古大銅錢含得重也盜不錢八十文隨其盜處所用五錢入重
僧祇王元定法斷盜不定當取瓶沙古法四錢三角結重四分但云五錢准此處
上律論以後為勝從四錢三角 善見解云同五錢 善見云若擇中資寶之內
手取已出離握得義又解但離處得義未出握口法師曰於戒律中宜應從急
又觀五事定時新貴賤故等是名律師以此文證五錢為允 二以義門六句不
同 一十誦伽論云錢有貴賤時不妨錢貴盜一入重還值賤時百千犯輕 二四分
五分善見云貴處盜物賤處賣還依本盜處估價 三善見云貴時盜得賤
時賣者定罪者還依本時上三句可及皆同得輕降也 四摩得伽中取五平
不犯重數數作斷心或不得物而入重如四分燒埋壞色教他等 五不滿五犯重如四
分眾多人遣一人盜五錢多人皆分或多人皆盜通作一分但使滿五一切同盜結重
或盜過五結輕如十誦盜眾多人未分物者是取如上人輕物之數 六盜五人為
一錢結重如僧祇五人各以一錢遣一人守掌者盜望守護人結重善見云欲知通相
如師徒四人手相教等盜一人六錢各得一波羅夷一偷蘭自業不合教他業但得一
偷蘭此義應知 六離本處 四分云若舉挑埋藏隨為一事方便不成並結偷
蘭 五分物在地中作盜心得吉羅掘地得提捉物吉羅動物偷蘭離處方重
離處義十句分三一文書成辯離處如律師疏判以重入輕非法判用僧物之類
善見云畫地作字一頭時輕盡兩頭時重 二言教立者 善見若盜心唱云定
是我地地主生疑偷蘭決定失心者重若未問僧答同皆重若若諍園田遠理
判与遠理得判乃至口斷多錢偷蘭夏唱大得物皆重比如四分若以言詞辯說誑或
而取皆重 三移標相者 善見標一舉時偷蘭舉二標時重謂量地度乃至得一髮
一麦皆重地深無價僧祇彈與宗 四依壽者 四分盜隱記數籌分物壽改令欠
少也 五異色者 十誦薩婆多云氍毹上及樹枝葉花令從樹葉上

BD00801 號　四分律刪繁補闕行事鈔中卷之上　（47–22）

而取皆重 三移標相者 善見標一舉時偷蘭舉二標時重地度乃至得一髮
一麦皆重地深無價僧祇彈與宗 四依壽者 四分盜隱記數籌分物壽改令欠
少也 五異色者 十誦薩婆多云氍毹上及樹枝葉花令從樹葉上
盜牽至樹花上犯重僧異本色故或如借他衣盜非理用損減他五錢並結重
罪律云若壞色故 六稱盡者如十誦博蒲移棊子等 五分蒲博賭物犯吉
羅 七離處明不離處如僧祇盜他牛馬未作得想雖舉四足不成重罪 八不離處
明離處如善見空靜處盜決得無疑如擲杖空中必無不下故動即成重 九無離
處辯處離盜令盜他田宅及擊破村燒埋壞色皆犯重等 十雜明離處如空中
吹物盜鳥曲枝斷流水注等並不具述亦如本流注盜戒律隨相離合了若存者
雜穀持盛者輒分於披衿取悟必繫故略列犯緣據知便概意存婿事智之
義心念道者緣境既局少應清潔若多眾務而數高昇者必罪盜網終無免
出何者由心懷勝劣倒想未須初果無學方可營事乃心懷道者細讀附事
深恩乃知故善見云戒律宜從急護此重一重戒本相離解不得不曲碎解釋
其義理分明此爲善恩論文如此以往上列猶恐不盡者謂繫念心寬未言盡內
昭如前故且削也 三明不犯中四分云与想取已有想冀掃想暫取想親厚意
者皆無犯 律中具七法名親厚一難作能作二難与能与三難忍能忍四密事相
告五互相覆藏六遭苦不捨七貧賤不輕如是七法人能行者是善親友准
此量之 第三殺人戒 犯緣具五一是人二人想三起殺心四興方便五命斷 初緣
人者律云從初識至後識而斷其命也 初識者謂初識在胎報自細謂最識而依乃至命終最後一念未捨報持隨壞者是也
其相易識故略述之 四分殺有三種一者自殺謂身現相口讚無相現陷倚撥乃
安殺具及以与藥等三教他而殺隨其前後為教嘆 教遣使往來使重使展
轉使求男子教求男子遣書教遣書等並作方便但令命終犯本期者之
性之中能教犯重餘如後篇 十誦不得自傷毀形乃至斷指犯眾伽論病人
不欲起不欲飲若起者當死看病人強与食藥死者偷蘭 聽求難強破命終
之余不与食不除療因而死者並偷蘭 薩婆多比丘知星曆陰陽吉凶由比丘
語征破異國殺害得財皆犯盜殺二波羅夷 優婆塞例同 十誦為人作塊令死
重畜生死偷蘭為畜作塊畜死如律人死吉羅若本擬心隨境輕重
薩婆多若為人讚死此人不解遣人解用此法死者無犯令多有人自殺投
巖多乃愍兼七眾讚美其人命生欲樂並如律本結重 又如比丘披宗刑
殺膾子曰從人索手巾綃帛以作籠頭皮繩等並同無知五眾与者取者懟
其命終結重 僧祇父母被王法比丘語曲刑者乞其一刀速用語者並重
五分四分自殺者偷蘭謂結其方便不犯中律云若擲刀杖瓦石材木誤著彼身
而死及扶抱病人而死或以藥食及以來往出入而死者一切無害心不犯故倍律云過

BD00801 號　四分律刪繁補闕行事鈔中卷之上　（47–23）

薩婆多云若以[illegible]
嚴多死毀歎七衆諸美其人令生欣樂並如律本結重又如比丘被宗刑
罰僧子曰從人索手巾綃帛以作龍頭絞繩等並死无知五衆與者即名殺
具八命終結重　僧祇父母被王法決斷語典刑者乞其一刀若用語者並重
五分四分自殺者偷蘭謂結其方便不犯中律云若擲刀杖瓦石材木設著彼身
而死及扶抱病人而死或以藥食及以來往出入而死者一切无害心不犯故伽律云過
失殺人者以瞎論（謂目所不見心而不意共業重物乘高復至顛死也）第四大妄語戒　具九緣一對境是人二
人想三境虛四自知境虛五以誑他心六說過人法七自言已證八言章了了九前人解
四分十誦多論云從得不淨觀以上至四果來若云我得皆犯重若現身前
人不疑問重疑則偷蘭　十誦問此不淨等是過人法以犯否　是甘露初門
一切聖人由之而入又四分云天龍鬼神來供養我等並同犯重又云歎向比說
乃向彼說一切重　摩得伽云自稱是佛天人師等偷蘭除如戒本疏說　不犯中
律云自知有得不淨觀乃向同意大比丘說若戲咲若疾疾說屏處獨說欲
說而比錯說彼等皆不犯重而犯吉羅以非言說之儀軌故也　僧殘篇中故
失精戒第一此戒人之喜犯故在初也多論三義故佛制此戒一為令正法久住故
二欲止誹謗故三欲生天龍善神信敬心故　四部律中佛並呵責言云何以此
不淨手受人信施物　具三緣一標心作究竟意二方便動轉（律中有六種一內色謂受色二外色謂不受色三內外色三色中間四水中逆水順水五風中向風法六空者自空動身乃至出精）三體分處流便犯　五分臨時不淨出若覺發心身
動偷蘭身不動而心動者无罪　善見云若手捉根而眠擬出精者眠中若出僧殘
律中明夢出者不犯若亂意睡眠有五過失一者惡夢二諸天不護三心不入法
四不思惟相五喜出精　五分得五吉羅以夢故不犯殘也　律不犯中若夢中失覺
已恐汙身衣故以弊物及手棒棄若欲想出若見好色不觸而失若行時自觸
髀而失若觸衣而失若浴時失若手指摩而失如是一切不作出精意而自出
者无犯　十誦擔重遠行乘騎筋節斷解便失種種精出　善見云精通身
中故伽論中故出他偷蘭為他作壞界也　摩觸女人戒第二　多論六義一者出
家之人飄蕩无所依止今制此戒與之作律令所依怙故二為息鬪諍此是諍貿
根本故三為息譏嫌不但得犯而已但作大惡故四為斷大惡之原禁微防著故
五為護正念若觸女人必失正念故比丘出家理應超絕塵染栖心累外為世
軌則若觸女人則違世人宗敬心故　具五緣成犯一人女二人女想三有染心四身相觸
五著便結犯　初明女人者律本四種女人婬戒中有婬心者愛染汙心身者從髮
至足也言相觸者有二種初比丘往觸无衣覆女睡眠新死少分壞者但使往
觸著不問受樂不受樂皆犯僧殘二者女來觸比丘不必須婬心而比丘要須身
受樂者犯殘此律文不了今准十誦言犯僧殘若不動身而受樂者此律吉羅

軌則若觸女人則違世人宗敬心故　具五緣成犯一人女二人女想三有染心四身相觸
五著便結犯　初明女人者律本四種女人婬戒中有婬心者愛染汙心身者從髮
至足也言相觸者有二種初比丘往觸无衣覆女睡眠新死少分壞者但使往
觸著不問受樂不受樂皆犯僧殘二者女來觸比丘不必須婬心而比丘要須身
受樂者犯殘此律文不了今准十誦言犯僧殘若不動身而受樂者此律吉羅
若先有染心於前女後女來觸比丘不動而受樂者偷蘭遮動則犯殘如上
並被二俱无衣若一有衣者犯偷蘭遮二俱有衣犯吉羅若與二形身相觸偷蘭
此又律文不了如十誦伽論意在女者僧殘在男者偷蘭　律中若欲心觸男子
或衣鉢坐具乃至自觸身一切吉羅　善見若以髮髮相觸不不相觸悉偷蘭以
无覺知觸故覺知觸故覺境不覺應作四句　十誦比丘及女人身根平壞
相觸皆蘭若以爪齒毛瘡无肉骨觸女身偷蘭若依四分戒本若投鼓者殘
謂以覺觸不覺也　祇律中若觸畜生女一切吉羅人女亦爾謂无婬心
十誦若觸不能女男身者俱蘭　僧祇意謂男子黃門而是女人觸者僧殘
謂前有方便心後稱本境　善見云衣纏得五罪謂義殘蘭吉指觸波逸提
不犯中律云若有所取與相觸或戲咲若相解時相觸一切不犯非不犯餘界
僧祇若女人捉物呪願授若行食授繩頭尾提杖竹木皆非威儀有欲心者犯吉
羅欲心動物及以器還或瀆水著女皆偷蘭若母等近親久別相見抱捉比丘者當
正念住不犯　十誦若母女姊妹為病患及水火刀兵深坑惡獸難救者无犯但无染
心若為水所浸開比丘手捉雖婬心起但捉一處莫放到岸不應故觸得殘若女人罵
水在比丘手水流不斷於女生婬心偷蘭　僧祇若賊道逢逐女鬧者要待希已便返
若女人死所須命淨人與无夫持著牀机上語言取之若擭重不舉倩比丘者傍无
淨人比丘為舉著高處令自擭之若乞食時有歸政女人待食比丘若起婬心者故
益著地令餘人授之唯比若就女人取針綫瓶盆等物恐觸者當語置地往復
比丘自取餘並例知　十誦四分開處猶多若被僧祇水溺難緣並死不開須知急緩之意
過集積增莫不由此　與女人麤語戒第三　七緣成犯謂人女人女想有染心麤麤語
之想六言章了了七前人知解　伽論比丘性好麤語偷蘭　律中人女者要有所了知解婬
欲語也麤惡語者非梵行也若必二聲相有麤醜語為麤惡不妨許於善事而意
表於婬欲故律云若後作餘語者如云因消蘇著赤衣時女形露便言消蘇好不若
女情相領律結僧殘若不解者如僧祇云比丘見女人新染衣著形露比丘言大赤好
女人云新染故爾比丘生疑白佛佛令一比丘問女女具如前答佛言義未俱解僧殘四分
解語不解義偷蘭此但論染心向女麤語若准五分具有彼此手向麤語犯下嘆身
戒也同律中不犯有為女說不淨惡露觀九瘡九孔九入九漏九流而彼女謂為麤說
語若說毗尼時言次及此若說經受經若二人同受若被問此答若同誦若錯說但

女人云新染故尔比丘生疑白仏〻令一比丘問女〻具如前荅仏言義未俱解僧残四分
解語不解義偷蘭此但論染心向女麁語若唯五分具方彼此手向𪘲語犯下嘆身
戒名同律中不犯者為女説不淨悪露觀九瘡九孔九入九漏九流而彼女謂為𪘲説
語若説毗尼時言次及此若説經受經若二人同受若彼問此荅若同誦若錯説但
无欲心一切无犯　向女嘆身索供戒第四　論犯七縁一人女二人女想三内有染心四嘆
身説𪘲語五𪘲語想六七同前戒律云嘆身者端正好顔色大姓出家持戒脩
善法行十二頭陁等不言媒欲供養者偷蘭說欲并自歎者僧残若直說𪘲語犯
前戒　不犯中若為女人説法及説毗尼時言次相及而女謂自歎身並无犯
媒人戒第五　六縁成犯一人男女二人想三為媒嫁事四媒嫁想五言詞了六語往還
報便犯　律文要三時具者方結僧残一謂受語二往彼陳説三還報知若具二者偷
蘭進具一時者結実吉羅若受語往彼説而言已嫁若死若賊将去者偷蘭若言
癩病等還報者僧残 小後得媒嫁故也 除二道已媒餘身分者偷蘭若媒人男畜生等並
吉羅　五分不許而報偷蘭十誦媒不能男女若道合一道女石女等一切偷蘭此律
中請比丘白二羯磨差人媒嫁一切僧残令知事白僧媒娶淨人供給瞥具問僧內和
一切僧残若用僧物同俱犯重　僧祇為他求馬種和合故偷蘭餘畜吉羅
五分若為男長情女使偷蘭 忍被和合 為女情男乞尔　十誦如論云若指腹為媒及
自媒者偷蘭　四分媒法以語書指印遣使但情相領悉乎作句皆犯若比丘持
他書往不看者及為白衣作餘使並吉羅　僧祇勸歸婦早還者偷蘭　律不
犯中若男女先已通後離別還和合者開不犯　十誦云作券書言非我婦猶
故未唱出者偷蘭若婦禮已斷不復來往而和合者僧残　律中聽持書者若為
父母及信心精進優婆塞病若在獄繫及為仏法僧事病比丘事等看書
持往不犯　无主僧不處分過量房戒第六　具有五過一須人淫營妨脩道業
二多論云長己貪結懷求欲知足故三受乞覔惱乱人非人二趣不生信敬懷滅
正法令不久住故四專任自由不乞處分容謗僧事多惱乱故五或自損行遠其慈
道壊梵行故　六縁成犯一无主二為己三自乞求四過量不處分五過量不處分
想六房成結犯　薩婆多云未後二摶泥未竟輕蘭餘一摶在重蘭　善見云若
留一摶泥在後當成蘭決羅心者僧残僧祇凡木板石灰泥草覆乃至窗後一犯
草覆竟即残若自身受用皆吉房主若无依道施僧乃可受用律中若作比
房若无難妨已竟後未僧中乞法若不可信一切僧並往看之若可信者即
當聽作　善見云无妨難地衆平治如鼓面後至僧中乞長六搩手廣四
搩手已下不須乞處分　四分云長仏十二搩手內廣七搩手並仏搩手尺量
不定令惣會諸部校勘是非僧祇仏搩手長二尺四寸明了論同之善見云

BD00801號　四分律刪繁補闕行事鈔中卷之上

（47–26）

房若无難妨已竟後未僧中乞法若不可信一切僧並往看之若可信者即
當聽作　善見云无妨難地衆平治如鼓面後至僧中乞長六搩手廣四
搩手已下不須乞處分　四分云長仏十二搩手內廣七搩手並仏搩手尺量
不定令惣會諸部校勘是非僧祇仏搩手長二尺四寸明了論同之善見云
中人三搩手長仏一搩手　多論云仏一搩手凡人一肘半　五分仏搩手長二尺上通
明尺寸分量不定者由翻經有南北二國三藏主處不同致數多別各相半指今
以義約仏拒人倍人身量同今此衆是國法尺寸隨俗不同而用律曆定勘則
以姬周尺爲定通古今遵百王不易故隨煬帝立升尺秤准古立樣余親
見之唐朝御寓任世兩用不遠古典故唐令云尺者以一尺二寸為尺升秤二種
例准僧祇准論以言此方人長八尺仏則丈六以此為準仏搩依五分二尺為定之
當律无文可以用之後進未知前脩昧教者既不達道俗二衛隨語以行一何深
乱以大國唐朝文軌無二及論用尺五種不同或以姬周尺稱以定官市衡量至
事不平改則閻浮通用豈以姬周古法乃至益量三升為上下者升半以文校勘
尺稱依古稱并上言故令藥稱古法不改以六尺為步忽然为光如是准酌想它
躍脩余曾遊晉魏及以關輔諸方律肆每必猶送並論尺升廣興並未露述
故所補闕又光九代　今用五分尺寸所為準廣二丈四尺長一丈四尺也　善見云皆
謂取内為言　僧祇辟邊高一丈二尺若男若女在家出家皆為房主无比寸
主故言无主　難處者　四分中虎狼乃至蟻子也　善見下至若有蟻子窟
不得作若蟻行覓食遊令去得作何以故如來為慈愍衆生及比丘故　五分四衢
道中多人聚處媱女市肆放牧悪獸 隨 處處園田社樹墳墓逼村近道等是難處
妨處者律云乃至不容草車迴轉處見云是人田園或怨家賊處尸陁林處王
謊護處四周不遍十二桄梯間有一撥一肘者　十誦是含四邊一尋地內的塔地
官地居士外道比丘尼地若大石流水大樹深坑等是妨處明了論或樹空山
巖石陰等得行住坐臥如作房舍所攝解云如上處等妨於中住必須隔斷
須將比丘羯磨持地所以尓者若不依量用功則多若有妨難自損惱他故知僧
秘二地並須乞作　僧祇若僧中无比羯磨者一切僧就彼作處一人唱言一切僧為
某比丘指授房三説並得若處遠隔水它畏署雨雪多病不得直往者應差二
三人不得羯磨四人往彼指授有四種人越等一畏衆僧三作秘房者多四妨難
二處皆不成即此律云使可信者看故知簡別　薩婆多云處分處得餘
處不得餘人就此房上作重屋房主聽得无不處分罪　善見云長中減一搩手
廣中長一搩手等減過得僧残若作房未成而行客為成者无罪以人无一口房
若毀〻計人分滿過量皆犯　問何不同長衣必俱過成犯荅此房為造作故犯

BD00801號　四分律刪繁補闕行事鈔中卷之上

（47–27）

二處皆不成已此律云使可信者看故知簡别　薩婆多云處分處得餘
處不得餘人既此房上作重屋房主聽得无不處分罪　善見云長中識一搩手
廣中長一搩手半藏過得僧殘若作房未成而行容爲成者无罪以人无一口房舍
若段段計人分滿過量亦犯　問何不同長衣必須過成犯答此房爲遣作故犯
長衣財畜故犯　四分若教他作及教者過量犯若是房主得僧殘巧師得偷
蘭妨難二處各突吉羅過量不乞二僧殘罪律不犯中減量无妨難爲仏高
講堂爲僧多人住屋草菴小容身屋者　有主僧不處分房戒第七
制意同前成犯具六一有主二爲己作三長佛六搩手廣四搩手以上房四不處
分五不處分想六作成便犯　此房屬於己身爲无遠去不還隨意分處爲与
三寶親友白衣自賣取錢隨心自在唯不得賣地地是僧物僧不許賣房主得
罪若房主不自分處者屬四方僧次第住之律中妨難二吉羅不乞邊一僧殘罪
開通中若處分作草菴葉菴小小容身屋　謂无過量以小故不須乞處分若作多
人住處等並得　无根重罪謗他戒第八　多論爲擁自行令法久住故二爲止
謗毀令梵行者安樂脩道故同謗他是妄語得犯罪善見云无别提罪以謗假
處成令以義通之无意專謗无妄語墮罪若兼誑僧望前人得僧殘望僧
處解得墮如數又羅漢妄語兩舌相對手說餘如戒本疏具八緣一是大比丘彼
尼除下二衆二想心謂淨不淨無不淨如行破戒犯隨故文云若遠无根无餘作不
成遠治其謗罪二謂作大比丘想三內有嗔心四无三根五下至對一比丘說僧殘對
謗比丘前罵謗語語僧殘六有受事加謗七言詞了了八前人知犯　善見云若有謗
他在僧中請判者僧未應判若彼語僧若不是者我便不受僧應語言汝且
礼佛爲其說法後當爲判此事若更遠至曉者當語明朝来如是三反猶從
擬者語云此處少律師不得斷可往餘寺僧知如是者足云此寺律師如是覓善
不得求還本寺心憹伏隨僧教行者方問彼語僧依法斷之律不犯中見
聞疑三根說實說五種一真實二想實三事實如教王還道莊王四三根不
了實五四戒不了實若戒比丘謗他犯殘者謂四重了說成謗四分五同
假根謗戒第九　此戒假異事上見根取彼見根道見比事上犯也事不相當
名爲假根故分二戒犯緣同上律中有五種異分一對異趣二異罪三異時四異人
五假譬也　言異分者　善見云餘戒以羊當人取所有嫌事相似餘可相知
破僧違諫戒第十　此違諫等戒違于下篇我事希法隱當世宜用　如謗僧祇僧戒不隨道等
或但有回用終不辯果爲仏在世賊後所无　即此二破僧違諫名　如此衆戒其相極多終不見用
徒費抄略是所未詳出至如汙家擯謗回犯設諫諫事是難時所同廣不好行
之道因生或辯相事可通行或開緣乃當時要故直略其行務以裨補神用耳

BD00801 號　四分律删繁補闕行事鈔中卷之上　（47–28）

五假譬也　言異分者　善見云餘戒以羊當人取所有嫌事相似餘可相知
破僧違諫戒第十　此違諫等戒違于下篇我事希法隱當世宜用　如謗僧祇僧戒不隨道等
或但有回用終不辯果爲仏在世賊後所无　即此二破僧違諫名　如此衆戒其相極多終不見用
徒費抄略是所未詳出至如汙家擯謗回犯設諫諫事是難時所同廣不好行
之道因生或辯相事可通行或開緣乃當時要故直略其行務以裨補神用耳
犯破僧犯緣理非可犯必須具列新學者知其教相具五緣成一先比丘耶二宣
二行化於時三如法僧設諫四固執不捨五三羯磨竟犯違諫僧殘破僧罪是偷
蘭遠别人諫彼違提餘之方法衣如戒本疏律不犯中若破惡友惡知識及二人
三人欲作非法羯磨或爲僧塔和上闍梨知識親友等作損減作无住處若破
是人者不犯　助破僧違諫戒第十一　具五緣一助九人作破僧事二衆僧如法
設諫三四伴助破諫僧四僧如法設諫五作三法竟便結　汙家擯謗
違僧諫戒第十二　具六緣犯一作汙家惡行事二心无改悔三作法驅擯四不理
謗僧五僧如法設諫六三法竟犯汙家非戒本依諺僧是也　四分四種汙家一
依家汙家從一家得物与一家所得之處聞之不喜所与之處思當報恩二依
利養汙家若比丘如法得利乃至鉢中之餘或与一居士不与一居士彼得者思
報其恩便作是言其有与我物者我當供養其不与我物我何爲供養一
三依親友汙家若比丘依王若大臣力或爲一居士不爲一居士所爲者思報其恩
便不与餘比丘物四依僧伽藍汙家若比丘取僧花果枝葉或与一居士不与一
居士彼得者生念其有与我物者我當供養不与我者我不供養也　行惡
行者自種花樹及以溉灌自摘花自作鬘与他及教人作上事若村落中共
女人同床坐起同一器食言嗟歌舞倡伎俳說作鳥聲或嘯或若受雇戲笑
僧祇云依聚落得四事供養或免諸難皆名依義若依村落作非梵行飲
酒非時食不名汙家若俗人先有信心供養衆僧造立寺舍令彼退減是名汙家
多論云若作種種惡業破他信敬善心名汙家也作不清淨汙穢垢濁又得惡
果名爲惡行　又比丘凡有所求若以種種信施物爲三寶自身乃至一切而与大
臣及道俗等皆名汙家何以故凡出家人无爲无欲清淨自守以脩道爲心若爲
俗人信使往来破亂正業非出離故　由以信施物与白衣故叵破前人平等好心於
得物者歡喜愛樂不得物者縱使賢善无愛敬心失他前人深厚福田
又倒亂佛法故凡在家人常於三寶求清淨福割損肉血以種善根今出家人反
持信物贈遺白衣俗人反於出家人所生歸望心　又若以少物贈遺白衣因此起七
塔造五精舍乃至四事滿閻浮提一切聖衆亦不如静坐清淨持戒即是供養
真實法身若有經力於破塔壞像於僧有所損是得以塔物僧物隨時消息

BD00801 號　四分律删繁補闕行事鈔中卷之上　（47–29）

又倒乱佛法故凡在家人常於三寶求清淨福割截肉血以植善根令出家人反
持佛物贈遺白衣俗人反於出家人所生誹謗心　又若以少物贈遺白衣因此起七
寶塔造五精舍乃至四事滿閻浮提一切聖衆亦不如靜坐清淨持戒此是供養
真實法身若有羅力於破塔壞像於僧有損是得以塔物僧物隨時消息
律不犯中若与父母病人小兒任身婦女牢獄繫閉及寺中客作者不犯若檀
越自費花乃至教人用花持供養佛法僧者一切無犯若人欲打破賊虎
狼恐怖之處若擲　封來於中走避者不犯若渡河溝渠坑跳擲者不犯若
同伴在後還顧不見而嘯喚不犯若為父母若為病人若閉牢獄若為篤信優婆
塞乃病若在獄看書持往若為塔僧病比丘事開持書往反一切無犯　惡性
拒僧違諫戒第十三　具五緣一自身不於離惡得教作罪二諸善比丘如法勸
諫三不受乘諫自持後他四僧如法設諫五三法竟犯此人倚傍明教但自觀身
不須見過佛令諫之　多論　問如餘事說但自觀身行諦觀善不善今戒文復
轉相教豈非相違答佛因行時制戒三乘趣合不相違背乃六種不同一前人
乃受增發言諫乃捨故云自觀身行若為慈心乃利益者則五等語相諫二
若鈍根無智則言說无益便止若聰智利根發言有益便諫三若中間凡出
三元補使心若於同博見乃所和益便諫四若為利養名聞使息若利安衆
生闡揚佛法便諫五為現法樂但欲自樂便止若欲以化益使天下同已則展轉
相諫六乃為新出家者愛惑妻子便言但自觀身行若深信佛法者欲兼人
則令展轉相教等　律不犯中初諫便捨若非法律若為無智人呵諫時語彼言
汝和上阿闍梨所行亦尔汝可更學問誦經若其事實尔若戲錯說者一切不犯
二不定中文疏久列在戒本解明述大意　多論前意四種一為止誹謗故二為除鬪
諍故三為增尚佛法故四為斷障道惡業次第故初不定中四緣犯一是屏處
二是女人三無第三人四隨所作犯　四分女人者女有智未命終也獨者一比丘一女人
在屏處者有二種一者見屏乃至塵霧黑闇中不相見也二者聞屏乃至常語
不聞聲處覆處者上以蓋也若樹墻壁籬若衣及餘障也可作婬處者得容
行婬處　僧祇云若母女姊妹親里非親若老若少在家是女人也役乃至餘人若
眠若狂嬰兒等並名為獨　善見云見聞屏者謂无眼者聾者瞎者及多
女人是也如上諸緣並是犯位應如前篇　後不定戒略同前者唯露處為異
捨墮懺法如後直明相種　初長衣過限戒一　多論三意一曰開畜長貪於俗利緣
通功德財二比丘積聚与俗无別失信敬心三遠佛四依非所以行故　具六緣一是
已長衣謂三衣之外財也四分云長衣長如來八指廣四指是也多論云佛指兩廣二
寸准前姬周尺長一尺六寸廣八寸也若長手過減皆不結犯要二俱過　多論云除
不應量者過限捨作吉羅懺故須俱說　十誦七種衣不作淨施三衣受持具而衣

捨墮懺法如後直明相種　初長衣過限戒一　多論三意一曰開畜長貪於俗利緣
通功德財二比丘積聚与俗无別失信敬心三遠佛四依非所以行故　具六緣一是
已長衣謂三衣之外財也四分云長衣長如來八指廣四指是也多論云佛指兩廣二
寸准前姬周尺長一尺六寸廣八寸也若長手過減皆不結犯要二俱過　多論云除
不應量者過限捨作吉羅懺故須俱說　十誦七種衣不作淨施三衣受持具而衣
覆瘡衣第七及百一供身具　多論三衣雖不受日過无犯但有缺衣壞威儀二
罪若本說淨今作三衣亦失本淨三衣无長可防故又捨此衣更受餘衣前衣說
淨不者犯長　又比丘乃緣得裂相作三衣則不犯長若一衣三肘五肘外乃長說
淨　問月望衣不制替緣過日犯者答彼中无乃故者堪受持故須作衣相方見
長過上論文指无元三衣者耳以上諸文故須第二是已長（僧祇云以日時識故難知）
是長若張寸緣則无乃罪故三取屬已受三應量之財（僧毛之類體 非衣稱不合）四不說淨五
无因緣謂迦提一月五月等六過十日便犯多論得應量衣說淨者善若不
說至十日充分若不作淨不受持至十一日地色大了時應量者捨作提懺不應量
者同前　善見云一處縛束一罪若不縛束計衣眼明相出隨處得罪
問若染應量所染云何答通應不應如是食貴还不还俱得　問若於是不應
量財而染應量不答大小难殊捨懺義一律結大提論結小吉故皆一染　祇云若
二人共物未分若施僧物分未入手病人囑取物未与若同受戒弟子知識遠衣
未入手若貿衣决價未入手若先織衣未入手雖過十日皆不犯捨墮若施僧衣未分若
雖久不犯若已衣多人共分中有善毗尼人為衆人作淨无犯不作過日犯捨（此是共活 前句不捨）
律中邊方開五事長衣入手十日方犯准此餘方未必手捉始犯　伽論云十日衣何
為犯謂入手若暖上肩上作想是我物作是數過十日明了論乃物眼所及皆非
身至得入手數者如人施衣遠寄但作屬已意過日犯乃至身至得非眼及眼有
至得非等数若与人分許自受擬施三寶乃至非二至得是入手等數　四分中若初日
得衣二日不得乃至十一日通皆不犯如是等類具乃八門通不相染餘无法緣是
犯二者中間淨施三遣与人四者失衣五者故壞（謂風水大漂 隨緣均攝）六作非衣（謂非服用 帽襪之屬）七親
厚意（以非己物故）八若忘去（若忘心迷故或忘財體 意加法並明十日）　律文云若捨墮衣不捨更貿餘衣一尼
薩耆一突吉羅皆以財去畜心深犯論中不尔　多云若先應量捨墮物作
應量不應量衣此衣盡捨作提懺若先不應量捨墮物作前二衣並捨作吉
懺　二若先應量捨墮物更貿得衣財改作二衣此衣不懺之先提罪（衣无染 准此後）若不
應量貿得二衣不捨已入淨故懺先突吉羅　上律結一尼薩耆者謂前衣墮
罪一吉羅者謂不懺輙貿違佛語故律云尼薩耆衣不捨不應与人乃至作三衣
等不犯者十日內若轉淨施若遣与人若賊奪想若失物在謂賊持去雖陸

薩耆一突吉羅若以貯畜之心持行施出不作

應量不應量衣此衣盡捨作提懺若先不應量捨墮物作前二衣並捨作吉

懺 二若先應量捨墮物更貸持衣財已作二衣此衣不懺懺先提罪 准此後衣无染若不

應量貸持二衣不捨已入淨故懺先突吉羅 上律結一尼薩耆者前衣隨

罪一吉羅者謂不懺轉貸違佛語故律云尼薩耆衣不捨不應與人乃至作三衣

等不犯者十日內若轉淨施若遣與人若賊奪想者此物安在謂賊持去難往

多日无心故畜无犯 十誦更得十日開之若作失想至日上解律云奪衣失衣燒

衣漂衣者 謂衣財俱失後還得者 取著者 謂前奪失三衣並有犯長衣以三衣體无以后衣形補斷相續心直職先罪故也

伽論云頗有過十日衣不一夜離宿耶答謂取過十日衣作三衣受出界外明相出

者是也故知得作得故前云犯捨不得三衣者此故有本三衣今此且无衣色罪仍

須懺如善見遺賊得者五大色衣及以僧祇中借借衣受持若律多若施與作披

不犯 是受物不應輕對不合說淨故而未見正明 十誦施僧傍僧及一人旦得受律云若付衣老達行

謂隔身不持說 或水陸道斷若不淨施不與人皆不犯 離三衣宿戒第二 具六緣成

犯一是三衣二加受持三衣人異身四不捨會五无因緣六明相出便犯三衣五衣持波

逸提餘衣突吉羅非謂畜長之衣比乃百一供身服者似令受持遠受故結

長衣淨施乃別人可依知不得過不同昔解 文三衣是制通上中下遠故得重

衣助身開於中品遠受故輕長財下類別施他人自此非聽全故无犯餘如戒本疏

三受衣方法及以作衣等法並如下卷衣法中 三衣異人身四分他部相戒乃

四取染隔情界也上之三身通界並須知若論界身彼比不通故文云失衣者僧

伽藍裏乃至若干界 謂上三身在伽藍院內故衣則乃多界 不失衣者僧伽藍裏有一界 謂无上三身也 初

明染身者律云比丘脫衣在俗人受形露似令除村之乃五義謂誹謗生疑為

誹梵行等路比女人與比丘同受性相乖許多致譏過佐不許同室同行同住

並生染故若取衣持恐壞梵行乃與同受衣須隨身 二者隔身律云若不離

道斷惡難等離衣開无有過 僧祇寺門外不得户鑰无十二桄梯身名離

衣三者情身律云若奪想失想若賊惡獸命梵等緣 僧祇无弟子齋之

處多論王來界內大小行處近王左右並非衣界及以作紗作樂人等入界並

如王法以情隔故妨於來往故名失衣四者身界乃兩種自然作法上之三身入比

二界通界失衣並非衣界若无三身二界各別通得護衣 五分云若作法衣界

及自然衣界比丘於中不得自在往返是名别界及上同界若論作法下卷明之今

明自然有十五界 四分有十一種一僧伽藍界二者村界若有四種謂周匝垣墻柵

籬之墻不周四周有屋也此等諸相不周伽藍相壞樹車等界蘭若故云若干

界此以是別界不名僧村二兩今言若干界者乃上三身乎生來往譏嫌故失衣也

僧祇五分中同界者僧羯磨作不失衣界於中得自在往返異界者不得自在往

BD00801 號　四分律刪繁補闕行事鈔中卷之上　（47–32）

及自然衣界比丘於中不得自在往返是名别界及上同界若論作法下卷明之今

明自然有十五界 四分有十一種一僧伽藍界二者村界若有四種謂周匝垣墻柵

籬之墻不周四周有屋也此等諸相不周伽藍相壞樹車等界蘭若故云若干

界此以是別界不名僧村二兩今言若干界者乃上三身乎生來往譏嫌故失衣也

僧祇五分中同界者僧羯磨作不失衣界於中得自在往返異界者不得自在往

及是也乃至屋舍尼寺聚落重屋車乘場露地行道界亦尒 三樹界者與人

等足蔭覆跏趺坐 如此樹相以上乃有衣界可護 此但明其小相十誦不相接樹取日正中時蔭

影覆處若雨墮時水不及處置衣在此樹身在餘處若不取衣等皆犯若把

接樹乃至一拘盧舍者隨所著衣无犯 善見日正中時影覆處同上若樹枝

偏長衣在蔭頭人在樹根並不失衣林界者衣在林中當肘中不失衣比林乃人

來往无衣界應隨身不隨者失上十誦林界一拘盧者謂是大林无難比言十

四肘者謂四樹相連勢非廣及波衣界狹小也僧祇蒲桃萬伽一切瓜蔡等架

各四相取廿五肘名衣界 明了論解若衣樹下身在上者失衣若衣在上身在

樓樹下不失以上得落下故 四場界者律云於中治五穀處也謂村外空靜處

五車界六船界並俱在陸地律云若車船迴轉處比但明住車 十誦行車者

前車向中車杖所及處中車向前後車杖所及處後車向中車杖所及處若不及者

是名異界僧祇載船水中乃多住處若自在往反不會无犯反上取犯 七舍界

四无相此謂村外別舍若據村界相設當處說僧祇若樓閣梯陛道外廿五肘名

衣界若著衣在閣上下宿乃至梯通无犯准四分庫倉界據明内為言兩无住得

對上舍界因解聚落四分云村界 善見无市名村乃市名聚落 薩婆多

論四句相對一是聚落非家界如一聚落若乃至一家二是家非聚如一大聚落更

無異聚而乃多家三乃具二界聚落乃至二名多家是四俱非者名蘭若界也

聚落者十誦多論人民等住名聚落界言别界者雞飛不及糞掃外箭射

及外名為異界言同界者四邊聚落若有一家若乃至車梯迴轉相及得登出

入身在梯根下卧置衣在四聚落不失衣以梯梁相接无隔身故 聚落正乃至一家

衣在家内車梯上下卧不失衣 以无別家可對故 若自然界内箭射及處並明相出不失衣

若衣在外身在家中亦尒 若衆多家衣在家内身在梯車失衣以家界各別故

家乃之一界別之界之者父母兄弟兒子若異食異業雖同一處事若不同是名

樓界若同舍業名一家界樓並乃至一界別界乃至住反是名一界別界未若作

食處取處便利處是若在二處皆失衣僧祇四聚相接衣枕頭卧頭及手腳

各在一界衣在頭底明相出衣離頭犯捨若手腳至衣所不犯 十多云若安衣二

中在二界上卧不失衣若乃身分故 十誦舍界者若外道舍門屋下食堂中庭廁

處衣在一外道舍身在餘舍者失衣若同見同論不犯若諸獻及人進行営交

（47–33）

BD00801 號　四分律刪繁補闕行事鈔中卷之上

[illegible]
家有一界別，別界者，父母兄弟兒子若異食異業，雖同一處，事各不同，是名
族界。若同食業，名一家界。族界亦有一界別界。若有住處，是名一界。別界者，若作
食處取大小便利處，是為在二處，皆失衣。僧祇四聚村，枕衣枕頭臥，頭及手腳
各在一界，衣在頭底，明相出衣離頭，犯捨。若手腳至衣所，不犯。　十多云：若安衣二
中，在二界上臥，不失衣，為有身分故。　十一誦舍界者，若外道舍門屋下食堂中庭前
處衣在一外道舍，身在餘舍者，失衣。若同見同論不犯。若諸戲人遊行營處
如前取水處等，失衣。若同屬一主，不犯。（此謂情異）多論重舍屬一主人，衣身上下重，不失
若是異主，衣人上下中間不通故，失。並四分文，理須通允。　八雲界者，律云：多敞露
无庫界者，積藏諸車乘販賣物。（謂迴遠空野无別）　十倉界者，儲積穀米。多十一蘭若界，律
云蘭若者无界。（諸界假樹量大小）　八樹中間一樹間七弓，弓長四肘，通計五十八步
四尺八寸，兼其勢分七十二步餘。　次明不足者取外部成用　十二道行界者　十誦比丘與
師持衣道中行，前後卌九弓內不失。　僧祇道中臥，持三衣枕頭，明相出中衣離者，犯准
應身在樹界內為也。　善見若使沙彌俗人持衣前入界，比丘後入，不知謂言界外明相
出，謂失不失衣，依心為準。律云：失想界外，為言若弟子夏未滿，為師持衣值人說法
貪聞，故明出不犯離。師和上得離衣罪明了論，不便等所遍事由他加行雖所作，憶應
比載持車戒中律說解云：大小便病怖畏，雖通夜出界，未得還而曉，亦不失衣。又二
人共宿，三衣同置一處，一人急事須夜行，不持白衣，誤持住人衣去至曉，行人失衣
由行人誤取，故失。不由住人，故不失衣。行人意賊，故言加行，猶比住人，是雖佛許此
雖不失衣　　十三洲界者，善見云：十四肘內不失衣。若有人來往，衣不隨身者
失。　十四水界見云：蘭若處坐禪，天欲曉患睡，脫衣置岸，入池洗浴，明相出犯捨
毗尼母云：着衣岸上，入一肘水中者不犯失衣。　僧祇水中道行界者，廿五肘。若船
上者入水犯捨。　十五井界，僧祇道行露地井，蘭傍宿，置衣在廿五肘內，身在外者
失衣。在井中，應繩連至手，繩井中得會衣與井上界別也。以此例餘坑窖窨等
此十五種自然界大小如上。若准四分加於勢分。文云：僧伽藍界者，在伽藍邊中人
若用壚石擲所及處，是名界，乃至庫藏界亦如是。諸部並无勢分。善見中无也
彼乃擲石之人文別為餘事。彼文云：中人擲石者，不健不羸人盡力擲。並蕃又不取持
處諸師評之十三步也。淺量十五目然。通着唯不通法界，必須入界方乃會衣。僧祇云
比丘乃緣出地受留宿，彼乃比丘及尼衣乃長者，應傳受持。无者俗人乃披，應傳取作淨
安細然後受持。又无衣者，後夜當疾還寺。莫踰城出到寺門未開（律无勢分以此為自然界　以門屋梁連界內故彼）
（不同四分　應知）若无者，內手着門孔中，水漬中先以物攪，勿令觸毒蟲。又无比孔，應踰牆入，勿
令人疑。若不得入，當捨衣，寧善衣犯小罪，以輕易重故。若准此言，必界內及上三事不得
外施必失持衣，故文云：若在餘處宿，明相未出，若至擲石所及處（謂界內无三事）若手捉衣
（謂界內而有染情異）若捨衣（謂界內隔寺等及界外事）若不作如上三事，明相出，隨所離衣犯捨。上十五自

BD00801 號　四分律刪繁補闕行事鈔中卷之上　（47–34）

安細然後受持。又无衣者，後夜當疾還寺。莫踰城出到寺門未開（律无勢分以此為自然界　以門屋梁連界內故彼）
（不同四分　應知）若无者，內手着門孔中，水漬中先以物攪，勿令觸毒蟲。又无比孔，應踰牆入，勿
令人疑。若不得入，當捨衣，寧善衣犯小罪，以輕易重故。若准此言，必界內及上三事不得
外施必失持衣，故文云：若在餘處宿，明相未出，若至擲石所及處（謂界內无三事）若手捉衣
（謂界內而有染情異）若捨衣（謂界內隔寺等及界外事）若不作如上三事，明相出，隨所離衣犯捨。上十五自
然衣界各別，不通故。乃別名。律云：此伽藍界非彼伽藍，乃至樹東庫藏一一亦爾
而僧村二界，指奴我舞雖乃樹，舍沒名不顯，諸界相望不論經務。故樹下乃車
別有車界，車外乃樹，亦乃樹界，无別勢分。乃樹等界，使於樹界，僧界中分勢
分如此，例餘准知。若堂庫乃車船，亦從堂庫之界。律云：庫者，積藏諸乘也
由彼堂庫四面取捨本障是強，不同樹車場等，无外可指。故如淨地，不周通皆
置食不犯。類餘諸界，相來是指他，若手錯於各別乃界，如戒本疏中。　第三无
因緣乃因緣，汎列七種。一別人作法，或貪或恚心念（非謂作法用　離以捨易至）二對僧作法離乃二
初有緣允得。四分云：老病比丘（卅已去名為老）三衣重大，糞掃衣法，如疏說。二者共作迦
絺那衣。三者對處作法離，此不失衣界。四蘭若恐怖離。五王路隔塞，命梵等難。
六迦提賞勞離。七如五分僧塔諸緣及他要事，聽六夜離，无罪。若說事不及者，置
就七中更分。前三得法離，後三无法離。第七若通乃无六夜，送入村无法離，恐失还
捨是乃法離。　得罪分別　第二第四第五六七，向无罪，以乃緣故。五中隔塞，或恐
斷故失衣，不失如後說。　就第三指衣界中无三得故，用通往反。若乃三得，不免失衣
第二對僧作法乃緣時在，不失，限滿便失得罪。餘一一准思。知而會通律，不犯中
奪失燒漂壞五處者（衣奪燒在忘起想心淫宿失多人无罪更心謂失乃是捨心无情過故　不犯捨也善見不失者師主疑心惡在界外此謂失體不同論云衣不失是也）
若水陸道斷，若賊惡獸命梵等難，若不捨衣，不犯。比是精屬，兩得失受，无罪。若先
暘不捨，後雖緣失衣犯捨。若該難，恐生往會不得，恒懷領受，必不失。法由雖恐生
非情過故，離亦无罪。如受欲事，界內乃雖持出界外，四還來不失。此亦同之。前言失
受事隔不知而往，明相失受无罪。若女人來往，染身進退比二得可知。又有不立染身
心是據指者，比宗通諸部。問：忘不持衣外出行，夜方覺取會，无緣失不？答：彼人
恒自將隨身，忽忘事同老衣，例之上且解。如是亦盡極多。唐如戒本含註疏受
刪補羯磨疏中明之。　月望衣戒三　此戒是但三衣者得十財，為據故衣不足
故佛開一月過限而畜，故制畜長，比丘得此既淨，不須此戒。　六緣成犯：一故壞三衣
二財少不足三，為擬三衣，擬替故，畜四不說淨作二衣，五无因緣（月長衣也），六過限犯
此戒三位：初十日常開；若十一日至廿九日，得者隨日作，或不得受用至卅日，若得不
得，若同不同，一同限之。　僧祇云：十日內作之，衣時餘人扣助浣染牽裁，剌長剌短，更
染作淨，已受持。若恐不貴，擬行總竟受持，後更細剌比待細綫，綵裁割比免長
過。若三俱故，並少不同，皆開一月。若大衣同足，限滿者下二衣財少，不足者亦染犯

BD00801 號　四分律刪繁補闕行事鈔中卷之上　（47–35）

故佛開一月過限而畜故制畜長比丘得衣說淨不須此戒 六緣成犯一是壞三衣
二財少不足三為擬三衣替故者四不說淨作三衣五无因緣（因長衣也）六過限犯
此戒三位初十日常開為十一日至廿九日得者隨日作成亦得受用至卅日為得不
得為同亦同一月限之 僧祇云十日內作之衣時餘人不助浣染擣裁剌長剌短縫
緣作淨已受持為恐不實犯行纔竟受持後更回剌此律但綫綴裁割以免長
過為三俱故並少不同皆開一月為大衣同是限滿者下二衣財少不足者亦染犯
長由乃故壞三衣非正替故所以又云隨衣多少盡捨也餘同長衣開也 取非親尼衣戒四
具五緣一是比丘尼簡下二眾取得吉羅二非親里律云親里者父母親里七世有
親也 善見父親者叔伯兄弟孫母親者舅姨乃至兒孫皆謂同氣義親
不離異性又云出家婦者非親里也叔伯之婦例同 十誦云為是親里而尚持
與何況不足而取 五分為親里尼犯戒取衣者吉羅 三應量衣律中五衣中取
一衣故為犯緣 僧祇為取盋及餘小小物得无犯四虛心送與除乞得无犯
僧祇尼借比丘衣得著破還无犯之為尼與下二眾及俗人衣云汝持此衣與某比
丘可得福德取者无犯 五取受已 伽論尼敬衣置地竒大德隨意用便捨
去比丘作同意无犯 僧祇使人受同犯 十誦多論十僧取尼一衣十僧皆隨尼
衣持一衣與一僧得十墮 十誦為尼先為說法故與一切无犯 五分諸尼以衣鉢
施比丘為先无心求彼自布施者當觀及長者得取准此犯戒止在貪心制
戒之意可見 四分並云佛告尼言當畜五衣堅者餘衣隨意淨施為與人既云
與人財何開於道俗律不犯中為從親里比丘尼邊取衣（准律七世父母為親里且欲親有七世不同一高祖二
曾祖三祖四父五己身六兒七孫是也）若貿易為佛圖及僧取者皆不犯 使非親尼浣故衣戒五
浣染打之雲是戒同由一衣生此戒業重律云若使浣染打者作者三尼薩耆波
逸提五緣成一是比丘尼為是下二眾律結小罪二非親里善見令出家婦浣染亦犯為
使尼授水竟指揩火一切吉羅 五分令非親尼浣而親里浣如是三事作五句皆墮
僧祇為使尼為師浣者吉羅令或及人畜尼弟子多令浣縫以非慈親皆犯捨墮然
悞子弟回更致染遂犯重罪深須慎之三是己故衣律云乃至一經身著者僧祇云
乃至一枕頭 善見為草稈囊无犯 伽中乃至尼師壇亦犯捨墮 四自使浣打
僧祇自與使與等四句皆犯 若使親尼浣而弟子為浣不犯為云遣汝弟子為我
浣者犯 若著垢膩衣入尼寺為浣者不犯為先有方便心者犯捨 十誦為犯捨衣
與浣犯小罪准此无重犯一衣无過及重犯 僧祇為屠車馬濟汙使尼浣亦犯捨不可
養故全捨 五浣染打竟便犯 四分使浣打新衣及使尼家二眾俱吉羅 善見云為浣
竟比丘言未淨重使尼浣比尼並薩耆吉羅 不犯中律云為病佛法僧為借他衣
而尼染等不犯 從非親俗人乞衣戒六 多論制不聽乞有四益一令佛法增
尚故二為止諍訟故三為滅前人不善心故四為令眾生於正中生信樂故 五百問
論昔有比丘多乞積聚不肯為福又不行道命終作一肉駱駝山居數十里時世

與浣犯小罪准此无重犯一衣无過及重犯 僧祇為屠車馬濟汙使尼浣亦犯捨不可
養故全捨 五浣染打竟便犯 四分使浣打新衣及使尼家二眾俱吉羅 善見云為浣
竟比丘言未淨重使尼浣比尼並薩耆吉羅 不犯中律云為病佛法僧為借他衣
而尼染等不犯 從非親俗人乞衣戒六 多論制不聽乞有四益一令佛法增
尚故二為止諍訟故三為滅前人不善心故四為令眾生於正中生信樂故 五百問
論昔有比丘多乞積聚不肯為福又不行道命終作一肉駱駝山居數十里時世
飢餓一國之人日日取食隨割隨生及一他國人來便斫取便大喚動地人問其故
便言吾本是道人為貪財不施質此國人物以肉償之我不負卿物是故喚耳
佛告比丘貪為大患捨之則應比丘之法 又云為與比丘物云是好非好為索好
言好得物犯隨不好言好犯棄為實之比丘中前得將白衣沙彌入市乞錢中後不
合（應是元戒沙彌）具六緣成一三衣具足（縱不具者須乞取衣為乞五眾律結吉羅）二无因緣謂奪失三衣非
謂迦提月中開從他乞必是无少衣不濟冬隨量乞衣不得盈賸三非親里
五分多論從親里乞好衣為貿遺為與少一切吉羅 四為己乞應量衣十誦僧
祇乞得四肘以上犯為自乞使人乞作寒暑相為為方便說法是等得者皆捨除乞
漉水囊小小補衣物襞頭物裹瘡衣縫中縧裹腳躡膝拭手面身巾等皆得為
乞是物時施主施全衣財者得取本及方便心但索小者或容得大者犯捨 五被
與六領受犯 四分為被賊奪衣裸形者佛言當以軟草樹葉覆形往寺邊為
取長衣為知友邊取為无者僧中問取可分衣為无者問取僧衣卧具為不與者
自開庫看為摩敷褥被褥解取裁作衣出外乞衣為得已應還浣染縫治安
着本處為不還本處如法治 十誦本處空隨著近處餘如雜法中律不犯中為奪
失三衣從非親里乞 五分開衣壞時乞通前五緣 律又云或為他乞他為己乞或不
求而得為從親里乞為同出家人乞者一切不犯 五分非法求施施非法求二俱犯罪
過分取衣戒七 五緣一比丘失奪三衣二非親居士為失奪故施為不為失隨受无罪
四比丘知彼為失故施五過知足律云為失一衣不應取為失二衣餘及一衣重數為二
重三重四重應摘作為僧伽梨乃至安陀會 善見云為都失者取上下二衣
餘一衣別更乞 四分為自恣多與衣者為衣細為薄為不牢應取作二三四重當
安緣肩上應揲垢膩處應安鉤紐為及餘殘語居士言此餘殘衣作何等為
彼言我不以失衣故與我當自與 大德可為彼歡受便取 前戒為他不犯此戒
為為他乞受犯 勸增衣價戒第八 論犯六緣成一非親俗人虛心辦價二施期
限三知限施四嫌少勸增五彼為增價六領受便犯 四分中為居士施衣嫌少更求
乃至增一錢十六分之一分為增價乃至一綫也 十誦及勸增色量價三捨墮 律不
犯中先受自恣而往求知足於求中減少作為從親里乞出家人求己為他他為己
不求自得不犯餘如疏中 勸二家增價戒第九 制緣同前唯勸合二家為異

[illegible]
限三知限施四嫌少勸增五彼為增價六領受便犯　四分中為居士施衣嫌少求
乃至增一錢十六分之一分若增縷乃至一綫也　十誦乃至勸增色益價三捨墮　律不
犯中先受自恣而往求知足於求中減少作若從親里求出家人求已為他為己
不求自得不犯餘如疏中　勸二家增價戒第九　制緣同前唯勸合二家為異
五分乃至勸夫婦合作一衣五捨墮　祇中知足者若為白油者名我是練若頭陀林中
住索不如者慚者皆犯捨（以口自述德）　過限切索衣價戒十　五緣成犯一施主送價二為
貿衣用三付人轉貿四過合索〻五得入手便犯　律不犯者若遣使言主知若彼言不
須以衣布施是比丘應以時欲語方便索衣若為作波利迦羅故与以時欲語方便
索得者不犯　乞蠶綿作袈裟戒十一　多論四意一為止誹謗故二長信敬故三
為行道得安樂故四不害眾生命故　四分因比丘乞養蠶家乞未成綿已成綿
卧具便待看暴繭作聲因呵制之　若純作若雜以毳劫貝若麻及餘縷雜作成
者若行斧細擣斬和泥塗壁及塔　多論中憍奢耶者此是綿名如秦地養蠶法
若乞繭乞綿乞縷乞織布成衣者隨言卧具者是三衣也（此三衣總名卧具猶如此方被之相投取通名）外國作
衣凡有二種一細擣布貯如作褥法二綿作縷織成衣也五得作三衣受持以乞得故
故作成捨墮　善見云乃至雜一毛便犯憍奢耶者蠶口初出名也　僧祇
云細擣經緯穿雜者一切捨墮受用得越　央掘經續綿皮物若展轉來離殺者手施
持戒人不應受者是比丘法若受者悲不破戒　涅槃中皮革履屣憍奢耶衣如是衣
服悉皆不畜是正法律令有一方釋眾皆著又布者豈不順教　五分云蠶家施綿
受已施僧不得自入　以此諸部指對故知南山意蠶野蠶尚犯何況家蠶雜然尚犯何
況純作多為人乞兜而作三衣此合斷捨不合受持者〻皆得罪如律明宗如諸律所明
不得往屠家乞肉血及往蘇乳家乞乳並犯故多論為元蠶家乞繭自作綿元罪
為貴故乃至若吉羅若乞成綿貯衣不犯若互懷者作敷具元犯作不應量衣一切
敷具吉羅　律中自作教他作成者犯隨不成吉羅若為他作一切吉羅不犯者若
得已成者斧斬和泥塗壁擣　黑毛卧具戒十二　此四卧具並是三衣總号晉
人畏之云今不決僧祇指僧伽梨乃至坐具等　四緣成犯一純黑毛二作敷具三為己四
成犯　律中自作教他同犯隨如上不犯者若得已成者若截割壞（无作）撚副若細薄疊
作兩重（无患浪得）若作褥若作小方坐具若作卧氈若襯鉢囊若剃刀囊若作帽若作襪若作
攝熱巾若作裹革屣巾一切不犯　白毛三衣戒十三　因緣同前但制純白作遠教故犯五
緣成〻三毛參作一〻敷作三衣卧具三為己四増好惡減下至一兩五作成便犯
減六年作三衣戒十四　六緣成一是故卧具二減六年三不捨故者与人三僧不聽許四更
作新者五為己六作成便犯　僧祇以老病持杖僧伽梨未滿六年不得更作若身不
羸瘦顏色不惡白羯磨眾一〻不成四分不犯者僧白二聽及滿六年若減六年捨

BD00801號　四分律刪繁補闕行事鈔中卷之上　（47–38）

緣成〻三毛參作一〻敷作三衣卧具三為己四増好惡減下至一兩五作成便犯
減六年作三衣戒十四　六緣成一是故卧具二減六年三不捨故者与人三僧不聽許四更
作新者五為己六作成便犯　僧祇以老病持杖僧伽梨未滿六年不得更作若身不
羸瘦顏色不惡白羯磨眾一〻不成四分不犯者僧白二聽及滿六年若減六年捨
更作新若得已成者若已死若他与作一切得　不揲坐具戒十五　五緣一先有故坐
具二更作新者三為己四无心故者揲五作成便犯　此与後九十中者初對四句一作新
如量不揲犯此戒二作故過量犯彼三俱句准知　律中造新坐具時若故者未壞未
乃穿孔當取浣染治牽挽令舒裁割取修方一揲手揲新者上若邊若中央
以壞色故但言須揲不言捐布隨十種衣通得　僧祇捐作方一揲手取故捐時不得
从少剛犯戒者无問者住壞房不治者惡名入斷見人遠離二師者不喜諮問人不
分別魔事入不應那〻副及上下无邪出出欽甲穿壞出藏著時令方圓得
正　多云若无長者挹五應用　善云凡故者下至一經坐不須揲　律不犯
中截取故者揲若被自无得出處更作新者（如上律論 此有得處若他為作）若得已成
者若純故者作不犯　持羊毛過限戒十六　四緣一是好毛除賤故律名頭頂是
毛不犯　僧祇持驢毛犛毛豬毛越成器不犯　五分駱用駝毛貯褥二是已物三
自持僧祇二人共有各持再九由旬皆犯者俱犯（四）四分云若道行得羊毛乘
須者應取自持至三由旬當令人持乃至依處中間不得授助若持吉羅令反四
眾五吉若持餘衣若麻若縷皆吉若擔餘物杖頭及吉若擔毳施羅龍及餘數毛乃
作帽巾等不犯　使非親尼浣染毛戒十七　制意犯緣用浣衣戒文多論云為修
上佛法故制若諸尼眾執作浣染癈修正業則无威儀破僧尚法又正恶法次第
因緣故令清淨故餘如疏中　畜錢寶戒十八　多論云佛制此有三益一為息誹
謗故二為滅鬪爭故三為成聖種節儉行故　要是八不淨財且因斯前四門一列數顯
過二明制不同三結罪輕重四受負多罪少罪　初中列數者一田宅園林二種殖生種
三貯積穀帛四畜養人僕五養繫禽獸六錢寶貴物七褥釜鑊八象金飾林
及諸重物此之八名經論及律賊列通數顯過不應相承次此如上具述不出佛經二明
過者諸戒不對俗制唯此對之令道俗通□凡畜捉者知非佛子故律經中皆言沙
門四惡即此戒是若乃畜者非我子五分云是惡是不信我之法律由此八種皆長貪壞
道退得梵行乃得穢果故名不淨也餘如疏解中　二明制畜者經中蔡如後所
明律中在事小扶意狹故多開畜来二不淨中田是不淨妨道別人不開一口小房於資
道要依上開畜　毗尼母云畢陵伽為國人所重施一小寺置網車犢牛驢畜
僧房所須開受　僧祇中為僧故得受　善見居士施田地別人不得用為供養僧者
得受　多論慳越欲作大房舍應開解示語令不作順於欲法若為眾多人故作
者不應遠意　五分為人施僧田宅店肆受使淨人知之　善見若人以池施僧供給

BD00801號　四分律刪繁補闕行事鈔中卷之上　（47–39）

明律中在事不撲意積故多開畜來一不淨中田是不淨妨道別人不開一口小房乃資
道要依上開畜　毗尼母云畢陵伽為國人所重施一小寺覆網車轝駝驢等畜
僧房所須開受　僧祇中為僧故得受　善見居士施田地別人不得用為供養僧者
得受　多論僧越欲作大房舍應開解亦語令不作順其欲法為為容多人故作
者不應遠意　五分為人施僧田宅店肆受使淨人知之　善見為人所施僧供給
流灌及一切衆生飲用者隨意得受　二種殖根栽為如僧祇為僧營理者得別
人不開乃行家法中自種教他一切不合除供養佛法僧餘如難法中說　三貯積穀
帛僧云檢開卅六石出善生經余自披撿真偽二本並無舉世夢傳　涅槃云
聲聞僧者無有積聚所謂奴婢僕使象藏穀米鹽豉胡麻大小諸豆及自手
作食自磨自舂種種非法故為有說言如來聽畜非法之物者則卷縮　僧祇
云為比丘衆穀時作念此沒時貴今余此穀我當依是得誦經坐禪行道
而不言多少准酌一夏之糧並隨時樹其豐儉壇則唯前穀量形盡藥中加法
亦得律中比丘道行得大麥小麥斑豆粳米佛開受之安置囊襆內藏之應令淨
施故多中除比丘得道路糧開受淨人賚舉後恭其乃說淨方法　四畜僮僕播
一云長者持女施佛佛不受為受者犯生重罪因說欲過罪刹女等事　僧祇為
人云施僧奴為施人為施園人婦一切不應受若言施供給僧男淨人聽受若施
別人不得若施淨人為料理僧故別人得受若施尼僧乃至別人反前唯言女淨人
為異令諸加益多畜女人或賣買奴婢者其中纖難熟可言哉豈唯自沉房
王與使人三反不受云為於盡壽持五戒奉齋姓後受之十誦守於園寺乃五百
人王舍城中也乃十種施無福謂施女人戲具畫郁女和合像四酒五非法語六器
仗七大刀八毒藥九惡牛十教他作如是施　五畜之生律中比丘畜貓子狗子乃
至衆鳥並不得畜僧祇為人施僧一切衆生並不應受衆生者馬驢猪羊麞
鹿如是一切自餘野禽獸等若見比丘不受云我當殺之應語令汝自施水草守
護勿令傷害不得鬬翅籠繫為死飛行自活者放生莫拘之善見為施牛羊
不得受為云施乳酪等五味得受餘一切畜生亦爾涅槃經中比丘之法不得受畜
生口等　伽論為塔故受駱馬驢令乃施佛法家畜生而知事乃賣者並不合聖
教　十輪為施四方僧物田宅淨人不与持戒受与破戒自迷受用并与白衣同共食敢
因此刹利居士皆入阿鼻　日藏分云於我法中假令如法始從一人乃至四人不聽受田
宅園林馬車奴婢等常住僧物為滿五人乃得受之大集亦同　四分乘之戒開是病
得乘男乘女乘尼騎如應病法僧祇船車牛馬等乘無病不合唯因水中船行
者得六畜錢寶為無作自畜之意不合為撥淨施与他依律受用　僧祇十誦善
見云為病人得者令淨人畜為貧樂故為多人与樂價直得置拜褥床眼闍求時

BD00801號　四分律刪繁補闕行事鈔中卷之上

（47–40）

宅園林馬車奴婢等常住僧物為滿五人乃得受之大集亦同　四分乘之戒開是病
得乘男乘女乘尼騎如應病法僧祇船車牛馬等乘無病不合唯因水中船行
者得六畜錢寶為無作自畜之意不合為撥淨施与他依律受用　僧祇十誦善
見云為病人得者令淨人畜為貧樂故為多人与樂價直得置拜褥床眼闍求時
手觸甚至不犯又云未制大人施僧布薩錢佛言聽受准義付他又居士持金銀与僧
作寺食堂園田比丘不得受犯吉羅應付淨人口得處分為施作飲食衣藥臥具
亦不自受為受後得衣服用得吉羅應付淨人　雜含云自今已後須木直索木
乃至須人工等直索之慎勿受取金寶財　四分人解律為為作屋故求材木
竹草樹皮得受不應自為身受　義又不了引後自明　餘如正解七聚畜重物　毗尼母別人聽
受鞋鍱木林唯除金寶為寶為錦綺茹他施是錢者十誦開受　比尼母四分云氍
氀等他施聽受及二肘長五肘淨施畜為鐵瓦缽等銅瓮銅椀等器別人得受
八者佛不開者善見云不得捉一切穀除米　若施田宅之僧應行壞不得賣施樂
器者不得捉賣得　增一云為得金寶施既顧已還反施之　涅槃云為有人言如
來憐愍一切衆生善知時宜說輕為重說重為輕觀知我等弟子有人
供給所須无乏如是之人佛則不聽受畜一切八不淨若諸弟子无人供須時世飢饉飲
食難得為欲護持建立正法我聽弟子受畜奴婢金銀車乘田宅穀米
賣易所須雖聽受畜如是等物要須淨施篤信檀越如是四法所應依止我為
肉眼諸衆生說是四依終不為惹眼者說為乃至三藏及上說者亦不應依又說八不
淨財七餘處又皆極毀破不合畜服又云為優婆塞知比比丘破戒受畜八法不應
給施又不應以袈裟因緣恭敬禮拜為共僧事死墮地獄十輪涅說故不知持犯者
並須恭敬　又涅槃經窮極教不開亦得以護法故小小非要　三明畜罪輕重八中六
七金錢錦褥得捨以遠淨施故餘則吉羅畜者五步　四受貿輕重為以此八貿衣
犯捨以衣得寶錦氍立捨為得條六並得吉羅為以衣寶易得值貿條六種
吉羅六自相貿皆吉得衣寶者皆從此謂与俗人增減与五衆得不犯多論為說
淨錢寶後貿衣時作三衣盋器入百一物數不須說淨已外須說為犯罪者悔於僧
中已用錢寶貿衣時物及百一物者不須捨之入淨故已外成衣一切說淨无罪也
解今戒　此是畜寶戒九十是捉寶戒文之手捉別時意也　四具緣一是錢寶二
知是三為己四受取便犯　是之一戒人惡者多但內无高節外成鄙穢不思聖誠嚴極
唯從无始貪癡故律云非我弟子准此失戒矣又文云佛告大臣為見沙門釋子
以我為師而受金銀錢寶則決定知非沙門釋子又雜含云為為沙門釋子自受
畜者當知五欲功德悉應清淨又增一云梵志書述為是如來者不受寶故明
多文證成非濫佛世尊敢增尚弟子令棄鄙業遠超三界近為世範今乃反自墮陷
自畜自收剝喪之甚實為佛法之塵雲又自妨陳安非法律云但无貪豈乃邪矣

（47–41）

BD00801號　四分律刪繁補闕行事鈔中卷之上

知是三為巳四受取便犯吉之戒人患者多但内无高岳外成鄙穢不恩聖誡殷薤
唯從无始貪癡故律云非我弟子准此失戒矣又文云佛告大臣若見沙門釋子
以我我為師而受金銀錢寶則決定知非沙門釋子又雜含云若為沙門釋子自受
畜者當知五欲功德悉應清淨又增一云梵志書述若是如來者不受不畜之故明引
多文證成非濫佛世尊欲增尚弟子今集鄙業遠超三界近為世範今乃反自墜陷
自畜自捉觀比重之高便作佛法之煙雲反自矜陳妄排法律云但无貪豈有罪失
出此言者望自矜持不恩位是下凡輕於大聖一分之利尚討不及往士高逸仍畏蠅
蜋柢輸之智不殊飛蛾赴火之比豈唯畜捉長貪方生重盜之始故略述誡勸凡
智者臨境深思涅槃云若於遠離八毒蛇法是名清淨聖衆福田應為人天供養
清淨果報非肉眼所能分別又云祇洹比丘不為与受金銀者共住說戒自恣一河飲
水利養之物悉不共之若有共僧事者命終墮大地獄智論云出家菩薩守護
戒故不畜財物以戒之功德勝於布施 又蓮攝第十一卷下文菩薩持息世譏嫌戒与性
重无別后有明文息世譏者以白四羯磨所得誡文如彼恒須細讀四分錢者有八種金
銀等上有文像 僧祇生色似色皆捉生色者金似色者銀(似猶像也)錢者隨國用一切得
捉之得提應僧中悔 多云七寶者金銀摩尼真珠珊瑚車璖馬瑙當取犯捨墮
與自手取如法說淨者不犯若似寶銅鐵虎珀水精琉璃珠瑜石等以五種取為畜
修者吉羅不應自取如法說淨得若捉金薄金像藏舉自他寶並隨不犯吉戒若
似寶入百一物數不須作淨皆得畜百一之外皆是長物若不入百一數如前說淨
僧祇云不淨物者金銀錢不得觸故餘寶得觸故名淨不得著故名不淨物若
不淨者自捉使人一切皆提若相成就國土不用得越若凡得錢及安居衣直不得
手取使淨人知无者指腳邊地語令之是中知著地已自用葉塼凡等遮擲覆上
後將淨人令知持去不可信者令在前行若可信者任意貴舉 四分吉可信人來已
云此是我所不應汝當知之若彼人取還与比丘者當為彼人物故受勅淨人賞之
若彼為比丘貿衣鉢等應持貿易受持之若彼憂婆塞取已与比丘淨衣鉢
應取持之若不語彼人知是看是寶吉羅 僧祇若知佛僧事者有錢寶欲舉
賞若生地使淨人知處死生使比丘掘若淨人不可信者裏眼三旋竹後知地已
内錢坑中若斂落者得已博凡擲入如是作已如前裏眼使去後欲須時如前方法
至錢寶之處淨人不可信者還裏眼三旋將來取之 若施主作金鋺令比丘受
用為得福者當持食來時舒手示器應言受之三已食之不得觸器四邊讀
歎手捉此是後九十中 多論五種受一以手受二以衣取三以器取四言着是中五
若言与是淨人皆犯捨下三衆亦不得畜之得吉羅 僧祇若身者一切身分乃
至手腳等若身和合者謂繫三衣紐乃至盔盂中皆捨墮 多論五種長
一長寶二似寶三若衣衣財應量以上四一切不應量衣及衣財五一切穀米並寶稻

BD00801 號　四分律刪繁補闕行事鈔中卷之上　（47–42）

歎手捉此是後九十中 多論五種受一以手受二以衣取三以器取四言着是中五
若言与是淨人皆犯捨下三衆亦不得畜之得吉羅 僧祇若身者一切身分乃
至手腳等若身和合者謂繫三衣紐乃至盔盂中皆捨墮 多論五種長
一長寶二似寶三若衣衣財應量以上四一切不應量衣及衣財五一切穀米並寶稻
与同意淨人衆僧中悔若錢寶比丘不得畜若僧中次行者說淨餘似寶之及百
一物數一切捨与同心淨人衆作吉悔 錢寶說淨有二若白衣持來施与比丘比丘言此
不淨物我不應畜若淨當受ㄅ當說淨三者淨人言見淨物畜ㄅ當說淨若
彼此不語取得捨墮若捨与白衣不得与沙彌 僧祇云目連得身頭沙彌往阿耨
池取金砂獲安佛澡灌下乃至老比丘得沙彌還本村眷屬以道行元食以錢繫衣
内在道並為非人五遶之主盆之罵言此不吉利各之事白便俱令棄之非人並為作札
右遶而過此猶可治故逆並責 如池神識稍餘有未懺必遭鬪戒同類種之備
律不犯中用緣如上若彼人不肯与衣者餘比丘當語言佛有教為淨故与應還
他物若又有与自往語言佛教比丘作淨与汝不還我者此物應与僧塔和上知識及
本主施不欲令失彼信施故 貿寶戒十九 多云此以說淨寶得易与他求利當与
他時得捨墮此与貿衣五種不同如戒疏說 律中以財物易錢寶故犯但元衣食為
異 五緣成一是錢寶二手和易三決便四為已五受犯 五分應對僧悔不得向三三
人前律不犯中若以錢貿瓔珞具為佛法僧者得 販賣戒廿 多論四義制一為征
法増尚故二為止鬪諍故三為成四聖種故四為長信敬亦生誹謗故論犯六成一在
家二衆二共和交貿三決價四為已五自貿易六領受律令淨人貿准餘部價
關四分衣藥交貿諍價高下數之上下皆犯多云此販賣墮一切隨中重至字
作房況佛塔房况止害一生販賣一切俱害不問道俗賢愚持戒毀戒无往不斷
常懷惡心設有居穀恒悕天下荒饉霜雹災變若居塩積貯恒然四遠反亂
王路隔塞多有此過故比販賣物作塔像不得向礼又云但作佛意礼之設与僧
作食及四方僧房一切不得住中持戒比丘不應受用得罪若先得羯磨分之佛
以示看以此販賣業罪過深重若生存時僧得用者此比丘言雖販賣有罪猶
得作福償作元巳今不聽僧食用元供僧福後得重罪以比因緣不敢更作比（元更作種奴得分之若販賣食皆之墮作衣著之墮作州具隨）
丘既死輒之墮故重結 五百問云治生得物施人犯捨若窮厄无食處使白
衣作食治生道人白衆言此非我物得食不者犯墮若施俗之人之与僧不犯
僧祇若糴穀時此後當貴糶時越糶時墮若恐後貴擬自食行道到後穀
貴食長或与师僧作功德餘者出糶得利无罪諸藥草等亦尔衣盔不為利
後賣不犯 十誦若和似寶和似如衣盔藥瓶户鉤四藥互貿不犯似者以衣易
鉢一切墮若可捨物金銀錢米粟或用粟買物若可食噉口吉可作衣著之提
五百問云有求利販賣作福元罪耶荅比人尚不免地獄何況得福不隨佛語故非

BD00801 號　四分律刪繁補闕行事鈔中卷之上　（47–43）

貰食長或与師僧作功德餘者出賣得利无罪諸藥草等亦尔衣盋不爲利
後賣不犯 十誦 若衣似衣非似如衣盋灌瓶户鉤四藥變貿不犯 若以衣易
鉢一切隨 若可捨物金銀錢穀粟或用粟貿物 若可食噉口吉可作衣着 提
五百問云乃求利販賣作福无罪耶答正人尚不免地獄何况得福不隨俗語故非
供養 四分中販賣貿易三事但爲利故買賣俱墮 十誦中授一物爲語 多論若衆僧
衣未三唱得益價 若三唱已不應益以屬他故 若衆中三唱得衣設悔不應還
十誦 若賣買前人悔七日內者還之 若過不應 四分文不了 此是私賣買也 五分使
淨人易時應心念寧使彼得我利我不得彼利 比丘共僧貿易應倍着當使僧
灼然後文博 若貿无可倍 必知賢善知足聽直与 四分衣法中云貴價衣令淨人貿易
无淨人者乃至遣比丘貿易准此開之必乃淨人無制与罪 僧祇 若自閑價 若使人問
便作不淨語諍價高下皆越得物隨四藥隨輕物重物淨不淨物以貿得提
若肆上見衣其價已定比丘貴直來与物主雖搖頭作与取者比丘應須語言是直知是物
世 若佔客物直五十而索百錢比丘以五十知之如是求者不名爲下 若前人欲買此物
比丘不得抄市當問言汝上未 若報云我依 若比丘方云我以是價知是物好不比丘
自貿抄市者越 若僧中賣物得上價取 若知上闕黎取不得抄上 若營事比丘
僱近作不淨語乃至爲僧月直市油麨等不淨語者越自爲得物入手犯墮 淨
語者以是物價知是好不淨語令別價者索錢許可 若市買物得憶呵說
前人物此好此麤擬細計稱大小香臭者无罪 五百問 若自基物價前人信之責取
故犯盜罪 僧祇 若食殘持博蘇油等作不淨語犯捨 僱治草屐罪作不淨語
越 若前与食後治前治与食无罪乃至殘食僱治草去等准前 多論如眾
戒中物或方便乃至罪果頭无罪如爲利居壚殼後得好心以施僧作福或果頭乃
罪如爲袖余来不賣後見利便賣以利便自入皆是方便无罪言得施者謂一切俱
捨懺世律不犯者聽五衆出家人共交易應自審定未應共相高下如市道法不
得与餘人貿易令淨人貿 若悔聽還 若蘇油相易者无犯准上衣法得令淨人作
者謂授乃至者云云 十誦云度語索不得者覓淨人使買淨人不知市易當教以茶
所物買是物應知好惡量得者不犯此賤被貴乃利不犯 畜長鉢過限戒廿一
五緣成一先乃受持鉢二更得三如法鉢非餘由根等四不淨施善見買鉢未還直
不成受 言但受不成受不犯長 若殷價已集許報令取過限者犯五過十日使
犯餘如長衣戒 乞鉢戒廿二 六緣无有受持盋二盋五綴不漏三隨小觀乞而爲
已五乞如法鉢六欲受便犯事希少故戾如疏中 律不犯者五綴漏 若減漏求新
若親里索從出家人索若爲他乞爲已不求而得自乃買畜皆不犯 自乞縷使非
親織戒廿三 多云乃三義制一爲除惡法故二爲止誹謗故三爲四聖種故四保一自乞
縷二使非親織三不与價四成織犯十誦 若爲无衣故從非親乞縷欲作衣五吉 若少衣

犯餘如長衣戒 乞鉢戒廿二 六緣无有受持盋二盋五綴不漏三隨小觀乞而爲
已五乞如法鉢六欲受便犯事希少故戾如疏中 律不犯者五綴漏 若減漏求新
若親里索從出家人索若爲他乞爲已不求而得自乃買畜皆不犯 自乞縷使非
親織戒廿三 多云乃三義制一爲除惡法故二爲止誹謗故三爲四聖種故四保一自乞
縷二使非親織三不与價四成織犯十誦 若爲无衣故從非親乞縷欲作衣五吉 若少衣
止得乞衣少縷止得乞縷 [illegible] 五分自行求縷僱人作衣亦隨 四分 若織師与线者
俱親不犯 稱禪帶腰帶作帽作襪作繩織中草屐巾一切不犯 勸織師增衣縷
戒廿四 論犯六緣一非親居士處心辨縷遣織二本期有限三知有限四讚勸好
織許直五彼爲增縷六領受便犯 四分 若求衣不得吉 若不犯者減少求後織里索
出家人索他爲已者 奪衣戒廿五 五緣一是大比丘親下衆非行 顏故二本規因
行三者不定与前人決定取多生惱故四句中上一句初受与俱定二決定与而受者
不定奪取犯重 若与受俱不定者吉四瞋奪五得屬已四分不犯者不瞋恚言
我悔不与汝衣還我來 若知悔即還 若餘人語便還 若借他衣着他着无道
理還奪取不犯 若恐失恐壞 若彼人破見戒威儀若被舉滅擯應擯 若爲七
來故及命梵難一切奪舉不藏者 畜七日藥過限戒廿六 辨明四藥體狀義
加法是非廣如下卷及戒本疏 五緣成犯一是七日藥 若直手直不加口法五无
長罪二明作二受竟三不說淨四畜過七日五緣无犯 律不犯者 若過七日藥與
油塗户嚮窰石蜜与守園人第七日藥捨与餘比丘食 若未滿七日還彼比丘用
塗脚然燈也 過前求雨衣過前用戒廿七 二戒並由過前故合制 過前求五緣成一是雨衣二過
前求三自爲已四彼与五領受犯 過前用四緣一是雨衣二時中得三過前受四過前
用犯 四分七種衣中比丘取雨浴衣彼應三月十六日求四月一日用 若二過前求用犯捨
僧祇此衣不得受當三衣不得淨施不得着入河池中浴小小雨時不得用不得裸身當
着舍勒 若着餘故衣不得着雞作事 若露地令夜持作隨幕 諸師不曾見此
衣謂如傀儡子戲圍之類今不同之猶如三衣披用僧祇常須大雨時披浴 若雨早止
液去得着入餘水中洗 多論云三月十六日應求應作乃至四月十五日亦尔畜着
得用浴擔持行乘長丈二尺廣六尺 以天多雨故爲護三衣 若行路覺欲雨取此
衣覆身上 若大雨在路須脫三衣攤舉着此衣行雨中於露浴亦着此衣此浴衣語
通以受退故名浴非唯着洗浴也 若着餘衣浴須以水灑洒此衣令退不得然畫
得吉由此是浴衣故 僧祇四月一日用八月十五日當捨 五分 若過限不作餘衣受持淨
施不施人者吉 僧祇至時唱言大德僧聽今僧捨雨衣三說已不得至十六日非[illegible]
唱
過律不犯者若捨作餘用若着浴 若浣 若舉者 過前受急施衣過後畜戒廿八
是五二戒合制不同 衣過前五緣一是急施律云本是夏竟衣爲緣明前受 若受便得不受便失
二知是急施三過前四无緣五受便犯過後五緣一三同上緣三是十日內四不作淨五過

施不施人者吉　僧祇云時唱言大德僧聽今僧捨而衣三說已不得至十六日 [illegible]
通 律不犯者若捨作餘用若著浴若浣若舉者　過前受急施衣過後畜戒卅八
是受之二衣合制不同一衣 過前三緣一是急施律云本是夏竟衣為緣明前受若受便得不受便失
二知是急施三過前四元緣五受便犯過後五緣一同上緣二是十日內四不作淨五過
限便犯事希法隨略知大途餘如疏本中者　明時非時法有難緣離衣戒廿九
六緣一是受持三衣二冬分非時三有疑怖處四置衣在村五元因緣六過七夜犯
四分疑者畏有賊盜十誦疑失一衣著怖畏者乃至恐比丘畏　言村內者僧祇寄
著可疑俗人家 以不良家知此比丘無衣隨身 五分上三衣中隨所愛者聽寄一衣不得寄下衣隨
身故禮拜入寺乞食不得單著但寄一衣　明兩緣者僧祇夏三月在蘭若恐怖受
用置一衣村內不作日限　五分夏中不許離衣要待後安居竟賊難恐怖因緣得
寄白衣家不作日限唯須十日一度往看恐有濕爛虫嚙等過　善見若蘭若受僧
坊坐處不須寄衣無者得寄六夜一看見衣已還蘭若所　上來諸部恐有急
難賊怖開明寄衣不作日限若有他緣方制六夜　四分初緣因開若賊劫忽今置
一衣村內不制日限後因聚落比丘起過更開緣至六夜而不明緣故今古師妄我
今准諸部明文有緣皆開五分有恐怖者亦限多日如上更開捨僧事和上闍梨事
及他事皆聽六夜留一衣白衣處　明了論中蘭若比丘夏安居中道往餘處聽去
不可恒得三衣聽留寄餘處六宿不失至第七日還取衣過第七夜已如前寄事
若未竟中間恒許　律不犯中已寄六宿至第七夜明相未出前若到衣所若手捉衣
謂蘭若俗人宗女人受施捉衣 若至擲石所及受若捨衣餘同聚落離衣戒說　迴僧物入己戒卌
具四緣一是許道僧物二作許相三迴向已入手便犯　律云 僧物有三種一者已許僧 謂道明施
僧所未分僧別二異此迴犯捨 二為僧故作未許僧 謂俗家為僧作床褥器具供僧之物皆得迴吉羅也 三已與僧者已許僧已捨
與僧 此是施於僧不許別向迴犯棄 僧祇若人持物來問僧何處布施答言隨汝所敬處與若言
何處果報多答言施僧若言何者持戒清淨答言僧無犯戒不清淨若言我已
施僧今施尊者得受無罪若言此物置何處使我常見受用答某甲比丘坐禪誦
經持戒者施彼者長見受用　四分若物許僧轉與塔許四方僧迴與現在僧許
比丘僧迴與尼僧許異處迴與異處乃至許異處迴與畜生物一切吉羅 並未謂決定者決判施隨前犯
僧祇迴比彼畜生物越毗尼　十誦多論若擅越施此自恣僧物迴與彼自恣僧者
物應還此比丘作吉悔若不還此僧計錢成重元比丘屬僧故迴與他人成重律不
犯中若不知若已許作不許想若許更勸與好者一切不犯

四分律刪繁補闕行事鈔中卷之上

BD00801 號　四分律刪繁補闕行事鈔中卷之上　（47–46）

今准諸部明文有緣皆開五分有恐怖者亦限多日如上更開捨僧事和上闍梨事
及他事皆聽六夜留一衣白衣處　明了論中蘭若比丘夏安居中道往餘處聽去
不可恒得三衣聽留寄餘處六宿不失至第七日還取衣過第七夜已如前寄事
若未竟中間恒許　律不犯中已寄六宿至第七夜明相未出前若到衣所若手捉衣
謂蘭若俗人宗女人受施捉衣 若至擲石所及受若捨衣餘同聚落離衣戒說　迴僧物入己戒卌
具四緣一是許道僧物二作許相三迴向已入手便犯　律云 僧物有三種一者已許僧 謂道明施
僧所未分僧別二異此迴犯捨 二為僧故作未許僧 謂俗家為僧作床褥器具供僧之物皆得迴吉羅也 三已與僧者已許僧已捨
與僧 此是施於僧不許別向迴犯棄 僧祇若人持物來問僧何處布施答言隨汝所敬處與若言
何處果報多答言施僧若言何者持戒清淨答言僧無犯戒不清淨若言我已
施僧今施尊者得受無罪若言此物置何處使我常見受用答某甲比丘坐禪誦
經持戒者施彼者長見受用　四分若物許僧轉與塔許四方僧迴與現在僧許
比丘僧迴與尼僧許異處迴與異處乃至許異處迴與畜生物一切吉羅 並未謂決定者決判施隨前犯
僧祇迴比彼畜生物越毗尼　十誦多論若擅越施此自恣僧物迴與彼自恣僧者
物應還此比丘作吉悔若不還此僧計錢成重元比丘屬僧故迴與他人成重律不
犯中若不知若已許作不許想若許更勸與好者一切不犯

四分律刪繁補闕行事鈔中卷之上

BD00801 號　四分律刪繁補闕行事鈔中卷之上　（47–47）

…以要言之是經有
可稱量無邊功德如来為發大乘者
最上乘者說若有人能受持讀誦廣
說如来悉知是人悉見是人皆得成就不
量不可稱無有邊不可思議功德如是人等
則為荷擔如来阿耨多羅三藐三菩提何以
故須菩提若樂小法者着我見人見衆生見
壽者見則於此經不能聽受讀誦為人解說
須菩提在在處處若有此經一切世間天人阿
脩羅所應供養當知此處則為是塔皆
應恭敬作礼圍遶以諸華香而散其處
復次須菩提善男子善女人受持讀誦此經
若為人輕賤是人先世罪業應墮惡道以今
世人輕賤故先世罪業則為消滅當得阿耨
多羅三藐三菩提須菩提我念過去無量阿
僧祇劫於然燈佛前得值八百四千萬億那由
他諸佛悉皆供養承事無空過者若復有人
於後末世能受持讀誦此經所得功德於我
所供養諸佛功德百分不及一千萬億分乃
至筭數譬喻所不能及須菩提若善男子

他諸佛悉皆供養承事無空過者若復有人
於後末世能受持讀誦此經所得功德於我
所供養諸佛功德百分不及一千萬億分乃
至筭數譬喻所不能及須菩提若善男子
善女人於後末世有受持讀誦此經所得功
德我若具說者或有人聞心則狂亂狐疑不
信須菩提當知是經義不可思議果報亦
不可思議
尒時須菩提白佛言世尊善男子善女人發
阿耨多羅三藐三菩提心云何應住云何降伏
其心佛告須菩提善男子善女人發阿耨多
羅三藐三菩提者當生如是心我應滅度
一切衆生滅度一切衆生已而無有一衆生
實滅度者何以故若菩薩有我相人相衆生
相壽者相則非菩薩所以者何須菩提實無
有法發阿耨多羅三藐三菩提者須菩提
於意云何如来於然燈佛所有法得阿耨多
羅三藐三菩提不不也世尊如我解佛所說義
佛於然燈佛所無有法得阿耨多羅三藐三
菩提佛言如是如是須菩提實無有法如来
得阿耨多羅三藐三菩提須菩提若有法如
来得阿耨多羅三藐三菩提然燈佛則不與
我受記汝於来世當得作佛号釋迦牟尼以
實無有法得阿耨多羅三藐三菩提是故然
燈佛與我受記作是言汝於来世當得作佛号

我受記汝於来世當得作佛号釋迦牟尼以
實無有法得阿耨多羅三藐三菩提是故然
燈佛與我受記作是言汝於来世當得作佛号
釋迦牟尼何以故如来者即諸法如義若有
人言如来得阿耨多羅三藐三菩提須菩提
實無有法佛得阿耨多羅三藐三菩提須菩
提如来所得阿耨多羅三藐三菩提於是中
無實無虛是故如来說一切法皆是佛法須
菩提所言一切法者即非一切法是故名一切法
須菩提譬如人身長大須菩提言世尊如来
說人身長大則為非大身是名大身
須菩提菩薩亦如是若作是言我當滅度無
量衆生則不名菩薩何以故須菩提無有法
名為菩薩是故佛說一切法無我無人無衆
生無壽者須菩提若菩薩作是言我當莊
嚴佛土是不名菩薩何以故如来說莊嚴佛
土是不名菩薩何以故如来說莊嚴佛土
者即非莊嚴是名莊嚴須菩提若菩薩
通達無我法者如来說名真是菩薩
須菩提於意云何如来有肉眼不如是世尊
如来有肉眼須菩提於意云何如来有天眼
不如是世尊如来有天眼須菩提於意云何
如来有慧眼不如是世尊如来有慧眼須菩
提於意云何如来有法眼不如是世尊如来
有法眼須菩提於意云何如来有佛眼不如是

BD00802 號　金剛般若波羅蜜經　　（8–3）

不如是世尊如来有天眼須菩提於意云何
如来有慧眼不如是世尊如来有慧眼須菩
提於意云何如来有法眼不如是世尊如来
有法眼須菩提於意云何如来有佛眼不如是
世尊如来有佛眼
須菩提於意云何恒河中所有沙佛說是沙
不如是世尊如来說是沙須菩提於意云何
如一恒河中所有沙有如是等恒河是諸恒河
所有沙數佛世界如是寧為多不甚多世
尊佛告須菩提尒所國土中所有衆生若干
種心如来悉知何以故如来說諸心皆為非心
是名為心所以者何須菩提過去心不可得
現在心不可得未来心不可得須菩提於意
云何若有人滿三千大千世界七寶以用布施
是人以是因緣得福多不如是世尊此人以
是因緣得福甚多須菩提若福德有實如
来不說得福德多以福德無故如来說得
福德多
須菩提於意云何佛可以具足色身見不
也世尊如来不應以色身見何以故如来說具足
色身即非具足色身是名具足色身須菩
提於意云何如来可以具足諸相見不不也
世尊如来不應以具足諸相見何以故如
来說諸相具足即非具足是名諸相具足
須菩提汝勿謂如来作是念我當有所說

BD00802 號　金剛般若波羅蜜經　　（8–4）

世尊如来不應以具足諸相見何以故如
来說諸相具足即非具足是名諸相具足
須菩提汝勿謂如来作是念我當有所說
法莫作是念何以故若人言如来有所說法即
為謗佛不能解我所說故須菩提說法者無
法可說是名說法須菩提白佛言世尊佛得
阿耨多羅三藐三菩提為無所得耶如是如
是須菩提我於阿耨多羅三藐三菩提乃至
無有少法可得是名阿耨多羅三藐三菩提
復次須菩提是法平等無有高下是名阿耨
多羅三藐三菩提以無我無人無衆生無壽者
脩一切善法則得阿耨多羅三藐三菩提
須菩提所言善法者如来說非法是名善法
須菩提若三千大千世界中所有諸須弥山王
如是等七寶聚有人持用布施若人以此般
若波羅蜜經乃至四句偈等受持為他人說
於前福德百分不及一百千萬億分乃至筭
數譬喻所不能及
須菩提於意云何汝等勿謂如来作是念我
當度衆生須菩提莫作是念何以故實無有
衆生如来度者若有衆生如来度者如来則
有我人衆生壽者須菩提如来說有我者則
非有我而凡夫之人以為有我須菩提凡夫者
如来說則非凡夫須菩提於意云何可以卅二
相觀如来說則非凡夫須菩提於意云何可以

非有我而凡夫之人以為有我須菩提凡夫者
如来說則非凡夫須菩提於意云何可以卅二
相觀如来說則非凡夫須菩提於意云何可以
卅二相觀如来不須菩提言如是如是以卅二
相觀如来佛言須菩提若以卅二相觀如来
者轉輪聖王則是如来須菩提白佛言世
尊如我解佛所說義不應以卅二相觀如来
尒時世尊而說偈曰
若以色見我　以音聲求我　是人行耶道　不能見如来
須菩提汝若作是念如来不以具足相故得阿
耨多羅三藐三菩提須菩提莫作是念如
来不以具足相故得阿耨多羅三藐三菩提須
菩提汝若作是念發阿耨多羅三藐三菩提
者說諸法斷滅莫作是念何以故發阿耨多
羅三藐三菩提者於法不說斷滅相須菩
提若菩薩以滿恒河沙等世界七寶布施若
復有人知一切法無我得成於忍此菩薩勝
前菩薩所得功德須菩提以諸菩薩不受
福德須菩提菩薩所作福德不應貪着是
故說不受福德須菩提若有人言如来若来
若去若坐若卧是人不解我所說義何以故如
来者無所從来亦無所去故名如来須菩提若
善男子善女人以三千大千世界碎為微塵於
意云何是微塵衆寧為多不甚多世尊何
以故若是微塵衆實有者佛則不說是微塵

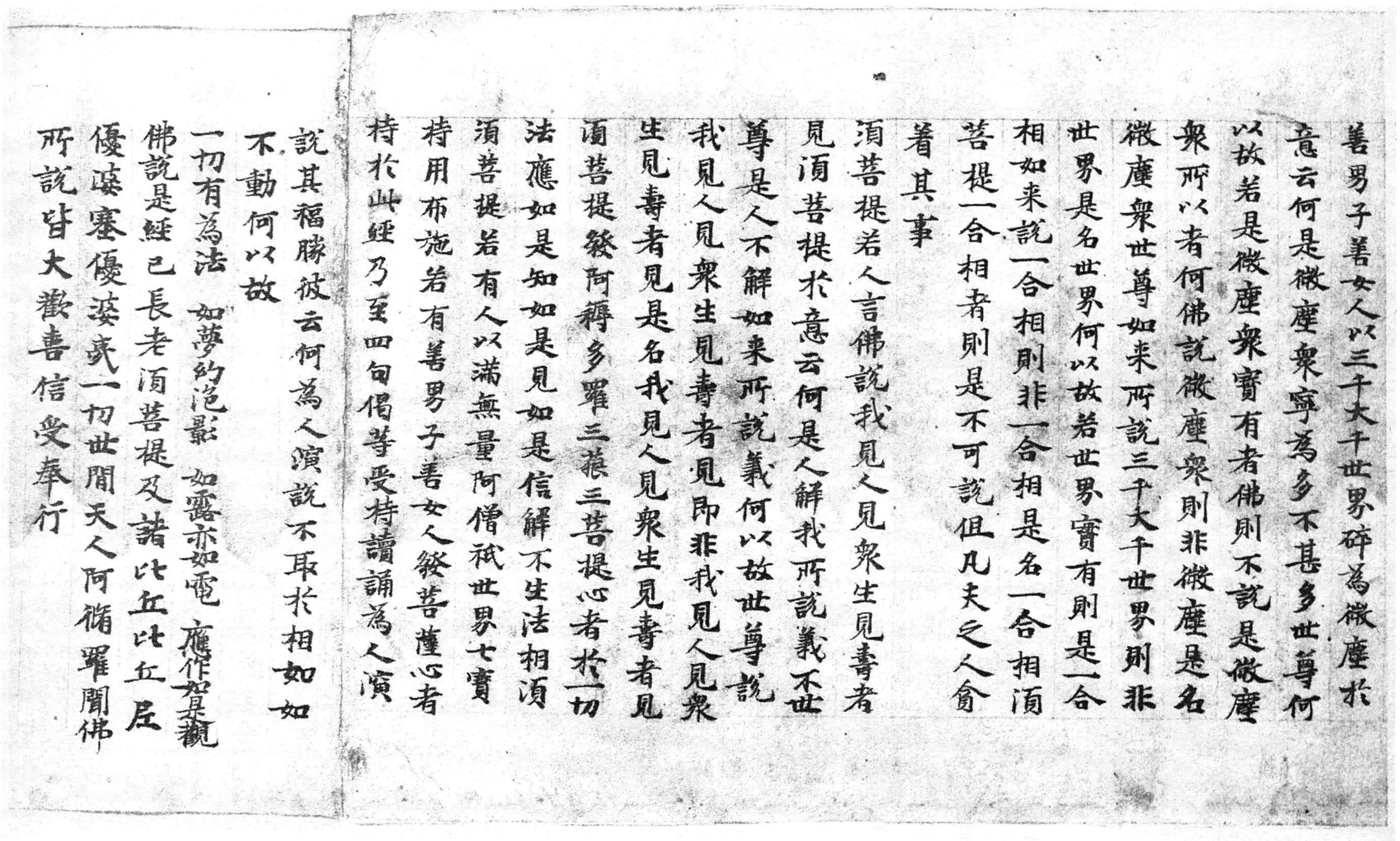

善男子善女人以三千大千世界碎為微塵於
意云何是微塵衆寧為多不甚多世尊何
以故若是微塵衆實有者佛則不說是微塵
衆所以者何佛說微塵衆則非微塵是名
微塵衆世尊如来所說三千大千世界則非
世界是名世界何以故若世界實有則是一合
相如来說一合相則非一合相是名一合相須
菩提一合相者則是不可說但凡夫之人貪
着其事
須菩提若人言佛說我見人見衆生見壽者
見須菩提於意云何是人解我所說義不世
尊是人不解如来所說義何以故世尊說
我見人見衆生見壽者見即非我見人見衆
生見壽者見是名我見人見衆生見壽者見
須菩提發阿耨多羅三藐三菩提心者於一切
法應如是知如是見如是信解不生法相須
菩提若有人以滿無量阿僧祇世界七寶
持用布施若有善男子善女人發菩薩心者
持於此經乃至四句偈等受持讀誦為人演
說其福勝彼云何為人演說不取於相如如
不動何以故
一切有為法　如夢幻泡影　如露亦如電　應作如是觀
佛說是經已長老須菩提及諸比丘比丘尼
優婆塞優婆夷一切世間天人阿脩羅聞佛
所說皆大歡喜信受奉行

BD00802號　金剛般若波羅蜜經　（8–7）

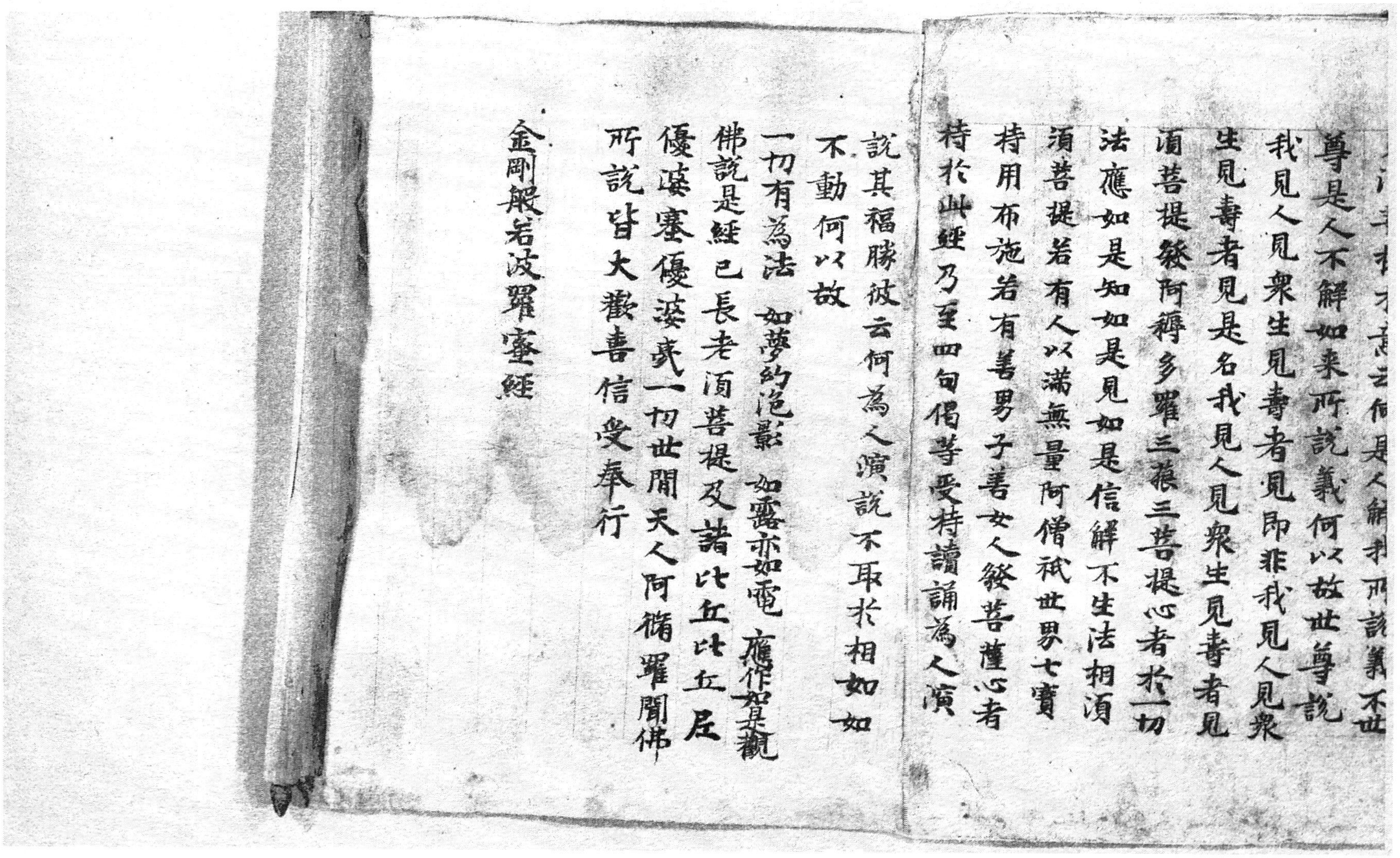

須菩提於意云何是人解我所說義不世
尊是人不解如来所說義何以故世尊說
我見人見衆生見壽者見即非我見人見衆
生見壽者見是名我見人見衆生見壽者見
須菩提發阿耨多羅三藐三菩提心者於一切
法應如是知如是見如是信解不生法相須
菩提若有人以滿無量阿僧祇世界七寶
持用布施若有善男子善女人發菩薩心者
持於此經乃至四句偈等受持讀誦為人演
說其福勝彼云何為人演說不取於相如如
不動何以故
一切有為法　如夢幻泡影　如露亦如電　應作如是觀
佛說是經已長老須菩提及諸比丘比丘尼
優婆塞優婆夷一切世間天人阿脩羅聞佛
所說皆大歡喜信受奉行

金剛般若波羅蜜經

BD00802號　金剛般若波羅蜜經　（8–8）

[illegible]光明最勝王經[illegible]品第五
爾時世尊住正分別三[illegible]
身毛孔放大光明光明[illegible]十種種諸色諸佛
剎土悉現光中十方[illegible]沙校量數所不
佛及五濁惡世為光所照是諸衆生作十惡
業五无間罪誹謗三寶不孝尊親輕慢師長
婆羅門衆應墮地獄餓鬼傍生彼各蒙光至
所住處是諸有情見斯光已因光力故皆得
安樂端正殊妙色相具足福智莊嚴得見諸
佛是時帝釋一切天衆及恒河女神并諸大
衆蒙光希有皆至佛所右繞三帀退坐一
面
爾時天帝釋承佛威力即從座起偏袒右肩
右膝著地合掌向佛而白佛言世尊云何善
男子善女人願求阿耨多羅三藐三菩提脩
行大乘攝受一切邪倒有情曾所造作業障
罪者云何懺悔當得除滅
佛告天帝釋善哉善哉善男子汝今脩行欲
為无量无邊衆生令得清淨解脫安樂哀愍
世間福利一切若有衆生由業障故造諸罪
者應當策勵晝夜六時偏袒右肩右膝著地
合掌恭敬一心專念口自說言歸命頂礼現

BD00803號　金光明最勝王經卷三

（16–1）

為无量无邊衆生令得清淨解脫安樂哀愍
世間福利一切若有衆生由業障故造諸罪
者應當策勵晝夜六時偏袒右肩右膝著地
合掌恭敬一心專念口自說言歸命頂礼現
在十方一切諸佛已得阿耨多羅三藐三菩
提者轉妙法輪持照法輪雨大法雨擊大法
鼓吹大法螺建大法幢秉大法炬為利益
安樂諸衆生故常行法施誘進群迷令得大
果證常樂故如是等諸佛世尊以身語意稽
首歸誠至心礼敬彼諸世尊以真實慧以真
實眼真實證明真實平等悉知悉見一切衆
生善惡之業我從无始生死以來隨惡流轉
共諸衆生造業障罪為貪瞋癡之所纏縛未
識佛時未識法時未識僧時未識善惡由身
語意造无間罪惡心出佛身血誹謗正法破
和合僧殺阿羅漢殺害父母身三語四意三
種行造十惡業自作教化見作隨喜於諸善
人横生毀謗斗秤欺誑以偽為真不淨飲食
施與一切於六道中所有父母更相惱害或
盜窣覩波物四方僧物現前僧物自在而用
世尊法律不樂奉行師長教示不相隨順見
行聲聞獨覺大乘行者喜生罵辱令諸行人
心生悔惱見有勝己便懷嫉妬法施財施常
生慳惜无明所覆邪見惑心不修善因令惡
增長於諸佛所而起誹謗法說非法非法說
法如是衆罪佛以真實慧真實眼真實證
明真實平等悉知悉見我今歸命對諸佛前

BD00803號　金光明最勝王經卷三

（16–2）

生慳惜无明所覆邪見惑心不修善因令惡
增長於諸佛所而起誹謗法說非法非法說
法如是衆罪佛以真實慧真實眼真實證
明真實平等悉知悉見我今歸命對諸佛前皆
悉發露不敢覆藏未作之罪不復更作已作之
罪今皆懺悔所作業障應墮惡道地獄傍生餓
鬼之中阿蘇羅衆及八難處願我此生所有
業障皆得消滅所有惡報未來不受亦如過
去諸大菩薩修菩提行所有業障悉已懺悔
我之業障今亦懺悔皆悉發露不敢覆藏已
作之罪願得除滅未來之惡更不敢造亦如
未來諸大菩薩修菩提行所有業障悉已懺
懺我之業障今亦懺悔皆悉發露不敢覆藏
已作之罪願得除滅未來之惡更不敢造亦
如現在十方世界諸大菩薩修菩提行所有
業障悉已懺悔我之業障今亦懺悔皆悉發
露不敢覆藏已作之罪願得除滅未來之惡
更不敢造
善男子以是因緣若有造罪一剎那中不得
覆藏何況一日一夜乃至多時若有犯罪欲
求清淨心懷愧恥信於未來必有惡報生大
恐怖應如是懺如人被火燒頭燒衣救令速
滅火若未滅心不得安若人犯罪亦復如是
即應懺悔令速除滅若有願生富樂之家多
饒財寶復欲發意修習大乘亦應懺悔滅除
業障欲生豪貴婆羅門種剎帝利家及轉
輪王七寶具足亦應懺悔滅除業障

BD00803號　金光明最勝王經卷三　　（16–3）

即應懺悔令速除滅若有願生富樂之家多
饒財寶復欲發意修習大乘亦應懺悔滅除
業障欲生豪貴婆羅門種剎帝利家及轉
輪王七寶具足亦應懺悔滅除業障
善男子若有欲生四大王衆三十三天夜摩
天覩史多天樂變化天他化自在天亦應懺
悔滅除業障若欲生梵衆梵輔大梵天少光
无量光極光淨天少淨无量淨遍淨天无雲
福生廣果无煩无熱善現天善見色究竟天
亦應懺悔滅除業障若欲求預流果一來果
不還果阿羅漢果亦應懺悔滅除業障若欲
願求三明六通聲聞獨覺自在菩提至究竟
地求一切智智淨智不思議智不動智三藐
三菩提正遍智者亦應懺悔滅除業障何以
故善男子一切諸法從因緣生如來所說異
相生異相滅因緣異故如是過去諸法皆已
滅盡所有業障无復遺餘是諸行法未得現
生而今得生未來業障更不復起何以故善
男子一切法空如來所說无有我人衆生壽
者亦无生滅亦无行法善男子一切諸法皆
依於本亦不可說何以故過一切相故若有
善男子善女人如是入於微妙真理生信敬
心是名无衆生而有於本以是義故說於懺
悔滅除業障
善男子若人成就四法能除業障永得清淨
云何爲四一者不起邪心正念成就二者於
甚深理不生誹謗三者於初行菩薩起一切

BD00803號　金光明最勝王經卷三　　（16–4）

善男子若人成就四法能除業障永得清淨
云何爲四一者不起邪心正念成就二者於
甚深理不生誹謗三者於初行菩薩起一切
智心四者於諸衆生起慈无量是謂爲四尒
時世尊而說頌言
專心護三業　不誹謗深法　作一切智想　慈心淨業障
善男子有四業障難可滅除云何爲四一者
於菩薩律儀犯極重惡二者於大乘經心生
誹謗三者於自善根不能增長四者貪著三
有无出離心復有四種對治業障云何爲四
一者於十方世界一切如來至心親近說一
切罪二者爲一切衆生勸請諸佛說深妙法
三者隨喜一切衆生所有功德四者所有一
切功德善根悉皆迴向阿耨多羅三藐三菩
提尒時天帝釋白佛言世尊世間所有男子
女人於大乘行有能行者有不行者云何能
得隨喜一切衆生功德善根佛言善男子若
有衆生雖於大乘未能修習然於晝夜六時
偏袒右肩右膝著地合掌恭敬一心專念作
隨喜時得福无量應作是言十方世界一切
衆生現在修行施戒心慧我今皆悉深生隨
喜由作如是隨喜福故必當獲得尊重殊勝
无上无等最妙之果如是過去未來一切衆
生所有善根皆悉隨喜又於現在初行菩薩
發菩提心所有功德過百千劫行菩薩行有
大功德獲无生忍至不退轉一生補處如是

无上无等最妙之果如是過去未來一切衆
生所有善根皆悉隨喜又於現在初行菩薩
發菩提心所有功德過百千劫行菩薩行有
大功德獲无生忍至不退轉一生補處如是
一切功德之蘊皆悉至心隨喜讚歎過去未
來一切菩薩所有功德隨喜讚歎亦復如是
復於現在十方世界一切諸佛應正遍知證
妙菩提爲度无量諸衆生故轉无上法輪行
无礙法施擊法鼓吹法螺建法幢雨法雨哀
愍勸化一切衆生咸令信受皆蒙法施悉得
充足无盡安樂又復所有菩薩聲聞獨覺功
德積集善根若有衆生未具如是諸功德者
悉令具足我皆隨喜如是過去未來諸佛菩
薩聲聞獨覺所有功德亦皆至心隨喜讚歎
善男子如是隨喜當得无量功德之聚如恒河
沙三千大千世界所有衆生皆斷煩惱成阿
羅漢若有善男子善女人盡其形壽常以上
妙衣服飲食卧具醫藥而爲供養如是功德
不及如前隨喜功德千分之一何以故供養
功德有數有量不攝一切諸功德故隨喜功
德无量无數能攝三世一切功德是故若人
欲求增長勝善根者應修如是隨喜功德若
有女人願轉女身爲男子者亦應修習隨喜
功德必得隨心現成男子尒時天帝釋白佛
言世尊已知隨喜功德勸請功德唯願爲說
欲令未來一切菩薩當轉法輪現在菩薩正修

言世尊已知隨喜功德勸請功德唯願為說
欲令未來一切菩薩當轉法輪現在菩薩正修
行故佛告帝釋若有善男子善女人願求阿
耨多羅三藐三菩提者應當修行聲聞獨覺
大乘之道是故當於晝夜六時如前威儀一
心專念作如是言我今歸依十方一切諸佛
世尊已得阿耨多羅三藐三菩提未轉无上
法輪欲捨報身入涅槃者我皆至誠頂禮勸
請轉大法輪雨大法雨然大法燈照明理趣
施无礙法莫般涅槃久住於世度脫安樂一
切衆生如前所說乃至无盡安樂我今以此
勸請功德迴向阿耨多羅三藐三菩提如過
去未來現在諸大菩薩勸請功德迴向菩提
我亦如是勸請功德迴向无上正等菩提善
男子假使有人以三千大千世界滿中七寶
供養如來若復有人勸請如來轉大法輪所
得功德其福勝彼何以故彼是財施此是法
施善男子且置三千大千世界七寶布施若
人以滿恒河沙數三千世界七寶供養一切
諸佛勸請功德亦勝於彼由其法施有五勝
利云何為五一者法施兼利自他財施不尒
二者法施能令衆生出於三界財施之福不
出欲界三者法施能淨法身財施但唯增長
於色四者法施无窮財施有盡五者法施能
斷无明財施唯伏貪愛是故善男子勸請功
德无量无邊難可譬喻如我昔行菩薩道時

BD00803號　金光明最勝王經卷三　（16–7）

出欲界三者法施能淨法身財施但唯增長
於色四者法施无窮財施有盡五者法施能
斷无明財施唯伏貪愛是故善男子勸請功
德无量无邊難可譬喻如我昔行菩薩道時
勸請諸佛轉大法輪由彼善根是故今日一
切帝釋諸梵王等勸請於我轉大法輪善男
子請轉法輪為欲度脫安樂諸衆生故我於
往昔為菩提行勸請如來久住於世莫般涅
槃依此善根我得十力四无所畏四无导辯
大慈大悲證得无數不共之法我當入於无
餘涅槃我之正法久住於世我法身者清淨
无比種種妙相无量智慧无量自在无量功
德難可思議一切衆生皆蒙利益百千萬劫
說不能盡法身攝藏一切諸法一切諸法不
攝法身法身常住不墮常見雖復斷滅亦非
斷見能破衆生種種異見能生衆生種種真
見能解一切衆生之縛无縛可解能植衆生
諸善根本未成熟者令成熟已成熟者令解
脫无作无動遠離憒閙寂靜无為自在安樂
過於三世能現三世出於聲聞獨覺之境諸
大菩薩之所修行一切如來體无有異此等
皆由勸請功德善根力故如是法身我今已
得是故若有欲得阿耨多羅三藐三菩提者
於諸經中一句一頌為人解說功德善根尚
无限量何況勸請如來轉大法輪久住於世
莫般涅槃
時天帝釋復白佛言世尊若善男子善女人

BD00803號　金光明最勝王經卷三　（16–8）

於諸經中一句一頌為人解說功德善根尚
无限量何況勸請如來轉大法輪久住於世
莫般涅槃
時天帝釋復白佛言世尊若善男子善女人
為求阿耨多羅三藐三菩提故修三乘道所
有善根云何迴向一切智智佛告天帝善男
子若有眾生欲求菩提修三乘道所有善根
願迴向者當於晝夜六時慇重至心作如是
說我從无始生死以來於三寶所修行成就
所有善根乃至施與傍生一摶之食或以善
言和解諍訟或受三歸及諸學處或復懺悔
勸請隨喜所有善根我今作意悉皆攝取迴
施一切眾生無悔悋心是解脫分善根所攝
如佛世尊之所知見不可稱量无㝵清淨如
是所有功德善根悉以迴施一切眾生不住
相心不捨相心我亦如是功德善根悉以迴
施一切眾生願皆獲得如意之手撝空出寶
滿眾生願富樂无盡智慧无窮妙法辯才悉
皆无滯共諸眾生同證阿耨多羅三藐三菩
提得一切智因此善根更復出生无量善法
亦皆迴向无上菩提又如過去諸大菩薩修
行之時功德善根悉皆迴向一切種智現在
未來亦復如是然我所有功德善根亦皆迴
向阿耨多羅三藐三菩提是諸善根願共一
切眾生俱成正覺如餘諸佛坐於道場菩提
樹下不可思議无礙清淨住於无盡法藏陁
羅尼首楞嚴定破魔波旬无量兵眾應見覺

BD00803號　金光明最勝王經卷三　（16–9）

向阿耨多羅三藐三菩提是諸善根願共一
切眾生俱成正覺如餘諸佛坐於道場菩提
樹下不可思議无礙清淨住於无盡法藏陁
羅尼首楞嚴定破魔波旬无量兵眾應見覺
知應可通達如是一切一剎那中悉皆照了
於後夜中獲甘露法證甘露義我及眾生願
皆同證如是妙覺猶如
无量壽佛　勝光佛　妙光佛　阿閦佛
功德善光佛　師子光明佛　百光明佛　網光明佛
寶相佛　寶燄佛　燄明佛　燄盛光明佛
吉祥上王佛　微妙聲佛　妙莊嚴佛　法幢佛
上勝身佛　可愛色身佛　光明遍明佛　梵淨王佛
上性佛
如是等如來應正遍知過去未來及以現在
亦現應化得阿耨多羅三藐三菩提轉无上
法輪為度眾生我亦如是廣說如上
善男子若有淨信男子女人於此金光明最
勝經王滅業障品受持讀誦憶念不忘為他
廣說得无量无邊大功德聚譬如三千大千
世界所有生一時皆得成就人身得人身
已成獨覺道若有男子女人盡其形壽恭敬
尊重四事供養一一獨覺各施七寶如須彌
山此諸獨覺入涅槃後皆以珍寶起塔供養
其塔高廣十二踰繕那以諸花香寶幢幡蓋
常為供養善男子於意云何是人所獲功德
寧為多不天帝釋言甚多世尊善男子若復
[illegible]

BD00803號　金光明最勝王經卷三　（16–10）

具嗒高廣十二瑜繕那以諸花香寶幢幡蓋
常為供養善男子於意云何是人所獲功德
寧為多不天帝釋言甚多世尊善男子若復
有人於此金光明微妙經典衆經之王滅業
障品受持讀誦憶念不忘為他廣說所獲功
德於前所說供養功德百分不及一百千萬
億分乃至挍量譬喻所不能及何以故是善
男子善女人住正行中勸請十方一切諸佛
轉无上法輪皆為諸佛歡喜讚歎善男子如
我所說一切施中法施為勝是故善男子於
三寶所設諸供養不可為比勸受三歸持一
切戒无有毀犯三業不空不可為比一切世
界一切衆生隨力隨能隨所願樂於三乘中
勸發菩提心不可為比於三世中一切世界
所有衆生皆得无㝵速令成就无量功德不
可為比三世剎土一切衆生令无障㝵得三
菩提不可為比三世剎土一切衆生勸令速
出四惡道苦不可為比三世剎土一切衆生
勸令除滅極重惡業不可為比一切苦惱勸
令解脫不可為比一切怖畏苦惱逼切皆令
得解不可為比三世佛前一切衆生所有功
德勸令隨喜發菩提願不可為比勸除惡行
罵辱之業一切功德皆願成就所在生中勸
請供養尊重讚歎一切三寶勸請衆生淨修
福行成滿菩提不可為比是故當知勸請一
切世界三世三寶勸請滿足六波羅蜜勸請轉

BD00803號　金光明最勝王經卷三　　（16–11）

罵辱之業一切功德皆願成就所在生中勸
請供養尊重讚歎一切三寶勸請衆生淨修
福行成滿菩提不可為比是故當知勸請一
切世界三世三寶勸請滿足六波羅蜜勸請轉
於无上法輪勸請住世經无量劫演說无
量甚深妙法功德甚深无能比者
尒時天帝釋及恒河女神无量梵王四大天
衆從座而起偏袒右肩右膝著地合掌頂礼
白佛言世尊我等皆得聞是金光明最勝王
經令悉受持讀誦通利為他廣說依此法住
何以故世尊我等欲求阿耨多羅三藐三菩
提隨順此義種種勝相如法行故尒時梵王
及天帝釋等於說法處皆以種種曼陁羅花
而散佛上三千大千世界地皆大動一切天
鼓及諸音樂不鼓自鳴放金色光遍滿世界
出妙音聲時天帝釋白佛言世尊此等皆是
金光明經威神之力慈悲普救種種利益種
種增長菩薩善根滅諸業障佛言如是如是
如汝所說何以故善男子我念往昔過无量
百千阿僧祇劫有佛名寶王大光照如來應
正遍知出現於世住世六百八十億劫尒時
寶王大光照如來為欲度脫人天釋梵沙門
婆羅門一切衆生令安樂故當出現時初會
說法度百千億億万衆皆得阿羅漢果諸漏
已盡三明六通自在无㝵於第二會復度九
十千億億萬衆皆得阿羅漢果諸漏已盡三
明六通自在无㝵於第三會復度九十八千

BD00803號　金光明最勝王經卷三　　（16–12）

說法度百千億億万衆皆得阿羅漢果諸漏
已盡三明六通自在无㝵於第二會復度九
十千億億萬衆皆得阿羅漢果諸漏已盡三
明六通自在无㝵於第三會復度九十八千
億億万衆皆得阿羅漢果圓滿如上
善男子我於尒時作女人身名福寶光明於
第三會親近世尊受持讀誦是金光明經為
他廣說求阿耨多羅三藐三菩提故時彼世
尊為我受記此福寶光明女於未來世當得
作佛号釋迦牟尼如來應正遍知明行足善
逝世間解无上士調御丈夫天人師佛世尊
捨女身後從是以來越四惡道生生天中受
上妙樂八十四百千生作轉輪王至于今日
得成正覺名稱普聞遍滿世界時會大衆忽
然皆見寶王大光照如來轉无上法輪說微
妙法善男子去此索訶世界東方過百千恒
河沙數佛土有世界名寶莊嚴其寶王大光
照如來今現在彼未般涅槃說微妙法廣化
羣生汝等見者即是彼佛
善男子若有善男子善女人聞是寶王大光
照如來名号者於菩薩地得不退轉至大涅
槃若有女人聞是佛名者臨命終時得見彼
佛来至其所既見佛已究竟不復更受女身
善男子是金光明微妙經典種種利益種種
增長菩薩善根滅諸業障善男子若有苾芻
苾芻尼鄔波索迦鄔波斯迦隨在何處為人

BD00803號　金光明最勝王經卷三

(16–13)

佛来至其所既見佛已究竟不復更受女身
善男子是金光明微妙經典種種利益種種
增長菩薩善根滅諸業障善男子若有苾芻
苾芻尼鄔波索迦鄔波斯迦隨在何處為人
講說是金光明微妙經典於其國土皆獲四種
福利善根云何為四一者國王无病離諸災
厄二者壽命長遠无有障礙三者无諸怨敵
兵衆勇健四者安隱豐樂正法流通何以故如
是人王常為釋梵四王藥叉之衆共守護故
尒時世尊告天衆曰善男子是事實不是時
无量釋梵四王及藥叉衆俱時同聲答世尊
言如是如是若有國土講宣讀誦此妙經王
是諸國主我等四王常来擁護行住共俱其
王若有一切災障及諸怨敵我等四王皆使
消殄憂愁疾疫亦令除差增益壽命感應禎
祥所願遂心恒生歡喜我等亦能令其國中
所有軍兵悉皆勇健佛言善哉善哉善男子
如汝所說汝當修行何以故是諸國主如法
行時一切人民隨王修習如法行者汝等皆
蒙色力勝利宮殿光明眷屬強盛時釋梵等
白佛言如是世尊佛言若有講讀此妙經典
流通之處於其國中大臣輔相有四種益云
何為四一者更相親穆尊重愛念二者常為
人王心所愛重亦為沙門婆羅門大國小國
之所遵敬三者輕財重法不求世利嘉名普
暨衆所欽仰四者壽命延長安隱快樂是名

BD00803號　金光明最勝王經卷三

(16–14)

人王心所愛重亦爲沙門婆羅門大國小國
之所遵敬三者輕財重法不求世利嘉名普
暨衆所欽仰四者壽命延長安隱快樂是名
四益若有國土宣説是經沙門婆羅門得四
種勝利云何爲四一者衣服飲食卧具醫藥
无所乏少二者皆得安心思惟讀誦三者依
於山林得安樂住四者隨心所願皆得滿足
是名四種勝利若有國土宣説是經一切人
民皆得豐樂无諸疾疫商估往還多獲寶
貨具足勝福是名種種功德利益
尒時梵釋四天王及諸大衆白佛言世尊如
是經典甚深之義若現在者當知如來卅七
種助菩提法住世未滅若是經典滅盡之時
正法亦滅佛言如是如是善男子是故汝等
於此金光明經一句一頌一品一部皆當一
心正讀誦正聞持正思惟正脩習爲諸衆生
廣宣流布長夜安樂利福无邊時諸大衆聞
佛説已咸蒙勝益歡喜受持

金光明最勝王經卷第三

BD00803號　金光明最勝王經卷三　（16–15）

民皆得豐樂无諸疾疫商估往還多獲寶
貨具足勝福是名種種功德利益
尒時梵釋四天王及諸大衆白佛言世尊如
是經典甚深之義若現在者當知如來卅七
種助菩提法住世未滅若是經典滅盡之時
正法亦滅佛言如是如是善男子是故汝等
於此金光明經一句一頌一品一部皆當一
心正讀誦正聞持正思惟正脩習爲諸衆生
廣宣流布長夜安樂利福无邊時諸大衆聞
佛説已咸蒙勝益歡喜受持

金光明最勝王經卷第三

BD00803號　金光明最勝王經卷三　（16–16）

諸佛……
處說法悉能受持一切佛法又能出於深妙法
音尒時世尊欲重宣此義而說偈言
是人舌根淨　終不受惡味　其有所食噉　悉皆成甘露
以深淨妙聲　於大眾說法　以諸因緣喻　引導眾生心
聞者皆歡喜　設諸上供養
諸天龍夜叉　及阿脩羅等　皆以恭敬心　而共來聽法
是說法之人　若欲以妙音　遍滿三千界　隨意即能至
大小轉輪王　及千子眷屬　合掌恭敬心　常來聽受法
諸天龍夜叉　羅剎毗舍闍　亦以歡喜心　常樂來供養
梵天王魔王　自在大自在　如是諸天眾　常來至其所
諸佛及弟子　聞其說法音　常念而守護　或時為現身
復次常精進若善男子善女人受持是經若
讀若誦若解說若書寫得八百身功德清
淨身如淨琉璃眾生憙見其身淨故三千大
千世界眾生生時死時上下好醜生善處惡
處悉於中現及鐵圍大鐵圍彌樓山摩訶彌
樓山等諸山及其中眾生悉於中現下至阿
鼻地獄上至有頂所有及眾生悉於中現若
聲聞辟支佛菩薩諸佛說法皆於身中現其

BD00804 號　妙法蓮華經（八卷本）卷六　（3–1）

千世界眾生生時死時上下好醜生善處惡
處悉於中現及鐵圍大鐵圍彌樓山摩訶彌
樓山等諸山及其中眾生悉於中現下至阿
鼻地獄上至有頂所有及眾生悉於中現若
聲聞辟支佛菩薩諸佛說法皆於身中現其
色像尒時世尊欲重宣此義而說偈言
若持法華者　其身甚清淨　如彼淨琉璃　眾生皆憙見
又如淨明鏡　悉見諸色像　菩薩於淨身　皆見世所有
唯獨自明了　餘人所不見
三千世界中　一切諸群萌　天人阿脩羅　地獄鬼畜生
如是諸色像　皆於身中現
諸天等宮殿　乃至於有頂　鐵圍及彌樓　摩訶彌樓山
諸大海水等　皆於身中現
諸佛及聲聞　佛子菩薩等　若獨若在眾　說法悉皆現
雖未得無漏　法性之妙身　以清淨常體　一切於中現
復次常精進若善男子善女人如來滅後受
持是經若讀若誦若解說若書寫得千二百
意功德以是清淨意根乃至聞一偈一句通
達無量無邊之義解是義已能演說一句一
偈至於一月四月乃至一歲諸所說法隨其義
趣皆與實相不相違背若說俗間經書治
世語言資生業等皆順正法三千大千世界
六趣眾生心之所行心所動作心所戲論皆
悉知之雖未得無漏智慧而其意根清淨如
此是人有所思惟籌量言說皆是佛法無不
真實亦是先佛經中所說尒時世尊欲重宣
此義而說偈言

BD00804 號　妙法蓮華經（八卷本）卷六　（3–2）

世語言資生業等皆順正法三千大千世界
六趣衆生心之所行心所動作心所戲論皆
悉知之雖未得无漏智慧而其意根清淨如
此是人有所思惟籌量言說皆是佛法无不
真實亦是先佛經中所說尒時世尊欲重宣
此義而說偈言
是人意清淨　明利无穢濁　以此妙意根　知上中下法
乃至聞一偈　通達无量義　次第如說法　月四月至歲
是世界內外　一切諸衆生　若天龍及人　夜叉鬼神等
其在六趣中　所念若干種　持法華之報　一時皆悉知
十方无數佛　百福莊嚴相　為衆生說法　悉聞能受持
思惟无量義　說法亦无量　終始不忘錯　以持法華故
悉知諸法相　隨義識次第　達名字語言　如所知演說
此人有所說　皆是先佛法　以演此法故　於衆无所畏
持法華經者　意根淨若斯　雖未得无漏　先有如是相
是人持此經　安住希有地　為一切衆生　歡喜而愛敬
能以千萬種　善巧之言語　分別而說法　持法華經故

蓮華經卷第六

BD00804 號　妙法蓮華經（八卷本）卷六　　（3–3）

諸天為聽法故亦常隨侍若在聚落城邑空閑
林中有人來欲難問者諸天晝夜常為法故
而衛護之能令聽者皆得歡喜所以者何
此經是一切過去未來現在諸佛神力所護故
文殊師利是法華經於无量國中乃至名字不
可得聞何況得見受持讀誦文殊師利譬如
強力轉輪聖王欲以威勢降伏諸國而諸小
王不順其命時轉輪王起種種兵而往討伐
王見兵衆戰有功者即大歡喜隨功賞賜
或與田宅聚落城邑或與衣服嚴身之具或
與種種珍寶金銀琉璃車𤦲馬瑙珊瑚虎珀
象馬車乘奴婢人民唯髻中明珠不與之所
以者何獨王頂上有此一珠若以与之王諸眷
屬必大驚怪文殊師利如來亦復如是以禪
定智慧力得法國土王於三界而諸魔王
不肯順伏如來賢聖諸將與之共戰其有
功者心亦歡喜於四衆中為說諸經令其心
悅賜以禪定解脫无漏根力諸法之財又復
賜與涅槃之城言得滅度引導其心令皆歡
喜而不為說是法華經文殊師利如轉輪

BD00805 號　妙法蓮華經（八卷本）卷五　　（11–1）

不肯順伏如來賢聖諸將與之共戰其有
功者心亦歡喜於四衆中為說諸經令其心
悅賜以禪定解脫无漏根力諸法之財又復
賜與涅槃之城言得滅度引導其心令皆歡
喜而不為說是法華經文殊師利如轉輪
王見諸兵衆有大功者心甚歡喜以此難信
之珠久在髻中不妄與人而今與之如來亦復
如是於三界中為大法王以法教化一切衆
生見賢聖軍與五陰魔煩惱魔死魔共
戰有大功勳滅三毒出三界破魔網尒時如來
亦大歡喜此法華經能令衆生至一切智一切
世間多怨難信先所未說而今說之文殊師
利此法華經是諸如來第一之說於諸說中
最為甚深末後賜與如彼强力之王久護明
珠今乃與之文殊師利此法華經諸佛如來
秘密之藏於諸經中最在其上長夜守護不
妄宣說始於今日乃與汝等而敷演之尒時
世尊欲重宣此義而說偈言
常行忍辱　哀愍一切　乃能演說　佛所讚經
後末世時　持此經者　於家出家　及非菩薩
應生慈悲　斯等不聞　不信是經　則為大失
我得佛道　以諸方便　為說此法　令住其中
譬如强力　轉輪之王　兵戰有功　賞賜諸物
象馬車乘　嚴身之具　及諸田宅　聚落城邑
或與衣服　種種珍寶　奴婢財物　歡喜賜與
如有勇健　能為難事　王解髻中　明珠賜之
如來亦尒　為諸法王　忍辱大力　智慧寶藏
以大慈悲　如法化世　見一切人　受諸苦惱

象馬車乘　嚴身之具　及諸田宅　聚落城邑
或與衣服　種種珍寶　奴婢財物　歡喜賜與
如有勇健　能為難事　王解髻中　明珠賜之
如來亦尒　為諸法王　忍辱大力　智慧寶藏
以大慈悲　如法化世　見一切人　受諸苦惱
欲求解脫　與諸魔戰　為是衆生　說種種法
以大方便　說此諸經　既知衆生　得其力已
末後乃為　說是法華　如王解髻　明珠與之
此經為尊　衆經中上　我常守護　不妄開示
今正是時　為汝等說　我滅度後　求佛道者
欲得安隱　演說斯經　應當親近　如是四法
讀是經者　常无憂惱　又无病痛　顏色鮮白
不生貧窮　卑賤醜陋　衆生樂見　如慕賢聖
天諸童子　以為給使　刀杖不加　毒不能害
若人惡罵　口則閉塞　遊行无畏　如師子王
智慧光明　如日之照　若於夢中　但見妙事
見諸如來　坐師子座　諸比丘衆　圍遶說法
又見龍神　阿脩羅等　數如恒沙　恭敬合掌
自見其身　而為說法　又見諸佛　身相金色
放无量光　照於一切　以梵音聲　演說諸法
佛為四衆　說无上法　見身處中　合掌讚佛
聞法歡喜　而為供養　得陁羅尼　證不退智
佛知其心　深入佛道　即為授記　成最正覺
汝善男子　當於來世　得无量智　佛之大道
國土嚴淨　廣大无比　亦有四衆　合掌聽法
又見自身　在山林中　脩習善法　證諸實相
深入禪定　見十方佛

汝善男子 當於來世 得无量智 佛之大道
國土嚴淨 廣大无比 亦有四衆 合掌聽法
又見自身 在山林中 脩習善法 證諸實相
深入禪定 見十方佛
諸佛身金色 百福相莊嚴 聞法爲人說 常有是好夢
又夢作國王 捨宮殿眷屬 及上妙五欲 行詣於道場
在菩提樹下 而處師子座 求道過七日 得諸佛之智
成无上道已 起而轉法輪 爲四衆說法 經千万億劫
說无漏妙法 度无量衆生 後當入涅槃 如煙盡燈滅
若後惡世中 說是第一法 是人得大利 如上諸功德

妙法蓮華經從地踊出品第十五

尒時他方國土諸來菩薩摩訶薩過八恒河
沙數於大衆中起合掌作礼而白佛言世尊
若聽我等於佛滅後在此娑婆世界勤加精
進護持讀誦書寫供養是經典者當於此土
而廣說之尒時佛告諸菩薩摩訶薩衆止善
男子不須汝等護持此經所以者何我娑婆
世界自有六万恒河沙等菩薩摩訶薩一一
菩薩各有六万恒河沙眷屬是諸人等能於
我滅後護持讀誦廣說此經佛說是時娑
婆世界三千大千國土地皆震裂而於其中
有无量千万億菩薩摩訶薩同時踊出是諸
菩薩身皆金色三十二相无量光明先盡在此
娑婆世界之下此界虛空中住是諸菩薩
聞釋迦牟尼佛所說音聲從下發來一一菩薩
皆是大衆唱導之首各將六万恒河沙眷屬
況將五万四万三万二万一万恒河沙等眷屬

BD00805號　妙法蓮華經（八卷本）卷五　（11–4）

娑婆世界之下此界虛空中住是諸菩薩
聞釋迦牟尼佛所說音聲從下發來一一菩薩
皆是大衆唱導之首各將六万恒河沙眷屬
況將五万四万三万二万一万恒河沙等眷屬
者況復乃至一恒河沙半恒河沙四分之
一乃至千万億那由他分之一況復千万億
那由他眷屬況復億万眷屬況復千万百万
乃至一万況復一千一百乃至一十況復將五四
三二一弟子者況復單己樂遠離行如是
等比无量无邊筭數譬喻所不能知是諸菩
薩從地踊出已各詣虛空七寶妙塔多寶如
來釋迦牟尼佛所到已向二世尊頭面礼足
及至諸寶樹下師子座上佛所亦皆作礼右
繞三匝合掌恭敬以諸菩薩種種讚法而以
讚歎住在一面欣樂瞻仰於二世尊是諸菩
薩摩訶薩從初踊出以諸菩薩種種讚法而
讚於佛如是時間經五十小劫是時釋迦牟
尼佛嘿然而坐及諸四衆皆嘿然五十小劫
佛神力故令諸大衆謂如半日尒時四衆亦
以佛神力故見諸菩薩遍滿无量百千万
億國土虛空是菩薩衆中有四導師一名上
行二名无邊行三名淨行四名安立行是四
菩薩於其衆中最爲上首唱導之師在大
衆前各共合掌觀釋迦牟尼佛而問訊言世尊
少病少惱安樂行不所應度者受教易不不
令世尊生疲勞耶尒時四大菩薩而說偈言
世尊安樂 少病少惱 教化衆生 得无疲惓

BD00805號　妙法蓮華經（八卷本）卷五　（11–5）

衆前各共合掌觀釋迦牟尼佛而問訊言世尊
少病少惱安樂行不所應度者受教易不不
令世尊生疲勞耶尒時四大菩薩而說偈言
世尊安樂　少病少惱　教化衆生　得无疲惓
又諸衆生　受化易不　不令世尊　生疲勞耶
尒時世尊於菩薩大衆中而作是言如是如
是諸善男子如來安樂少病少惱諸衆生等
易可化度无有疲勞所以者何是諸衆生
世世已來常受我化亦於過去諸佛供養尊重
種諸善根此諸衆生始見我身聞我所說即皆
信受入如來慧除先脩習學小乘者如是之
人我今亦令得聞是經入於佛慧尒時諸大
菩薩而說偈言
善哉善哉　大雄世尊　諸衆生等　易可化度
能問諸佛　甚深智慧　聞已信行　我等隨喜
於時世尊讚歎上首諸大菩薩善哉善哉善
男子汝等能於如來發隨喜心尒時弥勒菩
薩及八千恒河沙諸菩薩衆皆作是念我等
從昔已來不見不聞如是大菩薩摩訶薩衆
從地踊出住世尊前合掌供養問訊如來時
弥勒菩薩摩訶薩知八千恒河沙諸菩薩等
心之所念并欲自決所疑合掌向佛以偈問曰
无量千万億　大衆諸菩薩　昔所未曾見　願兩足尊說
是從何所來　以何因緣集　巨身大神通　智慧叵思議
其志念堅固　有大忍辱力　衆生所樂見　為從何所來
一一諸菩薩　所將諸眷屬　其數无有量　如恒河沙等
或有大菩薩　將六万恒沙　如是諸大衆　一心求佛道

BD00805號　妙法蓮華經（八卷本）卷五　（11–6）

其志念堅固　有大忍辱力　衆生所樂見　為從何所來
一一諸菩薩　所將諸眷屬　其數无有量　如恒河沙等
或有大菩薩　將六万恒沙　如是諸大衆　一心求佛道
是諸大師等　六万恒河沙　俱來供養佛　及護持此經
將五万恒沙　其數過於是　四万及三万　二万至一万
一千一百等　乃至一恒沙　半及三四分　億万分之一
千万那由他　万億諸弟子　乃至於半億　其數復過上
百万至一万　一千及一百　五十與一十　乃至三二一
單己无眷屬　樂於獨處者　俱來至佛所　其數轉過上
如是諸大衆　若人行籌數　過於恒沙劫　猶不能盡知
是諸大威德　精進菩薩衆　誰為其說法　教化而成就
從誰初發心　稱揚何佛法　受持行誰經　脩習何佛道
如是諸菩薩　神通大智力　四方地震裂　皆從中踊出
世尊我昔來　未曾見是事　願說其所從　國土之名号
我常遊諸國　未曾見是衆　我於此衆中　乃不識一人
忽然從地出　願說其因緣　今此之大會　无量百千億
是諸菩薩等　皆欲知此事　是諸菩薩衆　本末之因緣
无量德世尊　唯願決衆疑
尒時釋迦牟尼佛分身諸佛從无量千万億
他方國土來者在於八方諸寶樹下師子座上
結加趺坐其佛侍者各各見是菩薩大衆
於三千大千世界四方從地踊出住於虛空各
白其佛言世尊此諸无量无邊阿僧祇菩薩
大衆從何所來尒時諸佛各告侍者諸善
男子且待須臾有菩薩摩訶薩名曰弥勒釋
迦牟尼佛之所授記次後作佛已問斯事佛

BD00805號　妙法蓮華經（八卷本）卷五　（11–7）

白其佛言世尊此諸无量无邊阿僧祇菩薩
大衆從何所來尒時諸佛各告侍者諸善
男子且待須臾有菩薩摩訶薩名曰弥勒釋
迦牟尼佛之所授記次後作佛已問斯事佛
今荅之汝等自當因是得聞尒時釋迦牟尼佛
告弥勒菩薩善哉善哉阿逸多乃能問佛
如是大事汝等當共一心被精進鎧發堅固意
如來今欲顯發宣示諸佛智慧諸佛自在神
通之力諸佛師子奮迅之力諸佛威猛大勢之
力尒時世尊欲重宣此義而說偈言
當精進一心　我欲說此義　勿得有疑悔　佛智叵思議
汝今出信力　住於忍善中　昔所未聞法　今皆當得聞
我今安慰汝　勿得懷疑懼　佛无不實語　智慧不可量
所得第一法　甚深叵分別　如是今當說　汝等一心聽
尒時世尊說此偈已告弥勒菩薩我今於此
大衆宣告汝等阿逸多是諸大菩薩摩訶薩
无量无數阿僧祇從地踊出汝等昔所未見者
我於是娑婆世界得阿耨多羅三藐三菩
提已教化示導是諸菩薩調伏其心令發道
意此諸菩薩皆於是娑婆世界之下此界虛
空中住於諸經典讀誦通利思惟分別正憶
念阿逸多是諸善男子等不樂在衆多有
所說常樂靜處勤行精進未曾休息亦不依
止人天而住常樂深智无有障礙亦常樂於
諸佛之法一心精進求无上慧尒時世尊欲重
宣此義而說偈言
阿逸汝當知　是諸大菩薩　從无數劫來　修習佛智慧

BD00805 號　妙法蓮華經（八卷本）卷五　（11–8）

所說常樂靜處勤行精進未曾休息亦不依
止人天而住常樂深智无有障礙亦常樂於
諸佛之法一心精進求无上慧尒時世尊欲重
宣此義而說偈言
阿逸汝當知　是諸大菩薩　從无數劫來　修習佛智慧
悉是我所化　令發大道心　此等是我子　依止是世界
常行頭陀事　志樂於靜處　捨大衆憒閙　不樂多所說
如是諸子等　學習我道法　晝夜常精進　為求佛道故
在娑婆世界　下方空中住　志念力堅固　常勤求智慧
說種種妙法　其心无所畏　我於伽耶城　菩提樹下坐
得成最正覺　轉无上法輪　尒乃教化之　令初發道心
今皆住不退　悉當得成佛　我今說實語　汝等一心信
我從久遠來　教化是等衆
尒時弥勒菩薩摩訶薩及无數諸菩薩等心
生疑惑怪未曾有而作是念云何世尊於少時間
教化如是无量无邊阿僧祇諸大菩薩令住
阿耨多羅三藐三菩提即白佛言世尊如
來為太子時出於釋宮去伽耶城不遠坐於
道場得成阿耨多羅三藐三菩提從是已
來始過四十餘年世尊云何於此少時大作佛
事以佛勢力以佛功德教化如是无量大菩
薩衆當成阿耨多羅三藐三菩提世尊此
大菩薩衆假使有人於千万億劫數不能盡
不得其邊斯等久遠已來於无量无邊諸佛
所殖諸善根成就菩薩道常修梵行世尊
如此之事世所難信譬如有人色美髮黑年二
十五指百歲人言是我子其百歲人亦指年

BD00805 號　妙法蓮華經（八卷本）卷五　（11–9）

不得其邊斯等久遠已來於无量无邊諸佛
所殖諸善根成就菩薩道常脩梵行世尊
如此之事世所難信譬如有人色美髮黑年二
十五指百歲人言是我子其百歲人亦指年
少言是我父生育我等是事難信佛亦如
是得道已來其實未久而此大衆諸菩薩等已於
无量千万億劫為佛道故勤行精進善入
出住无量百千万億三昧得大神通久脩梵
行善能次第習諸善法巧於問荅人中之寶
一切世間甚為希有今日世尊方云得佛道
時初令發心教化示導令向阿耨多羅三藐
三菩提世尊得佛未久乃能作此大功德事
我等雖復信佛隨宜所說佛所出言未曾虛
妄佛所知者皆悉通達然諸新發意菩薩
於佛滅後若聞是語或不信受而起破法罪業
因緣唯然世尊願為解說除我等疑及未來
世諸善男子聞此事已亦不生疑尒時弥勒
菩薩欲重宣此義而說偈言
佛昔從釋種　出家近伽耶　坐於菩提樹　尒來尚未久
此諸佛子等　其數不可量　久已行佛道　住神通智力
善學菩薩道　不染世間法　如蓮華在水　從地而踊出
皆起恭敬心　住於世尊前　是事難思議　云何而可信
佛得道甚近　所成就甚多　願為除衆疑　如是分別說
譬如少壯人　年始二十五　示人百歲子　髮白而面皺
是等我所生　子亦說是父　父少而子老　舉世所不信
世尊亦如是　得道來甚近　是諸菩薩等　志固无怯弱
從无量劫來　而行菩薩道　巧於難問荅　其心无所畏

BD00805號　妙法蓮華經（八卷本）卷五　（11–10）

於佛滅後若聞是語或不信受而起破法罪業
因緣唯然世尊願為解說除我等疑及未來
世諸善男子聞此事已亦不生疑尒時弥勒
菩薩欲重宣此義而說偈言
佛昔從釋種　出家近伽耶　坐於菩提樹　尒來尚未久
此諸佛子等　其數不可量　久已行佛道　住神通智力
善學菩薩道　不染世間法　如蓮華在水　從地而踊出
皆起恭敬心　住於世尊前　是事難思議　云何而可信
佛得道甚近　所成就甚多　願為除衆疑　如是分別說
譬如少壯人　年始二十五　示人百歲子　髮白而面皺
是等我所生　子亦說是父　父少而子老　舉世所不信
世尊亦如是　得道來甚近　是諸菩薩等　志固无怯弱
從无量劫來　而行菩薩道　巧於難問荅　其心无所畏
忍辱心決定　端正有威德　十方佛所讚　善能分別說
不樂在人衆　常好在禪定　為求佛道故　於下空中住
我等從佛聞　於此事无疑　願佛為未來　演說令開解
若有於此經　生疑不信者　即當墮惡道　願今為解說
是无量菩薩　云何於少時　教化令發心　而住不退地

妙法蓮華經卷第五

BD00805號　妙法蓮華經（八卷本）卷五　（11–11）

眼界
无所得為方便迴
正斷四神足五
支慶喜眼界眼
與四念住四正斷四
八聖道支无二无二分
界眼識界及眼觸為
為方便无生為方便无
切智智脩習四念住四正
力七等覺支八聖道支慶喜色界眼識界
及眼觸眼觸為緣所生諸受色界眼識界及
眼觸眼觸為緣所生諸受性空何以故以色界
眼識界及眼觸眼觸為緣所生諸受性空與四念
住四正斷四神足五根五力七等覺支八
聖道支无二无二分故慶喜由此故說以
眼界等无二為方便无生為方便无所得為
方便迴向一切智智脩習四念住四正斷四神
足五根五力七等覺支八聖道支世尊云
何以耳界无二為方便无生為方便无所得
為方便迴向一切智智脩習四念住四正斷四

BD00806 號　大般若波羅蜜多經卷一一五　　（20–1）

眼界等无二為方便无生為方便无所得為
方便迴向一切智智脩習四念住四正斷四神
足五根五力七等覺支八聖道支世尊云
何以耳界无二為方便无生為方便无所得
為方便迴向一切智智脩習四念住四正斷四
神足五根五力七等覺支八聖道支慶喜
耳界耳界性空何以故以耳界性空與四念
住四正斷四神足五根五力七等覺支八聖
道支无二无二分故世尊云何以聲界耳識
界及耳觸耳觸為緣所生諸受无二為方便
无生為方便无所得為方便迴向一切智智
脩習四念住四正斷四神足五根五力七等覺
支八聖道支慶喜聲界耳識界及耳觸耳
觸為緣所生諸受聲界耳識界及耳觸耳
觸為緣所生諸受性空何以故以聲界耳識
界及耳觸耳觸為緣所生諸受性空與四念住
四正斷四神足五根五力七等覺支八聖道
支无二无二分故慶喜由此故說以耳界等
无二為方便无生為方便无所得為方便迴
向一切智智脩習四念住四正斷四神足五根
五力七等覺支八聖道支世尊云何以鼻界
无二為方便无生為方便无所得為方便迴
向一切智智脩習四念住四正斷四神足五
根五力七等覺支八聖道支慶喜鼻界鼻
界性空何以故以鼻界性空與四念住四正
斷四神足五根五力七等覺支八聖道支无

BD00806 號　大般若波羅蜜多經卷一一五　　（20–2）

根五力七等覺支八聖道支慶喜鼻界鼻
界性空何以故以鼻界性空與四念住四正
斷四神足五根五力七等覺支八聖道支无
二无二分故世尊云何以香界鼻識界及鼻
觸鼻觸為緣所生諸受无二為方便无生為
方便无所得為方便迴向一切智智脩習四
念住四正斷四神足五根五力七等覺支八
聖道支慶喜香界鼻識界及鼻觸鼻觸為
緣所生諸受香界鼻識界及鼻觸鼻觸為緣
所生諸受性空何以故香界鼻識界及鼻觸
鼻觸為緣所生諸受性空與四念住四正斷
四神足五根五力七等覺支八聖道支无二无
二分故慶喜由此故說以鼻界等无二為方
便无生為方便无所得為方便迴向一切智
智脩習四念住四正斷四神足五根五力七
等覺支八聖道支世尊云何以香界无二
為方便无生為方便无所得為方便迴向一
切智智脩習四念住四正斷四神足五根五
力七等覺支八聖道支慶喜舌界舌界性
空何以故以舌界性空與四念住四正斷四神
足五根五力七等覺支八聖道支无二无二
分故世尊云何以味界舌識界及舌觸舌觸
為緣所生諸受无二為方便无生為方便无
所得為方便迴向一切智智脩習四念住四
正斷四神足五根五力七等覺支八聖道支
慶喜味界舌識界及舌觸舌觸為緣所生諸
受味界舌識界及舌觸舌觸為緣所生諸受

BD00806號　大般若波羅蜜多經卷一一五　（20–3）

為緣所生諸受无二為方便无生為方便无
所得為方便迴向一切智智脩習四念住四
正斷四神足五根五力七等覺支八聖道支
慶喜味界舌識界及舌觸舌觸為緣所生諸
受味界舌識界及舌觸舌觸為緣所生諸受
性空何以故味界舌識界及舌觸舌觸為緣
所生諸受性空與四念住四正斷四神足五
根五力七等覺支八聖道支无二无二分
故慶喜由此故說以舌界等无二為方便无
生為方便无所得為方便迴向一切智智脩
習四念住四正斷四神足五根五力七等覺
支八聖道支世尊云何以身界无二為方便
无生為方便无所得為方便迴向一切智智脩
習四念住四正斷四神足五根五力七等覺
支八聖道支慶喜身界身界性空何以故
以身界性空與四念住四正斷四神足五根五
力七等覺支八聖道支无二无二分故世尊
云何以觸界身識界及身觸身觸為緣所
生諸受无二為方便无生為方便无所得為
方便迴向一切智智脩習四念住四正斷四神
足五根五力七等覺支八聖道支慶喜觸界
身識界及身觸身觸為緣所生諸受觸界身
識界及身觸身觸為緣所生諸受性空何
以故以觸界身識界及身觸身觸為緣所生
諸受性空與四念住四正斷四神足五根五
力七等覺支八聖道支无二无二分故慶喜
由此故說以身界等无二為方便无生為方

BD00806號　大般若波羅蜜多經卷一一五　（20–4）

以故以觸界身識界及身觸身觸為緣所生
諸受性空與四念住四正斷四神足五根五
力七等覺支八聖道支无二无二分故慶喜
由此故說以身界等无為方便无生為方
便无所得為方便迴向一切智智脩習四念
住四正斷四神足五根五力七等覺支八聖
道支世尊云何以意界无二為方便无生為
方便无所得為方便迴向一切智智脩習四
念住四正斷四神足五根五力七等覺支八
聖道支慶喜意界意界性空何以故以意
界性空與四念住四正斷四神足五根五力七
等覺支八聖支无二无二分故世尊云何
以法界意識界及意觸意觸為緣所生諸
受无二為方便无生為方便无所得為方便
迴向一切智智脩習四念住四正斷四神足五
根五力七等覺支八聖道支慶喜法界意
識界及意觸意觸為緣所生諸受法界意識
界及意觸意觸為緣所生諸受性空何以故
以法界意識界及意觸意觸為緣所生諸受
性空與四念住四正斷四神足五根五力七等
覺支八聖道无二无二分故慶喜由此故
說以意界等无二為方便无生為方便无所
得為方便迴向一切智智脩習四念住四正
斷四神足五根五力七等覺支八聖道支世
尊云何以眼界无二為方便无生為方便
无所得為方便迴向一切智智脩習空解脫
門无相解脫門无願解脫門慶喜眼界眼

BD00806號　大般若波羅蜜多經卷一一五　　(20–5)

斷四神足五根五力七等覺支八聖道支世
尊云何以眼界无二為方便无生為方便
无所得為方便迴向一切智智脩習空解脫
門无相解脫門无願解脫門慶喜眼界眼
界性空何以故以眼界性空與空解脫門无
相解脫門无願解脫門无二无二分故世尊
云何以色界眼識界眼觸眼觸為緣所生諸
受无二為方便无生為方便无所得為方便
迴向一切智智脩習空解脫門无相解脫門
无願解脫門慶喜色界眼識界及眼觸眼觸
為緣所生諸受色界眼識界及眼觸眼觸為
緣所生諸受性空何以故以色界眼識界及
眼觸眼觸為緣所生諸受性空與空解脫門
无相解脫門无願解脫門无二无二分故慶
喜由此故說以色界等无二為方便无生為方
便无所得為方便迴向一切智智脩習空解
脫門无相解脫門无願解脫門世尊云何以
耳界无二為方便无生為方便无所得為方
便迴向一切智智脩習空解脫門无相解脫
門无願解脫門慶喜耳界耳界性空何以
故以耳界性空與空解脫門无相解脫門无
願解脫門无二无二分故世尊云何以聲界
耳識界及耳觸耳觸為緣生諸受无二為
方便无生為方便无所得為方便迴向一切
智智脩習空解脫門无相解脫門无願解脫
門慶喜聲界耳識界及耳觸耳觸為緣所生

BD00806號　大般若波羅蜜多經卷一一五　　(20–6)

耳識界及耳觸耳觸為緣所生諸受无二為
方便无生為方便无所得為方便迴向一切
智智脩習空解脫門无相解脫門无願解脫
門慶喜聲界耳識界及耳觸耳觸為緣所生
諸受聲界耳識界及耳觸耳觸為緣所生諸
受性空何以故以聲界耳識界及耳觸耳觸
為緣所生諸受性空與空解脫門无相解脫
門无願解脫門无二无二分故慶喜由此故
說以耳界等无二為方便无生為方便无所
得為方便迴向一切智智脩習空解脫門无
相解脫門无願解脫門世尊云何以鼻界无
二為方便无生為方便无所得為方便迴向一
切智智脩習空解脫門无相解脫門无願
解脫門慶喜鼻界鼻界性空何以故以鼻
界性空與空解脫門无相解脫門无願解脫
門无二无二分故世尊云何以香界鼻識界及
鼻觸鼻觸為緣所生諸受无二為方便无生
為方便无所得為方便迴向一切智智脩習
空解脫門无相解脫門无願解脫門慶喜香
界鼻識界及鼻觸鼻觸為緣所生諸受香
界鼻識界及鼻觸鼻觸為緣所生諸受性空
何以故以香界鼻識界及鼻觸鼻觸為緣所
生諸受性空與空解脫門无相解脫門无願
解脫門无二无二分故慶喜由此故說以鼻界
等无二為方便无生為方便无所得為方便
迴向一切智智脩習空解脫門无相解脫門

BD00806號　大般若波羅蜜多經卷一一五　（20–7）

解脫門无二无二分故慶喜由此故說以鼻界
等无二為方便无生為方便无所得為方便
迴向一切智智脩習空解脫門无相解脫門
无願解脫門世尊云何以舌界无二為方便
无生為方便无所得為方便迴向一切智智
脩習空解脫門无相解脫門无願解脫門
慶喜舌界舌界性空何以故以舌界性空與空
解脫門无相解脫門无願解脫門无二无二
分故世尊云何以味界舌識界及舌觸舌觸
為緣所生諸受无二為方便无生為方便无
所得為方便迴向一切智智脩習空解脫門
无相解脫門无願解脫門慶喜味界舌識界
及舌觸舌觸為緣所生諸受味界舌識界及
舌觸舌觸為緣所生諸受性空何以故以味
界舌識界及舌觸舌觸為緣所生諸受性空
與空解脫門无相解脫門无願解脫門无二
无二分故慶喜由此故說以舌界等无二為
方便无生為方便无所得為方便迴向一切
智智脩習空解脫門无相解脫門无願解脫
門世尊云何以身界无二為方便无生為方
便无所得為方便迴向一切智智脩習空解
脫門无相解脫門无願解脫門慶喜身界身
界性空何以故以身界性空與空解脫門无
相解脫門无願解脫門无二无二分故世尊
云何以觸界身識界及身觸身觸為緣所生
諸受无二為方便无生為方便无所得為方
便迴向一切智智脩習空解脫門无相解脫

BD00806號　大般若波羅蜜多經卷一一五　（20–8）

云何以觸界身識界及身觸身觸為緣所生
諸受无二為方便无生為方便无所得為方
便迴向一切智智脩習空解脫門无相解脫
門无願解脫門慶喜觸界身識界及身觸身
觸為緣所生諸受觸界身識界及身觸身觸
為緣所生諸受性空何以故以觸界身識界
及身觸身觸為緣所生諸受性空與空解脫
門无相解脫門无願解脫門无二无二分故
慶喜由此故說以身界等无二為方便无生
為方便无所得為方便迴向一切智智脩習
空解脫門无相解脫門无願解脫門世尊
云何以意界无二為方便无生為方便无所得
為方便迴向一切智智脩習空解脫門无相解
脫門无願解脫門慶喜意界意界性空何
以故以意界性空與空解脫門无相解脫門
无願解脫門无二无二分故世尊云何以法
界意識界及意觸意觸為緣所生諸受无二
為方便无生為方便无所得為方便迴向一
切智智脩習空解脫門无相解脫門无願解脫
門慶喜法界意識界及意觸意觸為緣
所生諸受法界意識界及意觸意觸為緣所
生諸受性空何以故以法界意識界及意觸意
觸為緣所生諸受性空與空解脫門无相解
脫門无願解脫門无二无二分故慶喜由此
故說以意界等无二為方便无生為方便无
所得為方便迴向一切智智脩習空解脫門无

BD00806號　大般若波羅蜜多經卷一一五　（20–9）

脫門无願解脫門无二无二分故慶喜由此
故說以意界等无二為方便无生為方便无
所得為方便迴向一切智智脩習空解脫門无
相解脫門无願解脫門
世尊云何以眼界无二為方便无生為方便
无所得為方便迴向一切智智脩習五眼六神
通慶喜眼界眼界性空何以故以眼界性空
與五眼六神通无二无二分故世尊云何以色
界眼識界及眼觸眼觸為緣所生諸受无二
為方便无生為方便无所得為方便迴向一
切智智脩習五眼六神通慶喜色界眼識
界及眼觸眼觸為緣所生諸受色界眼識
界及眼觸眼觸為緣所生諸受性空何以故
以色界眼識界及眼觸眼觸為緣所生諸受
性空與五眼六神通无二无二分故慶喜由
此故說以眼界等无二為方便无生為方便
无所得為方便迴向一切智智脩習五眼六
神通世尊云何以耳界无二為方便无生為
方便无所得為方便迴向一切智智脩習五
眼六神通慶喜耳界耳界性空何以故以耳
界性空與五眼六神通无二无二分故世尊
云何以聲界耳識界及耳觸耳觸為緣所生
諸受无二為方便无生為方便无所得為方
便迴向一切智智脩習五眼六神通慶喜聲
界耳識界及耳觸耳觸為緣所生諸受聲
界耳識界及耳觸耳觸為緣所生諸受性空何

BD00806號　大般若波羅蜜多經卷一一五　（20–10）

受无二為方便无生為方便无所得為方
迴向一切智智脩習五眼六神通慶喜聲
界耳識界及耳觸耳觸為緣所生諸受聲
界耳識界及耳觸耳觸為緣所生諸受性空何
以故以聲界耳識界及耳觸耳觸為緣所生
諸受性空與五眼六神通无二无二分故慶
喜由此故說以耳界等无二為方便无生為
便无所得為方便迴向一切智智脩習五
六神通世尊云何以鼻界无二為方便无
為方便无所得為方便迴向一切智智脩
有五眼六神通慶喜鼻界鼻界性空何以故
以鼻界性空與五眼六神通无二无二分故世
尊云何以香界鼻識界及鼻觸鼻觸為緣
生諸受无二為方便无生為方便无所得
方便迴向一切智智脩習五眼六神通慶喜
香界鼻識界及鼻觸鼻觸為緣所生諸受
香界鼻識界及鼻觸鼻觸為緣所生諸受
性空何以故以香界鼻識界及鼻觸鼻觸為
緣所生諸受性空與五眼六神通无二无二分
故慶喜由此故說以鼻界等无二為方便无
生為方便无所得為方便迴向一切智智脩
香五眼六神通世尊云何以舌界无二為方
便无生為方便无所得為方便迴向一切智
智脩習五眼六神通慶喜舌界舌界性空何
以故以舌界性空與五眼六神通无二无二
以故世尊云何以味界舌識界及舌觸舌觸
為緣所生諸受无二為方便无生為方便无

便无生為方便无所得為方便迴向一切智
智脩習五眼六神通慶喜舌界舌界性空何
以故以舌界性空與五眼六神通无二无二
分故世尊云何以味界舌識界及舌觸舌觸
為緣所生諸受无二為方便无生為方便无
所得為方便迴向一切智智脩習五眼六神通
慶喜味界舌識界及舌觸舌觸為緣所生諸
受味界舌識界及舌觸舌觸為緣所生諸受性
空何以故以味界舌識界及舌觸舌觸為緣
所生諸受性空與五眼六神通无二无二
分故慶喜由此故說以香界等无二為方便
无生為方便无所得為方便迴向一切智智
脩習五眼六神通世尊云何以身界无二為
方便无生為方便无所得為方便迴向一
切智智脩習五眼六神通慶喜身界身界性
空何以故以身界性空與五眼六神通无二
无二分故世尊云何以觸界身識界及身觸
身觸為緣所生諸受无二為方便无生為方便
无所得為方便迴向一切智智脩習五眼六神
通慶喜觸界身識界及身觸身觸為緣所
生諸受觸界身識界及身觸身觸為緣所生
諸受性空何以故以觸界身識界及身觸
身觸為緣所生諸受性空與五眼六神通无
二无二分故慶喜由此故說以身界等无二
為方便无生為方便无所得為方便迴向一
切智智脩習五眼六神通世尊云何以意界
无二為方便无生為方便无所得為方便迴

身觸為緣所生諸受性空與五眼六神通无
二无二分故慶喜由此故說以身界等无二
為方便无生為方便无所得為方便迴向一
切智智脩習五眼六神通世尊云何以意界
无二為方便无生為方便无所得為方便迴
向一切智智脩習五眼六神通慶喜意界意
界性空何以故以意界性空與五眼六神通
无二无二分故世尊云何以法界意識界及
意觸意觸為緣所生諸受无二為方便无生
為方便无所得為方便迴向一切智智脩習
五眼六神通慶喜法界意識界及意觸意觸
為緣所生諸受法界意識界及意觸意觸為
緣所生諸受性空何以故以法界意識界及
意觸意觸為緣所生諸受性空與五眼六神
通无二无二分故慶喜由此故說以意界等
无二為方便无生為方便无所得為方便
迴向一切智智脩習五眼六神通
世尊云何以眼界无二為方便无生為方便
无所得為方便迴向一切智智脩習佛十力
四无所畏四无礙解大慈大悲大喜大捨十
八佛不共法慶喜眼界眼界性空何以故以眼
界性空與佛十力四无所畏四无礙解大慈
大悲大喜大捨十八佛不共法无二无二分
故世尊云何以色界眼識界及眼觸眼觸
為緣所生諸受无二為方便无生為方便无
所得為方便迴向一切智智脩習佛十力四无
所畏四无礙解大慈大悲大喜大捨十八佛不

BD00806號　大般若波羅蜜多經卷一一五　（20–13）

大悲大喜大捨十八佛不共法无二无二分
故世尊云何以色界眼識界及眼觸眼觸
為緣所生諸受无二為方便无生為方便无
所得為方便迴向一切智智脩習佛十力四无
所畏四无礙解大慈大悲大喜大捨十八佛不
共法慶喜色界眼識界及眼觸眼觸為緣
所生諸受色界眼識界及眼觸眼觸為緣
所生諸受性空何以故以色界眼識界及眼
觸眼觸為緣所生諸受性空與佛十力四无
所畏四无礙解大慈大悲大喜大捨十八佛
不共法无二无二分故慶喜由此故說以眼界
等无二為方便无生為方便无所得為方
便迴向一切智智脩習佛十力四无所畏四
无礙解大慈大悲大喜大捨十八佛不共法
世尊云何以耳界无二為方便无生為方便
无所得為方便迴向一切智智脩習佛十力
四无所畏四无礙解大慈大悲大喜大捨十
八佛不共法慶喜耳界耳界性空何以故以
耳界性空與佛十力四无所畏四无礙解大
慈大悲大喜大捨十八佛不共法无二无二
分故世尊云何以聲界耳識界及耳觸耳觸
為緣所生諸受无二為方便无生為方便无
所得為方便迴向一切智智脩習佛十力四
无所畏四无礙解大慈大悲大喜大捨十八
佛不共法慶喜聲界耳識界及耳觸耳觸
為緣所生諸受聲界耳識界及耳觸耳觸為
緣所生諸受性空何以故以聲界耳識界及耳

BD00806號　大般若波羅蜜多經卷一一五　（20–14）

无所畏四无礙觧大慈大悲大喜大捨十八
佛不共法慶喜聲界耳識界及耳觸耳觸
為緣所生諸受聲界耳識界及耳觸耳觸為
緣所生諸受性空何以故以聲界耳識界及耳
觸耳觸為緣所生諸受性空與佛十力四无
所畏四无礙觧大慈大悲大喜大捨十八佛
不共法无二无二分故慶喜由此故說以耳界
等无二為方便无生為方便无所得為方便
迴向一切智智脩習佛十力四无所畏四无
礙觧大慈大悲大喜大捨十八佛不共法世尊
云何以鼻界无二為方便无生為方便无所
得為方便迴向一切智智脩習佛十力四无
所畏四无礙觧大慈大悲大喜大捨十八
佛不共法慶喜鼻界鼻界性空何以故以
鼻界性空與佛十力四无所畏四无礙觧大
慈大悲大喜大捨十八佛不共法无二无二
分故世尊云何以香界鼻識界及鼻觸鼻
觸為緣所生諸受无二為方便无生為方便
无所得為方便迴向一切智智脩習佛十力
四无所畏四无礙觧大慈大悲大喜大捨十八
佛不共法慶喜香界鼻識界及鼻觸鼻觸
為緣所生諸受香界鼻識界及鼻觸鼻觸
為緣所生諸受性空何以故以香界鼻識界及
鼻觸鼻觸為緣所生諸受性空與佛十力四
无所畏四无礙觧大慈大悲大喜大捨十八佛
不共法无二无二分故慶喜由此故說以鼻
界等无二為方便无生為方便无所為方

BD00806號　大般若波羅蜜多經卷一一五　（20–15）

鼻觸鼻觸為緣所生諸受性空與佛十力四
无所畏四无礙觧大慈大悲大喜大捨十八佛
不共法无二无二分故慶喜由此故說以鼻
界等无二為方便无生為方便无所為方
便迴向一切智智脩習佛十力四无所畏四无礙
觧大慈大悲大喜大捨十八佛不共法
世尊云何以舌界无二為方便无生為方便无
所得為方便迴向一切智智脩習佛十力四
无所畏四无礙觧大慈大悲大喜大捨十
八佛不共法慶喜舌界舌界性空何以故以
舌界性空與佛十力四无所畏四无礙觧大
慈大悲大喜大捨十八佛不共法无二无二
分故世尊云何以味界舌識界及舌觸舌觸
為緣所生諸受无二為方便无生為方便无
所得為方便迴向一切智智脩習佛十力四无
所畏四无礙觧大慈大悲大喜大捨十八佛
不共法慶喜味界舌識界及舌觸舌觸為緣
所生諸受味界舌識界及舌觸舌觸為緣所
生諸受性空何以故以味界舌識界及舌觸
舌觸為緣所生諸受性空與佛十力四无所
畏四无礙觧大慈大悲大喜大捨十八佛
不共法无二无二分故慶喜由此故說以舌
界等无二為方便无生為方便无所得為方
便迴向一切智智脩習佛十力四无所畏四无
礙觧大慈大悲大喜大捨十八佛不共法
世尊云何以身界无二為方便无生為方便
无所得為方便迴向一切智智脩習佛十力四

BD00806號　大般若波羅蜜多經卷一一五　（20–16）

便迴向一切智智脩習佛十力四无所畏四无
礙解大慈大悲大喜大捨十八佛不共法
世尊云何以身界无二為方便无生為方便
无所得為方便迴向一切智智脩習佛十力四
无所畏四无礙解大慈大悲大喜大捨十八
佛不共法慶喜身界身界性空何以故以
身界性空與佛十力四无所畏四无礙解大慈
大悲大喜大捨十八佛不共法无二无二分
故世尊云何以觸界身識界及身觸身觸
為緣所生諸受无二為方便无生為方便无
所得為方便迴向一切智智脩習佛十力四
无所畏四无礙解大慈大悲大喜大捨十八
佛不共法慶喜觸界身識界及身觸身觸為
緣所生諸受觸界身識界及身觸身觸為緣
所生諸受性空何以故觸界身識界及身
觸身觸為緣所生諸受性空與佛十力四无
所畏四无礙解大慈大悲大喜大捨十八佛
不共法无二无二分故慶喜由此故說以身
界等无二為方便无生為方便无所得為方
便迴向一切智智脩習佛十力四无所畏四无礙
解大慈大悲大喜大捨十八佛不共法世尊
云何以意界无二為方便无生為方便无所
得為方便迴向一切智智脩習佛十力四无
所畏四无礙解大慈大悲大喜大捨十八
佛不共法慶喜意界意界性空何以故以
意界性空與佛十力四无所畏四无礙解大慈
大悲大喜大捨十八佛不共法无二无二分
故世尊云何以法界意識界及意觸意觸

BD00806 號　大般若波羅蜜多經卷一一五　（20–17）

佛不共法慶喜意界意界性空何以故以
意界性空與佛十力四无所畏四无礙解大慈
大悲大喜大捨十八佛不共法无二无二分
故世尊云何以法界意識界及意觸意觸
為緣所生諸受无二為方便无生為方便无
所得為方便迴向一切智智脩習佛十力四
无所畏四无礙解大慈大悲大喜大捨十八
佛不共法慶喜法界意識界及意觸意觸為
緣所生諸受法界意識界及意觸意觸為緣
所生諸受性空何以故以法界意識界及意
觸意觸為緣所生諸受性空與佛十力四
无所畏四无礙解大慈大悲大喜大捨十八
佛不共法无二无二分故慶喜由此故說以意
界等无二為方便无生為方便无所得為
方便迴向一切智智脩習佛十力四无所畏四无
礙解大慈大悲大喜大捨十八佛不共法世尊
云何以眼界无二為方便无生為方便无所
得為方便迴向一切智智脩習无忘失法恒
住捨性慶喜眼界眼界性空何以故以眼界
性空與无忘失法恒住捨性无二无二分故
世尊云何以色界眼識界及眼觸眼觸為
緣所生諸受无二為方便无生為方便无所
得為方便迴向一切智智脩習无忘失法恒
住捨性慶喜色界眼界及眼觸眼觸為緣所
生諸受色界眼識界及眼觸眼觸為緣所
生諸受性空何以故以色界眼識界及眼
觸眼觸為緣所生諸受性空與无忘失法恒
住捨性无二无二分故慶喜由此故說以眼
界等无二為方便无生為方便无所得為方

BD00806 號　大般若波羅蜜多經卷一一五　（20–18）

生諸受色界眼識界及眼觸眼為緣所
生諸受性空何以故以色界眼識界及眼
觸眼觸為緣所生諸受性空與无忘失法恒
住捨性无二无二分故慶喜由此故說以眼
界等无二為方便无生為方便无所得為方
便迴向一切智智脩習无忘失法恒住捨性
世尊云何以耳界无二為方便无生為方便
无所得為方便迴向一切智智脩習无忘失
法恒住捨性慶喜耳界耳界性空何以故以
耳界性空與无忘失法恒住捨性无二无二
故世尊云何以聲界耳識界及耳觸耳觸為
緣所生諸受无二為方便无生為方便无所
得為方便迴向一切智智脩習无忘失法
恒住捨性慶喜聲界耳識界及耳觸耳觸為
緣所生諸受聲界耳識界及耳觸耳觸為緣
所生諸受性空何以故以聲界耳識界及耳觸
耳觸為緣所生諸受性空與无忘失法恒
住捨性无二无二分故慶喜由此故說以耳
界等无二為方便无生為方便无所得為方
便迴向一切智智脩習无忘失法恒住捨性
世尊云何以鼻界无二為方便无生為方便
无所得為方便迴向一切智智脩習无忘失
法恒住捨性慶喜鼻界鼻界性空何以故以
鼻界性空與无忘失法恒住捨性无二无二
分故世尊云何以香界鼻識界及鼻觸鼻觸
為緣所生諸受无二為方便无生為方便无
所得為方便迴向一切智智脩習无忘失法
恒住捨性慶喜香界鼻識界及鼻觸鼻觸

BD00806號　大般若波羅蜜多經卷一一五　（20–19）

住捨性无二无二分故慶喜由此故說以耳
界等无二為方便无生為方便无所得為方
便迴向一切智智脩習无忘失法恒住捨性
世尊云何以鼻界无二為方便无生為方便
无所得為方便迴向一切智智脩習无忘失
法恒住捨性慶喜鼻界鼻界性空何以故以
鼻界性空與无忘失法恒住捨性无二无二
分故世尊云何以香界鼻識界及鼻觸鼻觸
為緣所生諸受无二為方便无生為方便无
所得為方便迴向一切智智脩習无忘失法
恒住捨性慶喜香界鼻識界及鼻觸鼻觸
為緣所生諸受香界鼻識界及鼻觸鼻觸為
緣所生諸受性空何以故以香界鼻識界及鼻
觸鼻觸為緣所生諸受性空與无忘失法恒
住捨性无二无二分故慶喜由此故說以鼻界
等无二為方便无生為方便无所得為方
便迴向一切智智脩習无忘失法恒住捨性

大般若波羅蜜多經卷第一百一十五

BD00806號　大般若波羅蜜多經卷一一五　（20–20）

尊前以偈讃曰
佛月清淨 滿足莊嚴 佛日暉曜 放千光明
如來面目 最上明淨 齒白无垢 如蓮華根
功德无量 猶如大海 智淵无邊 法水具足
百千三昧 无有缺減 足下平滿 千輻相現
足指網縵 猶如鵝王
光明晃曜 如寶山王 微妙清淨 如練真金
所有福德 不可思議 佛功德山 我今敬礼
佛真法身 猶如虛空 應物現形 如水中月
无有鄣导 如炎如化 是故我今 稽首佛月
尒時世尊 以偈荅曰
此金光明 諸經之王 甚深最勝 為无有上
十力世尊 之所宣說 汝等四王 應當勤護
以是因緣 是深妙典 能與衆生 无量快樂
為諸衆生 安樂利益 故久流布 於閻浮提
能滅三千 大千世界 所有惡趣 无量諸苦
閻浮提內 諸人王等 心生慈愍 正法治世
若能流布 此妙經典 則令其王 安隱豐熟
所有衆生 悉受快樂 若有人王 欲愛己身
及其國土 欲令豐盛 應當至心 淨潔洗浴
往法會所 聽受是典 是經能作 所有善事
摧伏一切 內外怨敵 復能除滅 无量怖畏
是諸經王 能與一切 无量衆生 安隱快樂

BD00807 號　金光明經卷二　(3–1)

及其國土 欲令豐盛 應當至心 淨潔洗浴
往法會所 聽受是典 是經能作 所有善事
摧伏一切 內外怨敵 復能除滅 无量怖畏
是諸經王 能與一切 无量衆生 安隱快樂
譬如寶樹 在人宅中 悉能出生 一切珎寶
是妙經典 亦復如是 悉能出生 諸王功德
如清冷水 能除渴之 是妙經典 亦復如是
能除諸王 功德渴之
譬如珎寶 異物篋器 悉在于手 隨意所用
是金光明 亦復如是 隨意能與 諸王法寶
是金光明 微妙經典 常為諸天 恭敬供養
亦為護世 四天大王 威神勢力 之所護持
十方諸佛 常念是經 若有演說 稱讚善哉
亦有百千 无量鬼神 從十方來 擁護是人
若有得聞 是妙經典 心生歡喜 踊躍无量
閻浮提內 无量大衆 皆悉歡喜 集聽是法
聽是經典 具諸威德 增益天衆 精氣身力
尒時四天王聞是偈已白佛言世尊我從昔
來未曾得聞如是微妙寂滅之法我聞是已
心生悲喜涕淚橫流舉身戰動支體怡解
復得无量不可思議具足妙樂以天曼陁羅
華摩訶曼陁羅華供養奉散於如來上作
如是等供養佛已復白佛言世尊我等四王
各各自有五百鬼神常當隨逐是說法者
而為守護
金光明經大辯神品第七

BD00807 號　金光明經卷二　(3–2)

未來曾得聞如是微妙寂滅之法我聞是已
心生悲喜涕淚橫流舉身戰動支體怡解
復得无量不可思議具足妙樂以天曼陁羅
華摩訶曼陁羅華供養奉散於如來上作
如是等供養佛已復白佛言世尊我等四王
各各自有五百鬼神常當隨逐是說法者
而為守護

金光明經大辯神品第七

尒時大辯神白佛言世尊是說法者我當益
其樂說辯才令其所說莊嚴次第善得大智
若是經中有失文字句義違錯我能令是說
法比丘次第還得能與揔持令不忘失若有
眾生於百千佛所種諸善根是說法者為
是等故於閻浮提廣宣流布是妙經典令
不斷絕復令无量无邊眾生得聞是經當令
是等悉得猛利不可思議大智慧聚不可
稱量福得之報善解无量種種方便善能
辯暢一切諸論善知世間種種伎術能出生
死得不退轉必定疾得阿耨多羅三藐三
菩提

金光明經功德天品第八

尒時功德天白佛言世尊是說法者我當隨
之所須之物衣服飲食臥具醫藥及餘資生
供給是人无所乏

BD00807號　金光明經卷二　（3–3）

身皆金色三十二相无量光明先盡在此娑
婆世界之下此界虛空中住是諸菩薩聞
釋迦牟尼佛所說音聲從下發來一一菩薩
皆是大眾唱　之首各將六万恒河沙眷屬
況將五万四万三万二万一万恒河沙等眷
屬者況復乃至一恒河沙半恒河沙四分之
一乃至千万億那由他分之一況復千萬億
那由他眷屬況復億萬眷屬況復千万百万
乃至一萬況復一千一百乃至一十況復將
五四三二一弟子者況復單己樂遠離行
如是等比无量无邊算數譬喻所不能知是諸
菩薩從地出已各詣虛空七寶妙塔多寶如
來釋迦牟尼佛所到已向二世尊頭面禮足
及至諸寶樹下師子座上佛所亦皆作禮右
繞三帀合掌恭敬以諸菩薩種種讚法而以
讚歎住在一面欣樂瞻仰於二世尊是諸菩
薩摩訶薩從初踊出以諸菩薩種種讚法
而讚於佛如是時間經五十小劫是時釋迦牟
尼佛嘿然而坐及諸四眾亦皆嘿然五十小劫
佛神力故令諸大眾謂如半日尒時四眾
亦以佛神力故見諸菩薩遍滿无量百千万
億國土虛空是菩薩眾中有四導師一名
上行二名无邊行三名淨行四名安立行是四

BD00808號　妙法蓮華經卷五　（18–1）

佛神力故令諸大衆謂如半日余時四衆
亦以佛神力故見諸菩薩遍滿无量百千万
億國土虚空是菩薩衆中有四導師一名
上行二名无邊行三名淨行四名安立行是四
菩薩於其衆中最為上首唱導之師在大衆
前各共合掌觀釋迦牟尼佛而問訊言世尊
少病少惱安樂行不所應度者受教易不不
令世尊生疲勞耶余時四大菩薩而說偈言
世尊安樂 少病少惱 教化衆生 得无疲惓
又諸衆生 受化易不 不令世尊 生疲勞耶
余時世尊於菩薩大衆中而作是言如是如
是諸善男子如來安樂少病少惱諸衆生等
易可化度无有疲勞所以者何是諸衆生世
世已來常受我化亦於過去諸佛供養尊
重種諸善根此諸衆生始見我身聞我所說
即皆信受入如來慧除先脩習學小乘者如是
之人我今亦令得聞是經入於佛慧余時諸
大菩薩而說偈言
善哉善哉 大雄世尊 諸衆生等 易可化度
能問諸佛 甚深智慧 聞已信行 我等隨喜
於時世尊讚歎上首諸大菩薩善哉善哉善
男子汝等能於如來發隨喜心余時弥勒菩
薩及八千恒河沙諸菩薩衆皆作是念我等
從昔已來不見不聞如是大菩薩摩訶薩
衆從地踊出住世尊前合掌供養問訊如來時
弥勒菩薩摩訶薩知八千恒河沙諸菩薩等
心之所念并欲自決所疑合掌向佛以偈問曰
无量千万億 大衆諸菩薩 昔所未曾見 願兩足尊說

衆從地踊出住世尊前合掌供養問訊如來時
弥勒菩薩摩訶薩知八千恒河沙諸菩薩等
心之所念并欲自決所疑合掌向佛以偈問曰
无量千万億 大衆諸菩薩 昔所未曾見 願兩足尊說
是從何所來 以何因緣集 巨身大神通 智慧叵思議
其志念堅固 有大忍辱力 衆生所樂見 為從何所來
一一諸菩薩 所將諸眷屬 其數无有量 如恒河沙等
或有大菩薩 將六万恒沙 如是諸大衆 一心求佛道
是諸大師等 六萬恒河沙 俱來供養佛 及護持此經
將五万恒沙 其數過於是 四万及三万 二万至一万
一千一百等 乃至一恒沙 半及三四分 億万分之一
千万那由他 万億諸弟子 乃至於半億 其數復過上
百万至一万 一千及一百 五十與一十 乃至三二一
單己无眷屬 樂於獨處者 俱來至佛所 其數轉過上
如是諸大衆 若人行籌數 過於恒沙劫 猶不能盡知
是諸大威德 精進菩薩衆 誰為其說法 教化而成就
從誰初發心 稱揚何佛法 受持行誰經 脩習何佛道
如是諸菩薩 神通大智力 四方地震裂 皆從中踊出
世尊我昔來 未曾見是事 願說其所從 國土之名号
我常遊諸國 未曾見是衆 我於此衆中 乃不識一人
忽然從地出 願說其因緣 今此之大會 无量百千億
是諸菩薩等 皆欲知此事 如是諸菩薩 本末之因緣
无量德世尊 唯願決衆疑
余時釋迦牟尼佛分身諸佛從无量千万億他
方國土來者在於八方諸寶樹下師子座上結
跏趺坐其佛侍者各各見是菩薩大衆於三
千大千世界四方從地踊出住於虚空各

尒時釋迦牟尼佛分身諸佛從无量千万億他
方國土來者在於八方諸寶樹下師子座上結
跏趺坐其佛侍者各各見是菩薩大衆於三
千大千世界四方從地踊出住於虛空各
白其佛言世尊此諸无量无邊阿僧祇菩
薩大衆從何所來尒時佛各告侍者諸善
男子且待須臾有菩薩摩訶薩名弥勒釋
迦牟尼佛之所授記次後作佛已問斯事佛今
荅之汝等自當因是得聞尒時釋迦牟尼佛
告弥勒菩薩善哉善哉阿逸多乃能問佛如
是大事汝等當共一心被精進鎧發堅固意
如來今欲顯發宣示諸佛智慧諸佛自在神
通之力諸佛師子奮迅之力諸佛威猛大勢
之力尒時世尊欲重宣此義而說偈言
當精進一心　我欲說此事　勿得有疑悔　佛智叵思議
汝今出信力　住於忍善中　昔所未聞法　今皆當得聞
我今安慰汝　勿得懷疑懼　佛无不實語　智慧不可量
所得第一法　甚深叵分別　如是今當說　汝等一心聽
尒時世尊說此偈已告弥勒菩薩我今於此
大衆宣告汝等阿逸多是諸大菩薩摩訶薩
无量无數阿僧祇從地踊出汝等昔所未見者
我於是娑婆世界得阿耨多羅三藐三菩提
已教化示導是諸菩薩調伏其心令發道意
此諸菩薩皆於是娑婆世界之下此界虛
空中住於諸經典讀誦利思惟分別正憶念
力阿逸多是諸善男子等不樂在衆多有所
說常樂靜處勤行精進未曾休息亦不依止

空中住於諸經典讀誦利思惟分別正憶念
力阿逸多是諸善男子等不樂在衆多有所
說常樂靜處勤行精進未曾休息亦不依止
人天而住常樂深智无有障礙亦常樂於諸
佛之法一心精進求无上慧尒時世尊欲重宣
此義而說偈言
阿逸汝當知　是諸大菩薩　從无數劫來　脩習佛智慧
悉是我所化　令發大道心　此等是我子　依止是世界
常行頭陀事　志樂於靜處　捨大衆憒閙　不樂多所說
如是諸子等　學習我道法　晝夜常精進　為求佛道故
在娑婆世界　下方空中住　志念力堅固　常勤求智慧
說種種妙法　其心无所畏　我於伽耶城　菩提樹下坐
得成最正覺　轉无上法輪　尒乃教化之　令初發道心
今皆住不退　悉當得成佛　我今說實語　汝等一心信
我從久遠來　教化是等衆
尒時弥勒菩薩摩訶薩及无數諸菩薩等心
生疑惑怪未曾有而作是念云何世尊於少
時間教化如是无量无邊阿僧祇諸大菩薩
令住阿耨多羅三藐三菩提即白佛言世尊如
來為太子時出於釋氏宮去伽耶城不遠坐
於道場得成阿耨多羅三藐三菩提從是已
來始過四十餘年世尊云何於此少時大作
佛事以佛勢力以佛功德教化如是无量大
菩薩衆當成阿耨多羅三藐三菩提世尊此
大菩薩衆假使有人於千万億劫數不能盡
不得其邊斯等久遠已來於无量无邊諸佛
所植諸善根成就菩薩道常脩梵行世尊如

大菩薩衆假使有人於千万億劫數不能盡
不得其邊斯等久遠已來於无量无邊諸佛
所植諸善根成就菩薩道常脩梵行世尊如
此之事世所難信譬如有人色美髮黑年二十
五指百歲人言是我子其百歲人亦指年少
言是我父生育我等是事難信佛亦如是
得道已來其實未久而此大衆諸菩薩等已
於无量千万億劫為佛道故勤行精進善入
出住无量百千万億三昧得大神通久脩梵
行善能次第習諸善法巧於問荅人中之寶
一切世間甚為希有今日世尊方云得佛道
時初令發心教化示導令向阿耨多羅三藐
三菩提世尊得佛未久乃能作此大功德事
我等雖復信佛隨宜所說佛所出言未曾
虛妄佛所知者皆悉通達然諸新發意菩
於佛滅後若聞是語或不信受而起破罪業
因緣唯然世尊願為解說除我等疑及未來
世諸善男子聞此事已亦不生疑尒時弥勒
菩薩欲重宣此義而說偈言
佛昔從釋種 出家近伽耶 坐於菩提樹 尒來尚未久
此諸佛子等 其數不可量 久已行佛道 住於神通力
善學菩薩道 不染世間法 如蓮華在水 從地而踊出
皆起恭敬心 住於世尊前 是事難思議 云何而可信
佛得道甚近 所成就甚多 願為除衆疑 如實分別說
譬如少壯人 年始二十五 示人百歲子 髮白而面皺
是等我所生 子亦說是父 父少而子老 舉世所不信

佛得道甚近 所成就甚多 願為除衆疑 如實分別說
譬如少壯人 年始二十五 示人百歲子 髮白而面皺
是等我所生 子亦說是父 父少而子老 舉世所不信
世尊亦如是 得道來甚近 是諸菩薩等 志固无怯弱
從无量劫來 而行菩薩道 巧於難問荅 其心无所畏
忍辱心決定 端正有威德 十方佛所讚 善能分別說
不樂在人衆 常好在禪定 為求佛道故 於下空中住
我等從佛聞 於此事无疑 願佛為未來 演說令開解
若有於此經 生疑不信者 即當墮惡道 願今為解說
是无量菩薩 云何於少時 教化令發心 而住不退地
妙法蓮華經如來壽量品第十六
尒時佛告諸菩薩及一切大衆諸善男子汝
等當信解如來誠諦之語復告大衆汝等當
信解如來誠諦之語又復告諸大衆汝等當
信解如來誠諦之語是時菩薩大衆弥勒為
首合掌白佛言世尊唯願說之我等當信受
佛語如是三白已復言唯願說之我等當信
受佛語尒時世尊知諸菩薩三請不止而告
之言汝等諦聽如來秘密神通之力一切世
間天人及阿脩羅皆謂今釋迦牟尼佛出釋
氏宮去伽耶城不遠坐於道場得阿耨多羅
三藐三菩提然善男子我實成佛已來无
量无邊百千万億那由他劫譬如五百千萬億
那由他阿僧祇三千大千世界假使有人末
為微塵過於東方五百千万億那由他阿僧
祇國乃下一塵如是東行盡是微塵諸善
男子於意云何是諸世界可得思惟校計知

量无邊百千万億那由他劫譬如五百千万億
那由他阿僧祇三千大千世界假使有人末
為微塵過於東方五百千万億那由他阿僧
祇國乃下一塵如是東行盡是微塵諸善
男子於意云何是諸世界可得思惟校計知
其數不弥勒菩薩等俱白佛言世尊是諸世界
无量无邊非筭數所知亦非心力所及一切聲
聞辟支佛以无漏智不能思惟知其限數
我等住阿惟越致地於是事中亦所不達
世尊如是諸世界无量无邊尒時佛告菩薩
衆諸善男子今當分明宣語汝等是諸世界
若著微塵及不著者盡以為塵一塵一劫我
成佛已來復過於此百千万億那由他阿僧
祇劫自從是來我常在此娑婆世界說法教
化亦於餘處百千万億那由他阿僧祇國導
利衆生諸善男子於是中間我說然燈佛等
又復言其入於涅槃如是皆以方便分別諸
善男子若有衆生來至我所我以佛眼觀其
信等諸根利鈍隨所應度處處自說名字
不同年紀大小亦復現言當入涅槃又以種種
方便說微妙法能令衆生發歡喜心諸善男子
如來見諸衆生樂於小法德薄垢重者為
是人等說我少出家得阿耨多羅三藐三菩提
然我實成佛已來久遠若斯但以方便教化衆
生令入佛道作如是說諸善男子如來所演
經典皆為度脫衆生或說己身或說他身或
示己身或示他身或示己事或示他事諸所
言說皆實不虛所以者何如來如實知見三界

然我實成佛已來久遠若斯但以方便教化衆
生令入佛道作如是說諸善男子如來所演
經典皆為度脫衆生或說己身或說他身或
示己身或示他身或示己事或示他事諸所
言說皆實不虛所以者何如來如實知見三界
之相无有生死若退若出亦无在世及滅度
者非實非虛非如非異不如三界見於三
界如斯之事如來明見无有錯謬以諸衆
生有種種性種種欲種種行種種憶想分別
故欲令生諸善根以若干因緣譬喻言辭種
種說法所作佛事未曾暫廢如是我成佛已
來甚大久遠壽命无量阿僧祇劫常住不滅
諸善男子我本行菩薩道所成壽命今猶未
盡復倍上數然今非實滅度而便唱言當取
滅度如來以是方便教化衆生所以者何若
佛久住於世薄德之人不種善根貧窮下賤
貪著五欲入於憶想妄見網中若見如來常在
不滅便起憍恣而懷厭怠不能生難遭之
想恭敬之心是故如來以方便說比丘當知
諸佛出世難可值遇所以者何諸薄德人過无
量百千萬億劫或有見佛或不見者以此事
故我作是言諸比丘如來難可得見斯衆生
等聞如是語必當生於難遭之想心懷戀慕
渴仰於佛便種善根是故如來雖不實滅
而言滅度又善男子諸佛如來法皆如是為
度衆生皆實不虛譬如良醫智慧聰達明練
方藥善治衆病其人多諸子息若十二十乃

而言我度又善男子諸佛如來法皆如是為
度衆生皆實不虛譬如良醫智慧聰達明練
方藥善治衆病其人多諸子息若十二十乃
至百數以有事緣遠至餘國諸子於後飲他
毒藥藥發悶亂宛轉于地是時其父還來
歸家諸子飲毒或失本心或不失者遥見其父
皆大歡喜拜跪問訊善安隱歸我等愚癡誤
服毒藥願見救療更賜壽命父見子等苦惱
如是依諸經方求好藥草色香美味皆悉具
足擣篩和合與子令服而作是言此大良藥色
香美味皆悉具足汝等可服速除苦惱
无復衆患其諸子中不失心者見此良藥色
香俱好即服之病盡除愈餘失心者見其父
來雖亦歡喜問訊求索治病然與其藥而不
肯服所以者何毒氣深入失本心故於此好
色香藥而謂不美父作是念此子可愍為毒
所中心皆顛倒雖見我喜求索救療如是好
藥而不肯服我今當設方便令服此藥即作是
言汝等當知我今衰老死時已至是好良
藥今留在此汝可取服勿憂不差作是教已
復至他國遣使還告汝父已死是時諸子聞
父背喪心大憂惱而作是念若父在者慈愍
我等能見救護今者捨我遠喪他國自惟孤
露无復恃怙常懷悲感心遂醒悟乃知此藥
色味香美即取服之毒病皆愈其父聞子悉
已得差尋便來歸咸使見之諸善男子於意
云何頗有人能說此良醫虛妄罪不不也世

BD00808號　妙法蓮華經卷五　（18–10）

色味香美即取服之毒病皆愈其父聞子悉
已得差尋便來歸咸使見之諸善男子於意
云何頗有人能說此良醫虛妄罪不不也世
尊佛言我亦如是成佛已來无量无邊百千
万億那由他阿僧祇劫為衆生故以方便力
言當滅度亦无有能如法說我虛妄過者尒
時世尊欲重宣此義而說偈言

自我得佛來　所經諸劫數　无量百千万　億載阿僧祇
常說法教化　无數億衆生　令入於佛道　尒來无量劫
為度衆生故　方便現涅槃　而實不滅度　常住此說法
我常住於此　以諸神通力　令顛倒衆生　雖近而不見
衆見我滅度　廣供養舍利　咸皆懷戀慕　而生渴仰心
衆生既信伏　質直意柔軟　一心欲見佛　不自惜身命
時我及衆僧　俱出靈鷲山　我時語衆生　常在此不滅
以方便力故　現有滅不滅　餘國有衆生　恭敬信樂者
我復於彼中　為說无上法　汝等不聞此　但謂我滅度
我見諸衆生　沒在於苦惱　故不為現身　令其生渴仰
因其心戀慕　乃出為說法　神通力如是　於阿僧祇劫
常在靈鷲山　及餘諸住處　衆生見劫盡　大火所燒時
我此土安隱　天人常充滿　園林諸堂閣　種種寶莊嚴
寶樹多華菓　衆生所遊樂　諸天擊天鼓　常作衆伎樂
雨曼陁羅華　散佛及大衆　我淨土不毀　而衆見燒盡
憂怖諸苦惱　如是悉充滿　是諸罪衆生　以惡業因緣
過阿僧祇劫　不聞三寶名　諸有修功德　柔和質直者
則皆見我身　在此而說法　或時為此衆　說佛壽无量
久乃見佛者　為說佛難值　我智力如是　慧光照无量
壽命无數劫　久脩業所得　汝等有智者　勿於此生疑
當斷令永盡　佛語實不虛　如醫善方便　為治狂子故

BD00808號　妙法蓮華經卷五　（18–11）

則皆見我身　在此而說法　或時爲此衆　說佛壽无量
久乃見佛者　爲說佛難值　我智力如是　慧光照无量
壽命无數劫　久脩業所得　汝等有智者　勿於此生疑
當斷令永盡　佛語實不虛　如醫善方便　爲治狂子故
實在而言死　无能說虛妄　我亦爲世父　救諸苦患者
爲凡夫顛倒　實在而言滅　以常見我故　而生憍恣心
放逸著五欲　墮於惡道中　我常知衆生　行道不行道
隨應所可度　爲說種種法　每自作是意　以何令衆生
得入无上道　速成就佛身

妙法蓮華經分別功德品第十七

尒時大會聞佛說壽命劫數長遠如是无量
无邊阿僧祇衆生得大饒益　於時世尊告弥
勒菩薩摩訶薩阿逸多我說是如來壽命長
遠時六百八十万億那由他恒河沙衆生得
无生法忍　復千倍菩薩摩訶薩得聞持陁羅
尼門　復有一世界微塵數菩薩摩訶薩得樂
說无礙辯才　復有一世界微塵數菩薩摩訶
薩得百千万億无量旋陁羅尼　復有三千大千
世界微塵數菩薩摩訶薩能轉不退法輪　復
有二千中國土微塵數菩薩摩訶薩能轉清
淨法輪　復有小千國土微塵數菩薩摩訶薩
八生當得阿耨多羅三藐三菩提　復有四四
天下微塵數菩薩摩訶薩四生當得阿耨多
羅三藐三菩提　復有三四天下微塵數菩薩
摩訶薩三生當得阿耨多羅三藐三菩提
復有二四天下微塵數菩薩摩訶薩二生當
得阿耨多羅三藐三菩提　復有一四天下微

BD00808號　妙法蓮華經卷五　（18–12）

羅三藐三菩提　復有三四天下微塵數菩薩
摩訶薩三生當得阿耨多羅三藐三菩提
復有二四天下微塵數菩薩摩訶薩二生當
得阿耨多羅三藐三菩提　復有一四天下微
塵數菩薩摩訶薩一生當得阿耨多羅三藐
三菩提　復有八世界微塵數衆生皆發阿耨多
羅三藐三菩提心　佛說是諸菩薩摩訶薩
得大法利時　於虛空中雨曼陁羅華摩訶曼
陁羅華　以散无量百千万億寶樹下師子座
上諸佛　并散七寶塔中師子座上釋迦牟尼
佛及久滅度多寶如來　亦散一切諸大菩薩
及四部衆　又雨細末栴檀沈水香等　於虛空
中天鼓自鳴　妙聲深遠　又雨千種天衣　垂諸
瓔珞　真珠瓔珞　摩尼珠瓔珞　如意珠瓔珞
遍於九方　衆寶香鑪燒无價香　自然周至
供養大會　一一佛上有諸菩薩執持幡蓋　次第
而上至于梵天　是諸菩薩以妙音聲歌无量頌
讚歎諸佛　尒時弥勒菩薩從座而起　偏袒
右肩　合掌向佛　而說偈言

佛說希有法　昔所未曾聞　世尊有大力　壽命不可量
无數諸佛子　聞世尊分別　說得法利者　歡喜充遍身
或住不退地　或得陁羅尼　或无礙樂說　万億旋總持
或有大千界　微塵數菩薩　各各皆能轉　不退之法輪
或有中千界　微塵數菩薩　各各皆能轉　清淨之法輪
復有小千界　微塵數菩薩　餘各八生在　當得成佛道
復有四三二　如是四天下　微塵諸菩薩　隨數生成佛
或一四天下　微塵數菩薩　餘有一生在　當成一切智

BD00808號　妙法蓮華經卷五　（18–13）

復有小千界　微塵數菩薩　餘各八生在　當得成佛道
復有四三二　如是四天下　微塵諸菩薩　隨數生成佛
或一四天下　微塵數菩薩　餘有一生在　當成一切智
如是等衆生　聞佛壽長遠　得无量无漏　清淨之果報
復有八世界　微塵數衆生　聞佛說壽命　皆發无上心
世尊說无量　不可思議法　多有所饒益　如虛空无邊
雨天曼陁羅　摩訶曼陁羅　釋梵如恒沙　无數佛土來
雨栴檀沈水　繽紛而亂墜　如鳥飛空下　供散於諸佛
天鼓虛空中　自然出妙聲　天衣千萬種　旋轉而來下
衆寶妙香爐　燒无價之香　自然悉周遍　供養諸世尊
其大菩薩衆　執七寶幡蓋　高妙万億種　次第至梵天
一一諸佛前　寶幢懸勝幡　亦以千万偈　歌詠諸如來
如是種種事　昔所未曾有　聞佛壽无量　一切皆歡喜
佛名聞十方　廣饒益衆生　一切具善根　以助无上心
尒時佛告彌勒菩薩摩訶薩　阿逸多　其有衆
生聞佛壽命長遠如是　乃至能生一念信解
所得功德无有限量　若有善男子善女人　為
阿耨多羅三藐三菩提　於八十萬億那由他
劫行五波羅蜜　檀波羅蜜　尸波羅蜜　羼提
波羅蜜　毗梨耶波羅蜜　禪波羅蜜　除般若
波羅蜜　以是功德比前功德　百分千分百千万
億分不及其一　乃至筭數譬喻所不能知　若
善男子有如是功德　於阿耨多羅三藐三菩
提退者　无有是處　尒時世尊欲重宣此義而說
偈言
若人求佛慧　於八十万億　那由他劫數　行五波羅蜜
於是諸劫中　布施供養佛　及緣覺弟子　并諸菩薩衆

提退者无有是處　尒時世尊欲重宣此義而說
偈言
若人求佛慧　於八十万億　那由他劫數　行五波羅蜜
於是諸劫中　布施供養佛　及緣覺弟子　并諸菩薩衆
珍異之飲食　上服與臥具　栴檀立精舍　以園林莊嚴
如是等布施　種種皆微妙　盡此諸劫數　以迴向佛道
若復持禁戒　清淨无缺　求於无上道　諸佛之所歎
若復行忍辱　住於調柔地　設衆惡來加　其心不傾動
諸有得法者　懷於增上慢　為此所輕惱　如是亦能忍
若復勤精進　志念常堅固　於无量億劫　一心不懈息
又於无數劫　住於空閑處　若坐若經行　除睡常攝心
以是因緣故　能生諸禪定　八十億萬劫　安住心不亂
持此一心福　願求无上道　我得一切智　盡諸禪定際
是人於百千　万億劫數中　行此諸功德　如上之所說
有善男女等　聞我說壽命　乃至一念信　其福過於彼
若人悉无有　一切諸疑悔　深心須臾信　其福為如此
其有諸菩薩　无量劫行道　聞我說壽命　是則能信受
如是諸人等　頂受此經典　願我於未來　長壽度衆生
如今日世尊　諸釋中之王　道場師子吼　說法无所畏
我等未來世　一切所尊敬　坐於道場時　說壽亦如是
若有深心者　清淨而質直　多聞能總持　隨義解佛語
如是諸人等　於此无有疑
又阿逸多　若有聞佛壽命長遠　解其言趣　是
人所得功德　无有限量　能起如來无上之慧
何況廣聞是經　若教人聞　若自持　若教人持
若自書　若教人書　若以華香瓔珞　幢幡繒蓋
香油蘇燈　供養經卷　是人功德　无量无邊　能

人所從功德无有限量能起如來无上之慧
何況廣聞是經若教人聞若自持若教人持
若自書若教人書若以華香瓔珞幢幡繒蓋
香油蘇燈供養經卷是人功德无量无邊能
生一切種智阿逸多若善男子善女人　聞我
說壽命長遠深心信解則為見佛常在耆闍
崛山共大菩薩諸聲聞衆圍繞說法又見此
娑婆世界其地琉璃坦然平正閻浮檀金以
界八道寶樹行列諸臺樓觀皆悉寶成其菩
薩衆咸處其中若有能如是觀者當知是
為深信解相又復如來滅後若聞是經而不
毀呰起隨喜心當知已為深信解相何況讀
誦受持之者斯人則為頂戴如來阿逸多是善
男子善女人不須為我復起塔寺及作僧坊以
四事供養衆僧所以者何是善男子善女人
受持讀誦是經典者為已起塔造立僧坊
供養衆僧則為以佛舍利起七寶塔高廣
漸小至于梵天懸諸幡蓋及衆寶鈴華香瓔珞
末香塗香燒香衆鼓伎樂簫笛箜篌種種儛
戲以妙音聲歌唄讚頌則為於无量千万億
劫作是供養已阿逸多若我滅後聞是經典
有能受持若自書若教人書則為起立僧坊
以赤栴檀作諸殿堂三十有二高八多羅樹
高廣嚴好百千比丘於其中止園林浴池經
行禪窟衣服飲食牀褥湯藥一切樂具充
滿其中如是僧坊堂閣若干百千万億其數
无量以此現前供養於我及比丘僧是故我說
如來滅後若有受持讀誦為他人說若自書

BD00808號　妙法蓮華經卷五　（18–16）

行禪窟衣服飲食牀褥湯藥一切樂具充
滿其中如是僧坊堂閣若干百千万億其數
无量以此現前供養於我及比丘僧是故我說
如來滅後若有受持讀誦為他人說若自書
若教人書供養經卷不須復起塔寺及造僧
坊供養衆僧況復有人能持是經兼行布施
持戒忍辱精進一心智慧其德最勝无量无邊
譬如虛空東西南北四維上下无量无邊是
人功德亦復如是无量无邊疾至一切種智
若人讀誦受持是經為他人說若自書若
教人書復能起塔及造僧坊供養讚歎聲
聞衆僧亦以百千万億讚歎之法讚歎菩薩
功德又為他人種種因緣隨義解說此法華
經復清淨持戒與柔和者而共同止忍辱无瞋
志念堅固常貴坐禪得諸深定精進勇猛
攝諸善法利根智慧善荅問難阿逸多若我
滅後諸善男子善女人受持讀誦是經典者
復有如是諸善功德當知是人已趣道場近
阿耨多羅三藐三菩提坐道樹下阿逸多是
善男子若坐若立若行處此中便應起塔一
切天人皆應供養如佛之塔　尒時世尊欲重
宣此義而說偈言
若我滅度後　能奉持此經　斯人福无量　如上之所說
是則為具足　一切諸供養　以舍利起塔　七寶而莊嚴
表剎甚高廣　漸小至梵天　寶鈴千万億　風動出妙音
又於无量劫　而供養此塔　華香諸瓔珞　天衣衆伎樂
然香油蘇燈　周帀常照明　惡世法末時　能持是經者
則為已如上　具足諸供養　若能持此經　則如佛現在

BD00808號　妙法蓮華經卷五　（18–17）

表剎甚高廣　漸小至梵天　寶鈴千万億　風動出妙音
又於无量劫　而供養此塔　華香諸瓔珞　天衣眾伎樂
然香油蘇燈　周帀常照明　惡世法末時　能持是經者
則為已如上　具足諸供養　若能持此經　則如佛現在
以牛頭栴檀　起僧坊供養　堂有三十二　高八多羅樹
上饌妙衣服　牀臥皆具足　百千眾住處　園林諸浴池
經行及禪窟　種種皆嚴好　若有信解心　受持讀誦書
若復教人書　及供養經卷　散華香末香　以須曼瞻蔔
阿提目多伽　薰油常然之　如是供養者　得无量功德
如虛空无邊　其福亦如是　況復持此經　兼布施持戒
忍辱樂禪定　不瞋不惡口　恭敬於塔廟　謙下諸比丘
遠離自高心　常思惟智慧　有問難不瞋　隨順為解說
若能行是行　功德不可量　若見此法師　成就如是德
應以天華散　天衣覆其身　頭面接足禮　生心如佛想
又應作是念　不久詣道樹　得无漏无為　廣利諸人天
其所住止處　經行若坐臥　乃至說一偈　是中應起塔
莊嚴令妙好　種種以供養　佛子住此地　則是佛受用
常在於其中　經行及坐臥

妙法蓮華經卷第五

BD00808 號　妙法蓮華經卷五　　（18–18）

大乘入楞伽經羅婆那王勸請品第一　如是我聞一時佛住大海濱摩羅耶
山頂楞伽城中與大比丘眾及大菩薩眾俱其諸菩薩摩訶薩悉已通達五法
三性諸識无我善知境界自心現義遊戲无量自在三昧神通諸力隨眾
生心現種種形方便調伏一切諸佛手灌其頂皆從種種諸佛國土而來此
會大慧菩薩摩訶薩為其上首　尒時世尊於海龍王宮說法過七日已從大
海出有无量億梵釋護世諸天龍等奉迎於佛尒時如來舉目觀見摩羅
耶山楞伽大城即便微笑而作是言昔諸如來應正等覺皆於此城說自所
得聖智證法非諸外道臆度邪見及以二乘修行境界我今亦當為羅婆那王開
示此法尒時羅婆那夜叉王以佛神力聞佛言音遙知如來從龍宮出梵釋護世天
龍圍繞見海波浪觀其眾會藏識大海境界風動轉識浪起發歡喜心於其城中
高聲唱言我當詣佛請入此城令我及與諸天世人於長夜中得大饒益作是語已即
與眷屬乘花宮殿往世尊所到已下殿右繞三帀作眾伎樂供養如來所持樂器
皆是大青因陀羅寶琉璃等寶以為間錯无價上衣而用纏裹其聲美妙音
節相和於中說偈而讚佛曰　心自性法藏　无我離見垢　證智之所知
願佛為宣說　善法集為身　證智常安樂　變化自在者　願入楞伽城
過去佛菩薩　皆曾住此城　此諸夜叉眾　一心願聽法
尒時羅婆那楞伽王以都吒迦音歌讚佛已復以歌聲而說頌曰　世尊於七日
住摩竭海中　然後出龍宮　安詳昇此岸　我與諸婇女　及夜叉眷屬　輸迦娑剌那
眾中聰慧者　悉以其神力　往詣如來所　各下花宮殿　礼敬世所尊　復以佛威神
對佛稱已名　我是羅剎王　十首羅婆那　今來詣佛所　願佛攝受我　及楞伽城中
所有諸眾生　過去无量佛　咸昇寶山頂　住楞伽城中　說自所證法　世尊亦應知
住彼寶嚴山　菩薩眾圍繞　演說清淨法　我等於今日　及住楞伽眾　一心共欲聞
離言自證法　我念去來世　所有无量佛　菩薩共圍繞　演說楞伽經　此入楞伽典
昔佛所稱讚　願佛同往尊　亦為眾開演　請佛為哀愍　无量夜叉眾　入彼寶嚴城

BD00809 號 1　大乘入楞伽經卷一　　（42–1）

所有諸衆生 過去无量佛 咸昇寶山頂 住楞伽城中 說自所證法 世尊亦應尒
住彼寶嚴山 菩薩衆圍繞 演說清淨法 我等於今日 及住楞伽衆 一心共欲聞
離言自證法 我念去來世 所有无量佛 菩薩共圍繞 演說楞伽經 此入楞伽典
昔佛所稱讚 願佛同往尊 亦為衆開演 請佛為哀愍 无量夜叉衆 入彼寶嚴城
說此妙法門 此妙楞伽城 種種寶嚴飾 牆壁非土石 羅網悉珍寶 此諸夜叉衆
昔曾供養佛 修行離諸過 證智常明了 夜叉男女等 渴仰於大乘 自信摩訶衍
亦樂令他住 唯願无上尊 為諸羅剎衆 甕耳等眷屬 往詣楞伽城 我於去來今
勤供養諸佛 願聞自證法 究竟大乘道 願佛哀愍我 及諸夜叉衆 共諸佛子等
入此楞伽城 我宮殿婇女 及以諸瓔珞 可愛无憂園 願佛哀納受 我於佛菩薩
无有不捨物 乃至身給侍 唯願哀納受 尒時世尊聞是語已即告之言夜叉王
過去世中諸大導師咸哀愍汝受汝勸請詣寶山中說自證法未來諸佛亦復
如是此是修行甚深觀行現法樂者之所住處我及諸菩薩哀愍汝故受汝所請作
是語已默然而住時羅婆那王即以所乘妙花宮殿奉施於佛佛坐其上王及諸
菩薩前後導從无量婇女歌詠讚歎供養於佛往詣彼城到彼城已羅婆那
王及諸眷屬復作種種上妙供養夜叉衆中童男童女以寶羅網供養於佛
羅婆那王施寶瓔珞奉佛菩薩以挂其頸尒時世尊及諸菩薩受供養已各為略
說自證境界甚深之法時羅婆那王并其眷屬復更供養大慧菩薩而勸請言
我今請大士 奉問於世尊 一切諸如來 自證智境界 我與夜叉衆 及此諸菩薩
一心願欲聞 是故咸勸請 汝是修行者 言論中最勝 是故生尊敬 勸汝請問法
自證清淨法 究竟入佛地 離外道二乘 一切諸過失
尒時世尊以神通力於彼山中復更化作无量寶山悉以諸天百千萬億妙寶嚴飾
一一山上皆現佛身一一佛前皆有羅婆那王及其衆會十方所有一切國土皆於
中現一一國中悉有如來一一佛前咸有羅婆那王并其眷屬楞伽大城阿輸迦園如是莊
嚴等无有異一一皆有大慧菩薩而興請問佛為開示自證智境以百千妙音說此經已
佛及諸菩薩皆於空中隱而不現羅婆那王唯自見身住本宮中作是思惟向
者是誰誰聽其說所見何物是誰能見佛及國城衆寶山林如是等物今何所在為
夢所作為幻所成為復猶如乾闥婆城為翳所見為燄所惑為如夢中石女生子
為如陽燄旋火輪耶復更思惟一切諸法性皆如是唯是自心分別境界凡夫迷
惑不能解了无有能見亦无所見无有能說亦无所說見佛聞法皆是分別如
向所見不能見佛不起分別是則能見時楞伽王尋即開悟離諸雜染證唯自心住
无分別往昔所種善根力故於一切法得如實見不隨他悟能以自智善巧觀察永
離一切臆度邪解住大修行為修行師現種種身善達方便巧知諸地上增進相常
樂遠離心意意識斷三相續見離外道執着內自覺悟入如來藏趣於佛地聞虛空中
及宮殿內咸出聲言善哉大王如汝所學諸修行者應如是學應如是見一切如來

向所見不能見佛不起分別是則能見時楞伽王尋即開悟離諸雜染證唯自心住
无分別往昔所種善根力故於一切法得如實見不隨他悟能以自智善巧觀察永
離一切臆度邪解住大修行為修行師現種種身善達方便巧知諸地上增進相常
樂遠離心意意識斷三相續見離外道執着內自覺悟入如來藏趣於佛地聞虛空中
及宮殿內咸出聲言善哉大王如汝所學諸修行者應如是學應如是見一切如來
應如是見一切諸法若異見者則是斷見汝應永離心意意識應勤觀察一切
諸法應修內行莫著外見莫墮二乘及以外道所修句義所見境界及所
應得諸三昧法汝不應樂戲論談笑汝不應起圍陀諸見亦不應着王位自在亦不
應住六定等中若能如是即是如實修行者行能摧他論能破惡見能捨一切我見
執着能以妙慧轉所依識能修菩薩大乘之道能入如來自證之地汝應如是勤
加修學令所得法轉更清淨善修三昧三摩鉢底莫著二乘外道境界以為勝
樂如凡修者之所分別外道執我見有我相及實求那而生取著二乘見有无
明緣行於性空中亂想分別楞伽王此法殊勝是大乘道能令成就自證聖智於諸有
中受上妙生楞伽王此大乘行破无明翳滅識波浪不墮外道諸見行中楞伽王外
道行者執着於我作諸異論不能演說離執著見識性二義善哉楞伽王汝
先見佛思惟此義如是思惟乃是見佛 尒時羅婆那王復作是念願我更得奉
見如來如來世尊於觀自在離外道法能說自證聖智境界超諸應化所應
作事住如來定入三昧樂是故說名大觀行師亦復名為大哀愍者能燒煩
惱分別薪盡諸佛子衆所共圍繞普入一切衆生心中遍一切處具一切智永離
一切分別事相我今願得重見如來大神通力以得見故未得者得已得不退離諸
分別住三昧樂增長滿足如來智地 尒時世尊知楞伽王即當證悟无生法
忍為哀愍故便現其身令所化事還復如本時十頭王見所曾覩无量山城悉
寶莊嚴一一城中皆有如來應正等覺三十二相以嚴其身自見其身遍諸佛
前悉有大慧夜叉圍繞說自證智所行之法亦見十方諸佛國土如是等事
悉无有別尒時世尊普觀衆會以慧眼觀非肉眼觀如師子王奮迅迴盼欣
然大笑於其眉間髀脇腰頸及以肩臂德字之中一一毛孔皆放无量妙色光
明如虹拖暉如日舒光亦如劫火猛焰熾然時虛空中梵釋四天遙見如來坐如須
弥楞伽山頂欣然大笑尒時諸菩薩及諸天衆咸作是念如來世尊於法自在
何因緣故欣然大笑身放光明默然不動住自證境入三昧樂如師子王周迴顧視
觀羅婆那念如實法 尒時大慧菩薩摩訶薩先受羅婆那王
請復知菩薩衆會之心及觀未來一切衆生皆悉樂著語言文字隨言取義
而生迷惑執取二乘外道之行或作是念世尊已離諸識境界何因緣故欣然大
笑為斷彼疑而問於佛佛即告言善哉大慧善哉大慧汝觀世間愍諸衆

請復知菩薩衆會之心及觀未來一切衆生皆悉樂著語言文字隨言取義
而生迷惑執取二乘外道之行或作是念世尊已離諸識境界何因緣故欣然大
笑為斷彼疑而問於佛佛即告言善哉大慧善哉大慧汝觀世間愍諸衆
生於三世中惡見所纏欲令開悟而問於我諸智慧人為利自他能作是問大
慧此楞伽王曾問過去一切如來應正等覺二種之義今亦欲問未來亦尒此
二種義差別之相一切二乘及諸外道皆不能測　尒時如来知楞伽王欲
問此義而告之曰楞伽王汝欲問我宜應速問我當為汝分別解釋滿汝所願
令汝歡喜能以智慧思惟觀察離諸分別善知諸地修習對治證真實義
入三昧樂為諸如來之所攝受住奢摩他樂遠離二乘三昧過失住於不動善
慧法雲菩薩之地能如實知諸法无我當於大寶蓮花宮中以三昧水而灌
其頂復現无量蓮花圍繞无數菩薩於中止住與諸衆會遞相瞻視如是境界
不可思議楞伽王汝起一方便行住修行地復起无量諸方便行汝定當得如
上所說不思議事處如来位隨形應物汝所當得一切二乘及諸外道梵釋天等所未
曾見尒時楞伽王蒙佛許已即於清淨光明如大蓮花寶山頂上從座而起諸婇
女衆之所圍繞化作无量種種色花種種色香末香塗香幢幡幰蓋冠珮瓔珞及餘
世間未曾見聞種種勝妙莊嚴之具又復化作欲界所有種種无量諸音樂器過諸天
龍乾闥婆等一切世間之所有者又復化作十方佛土昔所曾見諸音樂器又復化作
大寶羅網遍覆一切佛菩薩上復現種種上妙衣服建立幢幡以為供養作是事
已即昇虛空高七多羅樹於虛空中復雨種種諸供養雲作諸音樂從空而
下即坐第二日電光明如大蓮花寶山頂上歡喜恭敬而作是言我今欲問
如來二義如是二義我已曾問過去如來應正等覺彼佛世尊已為我說今亦
欲問於是義唯願如來為我宣說世尊變化如來說此二義非根本佛根本
佛說三昧樂境不說虛妄分別所行善哉世尊於法自在唯願哀愍說此
二義一切佛子心皆樂聞　尒時世尊告彼王言汝應問我當為汝說時夜
叉王更著種種寶冠瓔珞諸莊嚴具以嚴其身而作是言如來常說法尚
應捨何况非法云何得捨此二種法何者是法何者非法法若應捨云何有二
有二即墮分別相中有體无體是實非實如是一切皆是分別不能了知
阿賴耶識无差別相如毛輪住非淨智境法性如是云何可捨尒時佛告楞伽王
言楞伽王汝豈不見瓶等无常敗壞之法凡夫於中妄生分別汝今何故不如
是知法與非法差別之相此是凡夫之所分別非聖智見凡夫墮在種種相
中非諸聖者楞伽王如燒宮殿園林見種種燄火性是一所出光燄由薪力故長
短大小各各差別汝今云何不如是知法與非法差別之相楞伽王如一種子生芽
莖枝葉及以花果无量差別外法如是內法亦然謂无明為緣生蘊界處一切

BD00809 號 1　大乘入楞伽經卷一　（42–4）

是知法與非法差別之相此是凡夫之所分別非聖智見凡夫墮在種種相
中非諸聖者楞伽王如燒宮殿園林見種種燄火性是一所出光燄由薪力故長
短大小各各差別汝今云何不如是知法與非法差別之相楞伽王如一種子生芽
莖枝葉及以花果无量差別外法如是內法亦然謂无明為緣生蘊界處一切
諸法於三界中受諸趣生有苦樂好醜語默行止各各差別又如識相雖是
一隨於境界有上中下染淨善惡種種差別楞伽王非但如上法有差別
諸修行者修觀行時自智所行亦復見有差別之相况法與非法而无種種
差別分別楞伽王法與非法差別相者當知悉是相分別故楞伽王何者
是法所謂二乘及諸外道虛妄分別說有實等為諸法因如是等法應
捨應離不應於中分別取相見自心法性則无執著瓶等諸物凡愚所取
本无有體諸觀行人以毗鉢舍那如實觀察名捨諸法楞伽王何者是非法
所謂諸法无性无相永離分別如實見者若有若无如是境界彼皆不起
是名捨非法復有非法所謂兔角石女兒等皆无性相不可分別但隨世俗
說有名字非如瓶等而可取著以彼非是識之所取如是分別亦應捨離是名
捨法及捨非法楞伽王汝先所問我已說竟楞伽王汝言我於過去諸如來
所已問是義彼諸如來已為我說楞伽王汝言過去但是分別未來亦然我亦同
彼楞伽王彼諸佛法皆離分別已出一切分別戲論非如色相唯智能證為令衆生
得安樂故而演說法以无相智說名如來是故如來以智為體智為身故不可
分別不可以分別不可以我人衆生相分別何故不能分別以意識因境
界起取色形相是故離能分別亦離所分別楞伽王譬如壁上彩畫衆生无
有覺知世間衆生悉亦如是无業无報諸法亦然无聞无說楞伽王世
間衆生猶如變化凡夫外道不能了達楞伽王能如是見名為正見若他見
者名分別見由分別故取著於二楞伽王譬如有人於水鏡中自見其像
於燈月中自見其影於山谷中自聞其響便生分別而起取著此亦如是
法與非法唯是分別由分別故不能捨離但更增長一切虛妄不得寂滅寂
滅者所謂一緣一緣者是最勝三昧從此能生自證聖智以如來藏而為境
界

大乘入楞伽經集一切法品第二之初

尒時大慧菩薩摩訶薩與摩帝菩薩俱遊一切諸佛國土承佛神力從
座而起偏袒右肩右膝著地向佛合掌曲躬恭敬而說頌言
世間離生滅　譬如虛空花　智不得有无　而興大悲心　一切法如幻
遠離於心識　智不得有无　而興大悲心　世間恒如夢　遠離於斷常
智不得有无　而興大悲心　知人法无我　煩惱及爾燄　常清淨无相
而興大悲心　佛不住涅槃　遠離覺所覺　若有若非有　法身如幻夢

BD00809 號 1　大乘入楞伽經卷一　（42–5）

遠離於心識 智不得有无 而興大悲心 世間恒如夢 遠離於斷常
智不得有无 而興大悲心 知人法无我 煩惱及爾焰 常清淨无相
而興大悲心 佛不住涅槃 遠離覺所覺 若有若非有 法身如幻夢
云何可稱讚 知无性无生 乃名稱讚佛 佛无根境相 不見名見佛
云何於牟尼 而能有讚毀 若見於牟尼 寂靜遠離生 是人今後世
離著无所取 尒時大慧菩薩偈讚佛已自說姓名
我名為大慧 通達於大乘 今以百八義 仰諮尊中上
時世間解聞是語已普觀衆會而作是言 汝等諸佛子 今皆恣所問
我當為汝說 自證之境界 尒時大慧菩薩摩訶薩蒙佛許已
頂礼佛足以頌問曰 云何起計度 云何起迷惑 云何淨迷惑 云何名佛子
及无影次第 云何刹土化 相及諸外道 解脫至何所 誰縛誰能解 云何禪境界
何故有三乘 彼以何緣生 何作何能作 誰說二俱異 云何諸有起 云何无色定
及與滅盡定 云何為想滅 云何從定覺 云何所作生 進去及持身 云何見諸物
云何入諸地 云何有佛子 誰能破三有 何處身云何 生復住何處 云何得神通
自在及三昧 三昧心何相 願佛為我說 云何名藏識 云何名意識 云何起諸見
云何姓非姓 云何唯是心 何因建立相 云何成无我 云何无衆生 云何隨俗說
云何得不起 常見及斷見 云何佛外道 其相不相違 何故當來世 種種諸異部
云何為性空 云何刹那滅 胎藏云何起 云何世不動 云何諸世間 如幻亦如夢
乾城及陽焰 乃至水中月 云何菩提分 覺分從何起 云何國土亂 何故見諸有
云何知世法 云何離文字 云何如空花 不生亦不滅 真如有幾種 諸度心有幾
云何如虛空 云何離分別 云何地次第 云何得无影 何者二无我 云何所知淨
種智有幾種 戒衆生亦然 摩尼等諸寶 斯並云何出 誰起於語言 衆生及識物
明處與伎術 誰之所顯示 伽他有幾種 長行句亦然 道理幾不同 解釋幾差別
飲食是誰作 愛欲云何起 云何轉輪王 及以諸小王 云何王守護 天衆幾種別
地日月星宿 斯等並是何 解脫有幾種 脩行師復幾 云何阿闍梨 弟子幾差別
如來有幾種 本生事亦然 衆魔及異學 如是各有幾 自性幾種異 心有幾種別
云何唯假設 願佛為開演 云何為風雲 念智何因有 藤樹等行列 此並誰能作
云何為馬獸 何因而捕取 云何卑陋人 願佛為我說 云何六時攝 云何一闡提
女男及不男 此並云何生 云何脩行進 云何脩行退 瑜伽師有幾 令人住其中
衆生生諸趣 何形何色相 富饒大自在 此復何因得 云何釋迦種 云何甘蔗種
仙人長苦行 是誰之教受 何因佛世尊 一切刹中現 異名諸色類 佛子衆圍遶
何因不食肉 何因令斷肉 食肉諸衆生 以何因故食 何故諸國王 猶如日月形
須弥及蓮花 萬字師子像 何故諸國王 如因陀羅網 覆住或側住 一切寶所成

衆生生諸趣 何形何色相 富饒大自在 此復何因得 云何釋迦種 云何甘蔗種
仙人長苦行 是誰之教受 何因佛世尊 一切刹中現 異名諸色類 佛子衆圍遶
何因不食肉 何因令斷肉 食肉諸衆生 以何因故食 何故諸國王 猶如日月形
須弥及蓮花 萬字師子像 何故諸國王 如因陀羅網 覆住或側住 一切寶所成
何故諸國土 无垢日月光 或如花果形 箜篌細腰鼓 云何變化佛 云何為報佛
真如智慧佛 願皆為我說 云何於欲界 不成等正覺 何故色究竟 離染得菩提
如來滅度後 誰當持正法 世尊住久如 正法幾時住 悉檀有幾種 諸見復有幾
何故立毗尼 及以諸比丘 一切諸佛子 獨覺及聲聞 云何轉所依 云何得无相
云何得世通 云何得出世 復以何因緣 心住七地中 僧伽有幾種 云何成破僧
云何為衆生 廣說醫方論 何故大牟尼 唱說如是言 迦葉拘留孫 拘那含是我
何故說斷常 及與我无我 何不恒說實 一切唯是心 云何男女林 訶梨菴摩羅
雞羅娑輪圍 及以金剛山 如是處中間 无量寶莊嚴 仙人乾闥婆 一切皆充滿
此皆何因緣 願尊為我說
尒時世尊聞其所請大乘微妙諸佛之心冣上法門即告之言善哉
大慧諦聽如汝所問當次第說即說頌言
若生若不生 涅槃及空相 流轉无自性 波羅蜜佛子 聲聞辟支佛
外道无色行 須弥山巨海 洲渚刹土地 星宿與日月 天衆阿脩羅
解脫自在通 力禪諸三昧 滅及如意足 菩提分及道 禪定與无量
諸蘊及往來 乃至滅盡定 心生起言說 心意識无我 五法及自性
分別所分別 能所二種見 諸乘種性處 金摩尼真珠 一闡提大種
荒亂及一佛 智所知教得 衆生有无有 象馬獸何因 云何而捕取
云何因譬喻 相應成悉檀 所作及能作 衆林與迷惑 如是真實理
唯心无境界 諸地无次第 无相轉所依 醫方工巧論 伎術諸明處
須弥諸山地 巨海日月量 上中下衆生 身各幾微塵 一一刹幾塵
一一弓幾肘 幾弓俱盧舍 半由旬由旬 兔毫與窗塵 蟣羊毛穬麦
半升與一升 是各幾穬麦 一斛及十斛 十萬暨千億 乃至頻婆羅
是等各幾數 幾塵成芥子 幾芥成草子 復以幾草子 而成於一豆
幾豆成一銖 幾銖成一兩 幾兩成一斤 幾斤成須弥 此等所應請
何因問餘事 聲聞辟支佛 諸佛及佛子 如是等身量 各有幾微塵
火風各幾塵 一一根有幾 眉及諸毛孔 復各幾塵成 如是等諸事
云何不問我 云何得財富 云何轉輪王 云何王守護 云何得解脫
云何長行句 婬欲及飲食 云何男女林 金剛等諸山 幻夢渴愛譬
諸雲從何起 時節云何有 何因種種味 女男及不男 佛菩提嚴飾

何因問佛頂 [illegible]
火風各幾塵 一一根有幾 眉及諸毛孔 復各幾塵成 如是等諸事
云何不問我 云何得財富 云何轉輪王 云何王守護 云何得解脫
云何長行句 婬欲及飲食 云何男女林 金剛等諸山 幻夢渴愛譬
諸雲從何起 時節云何有 何因種種味 女男及不男 佛菩提嚴飾
云何諸妙山 仙闥婆莊嚴 解脫至何所 誰縛誰解脫 云何禪境界
變化及外道 云何无因作 云何有因作 云何轉諸見 云何起計度
云何淨計度 所作云何起 云何而轉去 云何斷諸想 云何起三昧
破三有者誰 何處身云何 云何无有我 云何隨俗說 汝問相云何
及所問非我 云何爲胎藏 及以餘支分 云何斷常見 云何心一境
云何言說智 戒種性佛子 云何稱理釋 云何師弟子 衆生種性別
飲食及虛空 聰明魔施設 云何樹行布 是汝之所問 何因一切剎
種種相不同 或有如箜篌 腰鼓及衆花 或有離光明 仙人長苦行
或有好族姓 衆令生尊重 或有體卑陋 爲人所輕賤 云何欲界中
修行不成佛 而於色究竟 乃昇等正覺 云何世間人 而能獲神通
何因稱比丘 何故名僧伽 云何化及報 真如智慧佛 云何使其心
得住七地中 此及於餘義 汝今咸問我 如先佛所說 一百八種句
一一相相應 遠離諸見過 亦離於世俗 言語所成法 我當爲汝說
佛子應聽受

尒時大慧菩薩摩訶薩白佛言世尊何者是一百八句佛言大慧所謂生句非生句常句非常句相句非相句住異句非住異句剎那句非剎那句自性句非自性句空句非空句斷句非斷句心句非心句中句非中句恒句非恒句緣句非緣句因句非因句煩惱句非煩惱句愛句非愛句方便句非方便句善巧句非善巧句清淨句非清淨句相應句非相應句譬喻句非譬喻句弟子句非弟子句師句非師句種性句非種性句三乘句非三乘句无影像句非无影像句願句非願句三輪句非三輪句標相句非標相句有句非有句无句非无句俱句非俱句自證聖智句非自證聖智句現法樂句非現法樂句剎句非剎句塵句非塵句水句非水句弓句非弓句大種句非大種句算數句非算數句神通句非神通句虛空句非虛空句雲句非雲句巧明句非巧明句伎術句非伎術句風句非風句地句非地句心句非心句假立句非假立句體性句非體性句蘊句非蘊句衆生句非衆生句覺句非覺句涅槃句非涅槃句所知句非所知句外道句非外道句荒亂句非荒亂句幻句非幻句夢句非夢句

BD00809 號 1　大乘入楞伽經卷一　（42–8）

通句虛空句非虛空句雲句非雲句巧明句非巧明句伎術句非伎術句風句非風句地句非地句心句非心句假立句非假立句體性句非體性句蘊句非蘊句衆生句非衆生句覺句非覺句涅槃句非涅槃句所知句非所知句外道句非外道句荒亂句非荒亂句幻句非幻句夢句非夢句陽焰句非陽焰句像句非像句火輪句非火輪句乾闥婆句非乾闥婆句天句非天句飲食句非飲食句婬欲句非婬欲句見句非見句波羅蜜句非波羅蜜句戒句非戒句日月星宿句非日月星宿句諦句非諦句果句非果句滅句非滅句滅起句非滅起句醫方句非醫方句相句非相句支分句非支分句禪句非禪句迷句非迷句現句非現句護句非護句種族句非種族句仙句非仙句王句非王句攝受句非攝受句寶句非寶句記句非記句一闡提句非一闡提句女男不男句非女男不男句味句非味句作句非作句身句非身句計度句非計度句動句非動句根句非根句有爲句非有爲句因果句非因果句色究竟句非色究竟句時節句非時節句樹藤句非樹藤句種種句非種種句演說句非演說句決定句非決定句毗尼句非毗尼句比丘句非比丘句住持句非住持句文字句非文字句大慧此百八句皆是過去諸佛所說

尒時大慧菩薩摩訶薩復白佛言世尊諸識有幾種生住滅佛言大慧諸識有二種生住滅非臆度者之所能知所謂相續生及相生相續住及相住相續滅及相滅諸識有三相謂轉相業相真相大慧識廣說有八略則唯二謂現識及分別事識大慧如明鏡中現諸色像現識亦尒大慧現識與分別事識此二識无異相互爲因大慧現識以不思議熏變爲因分別事識以分別境界及无始戲論習氣爲因大慧阿賴耶識虛妄分別種種習氣滅即一切根識滅是名相滅大慧相續滅者謂所依因滅及所緣滅即相續滅所依因者謂无始戲論虛妄習氣所緣者謂自心所見分別境界大慧譬如泥團與微塵非異非不異金與莊嚴具亦如是大慧若泥團與微塵異者應非彼成而實彼成是故不異若不異者泥團微塵應无分別大慧轉識藏識若異者藏識應非彼因若不異者轉識滅藏識亦應滅然彼真相不滅大慧識真相不滅但業相滅若真相滅者藏識應滅若藏識滅者即不異外道斷滅論大慧彼諸外道作如是說取境界相續識滅即无始相續識滅

BD00809 號 1　大乘入楞伽經卷一　（42–9）

无分别大慧轉識藏識若異者藏識應非彼因若不異者
轉識滅藏識亦應滅然彼真相不滅大慧識真相不滅但業相
滅若真相滅者藏識應滅若藏識滅者即不異外道斷滅論大
慧彼諸外道作如是說取境界相續識滅即无始相續識滅
大慧彼諸外道說相續識從作者生不說眼識依色光明和合而生唯
說作者為生因故作者是何彼計勝性丈夫自在時及微塵為能
作者復次大慧有七種自性所謂集自性性自性相自性大種自
性因自性緣自性成自性復次大慧有七種第一義所謂心所行
智所行二見所行超二見所行超子地所行如來所行如來自證
聖智所行大慧此是過去未來現在一切如來應正等覺法自性
第一義心以此心成就如來世間出世間最上法以聖慧眼入自共相
種種安立其所安立不與外道惡見共大慧云何為外道惡見
謂不知境界自分別現於自性第一義見有見无而起言說大
慧我今當說若了境如幻自心所現則滅妄想三有苦及无知
愛業緣大慧有諸沙門婆羅門妄計非有及有於因果外顯
現諸物依時而住或計蘊界處依緣生住有已即滅大慧
彼於若相續若作用若生若滅若諸有若涅槃若道若
業若果若諦是破壞斷滅論何以故不得現法故不見根本故大慧
譬如瓶破不作瓶事又如燋種不能生芽此亦如是若蘊界處法
已現當滅應知此則无相續生以无因故但是自心虛妄所見復次
大慧若本无有識三緣合生龜應生毛沙應出油汝宗則壞
違決定義所作事業悉空无益大慧三合為緣是因果性可說
為有過現未來從无生有此依住覺想地者所有理教及自
惡見熏習餘氣作如是說大慧愚癡凡夫惡見所噬邪見
迷醉无智妄稱一切智說大慧復有沙門婆羅門觀一切法皆
无自性如空中雲如旋火輪如乾闥婆城如幻如焰如水中月如夢
所見不離自心由无始來虛妄見故取以為外作是觀已斷分別緣
亦離妄心所取名義知身及物并所住處一切皆是藏識境界无能
所取及生住滅如是思惟恒住不捨大慧此菩薩摩訶薩不久當
得生死涅槃二種平等大悲方便无功用行觀眾生如幻如影從緣无
起知一切境界離心无得行无相道漸昇諸地住三昧境

BD00809 號 1　大乘入楞伽經卷一

(42–10)

亦離妄心所取名義知身及物并所住處一切皆是藏識境界无能
所取及生住滅如是思惟恒住不捨大慧此菩薩摩訶薩不久當
得生死涅槃二種平等大悲方便无功用行觀眾生如幻如影從緣无
起知一切境界離心无得行无相道漸昇諸地住三昧境了達三界
皆唯自心得如幻定絶諸影像成就智慧證无生法入金剛喻三昧
當得佛身恒住如如起諸變化力通自在大慧方便以為嚴飾
遊諸佛國令離外道及心意識轉依次弟成如來身大慧菩薩摩
訶薩欲得佛身應當遠離蘊界處心因緣所作生住滅法戲論分
別但住心量觀察三有无始時來妄習所起思惟佛地无相
无生自證聖法得心自在无功用行如如意寶隨宜現身令達
漸入諸地是故大慧菩薩摩訶薩於自悉檀應善脩學

大乘入楞伽經卷第一

大乘入楞伽經集一切法品第二　二

尒時大慧菩薩摩訶薩復白佛言世尊唯願為我說心意意
識五法自性相眾妙法門此是一切諸佛菩薩入自心境離所行
相稱真實義諸佛教心唯願如來為此山中諸菩薩眾隨
順過去諸佛演說藏識海浪法身境界尒時世尊告大慧
菩薩摩訶薩言有四種因緣眼識轉何等為四所謂不覺自心
現而執取故无始時來取著於色虛妄習氣故識本性如是故
樂見種種色相故大慧以此四緣阿賴耶識如瀑流水生轉識浪如
眼識餘亦如是於一切諸根微塵毛孔眼等轉識或時頓生譬如明
鏡現眾色像或時漸生猶如猛風吹大海水心海亦尒境界風吹起識
諸浪相續不絕大慧因所相故非一非異業與生相相繫深縛不
能了知色等自性五識身轉大慧或與五識同時因了別差別
境相有意識生然彼諸識不作是念我等同時展轉為因而於
自心所現境界分別執着俱時而起无差別相各了自境大
慧諸脩行者入於三昧以習氣微細起而不覺但作是念我滅諸
識入於三昧實不滅識而入三昧以彼不滅習氣種故但不取境名

BD00809 號 1　大乘入楞伽經卷一
BD00809 號 2　大乘入楞伽經卷二

(42–11)

境相有意識生然彼諸識不作是念我等同時展轉為因而於
自心所現境界分別執着俱時而起无差別相各了自境大
慧諸修行者入於三昧以習氣微細起而不覺但作是念我滅諸
識入於三昧實不滅識而入三昧以彼不滅習氣種故但不取境名
為識滅大慧如是藏識行相微細唯除諸佛及住地菩薩其
餘一切二乘外道定慧之力皆不能知唯有修行如實行者以
智慧力了諸地相善達句義无邊佛所廣集善根不妄分
別自心所見能知之耳大慧諸修行人宴處山林上中下修能
見自心分別流注得諸三昧自在力通諸佛灌頂菩薩圍繞
知心意意識所行境界超愛業无明生死大海是故汝等
應當親近諸佛菩薩如實修行大善知識尒時世尊重
說頌言
譬如巨海浪　斯由猛風起　洪波鼓溟壑　无有斷絕時　藏識海常住
境界風所動　種種諸識浪　騰躍而轉生　青赤等諸色　鹽貝乳石蜜
花果日月光　非異非不異　意等七種識　應知亦如是　如海共波浪
心俱和合生　譬如海水動　種種波浪轉　藏識亦如是　種種諸識生
心意及意識　為諸相故說　八識无別相　无能相所相　譬如海波浪
是則无差別　心識亦如是　異亦不可得　心能積集業　了別故名識
對現境說五　尒時大慧菩薩摩訶薩以頌問曰
青赤諸色像　藏識所顯現　如浪種種法　云何願佛說
尒時世尊以頌荅曰　青赤諸色像　浪中不可得　言心起衆相
開悟諸凡夫　而彼本无起　自心離所取　能取及所取　與彼波浪同
身資財安住　衆生識所現　是故見此起　與浪无差別
尒時大慧復說頌曰
大海波浪性　鼓躍可分別　藏識如是起　何故不覺知
尒時世尊以頌荅曰
阿頼耶如海　轉識同波浪　為凡夫无智　譬喻廣開演
尒時大慧復說頌言
譬如日光出　上下等皆照　世間燈亦然　應為愚說實　已能開示法
何不顯真實
尒時世尊以頌荅曰

譬如日光出　上下等皆照　世間燈亦然　應為愚說實　已能開示法
何不顯真實
尒時世尊以頌荅曰
若說真實者　彼心无真實　譬如海波浪　鏡中像及夢　俱時而顯現
心境界亦然　境界不具故　次弟而轉生　識以能了知　意復意謂然
五識了現境　无有定次弟　譬如工畫師　及畫師弟子　布彩圖衆像
我說亦如是　彩色中无文　非筆亦非素　為悅衆生故　綺煥成衆像
言說離真實　真實離文字　我所住實法　為諸修行說　真實自證處
離能所分別　此為佛子說　愚夫別開演　種種皆如幻　所見不可得
如是種種說　隨事而變異　所說非所應　於彼為非說　譬如衆病人
良醫隨授藥　如來為衆生　隨心應量說　世間依怙者　證智所行處
非外道境界　聲聞亦復然
復次大慧菩薩摩訶薩若欲了知能取所取分別境界皆
是自心之所現者當離憒鬧昏滯睡眠初中後夜勤加修
習遠離曾聞外道邪論及二乘法通達自心分別之相
復次大慧菩薩摩訶薩住智慧心所住相已於上聖智三相
當勤修學何者為三所謂无影像相一切諸佛願持相自
證聖智所趣相諸修行者獲此相已即捨跛驢智慧心相入菩
薩第八地於此三相修行不捨大慧无影像相者謂由慣習一
切二乘外道相故而得生起一切諸佛願持相者謂由諸佛自本
願力所加持故而得生起自證聖智所趣相者謂由不取一切法
相成就如幻諸三昧身趣佛地智故而得生起大慧是名上聖
智三種相若得此相即到自證聖智所行之處汝及諸菩
薩摩訶薩應勤修學
尒時大慧菩薩摩訶薩知諸菩薩心之所念承一切佛威神之力
而白佛言唯願為說百八句差別所依聖智事自性法門一切如
來應正等覺為諸菩薩摩訶薩墮自共相者說此妄計性差別
義門知此義已則能淨治二无我觀境照明諸地超越一切二乘
外道三昧之樂見諸如來不可思議所行境界畢竟捨離五法自
性以一切佛法身智慧而自莊嚴入如幻境住一切佛剎兜率陁
宮色究竟天成如來身佛言大慧有一類外道見一切法隨因而
盡生分別解相兔无角起於无見如兔角无一切諸法悉亦如是
復有外道見大種求那塵等諸物形量分位各差別已執兔无
角於此而生牛有角想大慧彼墮二見不了唯心但於自心
[illegible]

性以一切佛法身智慧而自莊嚴入如幻境住一切佛剎兜率陁
宮色究竟天成如來身佛言大慧有一類外道見一切法隨因而
盡生分別解相兎无角起於无見如兎角无一切諸法悉亦如是
復有外道見大種求那塵等諸物形量分位各差別已執兎无
角於此而生牛有角想大慧彼墮二見不了唯心但於自心
增長分別大慧身及資生器世間等一切皆唯分別所現
大慧應知兎角離於有无諸法悉然勿生分別云何兎角
離於有无互因待故分析牛角乃至微塵求其體相終不
可得聖智所行遠離彼見是故於此不應分別
尒時大慧菩薩摩訶薩復白佛言世尊彼豈不以妄見起
相比度觀待妄計无耶佛言不以分別起相待以言无何以故
彼以分別為生因故以角分別為其所依為因離異不異非
由相待顯兎角无大慧若此分別異兎角者則非角因若
不異者因彼而起大慧分析牛角乃至極微求不可得異於
有角言无角者如是分別決定非理二俱非有誰待於誰
若相待不成待於有故言兎角无不應分別不正因故有
无論者執有執无二俱不成大慧復有外道見色形狀虛
空分齊而生執著言色異虛空起於分別大慧虛空是色
隨入色種大慧色是虛空能持所持建立性故色空分齊
應如是知大慧大種生時自相各別不住虛空中非彼无虛
空大慧兎角亦尒觀待牛角言彼角无大慧分析牛角乃
至微塵又析彼塵其相不現彼何所待而言无耶若待餘物
彼亦如是大慧汝應遠離兎角牛角虛空及色所有分別
汝及諸菩薩摩訶薩應常觀察自心所見分別之相於一切國土
為諸佛子說觀察自心脩行之法尒時世尊而說頌言

心所見无有　唯依心故起　身資所住影　衆生藏識現　心意及與識
自性五種法　二无我清淨　諸導師演說　長短共觀待　展轉互相生
因有故成无　因无故成有　微塵分析事　不起色分別　唯心所安立
惡見者不信　非外道行處　聲聞亦復然　救世之所說　自證之境界

尒時大慧菩薩摩訶薩為淨自心現流故而請佛言世尊云何淨
諸衆生自心現流為漸次淨為頓淨耶佛言大慧漸淨非頓如菴羅
果漸熟非頓諸佛如來淨諸衆生自心現流亦復如是漸淨非頓
如陶師造器漸成非頓諸佛如來淨諸衆生自心現流亦復如是

BD00809號2　大乘入楞伽經卷二

（42–14）

尒時大慧菩薩摩訶薩為淨自心現流故而請佛言世尊云何淨
諸衆生自心現流為漸次淨為頓淨耶佛言大慧漸淨非頓如菴羅
果漸熟非頓諸佛如來淨諸衆生自心現流亦復如是漸淨非頓
如陶師造器漸成非頓諸佛如來淨諸衆生自心現流亦復如是
漸而非頓譬如大地生諸草木漸生非頓諸佛如來淨諸衆
生自心現流亦復如是漸而非頓大慧譬如人學音樂書畫種
種伎術漸成非頓諸佛如來淨諸衆生自心現流亦復如是
漸而非頓譬如明鏡頓現衆像而无分別諸佛如來淨諸衆生
心自現流亦復如是頓現一切无相境界而无分別如日月輪一
時遍照一切色像諸佛如來淨諸衆生自心過習亦復如是
頓為示現不可思議諸佛如來智慧境界譬如藏識頓現於
身及資生國土一切境界報佛亦尒於色究竟天頓能成熟
一切衆生令脩諸行譬如法佛頓現報佛及以化佛光明照曜自
證聖境亦復如是頓現法相而為照曜令離一切有无惡見
復次大慧法性所流佛說一切法自相共相自心現習氣因相妄計
性所執因相更相繫屬種種幻事皆无自性而諸衆生種種執
著取以為實悉不可得復次大慧妄計自性執著緣起自性起
大慧譬如幻師以幻術力依草木瓦石幻作衆生若干色像令其
見者種種分別皆无真實大慧此亦如是由取著境界習氣力故
於緣起性中有妄計性種種相現是名妄計性生大慧是名法性
所流佛說法之相大慧法性佛者建立自證智所行離心自性相大
慧應化佛說施戒忍進禪慮智慧蘊界處法及諸解脫諸識
行相建立差別越外道見超无色行復次大慧法性佛非所
攀緣一切所緣一切所作根量等相悉皆遠離非凡夫二乘及
諸外道執著我相所取境界是故大慧於自證聖智勝
境界相當勤脩學於自心所現分別見當速捨離
復次大慧聲聞乘有二種差別相所謂自證聖智殊勝相分別
執著自性相云何自證聖智殊勝相謂明見苦空无常无我諸
諦境界離欲寂滅故於蘊界處若自若共外不壞相如實了
知故心住一境住一境已獲禪解脫三昧道果而得出離住自證
聖智境界樂未離習氣及不思議變易死是名聲聞乘
自證聖智境界相菩薩摩訶薩雖亦得此聖智境界以憐愍
衆生故本願所持故不證寂滅門及三昧樂諸菩薩摩訶薩於

BD00809號2　大乘入楞伽經卷二

（42–15）

諦境界離欲寂滅故於蘊界處若自若共外不壞相如實了
知故心住一境住一境已獲禪解脫三昧道果而得出離住自證
聖智境界樂未離習氣及不思議變易死是名聲聞乘
自證聖智境界相菩薩摩訶薩雖亦得此聖智境界以憐愍
衆生故本願所持故不證寂滅門及三昧樂諸菩薩摩訶薩於
此自證聖智樂中不應修學大慧云何分別執著自性相所謂知
堅濕煖動青黃赤白如是等法非作者生然依教理見自共相
分別執著聲聞乘分別執著相菩薩摩訶薩於此法中應
知應離人无我見法无我相漸住諸地
尒時大慧菩薩摩訶薩白佛言世尊如來所說常不思議自證智
第一義境將无同諸外道所說常不思議作者耶佛言大慧非諸
外道作者得常不思議所以者何諸外道常不思議因自相不
成既因自相不成以何顯示常不思議大慧外道所說常不思
議若因自相成彼則有常但以作者為因相故常不思議不成大
慧我第一義常不思議第一義因相成遠離有无自證聖智所
行相故有相第一義智為其因故有因離有无故非作者故如
虛空涅槃寂滅法故常不思議是故我說常不思議不同外道所
有諍論大慧此常不思議是諸如來自證聖智所行真理是
故菩薩當勤修學復次大慧外道常不思議以无常異相因故
常非自相因力故常大慧外道常不思議以見所作法有已還
无无常已比知是常我亦見所作法有已還无无已不因此
說為常大慧外道以如是因相成常不思議此因相非有
同於兔角故常不思議唯是分別但有言說何故彼因同於
兔角自因相故大慧我常不思議以自證為因相不以外法有
已還无无常為因外道反此曾不能知常不思議自因之
相而恒在於自證聖智所行相外此不應說
復次大慧諸聲聞畏生死妄想苦而求涅槃不知生死涅槃
差別之相一切皆是妄分別有无所有故妄計未來諸根境滅
以為涅槃不知證自智境界轉所依藏識為大涅槃彼愚癡
人說有三乘不說唯心无有境界大慧彼人不知去來現在諸
佛所說自心境界取心外境常於生死輪轉不絕復次大慧去
來現在諸如來說一切法不生何以故自心所見非有性故離有
无生故如兔馬等角凡愚妄取唯證聖智所行之處非諸

佛所說自心境界取心外境常於生死輪轉不絕復次大慧去
來現在諸如來說一切法不生何以故自心所見非有性故離有
无生故如兔馬等角凡愚妄取唯證聖智所行之處非諸
愚夫二分別境大慧身及資生器世間等一切皆是藏識影
像所取能取二種相現彼諸愚夫墮生住滅二見中故於中妄
起有无分別大慧於此義當勤修學
復次大慧有五種種性何等為五謂聲聞乘種性緣覺乘
種性如來乘種性不定種性无種性大慧云何知是聲聞乘
種性謂若聞說於蘊界處自相共相若知若證舉身毛竪心
樂修習於緣起相不樂觀察應知此是聲聞乘種性彼於自
乘見所證已於五六地斷煩惱結不斷煩惱習住不思議死
正師子吼言我生已盡梵行已立所作已辦不受後有修習人
无我乃至生於得涅槃覺大慧復有衆生求證涅槃言能覺
知我人衆生養者取者此是涅槃復有說言見一切法因作者有
此是涅槃大慧彼无解脫以未能見法无我故此是聲聞乘及外
道種性於非出中生出離想應勤修習捨此惡見大慧云何知是緣
覺乘種性謂若聞說緣覺乘法舉身毛竪悲泣流淚離憒
鬧緣无所染著有時聞說現種種身或聚或散神通變化
其心信受无所違逆當知此是緣覺乘種性應為其說緣覺
乘法大慧如來乘種性所證法有三種所謂自性无自性法內身
自證聖智法外諸佛剎廣大法大慧若有聞說此一一法及自心所
現身財建立阿賴耶識不思議境不驚不怖不畏當知此是如
來乘性大慧不定種性者謂聞說彼三種法時隨生信解而
順修學大慧為初治地人而說種性欲令其入无影像地作此
建立大慧彼住三昧樂聲聞若能證知自所依識見法无我
淨煩惱習畢竟當得如來之身尒時世尊即說頌言
預流一來果　不還阿羅漢　是等諸聖人　其心悉迷惑　我所立三乘
一乘及非乘　為愚夫少智　樂寂諸聖說　第一義法門　遠離於二取
住於无境界　何建立三乘　諸禪及无量　无色三摩地　乃至滅受想
唯心不可得
復次大慧此中一闡提何故於解脫中不生欲
樂大慧以捨一切善根故為无始衆生起願故云何捨一切善
根謂謗菩薩藏言此非隨順契經調伏解脫之說作是語時善根
悉斷不入涅槃云何為无始衆生起願謂諸菩薩以本願方便願
一切衆生悉入涅槃若一衆生未涅槃者我終不入此亦住一闡是

唯心不可得　復次大慧此中一闡提何故於解脫中不生欲
樂大慧以捨一切善根故爲无始衆生起願故云何捨一切善
根謂謗菩薩言此非隨順契經調伏解脫之說作是語時善根
悉斷不入涅槃云何爲无始衆生起願謂諸菩薩以本願方便願
一切衆生悉入涅槃若一衆生未涅槃者我終不入此亦住一闡提
趣此是无涅槃種性相大慧菩薩言世尊此中何者畢竟不
入涅槃佛言大慧彼菩薩一闡提知一切法本來涅槃畢竟不
入非捨善根何以故捨善根一闡提以佛威力故或時善根生所
以者何佛於一切衆生无捨時故是故菩薩一闡提不入涅槃
復次大慧菩薩摩訶薩當善知三性相何者爲三所謂妄
計自性緣起自性圓成自性大慧妄計自性從相生云何從相生謂
彼依緣起事相種類顯現生計著故大慧彼計著事相有二種妄計性
生是諸如來之所演說謂名相計著相事相計著相大慧名計著相者
謂即彼內外法中計著自共相是名二種妄計自性相大慧從所依所緣
起是緣起性何者圓成自性謂離名相事相一切分別自證聖智所行
真如大慧此是圓成自性如來藏心尒時世尊即說頌言
名相分別　二自性相　正智真如　是圓成性　大慧是名觀察五法
自性相法門自證聖智所行境界汝及諸菩薩摩訶薩當勤脩學
復次大慧菩薩摩訶薩當善觀察二无我相何者爲二所謂人无我
相大慧何者是人无我謂蘊界處離我我所无明愛業之所生起眼
等識生取於色等而生計著又自心所見身器世間皆是藏心之所顯
現剎那相續變壞不停如河流如種子如燈焰如迅風如浮雲躁動如猨
猴樂不淨處如飛蠅不知猒足如猛火无始虛僞習氣爲因諸有趣中
流轉不息如汲水輪種種色身威儀進止譬如死屍呪力故行亦如木人
因機運動若能於此善知其相是名人无我智大慧云何爲法无我
智謂知蘊界處是妄計性如蘊界處離我我所唯共積聚愛業繩
縛互爲緣起无能作者蘊等亦尒離自共相虛妄分別種種相現愚夫
分別非諸聖者如是觀察一切諸法離心意識五法自性是名菩薩
摩訶薩法无我智得此智已知无境界了諸地相即入初地
心生歡喜次第漸進乃至善慧及以法雲諸有所作皆悉已辦
住是地已有大寶蓮花王衆寶莊嚴於其花上有寶宮殿狀
如蓮花菩薩住脩幻性法門之所成就而坐其上同行佛子前後
圍遶一切佛剎所有如來皆舒其手如轉王子灌頂之法而灌其頂

住是地已有大寶蓮花王衆寶莊嚴於其花上有寶宮殿狀
如蓮花菩薩住脩幻性法門之所成就而坐其上同行佛子前後
圍遶一切佛剎所有如來皆舒其手如轉王子灌頂之法而灌其頂
超佛子地獲自證法成就如來自在法身大慧是名見法无我相
汝及諸菩薩摩訶薩應勤脩學
尒時大慧菩薩摩訶薩復白佛言世尊願說建立誹謗相令我及諸
菩薩摩訶薩離此惡見疾得阿耨多羅三藐三菩提得菩提已破建
立常斷諸見令於正法不生誹謗佛受其請即說頌言
身資財所住　皆唯心影像　凡愚不能了　起建立誹謗　所起但是心
離心不可得
尒時世尊欲明此義告大慧言有四種无有建立何者爲四所謂无有相
建立相无有見建立見无有因建立因无有性建立性是爲四大慧誹謗者
謂於諸惡見所建立法求不可得不善觀察遂生誹謗此是建立誹
謗相大慧云何无有相建立相謂於蘊界處自相共相本无所
有而生計著此如是此不異而此分別從无始種種惡見習氣所生
是名无有相建立相云何无有見建立見謂於蘊界處建立我人
衆生等見是名无有見建立見云何无有因建立因謂初識前无因不
生其初識本无後眼色明念等爲因如幻生生已有有還滅是名无
有因建立因云何无有性建立性謂於虛空涅槃非數滅无作性執
著建立大慧此離性非性一切諸法離於有无猶如毛輪兎馬等角
是名无有性建立性大慧建立誹謗皆是凡愚不了唯心而生分別非
諸聖者是故汝等當勤觀察遠離此見大慧菩薩摩訶薩善知心意
意識五法自性二无我相已爲衆生故作種種身如依緣起起妄計性
亦如摩尼隨心現色普入佛會聽聞佛說諸法如幻如夢如影如鏡中像如水
中月那遠離生滅及以斷常不住聲聞辟支佛道聞已成就无量百千俱胝
踰膳三摩地得此三摩地已遍遊一切諸佛國土供養諸佛生諸天上顯
揚三寶示現佛身爲諸聲聞菩薩大衆說外境界皆唯是心悉令遠
離有无等執尒時世尊即說頌言
佛子能觀見　世間唯是心　示現種種身　所作无郭礙　神通力自在
一切皆成就
尒時大慧菩薩摩訶薩復請佛言願爲我說一切法
空无生无二无自性相我及諸菩薩悟此相故離有无分別疾得阿耨多
羅三藐三菩提佛言諦聽當爲汝說大慧空者即是妄計性句義大
慧爲執著妄計自性故說空无生无二无自性大慧略說空性有七種
謂相空自性空无行空行空一切法不可說空第一義聖智大空彼彼空云
何相空謂一切法自相共相空展轉積聚互相待故分析推求无所有故
自他及共皆不生故自共相无生亦无住是故名一切法自相空云何自性
空謂一切法自性不生是名自性空云何无行空所謂諸蘊本來
涅槃无有諸行是名无行空云何行空所謂蘊由業及因和合而起離我我所

慧[illegible]自性故說空无生无二无自性[illegible]
謂相空自性空无行空行空一切法不可說空第一義聖智大空彼彼空云
何相空謂一切法自相共相空展轉積聚互相待故分析推求无所有故
自他及共皆不生故自共相无生亦无住是故名一切法自相空云何自性
空謂一切法自性不生是名自性空云何无行空所謂諸蘊本來
涅槃无有諸行是名无行空云何行空所謂蘊由業及因和合而起離我我所
是名行空云何一切法不可說空謂一切法妄計自性无可言說是名不可說
空云何第一義聖智大空謂得自證聖智時一切諸見習氣悉離是名
第一義聖智大空云何彼彼空謂於此无彼是名彼彼空大慧我嘗為鹿
子母說堂无象馬牛羊等我說彼堂空非无比丘衆大慧非謂堂无堂
自性非謂比丘无比丘自性非謂餘處无象馬牛羊大慧一切諸法自
相共相彼彼求不可得是故說名彼彼空是名七種空大慧此彼彼空
空中最麁汝應遠離復次大慧无生者自體不生非不生言不生除住三昧
是名无生大慧无自性者以无生故密意而說大慧一切法无自性以剎
那不住故見後變異故是名无自性云何无二相大慧如日光影如長
短如黑白皆相待立獨則不成大慧非於生死外有涅槃非於涅槃外
有生死生死涅槃无相違相如生死涅槃一切法亦如是是名无二相大
慧空无生无二无自性相汝當勤學尒時世尊重說頌言
我常說空法　遠離於斷常　生死如幻夢　而業亦不壞　虛空及涅槃　滅二亦如是
愚夫妄分別　諸聖離有无　　尒時世尊復告大慧菩薩摩訶薩言
大慧此空无生无自性无二相悉入一切諸佛所說修多羅中佛所說經皆有
是義大慧諸修多羅隨順一切衆生心說而非真實在於言中譬如陽
焰誑惑諸獸令生水想而實无水衆經所說亦復如是隨諸愚夫自所
分別令生歡喜非皆顯示聖智證處真實之法大慧應隨順義莫著言說
尒時大慧菩薩摩訶薩白佛言世尊修多羅中說如來藏本性清淨常恒
不斷无有變易具三十二相在於一切衆生身中為蘊界處垢衣所纏貪恚
癡等妄分別垢之所汙染如无價寶在垢衣中外道說我是常作者離於
求那自在无滅世尊所說如來藏義豈不同於外道我耶佛言大慧我說
如來藏不同外道所說之我大慧如來應正等覺以性空實際涅槃不生无相
无願等諸句義說如來藏為令愚夫離无我怖說无分別无影像處如來藏
門未來現在諸菩薩摩訶薩不應於此執著於我大慧譬如陶師於泥聚
中以人功水杖輪繩方便作種種器如來亦尒於遠離一切分別相无我法中以
種種智慧方便善巧或說如來藏或說為无我種種名字各各差別大慧我
說如來藏為攝著我諸外道衆令離妄見入三解脫速得證於阿耨多羅
三藐三菩提是故諸佛說如來藏不同外道所說之我若欲離於外道見
者應知无我如來藏義尒時世尊即說頌言
士夫相續蘊　衆緣及微塵　勝自在作者　此但心分別　　尒時大慧菩薩
摩訶薩普觀未來一切衆生復請佛言願為我說具修行法如諸菩薩
摩訶薩成大修行佛言大慧菩薩摩訶薩具四種法成大修行何者為四謂
觀察自心所現故遠離生住滅見故善知外法无性故專求自證聖智故若諸
菩薩成此四法則得名為大修行者大慧云何觀察自心所現謂觀三界唯是自

BD00809 號 2　大乘入楞伽經卷二　（42–20）

[illegible]
士夫相續蘊　衆緣及微塵　勝自在作者　此但心分別　　尒時大慧菩薩
摩訶薩普觀未來一切衆生復請佛言願為我說具修行法如諸菩薩
摩訶薩成大修行佛言大慧菩薩摩訶薩具四種法成大修行何者為四謂
觀察自心所現故遠離生住滅見故善知外法无性故專求自證聖智故若諸
菩薩成此四法則得名為大修行者大慧云何觀察自心所現謂觀三界唯是自
心離我我所无動作无來去无始執著過習所熏三界種種色行名言繫
縛身資所住分別隨入之所顯現菩薩摩訶薩如是觀察自心所現大慧云何
得離生住滅見所謂觀一切法如幻夢生自他及俱皆不生故隨自心量之所現
故見外物无有故見諸識不起故及衆緣无積聚故分別因緣起三界故如是
觀時若內外若一切諸法皆不可得知无體實遠離生見證如幻性即時逮
得无生法忍住第八地了心意意識五法自性二无我境轉所依獲意生
身大慧言世尊以何因緣名意生身佛言大慧意生身者譬如意去速疾
无礙名意生身大慧譬如心意於无量百千踰膳那之外憶先所見種種
諸物念念相續疾詣於彼非是其身及山河石壁所能為礙意生身者
亦復如是如幻三昧力通自在諸相莊嚴憶本成就衆生願故猶如意去生
於一切諸聖衆中是名菩薩摩訶薩得遠離於生住滅見大慧云何觀
察外法无性謂觀察一切法如陽焰如夢境如毛輪无始戲論種種執著虛妄習
氣為其因故如是觀察一切法時即是專求自證聖智大慧是名菩薩具四種
法成大修行汝應如是勤加修學
尒時大慧菩薩摩訶薩復請佛言願說一切法因緣相令我及諸菩薩摩
訶薩了達其義離有无見不妄執諸法漸生頓生佛言大慧一切法因緣生有
二種謂外及內外者謂以泥團水杖輪繩人功等緣和合成瓶如泥瓶縷疊草席
種牙酪蘇悉亦如是是名外緣前後轉生內者謂无明愛業等生蘊界處
法是為內緣起此但愚夫之所分別大慧因有六種謂當有因相屬因相因能
作因顯了因觀待因大慧當有因者謂內外法作因生果相屬因者謂內外法作
所緣生果蘊種子等相因者作无間相生相續果能作因者謂作增上而生
於果如轉輪王顯了因者謂分別生能現境相如燈照物觀待因者謂滅
時相續斷无妄想生大慧此是愚夫自所分別非漸次生亦非頓生何以故
大慧若頓生者則作與所作无有差別求其因相不可得故若漸生者求
其體相亦不可得如未生子云何名父諸計度人言以因緣所緣緣等无間緣增
上緣等所生能生互相繫屬次第生者理不得成皆是妄情執著相故大慧
漸次與頓皆悉不生但有心現身資等故外自共相皆无性故唯除識起自分別
見大慧是故應離因緣所作和合相中漸頓生見尒時世尊重說頌言
一切法无生　亦復无有滅　於彼諸緣中　分別生滅相　非遮諸緣會　如是滅復生
但以於愚惑　妄情之所著　緣中法有无　是悉无有生　習氣迷轉心　從是三有現
本來无有生　亦復无有滅　觀一切有為　譬如虛空花　離能取所取　一切迷惑見
无能生所生　亦復无因緣　但隨世俗故　而說有生滅

BD00809 號 2　大乘入楞伽經卷二　（42–21）

[illegible]
見大慧是故應離因緣所作和合相中漸頓生見尒時世尊重說頌言
一切法无生 亦復无有滅 於彼諸緣中 分別生滅相 非遮諸緣會 如是滅復生
但止於愚惑 妄情之所著 緣中法有无 是悲无有生 習氣迷轉心 從是三有現
本來无有生 亦復无有滅 觀一切有為 譬如虛空花 離能取所取 一切迷惑見
无能生所生 亦復无因緣 但隨世俗故 而說有生滅

大乘入楞伽經卷第二

大乘入楞伽經集一切法品第二之三 三

尒時大慧菩薩摩訶薩復白佛言世尊願為我說言說分別相
心法門我及諸菩薩摩訶薩善知此故通達能說所說二義疾得阿
耨多羅三藐三菩提令一切衆生於二義中而得清淨佛言大慧有四
種言說分別相所謂相言說夢言說計著過惡言說无始妄想言說
大慧相言說者所謂執著自分別色相生夢言說者謂夢先所經境
界覺已憶念依不實境生計著過惡言說者謂憶念怨讎先所
作業生无始妄想言說者以无始戲論妄執習氣生是為四大慧復
言世尊願更為說言說分別所行之相何處何因云何而起佛言
大慧依頭胷喉鼻脣齶齒舌和合而起大慧復言世尊言說
分別為異不異佛言大慧非異非不異何以故分別為因起
言說故若異者分別不應為因若不異者語言不應顯義是
故非異亦非不異大慧復言世尊為言說是第一義為所說是第
一義佛告大慧非言語是亦非所說何以故第一義者是聖樂處因
言而入非即是言第一義者是聖智內自證境言語分別不能顯示
大慧言語者起滅動搖展轉因緣生若展轉緣生於第一義不能顯示
第一義者无自他相言語有相不能顯示第一義者但唯自心種種外相
悉皆无有言語分別不能顯示是故大慧應當遠離言語分別尒時世
尊重說頌言
諸法无自性 亦復无言說 不見空空義 愚夫故流轉 一切法无性 離語言分別
諸有如夢化 非生死涅槃 如王及長者 為令諸子喜 先示相似物 後賜真實者
我今亦復然 先說相似法 後乃為其演 自證實際法
尒時大慧菩薩摩訶薩復白佛言世尊願為我說離一異俱不俱有无非有
无常无常等一切外道所不能行自證聖智所行境界遠離妄計自相共相入
於真實第一義境漸淨諸地入如來位以无功用本願力故如如意寶普現

BD00809 號 2　大乘入楞伽經卷二
BD00809 號 3　大乘入楞伽經卷三

（42–22）

[illegible]
諸有如夢化 非生死涅槃 如王及長者 為令諸子喜 先示相似物 後賜真實者
我今亦復然 先說相似法 後乃為其演 自證實際法
尒時大慧菩薩摩訶薩復白佛言世尊願為我說離一異俱不俱有无非有
无常无常等一切外道所不能行自證聖智所行境界遠離妄計自相共相入
於真實第一義境漸淨諸地入如來位以无功用本願力故如如意寶普現
一切无邊境界一切諸法皆是自心所見差別令我及餘諸菩薩等於如是
等法離妄計自性自相共相見速證阿耨多羅三藐三菩提普令衆生具
足圓滿一切功德佛言大慧善哉善哉汝哀愍世間請我此義多所利益多
所安樂大慧凡夫无智不知心量妄習為因執著外物分別一異俱不俱有无
非有无常无常等一切自性大慧譬如群獸為渴所逼於熱時焰而生水想迷
惑馳趣不知非水愚癡凡夫亦復如是无始戲論分別所熏三毒燒心樂色境
界見生住滅取內外法墮一異等執著之中大慧如乹闥婆城非城非非城
无智之人无始時來執著城種妄習熏故而作城想外道亦尒以无始來妄習
熏故不能了達自心所現著一異等種種言說大慧譬如有人夢見男女象馬
車步城邑園林種種嚴飾覺已憶念彼不實事大慧汝意云何如是之人
是黠慧不荅言不也大慧外道亦尒惡見所噬不了唯心執著一異有无等
見大慧譬如畫像无高无下愚夫妄見作高下想未來外道亦復如
是惡見熏習妄心增長執一異等自壞壞他於離有无无生之論亦說為
无此謗因果拔善根本應知此人分別有无起自他見當墮地獄欲求勝法
宜速遠離大慧譬如翳目見有毛輪互相謂言此事希有而此毛輪非
有非无見不見故外道亦尒惡見分別執著一異俱不俱等誹謗正法自陷
陷他大慧譬如火輪實非是輪愚夫取著非諸智者外道亦尒惡見樂欲
執著一異俱不俱等一切法生大慧譬如水泡似頗梨珠愚夫執實奔馳而取
然彼水泡非珠非非珠取不取故外道亦尒惡見分別習氣所熏說非有
為生壞於緣有復次大慧立三種量已於聖智內證離二自性法起有性分
別大慧諸修行者轉心意識離能所取住如來地自證聖法於有及无不起於
想大慧諸修行者若於境界起有无執則著我人衆生壽者大慧一切諸
法自相共相是化佛說非法佛說大慧化佛說法但順愚夫所起之
見不為顯示自證聖智三昧樂境大慧譬如水中有樹影現彼非影非非
影非樹形非非樹形外道亦尒諸見所熏不了自心於一異等而生分別
大慧譬如明鏡无有分別隨順衆緣現諸色像彼非像非非像而見像非
像愚夫分別而作像想外道亦尒於自心所現種種形像而執一異俱不俱相

BD00809 號 3　大乘入楞伽經卷三

（42–23）

見不為顛亦自證聖智三昧樂境大慧譬如水中有樹影現彼非影非非
影非樹形非非樹形外道亦尒諸見所熏不了自心於一異等而生分別
大慧譬如明鏡无有分別隨順衆緣現諸色像彼非像非非像而見像非
像愚夫分別而作像想外道亦尒於自心所現種種形像而執一異俱不俱相
大慧譬如谷響依於風水人等音聲和合而起彼非有非无以聞聲非聲故外
道亦尒自心分別熏習力故起於一異俱不俱見大慧譬如大地无草木處
日光照觸醆水波動彼非有非无以倒想非想故愚癡凡夫亦復如是无始戲
論惡習所熏於聖智自證法性門中見生住滅一異有无俱不俱性大慧譬如
木人及以起屍以毗舍闍機關力故動搖運轉云為不絕无智之人取以為實
愚癡凡夫亦復如是隨逐外道起諸惡見著一異等虛妄言說是故大慧
當於聖智所證法中離生住滅一異有无俱不俱等一切分別尒時世尊重
說頌言

諸識蘊有五　猶如水樹影　所見如幻夢　不應妄分別　三有如陽焰　幻夢及毛輪
若能如是觀　究竟得解脫　譬如熱時焰　動轉迷亂心　渴獸取為水　而實无水事
如是識種子　動轉見境界　如翳者所見　愚夫生執著　无始生死中　執著所纏覆
退捨令出離　如因楔出楔　幻呪機所作　浮雲夢電光　觀世恒如是　永斷三相續
此中无所有　如空中陽焰　如是知諸法　則為无所知　諸蘊如毛輪　於中妄分別
唯假施設名　求相不可得　如畫垂髮幻　夢乹闥婆城　火輪熱時焰　實无而見有
如是常无常　一異俱不俱　无始繫縛故　愚夫妄分別　明鏡水淨眼　摩尼妙寶珠
於中現色像　而實无所有　心識亦如是　普現衆色相　如夢空中焰　亦如石女兒

復次大慧諸佛說法離於四句謂離一異俱不俱及有无等建立誹謗大慧諸
佛說法以諦緣起滅道解脫而為其首非與勝性自在宿作自然時微塵等
而共相應大慧諸佛說法為淨惑智二種障故次第令住一百八句无相法中而
善分別諸乘地相猶如商主善導衆人
復次大慧有四種禪何等為四謂愚夫所行禪觀察義禪攀緣真如禪諸如
來禪大慧云何愚夫所行禪謂聲聞緣覺諸脩行者知人无我見自他身骨
鎖相連皆是无常苦不淨相如是觀察堅著不捨漸次增勝至无
想滅定是名愚夫所行禪云何觀察義禪謂知自共相人无我已亦離外
道自他俱作於法无我諸地相義隨順觀察是名觀察義禪云何攀緣
真如禪謂若分別无我有二是虛妄念若如實知彼念不起是名攀緣
真如禪云何諸如來禪謂入佛地住自證聖智三種樂為諸衆生作不思議
事是名諸如來禪尒時世尊重說頌言

想滅定是名愚夫所行禪云何觀察義禪謂知自共相人无我已亦離外
道自他俱作於法无我諸地相義隨順觀察是名觀察義禪云何攀緣
真如禪謂若分別无我有二是虛妄念若如實知彼念不起是名攀緣
真如禪云何諸如來禪謂入佛地住自證聖智三種樂為諸衆生作不思議
事是名諸如來禪尒時世尊重說頌言

愚夫所行禪　觀察義相禪　攀緣真如禪　如來清淨禪　脩行者在定　觀見日月形
波頭摩深險　虛空火及畫　如是種種相　墮於外道法　亦墮於聲聞　辟支佛境界
捨離此一切　住於无所緣　是則能隨入　如如真實相　十方諸國土　所有无量佛
悉引光明手　而摩是人頂

尒時大慧菩薩摩訶薩復白佛言世尊諸佛如來所說涅槃說何等法名為
涅槃佛告大慧一切識自性習氣及藏識意意識見習轉已我及諸佛說名
涅槃即是諸法性空境界復次大慧涅槃者自證聖智所行境界遠離斷
常及以有无云何非常謂離自相共相諸分別故云何非斷謂去來現在一切
聖者自證智所行故復次大慧大般涅槃不壞不死若死者應更受生若壞
者應是有為是故涅槃不壞不死諸脩行者之所歸趣復次大慧无捨
无得故非斷非常故不一不異故說名涅槃復次大慧聲聞緣覺知自
共相捨離憒閙不生顛倒不起分別於彼其中生涅槃想復次大慧有
二種自性相何者為二謂執著言說自性相執著諸法自性相執著言說自
性相者以无始戲論執著言說習氣故起執著諸法自性相者以不覺自心所
現故起復次大慧諸佛有二種加持持諸菩薩令頂禮佛足請問衆義
云何為二謂令入三昧及身現其前手灌其頂大慧初地菩薩摩訶薩蒙
諸佛持力故入菩薩大乘光明定入已十方諸佛普現其前身語加持如金剛
藏及餘成就如是功德相菩薩摩訶薩者是大慧此菩薩摩訶薩蒙佛持
力入三昧已於百千劫集諸善根漸入諸地善能通達治相至法雲地處大
蓮花微妙宮殿坐於寶座同類菩薩所共圍繞首戴寶冠身如黃金瞻蔔
花色如盛滿月放大光明十方諸佛舒蓮花手於其座上而灌其頂如轉輪
王太子受灌頂已而得自在此諸菩薩亦復如是是名為二諸菩薩
摩訶薩為二種持之所持故即能親見一切諸佛異則不能復次大慧
諸菩薩摩訶薩入於三昧現通說法如是一切皆由諸佛二種持力大慧若
諸菩薩離佛加持能說法者則諸凡夫亦應能說大慧山林草樹城郭宮
殿及諸樂器如來至處以佛持力尚演法音况有心者聾盲瘖瘂離苦解
脫大慧如來持力有如是等廣大作用大慧菩薩復白佛言何故如來以其

摩訶薩為二種持之所持故即能親見一切諸佛異則不能復次大慧
諸菩薩摩訶薩入於三昧現通說法如是一切皆由諸佛二種持力大慧若
諸菩薩離佛加持能說法者則諸凡夫亦應能說大慧山林草樹城郭宮
殿及諸樂器如來至處以佛持力尚演法音況有心者聾盲瘖瘂離苦解
脫大慧如來持力有如是等廣大作用大慧菩薩復白佛言何故如來以其
持力令諸菩薩入於三昧及殊勝地中手灌其頂佛言大慧為欲令其遠
離魔業諸煩惱故為令不墮聲聞地故為令速入如來地故令所得法倍增
長故是故諸佛以加持力持諸菩薩大慧若不如是彼諸菩薩便墮外道
及以聲聞魔境之中不能得无上菩提是故如來以加持力攝諸菩薩尒
時世尊重說頌言
世尊清淨願　有大加持力　初地十地中　三摩地灌頂
尒時大慧菩薩摩訶薩復白佛言世尊佛說緣起是由作起非自性起
外道亦說勝性自在時我微塵生於諸法今佛世尊但以異名說作緣起非
義有別世尊外道亦說以作者故從无生有世尊亦說以因緣故一切諸法本
无而生生已謝滅如佛所說无明緣行乃至老死此說无因非說有因世尊
說言此有故彼有若一時建立非次第相待者其義不成是故外道
說勝非如來也何以故外道說因不從緣生而有所生世尊所說果
待於因因復待因如是展轉成无窮過又此有故彼有者則无有因
佛言大慧我了諸法唯心所現无能取所取說此有故彼有非是无因及
因緣過失大慧若不了諸法唯心所現計有能取及以所取執著外境若有
若无彼有是過非我所說大慧菩薩復白佛言世尊有言說故必有諸法
若无諸法言依何起佛言大慧雖无諸法亦有言說豈不現見龜毛兔角石女兒
等世人於中皆起言說大慧彼非有非非有而有言說耳大慧如汝所說有言說
故有諸法者此說則壞大慧非一切佛土皆有言說言說者假安立
耳大慧或有佛土瞪視顯法或復揚眉或動目睛或示微笑嚬申謦
欬憶念動搖以如是等而顯於法大慧如不瞬世界妙香世界及普賢
如來佛土之中但瞪視不瞬令諸菩薩獲无生法忍及諸勝三昧大慧非由言
說而有諸法此世界中蠅蟻等蟲雖无言說成自事故尒時世尊重說
頌言
如虛空兔角　及與石女兒　无而有言說　妄計法如是　因緣和合
愚夫妄謂生　不能如實解　流轉於三有
尒時大慧菩薩摩訶薩復白佛言世尊所說常聲依何處說佛言大慧依妄法說
以諸妄法聖人亦現然不顛倒大慧譬如陽焰火輪垂髮乾闥婆城夢幻鏡像
世无智者生顛倒解有智不然非不現大慧妄法現時无量差別然非无常

愚夫妄謂生　不能如實解　流轉於三有
尒時大慧菩薩摩訶薩復白佛言世尊所說常聲依何處說佛言大慧依妄法說
以諸妄法聖人亦現然不顛倒大慧譬如陽焰火輪垂髮乾闥婆城夢幻鏡像
世无智者生顛倒解有智不然非不現大慧妄法現時无量差別然非无常
何以故離有无故云何離有无一切愚夫種種解故如恒河水有見不見餓鬼
不見不可言有餘所見故不可言无聖於妄法離顛倒見大慧妄法是常相
不異故非諸妄法有差別相以分別故而有別異是故妄法其體是常大慧云
何而得妄法真實謂諸聖者於妄法中不起顛倒非顛倒覺若於妄法有少
分想則非聖智有少想者當知則是愚夫戲論非聖言說大慧若分別妄
法是倒非倒彼則成就二種種性謂聖種性凡夫種性大慧聖種性者彼復三種
謂聲聞緣覺佛乘別故大慧云何愚夫分別妄法生聲聞乘種性所謂計著自
相共相大慧何謂復有愚夫分別妄法成緣覺乘種性謂即執著自共相時離
於憒鬧大慧何謂智人分別妄法而得成就佛乘種性所謂了達一切唯是自心分
別所見无有外法大慧有諸愚夫分別妄法種種事物決定如是決定不異此則
成就生死乘性大慧彼妄法中種種事物非即是物亦非非物大慧即彼妄法諸聖
智者心意意識諸惡習氣自性法轉依故即說此妄名為真如是故真如離於心識
我今明了顯示此句離分別者悉離一切諸分別故大慧菩薩白言世尊所說妄法
為有為无佛言如幻无執著相故若執著相體是有者應不可轉則諸緣起應
如外道說作者生大慧又言若諸妄法同於幻者此則當與餘妄作因佛言大慧
非諸幻事為妄惑因以幻不生諸過惡故以諸幻事无分別故大慧夫幻事者從
他呪術而得生起非自分別過習力起是故幻事不生過惡大慧此妄惑法唯是愚
夫心所執著非諸聖者尒時世尊重說頌言
聖不見妄法　中間亦非實　以妄即真故　中間亦真實　若離於妄法　而有相生者
此還即是妄　如翳未清淨
復次大慧見一切法非幻无有相似故說一
切法如幻大慧言世尊為依執著種種幻相言一切法猶如幻耶為異依此執著
顛倒相耶若依執著種種幻相言一切法猶如幻者世尊非一切法悉皆如幻何
以故見種種色相不无因故世尊都无有因令種種色相顯現如幻是故世尊不
可說言依於執著種種幻相言一切法與幻相似佛言大慧不依執著種種
幻相言一切法如幻大慧以一切法不實速滅如電故說如幻大慧譬如電光見已
即滅世間凡愚悉皆現見一切諸法依自分別自相共相現亦復如是以不能觀
察无所有故而妄計著種種色相尒時世尊重說頌言
非幻无相似　亦非有諸法　不實速如電　如幻應當知　尒時大慧菩薩摩訶薩
復白佛言世尊如佛先說一切諸法皆悉无生又言如幻將非所說前後

幻相言一切法如幻大慧以一切法不實速滅如電故說如幻大慧譬如電光見已
即滅世間凡愚悉皆現見一切諸法依自分別自相共相現亦復如是以不能觀
察无所有故而妄計著種種色相尒時世尊重說頌言
非幻无相似　亦非有諸法　不實速如電　如幻應當知　尒時大慧菩薩摩訶薩
復白佛言世尊如佛先說一切諸法皆悉无生又言如幻將非所說前後相違佛言大慧
无有相違何以故我了於生即是无生唯是自心之所見故若有若无一切外法見其无
性本不生故大慧為離外道因生義故我說諸法皆悉不生大慧外道群聚共興惡見
言從有无生一切法非自執著分別為緣大慧我說諸法非有无生故名无生大慧說
諸法者為令弟子知依諸業攝受生死遮其无有斷滅見故大慧說諸法相猶如幻
者令離諸法自性相故為諸凡愚墮惡見欲不知諸法唯心所現為令遠離執
著因緣生起之相說一切法如幻如夢彼諸愚夫執著惡見欺誑自他不能明
見一切諸法如實住處大慧見一切法如實處者謂能了達唯心所現尒時世尊
重說頌言
无作故无生　有法攝生死　了達如幻等　於相不分別
復次大慧我當說名句文身相諸菩薩摩訶薩善觀此相了達其義疾得阿
耨多羅三藐三菩提復能開悟一切衆生大慧名身者謂能顯義決定究竟
是名句身文身者謂由於此能成名句是名文身復次大慧句身者謂句事究竟
名身者謂諸字名各各差別如從阿字乃至呵字文身者謂長短高下復次
句身者如足跡如衢巷中人畜等跡名謂非色四蘊以名說故文謂名之自相由文
顯故是名名句文身此名句文身相汝應修學尒時世尊重說頌言
名身與句身　及文身差別　凡愚所計著　如象溺深泥　復次大慧未來世
中有諸邪智惡思覺者離如實法以見一異俱不俱問諸智者彼即答言此
非正問謂色與无常為異為不異如是涅槃諸行相所相依造所造見所見
地與微塵智與智者為異為不異如是等不可記事次第而問世尊說此當記
吾愚夫无智非所能知佛欲令其離驚怖處不為記說大慧不記說者欲令外道
永得出離作者見故大慧諸外道衆計有作者作如是說命即是身命異身
異如是等說名无記論大慧外道癡惑說无記論非我教中大慧我教中說離能
所取不起分別云何可止大慧若有執著能取所取不了唯是自心所見彼應可止大慧
諸佛如來以四種記論為衆生說法大慧止記論者我別時說以根未熟且止說故
復次大慧何故一切法不生以離能作所作无作者故何故一切法无自性以證智觀自相共
相不可得故何故一切法无來去以自共相來无所從去无所至故何故一切法不滅
謂一切法无性相故不可得故何故一切法无常謂諸相起无常性故何故一切法常
謂諸相起即是不起无所有故无常性常是故我說一切法常尒時世尊重說
頌言　一向及反問　分別與置答　如是四種說　摧伏諸外道　數論與勝論

相不可得故何故一切法无來去以自共相來无所從去无所至故何故一切法不滅
謂一切法无性相故不可得故何故一切法无常謂諸相起无常性故何故一切法常
謂諸相起即是不起无所有故无常性常是故我說一切法常尒時世尊重說
頌言　一向及反問　分別與置答　如是四種說　摧伏諸外道　數論與勝論
言有非有生　如是等諸說　一切皆无記　以智觀察時　體性不可得　以彼无可說
故說无自性　尒時大慧菩薩摩訶薩復白佛言世尊願為我說須陁洹須陁
洹行差別相我及諸菩薩摩訶薩聞是義故於須陁洹斯陁含阿那含阿羅
漢方便相皆得善巧如是而為衆生演說令其證得二无我法淨除二障於
諸地相漸次通達獲於如來不可思議智慧境界如衆色摩尼普令衆生悉
得饒益佛言諦聽當為汝說大慧言唯佛言大慧諸須陁洹須陁洹果差別
有三謂下中上大慧下者於諸有中極七反生中者三生五生上者即於
此生而入涅槃大慧此三種人斷三種結謂身見疑戒禁取上上勝進得阿
羅漢果大慧身見有二種謂俱生及分別如依緣起有妄計性大慧譬如依
心緣起性故種種妄計執著性生彼法但是妄分別相非有非无非亦有亦
无凡夫愚癡而橫執着猶如渴獸妄生水想此分別身見无智慧故久遠相應
見人无我即時捨離大慧俱生身見以普觀察自他之身受等四蘊无色相故
色由大種而得生故是諸大種互相因故色不集故如是觀已明見有无即時捨
離捨身見故貪則不生是名身見相大慧疑相者於所證法善見相故及先二種
身見分別斷故於諸法中疑不得生亦不於餘生大師想為淨不淨是名疑
相大慧何故須陁洹不取戒禁謂以明見生處苦相是故不取夫其取者謂諸
凡愚於諸有中貪著世樂苦行持戒願生於彼須陁洹人不取是相唯求所
證最勝无漏无分別法修行戒品是名戒禁取相大慧須陁洹人捨三結故離貪
瞋癡大慧白言貪有多種捨何等貪佛言大慧捨於女色纏綿貪欲見此現
樂生來苦故又得三昧殊勝樂故是故捨彼非涅槃貪大慧云何斯陁
含果謂不了色相起色分別一往來已善修禪行盡苦邊際而般涅
槃是名斯陁含大慧云何阿那含果謂於過未現在色相起有无見分別過
惡隨眠不起永捨諸結更不還來是名阿那含大慧阿羅漢者謂諸禪三昧解
脫力通悉已成就煩惱諸苦分別永盡是名阿羅漢大慧言世尊阿羅漢有三種謂
一向趣寂退菩提願佛所變化此說何者佛言大慧此說趣寂非是其餘大慧餘
二種人謂已曾發巧方便願及為莊嚴諸佛衆會於彼示生大慧於虛空處說
種種法所謂證果禪者及禪皆性離故自心所得相故大慧若須陁洹作如是

惡隨眠不起永捨諸結更不還來是名阿那含大慧阿羅漢者謂諸禪三昧解
脫力通悉已成就煩惱諸苦分別永盡是名阿羅漢大慧言世尊阿羅漢有三種謂
一向趣寂退菩提願佛所變化此說何者佛言大慧此說趣寂非是其餘大慧餘
二種人謂已曾發巧方便願及為莊嚴諸佛衆會於彼示生大慧於虛空處說
種種法所謂證果禪者及禪皆性離故自心所得相故大慧若須陀洹作如是
念我離諸結則有二過謂墮我見及諸結不斷復次大慧若欲超過諸禪无量
无色界者應離自心所見諸相大慧想受滅三昧超自心所見境者不然不離心
故尒時世尊重說頌言
諸禪與无量　无色三摩提　及以想受滅
唯心不可得　預流一來果　不還阿羅漢　如是諸聖人　悉依心妄有　禪者禪所緣
斷惑見真諦　此皆是妄想　了知即解脫
復次大慧有二種覺智謂觀察智及取相分別執著建立智觀察智者謂
觀一切法離四句不可得四句者謂一異俱不俱有非有常无常等我以諸法離此
四句是故說言一切法離大慧如是觀法汝應脩學云何取相分別執著建立智謂
於堅濕煖動諸大種性取相執著虛妄分別以宗因喻而妄建立是名取相分別執
著建立智是名二種覺智相菩薩摩訶薩知此智相即能通達人法无我以
无相智於解行地善巧觀察入於初地得百三昧以勝三昧力見百佛百菩
薩知前後際各百劫事光明照曜百佛世界善能了知上上地相以勝願力
變現自在至法雲地而受灌頂入於佛地十无盡願成就衆生種種應現无
有休息而恒安住自覺境界三昧勝樂復次大慧菩薩摩訶薩當善了知
大種造色云何了知大慧菩薩摩訶薩應如是觀彼諸大種真實不生以諸
三界但是分別唯心所見无有外物如是觀時大種所造悉皆性離超過四句
无我我所住如實處成无生相大慧彼諸大種云何造色大慧謂虛妄分別
津潤大種成內外水界炎盛大種成內外火界飄動大種成內外風界色分段大種
成內外地界離於虛空由執著邪諦五蘊聚集大種造色生大慧識者以執著
種種言說境界為因起故於餘趣中相續受生大慧地等造色有大種
因非四大種為大種因何以故謂若有法有形相者則是所作非无形者大慧
此大種造色相外道分別非是我說
復次大慧我今當說五蘊體相謂色受想行識大慧色謂四大及所造色此
各異相受等非色大慧非色諸蘊猶如虛空无有四數大慧譬如虛空超過
數相然分別言此是虛空非色諸蘊亦復如是離諸數相離有无等四種句
故數相者愚夫所說非諸聖者諸聖但說如幻所作唯假施設離異不異如
夢如像无別所有不了聖智所行境故見有諸蘊分別現前是名諸蘊自
[illegible]

各異相受等非色大慧非色諸蘊猶如虛空无有四數大慧譬如虛空超過
數相然分別言此是虛空非色諸蘊亦復如是離諸數相離有无等四種句
故數相者愚夫所說非諸聖者諸聖但說如幻所作唯假施設離異不異如
夢如像无別所有不了聖智所行境故見有諸蘊分別現前是名諸蘊自
性相大慧如是分別汝應捨離此已說寂靜法斷一切剎諸外道見淨法
无我入遠行地成就无量自在三昧獲意生身如幻三昧力通自在皆悉
具足猶如大地普益羣生　復次大慧涅槃有四種何等為四謂
諸法自性无性涅槃種種相性无性涅槃覺自相性无性涅槃斷諸蘊自共
相流注涅槃大慧此四涅槃是外道義非我所說大慧我所說者分別尒
炎識滅名為涅槃大慧言世尊豈不建立八種識耶佛言建立大慧言若建
立者云何但說意識滅非七識滅佛言大慧以彼為因及所緣故七識得生大慧
意識分別境界起執著時生諸習氣長養藏識由是意俱我我所執思
量隨轉无別體相藏識為因為所緣故執著自心所現境界心聚生起展
轉為因大慧譬如海浪自心所現境界風吹而有起滅是故意識滅時七識亦
滅尒時世尊重說頌曰
我不以自性　及以於作相　分別境識滅　如是說涅槃
意識為心因　心為意境界　因及所緣故　諸識依心生　如大瀑流盡　波浪則不起
如是意識滅　種種識不生
復次大慧我今當說妄計自性差別相令汝及諸菩薩摩訶薩善知此義超諸
妄想證聖智境知外道法遠離能取所取分別於依他起種種中不更取著妄
所計相大慧云何妄計自性差別相所謂言說分別所說分別相分別財
分別自性分別見分別理分別生分別不生分別相屬分別
縛解分別大慧此是妄計自性差別相云何言說分別謂執著種種
美妙音詞是名言說分別云何所說分別謂執有所說事是聖
智所證境依此起說是名所說分別云何分相別謂即於彼所說事
中如渴獸想分別執著堅濕煖動等一切諸相是名相分別云何財分別
謂取著種種金銀等寶而起言說是名財分別云何自性分別謂以惡
見如是分別此自性決定非餘是名自性分別云何因分別謂於因緣分
別有无以此因相而能生故是名因分別云何見分別謂諸惡見執著
有无一異俱不俱等是名見分別云何理分別謂有執著我我所相而起
言說是名理分別云何生分別謂計諸法若有若无從緣而生是名生
分別云何不生分別謂計一切法本來不生未有諸緣而先有體不從因
起是名不生分別云何相屬分別謂此與彼遞相繫屬如針與線是名相

別有无以此因相而能生故是名因分別云何見分別謂諸惡見執著
有无一異俱不俱等是名見分別云何理分別謂有執著我我所相而起
言說是名理分別云何生分別謂計諸法若有若无從緣而生是名生
分別云何不生分別謂計一切法本來不生未有諸緣而先有體不從因
起是名不生分別云何相屬分別謂此與彼遞相繫屬如針與線是名相
屬分別云何縛解分別謂執因能縛而有所縛如人以繩方便力故
縛已復解是名縛解分別大慧此是妄計性差別相一切凡愚於
中執著若有若无大慧於緣起中執著種種妄計自性如依
於幻見種種物凡愚分別見異於幻大慧幻與種種非異非不異若
異者應幻非種種因若一者幻與種種應无差別然見差別是故
非異非不異大慧汝及諸菩薩摩訶薩於幻有无不應生著
尒時世尊重說頌言
心為境所縛　覺想智隨轉　无相最勝處　平等智慧生　在妄計是有
於緣起則无　妄計迷惑取　緣起離分別　種種支分生　如幻不成就　雖現種種相
妄分別則无　彼相即是過　皆從心縛生　妄計者不了　分別緣起法　此諸妄計性
皆即是緣起　妄計有種種　緣起中分別　世俗第一義　第三无因生　妄計是世俗
斷則聖境界　如脩觀行者　於一種種現　於彼无種種　妄計相如是　如目種種翳
妄想見衆色　彼无色非色　不了緣起然　如金離塵垢　如水離泥濁　如虛空无雲
妄想淨如是　无有妄計性　而有於緣起　建立及誹謗　斯由分別壞　若无妄計性
而有緣起者　无法而有法　有法從无生　依因於妄計　而得有緣起　相名常相隨
而生於妄計　以緣起依妄　究竟不成就　是時現淨清　名為第一義　妄計有十二
緣起有六種　自證真如境　彼无有差別　五法為真實　三自性亦尒　脩行者觀此
不越於真如　依於緣起相　妄計種種名　彼諸妄計相　皆因緣起有　智慧善觀察
无緣无妄計　真實中无物　云何起分別　圓成若是有　此則離有无　既已離有无
云何有二性　妄計有二種　二性是安立　分別見種種　清淨聖所行　妄計種種相
緣起中分別　若異此分別　則墮外道論　以諸妄見故　妄計於妄計　離此二計者
則為真實法
大慧菩薩摩訶薩復白佛言世尊唯願為說自證聖智行相
及一乘行相我及諸菩薩摩訶薩得此善巧於佛法中不由他悟
佛言諦聽當為汝說大慧言唯佛言大慧菩薩摩訶薩依諸
聖教无有分別獨處閑靜觀察自覺不由他悟離分別見上上
昇進入如來地如是脩行名自證聖智行相云何名一乘行相謂得

BD00809 號 3　大乘入楞伽經卷三　（42–32）

大慧菩薩摩訶薩復白佛言世尊唯願為說自證聖智行相
及一乘行相我及諸菩薩摩訶薩得此善巧於佛法中不由他悟
佛言諦聽當為汝說大慧言唯佛言大慧菩薩摩訶薩依諸
聖教无有分別獨處閑靜觀察自覺不由他悟離分別見上上
昇進入如來地如是脩行名自證聖智行相云何名一乘行相謂得
證知一乘道故云何名為知一乘道謂能證知能取所取分別如實
而住大慧此一乘道唯除如來非外道二乘梵天王等之所能得大慧
白言世尊何故說有三乘不說一乘佛言大慧聲聞緣覺无自般涅
槃法故說我一乘以彼依如來所說調伏遠離如是脩行而得解脫
非自所得又彼未能除滅智障及業習氣未覺法无我未名不思議
變易死是故我說以為三乘若彼能除一切過習覺法无我是時乃
離三昧所醉於无漏界而得覺悟既覺悟已於出世上上无漏界
中脩諸功德普使滿足獲不思議自在法身尒時世尊重說頌言
天乘及梵乘　聲聞緣覺乘　諸佛如來乘　諸乘我所說　乃至有心起
諸乘未究竟　彼心轉滅已　无乘及乘者　无有乘建立　我說為一乘
為攝愚夫故　說諸乘差別　解脫有三種　謂離諸煩惱　及以法无我
平等智解脫　譬如海中木　常隨波浪轉　聲聞心亦然　相風所漂激
雖滅起煩惱　猶被習氣縛　三昧酒所醉　住於无漏界　彼非究竟趣
亦復不退轉　以得三昧身　乃至劫不覺　譬如昏醉人　酒消然後悟
聲聞亦如是　覺後當成佛

大乘入楞伽經卷第三

大乘入伽經无常品第三之一　卷四　新譯
尒時佛告大慧菩薩摩訶薩言今當為汝說意成身差別相諦聽諦聽善思念之大
慧言唯佛言大慧意成身有三種何者為三謂入三昧樂意成身覺法自性意成身種類俱
生无作行意成身諸脩行者入初地已漸次證得大慧云何入三昧樂意成身謂三四五地入
於三昧離種種心寂然不動心海不起轉識波浪了境心現皆无所有是名入三昧樂意成身
云何覺法自性意成身謂八地中了法如幻皆无有相心轉所依住如幻定及餘三昧能
現无量自在神通如花開敷速疾如意如幻如夢如影如像非造所造與造相似一切色
相具足莊嚴普入佛剎了諸法性是名覺法自性意成身云何種類俱生无作行意成身
謂了達諸佛自證法相是名種類俱生无作行意成身大慧三種身相當勤觀察尒

BD00809 號 3　大乘入楞伽經卷三　（42–33）
BD00809 號 4　大乘入楞伽經卷四

於三昧樂種種心寂然不動心海不起轉識波浪了境心現皆无所有是名入三昧樂意成身
云何覺法自性意成身謂八地中了法如幻皆无有相心轉所依住如幻定及餘三昧能
現无量自在神通如華開敷速疾如意如幻如夢如影如像非造所造與造相似一切色
相具足莊嚴普入佛刹了諸法性是名覺法自性意成身云何種類俱生无作行意成身
謂了達諸佛自證法相是名種類俱生无作行意成身大慧三種身相當勤觀察尒
時世尊重說頌言
我大乘非乘　非聲亦非字　非諦非解脫　亦非无相境
然乘摩訶衍　三摩提自在　種種意成身　自在花莊嚴　尒時大慧菩薩摩訶薩
復白佛言世尊如世尊說五无間業何者為五若人作已墮阿鼻獄佛言諦聽當為汝說大
慧言唯佛告大慧五无間者所謂殺母殺父殺阿羅漢破和合僧懷惡逆心出佛身血大慧
何者為衆生母謂引生愛與貪喜俱如母養育何者為父所謂无明令生六處聚落中
殺斷二根本名殺父母云何殺阿羅漢謂隨眠為怨如鼠毒發究竟斷故是故說名殺阿
羅漢云何破和合僧謂諸蘊異相和合積聚究竟斷彼名為破僧云何惡心出佛身
血謂八識身妄生思覺見自心外自相共相以三解脫无漏惡心究竟斷彼八識身佛名為惡
心出佛身血大慧是為內五无間若有作者无間即得現證實法復次大慧今為汝說外五无間令
汝及餘菩薩聞是義已於未來世不生疑惑云何外五无間謂餘教中所說无間若有作者於三
解脫不能現證唯除如來諸大菩薩及大聲聞見其有造无間業者為欲勸發令其改過
以神通力示同其事尋即悔除證於解脫此皆化現非是實造若有實造无間業者終
无現身而得解脫唯除覺了自心所現身資所住離我我所分別執見或於來世餘處受生
遇善知識離分別過方證解脫尒時世尊重說偈言
貪愛名為母　无明則是父
識了於境界　此則名為佛　隨眠阿羅漢　蘊聚和合僧　斷彼无餘間　是名无間業
尒時大慧菩薩摩訶薩復白佛言世尊願為我說諸佛體性佛言大慧覺二无我除二種
障離二種死斷二煩惱是佛體性大慧聲聞緣覺得此法已亦名為佛我以是義但說一
乘尒時世尊重說頌言
善知二无我　除二障二惱　及不思議死　是故名如來
尒時大慧菩薩摩訶薩復白佛言世尊如來以何密意於大衆中唱如是言我是過去一切
如來應正等覺依四平等秘密意故於大衆中作如是言我於昔時作拘留孫佛拘那含牟
尼佛迦葉佛云何為四所謂字平等語平等身平等法平等云何字平等謂我名佛一切如
來亦名為佛佛名无別是謂字等云何語平等謂我作六十四種梵音聲語一切如來亦作
此語迦陵頻伽梵音聲性不增不減无有差別是名語等云何身平等謂我與諸佛法
身色相及隨形好等无差別除為調伏種種衆生現隨類身是謂身等云何法平等謂
我與諸佛皆同證得卅七種菩提分法是謂法等是故如來應正等覺於大衆中作如是
尒時世尊重說頌言
迦葉拘留孫　拘那含是我　依四平等故　為諸佛子說
尒時大慧菩薩摩訶薩復白佛言世尊如世尊說我於某夜成最正覺乃至某夜當入涅
槃於其中間不說一字亦不已說亦不當說亦不今說不說是佛說世尊依何密意作如是語佛
言大慧依二密法故作如是說云何二法謂自證法及本住法云何自證法謂諸佛所證我
亦同證不增不減證智所行離言說相離分別相離名字相云何本住法謂法本性如金等在
礦若佛出世若不出世法住法位法界法性皆悉常住大慧譬如有人行曠野中見向古城

槃於其中間不說一字亦不已說亦不當說亦不今說不說是佛說世尊依何密意作如是語佛
言大慧依二密法故作如是說云何二法謂自證法及本住法云何自證法謂諸佛所證我
亦同證不增不減證智所行離言說相離分別相離名字相云何本住法謂法本性如金等在
礦若佛出世若不出世法住法位法界法性皆悉常住大慧譬如有人行曠野中見向古城
平坦舊道即便隨入止息遊戲大慧於汝意云何彼作是道及以城中種種物耶白言不也佛
言大慧我及諸佛所證真如常住法性亦復如是是故說言始從成佛乃至涅槃於其中
間不說一字亦不已說亦不當說尒時世尊重說頌言
某夜成正覺　某夜般涅槃
於此二中間　我都无所說　自證本住法　故作是密語　我及諸如來　无有少差別
尒時大慧菩薩摩訶薩復白佛言世尊願說一切法有无相令我及諸菩薩摩訶
薩離此相疾得阿耨多羅三藐三菩提佛言諦聽當為汝說大慧言唯佛言大慧世間衆生多
墮二見謂有見无見墮二見故非出離想云何有見謂實有因緣而生諸法非不實有實
有諸法從因緣生非无法生大慧如是說者則說无因云何无見謂知受貪瞋癡已而妄計言
无大慧及彼分別有相而不受諸法有復有知諸如來聲聞緣覺无貪瞋癡性而計為非有
此中誰為壞者大慧白言謂有貪瞋癡性後取於无名為壞者佛言善哉汝解我問此人非但
无貪瞋癡名為壞者亦壞如來聲聞緣覺何以故煩惱內外不可得故體性非異非不
異故大慧貪瞋癡性若內若外皆不可得无體性故无可取故聲聞緣覺及以如來本性
解脫无有能縛及縛因故大慧若有能縛及以縛因則有所縛作如是說名為壞者是為
无有相我依此義密意而說寧起我見如須彌山不起空見懷增上慢若起此見名為壞
者墮自共見樂欲之中不了諸法惟心所現以不了故見有外法剎那无常展轉差別蘊
界處相相續流轉起已還滅虛妄分別離文字相亦成壞者尒時世尊重說頌言
有无是二邊　乃至心所行　淨除彼所行　平等心寂滅　不取於境界　非滅无所有
有真如妙物　如諸聖所行　本无而有生　生已而復滅　因緣有及无　彼非住我法
非外道非佛　非我非餘衆　能以緣成有　云何而得无　誰以緣成有　而復得言无
惡見說為生　妄想計有无　若知无所生　亦復无所滅　觀世悉空寂　有无二俱離
尒時大慧菩薩摩訶薩復白佛言世尊唯願為我說宗趣之相令我及諸菩薩摩訶薩善
達此義不隨一切衆邪妄解疾得阿耨多羅三藐三菩提佛言諦聽當為汝說大慧言唯佛言大
慧一切二乘及諸菩薩有二種宗法相何等為二謂宗趣法相言說法相宗趣法相者謂自所證
殊勝之相離於文字語言分別入无漏界成自地行超過一切不正思覺伏魔外道生智慧光是名
宗趣法相言說法相者謂說九部種種教法離於一異有无等相以巧方便隨衆生心令入此法是名言
說法相汝及諸菩薩當勤修學尒時世尊重說頌言
宗趣與言說　自證及教法
若能善知見　不隨他妄解　如愚所分別　非是真實相　彼豈不求度　无法而可得
觀察諸有為　生滅等相續　增長於二見　顛倒无所知　涅槃離心意　唯此一法實
觀世悉虛妄　如幻夢芭蕉　无有貪恚癡　亦復无有人　從愛生諸蘊　如夢之所見
尒時大慧菩薩摩訶薩復白佛言世尊願為我說虛妄分別相此虛妄
分別云何而生是何而生因何而生誰之所生何故名為虛妄分別佛言大慧善

若能善觀見　不隨他妄計　如愚所分別　非是真實相　彼豈不求度　无法而可得
觀察諸有為　生滅等相續　增長於二見　顛倒无所知　涅槃離心意　唯此一法實
觀世悉虛妄　如幻夢芭蕉　无有貪恚癡　亦復无有人　從愛生諸蘊　如夢之所見
尒時大慧菩薩摩訶薩復白佛言世尊願為我說虛妄分別相此虛妄分
別云何而生是何而生因何而生誰之所生何故名為虛妄分別佛言大慧善
哉善哉汝為衰愍世間天人而問此義多所利益多所安樂諦聽諦聽
善思念之當為汝說大慧言唯佛言大慧一切衆生於種種境不能了
達自心所現計能所取虛妄執著起諸分別墮有无見增長外道妄見
習氣心心所法相應起時執有外義種種可得計著於我及以我所
是故名為虛妄分別大慧白言若如是者外種種義性離有无起諸見相世
尊第一義亦復如是離諸根量宗因譬喻世尊何故於種種義言起分別第
一義中不言起耶將无世尊所言乖理一處言起一不言故世尊又說虛妄分別墮有
无見譬如幻事種種非實分別亦尒有无相離云何而說墮二見耶此說豈不墮於
世見佛言大慧分別不生不滅何以故不起有无分別相故所見外法皆无有故了唯
自心之所現故但以愚夫分別自心種種諸法著種種相而作是說令知所見皆是自心斷
我我所一切見著離作所作諸惡因緣覺唯心故轉其意樂善明諸地入佛境界
捨五法自性諸分別見是故我說虛妄分別執著種種自心所現境界生如實了
知則得解脫尒時世尊重說頌言　諸因及與緣　從此生世間　與四句相應
不知於我法　世非有无生　亦非俱不俱　云何諸愚夫　分別因緣起　非有亦非无
亦復非有无　如是觀世間　心轉證无我　一切法不生　以從緣生故　諸緣之所作
所作法非生　果不自生果　有二果失故　无有二果故　非有性可得　觀諸有為法
離能緣所緣　決定唯是心　故我說心量　量之自性處　緣法二俱離　究竟妙淨事
我說名心量　施設假名我　而實不可得　諸蘊蘊假名　亦皆无實事　有四種平等
相因及所生　无我為第四　修行者觀察　離一切諸見　及能所分別　无得亦无生
我說是心量　非有亦非无　有无二俱離　如是心亦離　我說是心量　真如空實際
涅槃及法界　種種意成身　我說是心量　妄想習氣縛　種種從心生　衆生見為外
我說是心量　外所見非有　而心種種現　身資及所住　我說是心量
尒時大慧菩薩摩訶薩復白佛言世尊如來說言如我所說汝及諸菩薩不應依語取
其義世尊何故不應依語取義云何為語云何為義佛言諦聽當為汝說大慧言唯佛言大
慧語者所謂分別習氣而為其因依於喉舌脣齶齒輔而出種種音聲文字相對
談說是名為語云何為義菩薩摩訶薩住獨一靜處以聞思修慧思惟觀察向涅槃道自智境
界轉諸習氣行於諸地種種行相是名為義復次大慧菩薩摩訶薩善於語義知語與義
不一不異義之與語亦復如是若義異語則不應因語而顯於義而因語見義如燈照色大
慧譬如有人持燈照物知此物如是在如是處菩薩摩訶薩亦復如是因語言燈入離言說
自證境界復次大慧若有於不生不滅自性涅槃三乘一乘五法諸心自性等中如言取義
則墮建立及誹謗見以異於彼起分別故如見幻事計以為實是愚夫見非賢聖

說是名語云何為義菩薩摩訶薩住獨一靜處以聞思修慧思惟觀察向涅槃道自智境
界轉諸習氣行於諸地種種行相是名為義復次大慧菩薩摩訶薩善於語義知語與義
不一不異義之與語亦復如是若義異語則不應因語而顯於義而因語見義如燈照色大
慧譬如有人持燈照物知此物如是在如是處菩薩摩訶薩亦復如是因語言燈入離言說
自證境界復次大慧若有於不生不滅自性涅槃三乘一乘五法諸心自性等中如言取義
則墮建立及誹謗見以異於彼起分別故如見幻事計以為實是愚夫見非賢聖也尒時
世尊重說頌言　若隨言取義　建立於諸法　以彼建立故　死墮地獄中　蘊中无有我
非蘊即是我　不如彼分別　亦復非无有　如愚所分別　一切皆有性　若如彼所見
皆應見真實　一切染淨法　悉皆无體性　不如彼所見　亦非无所有
復次大慧我當為汝說智識相汝及諸菩薩摩訶薩若善了知智識之相則能疾得阿
耨多羅三藐三菩提大慧智有三種謂世間智出世間智出世間上上智云何世間智謂一
切外道凡愚計有无法云何出世間智謂一切二乘著自共相云何出世間上上智謂諸佛菩
薩觀一切法皆无有相不生不滅非有非无證法无我入如來地大慧復有三種智謂知
自相共相智知生滅智知不生不滅智復次大慧生滅是識不生滅是智墮相无相及以
有无種種相因是識離相无相及有无因是智有積集相是識无積集相是智著境
界相是識不著境界相是智三和合相應生是識无礙相應自性相是智有得相是
識无得相是智證自聖智所行境界如水中月不入不出故尒時世尊重說頌言
採集業為心　觀察法為智　慧能證无相　逮自在威光　境界縛為心　覺想生為智
无相及增勝　智慧於中起　心意及與識　離諸分別想　得无分別法　佛子非聲聞
寂滅殊勝忍　如來清淨智　生於善勝義　所行悉遠離　我有三種智　聖者能明照
分別於諸相　開示一切法　我智離諸相　超過於二乘　以諸聲聞等　執著諸法有
如來智无垢　了達唯心故　復次大慧諸外道有九種轉變見所謂形轉變相轉變因轉
變相應轉變見轉變生轉變物轉變緣明了轉變所作明了轉變是為九一切外道因
是見故起有无轉變論此中形轉變者謂形異見譬如以金作莊嚴具環釧
瓔珞種種不同形狀有殊金體无易一切法變亦復如是諸餘外道種種計著皆非如
是亦非別異但分別故一切轉變如是應知譬如乳酪酒果等熟外道言此皆有轉變而實无
有若有若无自心所見无外物故如此皆是愚迷凡夫從自分別習氣而起實无一法若生
若滅如因幻夢所見諸色如石女兒說有生死尒時世尊重說頌言　形處時轉變
大種及諸根　中有漸次生　妄想非明智　諸佛不分別　緣起及世間　但諸緣世間
如乾闥婆城　尒時大慧菩薩摩訶薩復白佛言世尊唯願如來為我解說一切法深
密義及解義相令我及諸菩薩摩訶薩善知此法不墮如言取義深密執著離文字語
言虛妄分別普入一切諸佛國土力通自在總持所印覺慧善住十无盡願以无功用種種變
現光明照曜如日月摩尼地水火風住於諸地離分別見知一切法如幻如夢入如來位普化衆生令
知諸法虛妄不實離有无品斷生滅執不著言說令轉所依佛言諦聽當為汝說大慧於
一切法如言取義執著深密其數无量所謂相執著緣執著有非有執著生非生執著
滅非滅執著乘非乘執著為无為執著地地自相執著自分別現證執著外宗有无品

現光明照曜如日月摩尼地水風住於諸地離分別見知一切法如幻如夢入如來位普化衆生
知諸法虛妄不實離有无品斷生滅執不著言說令轉所依佛言諦聽當為汝說大慧於
一切法如言取義執著深密其數无量所謂相執著緣執著有非有執著生非生執著
滅非滅執著乘非乘執著為无為執著地地自相執著自分別現證執著外宗有无品
執著三乘一乘執著大慧此等密執有无量種皆是凡愚自分別執而相執著此諸分別
作蠶以妄想絲自纏纏他執著有无欲樂堅密大慧此中實无密非密相以菩薩摩
訶薩見一切法住寂靜故无分別故若了諸法唯心所見无有外物皆同无相隨順觀察於
若有若无分別密執悉見寂靜是故无有密非密相大慧此中无縛亦无有解不了實
者見縛解耳何以故一切諸法若有若无求其體性不可得故復次大慧愚癡凡夫有三
種密縛謂貪瞋癡及愛來生與貪喜俱以此密縛令諸衆生續生五趣密縛若斷是則
无有密非密相復次大慧若有執著三和合緣諸識密縛次第而起有執著故則有密
縛若見三解脫離三和合識一切諸密皆悉不生爾時世尊重說頌言
不實妄分別　是名為密相　若能如實知　諸密網皆斷　凡愚不能了　隨言而取義
譬如蠶處繭　妄想自纏縛　爾時大慧菩薩摩訶薩復白佛言世尊如世尊說由種種心分
別諸法非諸法有自性此但妄計耳世尊若但妄計无諸法者染淨諸法將无悉壞佛言大慧
是如是如汝所說一切凡愚分別諸法而諸法性非如是有此但妄執无有性相然諸聖者以聖
慧眼如實知見有諸法自性大慧白言若諸聖人以聖慧眼見有諸法性非天眼肉眼不同凡夫
之所分別云何凡愚得離分別不能覺了諸聖法故世尊彼非顛倒非不顛倒何以故不見
聖人所見法故聖見遠離有无相故聖亦不如凡所分別如是得故非自所行境界相故彼亦
見有諸法性相如其妄執性而顯現故不說有因及无因故墮於諸法性相見故世尊其
餘境界既不同此如是則成无窮之失孰能於法了知性相世尊諸法性相不因分別云何
而言以分別故而有諸法世尊分別相異諸法相異因不相似云何諸法而由分別復以何故
凡愚分別不如是有而作是言為令衆生捨分別故說如分別所見法相无如是法世尊何
故令諸衆生離有无見所執著法而復執著聖智境界墮於有見何以故不說寂靜空
无之法而說聖智自性事故佛言大慧我非不說寂靜空法墮於有見何以故已說
聖智自性事故我為衆生无始時來計著於有於寂靜法以聖事說令其聞已不
生恐怖能如實證寂靜空法離惑亂相入唯識理知其所見无有外法悟三脫門獲
如實印見法自性了聖境界遠離有无一切諸著復次大慧菩薩摩訶薩不應成立一切
諸法皆悉不生何以故一切諸法本无有故及彼宗因生相故復次大慧一切法不生此言自壞
何以故彼宗有待而生故又彼宗即入一切法中不生相亦不生故又彼宗諸分而成故又
彼宗有无法皆不生此宗即入一切法中有无相亦不生故是故一切法不生此宗　自
壞不應如是立諸分多過故展轉因異相故如不生一切法空无自性亦如是大慧菩
薩摩訶薩應說一切法如幻夢見不見故一切皆是惑亂相故除為愚夫而生恐
怖大慧凡夫愚癡墮有无見莫令於彼而生驚怖遠離大乘爾時世尊重說偈言
无自性无說　无事无依處　凡愚妄分別　惡覺如死屍　一切法不生　外道所成立
以彼所有生　非緣所成故　一切法不生　智者不分別　彼宗因生故

BD00809號4　大乘入楞伽經卷四

(42–38)

薩摩訶薩應說一切法如幻夢見不見故一切皆是惑亂相故除為愚夫而生恐
怖大慧凡夫愚癡墮有无見莫令於彼而生驚怖遠離大乘爾時世尊重說偈言
无自性无說　无事无依處　凡愚妄分別　惡覺如死屍　一切法不生　外道所成立
以彼所有生　非緣所成故　一切法不生　智者不分別　彼宗因生故
此覺則便壞　譬如目有翳　妄想見毛輪　諸法亦如是　凡愚妄分別　三有唯假名
无有實法體　由此假施設　分別妄計度　假名諸事相　動亂於心識　佛子悉超過
遊行无分別　无水取水相　斯由渴愛起　凡愚見法爾　諸聖則不然　聖人見清淨
生於三解脫　遠離於生滅　常行无相境　修行无相境　亦復无有无　有无悉平等
是故生聖果　云何法有无　云何成平等　若心不了法　內外斯動亂　了已則平等
亂相爾時滅　爾時大慧菩薩摩訶薩復白佛言世尊如佛所說若知境界但是假名
都不可得則无所取无所取故亦无能取能取所取二俱无故不起分別說名為智世尊何故
彼智不得於境為不能了一切諸法自相共相一異義故言不得耶為以諸法自相共相種
種不同更相隱蔽而不得耶為山巖石壁簾幔帷障之所覆隔而不得耶為極遠極近
老小盲冥諸根不具而不得耶若不了諸法自相共相一異義故言不得者此不名智應是无
智以有境界而不知故若以諸法自相共相種種不同更相隱蔽而不得者此亦非智以知
於境說名為智非不知故若山巖石壁簾幔帷障之所覆障極遠極近老小盲冥
而不知者彼亦非智以有境界智不具足而不知故佛言大慧此實是智非如汝說我所
說非隱覆說我言境界唯是假名不可得者以了但是自心所見外法有无智慧於中畢
竟无得以无得故爾焰不起入三脫門智體亦忘非如一切覺想凡夫无始已來戲論熏
習計著外法若有若无種種形相如是而知名為不知不了諸法唯心所見著我我所
境智不知外法是有是无其心住於斷見中故為令捨離如是分別說一切法唯心
建立爾時世尊重說頌言　若有於所緣　智慧不觀見　彼无智非智　是名妄計者
无邊相互起　障礙及遠近　智慧不能見　是名為邪智　老小諸根冥　而實有境界
不能生智慧　是名為邪智　復次大慧愚癡凡夫无始虛偽惡邪分別之所幻惑不了
如實及言說法計心外相著方便說不能修習清淨真實離四句法大慧白言如是如是誠如
尊教願為我說如實之法及言說法令我及諸菩薩摩訶薩於此二法而得善巧非外
道二乘之所能入佛言諦聽當為汝說大慧三世如來有二種法謂言說法及如實法言
法者謂隨衆生心為說種種諸方便教如實法者謂修行者於心所現離諸分別不墮一異
俱不俱品超度一切心意意識於自覺聖智所行境界離諸因緣相應見相一切外
道聲聞緣覺墮二邊者所不能知是名如實法此二種法汝及諸菩薩摩訶薩當
善修學爾時世尊重說頌言　我說二種法　言教及如實　教法示凡夫　實為修行者
爾時大慧菩薩摩訶薩復白佛言世尊如來一時說盧迦耶陀呪術詞論但能攝
取世間財利不得法利不應親近承事供養世尊何故作如是說佛言大慧盧迦耶陀
所有詞論但飾文句誑惑凡愚隨順世間虛妄言說不如於義不稱於理不能證入真實
境界不能覺了一切諸法恒墮二邊自失正道亦令他失輪迴諸趣永不出離何以故不了諸

BD00809號4　大乘入楞伽經卷四

(42–39)

道者所不能知是如實法此二種法汝及諸菩薩摩訶薩當
善修學爾時世尊復說頌言　我說二種法　言教及如實　教法示凡夫　實為修行者
爾時大慧菩薩摩訶薩復白佛言世尊如來一時說盧迦耶陀呪術詞論但能攝
取世間財利不得法利不應親近承事供養世尊何故作如是說佛言大慧盧迦耶陀
所有詞論但飾文句誑惑凡愚隨順世間虛妄言說不如於義不稱於理不能證入真實
境界不能覺了一切諸法恒墮二邊自失正道亦令他失輪迴諸趣永不出離何以故不了諸
法唯心所見執著外境增分別故是故我說世論文句因喻莊嚴但誑愚夫不能解脫生老
病死憂悲等患大慧釋提桓因廣解眾論自造諸論彼世論者有一弟子現作龍身
詣釋天宮而立論宗作是要言憍尸迦我共汝論汝若不如我當破汝千輻之輪我若不如斷一
一頭以謝所屈說是語已即以論法摧伏帝釋壞千輻輪還來人間大慧世間言論因喻
莊嚴乃至能現畜生之形以妙文詞迷惑諸天及阿脩羅令其執著生滅等見而況於
人是故大慧不應親近承事供養以彼能作生苦因故大慧世論唯說身覺境界大慧
彼世論有百千字句後末世中惡見乖離邪眾崩散分成多部各執自因大慧非餘外道
能立教法唯盧迦耶以百千句廣說无量差別因相非如實理亦不自知是惑世法爾時
大慧白言世尊若盧迦耶所造之論種種文字因喻莊嚴執著自宗非如實法名外道者
世尊亦說世間之事謂以種種文句言詞廣說十方一切國土天人等眾而來集會非是
智所證之法世尊亦同外道說耶佛言大慧我非世說亦无來去我說諸法不來不去大
慧來者集生去者壞滅不來不去此則名為不生不滅大慧我之所說不同外道墮於分
別中何以故外有无无所著故了唯自心不見二取不行相境不生分別入空无相无願之
而解脫故大慧我憶有時於一處住有世論婆羅門來至我所遽問我言瞿曇一切是所作
耶我時報言婆羅門一切所作是初世論又問我言一切非所作耶我時報言一切非所作
是第二世論彼復問言一切常耶一切无常耶一切生耶一切不生耶我時報言是第六世論
彼復問言一切一耶一切異耶一切俱耶一切不俱耶一切皆由種種因緣而受生耶我時報言　是第
十世論彼復問言一切有記耶一切无記耶有我耶无我耶有此世耶无此世耶有他世耶无他世
耶有解脫耶无解脫耶是剎那耶非剎那耶虛空涅槃及非擇滅是所作耶非所作耶有
有耶无中有耶我時報言婆羅門如是皆是汝之世論非我所說婆羅門我說因於无始
戲論諸惡習氣而生三有不了唯是自心所見而取外法實无可得如外道說我及根境
三合知生我不如是我不說因不說无因唯說妄心似能所取而說緣起非汝及餘取著我者
之所能測大慧虛空涅槃及非擇滅但有三數本无體性何況而說作與非作大慧爾時世
論婆羅門復問我言无明愛業為因緣故有三有耶為无因耶我言此二亦是世論又
問我言一切諸法皆入自相及共相耶我時報言此亦世論婆羅門乃至少有心識流動
分別外境皆是世論大慧爾時彼婆羅門復問我言頗有非是世論者不一切外道所有
詞論種種文句因喻莊嚴莫不皆從我法中出我報言有非汝所許非世不許非不說
種種文句義理相應非不相應彼復問言豈有世許非世論耶我答言有但非於汝及以
一切外道能知何以故以於外法虛妄分別生執著故若能了達有无等法一切皆是　自
心所見不生分別不取外境於自處住自處住者是不起義不起於何不起分別此是我法

BD00809號4　大乘入楞伽經卷四　（42–40）

詞論種種文句因喻莊嚴莫不皆從我法中出我報言有非汝所許非世不許非不說
種種文句義理相應非不相應彼復問言豈有世許非世論耶我答言有但非於汝及以
一切外道能知何以故以於外法虛妄分別生執著故若能了達有无等法一切皆是　自
心所見不生分別不取外境於自處住自處住者是不起義不起於何不起分別此是我法
非汝有也婆羅門略而言之隨何處中心識往來死生求戀若受若見若觸若住取
種種相和合相續於愛於因而生計著皆汝世論非是我法大慧世論婆羅門作如是
問我如是答不問於我自宗實法嘿然而去作是念言沙門瞿曇无可尊重說一切法无生
相无因无緣唯是自心分別所見若能了此分別不生大慧汝今亦復問我是義何故親
近諸世論者唯得財利不得法利大慧白言所言財法是何等義佛言善哉汝乃能
為未來眾生思惟是義諦聽諦聽當為汝說大慧所言財者可觸可受可取可味令著
外境墮在二邊增長貪愛生老病死憂悲苦惱我及諸佛說名財利親近世論之所獲得云
何法利謂了法是心見二无我不取於相无有分別善知諸地離心意識一切諸佛所共灌頂具
足受行十无盡願於一切法悉得自在是名法利以是不墮一切諸見戲論分別常斷二邊大
慧外道世論令諸癡人墮在二邊謂常及斷受无因論則起常見以因壞滅則生斷見
我說不見生住滅者名得法利是名財法二差別相汝及諸菩薩摩訶薩應勤觀察爾
時世尊重說頌言　調伏攝眾生　以戒降諸惡　智慧滅諸見　解脫得增長
外道虛妄說　皆是世俗論　橫計作所作　不能自成立　唯我一自宗　不著於能所
為諸弟子說　令離於世論　能取所取法　唯心无所有　二種皆心現　斷常不可得
乃至心流動　是則為世論　分別不起者　是人見自心　來者見事生　去者事不現
明了知來去　不起於分別　有常及无常　所作无所作　此世他世等　皆是世論法
爾時大慧菩薩摩訶薩復白佛言世尊佛說涅槃說何等法以為涅槃而諸外
道種種分別佛言大慧如諸外道分別涅槃皆不隨順涅槃之相諦聽諦聽當為汝說大慧或有
外道言見法无常不貪境界蘊界處滅心心所法不現在前不念過現未來境界如燈盡
如種敗如火滅諸取不起分別不生起涅槃想大慧非以見壞名為涅槃或謂至方名得涅
槃境界想離猶如風止或謂不見能覺所覺名為涅槃或謂不起分別常无常見名
得涅槃或有說言分別諸相發生於苦而不能知自心所現以不知故怖畏於相以求无相深
生愛樂執為涅槃或謂覺知內外諸法自相共相去來現在有性不壞作涅槃想或計
我人眾生壽命及一切法无有壞滅作涅槃想復有外道无有智慧計有自性及以士
夫求那轉變作一切物以為涅槃或有外道計福非福盡或計不由智慧諸煩惱盡或計
自在是實作者以為涅槃或謂眾生展轉相生以此為因更无異因彼无智故不能
覺了以不了故執為涅槃或計證於諦道虛妄分別以為涅槃或計求那與求那者而共
和合一性異性俱及不俱執為涅槃及計諸物從自然生孔雀文彩棘針銛利生寶之處出
種種寶如此等事是誰能作即執自然以為涅槃或謂能解廿五諦即得涅槃或有說言能受
六分守護眾生斯得涅槃或有說言時生世間時即涅槃或執有物以為涅槃或計无　物
以為涅槃或有計著有物无物為涅槃者或計諸物與涅槃无別作涅槃想　大慧
復有異彼外道所說以一切智大師子吼說能了達唯心所現不取外境遠離四句住如實處

BD00809號4　大乘入楞伽經卷四　（42–41）

和合一性異性俱及不俱執為自性及計諸物從自然生孔雀文彩棘針銛利生寶之處出
種種寶如此等事是誰能作即執自然以為涅槃或有說言能了廿五諦即得涅槃或有說言能受
六分守護衆生斯得涅槃或有說言時生世間時即涅槃或執有物以為涅槃或計无物
以為涅槃或有計著有物无物為涅槃者或計諸物與涅槃无別作涅槃想　大慧
復有異彼外道所說以一切智大師子吼說能了達唯心所現不取外境遠離四句住如實
見不墮二邊離能所取不入諸量不著真實住於聖智所現證法悟二无我離二煩惱
淨二種障轉脩諸地入於佛地得如幻等諸大三昧永超心意及以意識名得涅槃　大慧
彼諸外道虛妄計度不如於理智者所棄皆墮二邊作涅槃想於此无有若住若出彼
諸外道皆依自宗而生妄覺違背於理无所成就唯令心意馳散往來一切无有得涅槃者
汝及諸菩薩宜應遠離尒時世尊重說頌言

外道涅槃見　各各異分別
彼唯是妄想　无解脫方便　遠離諸方便　不至无縛處　妄生解脫想　而實无解脫
外道所成立　衆智各異取　彼悉无解脫　愚癡妄分別　一切癡外道　妄見作所作
悉著有无論　是故无解脫　凡愚樂分別　不生真實慧　言說三界本　真實滅苦因
譬如鏡中像　雖現而非實　習氣心鏡中　凡愚見有二　不了唯心現　故起二分別
若知但是心　分別則不生　心即是種種　遠離相所相　如愚所分別　雖見而無見
三有唯分別　外境悉无有　妄想種種現　凡愚不能覺　經經說分別　但是異名字
若離於語言　其義不可得

佛說大乘入楞伽經卷第四

BD00809 號 4　大乘入楞伽經卷四　（42–42）

……者是善又問昨夜何唱苦哉彼羅答言我吁
聖道謂有聖道為不至誠稱苦命嘆終不現前故我昨夜吁聖道耳
大天於後集先所說五惡見事而作頌曰　餘所誘无知　猶豫他令入
道因聲故起　是名真仏教　十五日夜布灑陀時次當大天昇座誦戒
復便自誦所造伽他爾時衆中有學无學多聞持戒修靜慮者聞彼所
說无不驚呵咸即翻對所說頌云改第四句言非仏教於是竟夜鬬諍紛然
乃至泉朝朋黨轉盛城中士庶乃至大臣相次来和皆不止息時王聞已亦
復生疑由斯乖諍分成兩部賢聖朋內耆年雖多而僧數少名上座部大天
朋內耆年雖少徒衆即多名大衆部至仏滅後二百年初大衆部中因有乖
諍前後四破分成九部初第一破分成三部一者說世出世法皆是假名一說部二者
世法顛倒出世法是實名說出世部三者部主乃是雞之種胤名雞胤部第
二破者謂此部主學過本宗名多聞部第三破者說世出世亦有少假名
說假部第四破者有一外道大乘教中出家多聞住制多山重譯五事分成
三部一者即此徒衆依本所居名制多山部二者一類住制多山西名西山住部三
者一類住在制多山北名北山住部故大衆部四破別分本末別說共成九部其
上座部三百年初四百年末本末七破為十一部第一破者有一大德造發
智論本部被難移入雪山名雪山部即學論者說諸法有名說一切有部
二於有部流出一部即是古仙從牛生種名犢子部三者於犢子部分出四
部一者部主有法過人可上名法上部二者部主性賢是聖賢名賢胄部
三者部主量法刊正名正量部四者部主所居山林繁密名密林山部
四從有部流出一部謂此部主本是國王名化地部五從化地部流出一部二
主含法如藏之密名法藏部六從有部流出一部部主乃是飲光仙種名飲

BD00810 號　異部宗輪論述記略（擬）　（3–1）

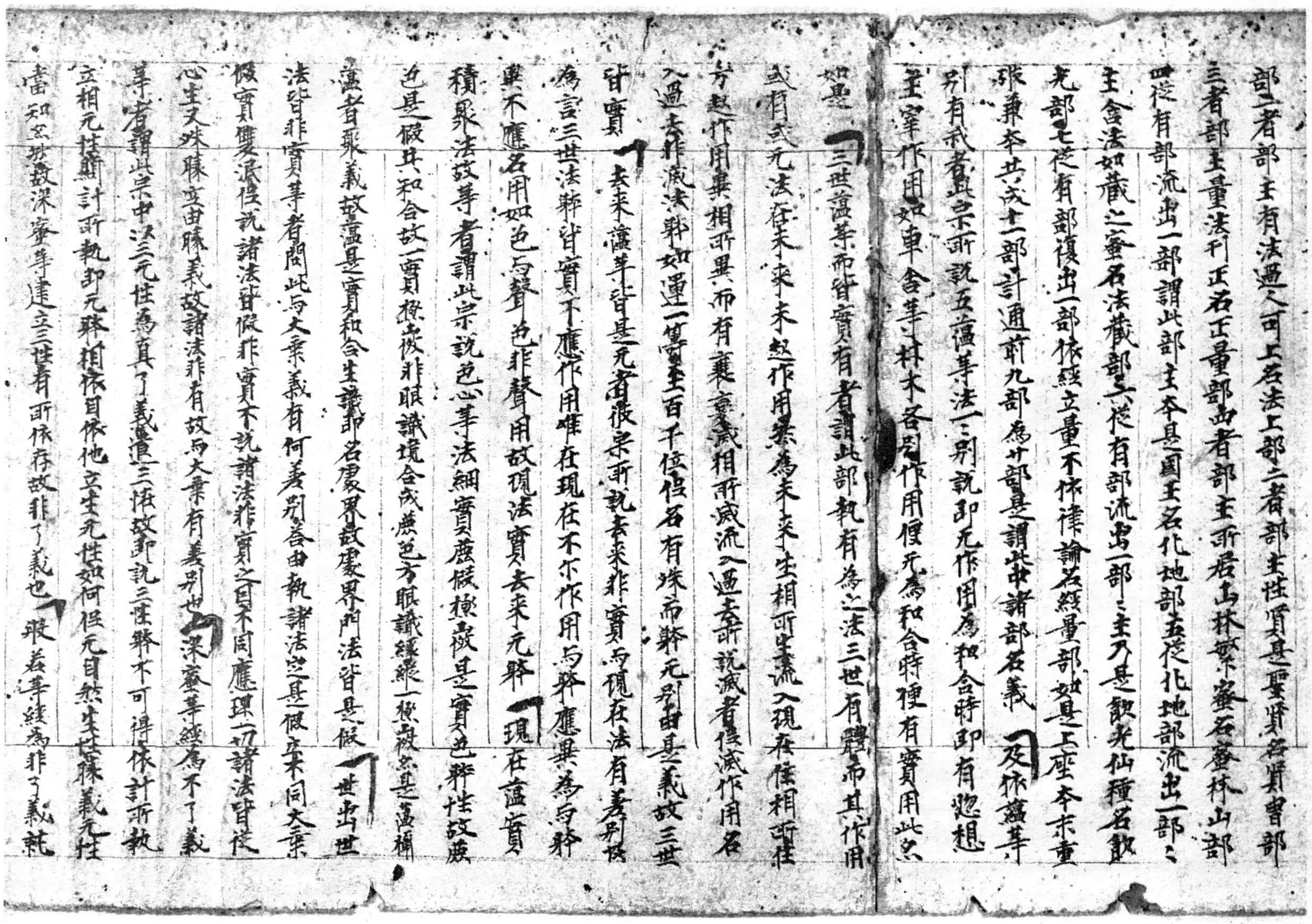

BD00810 號　異部宗輪論述記略（擬）　　（3–2）

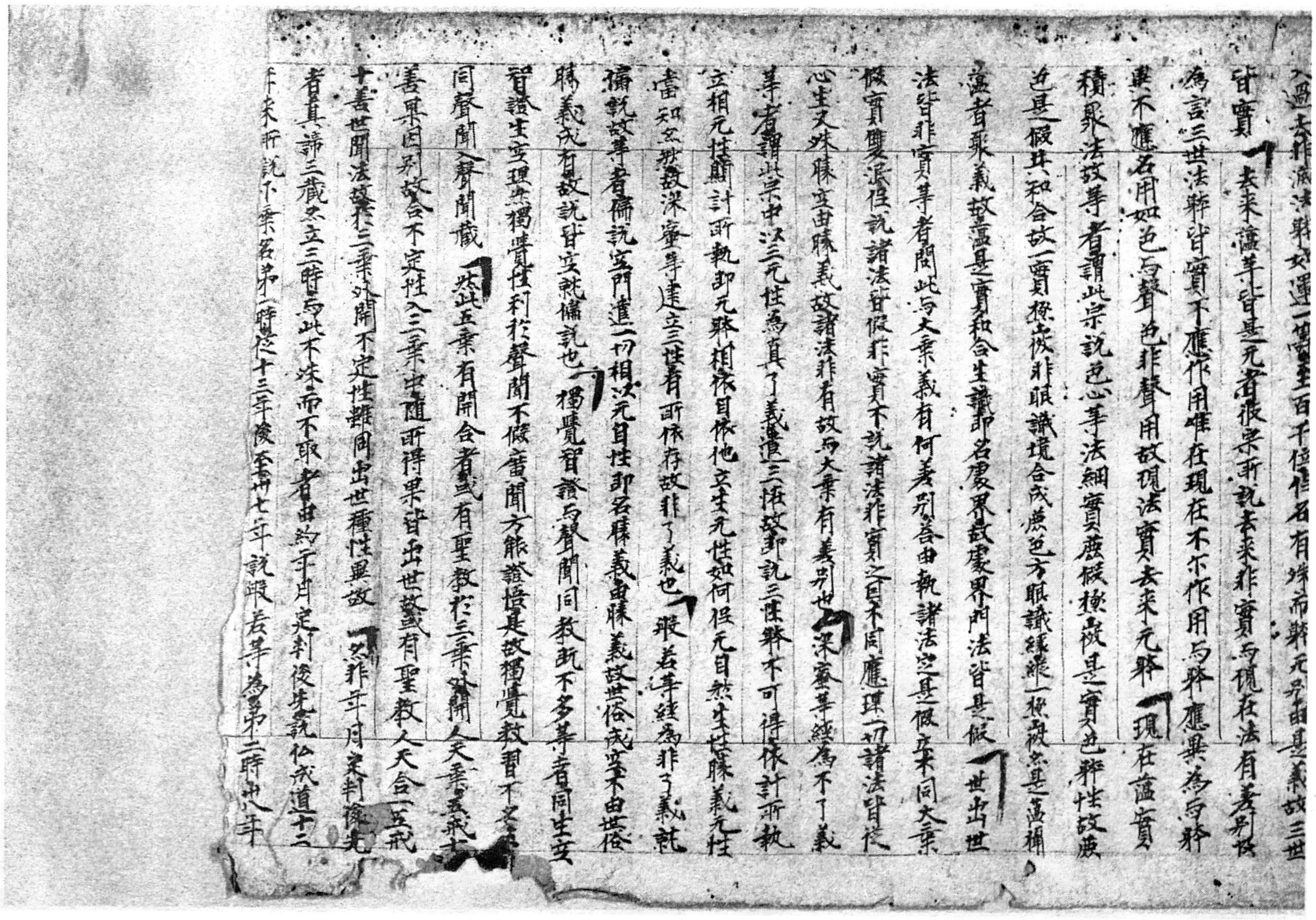

BD00810 號　異部宗輪論述記略（擬）　　（3–3）

三前卅一交至此
法迪經

大般若波羅蜜多經卷第二百十一
初分難信解品第卅四之卅　三藏法師玄奘奉　詔譯
善現有為空清淨故四念住清淨四念住清
淨故一切智智清淨何以故若有為空清淨
若四念住清淨若一切智智清淨無二無二
分無別無斷故有為空清淨故四政斷四神
足五根五力七等覺支八聖道支清淨四政
斷乃至八聖道支清淨故一切智智清淨何
以故若有為空清淨若四政斷乃至八聖道
支清淨若一切智智清淨無二無二分無別
無斷故善現有為空清淨故空解脫門清
淨空解脫門清淨故一切智智清淨何以故若
有為空清淨若空解脫門清淨若一切智智
清淨無二無二分無別無斷故有為空清淨
故無相無願解脫門清淨無相無願解脫門
清淨故一切智智清淨何以故若有為空清
淨若無相無願解脫門清淨若一切智智清
淨無二無二分無別無斷故善現有為空清
淨故菩薩十地清淨菩薩十地清淨故一切
智智清淨何以故若有為空清淨若菩薩十

BD00811 號 A　大般若波羅蜜多經卷二一一　（5–1）

清淨故一切智智清淨何以故若有為空清
淨若無相無願解脫門清淨若一切智智清
淨無二無二分無別無斷故善現有為空清
淨故菩薩十地清淨菩薩十地清淨故一切
智智清淨何以故若有為空清淨若菩薩十
地清淨若一切智智清淨無二無二分無別
無斷故
善現有為空清淨故五眼清淨五眼清淨故
一切智智清淨何以故若有為空清淨若五
眼清淨若一切智智清淨無二無二分無別
無斷故有為空清淨故六神通清淨六
神通清淨故一切智智清淨何以故若有為空
清淨若六神通清淨若一切智智清淨無二無
二分無別無斷故善現有為空清故淨佛十
力清淨佛十力清淨故一切智智清淨何以
故若有為空清淨若佛十力清淨若一切智
智清淨無二無二分無別無斷故有為空清
淨故四無所畏四無礙解大慈大悲大喜大捨
十八佛不共法清淨四無所畏乃至十八佛
不共法清淨故一切智智清淨何以故若
有為空清淨若四無所畏乃至十八佛不共
法清淨若一切智智清淨無二無二分無別
無斷故善現有為空清淨故無忘失法清淨
無忘失法清淨故一切智智清淨何以故若
有為空清淨若無忘失法清淨若一切智智
清淨無二無二分無別無斷故有為空清淨

BD00811 號 A　大般若波羅蜜多經卷二一一　（5–2）

法清淨若一切智智清淨無二無二分無別
無斷故善現有為空清淨故無忘失法清淨
無忘失法清淨故一切智智清淨何以故若
有為空清淨若無忘失法清淨若一切智智
清淨無二無二分無別無斷故有為空清淨
故恒住捨性清淨恒住捨性清淨故一切智
智清淨何以故若有為空清淨若恒住捨性
清淨若一切智智清淨無二無二分無別無
斷故善現有為空清淨故一切智清淨一切
智清淨故一切智智清淨何以故若有為空
清淨若一切智清淨若一切智智清淨無二無
二分無別無斷故有為空清淨故道相智
一切相智清淨道相智一切相智清淨故一
切智智清淨何以故若有為空清淨道相
智一切相智清淨若一切智智清淨無二無二
分無別無斷故善現有為空清淨故一切
陀羅尼門清淨一切陀羅尼門清淨故一切
智智清淨何以故若有為空清淨若一切陀
羅尼門清淨若一切智智清淨無二無二分
無別無斷故有為空清淨故一切三摩地門
清淨一切三摩地門清淨故一切智智清淨何
以故若有為空清淨若一切三摩地門清
淨若一切智智清淨無二無二分無別無斷
故
善現有為空清淨故預流果清淨預流果清
淨故一切智智清淨何以故若有為空清淨

BD00811 號 A　大般若波羅蜜多經卷二一一　（5-3）

淨若一切智智清淨無二無二分無別無斷
故
善現有為空清淨故預流果清淨預流果清
淨故一切智智清淨何以故若有為空清淨
若預流果清淨若一切智智清淨無二無二
分無別無斷故有為空清淨故一來不還阿
羅漢果清淨一來不還阿羅漢果清淨故一
切智智清淨何以故若有為空清淨若一來
不還阿羅漢果清淨若一切智智清淨無二
無二分無別無斷故善現有為空清淨故獨覺
菩提清淨獨覺菩提清淨故一切智智清
淨何以故若有為空清淨若獨覺菩提清淨
若一切智智清淨無二無二分無別無斷故
善現有為空清淨故一切菩薩摩訶薩行清
淨一切菩薩摩訶薩行清淨故一切智智清
淨何以故若有為空清淨若一切菩薩摩訶
薩行清淨若一切智智清淨無二無二分無別
無斷故善現有為空清淨故諸佛無上政
等菩提清淨諸佛無上政等菩提清淨故一
切智智清淨何以故若有為空清淨若諸佛
無上政等菩提清淨若一切智智清淨無二
無二分無別無斷故
復次善現無為空清淨故色清淨色清淨故
一切智智清淨何以故若無為空清淨若色
清淨若一切智智清淨無二無二分無別無
斷故無為空清淨故受想行識清淨受想行
識清淨故一切智智清淨何以故若無為空

BD00811 號 A　大般若波羅蜜多經卷二一一　（5-4）

無上政等菩提清淨若一切智智清淨無二
無二分無別無斷故
復次善現無為空清淨故色清淨色清淨故
一切智智清淨何以故若無為空清淨若色
清淨若一切智智清淨無二無二分無別無
斷故無為空清淨故受想行識清淨受相行
識清淨故一切智智清淨何以故若無為空
清淨若受想行識清淨若一切智智清淨無
二無二分無別無斷故善現無為空清淨故
眼處清淨眼處清淨故一切智智清淨何以
故若無為空清淨若眼處清淨若一切智智
清淨無二無二分無別無斷故無為空清淨
故耳鼻舌身意處清淨耳鼻舌身意處清
淨故一切智智清淨何以故若無為空清淨若
耳鼻舌身意處清淨若一切智智清淨無二
無二分無別無斷故善現無為空清淨故色
處清淨色處清淨故一切智智清淨何以故
若無為空清淨若色處清淨若一切智智清
淨無二無二分無別無斷故無為空清淨故聲
香味觸法處清淨聲香味觸法處清淨故
一切智智清淨何以故若無為空清淨若聲
香味觸法處清淨若一切智智清淨無二無
二分無別無斷故善現

BD00811 號 A　大般若波羅蜜多經卷二一一　　（5–5）

擾亂是菩薩摩訶薩於內外法一切皆捨
方便令彼安住靜慮波羅蜜多若諸有情
長夜愚癡是菩薩摩訶薩於內外法一切皆
捨方便令彼安住般若波羅蜜多若諸有情長
夜愚癡是菩薩摩訶薩於內外法一切皆捨
方便令彼安住般若波羅蜜多若諸有情流
轉生死長夜恒為貪瞋癡等隨眠纏垢擾亂
其心造作種種不饒益事是菩薩摩訶薩
方便善巧令彼斷滅貪瞋癡等隨眠纏垢
令其安住四靜慮四無量四無色定或令安住四
念住廣說乃至八聖道支或令安住空無相無
願解脫門或令安住預流果乃至阿羅漢果或
令安住獨覺菩提或令安住菩薩十地或令安
住諸佛無上正等菩提憍尸迦如是名為於此般
若波羅蜜多至心聽聞受持讀誦精勤脩學
如理思惟書寫解說廣令流布諸菩薩摩
訶薩攝受現法功德勝利憍尸迦是菩薩
摩訶薩由此因緣於當來世速證無上正
等菩提轉妙法輪化無量衆隨本所願方
便安立令於三乘脩學究竟乃至證得無
餘涅槃憍尸迦如是名為於此般若波羅蜜

BD00811 號 B　大般若波羅蜜多經卷四二七　　（2–1）

願解脫門或令安住預流果乃至阿羅漢果或
令安住獨覺菩提或令安住菩薩十地或令安
住諸佛無上正等菩提憍尸迦如是名為於此般
若波羅蜜多至心聽聞受持讀誦精勤修學
如理思惟書寫解說廣令流布諸菩薩摩
訶薩攝受現法功德勝利憍尸迦是菩薩
摩訶薩由此因緣於當來世速證無上正
等菩提轉妙法輪化無量衆隨本所願方
便安立令於三乘修學究竟乃至證得無
餘涅槃憍尸迦如是名為於此般若波羅蜜
多至心聽聞受持讀誦精勤修學如理思
惟書寫解說廣令流布諸菩薩摩訶薩攝受
當來功德勝利
復次憍迦若善男子善女人等於此般若波
羅蜜多至心聽聞受持讀誦精勤修學如
理思惟書寫解說廣令流布其地方所若
有惡魔及魔眷屬若有種種外道族類若

BD00811 號 B　大般若波羅蜜多經卷四二七　（2–2）

辟方
是諸所言
以譬喻更明此
舍利弗若國邑聚落有
冨无量多有田宅及諸僮僕其
一門多諸人衆一百二百乃至五百人止住其
中堂閣朽故墻壁頹落柱根腐敗梁棟傾危
周帀俱時欻然火起焚燒舍宅長者諸子若
十二十或至三十在此宅中長者見是大火
從四面起即大驚怖而作是念我雖能於此
所燒之門安隱得出而諸子等於火宅內樂
着嬉戲不覺不知不驚不怖火來逼身苦痛
切己心不厭患无求出意
舍利弗是長者作是思惟我身手有力當以
衣祴若以机案從舍出之復更思惟是舍唯
有一門而復狹小諸子幼稚未有所識戀
着戲處或當墮落為火所燒我當為說怖
畏之事此舍已燒宜時疾出无令為火之所燒
害作是念已如所思惟具告諸子汝等速出
父雖憐愍善言誘喻而諸子等樂着嬉戲不
肯信受不驚不畏了无出心亦復不知何者
是火何者為舍云何為失但東西走戲視父而
[illegible]

BD00812 號　妙法蓮華經卷二　（22–1）

宅作是念已如所思惟具告諸子汝等速出
父雖憐愍善言誘喻而諸子等樂著嬉戲不
肯信受不驚不畏了无出心亦復不知何者
是火何者爲舍云何爲失但東西走戲視父而
已尒時長者即作是念此舍已爲大火所燒
我及諸子若不時出必爲所焚我今當設方
便令諸子等得免斯害父知諸子先心各有
所好種種珍玩奇異之物情必樂著而告之
言汝等所可玩好希有難得汝若不取後必
憂悔如此種種羊車鹿車牛車今在門外可
以遊戲汝等於此火宅宜速出來隨汝所欲
皆當與汝尒時諸子聞父所說珍玩之物適
其願故心各勇銳互相推排競共馳走爭出
火宅是時長者見諸子等安隱得出皆於四
衢道中露地而坐无復鄣㝵其心泰然歡
喜踊躍時諸子等各白父言父先所許玩好之
具羊車鹿車牛車願時賜與
舍利弗尒時長者各賜諸子等一大車其車
高廣衆寶莊校周帀欄楯四面懸鈴又於其
上張設幰蓋亦以珍奇雜寶而嚴飾之寶繩
絞絡垂諸華瓔重敷綩綖安置丹枕駕以白
牛膚色充潔形體姝好有大筋力行步平正
其疾如風又多僕從而侍衛之所以者何是大
長者財富无量種種諸藏悉皆充溢而作是
念我財物无極不應以下劣小車與諸子等
今此幼童皆是吾子愛无偏黨我有如是七
寶大車其數无量應當等心各各與之不宜差

BD00812號　妙法蓮華經卷二　　（22–2）

長者財富无量種種諸藏悉皆充溢而作是
念我財物无極不應以下劣小車與諸子等
今此幼童皆是吾子愛无偏黨我有如是七
寶大車其數无量應當等心各各與之不宜差
別所以者何以我此物周給一國猶尚不匱何
況諸子是時諸子各乘大車得未曾有非
本所望舍利弗於汝意云何是長者等與諸
子珍寶大車寧有虛妄不舍利弗言不也
世尊是長者但令諸子得免火難全其軀命
非爲虛妄何以故若全身命便爲已得玩好
之具況復方便於彼火宅而拔濟之世尊若
是長者乃至不與最小一車猶不虛妄何以
故是長者先作是意我以方便令子得出以
是因緣无虛妄也何況長者自知財富无量
欲饒益諸子等與大車
佛告舍利弗善哉善哉如汝所言舍利弗如
來亦復如是則爲一切世間之父於諸怖畏
衰惱憂患无明闇蔽永盡无餘而悉成就
无量知見力无所畏有大神力及智慧力具
足方便智慧波羅蜜大慈大悲常无懈惓恒
求善事利益一切而生三界朽故火宅爲度衆
生生老病死憂悲苦惱愚癡闇蔽三毒之火
教化令得阿耨多羅三藐三菩提見諸衆生
爲生老病死憂悲苦惱之所燒煮亦以五欲
財利故受種種苦又以貪著追求故現受衆
苦後受地獄畜生餓鬼之苦若生天上及在人

BD00812號　妙法蓮華經卷二　　（22–3）

生老病死憂悲苦惱愚癡闇蔽三毒之火
教化令得阿耨多羅三藐三菩提見諸衆生
為生老病死憂悲苦惱之所燒煮亦以五欲
財利故受種種苦又以貪著追求故現受衆
苦後受地獄畜生餓鬼之苦若生天上及在人
間貧窮困苦愛別離苦怨憎會苦如是等種
種諸苦衆生沒在其中歡喜遊戲不覺不知
不驚不怖亦不生厭不求解脫扵此三界火宅
東西馳走雖遭大苦不以為患舍利弗佛見
此已便作是念我為衆生之父應拔其苦難
與无量无邊佛智慧樂令其遊戲
舍利弗如来復作是念若我但以神力及智
慧力捨扵方便為諸衆生讚如来知見力无
所畏者衆生不能以是得度所以者何是諸衆
生未免生老病死憂悲苦惱而為三界火宅
所燒何由能解佛之智慧舍利弗如彼長
者雖復身手有力而不用之但以慇懃方便
勉濟諸子火宅之難然後各與珍寶大車如来
亦復如是雖有力无所畏而不用之但以智
慧方便扵三界火宅拔濟衆生為說三乘
聲聞辟支佛佛乘而作是言汝等莫得樂住
三界火宅勿貪麤弊色聲香味觸也若貪
著生愛則為所燒汝等速出三界當得三乘聲
聞辟支佛佛乘我今為汝保任此事終不虛也汝
等但當勤脩精進如来以是方便誘進衆生
復作是言汝等當知此三乘法皆是聖所稱
歎自在无繫无所依求乘是三乘以无漏根

BD00812號　妙法蓮華經卷二　（22–4）

聞辟支佛佛乘我今為汝保任此事終不虛也汝
等但當勤脩精進如来以是方便誘進衆生
復作是言汝等當知此三乘法皆是聖所稱
歎自在无繫无所依求乘是三乘以无漏根
力覺道禪定解脫三昧等而自娛樂便得无
量安隱快樂
舍利弗若有衆生內有智性從佛世尊聞
信受慇懃精進欲速出三界自求涅槃是
聲聞乘如彼諸子為求羊車出扵火宅若有
衆生從佛世尊聞法信受慇懃精進求自然
慧樂獨善寂深知諸法因緣是名辟支佛乘
如彼諸子為求鹿車出扵火宅若有衆生從
佛世尊聞法信受勤脩精進求一切智佛智
自然智无師智如来知見力无所畏愍念安
樂无量衆生利益天人度脫一切是名大乘
菩薩求此乘故名為摩訶薩如彼諸子為求牛
車出扵火宅舍利弗如彼長者見諸子等安
隱得出火宅到无畏處自惟財富无量等以
大車而賜諸子如来亦復如是為一切衆生之
父若見无量億千衆生以佛教門出三界苦
怖畏險道得涅槃樂如来尒時便作是念我
有无量无邊智慧力无畏等諸佛法藏是諸
衆生皆是我子等與大乘不令有人獨得滅度皆
以如来滅度而滅度之是諸衆生脫三界者悉與
諸佛禪定解脫等娛樂之具皆是一相一種聖所稱
歎能生淨妙第一之樂舍利弗如彼長者初以

BD00812號　妙法蓮華經卷二　（22–5）

以如來滅度而滅度之是諸衆生脫三界者悉與
諸佛禪定解脫等娛樂之具皆是一相一種聖所稱
歎能生淨妙第一之樂舍利弗如彼長者初以
三車誘引諸子然後但與大車寶物莊嚴安
隱第一然彼長者无虛妄之咎如來亦復如
是无有虛妄初說三乘引導衆生然後但以
大乘而度脫之何以故如來有无量智慧力
无所畏諸法之藏能與一切衆生大乘之法但
不盡能受舍利弗以是因緣當知諸佛方便力
故於一佛乘分別說三佛欲重宣此義而說偈言
譬如長者　有一大宅　其宅久故　而復頓弊
堂舍高危　柱根摧朽　梁棟傾斜　基陛隤毀
墻壁圮坼　泥塗褫落　覆苫亂墜　椽梠差脫
周障屈曲　雜穢充遍　有五百人　止住其中
鵄梟鵰鷲　烏鵲鳩鴿　蚖蛇蝮蠍　蜈蚣蚰蜒
守宮百足　狖狸鼷鼠　諸惡蟲輩　交橫馳走
屎尿臭處　不淨流溢　蜣蜋諸蟲　而集其上
狐狼野干　咀嚼踐蹋　嚌齧死屍　骨肉狼藉
由是群狗　競來搏撮　飢羸慞惶　處處求食
鬪諍齟掣　啀喍嘷吠　其舍恐怖　變狀如是
處處皆有　魑魅魍魎　夜叉惡鬼　食噉人肉
毒蟲之屬　諸惡禽獸　孚乳產生　各自藏護
夜叉競來　諍取食之　食之既飽　惡心轉熾
鬪諍之聲　甚可怖畏　鳩槃荼鬼　蹲踞土埵
或時離地　一尺二尺　往返遊行　縱逸嬉戲
捉狗兩足　撲令失聲　以脚加頸　怖狗自樂

夜叉競來　諍取食之　食之既飽　惡心轉熾
鬪諍之聲　甚可怖畏　鳩槃荼鬼　蹲踞土埵
或時離地　一尺二尺　往返遊行　縱逸嬉戲
捉狗兩足　撲令失聲　以脚加頸　怖狗自樂
復有諸鬼　其身長大　裸形黑瘦　常住其中
發大惡聲　叫呼求食　復有諸鬼　其咽如針
復有諸鬼　首如牛頭　或食人肉　或復噉狗
頭髮蓬亂　殘害凶險　飢渴所逼　叫喚馳走
夜叉餓鬼　諸惡鳥獸　飢急四向　窺看窗牖
如是諸難　恐畏无量　是朽故宅　屬于一人
其人近出　未久之間　於後宅舍　忽然火起
四面一時　其焰俱熾　棟梁椽柱　爆聲震裂
摧折墮落　墻壁崩倒　諸鬼神等　揚聲大叫
鵰鷲諸鳥　鳩槃荼等　周章惶怖　不能自出
惡獸毒蟲　藏竄孔穴　毗舍闍鬼　亦住其中
薄福德故　為火所逼　共相殘害　飲血噉肉
野干之屬　並已前死　諸大惡獸　競來食噉
臭烟烽㶿　四面充塞　蜈蚣蚰蜒　毒蛇之類
為火所燒　爭走出穴　鳩槃荼鬼　隨取而食
又諸餓鬼　頭上火然　飢渴熱惱　周章悶走
其宅如是　甚可怖畏　毒害火災　衆難非一
是時宅主　在門外立　聞有人言　汝諸子等
先因遊戲　來入此宅　稚小无知　歡娛樂著
長者聞已　驚入火宅　方宜救濟　令无燒害
告喻諸子　說衆患難　惡鬼毒蟲　災火蔓莚
衆苦次第　相續不絕　毒蛇蚖蝮　及諸夜叉
鳩槃荼鬼　野干狐狗　鵰鷲鴟梟　百足之屬

先因遊戲 來入此宅 稚小无知 歡娛樂著
長者聞已 驚入火宅 方宜救濟 令无燒害
告喻諸子 說衆患難 惡鬼毒虫 灾火蔓莚
衆苦次第 相續不絕 毒蛇蚖蝮 及諸夜叉
鳩槃荼鬼 野干狐狗 鵰鷲鵄梟 百足之屬
飢渴惱急 甚可怖畏 此苦難處 況復大火
諸子无知 雖聞父誨 猶故樂著 嬉戲不已
是時長者 而作是念 諸子如此 益我愁惱
今此舍宅 无一可樂 而諸子等 耽湎嬉戲
不受我教 將為火害 即便思惟 設諸方便
告諸子等 我有種種 珍玩之具 妙寶好車
羊車鹿車 大牛之車 今在門外 汝等出來
吾為汝等 造作此車 隨意所樂 可以遊戲
諸子聞說 如此諸車 即時奔競 馳走而出
到於空地 離諸苦難 長者見子 得出火宅
住於四衢 坐師子座 而自慶言 我今快樂
此諸子等 生育甚難 愚小无知 而入險宅
多諸毒虫 魑魅可畏 大火猛炎 四面俱起
而此諸子 貪樂嬉戲 我已救之 令得脫難
是故諸人 我今快樂
尒時諸子 知父安坐 皆詣父所 而白父言
願賜我等 三種寶車 如前所許 諸子出來
當以三車 隨汝所欲 今正是時 唯垂給與
長者大富 庫藏衆多 金銀瑠璃 車𤦲馬瑙
以衆寶物 造諸大車 莊校嚴飾 周帀欄楯
四面懸鈴 金繩交絡 真珠羅網 張施其上

BD00812 號　妙法蓮華經卷二　（22–8）

長者大富 庫藏衆多 金銀瑠璃 車𤦲馬瑙
以衆寶物 造諸大車 莊校嚴飾 周帀欄楯
四面懸鈴 金繩交絡 真珠羅網 張施其上
金華諸瓔 處處垂下 衆綵雜飾 周帀圍繞
柔耎繒纊 以為裀褥 上妙細疊 價直千億
鮮白淨潔 以覆其上 有大白牛 肥壯多力
形體姝好 以駕寶車 多諸儐從 而侍衛之
以是妙車 等賜諸子 諸子是時 歡喜踊躍
乘是寶車 遊於四方 嬉戲快樂 自在无㝵
告舍利弗 我亦如是 衆聖中尊 世間之父
一切衆生 皆是吾子 深著世樂 无有慧心
三界无安 猶如火宅 衆苦充滿 甚可怖畏
常有生老 病死憂患 如是等火 熾然不息
如來已離 三界火宅 寂然閑居 安處林野
今此三界 皆是我有 其中衆生 悉是吾子
而今此處 多諸患難 唯我一人 能為救護
雖復教詔 而不信受 於諸欲染 貪著深故
是以方便 為說三乘 令諸衆生 知三界苦
開示演說 出世間道 是諸子等 若心決定
具足三明 及六神通 有得緣覺 不退菩薩
汝舍利弗 我為衆生 以此譬喻 說一佛乘
汝等若能 信受是語 一切皆當 成得佛道
是乘微妙 清淨第一 於諸世間 為无有上
佛所悅可 一切衆生 所應稱讚 供養禮拜
无量億千 諸力解脫 禪定智慧 及佛餘法
得如是乘 令諸子等 日夜劫數 常得遊戲
與諸菩薩 及聲聞衆 乘此寶乘 直至道場

BD00812 號　妙法蓮華經卷二　（22–9）

是乘微妙　清淨第一　於諸世間　爲无有上
佛所悅可　一切衆生　所應稱讚　供養礼拜
无量億千　諸力解脫　禪定智慧　及佛餘法
得如是乘　令諸子等　日夜劫數　常得遊戲
與諸菩薩　及聲聞衆　乘此寶乘　直至道場
以是因緣　十方諦求　更无餘乘　除佛方便
告舍利弗　汝諸人等　皆是吾子　我則是父
汝等累劫　衆苦所燒　我皆濟拔　令出三界
我雖先說　汝等滅度　但盡生死　而實不滅
今所應作　唯佛智慧
若有菩薩　於是衆中　能一心聽　諸佛實法
諸佛世尊　雖以方便　所化衆生　皆是菩薩
若人小智　深著愛欲　爲此等故　說於苦諦
衆生心喜　得未曾有　佛說苦諦　真實无異
若有衆生　不知苦本　深著苦因　不能暫捨
爲是等故　方便說道　諸苦所因　貪欲爲本
若滅貪欲　无所依止　滅盡諸苦　名第三諦
爲滅諦故　修行於道　離諸苦縛　名得解脫
是人於何　而得解脫　但離虛妄　名爲解脫
其實未得　一切解脫　佛說是人　未實滅度
斯人未得　无上道故　我意不欲　令至滅度
我爲法王　於法自在　安隱衆生　故現於世
汝舍利弗　我此法印　爲欲利益　世間故說
在所遊方　勿妄宣傳　若有聞者　隨喜頂受
當知是人　阿鞞跋致　若有信受　此經法者
是人已曾　見過去佛　恭敬供養　亦聞是法
若人有能　信汝所說　則爲見我　亦見於汝

汝舍利弗　我此法印　爲欲利益　世間故說
在所遊方　勿妄宣傳　若有聞者　隨喜頂受
當知是人　阿鞞跋致　若有信受　此經法者
是人已曾　見過去佛　恭敬供養　亦聞是法
若人有能　信汝所說　則爲見我　亦見於汝
及比丘僧　并諸菩薩
斯法華經　爲深智說　淺識聞之　迷惑不解
一切聲聞　及辟支佛　於此經中　力所不及
汝舍利弗　尚於此經　以信得入　況餘聲聞
其餘聲聞　信佛語故　隨順此經　非己智分
又舍利弗　憍慢懈怠　計我見者　莫說此經
凡夫淺識　深著五欲　聞不能解　亦勿爲說
若人不信　毀謗此經　則斷一切　世間佛種
或復顰蹙　而懷疑惑　汝當聽說　此人罪報
若佛在世　若滅度後　其有誹謗　如斯經典
見有讀誦　書持經者　輕賤憎嫉　而懷結恨
此人罪報　汝今復聽
其人命終　入阿鼻獄　具足一劫　劫盡更生
如是展轉　至无數劫　從地獄出　當墮畜生
若狗野干　其形頊瘦　黧黮疥癩　人所觸嬈
又復爲人　之所惡賤　常困飢渴　骨肉枯竭
生受楚毒　死被瓦石　斷佛種故　受斯罪報
若作駱駝　或生驢中　身常負重　加諸杖捶
但念水草　餘无所知　謗斯經故　獲罪如是
有作野干　來入聚落　身體疥癩　又无一目
爲諸童子　之所打擲　受諸苦痛　或時致死
於此死已　更受蟒身　其形長大　五百由旬

但念水草 餘无所知 謗斯經故 獲罪如是
有作野干 來入聚落 身體疥癩 又无一目
為諸童子 之所打擲 受諸苦痛 或時致死
於此死已 更受蟒身 其形長大 五百由旬
聾騃无足 宛轉腹行 為諸小虫 之所唼食
晝夜受苦 无有休息 謗斯經故 獲罪如是
若得為人 諸根闇鈍 矬陋攣躄 盲聾背傴
有所言說 人不信受 口氣常臭 鬼魅所著
貧窮下賤 為人所使 多病痟瘦 无所依怙
雖親附人 人不在意 若有所得 尋復忘失
若脩醫道 順方治病 更增他疾 或復致死
若自有病 无人救療 設服良藥 而復增劇
若他反逆 抄劫竊盜 如是等罪 横羅其殃
如斯罪人 永不見佛 衆聖之王 說法教化
如斯罪人 常生難處 狂聾心亂 永不聞法
於无數劫 如恒河沙 生輒聾瘂 諸根不具
常處地獄 如遊園觀 在餘惡道 如己舍宅
駝驢猪狗 是其行處 謗斯經故 獲罪如是
若得為人 聾盲瘖瘂 貧窮諸衰 以自莊嚴
水腫乾痟 疥癩癰疽 如是等病 以為衣服
身常臭處 垢穢不淨 深著我見 增益瞋恚
婬欲熾盛 不擇禽獸 謗斯經故 獲罪如是
告舍利弗 謗斯經者 若說其罪 窮劫不盡
以是因緣 我故語汝 无智人中 莫說此經
若有利根 智慧明了 多聞强識 求佛道者
如是之人 乃可為說 若人曾見 億百千佛

婬欲熾[illegible] 不擇禽[illegible]
告舍利弗 謗斯經者 若說其罪 窮劫不盡
以是因緣 我故語汝 无智人中 莫說此經
若有利根 智慧明了 多聞强識 求佛道者
如是之人 乃可為說 若人曾見 億百千佛
殖諸善本 深心堅固 如是之人 乃可為說
若人精進 常脩慈心 不惜身命 乃可為說
若人恭敬 无有異心 離諸凡愚 獨處山澤
如是之人 乃可為說 又舍利弗 若見有人
捨惡知識 親近善友 如是之人 乃可為說
若見佛子 持戒清潔 如淨明珠 求大乘經
如是之人 乃可為說 若人无瞋 質直柔軟
常愍一切 恭敬諸佛 如是之人 乃可為說
復有佛子 於大衆中 以清淨心 種種因緣
譬喻言辭 說法无㝵 如是之人 乃可為說
若有比丘 為一切智 四方求法 合掌頂受
但樂受持 大乘經典 乃至不受 餘經一偈
如是之人 乃可為說 如人至心 求佛舍利
如是求經 得已頂受 其人不復 志求餘經
亦未曾念 外道典籍 如是之人 乃可為說
告舍利弗 我說是相 求佛道者 窮劫不盡
如是等人 則能信解 汝當為說 妙法華經

妙法蓮華經信解品第四

尒時慧命須菩提摩訶迦旃延摩訶迦葉
摩訶目揵連從佛所聞未曾有法世尊授舍
利弗阿耨多羅三藐三菩提記發希有心歡
喜踊躍即從座起整衣服偏袒右肩右膝著

尒時慧命須菩提摩訶迦旃延摩訶迦葉
摩訶目揵連從佛所聞未曾有法世尊授舍
利弗阿耨多羅三藐三菩提記發希有心歡
喜踊躍即從坐起整衣服偏袒右肩右膝著
地一心合掌曲躬恭敬瞻仰尊顏而白佛言我
等居僧之首年並朽邁自謂已得涅槃无所
堪任不復進求阿耨多羅三藐三菩提世尊
往昔說法既久我時在坐身體疲懈但念空
无相无作於菩薩法遊戲神通淨佛國土成
就眾生心不喜樂所以者何世尊令我等出
於三界得涅槃證又今我等年已朽邁於佛
教化菩薩阿耨多羅三藐三菩提不生一念
好樂之心我等今於佛前聞授聲聞阿耨多
羅三藐三菩提記心甚歡喜得未曾有不謂
於今忽然得聞希有之法深自慶幸獲大善
利无量珍寶不求自得
世尊我等今者樂說譬喻以明斯義譬若有
人年既幼稚捨父逃逝久住他國或十二十
至五十歲年既長大加復窮困馳騁四方以
求衣食漸漸遊行遇向本國其父先來求子
不得中止一城其家大富財寶无量金銀瑠
璃珊瑚虎珀頗梨珠等其諸倉庫悉皆盈
溢多有僮僕臣佐吏民象馬車乘牛羊无數
出入息利乃遍他國商估賈客亦甚眾多時
貧窮子遊諸聚落經歷國邑遂到其父所止之
城父每念子與子離別五十餘年而未曾向
人說如此事但自思惟心懷悔恨自念老朽

出入息利乃遍他國商估賈客亦甚眾多時
貧窮子遊諸聚落經歷國邑遂到其父所止之
城父每念子與子離別五十餘年而未曾向
人說如此事但自思惟心懷悔恨自念老朽
多有財物金銀珍寶倉庫盈溢无有子息一
旦終沒財物散失无所委付是以慇懃每憶
其子復作是念我若得子委付財物坦然快
樂无復憂慮世尊尒時窮子傭賃展轉遇到
父舍住立門側遙見其父踞師子床寶机承
足諸婆羅門剎利居士皆恭敬圍繞以真珠
瓔珞價直千万莊嚴其身吏民僮僕手執白
拂侍立左右覆以寶帳垂諸華幡香水灑地
散眾名華羅列寶物出內取與有如是等種
種嚴飾威德特尊窮子見父有大力勢即懷
恐怖悔來至此竊作是念此或是王或是王
等非我傭力得物之處不如往至貧里肆力
有地衣食易得若久住此或見逼迫強使我
作作是念已疾走而去時富長者於師子座
見子便識心大歡喜即作是念我財物庫藏
今有所付我常思念此子无由見之而忽自
來甚適我願我雖年朽猶故貪惜即遣傍人
急追將還
尒時使者疾走往捉窮子驚愕稱怨大喚我
不相犯何為見捉使者執之逾急強牽將還
于時窮子自念无罪而被囚執此必定死轉更
惶怖悶絕躄地父遙見之而語使言不須此
人勿強將來以冷水灑面令得醒悟莫復與

[illegible]
不相犯何為見捉使者執之逾急強牽將還
于時窮子自念无罪而被囚執此必定死轉更
惶怖悶絕躃地父遙見之而語使言不須此
人勿強將來以冷水灑面令得醒悟莫復與
語所以者何父知其子志意下劣自知豪貴
為子所難審知是子而以方便不語他人云
是我子使者語之我今放汝隨意所趣窮
子歡喜得未曾有從地而起往至貧里以求
衣食尒時長者將欲誘引其子而設方便密
遣二人形色憔悴无威德者汝可詣彼徐語窮
子此有作處倍與汝價窮子若許將來使作
若言欲何所作便可語之雇汝除糞我等二
人亦共汝作時二使人即求窮子既已得
之具陳上事尒時窮子先取其價尋與除糞
其父見子愍而怪之又以他日於窓牖中遙
見子身羸瘦憔悴糞土塵坌汙穢不淨即脫
瓔珞細軟上服嚴飾之具更著麁弊垢膩之
衣塵土坌身右手執持除糞之器狀有所畏
語諸作人汝等勤作勿得懈息以方便故得
近其子又復告言咄男子汝常此作勿復餘
去當加汝價諸有所須瓫器米麵鹽酢之屬
莫自疑難亦有老弊使人須者相給好自安
意我如汝父勿復憂慮所以者何我年老大而
汝少壯汝常作時无有欺怠瞋恨怨言都不
見汝有此諸惡如餘作人自今已後如所生子
即時長者更與作字名之為兒

[illegible]
汝少壯汝常作時无有欺怠瞋恨怨言都不
見汝有此諸惡如餘作人自今已後如所生子
即時長者更與作字名之為兒
尒時窮子雖欣此遇猶故自謂客作賤人由是
之故於二十年中常令除糞過是已後心相
體信入出无難然其所止猶在本處世尊
尒時長者有疾自知將死不久語窮子言我
今多有金銀珍寶倉庫盈溢其中多少所應
取與汝悉知之我心如是當體此意所以者何
今我與汝便為不異宜加用心无令漏失尒時
窮子即受教勅領知眾物金銀珍寶及諸庫
藏而无悕取一飡之意然其所止故在本
處下劣之心亦未能捨復經少時父知子意
漸已通泰成就大志自鄙先心臨欲終時
而命其子并會親族國王大臣剎利居士皆
悉已集即自宣言諸君當知此是我子我之
所生於某城中捨吾逃走跉跰辛苦五十餘
年其本字某我名某甲昔在本城懷憂推
覓忽於此間遇會得之此實我子我實其父今
吾所有一切財物皆是子有先所出內是子所
知世尊是時窮子聞父此言即大歡喜得未
曾有而作是念我本无心有所悕求今此寶
藏自然而至
世尊大富長者則是如來我等皆似佛子如
來常說我等為子世尊我等以三苦故於生
死中受諸熱惱迷惑无知樂著小法今日世尊

藏自然而至
世尊大富長者則是如來我等皆似佛子如
來常說我等為子世尊我等以三苦故於生
死中受諸熱惱迷惑无知樂著小法今日世尊
令我等思惟蠲除諸法戲論之糞我等於中
勤加精進得至涅槃一日之價既得此已心
大歡喜自以為足而便自謂於佛法中勤精
進故所得弘多然世尊先知我等心著弊欲
樂於小法便見縱捨不為分別汝等當有如
來知見寶藏之分世尊以方便力說如來智
慧我等從佛得涅槃一日之價以為大得於
此大乘无有志求我等又因如來智慧為諸
菩薩開示演說而自於此无有志願所以者
何佛知我等心樂小法以方便力隨我等說而
我等不知真是佛子今我等方知世尊於
佛智慧无所悋惜所以者何我等昔來真是
佛子而但樂小法若我等有樂大之心佛則
為我說大乘法今此經中唯說一乘而昔於
菩薩前毀呰聲聞樂小法者然佛實以大
乘教化是故我等說本无心有所悕求今法
王大寶自然而至如佛子所應得者皆已得
之尒時摩訶迦葉欲重宣此義而說偈言
我等今日　聞佛音教　歡喜踊躍　得未曾有
佛說聲聞　當得作佛　无上寶聚　不求自得
譬如童子　幼稚无識　捨父逃逝　遠到他土
周流諸國　五十餘年　其父憂念　四方推求

佛說聲聞　當得作佛　无上寶聚　不求自得
譬如童子　幼稚无識　捨父逃逝　遠到他土
周流諸國　五十餘年　其父憂念　四方推求
求之既疲　頓止一城　造立舍宅　五欲自娛
其家巨富　多諸金銀　車𤦲馬碯　真珠瑠璃
象馬牛羊　輦轝車乘　田業僮僕　人民眾多
出入息利　乃遍他國　商估賈人　无處不有
千万億眾　圍繞恭敬　常為王者　之所愛念
群臣豪族　皆共宗重　以諸緣故　往來者眾
豪富如是　有大力勢　而年朽邁　益憂念子
夙夜惟念　死時將至　癡子捨我　五十餘年
庫藏諸物　當如之何　尒時窮子　求索衣食
從邑至邑　從國至國　或有所得　或无所得
飢餓羸瘦　體生瘡癬　漸次經歷　到父住城
傭賃展轉　遂至父舍　尒時長者　於其門內
施大寶帳　處師子座　眷屬圍繞　諸人侍衛
或有計筭　金銀寶物　出內財產　注記券疏
窮子見父　豪貴尊嚴　謂是國王　若是王等
驚怖自怪　何故至此　覆自念言　我若久住
或見逼迫　強驅使作　思惟是已　馳走而去
借問貧里　欲往傭作　長者是時　在師子座
遙見其子　默而識之　即勑使者　追捉將來
窮子驚喚　迷悶躃地　是人執我　必當見殺
何用衣食　使我至此　長者知子　愚癡狹劣
不信我言　不信是父　即以方便　更遣餘人
眇目矬陋　无威德者　汝可語之　云當相雇
除諸糞穢　倍與汝價

是人執我 必當見殺 何用衣食 使我至此
長者知子 愚癡狹劣 不信我言 不信是父
即以方便 更遣餘人 眇目矬陋 无威德者
汝可語之 云當相雇 除諸糞穢 倍與汝價
窮子聞之 歡喜隨來 為除糞穢 淨諸房舍
長者於牖 常見其子 念子愚劣 樂為鄙事
於是長者 著弊垢衣 執除糞器 往到子所
方便附近 語令勤作
既益汝價 并塗足油 飲食充足 薦席厚煖
如是苦言 汝當勤作 又以軟語 若如我子
長者有智 漸令入出 經二十年 執作家事
示其金銀 真珠頗梨 諸物出入 皆使令知
猶處門外 止宿草菴 自念貧事 我无此物
父知子心 漸已曠大 欲與財物 即聚親族
國王大臣 剎利居士 於此大眾 說是我子
捨我他行 經五十歲 自見子來 已二十年
昔於某城 而失是子 周行求索 遂來至此
凡我所有 舍宅人民 悉以付之 恣其所用
子念昔貧 志意下劣 今於父所 大獲珍寶
并及舍宅 一切財物 甚大歡喜 得未曾有
佛亦如是 知我樂小 未曾說言 汝等作佛
而說我等 得諸无漏 成就小乘 聲聞弟子
佛勅我等 說最上道 脩習此者 當得成佛
我承佛教 為大菩薩 以諸因緣 種種譬喻
若干言辭 說无上道 諸佛子等 從我聞法
日夜思惟 精勤脩習 是時諸佛 即授其記
汝於來世 當得作佛 一切諸佛 秘藏之法

BD00812 號　妙法蓮華經卷二　（22–20）

我承佛教 為大菩薩 以諸因緣 種種譬喻
若干言辭 說无上道 諸佛子等 從我聞法
日夜思惟 精勤脩習 是時諸佛 即授其記
汝於來世 當得作佛 一切諸佛 秘藏之法
但為菩薩 演其實事 而不為我 說斯真要
如彼窮子 得近其父 雖知諸物 心不悕取
我等雖說 佛法寶藏 自无志願 亦復如是
我等內滅 自謂為足 唯了此事 更无餘事
我等若聞 淨佛國土 教化眾生 都无欣樂
所以者何 一切諸法 皆悉空寂 无生无滅
无大无小 无漏无為 如是思惟 不生喜樂
我等長夜 於佛智慧 无貪无著 无復志願
而自於法 謂是究竟 我等長夜 脩習空法
得脫三界 苦惱之患 住最後身 有餘涅槃
佛所教化 得道不虛 則為已得 報佛之恩
我等雖為 諸佛子等 說菩薩法 以求佛道
而於是法 永无願樂 導師見捨 觀我心故
初不勸進 說有實利 如富長者 知子志劣
以方便力 柔伏其心 然後乃付 一切財寶
佛亦如是 現希有事 知樂小者 以方便力
調伏其心 乃教大智 我等今日 得未曾有
非先所望 而今自得 如彼窮子 得无量寶
世尊我今 得道得果 於无漏法 得清淨眼
我等長夜 持佛淨戒 始於今日 得其果報
法王法中 久脩梵行 今得无漏 无上大果
我等今日 真是聲聞 以佛道聲 令一切聞

BD00812 號　妙法蓮華經卷二　（22–21）

調伏其心　乃教大智　我等今日　得未曾有
非先所望　而今自得　如彼窮子　得无量寶
世尊我今　得道得果　於无漏法　得清淨眼
我等長夜　持佛淨戒　始於今日　得其果報
法王法中　久脩梵行　今得无漏　无上大果
我等今日　真是聲聞　以佛道聲　令一切聞
我等今者　真阿羅漢　於諸世間　天人魔梵
普於其中　應受供養　世尊大恩　以希有事
憐愍教化　利益我等　无量億劫　誰能報者
手足供給　頭頂礼敬　一切供養　皆不能報
若以頂戴　兩肩荷負　於恒沙劫　盡心恭敬
又以美饍　无量寶衣　及諸卧具　種種湯藥
牛頭栴檀　及諸珎寶　以起塔廟　寶衣布施
如斯等事　以用供養　於恒沙劫　亦不能報
諸佛希有　无量无邊　不可思議　大神通力
无漏无為　諸法之王　能為下劣　忍于斯事
取相凡夫　隨宜為說　諸佛於法　得最自在
知諸衆生　種種欲樂　及其志力　隨所堪任
以无量喻　而為說法　隨諸衆生　宿世善根
又知成熟　未成熟者　種種籌量　分別知已
於一乘道　隨宜說三

妙法蓮華經卷第二

BD00812號　妙法蓮華經卷二　（22–22）

是名莊嚴是故須菩提諸菩薩摩訶薩應如
是生清淨心不應住色生心不應住聲香味
觸法生心應无所住而生其心須菩提譬如
有人身如須弥山王於意云何是身為大不
須菩提言甚大世尊何以故佛說非身是名
大身須菩提如恒河中所有沙數如是等恒河
於意云何是諸恒河沙寧為多不須菩提言
甚多世尊但諸恒河尚多无數何況其沙須
菩提我今實言告汝若有善男子善女人以
七寶滿尒所恒河沙數三千大千世界以用
布施得福多不須菩提言甚多世尊佛告須
菩提若善男子善女人於此經中乃至受持
四句偈等為他人說而此福德勝前福德復
次須菩提隨說是經乃至四句偈等當知此
處一切世間天人阿脩羅皆應供養如佛塔
廟何況有人盡能受持讀誦須菩提當知是
人成就最上第一希有之法若是經典所在
之處則為有佛若尊重弟子　○○○○
尒時須菩提白佛言世尊當何名此經我等
云何奉持佛告須菩提是經名為金剛般若
波羅蜜以是名字汝當奉持所以者何須菩
提佛說般若波羅蜜則非般若波羅蜜須菩
提於意云何如來有所說法不須菩提白佛
言世尊如來无所說須菩提於意云何三千
[illegible]甚

BD00813號　金剛般若波羅蜜經　（3–1）

波羅蜜以是名字汝當奉持所以者何須菩
提佛說般若波羅蜜則非般若波羅蜜須菩
提於意云何如來有所說法不須菩提白佛
言世尊如來无所說須菩提於意云何三千
大千世界所有微塵是爲多不須菩提言甚
多世尊須菩提是諸微塵如來說非微塵是
名微塵如來說世界非世界是名世界須菩
提於意云何可以卅二相見如來不不也世
尊何以故如來說卅二相即是非相是名卅
二相須菩提若有善男子善女人以恒河沙
等身命布施若復有人於此經中乃至受持
四句偈等爲他人說其福甚多
尒時須菩提聞說是經深解義趣涕淚悲泣
而白佛言希有世尊佛說如是甚深經典我
從昔來所得慧眼未曾得聞如是之經世尊
若復有人得聞是經信心清淨則生實相當
知是人成就第一希有功德世尊是實相者
則是非相是故如來說名實相世尊我今得
聞如是經典信解受持不足爲難若當來世
後五百歲其有衆生得聞是經信解受持是
人則爲第一希有何以故此人无我相人相衆
生相壽者相所以者何我相即是非相人相
衆生相壽者相即是非相何以故離一切諸相
則名諸佛佛告須菩提如是如是若復有人
得聞是經不驚不怖不畏當知是人甚爲希
有何以故須菩提如來說第一波羅蜜非第
一波羅蜜是名第一波羅蜜

BD00813號　金剛般若波羅蜜經　（3–2）

知是人成就第一希有功德世尊是實相者
則是非相是故如來說名實相世尊我今得
聞如是經典信解受持不足爲難若當來世
後五百歲其有衆生得聞是經信解受持是
人則爲第一希有何以故此人无我相人相衆
生相壽者相所以者何我相即是非相人相
衆生相壽者相即是非相何以故離一切諸相
則名諸佛佛告須菩提如是如是若復有人
得聞是經不驚不怖不畏當知是人甚爲希
有何以故須菩提如來說第一波羅蜜非第
一波羅蜜是名第一波羅蜜
須菩提忍辱波羅蜜如來說非忍辱波羅蜜
何以故須菩提如我昔爲歌利王割截身體
我於尒時无我相无人相无衆生相无壽者
相何以故我於往昔節節支解時若有我相
人相衆生相壽者相應生瞋恨須菩提又念
過去於五百世作忍辱仙人於尒所世无我
相无人相无衆生相无壽者相是故須菩提菩
薩應離一切相發阿耨多羅三藐三菩提心
不應住色生心不應住聲香味觸法生心應

BD00813號　金剛般若波羅蜜經　（3–3）

言我見此土丘陵坑坎荊
穢惡充滿螺髻梵言仁者心有高下不
佛慧故見此土為不淨耳舍利弗菩薩
切眾生悉皆平等深心清淨依佛智慧則能
見此佛土清淨於是佛以足指按地即時三
千大千世界若干百千珎寶嚴飾譬如寶莊
嚴佛無量功德寶莊嚴土一切大眾歎未曾
有而皆自見坐寶蓮華佛告舍利弗汝且觀
是佛土嚴淨舍利弗言唯然世尊本所不見
本所不聞今佛國土嚴淨悉現佛語舍利弗我
佛國土常淨若此為欲度斯下劣人故示是
眾惡不淨土耳譬如諸天共寶器食隨其
福德飯色有異如是舍利弗若人心淨便見
此土功德莊嚴當佛現此國土嚴淨之時寶積
所將五百長者子皆得無生法忍八万四千
人發阿耨多羅三藐三菩提心佛攝神足
於是世界還復如故求聲聞乘三万二千天
及人知有為法皆悉無常遠塵離垢得法眼
淨八千比丘不受諸法漏盡意解

BD00814 號　維摩詰所說經卷上　（21–1）

人發阿耨多羅三藐三菩提心佛攝神足
於是世界還復如故求聲聞乘三万二千天
及人知有為法皆悉無常遠塵離垢得法眼
淨八千比丘不受諸法漏盡意解

方便品第二

爾時毗耶離大城中有長者名維摩詰已曾
供養無量諸佛深殖善本得無生忍辯才無
㝵遊戲神通逮諸揔持獲無所畏降魔勞怨
入深法門善於智度通達方便大願成就明了
眾生心之所趣又能分別諸根利鈍久於佛道
心已淳淑決定大乘諸有所作能善思量
住佛威儀心大如海諸佛咨嗟弟子釋梵世
主所敬欲度人故以善方便居毗耶離資財
無量攝諸貧民奉戒清淨攝諸毀禁以忍
調行攝諸恚怒以大精進攝諸懈怠一心禪
寂攝諸亂意以決定慧攝諸無智雖為白衣
奉持沙門清淨律行雖處居家不著三界示
有妻子常脩梵行現有眷屬常樂遠離雖服
寶飾而以相好嚴身雖復飲食而以禪悅為
味若至博弈戲處輒以度人受諸異道不毀
正信雖明世典常樂佛法一切見敬為供養
中最執持正法攝諸長幼一切治生諧偶雖
獲俗利不以喜悅遊諸四衢饒益眾生入治
政法救護一切入講論處導以大乘入諸學
堂誘開童蒙入諸婬舍示欲之過入諸酒肆能
立其志若在長者長者中尊為說勝法若
在居士居士中尊斷其貪著若在刹利刹利

BD00814 號　維摩詰所說經卷上　（21–2）

政法救護一切入講論處導以大乘入諸學
堂誘開童蒙入諸婬舍示欲之過入諸酒肆能
立其志若在長者長者中尊為說勝法若
在居士居士中尊斷其貪著若在剎利剎利
中尊教以忍辱若在婆羅門婆羅門中尊除
其我慢若在大臣大臣中尊教以正法若在
王子王子中尊示以忠孝若在內官內官中
尊化政宮女若在庶民庶民中尊令興福力
若在梵天梵天中尊誨以勝慧若在帝釋帝
釋中尊示現無常若在護世護世中尊護諸
眾生長者維摩詰以如是等無量方便饒益
眾生其以方便現身有疾以其疾故國王大
臣長者居士婆羅門等及諸王子并餘官屬
無數千人皆往問疾其往者維摩詰因以身
疾廣為說法諸仁者是身無常無強無力無
堅速朽之法不可信也為苦為惱眾病所集
諸仁者如此身明智者所不怙是身如聚沫
不可撮摩是身如泡不得久立是身如焰從
渴愛生是身如芭蕉中無有堅是身如幻從顛
倒起是身如夢為虛妄見是身如影從業緣
現是身如響屬諸因緣是身如浮雲須臾變
滅是身如電念念不住是身無主為如地是
身無我為如火是身無壽為如風是身無人
為如水是身不實四大為家是身為空離
我我所是身無知如草木瓦礫是身無作風

為如水是身不實四大為家是身為空離
我我所是身無知如草木瓦礫是身無作風
力所轉是身不淨穢惡充滿是身為虛偽雖
假以澡浴衣食必歸磨滅是身為災百一病
惱是身如丘井為老所逼是身無定為要當
死是身如毒虵如怨賊如空聚陰界諸入所共
合成諸仁者此可患厭當樂佛身所以者
何佛身者即法身也從無量功德智慧生
從戒定慧解脫解脫知見生從慈悲喜捨生
從布施持戒忍辱柔和勤行精進禪定解脫
三昧多聞智慧諸波羅蜜生從方便生從六
通生從三明生從三十七道品生從止觀生從十
力四無所畏十八不共法生從斷一切不善
法集一切善法生從真實生從不放逸生從
如是無量清淨法生如來身諸仁者欲得佛
身斷一切眾生病者當發阿耨多羅三藐三
菩提心如是長者維摩詰為諸問疾者如應
說法令無數千人皆發阿耨多羅三藐三菩
提心

弟子品第三

尒時長者維摩詰自念寢疾于床世尊大慈
寧不垂愍佛知其意即告舍利弗汝行詣維
摩詰問疾舍利弗白佛言世尊我不堪任詣
彼問疾所以者何憶念我昔曾於林中宴坐
樹下時維摩詰來謂我言唯舍利弗不必是

摩詰問疾舍利弗白佛言世尊我不堪任詣
彼問疾所以者何憶念我昔曾於林中宴坐
樹下時維摩詰来謂我言唯舍利弗不必是
坐為宴坐也夫宴坐者不於三界現身意是
為宴坐不起滅定而現諸威儀是為宴坐不
捨道法而現凡夫事是為宴坐心不住內亦
不在外是為宴坐於諸見不動而脩行三十
七品是為宴坐不斷煩惱而入涅槃是為宴坐
若能如是坐者佛所印可時我世尊聞說是
語默然而止不能加報故我不任詣彼問疾
佛告大目揵連汝行詣維摩詰問疾目連白
佛言世尊我不堪任詣彼問疾所以者何憶
念我昔入毗耶離大城於里巷中為諸居士
說法時維摩詰来謂我言唯大目連為白衣
居士說法不當如仁者所說夫說法者當如
法說法無衆生離衆生垢故法無有我離、
我垢故法無壽命離生死故法無有人前後
際斷故法常寂然滅諸相故法離於相無所緣
故法無名字言語斷故法無有說離覺觀故
法無形相如虛空故法無戲論畢竟空故法
無我所離我所故法無分別離諸識故法無
有比無相待故法不屬因不待緣故法同法
性入諸法故法隨於如無所隨故法住實際
諸邊不動故法無動搖不依六塵故法無去
来常不住故法順空隨無相應無作法離好

BD00814號　維摩詰所說經卷上

(21-5)

性入諸法故法隨於如無所隨故法住實際
諸邊不動故法無動搖不依六塵故法無去
来常不住故法順空隨無相應無作法離好
醜法無增損法無生滅法無所歸法過眼耳
鼻舌身心法無高下法常住不動法離一切
觀行唯大目連法相如是豈可說乎夫說法
者無說無示其聽法者無聞無得譬如幻士
為幻人說法當建是意而為說法當了衆生
根有利鈍善於知見無所罣㝵以大悲心讚
于大乘念報佛恩不斷三寶然後說法維摩
詰說是法時八百居士發阿耨多羅三藐三
菩提心我無此辯是故不任詣彼問疾
佛告大迦葉汝行詣維摩詰問疾迦葉白佛
言世尊我不堪任詣彼問疾所以者何憶念
我昔於貧里而行乞時維摩詰来謂我言唯
大迦葉有慈悲心而不能普捨豪富從貧乞
迦葉住平等法應次行乞食為不食故應行
乞食為壞和合相故應取揣食為不受故應
受彼食以空聚想入於聚落所見色與盲等
所聞聲與響等所嗅香與風等所食味不分
別受諸觸如智證知諸法如幻相無自性無他
性本自不然今則無滅迦葉若能不捨八耶
入八解脫以耶相入正法以一食施一切供
養諸佛及衆賢聖然後可食如是食者非
有煩惱非離煩惱非入定意非起定意非住
世間非住涅槃其有施者無大福無小福不

BD00814號　維摩詰所說經卷上

(21-6)

養諸佛及衆賢聖然後可食如是食者非
有煩惱非離煩惱非入定意非起定意非住
世間非住涅槃其有施者無大福無小福不
爲益不爲損是爲正入佛道不依聲聞迦葉
若如是食爲不空食人之施也時我世尊聞
說是語得未曾有即於一切菩薩深起敬心
復作是念斯有家名辯才智慧乃能如是其
誰不發阿耨多羅三藐三菩提心我從是來
不復勸人以聲聞辟支佛行是故不任詣彼
問疾
佛告須菩提汝行詣維摩詰問疾須菩提白
佛言世尊我不堪任詣彼問疾所以者何憶
念我昔入其舍從乞食時維摩詰取我鉢盛
滿飯謂我言唯須菩提若能於食等者諸法
亦等諸法等者於食亦等如是行乞乃可取
食若須菩提不斷婬怒癡亦不與俱不壞於
身而隨一相不滅癡愛起於明脫以五逆相
而得解脫亦不解不縛不見四諦非不見諦
非得果非凡夫非離凡夫法非聖人非不聖
人雖成就一切法而離諸法相乃可取食若
須菩提不見佛不聞法彼外道六師富蘭那
迦葉末伽梨拘賖梨子刪闍耶毗羅胝子阿
耆多翅舍欽婆羅迦羅鳩馱迦旃延尼揵陁
若提子等是汝之師因其出家彼師所墮汝
亦隨墮乃可取食若須菩提入諸邪見不到
彼岸住於八難不得無難同於煩惱離清淨
法汝得無諍三昧一切衆生亦得是定其施

BD00814號　維摩詰所說經卷上　（21–7）

若提子等是汝之師因其出家彼師所墮汝
亦隨墮乃可取食若須菩提入諸邪見不到
彼岸住於八難不得無難同於煩惱離清淨
法汝得無諍三昧一切衆生亦得是定其施
汝者不名福田供養汝者墮三惡道爲與衆
魔共一手作諸勞侶汝與衆魔及諸塵勞等
無有異於一切衆生而有怨心謗諸佛毀於
法不入衆數終不得滅度汝若如是乃可取
食時我世尊聞此茫然不識是何言不知以
何荅便置鉢欲出其舍維摩詰言唯須菩提
取鉢勿懼於意云何如來所作化人若以是
事詰寧有懼不我言不也維摩詰言一切諸
法如幻化相汝今不應有所懼也所以者何一
切言說不離是相至於智者不著文字故
無所懼何以故文字性離無有文字是則解
脫解脫相者則諸法也維摩詰說是法時二
百天子得法眼淨故我不任詣彼問疾
佛告富樓那彌多羅尼子汝行詣維摩詰問
疾富樓那白佛言世尊我不堪任詣彼問疾
所以者何憶念我昔於大林中在一樹下爲
諸新學比丘說法時維摩詰來謂我言唯富
樓那先當入定觀此人心然後說法無以穢食
置於寶器當知是比丘心之所念無以瑠璃
同彼水精汝不能知衆生根原無得發起以
小乘法彼自無瘡勿傷之也欲行大道莫示
小徑無以大海內於牛跡無以日光等彼螢

BD00814號　維摩詰所說經卷上　（21–8）

置於寶器當知是比丘心之所念無以琉璃
同彼水精汝不能知眾生根原無得發起以
小乘法彼自無瘡勿傷之也欲行大道莫示
小徑無以大海內於牛跡無以日光等彼螢、
火富樓那此比丘久發大乘心中忘此意如
何以小乘法而教導之我觀小乘智慧微淺
猶如盲人不能分別一切眾生根之利鈍時
維摩詰即入三昧令此比丘自識宿命曾
於五百佛所殖眾德本迴向阿耨多羅三藐
三菩提即時豁然還得本心於是諸比丘稽
首礼維摩詰足時維摩詰因為說法於阿
耨多羅三藐三菩提不復退轉我念聲聞不
觀人根不應說法是故不任詣彼問疾
佛告摩訶迦旃延汝行詣維摩詰問疾迦旃
延白佛言世尊我不堪任詣彼問疾所以者
何憶念昔者佛為諸比丘略說法要我即於
後敷演其義謂無常義苦義空義無我義寂
滅義時維摩詰來謂我言唯迦旃延無以生
滅心行說實相法迦旃延諸法畢竟不生不
滅是無常義五受陰通達空無所起是苦義
諸法究竟無所有是空義於我無我而不二
是無我義法本不然今則無滅是寂滅義說
是法時彼諸比丘心得解脫故我不任詣彼
問疾
佛告阿那律汝行詣維摩詰問疾阿那律白
佛言世尊我不堪任詣彼問疾所以者何憶
念我昔於一處經行時有梵王名曰嚴淨與

問疾
佛告阿那律汝行詣維摩詰問疾阿那律白
佛言世尊我不堪任詣彼問疾所以者何憶
念我昔於一處經行時有梵王名曰嚴淨與
万梵俱放淨光明来詣我所稽首作礼問我
言幾何阿那律天眼所見我即荅言仁者吾
見此釋迦牟尼佛土三千大千世界如觀掌中
菴摩勒菓時維摩詰来謂我言唯阿那律天
眼所見為作相耶無作相耶假使作相則與外
道五通等若無作相即是無為不應有見世
尊我時默然彼諸梵聞其言得未曾有即為
作礼而問曰世孰有真天眼者維摩詰言有佛
世尊得真天眼常在三昧悉見諸佛國不以
二相於是嚴淨梵王及其眷屬五百梵天皆
發阿耨多羅三藐三菩提心礼維摩詰足
已忽然不現故我不任詣彼問疾
佛告優波離汝行詣維摩詰問疾優波離白
佛言世尊我不堪任詣彼問疾所以者何憶
念昔者有二比丘犯律行以為恥不敢問佛
来問我言唯優波離我等犯律誠以為恥不
敢問佛願解疑悔得免斯咎我即為其如法
解說時維摩詰来謂我言唯優波離無重、
增此二比丘罪當直除滅勿擾其心所以者何
彼罪性不在內不在外不在中間如佛所說
心垢故眾生垢心淨故眾生淨心亦不在內不
在外不在中間如其心然罪垢亦然諸法

增此二比丘罪當直除滅勿擾其心所以者何
彼罪性不在內不在外不在中間如佛所說
心垢故衆生垢心淨故衆生淨心亦不在內不
在外不在中間如其心然罪垢亦然諸法
亦然不出於如如優波離以心相得解脫時
寧有垢不我言不也維摩詰言一切衆生心
相無垢亦復如是唯優波離妄想是垢無妄
想是淨顛倒是垢無顛倒是淨取我是垢不
取我是淨優波離一切法生滅不住如幻如
電諸法不相待乃至一念不住諸法皆妄見
如夢如焰如水中月如鏡中像以妄想生其知
此者是名奉律其知此者是名善解於是
二比丘言上智哉是優波離所不及持律之
上而不能說我荅言自捨如來未有聲聞及
菩薩能制其樂說之辯其智慧明達為若此
世時二比丘疑悔即除發阿耨多羅三藐三
菩提心作是願言令一切衆生皆得是辯故
我不任詣彼問疾
佛告羅睺羅汝行詣維摩詰問疾羅睺羅白
佛言世尊我不堪任詣彼問疾所以者何憶
念昔時毗耶離諸長者子來詣我所稽首作
礼問我言唯羅睺羅汝佛之子捨轉輪王位
出家為道其出家者有何等利我即如法為
說出家功德之利時維摩詰來謂我言唯羅
睺羅不應說出家功德之利所以者何無利
無功德是為出家有為法者可說有利無功

BD00814號　維摩詰所說經卷上　（21–11）

說出家功德之利時維摩詰來謂我言唯羅
睺羅不應說出家功德之利所以者何無利
無功德是為出家有為法者可說有利無功
德夫出家者為無為法無為法中無利無功
德羅睺羅夫出家者無彼無此亦無中間離
六十二見處於涅槃智者所受聖所行處降
伏衆魔度五道淨五眼得五力立五根不惱
於彼離衆雜惡摧諸外道超越假名出淤泥
無繫著無我所無所受無擾亂內懷喜護彼
意隨禪定離衆過若能如是是真出家於是
維摩詰語諸長者子汝等於正法中宜共出
家所以者何佛世難值諸長者子言居士我
聞佛言父母不聽不得出家維摩詰言然汝
等便發阿耨多羅三藐三菩提心是即出家
是即具足尒時三十二長者子皆發阿耨多
羅三藐三菩提心故我不任詣彼問疾
佛告阿難汝行詣維摩詰問疾阿難白佛言
世尊我不堪任詣彼問疾所以者何憶念昔
時世尊身小有疾當用牛乳我即持鉢詣大
婆羅門家門下立時維摩詰來謂我言唯阿
難何為晨朝持鉢住此我言居士世尊身小
有疾當用牛乳故來至此維摩詰言止止阿
難莫作是語如來身者金剛之體諸惡已斷衆
善普會當有何疾當有何惱嘿往阿難勿謗
如來莫使異人聞此麤言無令大威德諸天
及他方淨土諸來菩薩得聞斯語阿難轉輪

BD00814號　維摩詰所說經卷上　（21–12）

有疾當用牛乳故来至此維摩詰言止止阿
難莫作是語如来身者金剛之體諸惡已斷衆
善普會當有何疾當有何惱嘿往阿難勿謗
如来莫使異人聞此麁言無令大威德諸天
及他方淨土諸来菩薩得聞斯語阿難轉輪
聖王以少福故尚得無病豈况如来無量福
會普勝者哉行矣阿難勿使我等受斯恥世
外道梵志若聞此語當作是念何名為師自
疾不能救而能救諸疾人可密速去勿使人
聞當知阿難諸如来身即是法身非思欲身
佛為世尊過於三界佛身無漏諸漏已盡佛
身無為不墮諸數如此之身當有何疾時我
世尊實懷慚愧得無近佛而謬聽耶即聞空
中聲曰阿難如居士言但為佛出五濁惡世
現行斯法度脱衆生行矣阿難取乳勿慚世
尊維摩詰智慧辯才為若此也是故不任詣
彼問疾如是五百大弟子各各向佛說其本
緣稱述維摩詰所言皆曰不任詣彼問疾

菩薩品第四

於是佛告弥勒菩薩汝行詣維摩詰問疾弥
勒白佛言世尊我不堪任詣彼問疾所以者
何憶念我昔為兜率天王及其眷屬說不退
轉地之行時維摩詰来謂我言弥勒世尊授
仁者記一生當得阿耨多羅三藐三菩提為用
何生得授記亐過去耶未来耶現在耶若
過去生過去生已滅若未来未来生未至

仁者記一生當得阿耨多羅三藐三菩提為用
何生得授記亐過去耶未来耶現在耶若
過去生過去生已滅若未来未来生未至
若現在生現在生無住如佛所說比丘汝今
即時亦生亦老亦滅若以無生得授記者無
生即是正位於正位中亦無授記亦無得阿
耨多羅三藐三菩提云何弥勒授一生記亐
為從如生得授記耶為從如滅得授記耶若
以如生得授記者如無有生若以如滅得授
記者如無有滅一切衆生皆如也一切法亦
如也衆聖賢亦如也至於弥勒亦如也若弥
勒得授記者一切衆生亦應授記所以者何
夫如者不二不異若弥勒得阿耨多羅三藐
三菩提者一切衆生皆亦應得所以者何一
切衆生即菩提相若弥勒滅度者一切衆生
亦當滅度所以者何諸佛知一切衆生畢竟
寂滅即涅槃相不復更滅是故弥勒無以此
法誘諸天子實無發阿耨多羅三藐三菩提
心者亦無退者弥勒當令此諸天子捨於分
別菩提之見所以者何菩提者不可以身得
不可以心得寂滅是菩提滅諸相故不觀是
菩提離諸緣故不行是菩提無憶念故斷是
菩提捨諸見故離是菩提離諸妄想故鄣是
菩提鄣諸願故不入是菩提無貪著故順是菩
提順於如故住是菩提住法性故至是菩提至
實際故不二是菩提離意法故等是菩提

菩提捨諸見故離是菩提離諸妄想故鄣是
菩提鄣諸願故不入是菩提無貪著故順是菩
提順於如故住是菩提住法性故至是菩提至
實際故不二是菩提離意法故等是菩提
等虛空故無為是菩提無生住滅故知是菩
提了衆生心行故不會是菩提諸入不會故
不合是菩提離煩惱習故無處是菩提無形
色故假名是菩提名字空故如化是菩提無
取捨故無乱是菩提常自靜故善寂是菩提
性清淨故無取是菩提離攀緣故無異是菩
提諸法等故無比是菩提無可喻故微妙是
菩提諸法難知故世尊維摩詰說是法時二
百天子得無生法忍故我不任詣彼問疾
佛告光嚴童子汝行詣維摩詰問疾光嚴白
佛言世尊我不堪任詣彼問疾所以者何憶
念我昔出毗耶離大城時維摩詰方入城我
即為作礼而問言居士從何所来荅我言吾
從道場来我問道場者何所是荅曰直心是
道場無虛假故發行是道場能辨事故深心
是道場增益功德故菩提心是道場無錯謬故
布施是道場不望報故持戒是道場得願具
故忍辱是道場於諸衆生心無㝵故精進是
道場不懈怠故禪定是道場心調柔故智慧
是道場現見諸法故慈是道場等衆生故悲
是道場忍疲苦故喜是道場悅樂法故捨是

BD00814 號　維摩詰所說經卷上　（21–15）

道場不懈怠故禪定是道場心調柔故智慧
是道場現見諸法故慈是道場等衆生故悲
是道場忍疲苦故喜是道場悅樂法故捨是
道場增愛斷故神通是道場成就六通故解
脫是道場能背捨故方便是道場教化衆生
故四攝是道場攝衆生故多聞是道場如聞
行故伏心是道場正觀諸法故三十七品是
道場捨有為法故諦是道場不誑世間故緣
起是道場無明乃至老死皆無盡故諸煩惱
是道場知如實故衆生是道場知無我故一切
法是道場知諸法空故降魔是道場不傾
動故三界是道場無所趣故師子吼是道場
無所畏故力無所畏不共法是道場無諸過故
三明是道場無餘㝵故一念知一切法是道場
成就一切智故如是善男子菩薩若應諸波
羅蜜教化衆生諸有所作舉足下足當知皆
從道場来住於佛法矣說是法時五百天人
皆發阿耨多羅三藐三菩提心故我不任
詣彼問疾
佛告持世菩薩汝行詣維摩詰問疾持世白
佛言世尊我不堪任詣彼問疾所以者何憶念
我昔住於靜室時魔波旬從万二千天女狀
如帝釋鼓樂絃歌来詣我所與其眷屬稽首
我足合掌恭敬於一面立我意謂是帝釋
而語之言善来憍尸迦雖福應有不當自恣
當觀五欲無常以求善本於身命財而脩堅

BD00814 號　維摩詰所說經卷上　（21–16）

如帝釋鼓樂絃歌来詣我所與其眷屬稽首
我足合掌恭敬於一面立我意謂是帝釋
而語之言善来憍尸迦雖福應有不當自恣
當觀五欲無常以求善本於身命財而脩堅
法即語我言正士受是万二千天女可備掃
灑我言憍尸迦無以此非法之物要我沙門釋
子此非我宜所言未訖時維摩詰来謂我
言非帝釋也是為魔来嬈固汝耳即語魔言
是諸女等可以與我如我應受魔即驚懼念
維摩詰將無惱我欲隱形去而不能隱盡其
神力亦不得去即聞空中聲曰波旬以女與之
乃可得去魔以畏故俛仰而與尒時維摩詰語
諸女言魔以汝等與我今汝皆當發阿耨多羅
三藐三菩提心即隨所應而為說法令發道
意復言汝等已發道意有法樂可以自娛不
應復樂五欲樂也天女即問何謂法樂荅言樂
常信佛樂欲聽法樂供養衆樂離五欲樂
觀五陰如怨賊樂觀四大如毒蛇樂觀內入如
空聚樂隨護道意樂饒益衆生樂敬養師
樂廣行施樂堅持戒樂忍辱柔和樂懃集善
根樂禪定不亂樂離垢明慧樂廣菩提心樂降
伏衆魔樂斷諸煩惱樂淨佛國土樂成就相
好故脩諸功德樂嚴道場樂聞深法不畏
樂三脫門不樂非時樂近同學樂於非同學
中心無恚㝵樂將護惡知識樂近善知識樂
心喜清淨樂脩無量道品之法是為菩薩法

如故脩諸功德樂嚴道場樂聞深法不畏
樂三脫門不樂非時樂近同學樂於非同學
中心無恚㝵樂將護惡知識樂近善知識樂
心喜清淨樂脩無量道品之法是為菩薩法
樂於是波旬告諸女言我欲與汝俱還天宮諸
女言以我等與此居士有法樂我等甚樂
不復樂五欲樂也魔言居士可捨此女一切
所有施於彼者是為菩薩維摩詰言我已捨
矣汝便將去令一切衆生得法願具足於是
諸女問維摩詰我等云何止於魔宮維摩詰
言諸姉有法門名無盡燈汝等當學無盡燈
者譬如一燈然百千燈冥者皆明明終不盡
如是諸姉夫一菩薩開導百千衆生令發阿
耨多羅三藐三菩提心於其道意亦不滅盡
隨所說法而自增益一切善法是名無盡燈
也汝等雖住魔宮以是無盡燈令無數天子
天女發阿耨多羅三藐三菩提心者為報佛
恩亦大饒益一切衆生尒時天女頭面礼維
摩詰足隨魔還宮忽然不現世尊維摩詰
有如是自在神力智慧辯才故我不任詣彼
問疾
佛告長者子善德汝行詣維摩詰問疾善德
白佛言世尊我不堪任詣彼問疾所以者何
憶念我昔自於父舍設大施會供養一切沙
門婆羅門及諸外道貧窮下賤孤獨乞人期
滿七日時維摩詰来入會中謂我言長者子

憶念我昔自於父舍設大施會供養一切沙
門婆羅門及諸外道貧窮下賤孤獨乞人期
滿七日時維摩詰來入會中謂我言長者子
夫大施會不當如汝所設當為法施之會何用
是財施會為我言居士何謂法施之會法施
會者無前無後一時供養一切衆生是名法
施之會何謂也謂以菩提起於慈心以救衆
生起大悲心以治正法起於喜心以攝智慧
行於捨心以攝慳貪起檀波羅蜜以化犯戒
起尸波羅蜜以無我法起羼提波羅蜜以離
身心相起毗梨耶波羅蜜以菩提相起禪波
羅蜜以一切智起般若波羅蜜教化衆生而
起於空不捨有為法而起無相示現受生而起
無作護持正法起方便力以度衆生起四攝
法以敬事一切起除慢法於身命財起三堅
法於六念中起思念法於六和敬起質直
心正行善法起於淨命心淨歡喜起近賢
聖不憎惡人起調伏心以出家法起於深心
以如說行起於多聞以無諍法起空閑處趣
向佛慧起於宴坐解衆生縛起脩行地以具
相好及淨佛土起福德業知一切衆生心念
如應說法起於智業知一切法不取不捨入
一相門起於慧業斷一切煩惱一切鄣㝵一
切不善法起一切善業以得一切智慧一切
善法起於一切助佛道法如是善男子是為
法施之會若菩薩住是法施會者為大施主

BD00814 號　維摩詰所說經卷上　（21–19）

一相門起於慧業斷一切煩惱一切鄣㝵一
切不善法起一切善業以得一切智慧一切
善法起於一切助佛道法如是善男子是為
法施之會若菩薩住是法施會者為大施主
亦為一切世間福田世尊維摩詰說是法時婆
羅門衆中二百人皆發阿耨多羅三藐三菩
提心我時心得清淨歎未曾有稽首礼維摩
詰足即解瓔珞價直百千以上之不肯取我
言居士願必納受隨意所與維摩詰乃受瓔
珞分作二分持一分施會中一最下乞人持
一分奉彼難勝如來一切衆會皆見光明
國土難勝如來又見珠瓔在彼佛上變成四
柱寶臺四面嚴飾不相鄣蔽時維摩詰現
神變已作是言若施主等心施一最下乞人猶
如如來福田之相無所分別等于大悲不求
果報是則名曰具足法施城中一最下乞人
見是神力聞其所說即發阿耨多羅三藐三
菩提心故我不任詣彼問疾如是諸菩薩
各各向佛說其本緣稱述維摩詰所言皆
日不任詣彼問疾

維摩詰經卷第一

BD00814 號　維摩詰所說經卷上　（21–20）

一分奉彼難勝如來一切衆會皆見光明
國土難勝如來又見珠瓔在彼佛上變成四
柱寶臺四面嚴飾不相鄣蔽時維摩詰現
神變已作是言若施主等心施一最下乞人猶
如如來福田之相無所分別等于大悲不求
果報是則名曰具足法施城中一最下乞人
見是神力聞其所說即發阿耨多羅三藐三
菩提心故我不任詣彼問疾如是諸菩薩
各各向佛說其本緣稱述維摩詰所言皆
日不任詣彼問疾

維摩詰經卷第一

(21–21)

BD00814 號　維摩詰所說經卷上

波羅蜜因
提心因如是十因汝當修學
善男子依五種法菩薩摩訶薩成就布施波
羅蜜云何為五一者信根二者慈悲三者无
求欲心四者攝受一切衆生五者願求一切智
智善男子是名菩薩摩訶薩成就布施波
羅蜜善男子復依五法菩薩摩訶薩成就持
戒波羅蜜云何為五一者三業清淨二者不
為一切衆生作煩惱因緣三者閉諸惡道開
善趣門四者過於聲聞獨覺之地五者一切
功德皆悉滿足善男子是名菩薩摩訶薩
成就持戒波羅蜜善男子復依五法菩薩摩訶
薩成就忍辱波羅蜜云何為五一者能伏貪
瞋煩惱二者不惜身命不求安樂止息之想
三者思惟往業遭苦能忍四者發慈悲心成
就衆生諸善根故五者為得甚深无生法忍
善男子是名菩薩摩訶薩成就忍辱波羅蜜
善男子復依五法菩薩摩訶薩成就勤策波
羅蜜云何為五一者與諸煩惱不樂共住二者
福德未具不受安樂三者於諸難行苦行
之事不生厭心四者以大慈悲攝受利益方
便成熟一切衆生五者願求不退轉地善男
子是名菩薩摩訶薩成就勤策波羅蜜善男

(6–1)

BD00815 號　金光明最勝王經卷四

福德未具不受安樂三者於諸難行苦行
之事不生厭心四者以大慈悲攝受利益方
便成熟一切衆生五者願求不退轉地善男
子是名菩薩摩訶薩成就勤策波羅蜜善男
子復依五法菩薩摩訶薩成就靜慮波羅蜜
云何為五一者於諸善法攝令不散故二者
常願解脫不著二邊故三者願得神通成就
衆生諸善根故四者為淨法界蠲除心垢故
五者為斷衆生煩惱根本故善男子是名菩
薩摩訶薩成就靜慮波羅蜜善男子復依五
法菩薩摩訶薩成就智慧波羅蜜云何為五
一者常於一切諸佛菩薩及明智者供養親
近不生厭背二者諸佛如來說甚深法心常
樂聞无有厭足三者真俗勝智樂善分別四
者見脩煩惱咸速斷除五者世間伎術五明
之法皆悉通達善男子是名菩薩摩訶薩成
就智慧波羅蜜善男子復依五法菩薩摩訶
薩成就方便波羅蜜云何為五一者於一切
衆生意樂煩惱心行差別悉皆通達二者无
量諸法對治之門心皆曉了三者大慈悲定
出入自在四者於諸波羅蜜多皆願脩行成
熟滿足五者一切佛法皆願了達攝受无遺
善男子是名菩薩摩訶薩成就方便勝智波
羅蜜善男子復依五法菩薩摩訶薩成就願
波羅蜜云何為五一者於一切法從本以来
不生不滅非有非无心得安住二者觀一切
法最妙理趣離垢清淨心得安住三者過

BD00815號　金光明最勝王經卷四　（6–2）

羅蜜善男子復依五法菩薩摩訶薩成就願
波羅蜜云何為五一者於一切法從本以来
不生不滅非有非无心得安住二者觀一切
法最妙理趣離垢清淨心得安住三者過
一切相心本真如无作无行不異不動心得安
住四者為欲利益諸衆生事於俗諦中心得
安住五者於奢摩他毗鉢舍那同時運行心
得安住善男子是名菩薩摩訶薩成就願波
羅蜜善男子復依五法菩薩摩訶薩成就力
波羅蜜云何為五一者以正智力能了一切
衆生心行善惡二者能令一切衆生入於甚
深微妙之法三者一切衆生輪迴生死隨其
緣業如實了知四者於諸衆生三種根性以
正智力能分別知五者於諸衆生如理為說
令種善根成熟度脫皆是智力故善男子是
名菩薩摩訶薩成就力波羅蜜善男子復依
五法菩薩摩訶薩成就智波羅蜜云何為五
一者能於諸法分別善惡二者於黑白法遠
離攝受三者能於生死涅槃不厭不喜四者
具福智行至究竟處五者受勝灌頂能得諸
佛不共法等及一切智智善男子是名菩薩
摩訶薩成就智波羅蜜善男子何者是波羅
蜜義所謂脩習勝利是波羅蜜義滿足无量
大甚深智是波羅蜜義行非行法心不執著
是波羅蜜義生死過失涅槃功德正覺正觀
是波羅蜜義愚人智人皆悉攝受是波羅蜜
義能現種種珎妙法寶是波羅蜜義无礙解
脫智慧滿足是波羅蜜義法界衆生界正分

BD00815號　金光明最勝王經卷四　（6–3）

是波羅蜜義生死過失涅槃功德正覺正觀
是波羅蜜義愚人智人皆悉攝受是波羅蜜
義能現種種珎妙法寶是波羅蜜義无礙解
脫智慧滿足是波羅蜜義法界衆生界正分
別知是波羅蜜義施等及智能令至不退轉
是波羅蜜義无生法忍能令滿足是波羅蜜
義一切衆生功德善根能令成熟是波羅蜜
義能於菩提成佛十力四无所畏不共法等
皆悉成就是波羅蜜義生死涅槃了无二相
是波羅蜜義濟度一切是波羅蜜義一切外
道來相詰難善能解釋令其降伏是波羅蜜
義能轉十二妙行法輪是波羅蜜義无所著
无所見无患累是波羅蜜多義
善男子初地菩薩是相先現三千大千世界
无量无邊種種寶藏无不盈滿菩薩悉見善
男子二地菩薩是相先現三千大千世界地
平如掌无量无邊種種妙色清淨珎寶莊嚴
之具菩薩悉見善男子三地菩薩是相先現
自身勇健甲仗莊嚴一切怨賊皆能摧伏菩
薩悉見善男子四地菩薩是相先現四方風
輪種種妙花悉皆散灑充布地上菩薩悉見
善男子五地菩薩是相先現有妙寶女衆寶
瓔珞周遍嚴身首冠名花以為其飾菩薩悉
見善男子六地菩薩是相先現七寶花池有
四階道金砂遍布清淨无穢八功德水皆悉
盈滿嗢鉢羅花拘物頭花分陁利花隨處莊
嚴於花池所遊戲快樂清涼无比菩薩悉見
善男子七地菩薩是相先現於菩薩前有諸

BD00815號　金光明最勝王經卷四　（6–4）

四階道金砂遍布清淨无穢八功德水皆悉
盈滿嗢鉢羅花拘物頭花分陁利花隨處莊
嚴於花池所遊戲快樂清涼无比菩薩悉見
善男子七地菩薩是相先現於菩薩前有諸
衆生應墮地獄以菩薩力便得不墮无有損
傷亦无恐怖菩薩悉見善男子八地菩薩是
相先現於身兩邊有師子王以為衛護一切
衆獸悉皆怖畏菩薩悉見善男子九地菩薩
是相先現轉輪聖王无量億衆圍繞供養頂
上白蓋无量衆寶之所莊嚴菩薩悉見善男
子十地菩薩是相先現如來之身金色晃耀
无量淨光悉皆圓滿有无量億梵王圍繞恭
敬供養轉於无上微妙法輪菩薩悉見
善男子云何初地名為歡喜謂初證得出世
之心昔所未得而今始得於大事用如其所
願悉皆成就生極喜樂是故最初名為歡喜
諸微細垢犯戒過失皆得清淨是故二地名
為无垢无量智慧三昧光明不可傾動无能
摧伏聞持陁羅尼以為根本是故三地名為
明地以智慧火燒諸煩惱增長光明修行覺
品是故四地名為燄地修行方便勝智自在
極難得故見修煩惱難伏能伏是故五地名為
難勝行法相續了了顯現无相思惟皆悉
現前是故六地名為現前无漏无間无相思
惟解脫三昧遠修行故是地清淨无有障礙
是故七地名為遠行无相思惟脩得自在諸
煩惱行不能令動是故八地名為不動說一
切法種種差別皆得自在无患无累增長智

BD00815號　金光明最勝王經卷四　（6–5）

爲无垢无量智惠三昧光明不可傾動无能
摧伏聞持陁羅尼以爲根本是故三地名爲
明地以智惠大燒諸煩惱增長光明修行覺
品是故四地名爲燄地修行方便勝智自在
難得故見修煩惱難伏能伏是故五地名爲
難勝行法相續了了顯現无相思惟皆悉
現前是故六地名爲現前无漏无間无相思
惟解脫三昧遠修行故是地清淨无有障礙
是故七地名爲遠行无相思惟脩得自在諸
煩惱行不能令動是故八地名爲不動說一
切法種種差別皆得自在无患无累增長智
惠自在无礙是故九地名爲善惠法身如虛
空智惠如大雲皆能遍滿覆一切故是故第
十名爲法雲
善男子執著有相我法无明怖畏生死惡趣

BD00815 號　金光明最勝王經卷四　（6–6）

空澤池時長者子見其子還心生歡喜踊躍
无量從子邊取飲食之物散著池中與魚
食已即自思惟我今已能與此魚食令其飽
滿未來之世當施法食復更思惟曾聞過去
空閑之處有一比丘讀誦大乘方等經典其經
中說若有衆生臨命終時得聞寶勝如來名
号即生天上我今當爲是十千魚解脫甚深
十二因緣亦當稱說寶勝佛名時閻浮提中有
二種人一者深信大乘方等二者毀呰不生信
樂時長者子作是思惟我今當入池水之
中爲是諸魚說深妙法思惟是已即便入水
作如是言南无過去寶勝如來應供正遍知明
行足善逝世間解无上士調御丈夫天人師佛
世尊寶勝如來本往昔時行菩薩道作是
誓願若有衆生於十方界臨命終時聞我名
者當令是輩即命終已尋得上生三十三天
尒時流水復爲是魚解脫如是甚深妙法所
謂无明緣行行緣識識緣名色名色緣六入六
入緣觸觸緣受受緣愛愛緣取取緣有有緣
生生緣老死憂悲苦聚善女天尒時流水長
者子及其二子說是法已即共還家是長

BD00816 號 A　金光明經卷四　（2–1）

衆時長者子作是思惟我今當入池水之
中爲是諸魚説深妙法思惟是已即便入水
作如是言南无過去寶勝如來應供正遍知明
行足善逝世間解无上士調御丈夫天人師佛
世尊寶勝如來本往昔時行菩薩道作是
誓願若有衆生於十方界臨命終時聞我名
者當命是輩即命終已尋得上生三十三天
尒時流水復爲是魚解脱如是甚深妙法所
謂无明緣行行緣識識緣名色名色緣六入六
入緣觸觸緣受受緣愛愛緣取取緣有有緣
生生緣老死憂悲苦聚善女天尒時流水長
者子及其二子説是法已即共還家是長
者子復於後時賓容聚會醉酒而卧尒時其
地卒大震動時十千魚同日命終即令終已生
切利天既生天已作是思惟我等以何善
業因緣得生於此忉利天中復相謂言我等
先於閻浮提内墮畜生中受於魚身流水長
者與我等水及以飲食復爲我等解脱甚深
十二因緣并稱寶勝如來名号以是因緣令

BD00816 號 A　金光明經卷四

（2–2）

觀世音菩薩言仁者愍我等故受此瓔珞尒
時佛告觀世音菩薩當愍此无盡意菩薩及
四衆天龍夜叉乾闥婆阿脩羅迦樓羅緊那
羅摩睺羅伽人非人等故受是瓔珞即時觀
世音菩薩愍諸四衆及於天龍人非人等受
其瓔珞分作二分一分奉釋迦牟尼佛一分
奉多寶佛塔无盡意觀世音菩薩有如是自
在神力遊於娑婆世界尒時无盡意菩薩以
偈問曰
世尊妙相具　我今重問彼　佛子何因緣　名為觀世音
具足妙相尊　偈荅无盡意　汝聽觀音行　善應諸方所
弘誓深如海　歷劫不思議　侍多千億佛　發大清淨願
我為汝略説　聞名及見身　心念不空過　能滅諸有苦
假使興害意　推落大火坑　念彼觀音力　火坑變成池
或漂流巨海　龍魚諸鬼難　念彼觀音力　波浪不能没
或在須弥峯　為人所推墮　念彼觀音力　如日虚空住
或被惡人逐　墮落金剛山　念彼觀音力　不能損一毛
或值怨賊遶　各執刀加害　念彼觀音力　咸即起慈心
或遭王難苦　臨刑欲壽終　念彼觀音力　刀尋段段壞
或囚禁枷鎖　手足被杻械　念彼觀音力　釋然得解脱
呪咀諸毒藥　所欲害身者　念彼觀音力　還著於本人
或遇惡羅刹　毒龍諸鬼等　念彼觀音力　時悉不敢害

（2–1）

BD00816 號 B　妙法蓮華經卷七

[illegible]寶佛塔无盡意觀世音菩薩有如是自
在神力遊於娑婆世界尒時无盡意菩薩以
偈問曰
世尊妙相具　我今重問彼　佛子何因緣　名為觀世音
具足妙相尊　偈荅无盡意　汝聽觀音行　善應諸方所
弘誓深如海　歷劫不思議　侍多千億佛　發大清淨願
我為汝略說　聞名及見身　心念不空過　能滅諸有苦
假使興害意　推落大火坑　念彼觀音力　火坑變成池
或漂流巨海　龍魚諸鬼難　念彼觀音力　波浪不能沒
或在須彌峯　為人所推墮　念彼觀音力　如日虛空住
或被惡人逐　墮落金剛山　念彼觀音力　不能損一毛
或值怨賊遶　各執刀加害　念彼觀音力　咸即起慈心
或遭王難苦　臨刑欲壽終　念彼觀音力　刀尋段段壞
或囚禁枷鎖　手足被杻械　念彼觀音力　釋然得解脫
呪詛諸毒藥　所欲害身者　念彼觀音力　還著於本人
或遇惡羅剎　毒龍諸鬼等　念彼觀音力　時悉不敢害
若惡獸圍遶　利牙爪可怖　念彼觀音力　疾走无邊方
蚖蛇及蝮蠍　氣毒煙火然　念彼觀音力　尋聲自迴去
雲雷鼓掣電　降雹澍大雨　念彼觀音力　應時得消散
眾生被困厄　无量苦逼身　觀音妙智力　能救世間苦
具足神通力　廣脩智方便　十方諸國土　无剎不現身
種種諸惡趣　地獄鬼畜生　生老病死苦　以漸悉令滅

BD00816 號 B　妙法蓮華經卷七

（2–2）

但一心念　說法因緣　願成佛道　令眾亦尒
是則大利　安樂供養　我滅度後　若有比丘
能演說斯　妙法華經　心无嫉恚　諸惱障礙
亦无憂愁　及罵詈者　又无怖畏　加刀杖等
亦无擯出　安住忍故　智者如是　善脩其心
能住安樂　如我上說　其人功德　千万億劫
筭數譬喻　說不能盡
又文殊師利菩薩摩訶薩於後末世法欲滅時
受持讀誦斯經典者无懷嫉妬諂誑之心亦勿
輕罵學佛道者求其長短若比丘比丘尼優婆
塞優婆夷求聲聞者求辟支佛者求菩薩
道者无得惱之令其疑悔語其人言汝等去道
甚遠終不能得一切種智所以者何汝是放逸
之人於道懈怠故又亦不應戲論諸法有所諍競
當於一切眾生起大悲想於諸如來起慈父想
於諸菩薩起大師想於十方諸大菩薩常應深
心恭敬禮拜於一切眾生平等說法以順法故不
多不少乃至深愛法者亦不為多說文殊師利是
菩薩摩訶薩於後末世法欲滅時有成就是第三
安樂行者說是法時无能惱亂得好同學共讀
誦是經亦得大眾而來聽受聽已能持持已能
誦誦已能說說已能書若使人書供養經卷恭敬

BD00817 號　妙法蓮華經卷五

（2–1）

受持讀誦斯經典者无懷嫉妬諂誑之心亦勿
輕罵學佛道者求其長短若比丘比丘尼優婆
塞優婆夷求聲聞者求辟支佛者求菩薩
道者无得惱之令其疑悔語其人言汝等去道
甚遠終不能得一切種智所以者何汝是放逸
之人於道懈怠故又亦不應戲論諸法有所諍競
當於一切衆生起大悲想於諸如來起慈父想
於諸菩薩起大師想於十方諸大菩薩常應深
心恭敬礼拜於一切衆生平等說法以順法故不
多不少乃至深愛法者亦不爲多說文殊師利是
菩薩摩訶薩於後末世法欲滅時有成就是第三
安樂行者說是法時无能惱亂得好同學共讀
誦是經亦得大衆而來聽受聽已能持持已能
誦誦已能說說已能書若使人書供養經卷恭敬
尊重讚歎尒時世尊欲重宣此義而說偈言
若欲說是經　當捨嫉恚慢　諂誑耶僞心　常脩質直行
不輕蔑於人　亦不戲論法　不令他疑悔　云汝不得佛
是佛子說法　常柔和能忍　慈悲於一切　不生懈怠心
十方大菩薩　愍衆故行道　應生恭敬心　是則我大師
於諸佛世尊　生无上父想　破於憍慢心　說法无障礙

BD00817號　妙法蓮華經卷五　（2–2）

劫
南无日輪光明勝佛
若人受持是佛菩薩
南无普寶蓋佛
若善男子受持是佛
大劫常現諸佛菩薩前生不復作五逆罪
南无三昧勝奮迅佛
若善男子受持是佛名得千三昧超越世
間无量千劫同弥勒菩薩功德
南无寶俱蘇摩身光明勝佛
若人受持讀誦是佛名超越世間不可數劫
南无寂勝波頭奮迅勝佛
若人受持是佛名超越世間卅劫
南无无量香勝王佛
若善男子受持是佛名超越世間无量劫
常得宿命
南无寶華奮迅如來
若人受持讀誦是佛名得千三昧諸衆生
歸命是人爲諸佛如來所讚歎是人超越
世間千劫不久轉法輪
南无大光明如來

BD00818號　佛名經（十六卷本）卷八　（6–1）

若人受持讀誦是佛名得千三昧諸衆生
歸命是人爲諸佛如来所讚歎是人超越
世間千劫不久轉法輪
南无大光明如来
若善男子受持是佛名超越世間卌劫
南无寶藏佛
若善男子受持是佛名超越世間六十劫
南无寶勝佛
若善男子受持是佛名若復有人捨七寶
如須弥山以用布施及恒河沙世界若復
有人受持讀誦是佛名此福勝彼
南无名降伏魔人勝佛　南无降伏貪人自在佛
南无降伏瞋勝人佛　南无降伏癡自在佛
南无降伏淬魔人勝佛　南无降伏限自在佛
南无嫉人勝佛　南无降伏諂曲自在佛
南无降伏邪見人勝佛　南无降伏戲自在佛
南无法清淨人勝佛　南无業勝得名自在佛
南无如意通清淨得名人勝佛
南无起施得名自在佛
南无起持戒清淨名人勝佛
南无起忍辱得名自在名佛
南无起精進得名人勝佛
南无施思惟得名自在勝佛
南无起思惟得名人勝佛
南无法忍辱思惟得名自在佛
南无起思惟精進得名人勝佛

南无放思惟得名自在勝佛
南无起思惟得名人勝佛
南无法忍辱思惟得名自在佛
南无起思惟精進得名人勝佛
南无起禪成就自在佛
南无起般若得名人勝佛
南无禪思惟得名自在佛
南无般若思惟得名人勝佛
南无行不可思議得名自在勝佛
南无行不可思議得名人勝佛
南无行起得名自在佛
南无揔持智清淨光明人勝佛
南无揔持色清淨得名自在佛
南无陁羅尼性清淨自在勝佛
南无陁羅尼稱清淨得名人勝佛
南无陁羅尼施清淨得名自在佛
南无空行得名人勝佛
南无空无我得名自在佛　南无眼光明人勝佛
南无耳光明人自在佛　南无鼻光明人勝佛
南无舌光明自在佛　南无身光明人勝佛
南无心光明自在佛　南无色光明人勝佛
南无聲光明自在佛　南无降伏香人勝佛
南无味光明自在佛　南无觸光明人勝佛
南无法光明自在佛　南无炎光明人勝佛
南无讚歎光明自在佛　南无火光明人勝佛
南无風光明自在佛　南无光明人勝佛
南无事光明自在佛　南无世光明人勝佛

南无法光明自在佛　南无炎光明人勝佛
南无讚歎光明自在佛　南无火光明人勝佛
南无風光明自在佛　南无光明人勝佛
南无事光明自在佛　南无世光明人勝佛
南无掖告自在佛　南无陰光明人勝佛
南无烝光明自在佛　南无不二光明人勝佛
南无生光明自在佛　南无聲光明人勝佛
南无地華光明自在佛　南无賜光明人勝佛
南无香蓋光明自在佛　南无永光明人勝佛
南无成就義佛　南无畏王佛
南无不動佛　南无觀世自在佛
南无无量命佛　南无尼弥佛
南无炎弥留佛　南无金剛佛

從此以上六千五百佛十二部經一切賢聖

南无初出日燃燈月華寶波頭摩金光明身盧舍那放无㝵寶光明照十方世界王佛
南无降伏龍佛　南无善調心佛
南无寶聚佛　南无火首佛
南无炎積佛　南无一切光明佛
南无日光佛　南无不可思議佛
南无无邊精進佛　南无无邊思惟佛
南无金色華佛　南无善香香佛
南无淨行佛　南无无漏佛
南无无邊智佛　南无賢身佛
南无賢佛　南无見佛

南无淨行佛　南无无漏佛
南无无邊智佛　南无賢身佛
南无賢佛　南无見佛
南无无邊威德佛　南无次佛
南无堅安隱佛　南无莎羅佛
南无得名佛　南无波頭摩勝佛
南无稱蓮華佛　南无華佛
南无莊嚴佛　南无奮迅佛
南无善見佛　南无善敵對佛
南无善護世佛　南无无邊威德佛
南无第一勝佛　南无善行佛
南无无量威德佛　南无妙勝佛
南无勝供養佛　南无火奮迅智聲自在王佛
南无電光佛　南无照一切佛
南无不可思議佛　南无无量色佛
南无无量光佛　南无善光華數身佛
南无須弥山波頭摩勝王佛
南无求名發聲脩行佛
南无一切寶摩尼王放光明佛
南无无垢炎稱成就王佛　南无香寶光明佛
南无離諸煩惱佛　南无善知佛
南无善見佛　南无寶山莊嚴佛
南无慈行佛　南无閻浮檀幢佛
南无无邊智佛　南无无量威德佛
南无大稱佛　南无寶稱佛

南无一十[illegible]

南无无垢炎稱成就王佛　南无香寶光明佛
南无離諸煩惱佛　南无善知佛
南无善見佛　南无寶山莊嚴佛
南无慈行佛　南无閻浮檀幢佛
南无无邊智佛　南无无量威德佛
南无大稱佛　南无寶稱佛
南无火光明佛　南无火光明佛
南无電照光明佛　南无一切種照佛
南无不可量佛　南无日光佛
南无月照佛　南无功德海佛
南无具足功德佛　南无上行佛
南无无畏佛　南无師子幢佛
南无帝釋幢佛　南无火幢佛
南无善眼佛　南无莊嚴王佛
南无放光明光佛　南无无邊光佛
南无妙光佛　南无普護增上佛
南无雲自在佛　南无自在憶佛
南无日燈佛　南无寂佛
南无善生佛　南无无邊不可思議威德佛

BD00818號　佛名經（十六卷本）卷八　（6–6）

[illegible]
嵬時患無須赴火救[illegible]
如来長從之趣懸彼[illegible]
豪剎為始學二乘之[illegible]
後為久脩梵行大士[illegible]
一佛寶即有法僧善[illegible]
開七寶可以濟命是[illegible]
能續行者智慧身命[illegible]
佛現王宮二應法身[illegible]
行苦行道場樹下始[illegible]
為佛佛名覺者僧名[illegible]
名為僧僧有二種一[illegible]
无為邪名為僧得无[illegible]
空无為迷惑相續證[illegible]
根共住和合不諍以[illegible]
子法者一切善惡之[illegible]
惡法可離善法可崇[illegible]
故佛僧二寶人果體[illegible]
何以耶別或有人言[illegible]
人行之人之所得五[illegible]

BD00819號　大通方廣懺悔滅罪莊嚴成佛經卷中　（13–1）

故佛僧二寶人果體則
何以取別或有人言此
人行之人之所得五分
法寶此義不然何以故
得成於人離法无人何得
釋人法有同有異以法成
故說五分法身十力无畏
好諸波羅蜜无量三昧以
說為僧寶此諸功德有為
為軌用復名法用此則同
法體異佛僧如是法寶已
得免三界生死怖畏一切仁
若未盡是故為說至極三寶明昔
佛有苦法是无常僧亦无常是苦非
今說常住行者覺了法性理空永
有生滅動求之皆為真依處名為
常法軌用至極名真法寶常住行
性證常住无為故名為僧亦以八術
凡聖衆一切和合永无諍訟故名僧寶昔日
三寶異人別法今之三寶於一佛體亦為法
僧以是義故我為汝說一相三寶令諸衆生
趣向一乘
信相菩薩白佛言世尊當觀何事 於大乘
佛言善男子當觀三界无常以求大乘信相
菩薩復白佛言云何名為觀於无常佛言欲
觀无常除其煩惱當行正念慈悲為首說法
度人而不取證是名菩薩不捨衆生為求大
乘善男子譬如一城縱廣一由旬多有諸門

佛言善男子當觀三界无常以求大乘信相
菩薩復白佛言云何名為觀於无常佛言欲
觀无常除其煩惱當行正念慈悲為首說法
度人而不取證是名菩薩不捨衆生為求大
乘善男子譬如一城縱廣一由旬多有諸門
路嶮黑闇甚可怖畏有入此城受於快樂復
有一人唯有一子愛之甚重遙聞彼城受樂
无量即便捨子欲入此城是人方便得過嶮
道到彼城門一足已入未舉一足即念其子
尋作是念我唯一子來時云何竟不將來誰
能養護令離衆苦即捨樂城還向子所善男
子菩薩慈悲亦復如是為憐愍故脩集五通
既脩集已悉得盡漏而不取證何以故愍衆
生故捨漏盡五通乃至行於凡夫地中善男
子城者喻於大乘解脫樂多諸門者喻於八
万四千諸三昧路嶮難者喻諸魔道到城門
者喻於五通一足入者喻於智慧一足未入
喻諸菩薩未證解脫言一子者喻於五道一
切衆生顧念子者喻大悲心還子所者喻調
衆生寶得解脫不取證者即是方便善男子
是故菩薩摩訶薩大慈大悲救攝不捨不可
思議復次善男子菩薩大士從初發心乃至
菩提常為衆生受十善法何等為十一不殺
生二不偷盜三不婬泆四不妄語五不兩舌
六不惡口七不无義語八不貪嫉九不瞋惱
十不邪見菩薩如是慈悲具足慈能教善見
世所樂悲能濟苦地獄度之見諸衆生求涅
槃門不能知處菩薩應當於此衆生脩集慈

十不耶見菩薩如是慈悲具足慈能教善見
世所樂悲能濟苦地獄度之見諸衆生求涅
槃門不能知處菩薩應當於此衆生脩集慈
悲悲因緣故爲諸衆生開大涅槃門顯示安
隱處使得大乘果是名菩薩摩訶薩行信相
菩薩復白佛言世尊云何正念荅曰當行不
生不燃法世尊何法不生何法不燃善男子
使惡法不生善法不燃若脩此行行於三界
結習五欲无能爲汙善男子欲行三界濟度
衆生應以十法遊三界中順世俗文字說有
三世无上菩提不在三世究竟菩提不隨衆
數何況三世三界中何等爲十一者於譽於
毀心无增减二者若聞善惡心无分別三者
於諸愚癡等以悲心四者見上下衆生意常
平等五者於蚑數伏養心无有二六者於他
闕失莫見其過七者見種種乘皆是一乘八
者若聞三惡不勿驚怖九者於諸菩薩生如
來相十者佛出五濁生命有相菩薩若行此
行遊於三界煩惱結習无能爲害菩薩大士
遊三界中以大悲爲本處此穢土和光不同
塵是名難思議若人於淨國持戒滿一劫此
土須臾間行慈爲最勝若人於此土起身口
意罪應墮三惡道現世受得除菩薩生此土
不應懷憂怖設有惡道罪頭痛則得除所以
者何若人欲速得滅除煩惱罪雖生此惡土
謙法增智慧億劫在淨土受持淨戒行不如
在此土從旦至明日我見阿閦國西方安樂
土二國甚淨清不无苦惱名於彼作功德未

BD00819號　大通方廣懺悔滅罪莊嚴成佛經卷中　（13–4）

者何若人欲速得滅除煩惱罪雖生此惡土
謙法增智慧億劫在淨土受持淨戒行不如
在此土從旦至明日我見阿閦國西方安樂
土二國甚淨清不无苦惱名於彼作功德未
是以爲奇若人於此土能忍不可事不教前
人忍其福甫爲勝是故諸菩薩行於此惡土
濟度諸衆生勿懷煩惱憂既回菩提心必得
无上道
尒時虛空藏菩薩白佛言世尊我等今者欲
聞菩薩菩提因緣若佛聽許當敢發問佛言
善哉善哉善男子汝於无量百千佛所種諸
善根久違菩薩所行方便爲諸菩薩問於既
回菩提之行隨意快問吾當爲汝分別解說
虛空藏菩薩已蒙許可白佛言世尊何謂菩
薩其心既回而无疲倦何謂菩薩所言決定
而不中悔何謂菩薩增長善根何謂菩薩无
所怨畏威儀不轉何謂菩薩成就善法何謂
菩薩善知從一地至於十地何謂菩薩善知
方便何謂菩薩善化衆生何謂菩薩世世不
失菩提之心何謂菩薩能行一心而不雜行
何謂菩薩善求法寶何謂菩薩善出家棄犯
律之罪何謂菩薩能斷煩惱何謂菩薩善能
隨順入諸大衆何謂菩薩善闡法門何謂菩
薩先得回力不失善根何謂菩薩不由他教
而能自行六波羅蜜何謂菩薩能捨禪定現
生欲界何謂菩薩於諸佛法得不退轉何謂
菩薩行於三界教化衆生使增善根不絕佛
性

BD00819號　大通方廣懺悔滅罪莊嚴成佛經卷中　（13–5）

生欲界何謂菩薩於諸佛法得不退轉何謂
菩薩行於三界教化衆生使增善根不斷佛
性
尒時世尊讚虛空藏菩薩言善哉善哉能問
如來菩薩之事汝今諦聽善思念之唯然世
尊願樂欲聞領納聽受佛告虛空藏菩薩有
四法既固其心而不疲倦何等為四一者於
諸衆生起大悲心二者精進不懈三者信解
生死如夢四者正意思惟佛之智慧菩薩有
此四法既固其心而不疲倦復有四法所言
決定而不中悔何等為四一者決定說法了
知无我二者決定說諸生處无可樂相三
者決定常讚大乘四者決定說罪福業不失
果報是名為四復有四法增長善根何等為
四一者持戒二者多聞三者布施四者出家
是名為四菩薩復有四法无所怖畏威儀不
轉何等為四一者失利二者惡名三者毀辱
四者苦惱是名為四菩薩復有四法成就白
法何等為四一者教人令信罪福二者布施
不求果報三者守護正法四者以是智慧教
諸菩薩是名為四善男子復有四法善能了
知從一地至於十地一者久種善根二者離
諸過咎三者善知方便四者勤行精進迴向
菩提是名為四善男子復有四法善知方便
何等為四一者順衆生意二者於他功德起
隨喜心三者有四悔過四者勸請諸佛轉大
法轉是名為四善男子復有四法善化衆生
何等為四一者常求利安衆生二者自捨己

何等為四一者順衆生意二者於他功德起
隨喜心三者有四悔過四者勸請諸佛轉大
法轉是名為四善男子復有四法善化衆生
何等為四一者常求利安衆生二者自捨己
樂三者和柔忍辱四者除憍慢是名為四善
男子復有四法能世世不失菩提之心何等
為四一者常憶念十方一切諸佛二者所作
功德等以施之一切衆生常為菩提三者親
近善知識四者稱揚大乘是名為四善男子
復有四法能其一心而无雜行何等為四一
者離聲聞心二者離辟支佛心三者求法无
厭四者如所聞法廣為人說是名為四善男
子復有四法善求法實何等為四一者於大
法中而生實相以難得故二者於大法中生
於藥相療衆生病故三者於求法中生財利
想以不失故四者於大法中生滅苦相至涅
槃故是名為四善男子復有四法善出毀辱
煩惱之罪何等為四一者得无生法忍以諸
法无來故二者得无滅忍以諸法无去故三
者得因緣忍知諸法因緣生故四者得住忍
无異相續故是名為四善男子復有四法善
斷煩惱何等為四一者正憶念二者斷諸根
三者能得善法力故四者獨處遠離故是名
為四善男子復有四法善能隨順入諸大衆
何等為四一者求法不求勝故二者常生恭
敬心无憍慢三者唯求法利不自顯現四者
教人善法不求名利是名為四善男子復有

何等為四一者求法不求勝故二者常生恭
敬心无憍慢三者唯求法利不自顯現四者
教人善法不求名利是名為四善男子復有
四法善開法施何等為四一者守護正法二
者自益智慧不益前人三者常行善人之法
四者示人清淨青白是名為四善男子復有
四法得先因力不失善根何等為四一者見
他人闕不以為愚二者於瞋怒人常脩慈心
三者常說諸因緣四者常念无上菩提是名
為四善男子復有四法不由他教而能自行
六波羅蜜何等為四一者常以法施施導与
人二者不說他人毀禁之罪三者善知備法
教化衆生四者解達深法是名為四善男子
復有四法能捨禪定現生欲界何等為四一
者其心柔濡二者能得諸善根力三者不捨
一切衆生四者常能善脩智慧方便之力是
名為四善男子復有四法於諸佛法得不退
轉何等為四一者雖受无量生死二者常能
供養无量諸佛三者脩行无量慈心四者信
解无量佛慧是名為四善男子復有四法不
斷佛性何等為四一者為諸衆生不退本願
二者受信施行三者大欲精進四者常能係
心行於佛道是名菩薩摩訶薩遊於三界行
種種四行利益衆生常脩出世不斷佛性說
是大乘四法之時四万天人皆發三菩提心
二万五千人得无生法忍四万八千菩薩得
達法界忍善入佛慧

是大乘四法之時四万天人皆發三菩提心
二万五千人得无生法忍四万八千菩薩得
達法界忍善入佛慧
尒時佛告虛空藏菩薩摩訶薩言汝今應當
受持是經虛空藏菩薩白佛言世尊當何名
之云何奉持佛言此經名為大通方廣能破
魔境壞外道軍消除煩惱能解五欲縛見繫
縛破三界樣放諸生死向涅槃舍潤益久涸
正因種子雨大緣因六度法雨增長衆生三
乘身花成就一乘菩提極果善男子汝聞經
名我說如是汝當受持
尒時虛空藏菩薩白佛言世尊我從過去无
量佛所无量會處无量衆中聞種種法種種
事種種相種種乘未曾聞此希有之法希有
之事希有之相希有大乘我當受持使不斷
絕世尊如來常住法僧不滅三界衆生自生
自滅不見如來及以法僧唱言滅度我等今
者承佛威神遊於三界順俗時宜假唱滅度
世尊我等今者於佛滅後當与八万久遠慧
法身大士流通此經使法界衆生受持讀誦
如說脩行一時成佛猶不放捨世尊若善男
子善女人於佛滅後濁惡世中若有受持讀
誦書寫經卷得幾所福
佛言善男子若人以三千大千世界滿中珎
寶以用布施不如聞此經名福勝於彼復置
是事若人以十千世界滿中珎寶以用布施

誦書寫經卷得獲所福
佛言善男子若人以三千大千世界滿中珎
寶以用布施不如聞此經名福勝於彼復置
是事若人以十千世界滿中珎寶以用布施
不如有人攝持經卷福多於彼復置是事若
人以十方世界滿中珎寶以用布施不如有
人書寫大乘方廣經典乃至一字一句或復
一偈福多於彼復置是事雖施无量國珎寶
不如至心讀誦一偈復置是事雖施十千世
界滿中衆生命不如至心解義一句為人說
一偈之義福勝於彼所以者何財食布施是
世間布施長養性命不出世間大乘法施長
養衆生皆從道根能續三乘智慧常命善男
子讀持是經者今雖愚人今是善人今雖苦
人今是樂人今雖縛人今是脫人今雖未度
今是度人今雖无智今是論師今雖有漏今
是无漏今雖凡行今是聖行今雖失道今入
聖道身雖凡夫讀持是經智同聖慧今雖煩
惱讀持是經共諸佛如來同有涅槃
虛空藏菩薩白佛言世尊如佛所說今是凡
行今是聖行今是煩惱讀持是經共諸佛如
來同有涅槃破戒五逆誹謗正法讀持是經
斷除煩惱同得涅槃此義難明唯願世尊當
為說之佛言善哉善哉善男子汝能善聞我
能善答善男子一切衆生以不值佛故即見
犯戒誹謗正法若佛在世終无犯戒誹謗正
法何以故譬如長者唯有一子愛之甚重若
父在時日夜教令事事順之其子孝順受父
教令都无所犯若父遠行不時來還其子忘

BD00819號　大通方廣懺悔滅罪莊嚴成佛經卷中　（13–10）

犯戒誹謗正法若佛在世終无犯戒誹謗正
法何以故譬如長者唯有一子愛之甚重若
父在時日夜教令事事順之其子孝順受父
教令都无所犯若父遠行不時來還其子忘
悟多有所犯以不時來唱言死滅悲啼嘷哭
復似起逆慳慢失心忘父今教似若不順謂
如謗法其父久時遠行來歸而子歡喜憶父
本教受持不犯以得見父信知不死不名隨
逆從父今勅順教而行不名誹謗善男子長
者者即是如來一子者即是一切衆生令者
即是教戒遠行者即是餘化不見父時即是
唱滅慳惱故即是鄣蔽不持故即是犯戒唱
滅故即是逆罪迷理故即是誹謗如來世尊
餘化迴來衆生見之即生信心知佛不滅佛
為說法還得本心不名犯戒以知不滅不名
隨逆順教而行於理得解不名謗法善男子
讀持是經者即能消除无量生死煩惱重愆
之罪聞是經名即得聞佛見是經者即得見
佛持是經者即持佛身行是經者即行佛事
說是經者即說佛事解是經者即解佛義若
行佛事善解佛義如此之人永无煩惱何以
故得值是經斷除煩惱善男子若八万劫以
為一日以是卅日為一月十二月為一歲以
此歲數過百千億劫得值一佛復過是數得
值一佛此經難值復過於是得值此經即值
十方三世諸佛是故智者受持讀誦書寫解
說能除即見无明煩惱結漏重罪住於福田
張肖世間无量供養虛空藏菩薩白佛言世

BD00819號　大通方廣懺悔滅罪莊嚴成佛經卷中　（13–11）

值一佛此經難值復過於是得值此經即值
十方三世諸佛是故智者受持讀誦書寫解
説能除邪見无明煩惱結滿重罪住於福田
能消世間无量供養虛空藏菩薩白佛言世
尊辟支佛尚不能消世間供養何況凡夫得
消供養佛言善男子辟支佛不消供養无有
是處雖不能説法度人入禪三昧從三昧起
現大神通度諸衆生得消供養
尒時虛空藏菩薩復白佛言世尊經中所説
邪見破戒不得共一國同住一河飲水説戒
布薩懺悔自恣此人名爲退失聖道不入衆
數云何而言得消供養若消供養即与諸佛
同受應供過於羅漢辟支佛等唯願世尊亦
別説之我聞此已亦爲衆生如佛解説令得
度脫佛告虛空藏菩薩善哉善哉善男子汝
等今者慈悲具足哀愍衆生而問此事諦聽
諦聽善思念之吾當爲汝分別解説善男子
此經境界非諸聲聞緣覺所知亦非諸魔外
道凡夫思惟境界唯佛能知汝亦得逢善男
子我常爲行菩薩道者説施行種不觀好惡
福田成就而説是言布施畜生得百福報布
施闡提得千福報善男子遇善根者死趣闡
提无慚愧者死趣畜生畜生闡提果報殿者
尚能受供種人福田何況此人以是義故今
此大乘大通方廣威德力大不可思議能使
破戒五逆誹謗正法邪見煩惱志得除滅能
受供養虛空藏菩薩白佛言世尊諸佛如来

BD00819 號　大通方廣懺悔滅罪莊嚴成佛經卷中　（13–12）

道凡夫思惟境界唯佛能知汝亦得逢善男
子我常爲行菩薩道者説施行種不觀好惡
福田成就而説是言布施畜生得百福報布
施闡提得千福報善男子遇善根者死趣闡
提无慚愧者死趣畜生畜生闡提果報殿者
尚能受供種人福田何況此人以是義故今
此大乘大通方廣威德力大不可思議能使
破戒五逆誹謗正法邪見煩惱志得除滅能
受供養虛空藏菩薩白佛言世尊諸佛如来
不可思議大通方廣威神之力亦不可思議
受持經者其人功德亦不可思議佛言如是
如是如汝所説得不可思議无邊功德
尒時世尊告虛空藏菩薩摩訶薩言善男子
我念往昔過去有劫名曰清淨我於此劫供
養九十二億毗由他佛以行小乘多諸過罪
犯戒无量是諸如来不見授記復過此劫劫
名樂見我於此劫供養四十二億諸弗口人

BD00819 號　大通方廣懺悔滅罪莊嚴成佛經卷中　（13–13）

善言
肯信受不驚不畏了无出心亦復不知何者
是火何者為舍云何為失但東西走戲視父而
已尒時長者即作是念此舍已為大火所燒
我及諸子若不時出必為所焚我今當設方
便令諸子等得免斯害父知諸子先心各有
所好種種珎玩奇異之物情必樂着而告之
言汝等所可玩好希有難得汝若不取後必
憂悔如此種種羊車鹿車牛車今在門外可
以遊戲汝等於此火宅宜速出來隨汝所欲
皆當與汝尒時諸子聞父所說珎玩之物適
其願故心各勇鋭互相推排競共馳走爭出
火宅是時長者見諸子等安隱得出皆於四
衢道中露地而坐无復鄣㝵其心泰然歡喜
踊躍時諸子等各白父言父先所許玩好之
具羊車鹿車牛車願時賜與
舍利弗尒時長者各賜諸子等一大車其車
高廣衆寶莊校周帀欄楯四面懸鈴又於其
上張設幰蓋亦以珎奇雜寶而嚴飾之寶繩
紋絡垂諸華瓔重敷綩綖安置丹枕駕以白

BD00820號　妙法蓮華經卷二　（21–1）

舍利弗尒時長者各賜諸子等一大車其車
高廣衆寶莊校周帀欄楯四面懸鈴又於其
上張設幰蓋亦以珎奇雜寶而嚴飾之寶繩
紋絡垂諸華瓔重敷綩綖安置丹枕駕以白
牛膚色充潔形體姝好有大筋力行步平正
其疾如風又多僕從而侍衛之所以者何是大
長者財富无量種種諸藏悉皆充溢而作是
念我財物无極不應以下劣小車與諸子等
今此幼童皆是吾子愛无偏黨我有如是七
寶大車其數无量應當等心各各與之不宜
差別所以者何以我此物周給一國猶尚不匱
何況諸子是時諸子各乘大車得未曾有
非本所望舍利弗於汝意云何是長者等與
諸子珎寶大車寧有虛妄不舍利弗言不也
世尊是長者但令諸子得免火難全其軀命
非為虛妄何以故若全身命便為已得玩好
之具況復方便於彼火宅而拔濟之世尊若
是長者乃至不與最小一車猶不虛妄何以
故是長者先作是意我以方便令子得出以
是因緣无虛妄也何況長者自知財富无量
欲饒益諸子等與大車
佛告舍利弗善哉善哉如汝所言舍利弗如
來亦復如是則為一切世間之父於諸怖畏
衰惱憂患无明闇蔽永盡无餘而悉成就
无量知見力无所畏有大神力及智慧力具足
方便智慧波羅蜜大慈大悲常无懈惓恒求
善事利益一切而生三界朽故火宅為度衆

BD00820號　妙法蓮華經卷二　（21–2）

衰惱憂患无明闇蔽永盡无餘而悉成就
无量知見力无所畏有大神力及智慧力具足
方便智慧波羅蜜大慈大悲常无懈惓恒求
善事利益一切而生三界朽故火宅為度衆
生生老病死憂悲苦惱愚癡闇蔽三毒之火
教化令得阿耨多羅三藐三菩提見諸衆生
為生老病死憂悲苦惱之所燒煮亦以五欲
財利故受種種苦又以貪著追求故現受衆
苦後受地獄畜生餓鬼之苦若生天上及在人
閒貧窮困苦愛別離苦怨憎會苦如是等種
種諸苦衆生没在其中歡喜遊戲不覺不知
不驚不怖亦不生厭不求解脫於此三界火
宅東西馳走雖遭大苦不以為患舍利弗佛
見此已便作是念我為衆生之父應拔其苦難
與无量无邊佛智慧樂令其遊戲
舍利弗如來復作是念若我但以神力及智
慧力捨於方便為諸衆生讚如來知見力无
所畏者衆生不能以是得度所以者何是諸
衆生未免生老病死憂悲苦惱而為三界火
宅所燒何由能解佛之智慧舍利弗如彼長
者雖復身手有力而不用之但以慇懃方便
勉濟諸子火宅之難然後各與珍寶大車如
來亦復如是雖有力无所畏而不用之但以
智慧方便於三界火宅拔濟衆生為說三乘
聲聞辟支佛佛乘而作是言汝等莫得樂住
三界火宅勿貪麁弊色聲香味觸也若貪著
生愛則為所燒汝等速出三界當得三乘聲聞
辟支佛佛乘我今為汝保任此事終不虛也汝

聲聞辟支佛佛乘而作是言汝等莫得樂住
三界火宅勿貪麁弊色聲香味觸也若貪著
生愛則為所燒汝等速出三界當得三乘聲聞
辟支佛佛乘我今為汝保任此事終不虛也汝
等但當勤修精進如來以是方便誘進衆生
復作是言汝等當知此三乘法皆是聖所稱
歎自在无繫无所依求乘此三乘以无漏根
力覺道禪定解脫三昧等而自娛樂便得无
量安隱快樂
舍利弗若有衆生內有智性從佛世尊聞法
信受慇懃精進欲速出三界自求涅槃是名
聲聞乘如彼諸子為求羊車出於火宅若有
衆生從佛世尊聞法信受慇懃精進求自然
慧樂獨善寂深知諸法因緣是名辟支佛乘
如彼諸子為求鹿車出於火宅若有衆生從
佛世尊聞法信受勤修精進求一切智佛智
自然智无師智如來知見力无所畏愍念安
樂无量衆生利益天人度脫一切是名大乘菩
薩求此乘故名為摩訶薩如彼諸子為求牛
車出於火宅舍利弗如彼長者見諸子等安
隱得出火宅到无畏處自惟財富无量等以
大車而賜諸子如來亦復如是為一切衆生之
父若見无量億千衆生以佛教門出三界苦
怖畏險道得涅槃樂如來尒時便作是念我有
无量无邊智慧力无畏等諸佛法藏是諸衆生
皆是我子等與大乘不令有人獨得滅度皆以
如來滅度而滅度之是諸衆生脫三界者悉與諸
佛禪定解脫等娛樂之具皆是一相一種聖所稱

无量无邊智慧力无畏等諸佛法藏是諸衆生
皆是我子等與大乘不令有人獨得滅度皆以
如來滅度而滅度之是諸衆生脫三界者悉與諸
佛禪定解脫等娛樂之具皆是一相一種聖所稱
歎能生淨妙第一之樂舍利弗如彼長者初以
三車誘引諸子然後但與大車寶物莊嚴安
隱第一然彼長者无虛妄之咎如來亦復如
是无有虛妄初說三乘引導衆生然後但以
大乘而度脫之何以故如來有无量智慧力
无所畏諸法之藏能與一切衆生大乘之法但
不盡能受舍利弗以是因緣當知諸佛方便力
故於一佛乘分別說三佛欲重宣此義而說偈言
譬如長者　有一大宅　其宅久故　而復頓弊
堂舍高危　柱根摧朽　梁棟傾斜　基陛頹毀
墻壁圮坼　泥塗褫落　覆苫亂墜　椽梠差脫
周障屈曲　雜穢充遍　有五百人　止住其中
鵄梟鵰鷲　烏鵲鳩鴿　蚖蛇蝮蝎　蜈蚣蚰蜒
守宮百足　狖貍鼷鼠　諸惡虫輩　交橫馳走
屎尿臭處　不淨流溢　蜣蜋諸虫　而集其上
狐狼野干　咀嚼踐蹋　嚌齧死屍　骨肉狼藉
由是群狗　競來搏撮　飢羸慞惶　處處求食
鬪諍摣掣　啀喍嘷吠　其舍恐怖　變狀如是
處處皆有　魑魅魍魎　夜叉惡鬼　食噉人肉
毒虫之屬　諸惡禽獸　孚乳產生　各自藏護
夜叉競來　爭取食之　食之既飽　惡心轉熾
鬪諍之聲　甚可怖畏　鳩槃荼鬼　蹲踞土埵
或時離地　一尺二尺　往返遊行　縱逸嬉戲

BD00820號　妙法蓮華經卷二

(21-5)

夜叉競來　爭取食之　食之既飽　惡心轉熾
鬪諍之聲　甚可怖畏　鳩槃荼鬼　蹲踞土埵
或時離地　一尺二尺　往返遊行　縱逸嬉戲
捉狗兩足　撲令失聲　以腳加頸　怖狗自樂
復有諸鬼　其身長大　裸形黑瘦　常住其中
發大惡聲　叫呼求食　復有諸鬼　其咽如針
復有諸鬼　首如牛頭　或食人肉　或復噉狗
頭髮蓬亂　殘害兇險　飢渴所逼　叫喚馳走
夜叉餓鬼　諸惡鳥獸　飢急四向　窺看窗牖
如是諸難　恐畏无量　是朽故宅　屬于一人
其人近出　未久之間　於後宅舍　忽然火起
四面一時　其焰俱熾　棟梁椽柱　爆聲震裂
摧折墮落　墻壁崩倒　諸鬼神等　揚聲大叫
鵰鷲諸鳥　鳩槃荼等　周慞惶怖　不能自出
惡獸毒虫　藏竄孔穴　毗舍闍鬼　亦住其中
薄福德故　為火所逼　共相殘害　飲血噉肉
野干之屬　並已前死　諸大惡獸　競來食噉
臭煙熢㶿　四面充塞　蜈蚣蚰蜒　毒蛇之類
為火所燒　爭走出穴　鳩槃荼鬼　隨取而食
又諸餓鬼　頭上火然　飢渴熱惱　周慞悶走
其宅如是　甚可怖畏　毒害火災　衆難非一
是時宅主　在門外立　聞有人言　汝諸子等
先因遊戲　來入此宅　稚小无知　歡娛樂著
長者聞已　驚入火宅　方宜救濟　令无燒害
告喻諸子　說衆患難　惡鬼毒虫　災火蔓莚
衆苦次第　相續不絕　毒蛇蚖蝮　及諸夜叉
鳩槃荼鬼　野干狐狗　鵰鷲鵄梟　百足之屬

BD00820號　妙法蓮華經卷二

(21-6)

長者聞已　驚入火宅　方宜救濟　令无燒害
告喻諸子　說衆患難　惡鬼毒虫　灾火蔓莚
衆苦次第　相續不絕　毒虵蚖蝮　及諸夜叉
鳩槃茶鬼　野干狐狗　鵰鷲鵄梟　百足之屬
飢渴惱急　甚可怖畏　此苦難處　況復大火
諸子无知　雖聞父誨　猶故樂著　嬉戲不已
是時長者　而作是念　諸子如此　益我愁惱
今此舍宅　无一可樂　而諸子等　耽湎嬉戲
不受我教　將為火害　即便思惟　設諸方便
告諸子等　我有種種　珎玩之具　妙寶好車
羊車鹿車　大牛之車　今在門外　汝等出來
吾為汝等　造作此車　隨意所樂　可以遊戲
諸子聞說　如此諸車　即時奔競　馳走而出
到於空地　離諸苦難　長者見子　得出火宅
住於四衢　坐師子座　而自慶言　我今快樂
此諸子等　生育甚難　愚小无知　而入險宅
多諸毒虫　魑魅可畏　大火猛炎　四面俱起
而此諸子　貪樂嬉戲　我已救之　令得脫難
是故諸人　我今快樂
尒時諸子　知父安坐　皆詣父所　而白父言
願賜我等　三種寶車　如前所許　諸子出來
當以三車　隨汝所欲　今正是時　唯垂給與
長者大富　庫藏衆多　金銀瑠璃　車𤦲馬瑙
以衆寶物　造諸大車　莊校嚴餝　周帀蘭楯
四面懸鈴　金繩絞絡　真珠羅網　張施其上
金華諸瓔　處處垂下　衆綵雜餝　周帀圍繞
柔耎繒纊　以為茵蓐　上妙細疊　價直千億

BD00820號　妙法蓮華經卷二　（21–7）

金華諸瓔　處處垂下　衆綵雜餝　周帀圍繞
柔耎繒纊　以為茵蓐　上妙細疊　價直千億
鮮白淨潔　以覆其上　有大白牛　肥壯多力
形體姝好　以駕寶車　多諸儐從　而侍衛之
以是妙車　等賜諸子　諸子是時　歡喜踊躍
乘是寶車　遊於四方　嬉戲快樂　自在无㝵
告舍利弗　我亦如是　衆聖中尊　世間之父
一切衆生　皆是吾子　深著世樂　无有慧心
三界无安　猶如火宅　衆苦充滿　甚可怖畏
常有生老　病死憂患　如是等火　熾然不息
如來已離　三界火宅　寂然閑居　安處林野
今此三界　皆是我有　其中衆生　悉是吾子
而今此處　多諸患難　唯我一人　能為救護
雖復教詔　而不信受　於諸欲染　貪著深故
是以方便　為說三乘　令諸衆生　知三界苦
開示演說　出世間道　是諸子等　若心決定
具足三明　及六神通　有得緣覺　不退菩薩
汝舍利弗　我為衆生　以此譬喻　說一佛乘
汝等若能　信受是語　一切皆當　成得佛道
是乘微妙　清淨第一　於諸世間　為无有上
佛所悅可　一切衆生　所應稱讚　供養禮拜
无量億千　諸力解脫　禪定智慧　及佛餘法
得如是乘　令諸子等　日夜劫數　常得遊戲
與諸菩薩　及聲聞衆　乘此寶乘　直至道場
以是因緣　十方諦求　更无餘乘　除佛方便
告舍利弗　汝諸人等　皆是吾子　我則是父
汝等累劫　衆苦所燒　我皆濟拔　令出三界

BD00820號　妙法蓮華經卷二　（21–8）

以是因緣　十方諦求　更无餘乘　除佛方便
告舍利弗　汝諸人等　皆是吾子　我則是父
汝等累劫　衆苦所燒　我皆濟拔　令出三界
我雖先說　汝等滅度　但盡生死　而實不滅
今所應作　唯佛智慧
若有菩薩　於是衆中　能一心聽　諸佛實法
諸佛世尊　雖以方便　所化衆生　皆是菩薩
若人小智　深著愛欲　為此等故　說於苦諦
衆生心喜　得未曾有　佛說苦諦　真實无異
若有衆生　不知苦本　深著苦因　不能暫捨
為是等故　方便說道　諸苦所因　貪欲為本
若滅貪欲　无所依止　滅盡諸苦　名第三諦
為滅諦故　脩行於道　離諸苦縛　名得解脫
是人於何　而得解脫　但離虛妄　名為解脫
其實未得　一切解脫　佛說是人　未實滅度
斯人未得　无上道故　我意不欲　令至滅度
我為法王　於法自在　安隱衆生　故現於世
汝舍利弗　我此法印　為欲利益　世間故說
在所遊方　勿妄宣傳　若有聞者　隨喜頂受
當知是人　阿鞞跋致　若有信受　此經法者
是人已曾　見過去佛　恭敬供養　亦聞是法
若人有能　信汝所說　則為見我　亦見於汝
及比丘僧　并諸菩薩
斯法華經　為深智說　淺識聞之　迷惑不解
一切聲聞　及辟支佛　於此經中　力所不及
汝舍利弗　尚於此經　以信得入　況餘聲聞
其餘聲聞　信佛語故　隨順此經　非已智分
又舍利弗　憍慢懈怠　計我見者　莫說此經

BD00820號　妙法蓮華經卷二　（21–9）

斯法華經　為深智說　淺識聞之　迷惑不解
一切聲聞　及辟支佛　於此經中　力所不及
汝舍利弗　尚於此經　以信得入　況餘聲聞
其餘聲聞　信佛語故　隨順此經　非已智分
又舍利弗　憍慢懈怠　計我見者　莫說此經
凡夫淺識　深著五欲　聞不能解　亦勿為說
若人不信　毀謗此經　則斷一切　世間佛種
或復顰蹙　而懷疑惑　汝當聽說　此人罪報
若佛在世　若滅度後　其有誹謗　如斯經典
見有讀誦　書持經者　輕賤憎嫉　而懷結恨
此人罪報　汝今復聽
其人命終　入阿鼻獄　具足一劫　劫盡更生
如是展轉　至无數劫　從地獄出　當墮畜生
若狗野干　其形頋瘦　黧黮疥癩　人所觸嬈
又復為人　之所惡賤　常困飢渴　骨肉枯竭
生受楚毒　死被瓦石　斷佛種故　受斯罪報
若作駱駝　或生驢中　身常負重　加諸杖捶
但念水草　餘无所知　謗斯經故　獲罪如是
有作野干　來入聚落　身體疥癩　又无一目
為諸童子　之所打擲　受諸苦痛　或時致死
於此死已　更受蟒身　其形長大　五百由旬
聾騃无足　蜿轉腹行　為諸小虫　之所唼食
晝夜受苦　无有休息　謗斯經故　獲罪如是
若得為人　諸根闇鈍　矬陋攣躄　盲聾背傴
有所言說　人不信受　口氣常臭　鬼魅所著
貧窮下賤　為人所使　多病痟瘦　无所依怙
雖親附人　人不在意　若有所得　尋復忘失
若脩醫道　順方治病　更增他疾　或復致死

BD00820號　妙法蓮華經卷二　（21–10）

有所言說　人不信受　口氣常臭　鬼魅所著
貧窮下賤　為人所使　多病瘠瘦　无所依怙
雖親附人　人不在意　若有所得　尋復忘失
若脩醫道　順方治病　更增他疾　或復致死
若自有病　无人救療　設服良藥　而復增劇
若他反逆　抄劫竊盜　如是等罪　橫羅其殃
如斯罪人　永不見佛　衆聖之王　說法教化
如斯罪人　常生難處　狂聾心亂　永不聞法
於无數劫　如恒河沙　生輒聾瘂　諸根不具
常處地獄　如遊園觀　在餘惡道　如己舍宅
駝驢猪狗　是其行處　謗斯經故　獲罪如是
若得為人　聾盲瘖瘂　貧窮諸衰　以自莊嚴
水腫乾消　疥癩癰疽　如是等病　以為衣服
身常臭處　垢穢不淨　深著我見　增益瞋恚
婬欲熾盛　不擇禽獸　謗斯經故　獲罪如是
告舍利弗　謗斯經者　若說其罪　窮劫不盡
以是因緣　我故語汝　无智人中　莫說此經
若有利根　智慧明了　多聞強識　求佛道者
如是之人　乃可為說
若人曾見　億百千佛　殖諸善本　深心堅固
如是之人　乃可為說
若人精進　常脩慈心　不惜身命　乃可為說
若人恭敬　无有異心　離諸凡愚　獨處山澤
如是之人　乃可為說
又舍利弗　若見有人　捨惡知識　親近善友
如是之人　乃可為說　若見佛子　持戒清潔
如淨明珠　求大乘經　如是之人　乃可為說

BD00820號　妙法蓮華經卷二　（21–11）

又舍利弗　若見有人　捨惡知識　親近善友
如是之人　乃可為說　若見佛子　持戒清潔
如淨明珠　求大乘經　如是之人　乃可為說
若人无瞋　質直柔耎　常愍一切　恭敬諸佛
如是之人　乃可為說
復有佛子　於大衆中　以清淨心　種種因緣
譬喻言辭　說法无㝵　如是之人　乃可為說
若有比丘　為一切智　四方求法　合掌頂受
但樂受持　大乘經典　乃至不受　餘經一偈
如是之人　乃可為說　如人至心　求佛舍利
如是求經　得已頂受　其人不復　志求餘經
亦未曾念　外道典籍　如是之人　乃可為說
告舍利弗　我說是相　求佛道者　窮劫不盡
如是等人　則能信解　汝當為說　妙法華經

妙法蓮華經信解品第四

尒時慧命須菩提摩訶迦旃延摩訶迦葉
摩訶目揵連從佛所聞未曾有法世尊授舍
利弗阿耨多羅三藐三菩提記發希有心歡
喜踊躍即從坐起整衣服偏袒右肩右膝著
地一心合掌曲躬恭敬瞻仰尊顏而白佛言我
等居僧之首年並朽邁自謂已得涅槃无所
堪任不復進求阿耨多羅三藐三菩提世尊
往昔說法既久我時在坐身體疲懈但念空
无相无作於菩薩法遊戲神通淨佛國土成
就衆生心不喜樂所以者何世尊令我等出
於三界得涅槃證又今我等年已朽邁於佛
教化菩薩阿耨多羅三藐三菩提不生一念
好樂之心我等今於佛前聞授聲聞阿耨多

BD00820號　妙法蓮華經卷二　（21–12）

就衆生心不喜樂所以者何世尊令我等出
於三界得涅槃證又今我等年已朽邁於佛
教化菩薩阿耨多羅三藐三菩提不生一念
好樂之心我等今於佛前聞授聲聞阿耨多
羅三藐三菩提記心甚歡喜得未曾有不謂
於今忽然得聞希有之法深自慶幸獲大善
利无量珎寶不求自得
世尊我等今者樂說譬喻以明斯義譬若有
人年既幼稚捨父逃逝久住他國或十二十至
五十歲年既長大加復窮困馳騁四方以
求衣食漸漸遊行遇向本國其父先來求子
不得中止一城其家大富財寶无量金銀琉
璃珊瑚虎珀頗梨珠等其諸倉庫悉皆盈
溢多有僮僕臣佐吏民象馬車乘牛羊无數
出入息利乃遍他國商估賈客亦甚衆多時貧
窮子遊諸聚落經歷國邑遂到其父所止之
城父每念子與子離別五十餘年而未曾向
人說如此事但自思惟心懷悔恨自念老朽
多有財物金銀珎寶倉庫盈溢无有子息一
旦終沒財物散失无所委付是以慇勤每憶
其子復作是念我若得子委付財物坦然快
樂无復憂慮世尊爾時窮子傭賃展轉遇到
父舍住立門側遥見其父踞師子床寶机承
足諸婆羅門剎利居士皆恭敬圍繞以真珠
瓔珞價直千万莊嚴其身吏民僮僕手執白
拂侍立左右覆以寶帳垂諸華幡香水灑地
散衆名華羅列寶物出內取與有如是等種

BD00820號　妙法蓮華經卷二　（21–13）

足諸婆羅門剎利居士皆恭敬圍繞以真珠
瓔珞價直千万莊嚴其身吏民僮僕手執白
拂侍立左右覆以寶帳垂諸華幡香水灑地
散衆名華羅列寶物出內取與有如是等
種嚴飾威德特尊窮子見父有大力勢即懷
恐怖悔來至此竊作是念此或是王或是王
等非我傭力得物之處不如往至貧里肆力
有地衣食易得若久住此或見逼迫強使我
作作是念已疾走而去時富長者於師子座
見子便識心大歡喜即作是念我財物庫藏
今有所付我常思念此子无由見之而忽自來
甚適我願我雖年朽猶故貪惜即遣傍人
急追將還
爾時使者疾走往捉窮子驚愕稱怨大喚我
不相犯何為見捉使者執之逾急強牽將還
于時窮子自念无罪而被囚執此必定死轉更
惶怖悶絕躄地父遥見之而語使言不須此
人勿強將來以冷水灑面令得醒悟莫復與
語所以者何父知其子志意下劣自知豪貴
為子所難審知是子而以方便不語他人云
是我子使者語之我今放汝隨意所趣窮
子歡喜得未曾有從地而起往至貧里以求
衣食爾時長者將欲誘引其子而設方便密
遣二人形色憔悴无威德者汝可詣彼徐語窮
子此有作處倍與汝價窮子若許將來使作
若言欲何所作便可語之雇汝除糞我等
二人亦共汝作時二使人即求窮子既已得
之具陳上事爾時窮子先取其價尋與除

BD00820號　妙法蓮華經卷二　（21–14）

遣二人形色憔悴无威德者汝可詣彼徐語窮
子此有作處倍與汝價窮子若許將來使作
若言欲何所作便可語之雇汝除糞我等
二人亦共汝作時二使人即求窮子既已得
之具陳上事尒時窮子先取其價尋與除
糞其父見子愍而怪之又以他日於窓牖中遥
見子身羸瘦憔悴糞土塵坌汙穢不淨即脫
瓔珞細耎上服嚴飾之具更著麁弊垢膩之
衣塵土坌身右手執持除糞之器狀有所畏
語諸作人汝等勤作勿得懈息以方便故得
近其子又復告言咄男子汝常此作勿復餘
去當加汝價諸有所須瓮器米麵塩酢之屬
莫自疑難亦有老弊使人須者相給好自安
意我如汝父勿復憂慮所以者何我年老大而
汝少壯汝常作時无有欺怠瞋恨怨言都不
見汝有此諸惡如餘作人自今已後如所生子
即時長者更與作字名之爲兒
尒時窮子雖欣此遇猶故自謂客作賤人由是之
故於二十年中常令除糞過是已後心相
體信入出无難然其所止猶在本處世尊
尒時長者有疾自知將死不久語窮子言我
今多有金銀珎寶倉庫盈溢其中多少所應
取與汝悉知之我心如是當體此意所以者何
今我與汝便爲不異宜加用心无令漏失尒時
窮子即受教勅領知衆物金銀珎寶及諸
庫藏而无悕取一飡之意然其所止故在本
處下劣之心亦未能捨復經少時父知子意
漸已通泰成就大志自鄙先心臨欲終時而

BD00820 號　妙法蓮華經卷二　（21–15）

窮子即受教勅領知衆物金銀珎寶及諸
庫藏而无悕取一飡之意然其所止故在本
處下劣之心亦未能捨復經少時父知子意
漸已通泰成就大志自鄙先心臨欲終時而
命其子并會親族國王大臣剎利居士皆
悉已集即自宣言諸君當知此是我子我之
所生於某城中捨吾逃走跉跰辛苦五十餘
年其本字某我名某甲昔在本城懷憂推覓
忽於此間遇會得之此實我子我實其父今
吾所有一切財物皆是子有先所出內是子所
知世尊是時窮子聞父此言即大歡喜得未
曾有而作是念我本无心有所悕求今此寶
藏自然而至
世尊大富長者則是如來我等皆似佛子如
來常說我等爲子世尊我等以三苦故於生
死中受諸熱惱迷惑无知樂著小法今日世尊
令我等思惟蠲除諸法戲論之糞我等於中
勤加精進得至涅槃一日之價既得此已心
大歡喜自以爲足而便自謂於佛法中勤精
進故所得弘多然世尊先知我等心著弊
欲樂於小法便見縱捨不爲分別汝等當有如
來知見寶藏之分世尊以方便力說如來智
慧我等從佛得涅槃一日之價以爲大得於
此大乘无有志求我等又因如來智慧爲諸
菩薩開示演說而自於此无有志願所以者
何佛知我等心樂小法以方便力隨我等說而
我等不知真是佛子今我等方知世尊於
佛智慧无所恡惜所以者何我等昔來真是

BD00820 號　妙法蓮華經卷二　（21–16）

[illegible]
何佛知我等心樂小法以方便力隨我等說而
我等不知真是佛子今我等方知世尊於
佛智慧无所悋惜所以者何我等昔來真是
佛子而但樂小法若我等有樂大之心佛則
為我說大乘法今此經中唯說一乘而昔於
菩薩前毀呰聲聞樂小法者然佛實以大
乘教化是故我等說本无心有所悕求今法
王大寶自然而至如佛子所應得者皆已得之
尒時摩訶迦葉欲重宣此義而說偈言
我等今日　聞佛音教　歡喜踊躍　得未曾有
佛說聲聞　當得作佛　无上寶聚　不求自得
譬如童子　幼稚无識　捨父逃逝　遠到他土
周流諸國　五十餘年　其父憂念　四方推求
求之既疲　頓止一城　造立舍宅　五欲自娛
其家巨富　多諸金銀　車𤦲馬瑙　真珠琉璃
象馬牛羊　輦轝車乘　田業僮僕　人民衆多
出入息利　乃遍他國　商估賈人　无處不有
千万億衆　圍繞恭敬　常為王者　之所愛念
羣臣豪族　皆共宗重　以諸緣故　往來者衆
豪富如是　有大力勢　而年朽邁　益憂念子
夙夜惟念　死時將至　癡子捨我　五十餘年
庫藏諸物　當如之何　尒時窮子　求索衣食
從邑至邑　從國至國　或有所得　或无所得
飢餓羸瘦　體生瘡癬　漸次經歷　到父住城
傭賃展轉　遂至父舍　尒時長者　於其門內
施大寶帳　處師子坐　眷屬圍繞　諸人侍衛
或有計筭　金銀寶物　出內財產　注記券疏

BD00820號　妙法蓮華經卷二　（21–17）

從邑至邑　從國至國　或有所得　或无所得
飢餓羸瘦　體生瘡癬　漸次經歷　到父住城
傭賃展轉　遂至父舍　尒時長者　於其門內
施大寶帳　處師子坐　眷屬圍繞　諸人侍衛
或有計筭　金銀寶物　出內財產　注記券疏
窮子見父　豪貴尊嚴　謂是國王　若是王等
驚怖自怪　何故至此
覆自念言　我若久住　或見逼迫　強驅使作
思惟是已　馳走而去　借問貧里　欲往傭作
長者是時　在師子坐　遙見其子　嘿而識之
即勅使者　追捉將來　窮子驚喚　迷悶躃地
是人執我　必當見殺　何用衣食　使我至此
長者知子　愚癡狹劣　不信我言　不信是父
即以方便　更遣餘人　眇目矬陋　无威德者
汝可語之　云當相雇　除諸糞穢　倍與汝價
窮子聞之　歡喜隨來　為除糞穢　淨諸房舍
長者於牖　常見其子　念子愚劣　樂為鄙事
於是長者　著弊垢衣　執除糞器　往到子所
方便附近　語令勤作
既益汝價　并塗足油　飲食充足　薦席厚煖
如是苦言　汝當勤作　又以濡語　若如我子
長者有智　漸令入出　經二十年　執作家事
示其金銀　真珠頗梨　諸物出入　皆使令知
猶處門外　止宿草菴　自念貧事　我无此物
父知子心　漸已廣大　欲與財物　即聚親族
國王大臣　剎利居士　於此大衆　說是我子
捨我他行　經五十歲　自見子來　已二十年
昔於某城　而失是子　周行求索　遂來至此

BD00820號　妙法蓮華經卷二　（21–18）

父知子心　漸已廣大　欲與財物　即聚親族
國王大臣　剎利居士　於此大衆　說是我子
捨我他行　經五十歲　自見子來　已二十年
昔於某城　而失是子　周行求索　遂來至此
凡我所有　舍宅人民　悉以付之　恣其所用
子念昔貧　志意下劣　今於父所　大獲珎寶
并及舍宅　一切財物　甚大歡喜　得未曾有
佛亦如是　知我樂小　未曾說言　汝等作佛
而說我等　得諸无漏　成就小乘　聲聞弟子
佛勑我等　說冣上道　脩習此者　當得成佛
我承佛教　為大菩薩　以諸因緣　種種譬喻
若干言辞　說无上道　諸佛子等　從我聞法
日夜思惟　精勤脩習　是時諸佛　即授其記
汝於來世　當得作佛　一切諸佛　祕藏之法
但為菩薩　演其實事　而不為我　說斯真要
如彼窮子　得近其父　雖知諸物　心不悕取
我等雖說　佛法寶藏　自无志願　亦復如是
我等內滅　自謂為足　唯了此事　更无餘事
我等若聞　淨佛國土　教化衆生　都无欣樂
所以者何　一切諸法　皆悉空寂　无生无滅
无大无小　无漏无為　如是思惟　不生喜樂
我等長夜　於佛智慧　无貪无著　无復志願
而自於法　謂是究竟　我等長夜　脩習空法
得脫三界　苦惱之患　住冣後身　有餘涅槃
佛所教化　得道不虛　則為已得　報佛之恩
我等雖為　諸佛子等　說菩薩法　以求佛道
而於是法　永无願樂　導師見捨　觀我心故

得脫三界　苦惱之患　住冣後身　有餘涅槃
佛所教化　得道不虛　則為已得　報佛之恩
我等雖為　諸佛子等　說菩薩法　以求佛道
而於是法　永无願樂　導師見捨　觀我心故
初不勸進　說有實利　如富長者　知子志劣
以方便力　柔伏其心　然後乃付　一切財寶
佛亦如是　現希有事　知樂小者　以方便力
調伏其心　乃教大智　我等今日　得未曾有
非先所望　而今自得　如彼窮子　得无量寶
世尊我今　得道得果　於无漏法　得清淨眼
我等長夜　持佛淨戒　始於今日　得其果報
法王法中　久脩梵行　今得无漏　无上大果
我等今者　真是聲聞　以佛道聲　令一切聞
我等今者　真阿羅漢　於諸世間　天人魔梵
普於其中　應受供養　世尊大恩　以希有事
憐愍教化　利益我等　无量億劫　誰能報者
手足供給　頭頂禮敬　一切供養　皆不能報
若以頂戴　兩肩荷負　於恒沙劫　盡心恭敬
又以美饍　无量寶衣　及諸臥具　種種湯藥
牛頭栴檀　及諸珎寶　以起塔廟　寶衣布地
如斯等事　以用供養　於恒沙劫　亦不能報
諸佛希有　无量无邊　不可思議　大神通力
无漏无為　諸法之王　能為下劣　忍于斯事
取相凡夫　隨宜為說　諸佛於法　得冣自在
知諸衆生　種種欲樂　及其志力　隨所堪任
以无量喻　而為說法　隨諸衆生　宿世善根
又知成熟　未成熟者　種種籌量　分別知已
於一乘道　隨宜說三

牛頭栴檀　及諸珎寶　以起塔廟　寶衣布地
如斯等事　以用供養　於恒沙劫　亦不能報
諸佛希有　无量无邊　不可思議　大神通力
无漏无為　諸法之王　能為下劣　忍于斯事
取相凡夫　隨宜為說　諸佛於法　得最自在
知諸衆生　種種欲樂　及其志力　隨所堪任
以无量喻　而為說法　隨諸衆生　宿世善根
又知成熟　未成熟者　種種籌量　分別知已
於一乘道　隨宜說三

妙法蓮華經卷第二

BD00820 號　妙法蓮華經卷二　　（21–21）

時我世尊
薩深起敬
慧乃能如是
其誰不發阿耨多羅三藐三菩提心我從是
來不復勸人以聲聞辟支佛行是故不任詣
彼問疾
佛告須菩提汝行詣維摩詰問疾須菩提白
佛言世尊我不堪任詣彼問疾所以者何憶念
我昔入其舍從乞食時維摩詰取我鉢盛滿
飯謂我言唯須菩提若能於食等者諸法
亦等諸法等者於食亦等如是行乞乃可取
食若須菩提不斷婬怒癡亦不與俱不壞於
身而隨一相不滅癡愛起於明脫以五逆相
而得解脫亦不解不縛不見四諦非不見諦
非得果非凡夫非離凡夫法非聖人非不聖
人雖成就一切法而離諸法相乃可取食若
須菩提不見佛不聞法彼外道六師富蘭那

BD00821 號　維摩詰所說經卷上　　（12–1）

而得解脫亦不解不縛不見四諦非不見諦
非得果非凡夫非離凡夫法非聖人非不聖
人雖成就一切法而離諸法相乃可取食若
須菩提不見佛不聞法彼外道六師富蘭那
迦葉末伽梨拘賒梨子刪闍夜毗羅胝子阿
耆多翅舍欽婆羅迦羅鳩馱迦旃延尼揵陀
若提子等是汝之師因其出家彼師所墮汝
亦隨墮乃可取食若須菩提入諸邪見不到
彼岸住於八難不得无難同於煩惱離清淨
法汝得无諍三昧一切眾生亦得是定其施汝
者不名福田供養汝者墮三惡道為與眾
魔共一手作諸勞侶汝與眾魔及諸塵勞等
无有異於一切眾生而有怨心謗諸佛毀於
法不入眾數終不得滅度汝若如是乃可取
食時我世尊聞說此語茫然不識是何言不
知以何答便置鉢欲出其舍維摩詰言唯須
菩提取鉢勿懼於意云何如來所作化人若以
是事詰寧有懼不我言不也維摩詰言一切
諸法如幻化相汝今不應有所懼也所以者何
一切言說不離是相至於智者不著文字
故无所懼何以故文字性離无有文字是則
解脫解脫相者則諸法也維摩詰說是法時
二百天子得法眼淨故我不任詣彼問疾
佛告富樓那彌多羅尼子汝行詣維摩詰問
疾富樓那白佛言世尊我不堪任詣彼問疾

解脫解脫相者則諸法也維摩詰說是法時
二百天子得法眼淨故我不任詣彼問疾
佛告富樓那彌多羅尼子汝行詣維摩詰問
疾富樓那白佛言世尊我不堪任詣彼問疾
所以者何憶念我昔於大林中在一樹下為
諸新學比丘說法時維摩詰來謂我言唯富
樓那先當入定觀此人心然後說法无以穢食
置於寶器當知是比丘心之所念无以瑠
璃同彼水精汝不能知眾生根源无得發起
以小乘法彼自无瘡勿傷之也欲行大道莫
示小徑无以大海內於牛跡无以日光等彼
螢火富樓那此比丘久發大乘心中忘此意
如何以小乘法而教導之我觀小乘智慧微
淺猶如盲人不能分別一切眾生根之利鈍
時維摩詰即入三昧令此比丘自識宿命曾
於五百佛所殖眾德本迴向阿耨多羅三藐
三菩提即時豁然還得本心於是諸比丘稽
首禮維摩詰足時維摩詰因為說法於阿耨
多羅三藐三菩提不復退轉我念聲聞不觀
人根不應說法是故不任詣彼問疾
佛告摩訶迦旃延汝行詣維摩詰問疾迦旃
延白佛言世尊我不堪任詣彼問疾所以者
何憶念昔者佛為諸比丘略說法要我即於
後敷演其義謂无常義苦義空義无我義
寂滅義時維摩詰來謂我言唯迦旃延无以生

延白佛言世尊我不堪任詣彼問疾所以者
何憶念昔者佛為諸比丘略說法要我即於
後敷演其義謂无常義苦義空義无我義
寂滅義時維摩詰来謂我言唯迦旃延无以生
滅心行說實相法迦旃延諸法畢竟不生不
滅是无常義五受陰洞達空无所起是苦義
諸法究竟无所有是空義於我无我而不二
是无我義法本不然今則无滅是寂滅義說
是法時彼諸比丘心得解脫故我不任詣彼
問疾
佛告阿那律汝行詣維摩詰問疾阿那律白
佛言世尊我不堪任詣彼問疾所以者何憶
念我昔於一處經行時有梵王名曰嚴淨與
万梵俱放淨光明来詣我所稽首作礼問我
言幾何阿那律天眼所見我即答言仁者吾
見此釋迦牟尼佛土三千大千世界如觀掌
中阿摩勒菓時維摩詰来謂我言唯阿那
律天眼所見為作相耶无作相耶假使作相則
與外道五通等若无作相即是无為不應有
見世尊我時默然彼諸梵聞其言得未曾有
即為作礼而問曰世孰有真天眼者維摩詰
言有佛世尊得真天眼常在三昧悉見諸佛
國不以二相於是嚴淨梵王及其眷屬五百
梵天皆發阿耨多羅三藐三菩提心礼維摩

即為作礼而問曰世孰有真天眼者維摩詰
言有佛世尊得真天眼常在三昧悉見諸佛
國不以二相於是嚴淨梵王及其眷屬五百
梵天皆發阿耨多羅三藐三菩提心礼維摩
詰足已忽然不現故我不任詣彼問疾
佛告優波離汝行詣維摩詰問疾優波離白
佛言世尊我不堪任詣彼問疾所以者何憶
念昔者有二比丘犯律行以為恥不敢問佛
来問我言唯優波離我等犯律誠以為恥不
敢問佛願解疑悔得免斯咎我即為其如法
解說時維摩詰来謂我言唯優波離无重
增此二比丘罪當直除滅勿擾其心所以者何
彼罪性不在內不在外不在中間如佛所說
心垢故衆生垢心淨故衆生淨心亦不在內
不在外不在中間如其心然罪垢亦然諸法
亦然不出於如如優波離以心相得解脫時
寧有垢不我言不也維摩詰言一切衆生心
相无垢亦復如是唯優波離妄想是垢无妄
想是淨顛倒是垢无顛倒是淨取我是垢
不取我是淨優波離一切法生滅不住如幻
如電諸法不相待乃至一念不住諸法皆妄
見如夢如焰如水中月如鏡中像以妄想生其
知此者是名奉律知其此者是名善解於
是二比丘言上智哉是優波離所不及持律之
[illegible]

見如夢如焰如水中月如鏡中像以妄想生其
知此者是名奉律知其此者是名善解於
是二比丘言上智哉是優波離所不及持律之
上而不能說我答言自捨如來未有聲聞及
菩薩能制其樂說之辯其智慧明達為若此
也時二比丘疑悔即除發阿耨多羅三藐三
菩提心作是願言令一切衆生皆得是辯故
我不任詣彼問疾
佛告羅睺羅汝行詣維摩詰問疾羅睺羅白
佛言世尊我不堪任詣彼問疾所以者何憶念
昔時毗耶離諸長者子來詣我所稽首
作礼問我言唯羅睺羅汝佛之子捨轉輪王位
出家為道其出家者有何等利我即如法為
說出家功德之利時維摩詰來謂我言唯羅
睺羅不應說出家功德之利所以者何无利
无功德是為出家有為法者可說有利有功
德夫出家者為无為法无為法中无利无功
德羅睺羅夫出家者无彼无此亦无中間離
六十二見處於涅槃智者所受聖所行處降
伏衆魔度五道淨五眼得五力立五根不惱
於彼離衆雜惡摧諸外道超越假名出於泥
无繫著无我所无所受无擾亂內懷喜護彼
意隨禪定離衆過若能如是是真出家於是
維摩詰語諸長者子汝等於正法中宜共出
家所以者何佛世難值諸長者子言居士我

BD00821 號　維摩詰所說經卷上　（12–6）

无繫著无我所无所受无擾亂內懷喜護彼
意隨禪定離衆過若能如是是真出家於是
維摩詰語諸長者子汝等於正法中宜共出
家所以者何佛世難值諸長者子言居士我
聞佛言父母不聽不得出家維摩詰言然汝
等便發阿耨多羅三藐三菩提心是即出家
是即具足今時卅二長者子皆發阿耨多羅
三藐三菩提心故我不任詣彼問疾
佛告阿難汝行詣維摩詰問疾阿難白佛言
世尊我不堪任詣彼問疾所以者何憶念昔
時世尊身小有疾當用牛乳我即持鉢詣大
婆羅門家門下立時維摩詰來謂我言唯阿
難何為晨朝持鉢住此我言居士世尊身小
有疾當用牛乳故來至此維摩詰言止止阿
難莫作是語如來身者金剛之體諸惡已斷
衆善普會當有何疾當有何惱默往阿難
勿謗如來莫使異人聞此麁言无令大威德諸
天及他方淨土諸來菩薩得聞斯語阿難轉
輪聖王以少福故尚得无病豈況如來无量
福會普勝者哉行矣阿難勿使我等受斯
耻也外道梵志若聞此語當作是念何名為
師自疾不能救而能救諸疾人可密速去勿使
人聞當知阿難諸如來身即是法身非思欲身
佛為世尊過於三界佛身无漏諸漏已盡佛

BD00821 號　維摩詰所說經卷上　（12–7）

師自疾不能救而能救諸疾人可密速去勿使
人聞當知阿難諸如來身即是法身非思欲身
佛為世尊過於三界佛身无漏諸漏已盡佛
身无為不墮諸數如此之身當有何疾時
我世尊實懷慚愧得无近佛而謬聽耶即聞
空中聲曰阿難如居士言但為佛出五濁惡世
現行斯法度脫衆生行矣阿難取乳勿慚世
尊維摩詰智慧辯才為若此也是故不任詣
彼問疾如是五百大弟子各各向佛說其本
緣稱述維摩詰所言皆曰不任詣彼問疾
菩薩品第四
於是佛告彌勒菩薩汝行詣維摩詰問疾彌
勒白佛言世尊我不堪任詣彼問疾所以者
何憶念我昔為兜率天王及其眷屬說不退
轉地之行時維摩詰來謂我言彌勒世尊授
仁者記一生當得阿耨多羅三藐三菩提為
用何生得受記乎過去耶未來耶現在耶若
過去生過去生已滅若未來生未來生未至若
現在生現在生无住如佛所說比丘汝今即時
亦生亦老亦滅若以无生得受記者无生即
是正位於正位中亦无受記亦无得阿耨多
多羅三藐三菩提云何彌勒受一生記乎為
從如生得受記耶為從如滅得受記耶若以
如生得受記者如无有生若以如滅得受記
者如无有滅一切衆生皆如也一切法亦如也

BD00821 號　維摩詰所說經卷上

(12-8)

多羅三藐三菩提云何彌勒受一生記乎為
從如生得受記耶為從如滅得受記耶若以
如生得受記者如无有生若以如滅得受記
者如无有滅一切衆生皆如也一切法亦如也
衆聖賢亦如也至於彌勒亦如也若彌勒得
受記者一切衆生亦應受記所以者何夫如
者不二不異若彌勒得阿耨多羅三藐三菩
提者一切衆生皆亦應得所以者何一切衆生
即菩提相若彌勒滅度者一切衆生亦當
滅度所以者何諸佛知一切衆生畢竟寂滅
即涅槃相不復更滅是故彌勒无以此法誘
諸天子實无發阿耨多羅三藐三菩提心者
亦无退者彌勒當令此諸天子捨於分別菩
提之見所以者何菩提者不可以身得不可
以心得寂滅是菩提滅諸相故不觀是菩提
離諸緣故不行是菩提无憶念故斷是菩提
捨諸見故離是菩提離諸妄想故鄣是菩提
鄣諸願故不入是菩提无貪著故順是菩
提順於如故住是菩提住法性故至是菩提
至實際故不二是菩提離意法故等是菩提
等虛空故无為是菩提无生住滅故知是菩
提了衆生心行故不會是菩提諸入不會故
不合是菩提離煩惱習故无處是菩提无形
色故假名是菩提名字空故如化是菩提无
取舍故无亂是菩提常自靜故[illegible]

BD00821 號　維摩詰所說經卷上

(12-9)

提了衆生心行故不會是菩提諸入不會故
不合是菩提離煩惱習故无處是菩提无形
色故假名是菩提名字空故如化是菩提无
取捨故无乱是菩提常自靜故善寂是菩提
性清淨故无取是菩提離攀緣故无異是菩
提諸法等故无比是菩提无可喻故微妙是
菩提諸法難知故世尊維摩詰說是法時二
百天子得无生法忍故我不任詣彼問疾
佛告光嚴童子汝行詣維摩詰問疾光嚴白佛
言世尊我不堪任詣彼問疾所以者何憶念
我昔出毗耶離大城時維摩詰方入城我即
為作礼而問言居士從何所來荅我言吾
從道場來我問道場者何所是荅曰直心是
道場无虛假故發行是道場能辦事故深心
是道場增益功德故菩提心是道場无錯謬
故布施是道場不望報故持戒是道場得願
具故忍辱是道場於諸衆生心无㝵故精進
是道場不懈退故禪定是道場心調柔故智
慧是道場現見諸法故慈是道場等衆生故
悲是道場忍疲苦故喜是道場悅樂法故捨
是道場憎愛斷故神通是道場成就六通故
解脫是道場能背捨故方便是道場教化衆生
故四攝是道場攝衆生故多聞是道場如聞行
故伏心是道場正觀諸法故三十七品是道場

BD00821 號　維摩詰所說經卷上　（12–10）

解脫是道場能背捨故方便是道場教化衆生
故四攝是道場攝衆生故多聞是道場如聞行
故伏心是道場正觀諸法故三十七品是道場
捨有為法故諦是道場不誑世間故緣起
是道場无明乃至老死皆无盡故諸煩惱是
道場知如實故衆生是道場知无我故一切
法是道場知諸法空故降魔是道場不傾動
故三界是道場无所趣故師子吼是道場无
所畏故力无畏不共法是道場无諸過故三明
是道場无餘㝵故一念知一切法是道場成就
一切智故如是善男子菩薩若應諸波羅
蜜教化衆生諸有所作舉足下足當知皆
從道場來住於佛法矣說是法時五百天人
皆發阿耨多羅三藐三菩提心故我不任詣
彼問疾
佛告持世菩薩汝行詣維摩詰問疾持世白
佛言世尊我不堪任詣彼問疾所以者何憶
念我昔住於靜室時魔波旬從万二千天女
狀如帝釋鼓樂絃歌來詣我所與其眷屬稽
首我足合掌恭敬於一面立我意謂是帝
釋而語之言善來憍尸迦雖福應有不當自
恣當觀五欲无常以求善本於身命財而修
堅法即語我言正士受是万二千天女可備掃
灑我言憍尸迦无以此非法之物要我沙門

BD00821 號　維摩詰所說經卷上　（12–11）

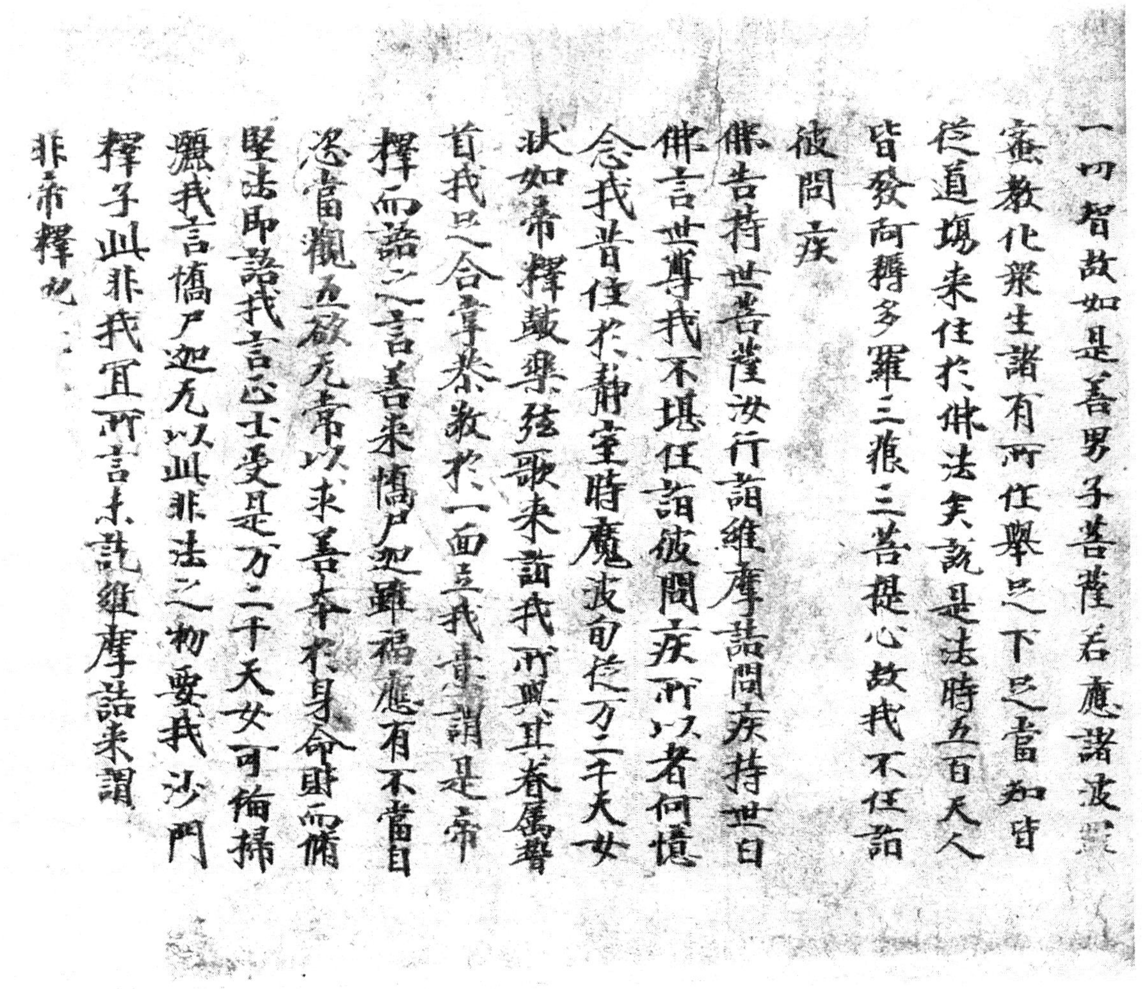

一切智故如是善男子菩薩若應諸波羅
蜜教化衆生諸有所作舉足下足當知皆
從道場來住於佛法矣說是法時五百天人
皆發阿耨多羅三藐三菩提心故我不任詣
彼問疾
佛告持世菩薩汝行詣維摩詰問疾持世白
佛言世尊我不堪任詣彼問疾所以者何憶
念我昔住於靜室時魔波旬從万二千天女
狀如帝釋鼓樂弦歌來詣我所與其眷屬稽
首我足合掌恭敬於一面立我意謂是帝
釋而語之言善來憍尸迦雖福應有不當自
恣當觀五欲無常以求善本於身命財而修
堅法即語我言正士受是万二千天女可備掃
灑我言憍尸迦無以此非法之物要我沙門
釋子此非我宜所言未訖維摩詰來謂
非帝釋也……

BD00821 號　維摩詰所說經卷上

(12–12)

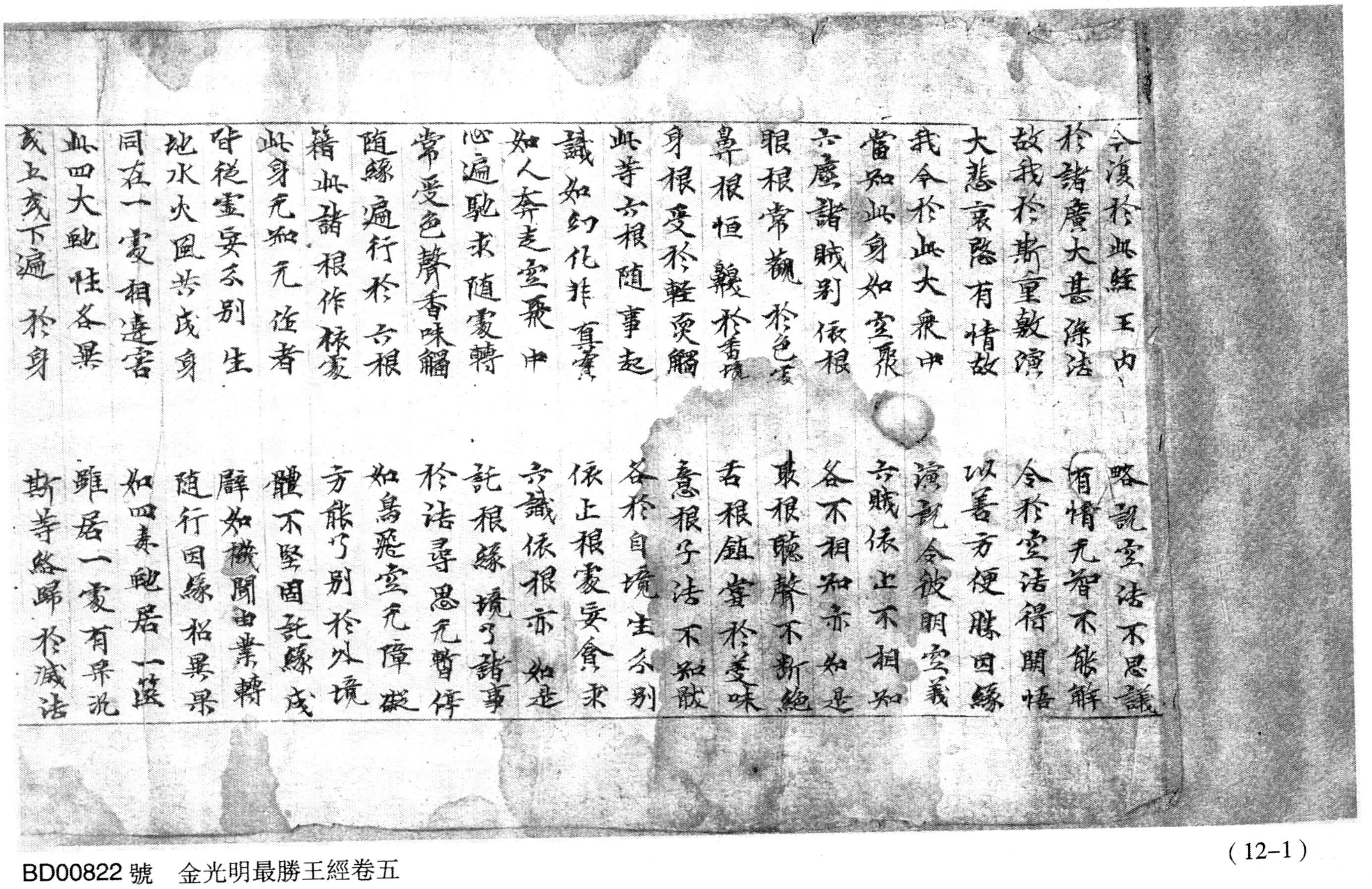

今復於此經王內　略說空法不思議
於諸廣大甚深法　有情無智不能解
故我於斯重敷演　令於空法得開悟
大悲哀愍有情故　以善方便勝因緣
我今於此大衆中　演說令彼明空義
當知此身如空聚　六賊依止不相知
六塵諸賊別依根　各不相知亦如是
眼根常觀於色處　耳根聽聲不斷絕
鼻根恒嗅於香境　舌根鎮嘗於美味
身根受於輕軟觸　意根了法不知厭
此等六根隨事起　各於自境生分別
識如幻化非真實　依止根處妄貪求
如人奔走空聚中　六識依根亦如是
心遍馳求隨處轉　託根緣境了諸事
常愛色聲香味觸　於法尋思無暫停
隨緣遍行於六根　如鳥飛空無障礙
藉此諸根作依處　方能了別於外境
此身無知無作者　體不堅固託緣成
皆從虛妄分別生　譬如機關由業轉
地水火風共成身　隨彼因緣招異果
同在一處相違害　如四毒蛇居一篋
此四大蛇性各異　雖居一處有昇沉
或上或下遍於身　斯等終歸於滅法

BD00822 號　金光明最勝王經卷五

(12–1)

皆從虛妄分別生　譬如機關由業轉
地水火風共成身　隨彼因緣招異果
同在一處相違害　如四毒蛇居一篋
此四大蛇性各異　雖居一處有昇沉
或上或下遍於身　斯等終歸於滅法
於此四種毒蛇中　地水二蛇多沉下
風火二蛇性輕舉　由此乖違眾病生
心識依止於此身　造作種種善惡業
當往人天三惡趣　隨其業力受身形
遭諸疾病身死後　大小便利盈流
膿爛蟲蛆不可樂　棄在屍林如朽木
汝等當觀法如是　云何執我有眾生
一切諸法盡无常　悉從无明緣力起
彼諸大種咸虛妄　本非實有體无生
故說大種性皆空　知此浮虛非實有
無明自性本是無　藉眾緣力和合有
於一切時失正慧　故我說彼為无明
行識為緣有名色　六處及觸受隨生
愛取有緣生老死　憂悲苦惱恒隨逐
眾苦惡業常纏迫　生死輪迴無息時
本來非有體是空　由不如理生分別
我斷一切諸煩惱　常以正知現前行
了五蘊宅悉皆空　求證菩提真實處
我開甘露大城門　亦現甘露微妙器
既得甘露真實味　常以甘露施群生
我擊最勝大法鼓　我吹最勝大法螺
我然最勝大明燈　我降最勝大法雨

BD00822號　金光明最勝王經卷五　（12–2）

我開甘露大城門　亦現
既得甘露真實味　常以甘露施群生
我擊最勝大法鼓　我吹最勝大法螺
我然最勝大明燈　我降最勝大法雨
降伏煩惱諸怨結　建立無上大法幢
於生死海濟群迷　我當関閉三惡趣
煩惱熾火燒眾生　無有救護無依止
清涼甘露充足彼　身心熱惱並皆除
由是我於無量劫　恭敬供養諸如來
堅持禁戒趣菩提　求證法身安樂處
施他眼耳及手足　妻子僮僕心無悋
財寶七珍莊嚴具　隨來求者咸供給
忍等諸度皆遍修　十地圓滿成正覺
故我得稱一切智　無有眾生度量者
假使三千大千界　盡此土地生長物
所有叢林諸樹木　稻麻竹葦及枝條
此等諸物皆伐取　並悉細末作微塵
隨處積集量難知　乃至充滿虛空界
一切十方諸剎土　所有三千大千界
地土皆悉末為塵　此微塵量不可數
假使一切眾生智　以此智慧與一人
如是智者量無邊　容可知彼微塵數
牟尼世尊一念智　令彼智人共度量
於多俱胝劫數中　不能算知其少分
時諸大眾聞佛說此甚深空性有無量眾
生悉能了達四大五蘊體性俱空六根六
境妄生繫縛願捨輪迴正修出離深心慶

BD00822號　金光明最勝王經卷五　（12–3）

於多俱胝劫數中　不能算知其少分
時諸大衆聞佛說此甚深空性有無量衆
生悉能了達四大五蘊體性俱空六根六
境妄生繫縛願捨輪迴正脩出離深心慶
喜如說奉持
金光明最勝王經依空滿願品第十
爾時如意寶光耀天女於大衆中聞說深法
歡喜踊躍從座而起偏袒右肩右膝著地合
掌恭敬白佛言世尊唯願為說於甚深理脩
行之法而說頌言
我問照世界　兩足最勝尊　菩薩正行法　唯願慈聽
佛言善天女　若有疑惑者　隨汝意所問　吾當分別說
是時天女請世尊曰
云何諸菩薩　行菩提正行　離生死涅槃　饒益自他故
佛告善女天依於法界行菩提法脩平等行
云何依於法界行菩提法脩平等行謂於五
蘊能現法界法界即是五蘊五蘊不可說非
五蘊亦不可說何以故若法界是五蘊即是
斷見若離五蘊即是常見離於二相不著二
邊不可見過所見無名無相是則名為說於
法界善天女云何五蘊能現法界如是五蘊
不從因緣生何以故若從因緣生者為已生
故生為未生故生若已生生者何用因緣若
未生生者不可得生何以故未生諸法即是
非有無名無相非校量譬喻之所能及非是
因緣之所生故善女天譬如鼓聲依木依皮
及桴手等故得出聲如是鼓聲過去亦空未

未生生者不可得生何以故未生諸法即是
非有無名無相非校量譬喻之所能及非是
因緣之所生故善女天譬如鼓聲依木依皮
及桴手等故得出聲如是鼓聲過去亦空未
來亦空現在亦空何以故是鼓音聲不從木
生不從皮生及桴手生不於三世生是則不
生若不可生則不可滅若不可滅無所從來
若無所從來亦無所去若無所去則非常非
斷若非常非斷則不一不異何以故此若是
一則不異法界若如是者凡夫之人應見真
諦得於無上安樂涅槃既不如是故知不一
若言異者一切諸佛菩薩行相既執著未
得解脫煩惱繫縛即不證阿耨多羅三藐三
菩提何以故一切聖人於行非行同真實性
是故不異故知五蘊非有非無不從因緣生
非無因緣生是聖所知非餘境故亦非言說
之所能及無名無相無因無緣亦無譬喻始
終寂靜本來自空是故五蘊能現法界善女
天若善男子善女人欲求阿耨多羅三藐三
菩提異真異俗難可思量於凡聖境體非一
異不捨於俗不離於真依於法界行菩提
爾時世尊作是語已時善女天踊躍歡喜即
從座起偏袒右肩右膝著地合掌恭敬一心
頂禮而白佛言世尊如上所說菩提正行我
今當學是時索訶世界主大梵天王於大衆
中問如意寶光耀善女天曰此菩提行難可
脩行汝今云何於菩提行而得自在爾時善

頂礼而白佛言世尊如上所説菩提正行我
今當學是時索訶世界主大梵天王於大衆
中問如意寶光耀善女天曰此菩提行難可
修行汝今云何於菩提行而得自在尒時善
女天荅梵王曰大梵王如佛所説實是甚深
一切異生不解其義是聖境界微妙難知
若使我今依於此法得安樂住是實語者願今
一切五濁惡世無量無數無邊衆生皆得金
色卅二相非男非女坐寶蓮花受無量樂雨
天妙花諸天音樂不鼓自鳴一切供養皆悉
具足時善女天説是語已一切五濁惡世所
有衆生皆悉金色具大人相非男非女坐寶
蓮花受無量樂猶如他化自在天宮無諸惡
道寶樹行列七寶蓮花遍滿世界又雨七寶
上妙天花作天伎樂如意寶光耀善女天即
轉女身作梵天身時大梵王問如意寶光
耀菩薩言仁者如何行菩提行荅言梵王若水
中月行菩提行我亦行菩提行若夢中行菩
提行我亦行菩提行若陽焰行菩提我亦
行菩提行若谷響行菩提行我亦行菩提行
時大梵王聞此説已白菩薩言仁依何義而
説此語荅言梵王無有一法是實相者但由
因緣而得成故梵王言若如是者諸凡夫人
皆悉應得阿耨多羅三藐三菩提荅言仁以
何意而作是説愚癡人異智慧人異菩提異
非菩提異解脫異非解脫異梵王如是諸法
平等無異於此法界真如不異無有中間

BD00822 號　金光明最勝王經卷五　（12–6）

皆悉應得阿耨多羅三藐三菩提荅言仁以
何意而作是説愚癡人異智慧人異菩提異
非菩提異解脫異非解脫異梵王如是諸法
平等無異於此法界真如不異無有中間
而可執著無增無減梵王譬如幻師及幻弟子
善解幻術於四衢道取諸沙土草木葉等
聚在一處作諸幻術使人覩見象衆馬衆車兵
等衆七寶之聚種種倉庫若有衆生愚癡無
智不能思惟不知幻本若見若聞作是思惟
我所見聞象馬等衆此是實有餘皆虛妄
於後更不審察思惟有智之人則不如是了於
幻本若見若聞作如是念如我所見象馬等
衆非是真實唯有幻事惑人眼目妄謂象等
及諸倉庫有名無實如我見聞不執為實後
時思惟知其虛妄是故智者了一切法皆無
實體但隨世俗如見如聞表宣其事思惟諦
理則不如是復由假説顯實義故梵王愚癡
異生未得出世聖慧之眼未知一切諸法真
如不可説故是諸凡愚若見若聞行非行法
如是思惟便生執著謂以為實於第一義不
能了知諸法真如是不可説是諸聖人若見
若聞行非行法隨其力能不生執著以為實
有了知一切無實行法無實非行法但妄思
量行非行相唯有名字無有實體是諸聖人
隨世俗説為欲令他知真實義如是梵王是
諸聖人以聖智見了法真如不可説故行法行
非亦復如是念令他證知故説種種世俗名言

BD00822 號　金光明最勝王經卷五　（12–7）

量行非行相唯有名字無有實體是諸聖人
隨世俗說為欲令他知真實義如是梵王是
諸聖人以聖智見了法真如不可說故行法行
非亦復如是令他證知故說種種世俗名言
時大梵王問如意寶光耀菩薩言有幾衆
生能解如是甚深正法名言梵王有衆幻人
心心數法能解如是甚深正法梵王曰此幻
化人體是非有此之心數從而生名曰若知
法界不有不無如是衆生能解深義
爾時梵王白佛言世尊是如意寶耀菩薩不
可思議通達如是甚深之義佛言如是如
是梵王如汝所言此如意寶光耀已教汝等
發心修學無生法忍時大梵天王與諸梵
衆從座而起偏袒右肩合掌恭敬頂禮如意
寶光耀菩薩足作如是言希有希有我等
今日幸遇大士得聞正法
爾時世尊告梵王言是如意寶光耀於未來
世當得作佛號寶燄吉祥藏如來應正遍
知明行圓滿善逝世間解無上士調御丈夫天
人師佛世尊說是品時有三千億菩薩於阿
耨多羅三藐三菩提得不退轉八千億天子
無量無數國王臣民遠塵離垢得法眼淨
爾時會中有五十億苾芻行菩薩行欲退菩
提心聞如意寶光耀菩薩說是法時皆得堅
固不可思議滿足上願更復發起菩提之心
各自脫衣供養菩薩重發無上勝進之心作
如是願願令我等功德善根悉皆不退迴向

BD00822號　金光明最勝王經卷五

（12–8）

提心聞如意寶光耀菩薩說是法時皆得堅
固不可思議滿足上願更復發起菩提之心
各自脫衣供養菩薩重發無上勝進之心作
如是願願令我等功德善根悉皆不退迴向
阿耨多羅三藐三菩提梵王是諸苾芻依此
功德如說修行過九十大劫當得解悟出離
生死爾時世尊即為授記汝諸苾芻過卅阿
僧祇劫當得作佛劫名難勝光王國名無垢
光同時得阿耨多羅三藐三菩提皆同一
號名願莊嚴聞飾王十號具足梵王是金光
明微妙經典若正聞持有大威力假使有人
於百千大劫行六波羅蜜無有方便若有善
男子善女人書寫如是金光明經半月半月
專心讀誦是功德聚於前功德百分不及一
乃至算數譬喻所不能及梵王是故我今令
汝修學憶念受持為他廣說何以故我於往
昔行菩薩道時猶如勇士入於戰陣不惜身
命流通如是微妙經王受持讀誦為他解說
梵王譬如輪聖王若王在世七寶不滅王若
命終所有七寶自然滅盡梵王是金光明
微妙經王若現在世無上法寶悉皆不滅若
無是經隨處隱沒是故應當於此經王專心
聽聞受持讀誦為他解說勸令書寫行精進
波羅蜜不惜身命不憚疲勞功德中勝我諸
弟子應當如是精勤修學
爾時大梵天王與無量梵衆帝釋四王及諸
藥叉俱從座起偏袒右肩右膝著地合掌恭

BD00822號　金光明最勝王經卷五

（12–9）

波羅蜜不惜身命不憚疲勞於[illegible]
弟子應當如是精勤修學
爾時大梵天王與無量梵眾帝釋四王及諸
藥叉俱從座起偏袒右肩右膝著地合掌恭
敬而白佛言世尊我等皆願守護流通是金
光明微妙經典及說法師若有諸難我當除
遣令具眾善色力充足辯才無礙身意泰然
時會聽者皆受安樂所在國土若有飢饉怨
賊非人為惱害者我等天眾皆為擁護使其
人民安隱豐樂無諸枉橫皆是我等天眾
之力若有供養是經典者我等亦當恭敬供
養如佛不異
爾時佛告大梵天王及諸梵眾乃至四　王諸
藥叉等善哉善哉汝等得聞甚深妙法復能
於此微妙經王發心擁護及持經者當獲無
邊殊勝之福速成無上正等菩提時梵王等
聞佛語已歡喜頂受
金光明最勝王經四天王觀察人天品第十一
爾時多聞天王持國天王增長天王廣目　天
王俱從座起偏袒右肩右膝著地合掌向佛
禮佛足已白言世尊是金光明最勝王經一
切諸佛常念觀察一切菩薩之所恭敬一切
天龍常所供養及諸天眾常生歡喜一切護
世稱揚讚歎聲聞獨覺皆共受持悉能明照
諸天宮殿能與一切眾生殊勝安樂止息地
獄餓鬼傍生諸趣苦惱一切怖畏悉能除殄
所有怨敵尋即退散飢饉惡時皆令豐稔疾

BD00822 號　金光明最勝王經卷五　（12–10）

世稱揚讚歎聲聞獨覺皆共受持悉能明照
諸天宮殿能與一切眾生殊勝安樂止息地
獄餓鬼傍生諸趣苦惱一切怖畏悉能除殄
所有怨敵尋即退散飢饉惡時皆令豐稔疾
疫病苦皆令蠲愈一切災變百千苦惱咸悉
消滅世尊是金光明最勝王經能為如是安
隱利樂饒益我等唯願世尊於大眾中廣為
宣說我等四王并諸眷屬聞此甘露無上法
味氣力充實增益威光精進勇猛神通倍勝
世尊我等四王修行正法常說正法以法化世
我等令彼天龍藥叉健闥婆阿蘇羅揭路荼
俱槃荼緊那羅莫呼羅伽及諸人王常以
正法而化於世遮去諸惡所有鬼神吸人精
氣無慈悲者悉令遠去世尊我等四王與二
十八部藥叉大將并與無量百千藥叉以淨
天眼過於世人觀察擁護此贍部洲世尊以
此因緣我等諸王名護世者又復於此洲中
若有國王被他怨賊常來侵擾及多飢饉疾
疫流行無量百千災厄之事世尊我等四王
於此金光明最勝王經恭敬供養若有苾芻
法師受持讀誦我等四王共往覺悟勸請其
人時彼法師由我神通覺悟力故往彼國界
廣宣流布是金光明微妙經典由經力故令
彼無量百千衰惱災厄之事悉皆除遣世尊
若諸人王於其國內有持是經苾芻法師至彼
國時當知此經亦至其國世尊時彼國王應
往法師處聽其所說聞已歡喜於彼法師

BD00822 號　金光明最勝王經卷五　（12–11）

若諸人王於其國內有持是經苾芻法師至彼
國時當知此經亦至其國世尊時彼國王應
往法師處聽其所說聞已歡喜於彼法師
恭敬供養深心擁護令無憂惱演說此經利
益一切世尊以是緣故我等四王皆共一心護
是人王及國人民令離灾患常得安隱世尊
若有苾芻苾芻尼鄔波索迦鄔波斯迦持
是經者時彼人王隨其所須供給供養令無
乏少我等四王令彼國主及以國人悉皆安
隱遠離灾患世尊若有受持讀誦是經典
者人王於此供養恭敬尊重讚歎我等當令
彼王於諸王中恭敬尊重最為第一諸餘國王
共所稱歎大衆聞已歡喜受持

金光明最勝王經卷第五

BD00822 號　金光明最勝王經卷五　（12–12）

一切聲中最為上　如
髮彩喻若黑蜂王　宛
齒白齊密如珂雪　平
目淨无垢妙端嚴　猶如[illegible]
舌相廣長極柔耎　猶如紅蓮
眉間常有白毫光　右旋宛轉頗梨色
眉細纖長類初月　其色光耀比蜂王
鼻高脩直如金鋌　淨妙光潤相无虧
一切世間殊妙香　聞時悉知其所在
世間最勝身金色　一一毛端相不殊
紺青柔耎右旋文　微妙光彩難為喻
初誕身有妙光明　普照一切十方界
能滅三有衆生苦　令彼悉蒙安隱樂
地獄傍生鬼道中　阿蘇羅天及人趣
令彼除滅於衆苦　常受自然安隱樂
身色光明常普照　譬如鎔金妙无比
面貌圓明如滿月　脣色赤好喻頻婆
行步威儀類師子　身光朗耀同初日
臂肘纖長立過膝　狀等垂下娑羅枝
圓光一尋照无邊　[illegible]

BD00823 號　金光明最勝王經卷五　（18–1）

身色光明常普照　譬如鎔金妙无比
面貌圓明如滿月　脣色赤好喻頻婆
行步威儀類師子　身光朗耀同初日
臂肘纖長立過膝　狀若垂下娑羅枝
圓光一尋照无邊　赫奕猶如百千日
悉能遍至諸佛剎　隨緣所在覺群迷
淨光明網无倫比　流輝遍滿百千界
普照十方无障礙　一切冥闇悉皆除
善逝慈光能與樂　妙色暉徹若金山
流光悉至百千土　衆生遇者皆出離
佛身成就无量福　一切功德共莊嚴
超過三界獨稱尊　世間殊勝无與等
所有過去一切佛　數同大地諸微塵
未來現在十方尊　亦如大地微塵衆
我以至誠身語意　稽首歸依三世佛
讚歎无邊功德海　種種香花皆供養
設我口中有千舌　經无量劫讚如來
世尊功德不思議　最勝甚深難可說
假令我舌有百千　讚歎一佛一功德
於中少分尚難知　況諸佛德无邊際
假使大地及諸天　乃至有頂為海水
可以毛端滴知數　佛一功德甚難量
我以至誠身語意　礼讚諸佛德无邊
所有勝福果難思　迴施衆生速成佛
彼王讚歎如來已　倍復深心發弘願
願我當於未來世　生在无量无數劫
夢中常見大金鼓　得聞顯說懺悔音
讚佛功德喻蓮花　願證无生成正覺

BD00823號　金光明最勝王經卷五　（18–2）

彼王讚歎如來已　倍復深心發弘願
願我當於未來世　生在无量无數劫
夢中常見大金鼓　得聞顯說懺悔音
讚佛功德喻蓮花　願證无生成正覺
諸佛出世時一現　於百千劫甚難逢
夜夢常聞妙鼓音　晝則隨應而懺悔
我當圓滿修六度　拔濟衆生出苦海
然後得成无上覺　佛土清淨不思議
以妙金鼓奉如來　并讚諸佛實功德
因斯當見釋迦佛　記我當紹人中尊
金龍金光是我子　過去曾為善知識
世世願生於我家　共受无上菩提記
若有衆生无救護　長夜輪迴受衆苦
我於來世作歸依　令彼常得安隱樂
三有衆苦願除滅　悉得隨心安樂處
於未來世修菩提　皆如過去成佛者
願此金光懺悔福　永竭苦海罪消除
業障煩惱悉皆云　令我速招清淨果
福智大海量无邊　清淨離垢深无底
願我獲斯功德海　速成无上大菩提
以此金光懺悔力　當獲福德淨光明
既得清淨妙光明　常以智光照一切
願我身光等諸佛　福德智慧亦復然
一切世界獨稱尊　威力自在无倫疋
有漏苦海願超越　无為樂海願常遊
現在福海願恒盈　當來智海願圓滿
願我剎土超三界　殊勝功德量无邊
諸有緣者悉同生　皆得速成清淨智

BD00823號　金光明最勝王經卷五　（18–3）

[illegible] 无為勇海願常遊
現在福海願恒盈　當來智海願圓滿
願我剎土超三界　殊勝功德量无邊
諸有緣者悉同生　皆得速成清淨智
妙幢汝當知　國王金龍主　曾發如是願　彼即是汝身
往時有二子　金龍及金光　即銀相銀光　當受我所記
大衆聞是說　皆發菩提心　願現在未來　常依此懺悔
金光明最勝王經金勝陀羅尼品第八
尒時世尊復於衆中告善住菩薩摩訶薩善
男子有陀羅尼名曰金勝若有善男子善女
人欲求親見過去未來現在諸佛恭敬供養
者應當受持此陀羅尼何以故此陀羅尼是
過現未來諸佛之母是故當知持此陀羅尼
者具大福德已於過去无量佛所殖諸善
本今得受持於戒清淨不毀不缺无有障
礙決定能入甚深法門世尊即為說持呪法
先稱諸佛及菩薩名至心禮敬然後誦呪
南謨十方一切諸佛　南謨諸大菩薩摩訶薩
南謨聲聞緣覺一切賢聖
南謨釋迦牟尼佛　南謨東方不動佛
南謨南方寶幢佛　南謨西方阿彌陀佛
南謨北方天鼓音王佛　南謨上方廣衆德佛
南謨下方明德佛　南謨寶藏佛
南謨普光佛　南謨普明佛
南謨香積王佛　南謨蓮花勝佛
南謨平等見佛　南謨寶髻佛
南謨寶上佛　南謨寶光佛
南謨无垢光明佛　南謨辯才莊嚴思惟佛

BD00823號　金光明最勝王經卷五　（18-4）

南謨香積王佛　南謨蓮花勝佛
南謨平等見佛　南謨寶髻佛
南謨寶上佛　南謨寶光佛
南謨无垢光明佛　南謨辯才莊嚴思惟佛
南謨淨月光稱相王佛　南謨花嚴光佛
南謨光明王佛　南謨善光无垢稱王佛
南謨觀察无畏自在佛　南謨无畏名稱佛
南謨最勝王佛
南謨觀自在菩薩摩訶薩　南謨地藏菩薩摩訶薩
南謨虛空藏菩薩摩訶薩　南謨妙吉祥菩薩摩訶薩
南謨金剛手菩薩摩訶薩　南謨普賢菩薩摩訶薩
南謨无盡意菩薩摩訶薩　南謨大勢至菩薩摩訶薩
南謨慈氏菩薩摩訶薩　南謨善惠菩薩摩訶薩
陀羅尼曰
南謨曷喇怛娜怛喇夜也　怛姪他
君睇　君睇　矩折囇　矩折囇
壹窒哩　蜜窒哩　莎訶
佛告善住菩薩此陀羅尼是三世佛母若
有善男子善女人持此呪者能生无量无邊
福德之聚即是供養恭敬尊重讚歎无數諸
佛如是諸佛皆與此人授阿耨多羅三藐三
菩提記善住若有人能持此呪者隨其所欲
衣食財寶多聞聰慧无病長壽獲福甚多隨所
願求无不遂意善住持是呪者乃至未證无
上菩提常與金城山菩薩慈氏菩薩大海菩
薩觀自在菩薩妙吉祥菩薩大氷伽羅菩薩
等而共居止為諸菩薩之所攝護善住當知
持此呪時作如是法先應誦持滿一万八遍

BD00823號　金光明最勝王經卷五　（18-5）

上菩提常與金城山菩薩慈氏菩薩大海菩
薩觀自在菩薩妙吉祥菩薩大氷伽羅菩薩
等而共居止為諸菩薩之所稱讚善住當知
持此呪時作如是法先應誦持滿一万八遍
為前方便次於闇室莊嚴道場黑月一日清
淨洗浴著鮮潔衣燒香散花種種供養并
諸飲食入道場中先當稱禮如前所說諸菩
薩至心懇重悔先罪已右膝著地可誦前呪
滿一千八遍端坐思惟念其所願日未出時
於道場中食淨黑食日唯一食至十五日方
出道場能令此人福德威力不可思議隨所
願求无不圓滿若不遂意重入道場既稱心
已常持莫忘

金光明最勝王經重顯空性品第九

尒時世尊說此呪已為欲利益菩薩摩訶薩
人天大眾令得悟解甚深真實第一義
故重明空性而說頌曰

我已於餘甚深經　廣說真空微妙法
今復於此經王內　略說空法不思議
於諸廣大甚深法　有情无智不能解
故我於斯重敷演　令於空法得開悟
大悲哀愍有情故　以善方便勝因緣
我今於此大眾中　演說令彼明空義
當知此身如空聚　六賊依止不相知
六塵諸賊別依根　各不相知亦如是
眼根常觀於色處　耳根聽聲不斷絕
鼻根恒嗅於香境　舌根鎮嘗於美味
身根受於輕耎觸　意根了法不知厭

六塵諸賊別依根　各不相知亦如是
眼根常觀於色處　耳根聽聲不斷絕
鼻根恒嗅於香境　舌根鎮嘗於美味
身根受於輕耎觸　意根了法不知厭
此等六根隨事起　各於自境生分別
識如幻化非真實　依止根處妄貪求
如人奔走空聚中　六識依根亦如是
心遍馳求隨事轉　託根緣境了諸事
常愛色聲香味觸　於法尋思无暫停
隨緣遍行於六根　如鳥飛空无障礙
藉此諸根作依處　方能了別於外境
此身无知无作者　體不堅固託緣成
皆從虛妄分別生　譬如機關由業轉
地水火風共成身　隨彼因緣招異果
同在一處相違害　如四毒蛇居一篋
此四大蛇性各異　雖居一處有昇沉
或上或下遍於身　斯等終歸於滅法
於此四種毒蛇中　地水二蛇多沉下
風火二蛇性輕舉　由此乖違眾病生
心識依止於此身　造作種種善惡業
當往人天三惡趣　隨其業力受身形
遭諸疾病身死後　大小便利悉盈流
膿爛蟲蛆不可樂　棄在屍林如朽木
汝等當觀法如是　云何執有我眾生
一切諸法盡无常　悉從无明緣力起
彼諸大種咸虛妄　本非實有體无生
故說大種性皆空　知此浮虛非實有
无明自性本是无　藉眾緣力和合有

汝等當觀法如是　云何執有我衆生
一切諸法盡无常　悉從无明緣力起
彼諸大種咸虛妄　本非實有體无生
故說大種性皆空　知此浮虛非實有
无明自性本是无　藉衆緣力和合有
於一切時失正慧　故我說彼為无明
行識為緣有名色　六處及觸受隨生
愛取有緣生老死　憂悲苦惱恒隨逐
衆苦惡業常纏迫　生死輪迴无息時
本來非有體是空　由不如理生分別
我斷一切諸煩惱　常以正智現前行
了五蘊宅悉皆空　求證菩提真實處
我開甘露大城門　示現甘露微妙器
既得甘露真實味　常以甘露施群生
我擊最勝大法鼓　我吹最勝大法螺
我然最勝大明燈　我降最勝大法雨
降伏煩惱諸怨結　建立无上大法幢
於生死海濟群迷　我當關閉三惡趣
煩惱熾火燒衆生　无有救護无依止
清涼甘露充足彼　身心熱惱並皆除
由是我於无量劫　恭敬供養諸如來
堅持禁戒趣菩提　求證法身安樂處
施他眼耳及手足　妻子僮僕心无悋
財寶七珍莊嚴具　隨來求者咸供給
忍等諸度皆遍修　十地圓滿成正覺
故我得稱一切智　无有衆生度量者
假使三千大千界　盡此土地生長物
所有叢林諸樹木　稻麻竹葦及枝條

故我得稱一切智　无有衆生度量者
假使三千大千界　盡此土地生長物
所有叢林諸樹木　稻麻竹葦及枝條
此等諸物皆伐取　並悉細末作微塵
隨處積集量難知　乃至充滿虛空界
一切十方諸剎土　所有三千大千界
地土皆悉末為塵　此微塵量不可數
假使一切衆生智　以此智慧與一人
如是智者量无邊　容可知彼微塵數
牟尼世尊一念智　令彼智人共度量
於多俱胝劫數中　不能算知其少分
時諸大衆聞佛說此甚深空性有无量衆
生悉能了達四大五蘊體性俱空六根六
境妄生繫縛願捨輪迴正修出離深心慶
喜如說奉持

金光明最勝王經依空滿願品苐十

尒時如意寶光耀天女於大衆中聞說深法
歡喜踊躍從座而起偏袒右肩右膝著地
合掌恭敬白佛言世尊唯願為說於甚深理
修行之法而說頌言
我問照世界　兩足最勝尊　菩薩正行法　唯願慈聽許
佛言善女天　若有疑惑者　隨汝意所問　吾當分別說
是時天女請世尊曰
云何諸菩薩　行菩提正行　離生死涅槃　饒益自他故
佛告善女天依於法界行菩提法修平等行
云何依於法界行菩提法修平等行謂於五
蘊能現法界法界即是五蘊五蘊不可說非
五蘊亦不可說何以故若法界是五蘊即是

佛告善女天依於法界行菩提法修平等行
云何依於法界行菩提法修平等行謂於五
蘊能現法界法界即是五蘊五蘊不可說非
五蘊亦不可說何以故若法界是五蘊即是
斷見若離五蘊即是常見離於二相不著二
邊不可見過所見无名无相是則名為說於法
界善女天云何五蘊能現法界如是五蘊
不從因緣生何以故若從因緣生者為已生
故生為未生故生若已生者何用因緣若
未生生者不可得生何以故未生諸法即是
非有无名无相非校量譬喻之所能及非是
因緣之所生故善女天譬如鼓聲依木依皮
及桴手等故得出聲如是鼓聲過去亦空未
來亦空現在亦空何以故是鼓音聲不從木
生不從皮生及桴手生不於三世生是則不
生若不可生則不可滅若不可滅无所從來
若无所從來亦无所去若无所去則非常非
斷若非常非斷則不一不異何以故此若是
一則不異法界若如是者凡夫之人應見真
諦得於无上安樂涅槃既不如是故知不一
若言異者一切諸佛菩薩行相即是執著
未得解脫煩惱繫縛即不證阿耨多羅三藐三
菩提何以故一切聖人於行非行同真實性
是故不異故知五蘊非有非无不從因緣生
非无因緣生是聖所知非餘境故亦非言說
之所能及无名无相无因无緣亦无譬喻始
終寂靜本來自空是故五蘊能現法界善女
天若善男子善女人欲求阿耨多羅三藐

是故不異故知五蘊非有非无不從因緣生
非无因緣生是聖所知非餘境故亦非言說
之所能及无名无相无因无緣亦无譬喻始
終寂靜本來自空是故五蘊能現法界善女
天若善男子善女人欲求阿耨多羅三藐三
菩提異真異俗難可思量於凡聖境體非
一異不捨於俗不離於真依於法界行菩提行
尒時世尊作是說已時善女天踊躍歡喜即
從座起偏袒右肩右膝著地合掌恭敬一心
頂禮而白佛言世尊如上所說菩提正行我今
當學是時索訶世界主大梵天王於大衆
中問如意寶光耀善女天曰此菩提行難
可修行汝今云何於菩提行而得自在尒時善
女天答梵王曰大梵王如佛所說實是甚深
一切異生不解其義是聖境界微妙難知若
使我今依於此法得安樂住是實語者願令
一切五濁惡世无量无數无邊衆生皆得金
色卅二相非男非女坐寶蓮花受无量樂雨
天妙花諸天音樂不皷自鳴一切供養皆悉
具足時善女天說是語已一切五濁惡世所
有衆生皆悉金色具大人相非男非女坐寶
蓮花受无量樂猶如他化自在天宮无諸惡
道寶樹行列七寶蓮花遍滿世界又雨七寶
上妙天花作天伎樂如意寶光耀善女天即
轉女身作梵天身時大梵天王問如意寶光耀
菩薩言仁者如何行菩提行答言梵王若水
中月行菩提行我亦行菩提行若夢中行菩
提行我亦行菩提行若陽焰行菩提行我

菩薩言仁者如何行菩提行答言梵王若水
中月行菩提行我亦行菩提行若夢中行菩
提行我亦行菩提行若陽焰行菩提行我
亦行菩提行若谷響行菩提行我亦行菩提
行時大梵王聞此說已白菩薩言仁依何義而
說此語答言梵王无有一法是實相者但由
因緣而得成故梵王言若如是者諸凡夫人
皆悉應得阿耨多羅三藐三菩提答言仁以
何意而作是說愚癡人異智慧人異菩提異
非菩提異解脫異非解脫異梵王如是諸
平等无異於此法界真如不異无有中間而
可執著无增无減梵王譬如幻師及幻弟子
善解幻術於四衢道取諸沙土草木葉等聚
在一處作諸幻術使人覩見象眾馬眾車兵
步眾七寶之聚種種倉庫若有眾生愚癡
无智不能思惟不知幻本若見若聞作是思惟
我所見聞象馬等眾此是實有餘皆虛妄於
後更不審察思惟有智之人則不如是了於
幻本若見若聞作如是念如我所見象馬等
眾非是真實唯有幻事惑人眼目妄謂象等
及諸倉庫有名无實如我見聞不執為實後
時思惟知其虛妄是故智者了一切法皆无
實體但隨世俗如見如聞表宣其事思惟諦
理則不如是復由假說顯實義故梵王愚癡
異生未得出世聖慧之眼未知一切諸法真
如不可說故是諸凡愚若見若聞行非行法
如是思惟便生執著謂以為實於第一義不

BD00823號　金光明最勝王經卷五　　(18–12)

異生未得出世聖慧之眼未知一切諸法真
如不可說故是諸凡愚若見若聞行非行法
如是思惟便生執著謂以為實於第一義不
能了知諸法真如是不可說是諸聖人若見
若聞行非行法隨其力能不生執著以為實
有了知一切无實行法无實非行法但妄思
量行非行相唯有名字无有實體是諸聖人
隨世俗說為欲令他知真實義如是梵王是
諸聖人以聖智見了法真如不可說故行非
行法亦復如是令他證知故說種種世俗名言
時大梵王問如意寶光耀菩薩言有幾眾生
能解如是甚深正法答言梵王有眾幻人心
心數法能解如是甚深正法梵王曰此幻化
人體是非有此之心數從何而生答曰若知
法界不有不无如是眾生能解深義
尒時梵王白佛言世尊是如意寶光耀菩
薩不可思議通達如是甚深之義佛言如是
如是梵王如汝所言此如意寶光耀已教汝
等發心修學无生忍法是時大梵天王與諸
梵眾從座而起偏袒右肩合掌恭敬頂禮
如意寶光耀菩薩足作如是言希有我等
今日幸遇大士得聞正法
尒時世尊告梵王言是如意寶光耀於未
來世當得作佛号寶餤吉祥藏如來應正遍
知明行圓滿善逝世間解无上士調御丈夫天
人師佛世尊說是品時有三千億菩薩於阿
耨多羅三藐三菩提得不退轉八千億天子无
量无數國王臣民遠塵離垢得法眼淨

BD00823號　金光明最勝王經卷五　　(18–13)

知明行圓滿善逝世間解无上士調御丈夫天
人師佛世尊說是品時有三千億菩薩於阿
耨多羅三藐三菩提得不退轉八千億天子无
量无數國王臣民遠塵離垢得法眼淨
尒時會中有五十億苾芻行菩薩行欲退菩
提心聞如意寶光耀菩薩說是法時皆得堅
固不可思議滿足上願更復發起菩提之心
各自脫衣供養菩薩重發无上勝進之心作
如是願願令我等功德善根悉皆不退迴向
阿耨多羅三藐三菩提梵王是諸苾芻依此
功德如說修行過九十大劫當得解悟出離
生死尒時世尊即為授記汝諸苾芻過卅阿
僧祇劫當得作佛劫名難勝光王國名无
垢光同時皆得阿耨多羅三藐三菩提皆同一
号名願莊嚴聞飾王十号具足梵王是金光
明微妙經典若正聞持有大威力假使有人
於百千大劫行六波羅蜜无有方便若有
善男子善女人書寫如是金光明經半月半月
專心讀誦是功德聚於前功德百分不及一
乃至筭數譬喻所不能及梵王是故我今令
汝修學憶念受持為他廣說何以故我於
往昔行菩薩道時猶如勇士入於戰陣不惜身
命流通如是微妙經王受持讀誦為他解說
梵王譬如轉輪聖王若王在世七寶不滅王若
命終所有七寶自然滅盡梵王是金光明
微妙經王若現在世无上法寶悉皆不滅
若无是經隨處隱沒是故應當於此經王專
心聽聞受持讀誦為他解說勸令書寫行精

BD00823號　金光明最勝王經卷五　　(18–14)

命終所有七寶自然滅盡梵王是金光明
微妙經王若現在世无上法寶悉皆不滅
若无是經隨處隱沒是故應當於此經王專
心聽聞受持讀誦為他解說勸令書寫行精
進波羅蜜不惜身命不憚疲勞功德中勝
我諸弟子應當如是精勤修學
尒時大梵天王與无量梵衆帝釋四王及諸
藥叉俱從座起偏袒右肩右膝著地合掌恭
敬而白佛言世尊我等皆願守護流通是金
光明微妙經典及說法師若有諸難我當除
遣令具衆善色力充足辯才无礙身意泰然
時會聽者皆受安樂所在國土若有飢饉怨
賊非人為惱害者我等天衆皆為擁護使其
人民安隱豐樂无諸枉橫皆是我等天衆之
力若有供養是經典者我等亦當恭敬供養
如佛不異
尒時佛告大梵天王及諸梵衆乃至四王諸
藥叉等善哉善哉汝等得聞甚深妙法復
能於此微妙經王發心擁護及持經者當獲
无邊殊勝之福速成无上正等菩提時梵王等
聞佛語已歡喜頂受
金光明最勝王經四天王觀察人天品第十一
尒時多聞天王持國天王增長天王廣目天王
俱從座起偏袒右肩右膝著地合掌向佛禮
佛足已白言世尊是金光明最勝王經一切
諸佛常念觀察一切菩薩之所恭敬一切
天龍常所供養及諸天衆常生歡喜一切

BD00823號　金光明最勝王經卷五　　(18–15)

佛是已告言世尊是金光明最勝王經一切
諸佛常念觀察一切菩薩之所恭敬一切
天龍常所供養及諸天衆常生歡喜一切
護世稱揚讚歎聲聞獨覺皆共受持悉能明
照諸天宮殿能與一切衆生殊勝安樂止息地
獄餓鬼傍生諸趣苦惱一切怖畏悉能除殄
所有怨敵尋即退散飢饉惡時能令豐稔疾
疫病苦皆令蠲愈一切災變百千苦惱咸悉
消滅世尊是金光明最勝王經能為如是安
隱利樂饒益我等唯願世尊於大衆中廣為
宣說我等四王并諸眷屬聞此甘露无上法
味氣力充實增益威光精進勇猛神通倍
勝世尊我等四王修行正法常說正法以法化
世我等令彼天龍藥叉健闥婆阿蘇羅揭路
荼俱槃荼緊那羅莫呼羅伽及諸人王常以
正法而化於世遮去諸惡所有鬼神吸人精氣
无慈悲者悉令遠去世尊我等四王與二十
八部藥叉大將并與无量百千藥叉以淨天
眼過於世人觀察擁護此贍部洲世尊以此
因緣我等諸王名護世者又復於此贍部洲中
若有國王被他怨賊常來侵擾及多飢饉疾
疫流行无量百千災厄之事世尊我等四王
於此金光明最勝王經恭敬供養若有苾
芻法師受持讀誦我等四王共往覺悟勸請
其人時彼法師由我神通覺悟力故往彼國界
廣宣流布是金光明微妙經典由經力故令
彼无量百千衰惱災厄之事悉皆除遣世尊
若諸人王於其國內有持是經苾芻法師至

BD00823號　金光明最勝王經卷五　（18–16）

廣宣流布是金光明微妙經典由經力故令
彼无量百千衰惱災厄之事悉皆除遣世尊
若諸人王於其國內有持是經苾芻法師至
彼國時當知此經亦至其國世尊時彼國王
應往法師處聽其所說聞已歡喜於彼法師
恭敬供養深心擁護令無憂惱演說此經
利益一切世尊以是緣故我等四王皆共一心
護是人王及國人民令離災患常得安隱世
尊若有苾芻苾芻尼鄔波索迦鄔波斯迦持
是經者時彼人王隨其所須供給供養令無
乏少我等四王令彼國主及以國人悉皆安
隱遠離災患世尊若有受持讀誦是經典者
人王於此供養恭敬尊重讚歎我等當令彼
王於諸王中恭敬尊重最為第一諸餘國王
共所稱歎大衆聞已歡喜受持

金光明經卷第五

BD00823號　金光明最勝王經卷五　（18–17）

是經者時彼人王隨其所須供給供養令無
乏少我等四王令彼國王及以國人悉皆安
隱遠離災患世尊若有受持讀誦是經典者
人王於此供養恭敬尊重讚歎我等當令彼
王於諸王中恭敬尊重最為第一諸餘國王
共所稱歎大衆聞已歡喜受持

金光明經卷第五

BD00823號　金光明最勝王經卷五　（18–18）

是諸如来我不見授記復過此劫〻名梵音
我於此劫供養廿二億諸佛如来是諸如来
我不見授記復過此劫〻名心喜我於此劫
供養八万四千諸佛如来是諸如来我不見
授記復過此劫〻名救苦國名莊嚴佛号大
施如来應供正遍知十号具足我於此劫供
養四十億佛得聞此經須惚永除自稱未觀
我於尒時皆以一切供養之具而供養之是
諸如来我不見与我授記善男子我於往昔
若干劫中供養若干諸佛如来尊重讚嘆煩
惚得除具足聲聞威儀禁戒淨脩梵行學行
布施一切持戒及行頭陁離於憒閙瞋恚愚
癡忍辱慈心如聞能說勤行精進一切所聞
受持不失禪慶遠離入諸禪定出禪定已隨
所聞慧讀誦思義是諸如来我不見授記何
以故所受禁戒多毀犯故謀著聲聞二乘行
故不聞大乘方廣經故以是義故若諸菩薩
摩訶薩等應當遠離二乘之行脩集大乘方
廣經典則得授記若我以一劫若減一劫說
是佛名不可得盡善男子我過是後得見定
光佛名无量大眾說是大乘大通方廣懺

BD00824號　大通方廣懺悔滅罪莊嚴成佛經卷中　（9–1）

摩訶薩等應當遠離二乘之行脩集大乘方
廣經典則得授記若我以一劫若減一劫說
是佛名不可得盡善男子我過是後得見定
光佛為无量大衆說是大乘大通方廣我於
介時得聞得見假佛所受持讀誦思惟其義
即得无生法忍定光如来即授我記汝於来
世當得作佛号釋迦牟尼如来應供正遍知
是故善男子受持是經疾至佛地况消世間
人天供養善男子是故大乘經典力施寶藏
不可思議恵施破戒宜窮威儀寶珠善男子
大乘如大海小乘牛跡水大乘如須弥小乘
蟻子塠大乘如日月小乘打火星是乘名大
乘不可思議乘容受諸衆生猶如虛空中一
切諸乘中此乘為第一如是大乘者餘出種
種乘小乘有限量不能度一切唯此无上乘普
能度衆生若行此无量虛空之大乘處空无
有量亦无有形色大乘亦如是无量无邊等
一切諸衆生乘於此大乘當觀是乘相應惜
多容受若於无量劫說大乘功德及乘此乘
者不可得窮盡一切諸乘中大乘最為勝
心受大乘得趣菩提樹无觸无鄣导今此无
上乘能勝下劣乘坐於道樹下觀於十二緣
哀愍衆生故為說大乘經十方諸衆生若乘
大乘者亦无增減容受如虛空大乘巨思議
神通大智慧是故諸衆生當勤脩集之一切
諸天衆天魔及外道欲除煩惱縛歸依於大
乘具足六神通三明三達門能壞魔外道并

大乘者亦无增減容受如虛空大乘巨思議
神通大智慧是故諸衆生當勤脩集之一切
諸天衆天魔及外道欲除煩惱縛歸依於大
乘具足六神通三明三達門能壞魔外道并
及諸邪見大乘最為要能破諸煩惱具足諸
善根是故大乘力其實難思議一切世間法
及以出世法有學无學法攝在大乘中若有
衆生行惡道親近邪見惡知識遠離此事歸
大乘若人不樂求大乘不能破壞煩惱結欲
求解脫學大乘若有大人解大事聞說大乘
心歡喜當知即是大乘人得心寂靜具神通
皆由大乘自莊嚴若人有能行大乘是則不
過三寶種若有趣向大乘者是人即得无量
福能到十方諸世界供養十方无量佛如是
大乘方廣經世間諸乘无能勝具足威德破
生死是故大乘難思議得色得力得自在具
足成就常法身若有乘此大乘者是人受於
无上樂捨身自施脩慈悲是故得此无上乘
持戒精進脩梵行能以神通鄣日月皆由久
脩大乘行自心勤脩常精進是人則得於大
乘應有无量若惱報脩集大乘得除滅若能
安住大乘典長受快樂如諸佛具足正念總
精進禪四如意神通力依止正法及真義皆
由久脩大乘經具足十力无所畏相好莊嚴
卅二金剛三昧一切智皆由脩於大乘〻善
男子若有持此大乘經典一字一句乃至一
偈永脫諸苦難終不墮惡道得到安樂處於
後惡世時若得是經者我皆与授記究竟成

男子若有持此大乘經典一字一句乃至一
偈永脫諸苦難終不墮惡道得到安樂處於
後惡世時若得是經者我皆與授記究竟成
佛道若持此經者佛常近是人是人常近佛
是人誦佛法諸佛誦是人獲大神通慧能轉
大法輪度諸生死趣能破壞魔軍我於定光
佛聞此方廣經往昔得授記號為釋迦牟尼
於我滅度後若有學是經我亦與授記若人
來世中能脩此經義為諸愚者說佛雖不在
世不離於三寶亦如佛現在所以者何我從
无量佛受持此經於未劫中為人廣說是以
獲得卅二相虛空藏菩薩白佛言世尊一切
諸佛皆亦說此卅二相佛今復說卅二相是
何業因之所成就唯願世尊當為說之
佛告虛空藏菩薩言善男子如來成就无量
功德是故得成卅二相我若廣說窮劫不盡
今當為汝略而說之如來至心誦持淨戒得
足下平滿相脩種種惠施故得千輻輪相不
欺一切諸眾生故得足跟牖相誦正法故得指
纖長相不壞破他故得網縵相以妙服奉施
故得手足濡相以淨食施故得七處滿相喜
聞佛法故得鹿王腨相覆藏他罪過故得馬
陰藏相脩十善法故得上身如師子王相常
以善法化眾生故得缺骨平滿相救護怖畏
故得辟肘牖相見他造三寶業樂佐助故得
手摩膝相常脩万善法故得清淨身相常施
病者藥故得所食之物至咽悉現相常救疰
嚴脩善法故得師子頰輔相於諸眾生心平等

BD00824 號　大通方廣懺悔滅罪莊嚴成佛經卷中　（9–4）

故得辟肘牖相見他造三寶業樂佐助故得
手摩膝相常脩万善法故得清淨身相常施
病者藥故得所食之物至咽悉現相常救疰
嚴脩善法故得師子頰輔相於諸眾生心平等
故得卅齒相意和合諍訟故得齒密相以珎
寶施故得齒齊相身口意淨故得二牙白相
誦口四過故得廣長舌相成就无量功德故
得味中上味相於諸眾生常以濡語故得梵
音相脩集慈心故得細長目相至心求於无
上菩提故得牛王睫相讚嘆他人所有功德
故得白毫相恭敬供養父母和上阿闍梨師
故得肉髻相樂說大乘法故得身柔濡相意
數具故得金光明相遠離眾說世間故得一
一孔毛生相樂受善友師長教勑故得身毛
上靡相不以惡事加眾生故得紺色精相常
勸眾生脩三昧故得圓滿如尼拘陁相所生
之處意造佛像故得那羅延力相善男子菩
薩摩訶薩成就如是无量功德獲得如是三
十二相虛空藏菩薩白佛言世尊我觀諸法
都无相貌又觀如來亦非是行云何而言廣
脩諸行我觀諸佛法猶若集藏道陰入界等
十二因緣諸波羅蜜內外因果空无相願不
見出生不見滅沒如幻如化如炎如響如水
中月龜毛兔角如空中之華如石女之子如
著影衣夕乘白鳥如有如无及以有无非有
非无非常非斷非生非滅非內非外非見非
識猶如虛空云何而言我脩諸法我觀如來
亦非眾生壽命士夫亦非非眾色非色相行非

BD00824 號　大通方廣懺悔滅罪莊嚴成佛經卷中　（9–5）

着影衣乡乘白鳥如有如无及以有无非有
非无非常非斷非生非滅非內非外非見非
識猶如虛空云何而言我脩諸法我觀如来
不非衆生壽命士夫不非眼色非色相行非
耳非聲非耳聲相行非鼻非香非鼻香相行
非舌非味相行非身非觸相行非意非法非
意法相行非識非色非識色相行非色非苦
非色苦相行非我非願非行非陰非實非虛
非聚非散非出非入受想行識不復如是非
去非来无有住處无心意〻識无有身口意
業非一非二非去来現在非垢非淨非我衆
生壽命士夫非常非斷无生无滅无脩无行
无捨无受畢竟常住云何而言庶脩諸行
尒時佛讚虛空藏菩薩摩訶薩言善哉善哉
善男子汝過去世時曾已供養无量諸佛久
達大乘无上空義了知万法皆悉空寂尒知
如来畢竟常住善男子譬如清淨瑠璃寶珠
雖在泥中逕歷千年其性常淨出已如本汝
等今者不復如是了知法相本性清淨汝等
今者雖在三界五濁泥中助佛揚化不復不
為泥之所汙以不汙故能聞此義善男子汝
今復聽當為說之一切万法實无相貌有文
字故說言有法法中无字字中无法為流布
故說有文字文字之中不无菩提菩提之中
不无文字第一義諦雖无文字世俗道中說
有文字衆生佛性无上菩提不離文字善男
子實如汝說如来无盡无生不脩不行離諸
脩行不入正位不不退轉一生不生是寧陁
天不從天下不處世胎於一切法心无所住

BD00824號　大通方廣懺悔滅罪莊嚴成佛經卷中　（9–6）

有文字衆生佛性无上菩提不離文字善男
子實如汝說如来无盡无生不脩不行離諸
脩行不入正位不不退轉一生不生是寧陁
天不從天下不處世胎於一切法心无所住
不不說言我已過於生老病死不不四維七
步而行不不自言我是世間无上之尊不處
中宮采女娛樂不習世間伎樂之事不復不
學騎馬角力欲度衆生示現老人為壞貪
身示現病苦為壞貪壽示現死相為壞貪欲
及我〻所示現沙門為令衆生不求梵天帝
釋之身動求出世无上之法喻出宮城示現
出離三界繫縛及示非果前後故示現无願
愛是故三十二相莊嚴其身為示衆生良祐
福田剃除周羅棄捨瓔珞遣馬令還放闡陁
羅示現遠離一切煩惱現剃鬚髮示現貪著
於一切法受持袈裟示調衆生從鬱陁伽阿
羅邏諸聞受法示現破壞自高之心六年苦
行為壞外道現受飲食隨世俗法現受草
示於知足坐草蓐上示壞憍慢諸天龍神讚
嘆恭敬示現功德莊嚴果報降伏外道示勇
猛力右手指地示作福力大地震動示報恩
故脩无相願離得无上菩提之道示現了知
一切法相觀法平等名之為佛〻之智慧无
能勝者所說法要如去来現佛以是義故名
為如来了〻見知三世之事善不善法名薩
婆若真實語故名天人師若有學者能作是
觀是名菩薩若作異觀不名菩薩則名[illegible]
一切諸佛善男子一切諸佛不出不入不生

BD00824號　大通方廣懺悔滅罪莊嚴成佛經卷中　（9–7）

為如來了了見知三世之事善不善法名薩
婆若真實語故名天人師若有學者能作是
觀是名菩薩若作異觀不名菩薩則名䫋豚
一切諸佛善男子一切諸佛不出不入不生
不滅為度衆生唱言出世為度衆生唱言滅
度虛空藏菩薩白佛言世尊我實久知法相
理空諸佛如來无出无沒不生王宮雙樹不
滅畢竟常住為度衆生脩諸苦行而入涅槃
實无動轉諸佛如來真實常存應身三界現
五種法身何等為五一者實相法身二者功
德法身三者法性法身四者應化法身五者
虛空法身所以名為實相法身真實妙果衆
相永盡體極常住是故名為實相法身所以
名為功德法身為度衆生施功積行万善備
足是故名為功德法身性法生身者達悟而
法相理无不同從境生於空解空解滿足從
境得名稱為法性生身何故名為應化法身
如來出世備應五道善惡志現物无不濟從
化物得名是故名為應化法身所以復名虛
空法身者虛空无邊法身无邊虛空不可
度量法身亦不可度量如來之身猶如大虛
為度衆生應身五分故知如來无生无滅諸
法亦尒為度衆生佛現法興尒時佛告虛空
藏菩薩言善男子汝与如來同解法相一切
境界无鄣无㝵善男子未來有劫名曰清淨
國名快樂彼國悉以諸大菩薩論議大乘可
初不聞二乘之名况餘惡道汝於此劫當得
作佛号曰清淨莊嚴如來應供正遍知他方

境得名稱為法性生身何故名為應化法身
如來出世備應五道善惡志現物无不濟從
化物得名是故名為應化法身所以復名虛
空法身者虛空无邊法身无邊虛空不可
度量法身亦不可度量如來之身猶如大虛
為度衆生應身五分故知如來无生无滅諸
法亦尒為度衆生佛現法興尒時佛告虛空
藏菩薩言善男子汝与如來同解法相一切
境界无鄣无㝵善男子未來有劫名曰清淨
國名快樂彼國悉以諸大菩薩論議大乘可
初不聞二乘之名况餘惡道汝於此劫當得
作佛号曰清淨莊嚴如來應供正遍知他方
大王皆往詣彼聽受大乘大通方廣是故一
切衆生若聞虛空藏菩薩名者禮拜供養皆
得生彼快樂世界若有衆生求於大乘未得
无生忍持是經當知是人不過十佛便得授
記

大通方廣經卷中

作礼圍遶以諸華香而散其處
復次須菩提善男子善女人受持讀誦此經
若為人輕賤是人先世罪業應墮惡道以今
世人輕賤故先世罪業則為消滅當得阿耨
多羅三藐三菩提須菩提我念過去无量阿
僧祇劫於然燈佛前得值八百四千万億那
由他諸佛悉皆供養承事无空過者若復有
人於後末世能受持讀誦此經所得功德於
我所供養諸佛功德百分不及一千万億分
乃至筭數譬喻所不能及須菩提若善男子
善女人於後末世有受持讀誦此經所得功
德我若具說者或有人聞心則狂亂狐疑不
信須菩提當知是經義不可思議果報亦不
可思議
尒時須菩提白佛言世尊善男子善女人發
阿耨多羅三藐三菩提心云何應住云何降
伏其心佛告須菩提善男子善女人發阿耨

BD00825號　金剛般若波羅蜜經　（7–1）

可思議
尒時須菩提白佛言世尊善男子善女人發
阿耨多羅三藐三菩提心云何應住云何降
伏其心佛告須菩提善男子善女人發阿耨
多羅三藐三菩提者當生如是心我應滅度
一切衆生滅度一切衆生已而无有一衆生
實滅度者何以故若菩薩有我相人相衆生
相壽者相則非菩薩所以者何須菩提實
无有法發阿耨多羅三藐三菩提者
須菩提於意云何如來於然燈佛所有法得
阿耨多羅三藐三菩提不不也世尊如我解
佛所說義佛於然燈佛所无有法得阿耨多
羅三藐三菩提佛言如是如是須菩提實
无有法如來得阿耨多羅三藐三菩提須菩提
若有法如來得阿耨多羅三藐三菩提然燈
佛則不與我受記汝於來世當得作佛号釋
迦牟尼以實无有法得阿耨多羅三藐三菩
提是故然燈佛與我受記作是言汝於來世
當得作佛号釋迦牟尼何以故如來者即
諸法如義若有人言如來得阿耨多羅三藐
三菩提須菩提實无有法佛得阿耨多
羅三藐三菩提須菩提如來所得阿耨多
羅三藐三菩提於是中无實无虛是故
如來說一切法皆是佛法須菩提所言一切
法者即非一切法是故名一切法
須菩提譬如人身長大須菩提言世尊如

BD00825號　金剛般若波羅蜜經　（7–2）

羅三藐三菩提於是中无實无虛是故
如来說一切法皆是佛法須菩提所言一切
法者即非一切法是故名一切法
須菩提譬如人身長大須菩提言世尊如
来說人身長大則為非大身是名大身
須菩提菩薩亦如是若作是言我當滅度
无量衆生則不名菩薩何以故須菩提實无
有法名為菩薩是故佛說一切法无我无人无
衆生无壽者須菩提若菩薩作是言我當
莊嚴佛土是不名菩薩何以故如来說莊嚴
佛土者即非莊嚴是名莊嚴須菩提若菩
薩通達无我法者如来說名真是菩薩
須菩提於意云何如来有肉眼不如是世尊
如来有肉眼須菩提於意云何如来有天眼
不如是世尊如来有天眼須菩提於意云何
如来有慧眼不如是世尊如来有慧眼須菩
提於意云何如来有法眼不如是世尊如来
有法眼須菩提於意云何如来有佛眼不如
是世尊如来有佛眼須菩提於意云何恒河
中所有沙佛說是沙不如是世尊如来說是
沙須菩提於意云何如一恒河中所有沙有
如是等恒河是諸恒河所有沙數佛世界如
是寧為多不甚多世尊佛告須菩提尒所國
土中所有衆生若干種心如来悉知何以故
如来說諸心皆為非心是名為心所以者何

BD00825 號　金剛般若波羅蜜經 （7–3）

是寧為多不甚多世尊佛告須菩提尒所國
土中所有衆生若干種心如来悉知何以故
如来說諸心皆為非心是名為心所以者何
須菩提過去心不可得現在心不可得未来
心不可得須菩提於意云何若有人滿三千
大千世界七寶以用布施是人以是因緣得
福多不如是世尊此人以是因緣得福甚多
須菩提若福德有實如来不說得福德多以
福德无故如来說得福德多
須菩提於意云何佛可以具足色身見不不
也世尊如来不應以具足色身見何以故如
来說具足色身即非具足色身是名具足色
身須菩提於意云何如来可以具足諸相見
不不也世尊如来不應以具足諸相見何以故
如来說諸相具足即非具足是名諸相具足
須菩提汝勿謂如来作是念我當有所說法
莫作是念何以故若人言如来有所說法即
為謗佛不能解我所說故須菩提說法者
无法可說是名說法
須菩提白佛言世尊佛得阿耨多羅三藐
三菩提為无所得耶如是如是須菩提我於
阿耨多羅三藐三菩提乃至无有少法可得
是名阿耨多羅三藐三菩提復次須菩提是
法平等无有高下是名阿耨多羅三藐三菩

BD00825 號　金剛般若波羅蜜經 （7–4）

三菩提為无所得耶如是如是須菩提我於
阿耨多羅三藐三菩提乃至无有少法可得
是名阿耨多羅三藐三菩提復次須菩提是
法平等无有高下是名阿耨多羅三藐三菩
提以无我无人无衆生无壽者脩一切善法則
得阿耨多羅三藐三菩提須菩提所言善
法者如来說非善法是名善法
須菩提若三千大千世界中所有諸須弥山
王如是等七寶聚有人持用布施若人以此
般若波羅蜜乃至四句偈等受持讀誦為
他人說於前福德百分不及一百千万億分
乃至筭數譬喻所不能及
須菩提於意云何汝等勿謂如来作是念我
當度衆生須菩提莫作是念何以故實无有
衆生如来度者若有衆生如来度者如来則
有我人衆生壽者須菩提如来說有我者則
非有我而凡夫之人以為有我須菩提凡夫
者如来說則非凡夫
須菩提於意云何可以卅二相觀如来不須
菩提言如是如是以卅二相觀如来佛言須
菩提若以卅二相觀如来者轉輪聖王則是
如来須菩提白佛言世尊如我解佛所說義
不應以卅二相觀如来尒時世尊而說偈言
若以色見我 以音聲求我 是人行邪道 不能見如来
須菩提汝若作是念如来不以具足相故得

BD00825號　金剛般若波羅蜜經　（7–5）

不應以卅二相觀如来尒時世尊而說偈言
若以色見我 以音聲求我 是人行邪道 不能見如来
須菩提汝若作是念如来不以具足相故得
阿耨多羅三藐三菩提須菩提莫作是念如
来不以具足相故得阿耨多羅三藐三菩提
須菩提汝若作是念發阿耨多羅三藐三菩
提者說諸法斷滅莫作是念何以故發阿耨
多羅三藐三菩提者於法不說斷滅相須菩
提若菩薩以滿恒河沙等世界七寶布施若
復有人知一切法无我得成於忍此菩薩勝
前菩薩所得功德須菩提以諸菩薩不受福
德故須菩提白佛言世尊云何菩薩不受福
德須菩提菩薩所作福德不應貪著是故
說不受福德
須菩提若有人言如来若来若去若坐若卧
是人不解我所說義何以故如来者无所從
来亦无所去故名如来
須菩提若善男子善女人以三千大千世界
碎為微塵於意云何是微塵衆寧為多不
甚多世尊何以故若是微塵衆實有者佛則
不說是微塵衆所以者何佛說微塵衆則非
微塵衆是名微塵衆世尊如来所說三千大
千世界則非世界是名世界何以故若世界實
有者則是一合相如来說一合相則非一合
相是名一合相須菩提一合相者則是不可說

BD00825號　金剛般若波羅蜜經　（7–6）

微塵衆是名微塵衆世尊如來所說三千大
千世界則非世界是名世界何以故若世界實
有者則是一合相如來說一合相則非一合
相是名一合相須菩提一合相者則是不可說
但凡夫之人貪著其事須菩提若人言佛說
我見人見衆生見壽者見須菩提於意云何
是人解我所說義不世尊是人不解如來所
說義何以故世尊說我見人見衆生見壽者
見即非我見人見衆生見壽者見是名我見
人見衆生見壽者見須菩提發阿耨多羅三
藐三菩提心者於一切法應如是知如是見
如是信解不生法相須菩提所言法相者如
來說即非法相是名法相須菩提若有人以
滿无量阿僧祇世界七寶持用布施若有善
男子善女人發菩薩心者持於此經乃至四
句偈等受持讀誦為人演說其福勝彼云何
為人演說不取於相如如不動何以故
一切有為法　如夢幻泡影　如露亦如電　應作如是觀
佛說是經已長老須菩提及諸比丘比丘尼優
婆塞優婆夷一切世間天人阿脩羅聞佛
所說皆大歡喜信受奉行

金剛般若波羅蜜經

著 錄 凡 例

本目錄採用條目式著錄法。諸條目意義如下：

1.1　著錄編號。用漢語拼音首字“BD”表示，意為“北京圖書館藏敦煌遺書”，簡稱“北敦號”。文獻寫在背面者，標註為“背”。一件遺書上抄有多個文獻者，用數字1、2、3等標示小號。一號中包括幾件遺書，且遺書形態各自獨立者，用字母A、B、C等區別。

1.2　著錄分類號。本條記目錄暫不分類，該項空缺。

1.3　著錄文獻的名稱、卷本、卷次。

1.4　著錄千字文編號。

1.5　著錄縮微膠卷號。

2.1　著錄遺書的總體數據。包括長度、寬度、紙數、正面抄寫總行數與每行字數、背面抄寫總行數與每行字數。如該遺書首尾有殘破，則對殘破部分單獨度量，用加號加在總長度上。凡屬這種情況，長度用括弧標註。

2.2　著錄每紙數據。包括每紙長度及抄寫行數或界欄數。

2.3　著錄遺書的外觀。包括：（1）裝幀形式。（2）首尾存況。（3）護首、軸、軸頭、天竿、縹帶，經名是書寫還是貼簽，有無經名號，扉頁、扉畫。（4）卷面殘破情況及其位置。（5）尾部情況。（6）有無附加物（蟲繭、油污、線繩及其他）。（7）有無裱補及其年代。（8）界欄。（9）修整。（10）其他需要交待的問題。

2.4　著錄一件遺書抄寫多個文獻的情況。

3.1　著錄文獻首部文字與對照本核對的結果。

3.2　著錄文獻尾部文字與對照本核對的結果。

3.3　著錄錄文。

3.4　著錄對文獻的說明。

4.1　著錄文獻首題。

4.2　著錄文獻尾題。

5　著錄本文獻與對照本的不同之處。

6.1　著錄本遺書首部可與另一遺書綴接的編號。

6.2　著錄本遺書尾部可與另一遺書綴接的編號。

7.1　著錄題記、題名、勘記等。

7.2　著錄印章。

7.3　著錄雜寫。

7.4　著錄護首及扉頁的內容。

8　著錄年代。

9.1　著錄字體。如有武周新字、合體字、避諱字等，予以說明。

9.2　著錄卷面二次加工的情況。包括句讀、點標、科分、間隔號、行間加行、行間加字、硃筆、墨塗、倒乙、刪除、兌廢等。

10　著錄敦煌遺書發現後，近現代人所加內容，裝裱、題記、印章等。

11　備註。著錄揭裱互見、圖版本出處及其他需要說明的問題。

上述諸條，有則著錄，無則空缺。

為避文繁，上述著錄中出現的各種參考、對照文獻，暫且不列版本說明。全目結束時，將統一編制本條記目錄出現的各種參考書目。

本條記目錄為農曆年份標註其公曆紀年時，未經行歲頭年末之換算，請讀者使用時注意自行換算。

條 記 目 録

BD00760—BD00825

1.1 BD00760 號
1.3 維摩詰所説經卷中
1.4 月 060
1.5 070：1205
2.1 124×26 厘米；3 紙；57 行，行 17 字。
2.2 01：49.5，28； 02：48.5，28； 03：26.0，01。
2.3 卷軸裝。首殘尾全。第 2、3 紙上邊有殘缺。因卷背粘損，正面經文字跡受損。有烏絲欄。
3.1 首殘→大正 475，14/551A26。
3.2 尾全→14/551C27。
4.2 維摩詰經卷中（尾）。
8 8～9 世紀。吐蕃統治時期寫本。
9.1 楷書。
11 圖版：《敦煌寶藏》，65/668B～670A。

1.1 BD00761 號
1.3 維摩詰所説經卷中
1.4 月 061
1.5 070：1067
2.1 （3+863+2）×25.5 厘米；19 紙；522 行，行 17 字。
2.2 01：3+27.5，18； 02：46.5，28； 03：46.5，28；
04：46.5，28； 05：46.5，28； 06：46.5，28；
07：46.5，28； 08：46.5，28； 09：46.5，28；
10：46.5，28； 11：46.5，28； 12：46.5，28；
13：47.0，28； 14：46.5，28； 15：46.5，28；
16：46.5，28； 17：46.5，28； 18：46.5，28；
19：44.5+2，28。
2.3 卷軸裝。首尾均殘。通卷油污變色，紙變硬。紙厚 0.22 毫米。第 1、9 紙上下邊撕裂，第 2、3、7 紙下邊撕裂，第 2 紙中間斷爲 2 截，第 5、12、14、19 紙上邊殘缺。附 1 殘片，可與第 1 紙第 3 行下部相綴接。有烏絲欄。已修整並綴接。
3.1 首 3 行中下殘→大正 475，14/544C6～10。
3.2 尾行下殘→14/551B26。
7.3 背有雜寫“諸”。
8 8～9 世紀。吐蕃統治時期寫本。
9.1 楷書。
11 圖版：《敦煌寶藏》，64/658A～669B。

1.1 BD00762 號
1.3 大般若波羅蜜多經卷五四二
1.4 月 062
1.5 084：3316
2.1 386.7×26.9 厘米；9 紙；232 行，行 17 字。
2.2 01：45.0，26； 02：46.2，28； 03：46.3，28；
04：46.4，28； 05：46.6，28； 06：46.4，28；
07：46.2，28； 08：46.4，28； 09：17.2，10。
2.3 卷軸裝。首全尾斷。首紙前部殘破、殘缺。卷首正、背面有污漬，似鳥糞。有烏絲欄。已修整。
3.1 首全→大正 220，7/785B6。
3.2 尾殘→7/788B8。
4.1 大般若波羅蜜多經卷第五百冊二/第四分福門品第五之二，三藏法師玄奘奉詔譯/（首）。
7.3 卷首背面有雜寫：“南無十方諸佛”、“南無閦佛”、“南無”等。
8 8～9 世紀。吐蕃統治時期寫本。
9.1 楷書。
11 圖版：《敦煌寶藏》，77/226B～232A。

1.1 BD00763 號
1.3 大般涅槃經（北本）卷三四
1.4 月 063
1.5 116：6565
2.1 443×26 厘米；10 紙；256 行，行 17 字。
2.2 01：48.0，28； 02：48.0，28； 03：48.0，28；
04：48.0，28； 05：48.0，28； 06：48.0，28；
07：48.0，28； 08：48.0，28； 09：48.0，28；

10：11.0，04。
2.3　卷軸裝。首脫尾全。經黄紙。尾有原軸，兩端塗醬色漆，一端軸頭損壞。第9紙上中部殘缺嚴重。卷後部有等距離水漬。有燕尾。有烏絲欄。
3.1　首殘→大正374，12/566A25。
3.2　尾全→12/568A16。
4.2　大般涅槃經卷第卅四（尾）。
8　7～8世紀。唐寫本。
9.1　楷書。
11　圖版：《敦煌寶藏》，100/363A～368B。

1.1　BD00764號
1.3　大般涅槃經（北本）卷四
1.4　月064
1.5　116：6538
2.1　（5+754）×25.5厘米；16紙；418行，行17字。
2.2　01：5+36，23；　02：50.5，28；　03：50.5，28；
04：50.5，28；　05：50.5，28；　06：50.5，28；
07：50.5，28；　08：50.5，28；　09：50.5，28；
10：50.5，28；　11：50.5，28；　12：50.5，28；
13：50.5，28；　14：50.2，28；　15：50.5，28；
16：11.0，03。
2.3　卷軸裝。首殘尾全。尾有原軸，兩端塗醬色漆。首紙横向撕裂。有烏絲欄。已修整。
3.1　首3行中下殘→大正374，12/385B16。
3.2　尾全→12/390B8。
4.2　大般涅槃經卷第四（尾）。
8　7～8世紀。唐寫本。
9.1　楷書。
9.2　有刮改。
11　圖版：《敦煌寶藏》，100/215B～226A。
南本卷四分卷相同。見大正375，12/625B9～630B17。

1.1　BD00765號
1.3　維摩詰所說經卷中
1.4　月065
1.5　070：1154
2.1　（4+119）×26厘米；3紙；66行，行17字。
2.2　01：4+36.5，22；　02：46.0，25；　03：36.5，19。
2.3　卷軸裝。首殘尾斷。第1紙上下邊有撕裂，中間有殘洞；第3紙上邊有撕裂。已修整。
3.1　首2行下殘→大正475，14/546B13～16。
3.2　尾殘→14/547A25。
8　8～9世紀。吐蕃統治時期寫本。
9.1　楷書。
11　圖版：《敦煌寶藏》，65/488A～489B。

1.1　BD00766號
1.3　金光明經卷二
1.4　月066
1.5　081：1391
2.1　93.9×26.3厘米；3紙；56行，行17字。
2.2　01：26.0，15；　02：47.5，28；　03：20.4+1，13。
2.3　卷軸裝。首尾均殘。有烏絲欄。已修整。
3.1　首斷→大正663，16/342C1。
3.2　尾行上下殘→16/343A28。
6.2　尾→BD00661號。
8　7～8世紀。唐寫本。
9.1　楷書。
11　圖版：《敦煌寶藏》，67/321B～322B。

1.1　BD00767號
1.3　妙法蓮華經卷二
1.4　月067
1.5　105：4793
2.1　（1.4+97.6+1.8）×27.7厘米；3紙；59行，行17字。
2.2　01：01.4，01；　02：49.7，29；　03：47.9+1.8，29。
2.3　卷軸裝。首尾均殘。因卷背粘損，第2、3紙上部有數處文字受損。有烏絲欄。
3.1　首行上殘→大正262，9/16A11。
3.2　尾2行上殘→9/16C18～20。
8　9～10世紀。歸義軍時期寫本。
9.1　楷書。
9.2　有行間校加字。
11　圖版：《敦煌寶藏》，86/605A～606A。

1.1　BD00768號
1.3　維摩詰所說經卷下
1.4　月068
1.5　070：1228
2.1　（10+762）×27厘米；16紙；435行，行17字。
2.2　01：10+19.5，15；　02：49.5，28；　03：49.5，28；
04：49.5，28；　05：49.5，28；　06：49.5，28；
07：49.5，28；　08：49.5，28；　09：49.5，28；
10：49.5，28；　11：49.5，28；　12：49.5，28；
13：49.5，28；　14：49.5，28；　15：49.5，28；
16：49.5，28。
2.3　卷軸裝。首殘尾脫。第1至5紙中間有等距離殘洞，似鼠嚙。有烏絲欄，因年久已褪色。已修整。
3.1　首4行中殘→大正475，14/552A17～21。
3.2　尾殘→14/557B17。
8　9～10世紀。歸義軍時期寫本。
9.1　楷書。
9.2　有刮改。

11　圖版：《敦煌寶藏》，66/153B～163A。

1.1　BD00769 號
1.3　四分律戒本疏卷三
1.4　月 069
1.5　169：7059
2.1　（1+85.3+2）×27 厘米；3 紙；65 行，行 27 字。
2.2　01：1+27，21；　02：46.0，34；　03：12.3+2，10。
2.3　卷軸裝。首尾均殘。有烏絲欄。
3.1　首 1 行上下殘→大正 2787，85/607B17～18。
3.2　尾 1 行下殘→85/608C11。
6.1　首→BD00566 號。
6.2　尾→BD00575 號。
8　9 世紀。吐蕃統治時期寫本。
9.1　楷書。
11　圖版：《敦煌寶藏》，104/33B～34B。

1.1　BD00770 號
1.3　妙法蓮華經（八卷本）卷五
1.4　月 070
1.5　105：5493
2.1　（8.5+468.3）×26 厘米；11 紙；273 行，行 17 字。
2.2　01：8.5+25.5，19；　02：47.8，28；　03：47.8，28；
04：47.9，28；　05：47.8，28；　06：47.8，28；
07：47.7，28；　08：47.9，28；　09：47.8，28；
10：47.8，28；　11：12.5，02。
2.3　卷軸裝。首殘尾全。打紙，研光。紙厚 0.05 毫米。首紙油污。有古代裱補。有燕尾。有烏絲欄。已修整。
3.1　首 5 行上下殘→大正 262，9/38A22～28。
3.2　尾全→9/42A28。
4.2　妙法蓮華經卷第五（尾）。
5　與《大正藏》本對照，分卷不同，相當於《大正藏》本卷五安樂行品第十四中部開始至從地踴出品第十五全文。為八卷本。
8　7 世紀。唐寫本。
9.1　楷書。
11　圖版：《敦煌寶藏》，92/545B～552B。
本號品相較好。

1.1　BD00771 號
1.3　金光明最勝王經卷五
1.4　月 071
1.5　083：1715
2.1　（12.5+629.5）×26.5 厘米；15 紙；392 行，行 17 字。
2.2　01：12.5+12.7，16；　02：44.2，28；　03：44.2，28；
04：44.5，28；　05：44.1，28；　06：44.4，28；
07：44.2，28；　08：44.1，28；　09：44.3，28；
10：44.2，28；　11：44.0，28；　12：44.2，28；
13：44.2，28；　14：43.7，28；　15：42.5，12。
2.3　卷軸裝。首殘尾全。卷端碎裂嚴重。有燕尾。有烏絲欄。已修整。
3.1　首 8 行上下殘→大正 665，16/422C9～16。
3.2　尾全→16/427B13。
4.2　金光明最勝王經卷第五（尾）。
5　尾附音義。
8　8～9 世紀。吐蕃統治時期寫本。
9.1　楷書。
11　圖版：《敦煌寶藏》，69/388A～396A。
許國霖《敦煌雜錄》收入本號音義之錄文，見該書第 259 頁。

1.1　BD00772 號
1.3　毗尼心
1.4　月 072
1.5　178：7107
2.1　205.5×27.7 厘米；4 紙；81 行，行 23 字。
2.2　01：51.5，20；　02：51.5，21；　03：51.5，20；
04：51.0，20。
2.3　卷軸裝。首尾均脫。第 1、2 紙，第 2、3 紙接縫上中部脫開，尾端上方撕裂。有折疊欄。已修整。
3.1　首殘→大正 2792，85/661C25。
3.2　尾殘→85/663B13。
5　與《大正藏》本對照，本號有闕文，自大正 2792，85/662A8 "次"字，到 662A17 "說"字。
8　8～9 世紀。吐蕃統治時期寫本。
9.1　楷書。
9.2　有校改。
11　圖版：《敦煌寶藏》，104/183B～185B。

1.1　BD00773 號
1.3　妙法蓮華經卷七
1.4　月 073
1.5　105：5941
2.1　618.8×26 厘米；14 紙；356 行，行 17 字。
2.2　01：30.5，18；　02：47.2，28；　03：47.4，28；
04：47.5，28；　05：47.6，28；　06：47.6，28；
07：47.3，28；　08：47.5，28；　09：47.6，28；
10：47.4，28；　11：47.4，28；　12：47.4，28；
13：47.4，28；　14：19.0，02。
2.3　卷軸裝。首殘尾全。打紙，研光。前 2 紙上邊或下邊有撕裂。第 1 紙背有古代裱補紙。有燕尾。有烏絲欄。已修整。
3.1　首殘→大正 262，9/56C28。
3.2　尾全→9/62B1。
4.2　妙法蓮華經卷第七（尾）。
8　7 世紀。唐寫本。

9.1　楷書。
11　圖版：《敦煌寶藏》，96/87B～95B。

1.1　BD00774 號
1.3　波逸提懺悔法
1.4　月 074
1.5　198：7147
2.1　(30＋135.5)×27.4 厘米；5 紙；71 行，行 23 字。
2.2　01：08.0，護首；　02：22＋18，17；　03：39.5，17；
　　04：39.0，18；　05：39.0，19。
2.3　卷軸裝。首殘尾脫。首紙殘缺嚴重，通卷上下方破損。有折疊界欄。已修整。原卷附有 2 個小殘片。修整時一個與原卷粘接，一個附在卷尾。
3.4　説明：
　　本號首 9 行中下殘，尾殘。未為歷代大藏經所收。
4.1　波逸提懺悔法（首）。
8　9～10 世紀。歸義軍時期寫本。
9.1　楷書。
11　圖版：《敦煌寶藏》，104/312B～314B。

1.1　BD00775 號
1.3　妙法蓮華經卷七
1.4　月 075
1.5　105：6056
2.1　(491.5＋1.5)×25.5 厘米；12 紙；正面 279 行，行 17 字。背面 14 行，行 17 字。
2.2　01：25.0，15；　02：42.5，25；　03：42.5，25；
　　04：40.0，24；　05：43.5，25；　06：46.0，28；
　　07：46.5，28；　08：46.0，28；　09：46.0，28；
　　10：46.0，28；　11：43.5，25；　12：24＋1.5，拖尾。
2.3　卷軸裝。首殘尾全。第 4 紙上邊有撕裂。拖尾係用《大般若波羅蜜多經》卷三八三廢卷接成，有烏絲欄。
2.4　本遺書包括 2 個文獻：（一）《妙法蓮華經》卷第七，279 行，抄寫在正面，今編為 BD00775 號。（二）《大般若波羅蜜多經》卷三八三，14 行，抄寫在背面，今編為 BD00775 號背。
3.1　首殘→大正 262，9/58B9。
3.2　尾全→9/62B1。
4.2　妙法蓮華經卷第七（尾）。
8　7～8 世紀。唐寫本。
9.1　楷書。
11　圖版：《敦煌寶藏》，96/404A～411A。

1.1　BD00775 號背
1.3　大般若波羅蜜多經卷三八三
1.4　月 075
1.5　105：6056
2.4　本遺書由 2 個文獻組成，本號為第 2 個，14 行，抄寫在背面。餘參見 BD00775 號之第 2 項、第 11 項。
3.1　首行殘→大正 220，6/977C18。
3.2　尾殘→6/978A2。
8　8～9 世紀。吐蕃統治時期寫本。
9.1　楷書。

1.1　BD00776 號
1.3　金光明最勝王經卷四
1.4　月 076
1.5　083：1669
2.1　(8＋537.9)×27.5 厘米；13 紙；334 行，行 17 字。
2.2　01：8＋29.7，23；　02：44.7，28；　03：45.3，29；
　　04：45.5，29；　05：45.0，28；　06：45.5，28；
　　07：45.0，28；　08：45.2，28；　09：45.3，29；
　　10：45.7，29；　11：45.0，28；　12：45.0，27；
　　13：11.0，拖尾。
2.3　卷軸裝。首殘尾全。卷首殘破嚴重，第 12 紙撕裂嚴重。有燕尾。有烏絲欄。已修整。
3.1　首 5 行上下殘→大正 665，16/418A27～B2。
3.2　尾全→16/422B21。
4.2　金光明最勝王經卷第四（尾）。
8　8～9 世紀。吐蕃統治時期寫本。
9.1　楷書。
11　背面揭下古代裱補紙 3 塊，為僧人名錄，今編為 BD16492 號。
　　圖版：《敦煌寶藏》，69/201A～207B。

1.1　BD00777 號
1.3　四分律戒本疏卷三
1.4　月 077
1.5　169：7062
2.1　(112.5＋1)×26.8 厘米；3 紙；84 行，行 25 字。
2.2　01：22.0，16；　02：46.0，34；　03：44.5＋1，34。
2.3　卷軸裝。首尾殘。有烏絲欄。
3.1　首殘→大正 2787，85/611C3。
3.2　尾 1 行中下殘→85/613A27。
6.1　首→BD00500 號。
6.2　尾→BD00501 號。
8　8～9 世紀。吐蕃統治時期寫本。
9.1　楷書。
11　圖版：《敦煌寶藏》，104/38A～39A。

1.1　BD00778 號
1.3　金剛般若波羅蜜經
1.4　月 078
1.5　094：3813
2.1　135.1×26.5 厘米；4 紙；84 行，行 18～19 字。

2.2 01：01.3，01； 02：45.2，28； 03：45.5，28；
04：43.1，27。
2.3 卷軸裝。首斷尾脫。唐代寫經紙。有等距離水漬。第 2 紙右上方有斜向撕裂。已修整。有烏絲欄。
3.1 首殘→大正 235，8/749B19。
3.2 尾殘→8/750B21。
8 8～9 世紀。吐蕃統治時期寫本。
9.1 楷書。木筆書寫。
9.2 有硃筆斷句。
11 圖版：《敦煌寶藏》，80/431A～432B。

1.1 BD00779 號
1.3 妙法蓮華經（八卷本）卷五
1.4 月 079
1.5 105：5399
2.1 （11.3+909.8）×27.1 厘米；20 紙；526 行，行 17 字。
2.2 01：11.3+27，22； 02：47.3，28； 03：48.0，28；
04：48.2，28； 05：48.2，28； 06：48.2，28；
07：48.1，28； 08：48.2，28； 09：48.2，28；
10：48.2，28； 11：48.1，28； 12：48.2，28；
13：48.2，28； 14：48.3，28； 15：48.3，28；
16：48.2，28； 17：48.2，28； 18：48.5，28；
19：48.2，28； 20：16，拖尾。
2.3 卷軸裝。首殘尾全。紙泛白，未入潢。第 1 紙上下開裂。第 1 紙背面有裱補。有烏絲欄。已修整。
3.1 首 6 行上下殘→大正 262，9/34B29～C4。
3.2 尾全→9/42A28。
4.2 妙法蓮華經卷第五（尾）。
5 與《大正藏》本對照，分卷不同，相當於提婆達多品第十二前部開始至卷五從地踴出品第十五全文。為八卷本。
8 8～9 世紀。吐蕃統治時期寫本。
9.1 楷書。
11 圖版：《敦煌寶藏》，91/306A～319B。

1.1 BD00780 號
1.3 咒魅經（異本）
1.4 月 080
1.5 290：8266
2.1 （7.5+104.7+9.2）×25.4 厘米；4 紙；70 行，行 17 字。
2.2 01：7.5+13.7，12； 02：47.5，28；
03：43.5+4.2，28； 04：05.0，02。
2.3 卷軸裝。首尾殘。第 1 紙上有縱向撕裂、上邊下邊殘破，第 1、2 紙有縱向破裂及橫向破裂，第 2 紙上邊殘破，第 3 紙有等距殘洞。有烏絲欄。已修整。
3.4 説明：

本號首 4 行上下殘，尾 4 行上殘。所抄為《咒魅經》，內容可參見大正 2882，85/1383B14～1383A11。但文字順序、神名等均有不同。與《七寺》本的差異更大。故作爲異本。
8 7～8 世紀。唐寫本。
9.1 楷書。
11 圖版：《敦煌寶藏》，109/451A～452B。

1.1 BD00781 號
1.3 金光明經卷三
1.4 月 081
1.5 081：1401
2.1 （6+735.1）×26 厘米；16 紙；413 行，行 17 字。
2.2 01：6+24.5，17； 02：49.5，28； 03：49.5，28；
04：49.3，28； 05：49.6，28； 06：49.3，28；
07：49.3，28； 08：49.5，28； 09：49.5，28；
10：49.5，28； 11：49.5，28； 12：49.5，28；
13：49.4，28； 14：49.3，28； 15：49.4，28；
16：18.5，04。
2.3 卷軸裝。首殘尾全。第 1 紙破碎嚴重。下邊有殘破。有烏絲欄。已修整。
3.1 首 3 行上中殘→大正 663，16/346B25～27。
3.2 尾全→16/352B9。
4.2 金光明經卷第三（尾）。
8 8～9 世紀。吐蕃統治時期寫本。
9.1 楷書。
11 圖版：《敦煌寶藏》，67/339A～348B。

1.1 BD00782 號
1.3 佛名經（十六卷本）卷三
1.4 月 082
1.5 063：0618
2.1 （6+89）×31.4 厘米；3 紙；55 行，行 19 字。
2.2 01：02.5，01； 02：3.5+42.5，27； 03：46.5，27。
2.3 卷軸裝。首殘尾脫。第 3 紙下方撕裂。有烏絲欄。已修整。
3.1 首 3 行中下殘→《七寺古逸經典研究叢書》，3/第 120 頁第 57 行～第 61 行。
3.2 尾殘→《七寺古逸經典研究叢書》，3/第 125 頁第 122 行。
5 與七寺本相比，文字略有參差。
8 9～10 世紀。歸義軍時期寫本。
9.1 楷書。
11 圖版：《敦煌寶藏》，60/412B～413A。

1.1 BD00783 號
1.3 金光明最勝王經卷三
1.4 月 083
1.5 083：1628
2.1 （6.5+286）×24.5 厘米；5 紙；180 行，行 17 字。
2.2 01：6.5+57，40； 02：76.8，49； 03：77.0，49；
04：45.2，28； 05：30.0，14。

2.3　卷軸裝。首殘尾全。首紙斷裂，卷尾破碎嚴重。卷面有等距離水漬。有烏絲欄。已修整。
3.1　首4行下殘→大正665，16/415C1～5。
3.2　尾全→16/417C16。
4.2　金光明最勝王經卷第三（尾）。
5　尾附音義。
8　8～9世紀。吐蕃統治時期寫本。
9.1　楷書。
11　圖版：《敦煌寶藏》，69/29B～33A。

1.1　BD00784號
1.3　妙法蓮華經卷二
1.4　月084
1.5　105：4938
2.1　（3＋89.4＋1.3）×27.6厘米；2紙；54行，行16字（偈）。
2.2　01：3＋41.2，25；　02：48.2＋1.3，29。
2.3　卷軸裝。首尾均殘。卷面有火星灼洞及焦痕。有烏絲欄。已修整。
3.1　首行下殘→大正262，9/15A27～28。
3.2　尾行下殘→9/16A11。
8　9～10世紀。歸義軍時期寫本。
9.1　楷書。
11　圖版：《敦煌寶藏》，87/264B～265B。

1.1　BD00785號
1.3　大般若波羅蜜多經卷三四九
1.4　月085
1.5　084：2946
2.1　（2＋534.9）×26.6厘米；12紙；306行，行17字。
2.2　01：2＋22.5，14；　02：47.8，28；　03：47.8，28；
04：47.8，28；　05：47.7，28；　06：47.5，28；
07：47.5，28；　08：47.5，28；　09：47.5，28；
10：47.6，28；　11：47.5，28；　12：36.2，12。
2.3　卷軸裝。首殘尾全。前部有等距離油污。第1、2紙上邊下邊殘破，第3紙下邊殘破，第1、2紙及第7、8紙接縫處上開裂，第8紙上邊燒殘，第10紙下有縱向撕裂。有烏絲欄。已修整。
3.1　首行下殘→大正220，6/793B11。
3.2　尾全→6/796C26。
4.2　大般若波羅蜜多經卷第三百卌九（尾）。
8　8～9世紀。吐蕃統治時期寫本。
9.1　楷書。
11　圖版：《敦煌寶藏》，75/574A～581A。

1.1　BD00786號
1.3　金光明最勝王經卷八
1.4　月086
1.5　083：1882
2.1　499.6×26厘米；11紙；275行，行17字。
2.2　01：48.5，28；　02：48.8，28；　03：48.8，28；
04：49.0，28；　05：47.5，28；　06：48.0，28；
07：48.0，28；　08：47.8，28；　09：47.8，28；
10：47.6，23；　11：17.8，拖尾。
2.3　卷軸裝。首脫尾全。紙變色，有殘洞。第一紙破損嚴重。背有古代裱補。有燕尾。有烏絲欄。已修整。
3.1　首殘→大正665，16/439C13。
3.2　尾全→16/444A9。
4.2　金光明經卷第八（尾）。
5　尾附音義。
8　8～9世紀。吐蕃統治時期寫本。
9.1　楷書。似木筆書寫。
11　圖版：《敦煌寶藏》，70/469A～475A。

1.1　BD00787號
1.3　妙法蓮華經卷一
1.4　月087
1.5　105：4500
2.1　（7＋944.2）×26厘米；19紙；515行，行17字。
2.2　01：7＋30.5，21；　02：50.5，28；　03：50.5，28；
04：50.8，28；　05：50.5，28；　06：50.8，28；
07：50.7，28；　08：50.7，28；　09：51.0，28；
10：51.0，28；　11：51.0，28；　12：51.0，28；
13：51.0，28；　14：51.0，28；　15：50.2，28；
16：50.7，28；　17：51.0，28；　18：50.8，28；
19：50.5，18。
2.3　卷軸裝。首殘尾全。有燕尾。有烏絲欄。已修整。
3.1　首4行上中殘→大正262，9/1C25～28。
3.2　尾全→9/10B21。
4.2　妙法蓮華經卷第一（尾）。
8　7～8世紀。唐寫本。
9.1　楷書。
11　圖版：《敦煌寶藏》，83/431B～446A。

1.1　BD00788號
1.3　妙法蓮華經卷三
1.4　月088
1.5　105：5012
2.1　489.3×26厘米；11紙；336行，行25字。
2.2　01：46.5，33；　02：49.5，34；　03：49.1，35；
04：49.5，35；　05：49.4，35；　06：47.8，34；
07：49.4，35；　08：49.3，35；　09：48.2，34；
10：33.9，24；　11：16.7，02。
2.3　卷軸裝。首脫尾全。尾有原軸，兩端塗黑漆，圓柱軸頭。

第2紙尾部有1處殘損，第5、6紙及第15、16紙接縫處下方開裂。首紙背面有古代裱補紙2塊。有烏絲欄。已修整。
3.1 首殘→大正262，9/19B25。
3.2 尾全→9/27B9。
4.2 妙法蓮華經卷第三（尾）。
8 8世紀。唐寫本。
9.1 楷書。
9.2 有行間校加字。有刮改。
11 圖版：《敦煌寶藏》，88/91A～97B。

1.1 BD00789號
1.3 金光明最勝王經卷三
1.4 月089
1.5 083：1589
2.1 （17.5+568.6）×26厘米；13紙；334行，行17字。
2.2 01：17.5+30.5，27； 02：48.0，28； 03：48.0，28；
04：48.0，28； 05：48.0，28； 06：48.0，28；
07：48.0，28； 08：48.0，28； 09：48.1，28；
10：48.0，28； 11：48.0，28； 12：47.5，27；
13：10.5，拖尾。
2.3 卷軸裝。首殘尾全。卷面殘損，有裂痕。有烏絲欄。已修整。
3.1 首9行下殘→大正665，16/413C9～21。
3.2 尾全→16/417C16。
4.1 金光明最勝王經□…□（首）。
4.2 金光明經卷第三（尾）。
5 尾附音義。
7.1 卷尾有題記“比丘道斌寫”。道斌還曾寫《大般若經》、《維摩經》等。
8 8～9世紀。吐蕃統治時期寫本。
9.1 楷書。
11 圖版：《敦煌寶藏》，68/470A～477A。

1.1 BD00790號
1.3 維摩詰所說經卷上
1.4 月090
1.5 070：0957
2.1 324.5×25.5厘米；7紙；178行，行17字。
2.2 01：19.0，10； 02：51.0，28； 03：51.0，28；
04：50.0，28； 05：51.5，28； 06：51.0，28；
07：51.0，28。
2.3 卷軸裝。首斷尾脫。第1紙殘破，第1、3紙有殘洞。有烏絲欄。已修整。
3.1 首殘→大正475，14/539B24。
3.2 尾殘→14/541C11。
8 7～8世紀。唐寫本。
9.1 楷書。
11 圖版：《敦煌寶藏》，64/159A～163B。

1.1 BD00791號1
1.3 八波羅夷經
1.4 月091
1.5 180：7119
2.1 （21+181+2.5）×28.2厘米；6紙；139行，行30字。
2.2 01：21，14； 02：40.5，28； 03：40.5，28；
04：41，28； 05：40.5，28； 06：18.5+2.5，13。
2.3 卷軸裝。首尾殘。首紙殘破嚴重。有烏絲欄。已修整。
2.4 本遺書包括3個文獻：（一）《八波羅夷經》，75行，今編為BD00791號1。（二）《敕修彌勒禪》，19行，今編為BD00791號2。（三）《三乘五性義》，45行，今編為BD00791號3。
3.4 說明：
八波羅夷是比丘尼必須遵從的八條重戒，違反者開除教團。本文獻逐條解釋八波羅夷的具體內容與結戒因緣。譯者不詳。敦煌遺書存有多號。本文獻未為歷代經錄所著錄，亦未為歷代大藏經所收。參見《敦煌學大辭典》第714頁。
4.2 已上八波羅夷文（尾）。
8 8～9世紀。吐蕃統治時期寫本。
9.1 楷書。
9.2 有行間校加字，有校改，有倒乙，有塗抹及墨筆點去，有圈刪，有刪除號。
11 圖版：《敦煌寶藏》，104/226A～228B。

1.1 BD00791號2
1.3 敕修彌勒禪（擬）
1.4 月091
1.5 180：7119
2.4 本遺書由3個文獻組成，本號為第2個，19行。餘參見BD00791號1之第2項、第11項。
3.1 首全→《戒幢律學》，2/130A15。
3.2 尾全→《戒幢律學》，2/131A11。
8 8～9世紀。吐蕃統治時期寫本。
9.1 楷書。
9.2 有行間校加字，有倒乙，有校改。

1.1 BD00791號3
1.3 三乘五性義（擬）
1.4 月091
1.5 180：7119
2.4 本遺書由3個文獻組成，本號為第3個，45行。餘參見BD00791號1之第2項、第11項。
3.4 說明：
本文獻論述三乘五性及其相互關係。未為歷代大藏經所收。
8 8～9世紀。吐蕃統治時期寫本。
9.1 楷書。

9.2　有行間校加字。有校改。有倒乙。有塗抹及墨筆點去，有圈刪。
11　圖版：《敦煌寶藏》，104/226A~228B。

1.1　BD00792 號
1.3　大方便佛報恩經卷五
1.4　月 092
1.5　394：8528
2.1　255×26.5 厘米；5 紙；150 行，行 17 字。
2.2　01：51.0，30；　02：51.0，30；　03：51.0，30；
　　04：51.0，30；　05：51.0，30。
2.3　卷軸裝。首尾均脫。經黄紙，打紙。尾紙上邊略殘，卷面有殘洞。有烏絲欄。
3.1　首殘→大正 156，3/149B21。
3.2　尾殘→3/151B14。
8　7 世紀。唐寫本。
9.1　楷書。
11　圖版：《敦煌寶藏》，110/514B~518A。

1.1　BD00793 號
1.3　羯磨法鈔（擬）
1.4　月 093
1.5　198：7148
2.1　（4+120+9）×27 厘米；3 紙；正面 85 行，行約 24 字；背面 43 行，約 26 字。
2.2　01：4+44.6，32；　02：49.0，31；　03：26.4+9，22。
2.3　卷軸裝。首尾均殘。第 3 紙有殘洞；第 1 紙右上殘缺，下有縱向撕裂；第 2、3 接縫處下開裂。通卷上邊殘缺，有等距離燒灼缺口。尾紙有一殘洞。第 1 紙有古代裱補，並在裱紙正面補出缺失經文。背有雜寫。
3.4　說明：
　　本文獻據《四分律刪補隨機羯磨》、《四分律刪繁補闕行事鈔》等道宣著作改編而成。但對《四分律刪補隨機羯磨》的小註有刪略，次序亦有變動，並依據特定需要，撮略加抄《四分律刪繁補闕行事鈔》的若干內容。未爲我國歷代大藏經所收。
7.3　背面有雜寫 43 行，詳情如下：
（一）第 1 行至第 6 行：齋文雜寫，錄文如下：
　　□…□今/
　　□…□金石比壽/
　　□…□塵岳□法/
　　□…□明之皎日敷□/
　　□…□惠炬於大千，鼓□掉於/
　　□…□咸歡兵戈到戰於疆場/
（二）第 7 行至 35 行：抄寫《四分律刪補隨機羯磨》，文字相當於《大正藏》第 40 卷第 0500 頁 B 欄 03 行到 C 欄 11 行。
（三）第 36 行：經文雜寫："善男子汝遮雖並無衆生同慶當與汝戒但深上善。"
（四）第 37 行至第 43 行：抄寫《四分律刪繁補闕行事鈔》，文字相當於《大正藏》第 40 卷第 0029 頁 C 欄 06 行到 13 行。
8　9~10 世紀。歸義軍時期寫本。
9.1　楷書。
11　圖版：《敦煌寶藏》，104/315A~318A。

1.1　BD00794 號
1.3　大般若波羅蜜多經卷四四○
1.4　月 094
1.5　084：3134
2.1　（1.8+207.6+8.7）×29.3 厘米；6 紙；133 行，行 17 字。
2.2　01：1.8+33.9，22；　02：43.4，26；　03：44.1，27；
　　04：44.2，27；　05：42+1.8，27；　06：06.9，04。
2.3　卷軸裝。首尾殘。首紙前部有殘洞、撕裂，下邊殘損；第 2、3 紙上方有撕裂或開裂；後 3 紙有等距殘洞，尾紙殘損嚴重。有烏絲欄。已修整。
3.1　首行下殘→大正 220，7/214C23。
3.2　尾 5 行上下殘→7/216B5~10。
8　9~10 世紀。歸義軍時期寫本。
9.1　楷書。
11　圖版：《敦煌寶藏》，76/455B~458A。

1.1　BD00795 號
1.3　大般若波羅蜜多經卷三五五
1.4　月 095
1.5　084：2964
2.1　（8.5+587.9+1.7）×25.9 厘米；14 紙；363 行，行 17 字。
2.2　01：8.5+36.1，26；　02：46.0，28；　03：46.0，28；
　　04：46.0，28；　05：46.0，28；　06：46.0，28；
　　07：46.0，28；　08：46.1，28；　09：46.0，28；
　　10：46.0，28；　11：46.0，28；　12：46.1，28；
　　13：45.6，28；　14：01.7，01。
2.3　卷軸裝。首脫尾殘。上部殘缺嚴重，卷中有等距離殘破；第 1 紙下有橫向破裂；下邊有多處殘缺。有烏絲欄。已修整。
3.1　首 4 行上殘→大正 220，6/825C8~13。
3.2　尾行上下殘→6/829C23~24。
4.1　［大般若波羅蜜］多經卷三百五十五/［初分多問不二品第］六十一之五，三藏法師玄奘奉詔譯/（首）。
8　8~9 世紀。吐蕃統治時期寫本。
9.1　楷書。
9.2　有倒乙。
11　圖版：《敦煌寶藏》，75/644A~651B。

1.1　BD00796 號
1.3　妙法蓮華經卷一
1.4　月 096

1.5　105：4689
2.1　(4.5 + 145.6) ×27 厘米；4 紙；80 行，行 20 字（偈）。
2.2　01：4.5 + 34.7，22；　02：49.3，28；　03：49.4，28；
　　04：12.2，02。
2.3　卷軸裝。首殘尾全。尾有原軸，頭頂端嵌花，下軸頭已脫落丟失，上軸頭完好。首紙上下有撕裂殘損；第 2 紙下有數處撕裂。有烏絲欄。已修整。
3.1　首 2 行上殘→大正 262，9/8C9 ~ 10。
3.2　尾全→9/10B21。
4.2　妙法蓮華經卷第一（尾）。
8　9 ~ 10 世紀。歸義軍時期寫本。
9.1　楷書。
11　圖版：《敦煌寶藏》，85/287A ~ 288B。

1.1　BD00797 號
1.3　妙法蓮華經卷一
1.4　月 097
1.5　105：4594
2.1　(9.6 + 359.4 + 4.1) ×24.8 厘米；9 紙；225 行，行 17 字。
2.2　01：9.6 + 2.1，7；　02：46.2，28；　03：46.6，28；
　　04：46.7，28；　05：46.7，28；　06：46.7，28；
　　07：46.7，28；　08：46.7，28；　09：31 + 4.1，22。
2.3　卷軸裝。首尾均殘。打紙、研光。第 1、2 紙有 3 殘洞，上方有 1 處撕裂；第 5 紙有 1 殘洞。卷面多污漬。有烏絲欄。已修整。
3.1　首 7 行中下殘→大正 262，9/4C24 ~ 5A8。
3.2　尾 3 行上殘→9/8C22 ~ 27。
8　7 ~ 8 世紀。唐寫本。
9.1　楷書。
11　圖版：《敦煌寶藏》，85/26B ~ 31B。

1.1　BD00798 號
1.3　佛名經（十六卷本）卷八
1.4　月 098
1.5　063：0691
2.1　64 ×26.1 厘米；2 紙；35 行，行 17 字。
2.2　01：49.5，29；　02：14.5，06。
2.3　卷軸裝。首脫尾全。首紙上方撕裂，下部殘破有洞，下邊殘缺。已修整。
3.1　首殘→《七寺古逸經典研究叢書》，3/第 424 頁第 579 行。
3.2　尾全→《七寺古逸經典研究叢書》，3/第 427 頁第 614 行。
4.2　佛名經卷第八（尾）。
8　9 ~ 10 世紀。歸義軍時期寫本。
9.1　楷書。
11　圖版：《敦煌寶藏》，61/299A ~ 299B。

1.1　BD00799 號
1.3　觀無量壽佛經
1.4　月 099
1.5　016：0206
2.1　664.3 ×25.1 厘米；14 紙；369 行，行 17 字。
2.2　01：21.0，12；　02：49.3，28；　03：49.5，28；
　　04：49.5，28；　05：49.5，28；　06：49.5，28；
　　07：49.5，28；　08：49.5，28；　09：49.5，28；
　　10：49.5，28；　11：49.5，28；　12：49.5，28；
　　13：49.5，28；　14：49.5，21。
2.3　卷軸裝。首脫尾全。經黄紙，打紙。有燕尾，弧形。有烏絲欄。已修整。
3.1　首殘→大正 365，12/341C15。
3.2　尾全→12/346B21。
4.2　佛說觀無量壽經一卷（尾）。
8　7 ~ 8 世紀。唐寫本。
9.1　楷書。
11　圖版：《敦煌寶藏》，57/165B ~ 175A。

1.1　BD00800 號
1.3　金剛壇廣大清淨陀羅尼經
1.4　月 100
1.5　449：8651
2.1　(4.6 + 48.9 + 3.5) ×26.2 厘米；2 紙；32 行，行 17 字。
2.2　01：4.6 + 26.2，17；　02：22.7 + 3.5，15。
2.3　卷軸裝。首尾均殘。第 1 紙下邊殘破。上部有等距離水漬。有烏絲欄。已修整。
3.1　首 3 行下殘→《敦煌佛教之研究》，第 632 頁第 11 ~ 12 行。
3.2　尾 2 行下殘→《敦煌佛教之研究》，第 633 頁第 6 行。
7.3　卷面上部有墨筆勾畫，似文字。是否粟特文或回鶻文，待考。
8　9 ~ 10 世紀。歸義軍時期寫本。
9.1　楷書。
11　圖版：《敦煌寶藏》，111/89A ~ B。

1.1　BD00801 號
1.3　四分律刪繁補闕行事鈔中卷之上
1.4　盈 001
1.5　166：7012
2.1　(22 + 1818.5) ×30.5 厘米；38 紙；1297 行，行 31 字。
2.2　01：22 + 6，20；　02：50.0，36；　03：50.5，36；
　　04：50.5，36；　05：50.5，36；　06：50.5，35；
　　07：51.0，36；　08：51.0，36；　09：51.0，36；
　　10：50.5，35；　11：51.0，36；　12：50.5，35；
　　13：50.5，36；　14：50.5，36；　15：50.5，36；
　　16：51.0，36；　17：51.0，36；　18：51.0，36；
　　19：50.5，36；　20：50.5，36；　21：50.5，35；
　　22：50.5，35；　23：50.5，36；　24：35.0，24；

25：50.0，35；　26：50.0，35；　27：50.0，36；
28：50.0，36；　29：50.0，36；　30：50.0，36；
31：50.0，36；　32：49.5，35；　33：49.5，35；
34：50.0，36；　35：50.0，36；　36：50.0，36；
37：49.5，36；　38：15.0，02。
2.3　卷軸裝。首殘尾全。卷面有污漬。有烏絲欄。已修整。
3.1　首16行中下殘→大正1804，40/46B25～C27。
3.2　尾全→40/74A24。
4.2　四分律刪繁補闕行事鈔中卷之上（尾）。
8　9世紀。吐蕃統治時期寫本。
9.1　楷書。
9.2　全卷有硃筆點標、科分、校改與校加字。有點去，有白粉塗改，有刮改。有行間補字，並一直寫到下邊。
11　圖版：《敦煌寶藏》，103/419B～441B。

1.1　BD00802號
1.3　金剛般若波羅蜜經
1.4　盈002
1.5　094：4165
2.1　（8+269.5）×27厘米；7紙；151行，行17字。
2.2　01：08.0，04；　02：50.0，28；　03：50.0，28；
04：50.0，28；　05：50.0，28；　06：50.0，28；
07：19.5，07。
2.3　卷軸裝。首殘尾全。經黄紙。尾有原軸，咖啡色軸頭。第1、2紙接縫處開裂，第3紙上邊有殘缺。有烏絲欄。已修整。
3.1　首4行上下殘→大正235，8/750C12～16。
3.2　尾全→8/752C3。
4.2　金剛般若波羅蜜經（尾）
8　7～8世紀。唐寫本。
9.1　楷書。
11　圖版：《敦煌寶藏》，82/286A～289B。

1.1　BD00803號
1.3　金光明最勝王經卷三
1.4　盈003
1.5　083：1587
2.1　587.1×25.5厘米；15紙；334行，行17字。
2.2　01：37.8，22；　02：40.6，24；　03：40.8，24；
04：41.0，24；　05：40.8，24；　06：40.8，24；
07：41.0，24；　08：40.8，24；　09：40.8，24；
10：40.6，24；　11：40.5，24；　12：40.6，24；
13：40.5，24；　14：40.5，23；　15：20.0，01。
2.3　卷軸裝。首殘尾全。首紙變色嚴重。卷面多小孔。有燕尾。有烏絲欄。已修整。
3.1　首3行中上殘→大正665，16/413C9～14。
3.2　尾全→16/417C16。
4.1　［金光］明最勝王經滅業障品第五□…□，三藏法師義淨奉制譯（首）。
4.2　金光明最勝王經卷第三（尾）。
8　8～9世紀。吐蕃統治時期寫本。
9.1　楷書。
11　圖版：《敦煌寶藏》，68/454A～461B。

1.1　BD00804號
1.3　妙法蓮華經（八卷本）卷六
1.4　盈004
1.5　105：5776
2.1　（3.5+84.5+6）×25.5厘米；3紙；54行，行17字。
2.2　01：3.5+15.5，11；　02：48.0，28；　03：21+6，15。
2.3　卷軸裝。首尾均殘。通卷殘破嚴重，有等距離殘洞；下邊殘損，尾上邊殘缺。有烏絲欄。已修整。
3.1　首行下殘→大正262，9/49C1～2。
3.2　尾2行上殘→9/50B21～22。
4.2　［妙法］蓮華經卷第六（尾）。
5　與《大正藏》本對照，分卷不同，相當於“法師功德品”第十九的後部分。屬於八卷本。
8　8世紀。唐寫本。
9.1　楷書。
11　圖版：《敦煌寶藏》，95/2A～3A。

1.1　BD00805號
1.3　妙法蓮華經（八卷本）卷五
1.4　盈005
1.5　105：5495
2.1　296.7×25.7厘米；9紙；231行，行17字。
2.2　01：16.8，10；　02：46.7，28；　03：47.1，28；
04：47.2，28；　05：47.3，28；　06：47.3，28；
07：47.4，28；　08：47.4，28；　09：49.5，25。
2.3　卷軸裝。首殘尾全。尾有原軸，兩端塗有硃漆，下軸頭頂端已損。第1、2紙有3處等距離堅裂。有烏絲欄。
3.1　首殘→大正262，9/38C15。
3.2　尾全→9/42A28。
4.1　妙法蓮華經卷第五（尾）。
5　與《大正藏》本對照，分卷不同，相當於卷五“安樂行品”第十四後半部分至“從地踴出品”第十五全文。屬於八卷本。
8　7～8世紀。唐寫本。
9.1　楷書。
11　圖版：《敦煌寶藏》，92/557B～563A。

1.1　BD00806號
1.3　大般若波羅蜜多經卷一一五
1.4　盈006
1.5　084：2312
2.1　（15.2+727）×25.2厘米；16紙；438行，行17字。

2.2　01：15.2+27，24；　02：47.2，28；　03：47.0，28；
04：47.0，28；　05：47.4，28；　06：47.2，28；
07：47.2，28；　08：47.2，28；　09：47.2，28；
10：47.2，28；　11：47.2，28；　12：47.0，28；
13：46.8，28；　14：44.8，28；　15：45.0，28；
16：44.6，22。
2.3　卷軸裝。首殘尾全。第1紙上邊下邊殘缺，第8、9、10及14紙上邊殘缺，第11、13及15紙上邊殘缺。有燕尾。有烏絲欄。已修整。
3.1　首9行下殘→大正220，5/630C21～631A1。
3.2　尾全→5/635C24。
4.2　大般若波羅蜜多經卷第一百一十五（尾）。
8　8～9世紀。吐蕃統治時期寫本。
9.1　楷書。
11　圖版：《敦煌寶藏》，72/610B～620A。

1.1　BD00807號
1.3　金光明經卷二
1.4　盈007
1.5　081：1378
2.1　（1.5+103.4+1.8）×26.3厘米；3紙；62行，行17字。
2.2　01：1.5+37.8，23；　02：48.5，28；
03：17.1+1.8，11。
2.3　卷軸裝。首尾均殘。有烏絲欄。
3.1　首行上中殘→大正663，16/344A23。
3.2　尾行中下殘→16/345A7。
6.1　首→BD00661號。
6.2　尾→BD00512號。
8　7～8世紀。唐寫本。
9.1　楷書。
11　圖版：《敦煌寶藏》，67/287B～288B。

1.1　BD00808號
1.3　妙法蓮華經卷五
1.4　盈008
1.5　105：5563
2.1　693.6×26.5厘米；17紙；414行，行17字。
2.2　01：43.3，27；　02：43.3，26；　03：43.1，26；
04：43.4，26；　05：43.2，26；　06：43.3，26；
07：43.4，26；　08：43.4，26；　09：43.3，26；
10：43.0，26；　11：42.8，26；　12：43.0，26；
13：42.7，26；　14：43.0，26；　15：42.8，26；
16：40.6，23；　17：06.0，拖尾。
2.3　卷軸裝。首脫尾全。尾有原軸，軸頭兩端塗醬色漆，靠軸中顏色較淺，或為兩次上色。卷上邊有等距離水漬。第1紙有殘洞，下有撕裂。有烏絲欄，甚淺。
3.1　首殘→大正262，9/40A1。
3.2　尾全→9/46B14。
4.2　妙法蓮華經卷第五（尾）。
8　9～10世紀。歸義軍時期寫本。
9.1　楷書。
11　圖版：《敦煌寶藏》，93/57A～67A。

1.1　BD00809號1
1.3　大乘入楞伽經卷一
1.4　盈009
1.5　038：0339
2.1　1626.6×27.5厘米；37紙；1200行，行26～28字或34～36字不等。
2.2　01：24.3，19；　02：48.5，36；　03：49.0，36；
04：49.0，36；　05：49.0，36；　06：49.7，37；
07：50.0，37；　08：50.0，37；　09：50.0，30；
10：50.0，35；　11：50.0，37；　12：50.0，37；
13：50.0，37；　14：49.0，37；　15：45.5，33；
16：30.8，28；　17：49.0，43；　18：47.7，34；
19：49.5，36；　20：47.5，34；　21：49.5，36；
22：50.0，36；　23：50.0，36；　24：50.0，36；
25：50.0，36；　26：49.5，35；　27：29.5，20；
28：41.6，31；　29：41.5，33；　30：41.0，33；
31：41.0，33；　32：41.0，33；　33：41.0，33；
34：41.0，33；　35：40.0，33；　36：12.5，08；
37：19.0，拖尾。
2.3　卷軸裝。首斷尾全。上下邊殘破。有烏絲欄。已修整。
2.4　本遺書包括4個文獻：（一）《大乘入楞伽經》卷一，293行，今編為BD00809號1。（二）《大乘入楞伽經》卷二，321行，今編為BD00809號2。（三）《大乘入楞伽經》卷三，317行，今編為BD00809號3。（四）《大乘入楞伽經》卷四，271行，今編為BD00809號4。
3.1　首行斷→大正672，16/587B10。
3.2　尾全→16/594A29。
4.1　大乘入楞伽經羅婆那王勸請品第一（首）。
4.2　大乘入楞伽經卷第一（尾）。
8　9～10世紀。歸義軍時期寫本。
9.1　楷書。
9.2　有行間校加字。
11　圖版：《敦煌寶藏》，58/150B～170B。

首行文字半殘，內容爲《唐譯大乘入楞伽經御製序》之末行。可見本遺書首部原本抄有《唐譯大乘入楞伽經御製序》。因僅殘剩半行，故不作爲獨立的主題文獻編目。

1.1　BD00809號2
1.3　大乘入楞伽經卷二
1.4　盈009
1.5　038：0339

2.4　本遺書由 4 個文獻組成，本號為第 2 個，321 行。餘參見 BD00809 號 1 之第 2 項、第 11 項。
3.1　首全→大正 672，16/594B2。
3.2　尾全→16/600B14。
4.1　大乘入楞伽經集一切法品第二，二（首）。
4.2　大乘入楞伽經卷第二（尾）。
8　9 ~ 10 世紀。歸義軍時期寫本。
9.1　楷書。
9.2　有行間校加字。
11　圖版：《敦煌寶藏》，58/150B ~ 170B。

1.1　BD00809 號 3
1.3　大乘入楞伽經卷三
1.4　盈 009
1.5　038：0339
2.4　本遺書由 4 個文獻組成，本號為第 3 個，317 行。餘參見 BD00809 號 1 之第 2 項、第 11 項。
3.1　首全→大正 672，16/600B17。
3.2　尾全→16/607B15。
4.1　大乘入楞伽經集一切法品第二之三，三（首）。
4.2　大乘入楞伽經卷第三（尾）。
8　9 ~ 10 世紀。歸義軍時期寫本。
9.1　楷書。
9.2　有行間校加字。有刮改。

1.1　BD00809 號 4
1.3　大乘入楞伽經卷四
1.4　盈 009
1.5　038：0339
2.4　本遺書由 4 個文獻組成，本號為第 4 個，271 行。餘參見 BD00809 號 1 之第 2 項、第 11 項。
3.1　首全→大正 672，16/607B18。
3.2　尾全→16/614C1。
4.1　大乘入［楞］伽經無常品第三之一，卷四，新譯（首）。
4.2　佛說大乘入楞伽經卷第四（尾）。
8　9 ~ 10 世紀。歸義軍時期寫本。
9.1　楷書。
9.2　有行間校加字。有刮改。

1.1　BD00810 號
1.3　異部宗輪論述記略（擬）
1.4　盈 010
1.5　461：8715
2.1　93.5 × 32 厘米；3 紙；50 行，行 28 ~ 30 字。
2.2　01：02.0，01；　02：46.0，25；　03：45.5，24。
2.3　卷軸裝。首尾均殘。第 3 紙上下邊有殘缺。有烏絲欄，上下雙邊。
3.4　說明：
本文獻未爲歷代大藏經所收。
8　8 ~ 9 世紀。吐蕃統治時期寫本。
9.1　楷書。
9.2　有硃筆科分、點標和校改。
11　圖版：《敦煌寶藏》，111/261B ~ 262B。

1.1　BD00811 號 A
1.3　大般若波羅蜜多經卷二一一
1.4　盈 011
1.5　084：2533
2.1　178.2 × 28.1 厘米；4 紙；103 行，行 17 字。
2.2　01：49.0，28；　02：49.1，28；　03：49.1，29；　04：31.0，18。
2.3　卷軸裝。首全尾脫。第 1、2 紙接縫處上開裂。有烏絲欄。
3.1　首全→大正 220，6/53C6。
3.2　尾殘→6/54C22。
4.1　大般若波羅蜜經卷第二百一十一/初分難信解品第卅四之卅，三藏法師玄奘奉詔譯/（首）。
7.3　第 1 紙右上方有勘記 2 行：“已前卅一悳（?）岳（?）經（?）/法也經（?）。”
8　8 ~ 9 世紀。吐蕃統治時期寫本。
9.1　楷書。有武周新字“初”，使用不周遍。“聖”、“地”等字均不用武周新字。
9.2　有刮改。
11　圖版：《敦煌寶藏》，73/658A ~ 660A。

1.1　BD00811 號 B
1.3　大般若波羅蜜多經卷四二七
1.4　盈 011
1.5　084：3109
2.1　49.1 × 29.4 厘米；1 紙；28 行，行 17 字。
2.3　卷軸裝。首尾脫。有烏絲欄。
3.1　首殘→大正 220，7/148A5。
3.2　尾殘→7/148B1。
8　8 ~ 9 世紀。吐蕃統治時期寫本。
9.1　楷書。有武周新字“正”。“地”字不用武周新字。
9.2　有刮改。
11　圖版：《敦煌寶藏》，76/406A ~ B。

1.1　BD00812 號
1.3　妙法蓮華經卷二
1.4　盈 012
1.5　105：4751
2.1　（11 + 833.3）× 26 厘米；18 紙；488 行，行 17 字。
2.2　01：11 + 34.5，26；　02：48.0，28；　03：48.2，28；　04：47.9，28；　05：48.0，28；　06：48.3，28；

07：48.1，28；　08：48.2，28；　09：48.1，28；
10：48.0，28；　11：47.9，28；　12：48.1，28；
13：48.1，28；　14：48.2，28；　15：48.0，28；
16：48.3，28；　17：48.1，28；　18：29.3，14。
2.3　卷軸裝。首殘尾全。紙變色。上下邊多黴點。有烏絲欄。
3.1　首6行下殘→大正262，9/12B10～16。
3.2　尾全→9/19A12。
4.2　妙法蓮華經卷第二（尾）。
8　9～10世紀。歸義軍時期寫本。
9.1　楷書。“愍”字避諱。
11　圖版：《敦煌寶藏》，86/271A～288A。

1.1　BD00813號
1.3　金剛般若波羅蜜經
1.4　盈013
1.5　094：3937
2.1　94.6×25.6厘米；2紙；56行，行17字。
2.2　01：47.3，28；　02：47.3，28。
2.3　卷軸裝。首殘尾脱。有烏絲欄。
3.1　首殘→大正235，8/749C20。
3.2　尾殘→8/750B23。
7.3　首紙第18行餘空處有墨畫小圈四個。
8　8世紀。唐寫本。
9.1　楷書。
11　圖版：《敦煌寶藏》，81/260A～261A。

1.1　BD00814號
1.3　維摩詰所説經卷上
1.4　盈014
1.5　070：0870
2.1　（5.5+772.3）×25厘米；17紙；439行，行17字。
2.2　01：5.5+21，15；　02：47.5，28；　03：48.8，28；
04：48.5，28；　05：48.5，28；　06：49.0，28；
07：48.9，28；　08：48.7，28；　09：48.7，28；
10：48.7，28；　11：48.5，28；　12：48.5，28；
13：48.5，28；　14：48.5，28；　15：48.5，28；
16：48.5，27；　17：23.0，05。
2.3　卷軸裝。首殘尾全。經黄紙。卷面有等距離油污。卷背有污漬，似鳥糞。第1紙有横撕裂，第1、3、5紙上邊有撕裂，第3、4、16、17紙下邊有撕裂，第3紙中間有竪撕裂。背有古代裱補紙3塊。有燕尾。有烏絲欄。已修整。
3.1　首3行中下殘→大正475，14/538C15～18。
3.2　尾全→14/544A19。
4.2　維摩詰經卷第一（尾）。
8　7～8世紀。唐寫本。
9.1　楷書。
9.2　有刮改。
11　圖版：《敦煌寶藏》，63/288B～299A。

1.1　BD00815號
1.3　金光明最勝王經卷四
1.4　盈015
1.5　083：1674
2.1　（1.5+195.1）×25.5厘米；5紙；122行，行17字。
2.2　01：1.5+15，10；　02：44.8，28；　03：45.1，28；
04：45.0，28；　05：45.2，28。
2.3　卷軸裝。首殘尾脱。上部有紅色污痕，似紅紙所染。卷下端殘缺。有烏絲欄。已修整。
3.1　首行下殘→大正655，16/418B10～11。
3.2　尾殘→16/419C24。
8　8～9世紀。吐蕃統治時期寫本。
9.1　楷書。
11　圖版：《敦煌寶藏》，69/225B～228A。

1.1　BD00816號A
1.3　金光明經卷四
1.4　盈016
1.5　081：1414
2.1　47.5×26.3厘米；1紙；28行，行17字。
2.3　卷軸裝。首尾均脱。上邊有等距離殘缺。有等距離水漬。有烏絲欄。
3.1　首殘→大正663，16/353A15。
3.2　尾殘→16/353B15。
8　8～9世紀。吐蕃統治時期寫本。
9.1　楷書。
11　圖版：《敦煌寶藏》，67/435B～436A。

1.1　BD00816號B
1.3　妙法蓮華經卷七
1.4　盈016
1.5　105：6050
2.1　47×27厘米；1紙；28行，行17字。
2.3　卷軸裝。首尾均脱。有烏絲欄。
3.1　首殘→大正262，9/57B28。
3.2　尾殘→9/58A17。
8　8世紀。唐寫本。
9.1　楷書。
11　圖版：《敦煌寶藏》，96/384B～385A。

1.1　BD00817號
1.3　妙法蓮華經卷五
1.4　盈017
1.5　105：5551
2.1　49.2×25.8厘米；1紙；28行，行18～19字。

2.3 卷軸裝。首尾均脱。麻紙，未入潢。有烏絲欄。已修整。
3.1 首殘→大正 262，9/38A22。
3.2 尾殘→9/38C1。
8 7～8 世紀。唐寫本。
9.1 楷書。
11 圖版：《敦煌寶藏》，93/10A～B。

1.1 BD00818 號
1.3 佛名經（十六卷本）卷八
1.4 盈 018
1.5 063：0682
2.1 (9＋200.5)×24.9 厘米；5 紙；122 行，行 16 字。
2.2 01：9＋24，19； 02：48.0，28； 03：48.0，28；
04：48.0，28； 05：32.5，19。
2.3 卷軸裝。首殘尾斷。經黄紙。卷面有斑點。第 1 紙上下部撕裂殘破，第 2 紙下部撕裂，第 3 紙上部撕裂，第 3、4 紙接縫中下部開裂。有烏絲欄。已修整。
3.1 首 5 行中下殘→《七寺古逸經典研究叢書》，3/第 380 頁第 7～11 行。
3.2 尾殘→《七寺古逸經典研究叢書》，3/第 390 頁第 131 行。
8 7～8 世紀。唐寫本。
9.1 楷書。
11 圖版：《敦煌寶藏》，61/233A～235B。

1.1 BD00819 號
1.3 大通方廣懺悔滅罪莊嚴成佛經卷中
1.4 盈 019
1.5 277：8216
2.1 (55.5＋411.3＋1.4)×26.3 厘米；11 紙；291 行，行 17 字。
2.2 01：4.5，02； 02：51.0，32； 03：51.0，32；
04：51.0，32； 05：51.4，32； 06：51.0，32；
07：51.5，31； 08：51.5，32； 09：51.5，32；
10：51.0，32； 11：1.4＋1.4，02。
2.3 卷軸裝。首尾均殘。紙厚 0.07 毫米。第 1、2 紙中下部全部殘損，上邊破碎；第 3、5、、9、10 紙横向撕裂。有古代裱補。有烏絲欄。上邊 4.3 厘米，下邊 4.6 厘米。已修整。
3.1 首 34 行中下殘→《七寺古逸經典研究叢書》，2/第 356 頁第 27～61 行。
3.2 尾殘→大正 2871，85/134619。
3.4 説明：
《大正藏》所收本文獻為殘本，首殘尾全。其首部經文相當於本號的第 163 行。而《七寺古逸經典研究叢書》第二卷所收本文獻與《大正藏》本及本號均為異本，本號尾部的經文，在《七寺古逸經典研究叢書》本中沒有。故首尾對照項分別採用不同的對照本。
6.2 尾→BD00824 號。
8 5～6 世紀。南北朝寫本。
9.1 楷書。
11 圖版：《敦煌寶藏》，104/288A～294B。

1.1 BD00820 號
1.3 妙法蓮華經卷二
1.4 盈 020
1.5 105：4754
2.1 (3.1＋792.4)×25.9 厘米；18 紙；471 行，行 17 字。
2.2 01：3.1＋10.2，8； 02：46.2，28； 03：46.3，28；
04：46.1，28； 05：46.2，28； 06：46.3，28；
07：46.2，28； 08：45.9，28； 09：45.6，28；
10：45.9，28； 11：46.0，28； 12：45.8，28；
13：45.9，28； 14：45.9，28； 15：45.6，28；
16：46.1，28； 17：46.3，28； 18：45.9，15。
2.3 卷軸裝。首殘尾全。經黄紙。第 2 紙前端上方有 1 處撕裂，2、8、9 紙上邊有等距離殘缺，尾紙下部有 1 道横殘。有燕尾。有烏絲欄。已修整。
3.1 首 2 行上下殘→大正 262，9/12C1～3。
3.2 尾全→9/19A12。
4.2 妙法蓮華經卷第二（尾）
8 7～8 世紀。唐寫本。
9.1 楷書。
9.2 有刮改。
11 圖版：《敦煌寶藏》，86/304B～315A。

1.1 BD00821 號
1.3 維摩詰所說經卷上
1.4 盈 021
1.5 070：0977
2.1 (6.5＋407＋4)×25.5 厘米；9 紙；227 行，行 17 字。
2.2 01：6.5＋20，14； 02：49.0，27； 03：50.0，27；
04：50.0，27； 05：49.5，27； 06：49.5，27；
07：50.0，27； 08：49.5，27； 09：39.5＋4，24。
2.3 卷軸裝。首尾均殘。卷面殘損，有裂縫。第 1、2 紙上邊有撕裂，第 1、2 紙和 3、4 紙接縫處上部開裂，第 2、3 紙接縫處下部開裂，第 6 紙上下邊有撕裂，第 8 紙下邊有撕裂，卷尾殘損嚴重。已修整。
3.1 首 3 行上殘→大正 475，14/540B13～15。
3.2 尾 2 行中下殘→14/543A19～20。
7.3 下邊有一處墨筆所書曲綫圖案，係率意所為，無意義。
8 9～10 世紀。歸義軍時期寫本。
9.1 楷書。
11 圖版：《敦煌寶藏》，64/225B～231A。

1.1 BD00822 號
1.3 金光明最勝王經卷五

1.4　盈022
1.5　083：1746
2.1　462.2×27.8厘米；10紙；263行，行17字。
2.2　01：47.3，28；　02：47.0，28；　03：47.1，28；
04：47.1，28；　05：47.2，28；　06：47.0，28；
07：47.0，28；　08：47.0，28；　09：47.0，28；
10：38.5，11。
2.3　卷軸裝。首脱尾全，未入潢。有殘洞。有烏絲欄。
3.1　首殘→大正665，16/424A24。
3.2　尾全→16/427B13。
4.2　金光明最勝王經卷第五（尾）。
8　8～9世紀。吐蕃統治時期寫本。
9.1　楷書。
11　圖版：《敦煌寶藏》，69/571A～576B。

1.1　BD00823號
1.3　金光明最勝王經卷五
1.4　盈023
1.5　083：1712
2.1　（8.3＋649.3）×25.7厘米；15紙；392行，行17字。
2.2　01：8.3＋19.6，17；　02：45.5，28；　03：45.7，28；
04：45.7，28；　05：45.7，28；　06：45.7，28；
07：45.7，28；　08：45.7，28；　09：45.5，28；
10：45.5，28；　11：45.7，28；　12：45.6，28；
13：45.5，28；　14：45.0，28；　15：37.2，11。
2.3　卷軸裝。首殘尾全，卷首右下殘缺一塊。末紙後補，與其他諸紙紙張、字體均不相同。有燕尾。有烏絲欄。已修整。
3.1　首5行下殘→大正665，16/422C8～12。
3.2　尾全→16/427B13。
4.2　金光明經卷第五（尾）
8　8～9世紀。吐蕃統治時期寫本。
9.1　楷書。
11　圖版：《敦煌寶藏》，69/361B～369B。

1.1　BD00824號
1.3　大通方廣懺悔滅罪莊嚴成佛經卷中
1.4　盈024
1.5　277：8217
2.1　318.5×26.6厘米；7紙；196行，行17字。
2.2　01：49.0，30；　02：51.5，32；　03：51.5，32；
04：51.5，33；　05：51.0，33；　06：51.0，33；
07：13.0，03。
2.3　卷軸裝。首殘尾全。尾有原軸，軸頭塗硃漆，圓周3厘米。第3、4紙下方撕裂，第6紙大部撕裂。有烏絲欄。已修整。
3.1　首殘→大正2871，85/1346C20。
3.2　尾全→85/1349A12。
4.2　大通方廣經卷中（尾）。
6.1　首→BD00819號
8　5～6世紀。南北朝寫本。
9.1　楷書。
9.2　有行間校加字。
11　圖版：《敦煌寶藏》，109/295A～299A。

1.1　BD00825號
1.3　金剛般若波羅蜜經
1.4　盈025
1.5　094：4193
2.1　258.5×26厘米；6紙；142行，行17字。
2.2　01：43.0，24；　02：50.0，28；　03：50.0，28；
04：50.0，28；　05：50.0，28；　06：15.5，06。
2.3　卷軸裝。首殘尾全。麻紙。通卷下邊油污變色。第3、4紙下方有豎裂，第3、4、5紙接縫處上部開裂。有燕尾。有烏絲欄。已修整。
3.1　首殘→大正235，8/750C22。
3.2　尾全→8/752C3。
4.2　金剛般若波羅蜜經（尾）。
8　7～8世紀。唐寫本。
9.1　楷書。
9.2　有墨筆校改。
11　圖版：《敦煌寶藏》，82/362A～365B。

新舊編號對照表

一、千字文號與北敦號、縮微膠卷號對照表

千字文號	北敦號	縮微膠卷號
月 060	BD00760 號	070:1205
月 061	BD00761 號	070:1067
月 062	BD00762 號	084:3316
月 063	BD00763 號	116:6565
月 064	BD00764 號	116:6538
月 065	BD00765 號	070:1154
月 066	BD00766 號	081:1391
月 067	BD00767 號	105:4793
月 068	BD00768 號	070:1228
月 069	BD00769 號	169:7059
月 070	BD00770 號	105:5493
月 071	BD00771 號	083:1715
月 072	BD00772 號	178:7107
月 073	BD00773 號	105:5941
月 074	BD00774 號	198:7147
月 075	BD00775 號	105:6056
月 075	BD00775 號背	105:6056
月 076	BD00776 號	083:1669
月 077	BD00777 號	169:7062
月 078	BD00778 號	094:3813
月 079	BD00779 號	105:5399
月 080	BD00780 號	290:8266
月 081	BD00781 號	081:1401
月 082	BD00782 號	063:0618
月 083	BD00783 號	083:1628
月 084	BD00784 號	105:4938
月 085	BD00785 號	084:2946
月 086	BD00786 號	083:1882
月 087	BD00787 號	105:4500
月 088	BD00788 號	105:5012
月 089	BD00789 號	083:1589
月 090	BD00790 號	070:0957
月 091	BD00791 號 1	180:7119
月 091	BD00791 號 2	180:7119
月 091	BD00791 號 3	180:7119
月 092	BD00792 號	394:8528
月 093	BD00793 號	198:7148
月 094	BD00794 號	084:3134
月 095	BD00795 號	084:2964
月 096	BD00796 號	105:4689
月 097	BD00797 號	105:4594
月 098	BD00798 號	063:0691
月 099	BD00799 號	016:0206
月 100	BD00800 號	449:8651
盈 001	BD00801 號	166:7012
盈 002	BD00802 號	094:4165
盈 003	BD00803 號	083:1587
盈 004	BD00804 號	105:5776
盈 005	BD00805 號	105:5495
盈 006	BD00806 號	084:2312
盈 007	BD00807 號	081:1378
盈 008	BD00808 號	105:5563
盈 009	BD00809 號 1	038:0339
盈 009	BD00809 號 2	038:0339
盈 009	BD00809 號 3	038:0339
盈 009	BD00809 號 4	038:0339
盈 010	BD00810 號	461:8715
盈 011	BD00811 號 A	084:2533
盈 011	BD00811 號 B	084:3109
盈 012	BD00812 號	105:4751
盈 013	BD00813 號	094:3937
盈 014	BD00814 號	070:0870
盈 015	BD00815 號	083:1674
盈 016	BD00816 號 A	081:1414
盈 016	BD00816 號 B	105:6050
盈 017	BD00817 號	105:5551
盈 018	BD00818 號	063:0682
盈 019	BD00819 號	277:8216

盈 020	BD00820 號	105:4754	盈 023	BD00823 號	083:1712
盈 021	BD00821 號	070:0977	盈 024	BD00824 號	277:8217
盈 022	BD00822 號	083:1746	盈 025	BD00825 號	094:4193

二、縮微膠卷號與北敦號、千字文號對照表

縮微膠卷號	北敦號	千字文號	縮微膠卷號	北敦號	千字文號
016:0206	BD00799 號	月 099	094:4165	BD00802 號	盈 002
038:0339	BD00809 號 1	盈 009	094:4193	BD00825 號	盈 025
038:0339	BD00809 號 2	盈 009	105:4500	BD00787 號	月 087
038:0339	BD00809 號 3	盈 009	105:4594	BD00797 號	月 097
038:0339	BD00809 號 4	盈 009	105:4689	BD00796 號	月 096
063:0618	BD00782 號	月 082	105:4751	BD00812 號	盈 012
063:0682	BD00818 號	盈 018	105:4754	BD00820 號	盈 020
063:0691	BD00798 號	月 098	105:4793	BD00767 號	月 067
070:0870	BD00814 號	盈 014	105:4938	BD00784 號	月 084
070:0957	BD00790 號	月 090	105:5012	BD00788 號	月 088
070:0977	BD00821 號	盈 021	105:5399	BD00779 號	月 079
070:1067	BD00761 號	月 061	105:5493	BD00770 號	月 070
070:1154	BD00765 號	月 065	105:5495	BD00805 號	盈 005
070:1205	BD00760 號	月 060	105:5551	BD00817 號	盈 017
070:1228	BD00768 號	月 068	105:5563	BD00808 號	盈 008
081:1378	BD00807 號	盈 007	105:5776	BD00804 號	盈 004
081:1391	BD00766 號	月 066	105:5941	BD00773 號	月 073
081:1401	BD00781 號	月 081	105:6050	BD00816 號 B	盈 016
081:1414	BD00816 號 A	盈 016	105:6056	BD00775 號	月 075
083:1587	BD00803 號	盈 003	105:6056	BD00775 號背	月 075
083:1589	BD00789 號	月 089	116:6538	BD00764 號	月 064
083:1628	BD00783 號	月 083	116:6565	BD00763 號	月 063
083:1669	BD00776 號	月 076	166:7012	BD00801 號	盈 001
083:1674	BD00815 號	盈 015	169:7059	BD00769 號	月 069
083:1712	BD00823 號	盈 023	169:7062	BD00777 號	月 077
083:1715	BD00771 號	月 071	178:7107	BD00772 號	月 072
083:1746	BD00822 號	盈 022	180:7119	BD00791 號 1	月 091
083:1882	BD00786 號	月 086	180:7119	BD00791 號 2	月 091
084:2312	BD00806 號	盈 006	180:7119	BD00791 號 3	月 091
084:2533	BD00811 號 A	盈 011	198:7147	BD00774 號	月 074
084:2946	BD00785 號	月 085	198:7148	BD00793 號	月 093
084:2964	BD00795 號	月 095	277:8216	BD00819 號	盈 019
084:3109	BD00811 號 B	盈 011	277:8217	BD00824 號	盈 024
084:3134	BD00794 號	月 094	290:8266	BD00780 號	月 080
084:3316	BD00762 號	月 062	394:8528	BD00792 號	月 092
094:3813	BD00778 號	月 078	449:8651	BD00800 號	月 100
094:3937	BD00813 號	盈 013	461:8715	BD00810 號	盈 010